AF238097

ACCESO GRATIS a la Lectura en la Nube

Para visualizar el libro electrónico en la nube de lectura envíe junto a su nombre y apellidos una fotografía del código de barras situado en la contraportada del libro y otra del ticket de compra a la dirección:

ebooktirant@tirant.com

En un máximo de 72 horas laborales le enviaremos el código de acceso con sus instrucciones.

INTEGRACIÓN EUROPEA Y JUSTICIA PENAL

INTEGRACIÓN EUROPEA Y JUSTICIA PENAL

Directora

Mª Isabel González Cano

Autores

Coral Aranguena Fanego

Mª Dolores Fernández Fustes

Pedro Miguel Freitas

Francisco Salvador Gil García

Mª Isabel González Cano

Pablo Grande Seara

Montserrat de Hoyos Sancho

Elena Martínez García

Elena Núñez Castaño

Esther Pillado González

Mª Isabel Romero Pradas

Raul Sánchez Gómez

John Vervaele

Rafael Zafra Espinosa de los Monteros

GOBIERNO DE ESPAÑA — MINISTERIO DE ECONOMÍA Y COMPETITIVIDAD

UNIÓN EUROPEA
Fondo Europeo de Desarrollo Regional

Una manera de hacer Europa

tirant lo blanch

Valencia, 2018

Proyecto de Investigación de Excelencia (Ministerio de Economía y Competitividad, DER2015-63942-P) "Instrumentos para el reconocimiento mutuo y ejecución de resoluciones penales. Incorporación al Derecho español de los avances en cooperación judicial en la Unión Europea".

© VVAA

© TIRANT LO BLANCH
EDITA: TIRANT LO BLANCH
C/ Artes Gráficas, 14 - 46010 - Valencia
TELFS.: 96/361 00 48 - 50
FAX: 96/369 41 51
Email:tlb@tirant.com
www.tirant.com
Librería virtual: www.tirant.es
DEPÓSITO LEGAL: V-1198-2018
ISBN: 978-84-9190-178-5
IMPRIME: Guada Impresores, S.L.
MAQUETA: Tink Factoría de Color

Si tiene alguna queja o sugerencia, envíenos un mail a: *atencioncliente@tirant.com*. En caso de no ser atendida su sugerencia, por favor, lea en *www.tirant.net/index.php/empresa/politicas-de-empresa* nuestro Procedimiento de quejas.

Responsabilidad Social Corporativa: http://www.tirant.net/Docs/RSCTirant.pdf

Índice

Capítulo III

Algunas dificultades y cuestiones pendientes en la cooperación judicial penal en el ámbito de la Unión Europea relativas a las garantías procesales

MONTSERRAT DE HOYOS SANCHO

Capítulo IV

Protección y reparación de la víctima en la Unión Europea

CORAL ARANGÜENA FANEGO

SEGUNDA PARTE
ESPACIO DE LIBERTAD, SEGURIDAD Y JUSTICIA Y RESPUESTAS FRENTE AL TERRORISMO Y SU GLOBALIZACIÓN

Capítulo V
La bunkerización del Espacio de Libertad, Seguridad y Justicia
RAFAEL ZAFRA ESPINOSA DE LOS MONTEROS

Capítulo VI
¿La asociación organizada terrorista y sus actos anticipativos: un derecho penal y política criminal sin límites?
JOHN VERVAELE

TERCERA PARTE

FISCALÍA EUROPEA Y PROTECCIÓN DE LOS INTERESES FINANCIEROS DE LA UNIÓN EUROPEA

Capítulo VIII

La Fiscalía Europea (naturaleza, atribuciones y principios de actuación)

Raúl Sánchez Gómez

Capítulo IX

El control jurisdiccional de la aplicabilidad de la Carta de Derechos Fundamentales de la Unión Europea en las actividades de investigación desarrolladas por la Fiscalía Europea

Francisco Salvador Gil García

CUARTA PARTE
INSTRUMENTOS PARA LA LUCHA CONTRA LA DELINCUENCIA: ¿SEGURIDAD *VERSUS* GARANTÍAS?

Capítulo X
La prueba penal en Europa, una cuestión compleja. La orden europea de investigación como nuevo instrumento de obtención de pruebas en procesos penales transnacionales y su próxima incorporación al Derecho español

Mª Isabel Romero Pradas

Capítulo XI
La orden europea de investigación
Elena Martínez García

Capítulo XII
Reconocimiento y ejecución en España de una Orden Europea de Investigación
Pablo Grande Seara

Capítulo XIII

Cooperación judicial penal y decomiso ampliado. Algunas reflexiones sobre su incorporación al proceso penal español

Mª Isabel González Cano

Capítulo XIV

Difícil equilibrio entre seguridad y salvaguarda del derecho a la protección de datos personales en la prevención, investigación y represión de delitos en la Unión Europea

Esther Pillado González

Presentación

Mª ISABEL GONZÁLEZ CANO

Catedrática de Derecho Procesal de la Universidad de Sevilla

La obra colectiva que presentamos, se enmarca en el Proyecto de Investigación de Excelencia (Ministerio de Economía y Competitividad, DER2015-63942-P) *"Instrumentos para el reconocimiento mutuo y ejecución de resoluciones penales. Incorporación al Derecho español de los avances en cooperación judicial en la Unión Europea".*

Recogemos en ella, además de otras aportaciones, las ponencias impartidas en el *Seminario Internacional sobre delincuencia transnacional y nuevos retos de la Justicia penal en la Unión Europea,* así como en el *Seminario Internacional sobre nuevos paradigmas de la cooperación judicial penal en la Unión Europea,* celebrados, respectivamente, en septiembre y en noviembre de 2017 en la Facultad de Derecho de la Universidad de Sevilla.

El proceso de integración europea ha evolucionado progresivamente desde un objetivo centrado en un mercado común, a otro, marcadamente más ambicioso, centrado en la garantía de la libertad de los ciudadanos en el marco de la Unión.

Uno de los hitos especialmente relevantes en la consecución de este objetivo es la consolidación de un Espacio Europeo de Libertad, Seguridad y Justicia tras la aprobación del Tratado de Lisboa.

Un objetivo que ha supuesto la creación de un área compartida entre los distintos Estados miembros, un *espacio público común europeo,* que en el ámbito de la Justicia penal trata de alcanzar un alto grado de cooperación policial y judicial, que facilite la seguridad interior y la lucha contra la delincuencia transfronteriza.

Efectivamente, la creación de un Espacio Europeo de Libertad, Seguridad y Justicia ha supuesto la atribución de competencia a la Unión Europea por parte de los Estados miembros, más allá de las materias relativas a la integración económica, y con una finalidad política consecuencia de la supresión de las fronteras físicas en el marco del mercado interior.

El Tratado de Maastricht estableció un Tercer Pilar para la cooperación judicial y los asuntos de interior, institucionalizando la cooperación intergubernamental. El Tratado de Ámsterdam de 1997 remodela este Tercer

Pilar, comunitarizando la cooperación civil que se traslada al Primer Pilar, mientras la cooperación penal intergubernamental reforzada se desarrolla en los trabajos que desembocan en el acervo Schengen. El Tratado de Niza y el Tratado de Lisboa hacen desaparecer la estructura de Pilares, y por tanto la dualidad comunitario-intergubernamental, de manera que todas las materias relativas a libertad, seguridad y justicia quedan comunitarizadas en cuanto a los procesos de decisión, procedimientos normativos y sistemas de control jurisdiccional.

La *comunitarización* de las materias relativas a la cooperación judicial penal, con la superación de la mera cooperación intergubernamental, el principio de reconocimiento mutuo como sustento común de los instrumentos de cooperación, así como el carácter vinculante y el valor de Tratado de la Carta de Derechos Fundamentales de la Unión Europea, son los tres ejes que conforman el sustancial cambio de modelo en orden a la construcción del Espacio Europeo de Justicia Penal.

Superados pues los sistemas del auxilio judicial y del *exequatur* como actos de soberanía de los Estados, y tras los sistemas de cooperación intergubernamental reforzada (acervo Schenguen), la desaparición de los Pilares comunitarios implica así el inicio de la construcción de nuevos paradigmas en la cooperación judicial penal, que a nuestro modo de ver son fundamentalmente dos.

Por una parte, la nueva configuración de la potestad legislativa de la Unión Europea para crear instrumentos normativos de cooperación judicial penal, con el consiguiente sistema de control jurisdiccional ejercido por el Tribunal de Justicia de la Unión Europea. Y, por otra parte, el paso del auxilio judicial al reconocimiento mutuo entre autoridades judiciales, cuyo incial desarrollo se lleva a cabo entre 2002 y 2010.

Posteriormente, los Programas de Estocolmo, de 2010 a 2014 y de 2014 a 2020, han priorizado en este campo cuatro grandes líneas de actuación como son, en primer lugar, la intensificación de la lucha ante nuevas formas delincuenciales, básicamente el terrorismo y la delincuencia organizada; en segundo lugar, el refuerzo de la dimensión exterior de la cooperación judicial penal; en tercer lugar, la fijación de los estándares mínimos de protección de la víctima; y, en cuarto lugar, la homogeneización de las garantías procesales básicas de sospechosos, investigados y acusados en procesos penales.

En la actualidad, las políticas de integración europea en materia de justicia penal responden pues, por un lado, al desarrollo legislativo del principio de reconocimiento mutuo, mediante la aproximación de las legislaciones de los Estados en la lucha contra la delincuencia globalizada; y, por otro, a la armonización de los estándares básicos en materia de garantías procesales, labor necesaria para la propia eficiencia y eficacia de los instrumentos destinados a la persecución, investigación y enjuiciamiento de los delitos, y también para perseverar en la tarea superior de integración europea a través de los derechos fundamentales del justiciable en materia penal.

Estos cambios conllevan la reducción de los ámbitos de soberanía de los Estados miembros, lo cual puede incluso entrar en colisión con los principios y garantías constitucionales de cada Estado, revelándose la importancia del tratamiento de los derechos fundamentales en el Espacio Europeo de Justicia, así como el paso fundamental de un sistema binario a un sistema de integración y protección comunitario.

En paralelo a esta evolución del Espacio Europeo de Justicia Penal y de su principal instrumento, la cooperación judicial penal, en los últimos años se ha incrementado la implantación y proliferación de grupos de delincuencia organizada que, con estructuras y cobertura empresarial que les dotan de una apariencia legal, amplían el ámbito de realización de sus actividades ilícitas (tráfico de armas, tráfico de drogas, trata de seres humanos, terrorismo, corrupción, blanqueo de capitales, etc.) a todo el territorio de la Unión Europea, amparándose en la libre circulación de personas, bienes y mercancías.

El crimen organizado es pues un problema que trasciende las fronteras de los Estados, dejando de ser una preocupación interna para convertirse en un problema global. Ello implica la falta de capacidad de los Estados para enfrentarse de manera individual a estas formas de criminalidad. A ello se une la libertad de circulación de capitales, mercancías y personas, la liberalización de las fronteras que se ha producido en la Unión Europea, que favorece la actuación de las organizaciones criminales en todas sus manifestaciones.

Una lucha eficaz contra estos fenómenos delictivos supranacionales o *globalizados*, supone la unión de los esfuerzos de las instituciones nacionales e internacionales, más concretamente, las de la Unión Europea, así como una intensa colaboración policial y judicial en esta materia, a fin de obtener resultados en la erradicación de estas formas de criminalidad. Para ello, se han evidenciado como instrumentos esenciales la armonización de las legislaciones de los distintos Estados, así como la aproximación de las mismas.

La construcción y consolidación del Espacio Europeo de Justicia Penal, responde en la actualidad a un modelo que prioriza la seguridad y que, además, está muy influenciado por la sociedad digital y por la continua evolución tecnológica.

Los riesgos predecibles de la delincuencia transfronteriza en un espacio único, con libre circulación de personas, bienes y servicios, así como los luctuosos acontecimientos derivados de los fenómenos terroristas, han conducido progresivamente a la introducción de nuevos paradigmas de cooperación judicial penal en cuanto instrumento para la construcción del Espacio Europeo de Libertad, Seguridad y Justicia.

Por una parte, hemos asistido a la descentralización y a la visión supranacional de los fenómenos criminales, y consiguientemente de los modelos y sistemas para su persecución, investigación y enjuiciamiento, con la consolidación pues de una auténtica política criminal de la Unión Europea que supera el ámbito intergubernamental desde la desaparición de los Pilares comunitarios.

Así, la armonización legislativa en materia penal y procesal penal, a través del proceso legislativo ordinario, y que consagran los arts. 82, 83 y 84 del Tratado de Lisboa, se ha llevado a cabo con referencias de política criminal centradas en tipologías delictivas como el terrorismo, la delincuencia organizada y económica, el tráfico de drogas o la delincuencia informática, intentando armonizar primero, y aproximar más tarde, las legislaciones de los Estados miembros en materia de investigación, enjuiciamiento y ejecución de sentencias penales.

En este sentido, no podemos obviar que la cooperación judicial penal se ha comenzado a construir en un entorno de predominio de la prevención y de la seguridad como intereses superiores, lo que no permite el mejor de los escenarios para construir un modelo de justicia penal coherente y respetuoso con las garantías de sospechosos y acusados.

Por otra parte, y directamente relacionado con lo anterior, no puede ocultarse la tensa relación entre, por un lado, la salvaguarda de los derechos fundamentales y el mantenimiento de las tradiciones constitucionales de los Estados Miembros, y, por otra, la necesidad de superar una situación en la que la heterogeneidad de estándares de protección del investigado, sospechoso o encausado, supone un obstáculo para la eficacia y eficiencia de los instrumentos de reconocimiento mutuo. A esta necesidad insoslayable se ha puesto en gran parte remedio a través de la aproximación normativa de los Estados en materia de garantías procesales.

Se hace necesario pues abordar la incorporación de algunos de los instrumentos de cooperación judicial al ordenamiento español. Y ello desde dos perspectivas, siempre presentes en el ámbito de la cooperación judicial penal en la Unión Europea, que son, por un lado, la armonización legislativa de los ordenamientos estatales en orden a la investigación, el enjuiciamiento y la ejecución de resoluciones judiciales; y, por otro, el principio de reconocimiento mutuo en materia penal. Si bien es cierto que entre ambos enfoques hay una tensión permanente, también lo es que entre ellos hay una relación de dependencia casi absoluta. Efectivamente, la armonización o aproximación de legislaciones a fin de favorecer la coordinación normativa, y también administrativa e institucional, entre los Estados miembros, se ha convertido en un elemento imprescindible del reconocimiento mutuo.

PRIMERA PARTE
NUEVOS PARADIGMAS DE LA COOPERACIÓN JUDICIAL PENAL EN LA UNIÓN EUROPEA

Capítulo I

Novos paradigmas na criação do espaço europeu de justiça penal[1]

PEDRO MIGUEL FREITAS
Doutor em Ciências Jurídicas
Professor Universitário na Escola de Direito
Universidade do Minho

SUMARIO: 1. NOTAS INTRODUTÓRIAS. 2. HARMONIZAÇÃO E RECONHECIMEN-TO MÚTUO. 3. O TRATADO DE LISBOA. 4. O ESPAÇO EUROPEU DE JUSTIÇA PE-NAL: PRESENTE E FUTURO. 4.1. A função político-judicial do Tribunal de Justiça da União Europeia. 4.2. Uma política criminal europeia. 5. CONCLUSÃO. BIBLIOGRA-FIA.

1. NOTAS INTRODUTÓRIAS

Pode dizer-se que o espaço europeu de justiça penal é algo que continua em permanente evolução e transfiguração. Em certa medida, o avanço sentido neste domínio deve-se a um fenómeno espacialmente exógeno ao espaço europeu, mas cujas repercussões se sentiram também nesse mesmo espaço. Referimo-nos aos atentados de 11 de Setembro. Como bem assinala Anabela Miranda Rodrigues[2], estes constituíram um significativo fator de aceleração da construção de um espaço penal europeu.

Embora os instrumentos legais adotados pouco depois, ao nível da União Europeia, não se conexionem todos exclusivamente com o terrorismo, a verdade é que este fenómeno constituiu um dos núcleos centrais para que esses desenvolvimentos legislativos acontecessem. A Decisão-Qua-

---

[1] O presente texto corresponde, com algumas alterações, a uma comunicação oral apresentada no Seminário Internacional "Sobre nuevos paradigmas de la cooperación judicial penal en la Unión Europea", na Universidade de Sevilha, em 30 de Novembro de 2017. Por esse motivo, o texto contém apenas o aprofundamento doutrinário absolutamente necessário para suportar as ideias apresentadas pelo Autor.

[2] RODRIGUES, Anabela Miranda, "O mandado de detenção europeu – na vida da construção de um sistema penal europeu: um passo ou um salto", *Revista Portuguesa de Ciência Criminal*, Ano 13, n.º 1, Janeiro-Março 2003, p. 27.

dro do Conselho, de 13 de Junho de 2002, relativa à luta contra o terrorismo[3], é paradigmática da reação da União Europeia ao fenómeno do terrorismo, mas a Decisão do Conselho de 28 de Fevereiro de 2002 relativa à criação da Eurojust a fim de reforçar a luta contra as formas graves de criminalidade e a Decisão-Quadro do Conselho, de 13 de Junho de 2002, relativa ao mandado de detenção europeu e aos processos de entrega entre os Estados-Membros, apesar de, na sua designação, não se referirem expressamente no título ao terrorismo, acabam por ser exemplos igualmente relevantes.

Como se sabe, o Eurojust é uma unidade e órgão da União Europeia cuja criação se deveu à necessidade de promoção da cooperação judiciária entre os Estados-membros. Mais concretamente, o artigo 3.º da Decisão do Conselho, de 28 de Fevereiro de 2002, delimita o raio de atuação da Eurojust à assistência e melhoria da cooperação entre as autoridades competentes dos Estados-Membros quando em causa estejam investigações ou procedimentos penais que impliquem dois ou mais Estados-Membros e seja um dos comportamentos criminosos previstos no artigo seguinte. Ora, em sequência, o artigo 4.º, logo no n.º 1, al. a), diz que a esfera de competência geral da Eurojust abrange, entre outros, os crimes em relação aos quais a Europol tem competência para atuar ao abrigo do artigo 2.º da Convenção Europol, de 26 de Julho de 1995. À cabeça do artigo 2.º da Convenção Europol aparece precisamente a "prevenção e combate ao terrorismo". Também num outro aspecto o terrorismo ganha papel preponderante nesta Decisão do Conselho. Com o artigo 12.º da Decisão é atribuída ao Estado-Membro a faculdade de criar ou designar um ou mais correspondentes nacionais e "essa criação ou designação é altamente prioritária em matéria de terrorismo".

Relativamente à Decisão-Quadro que se ocupa do mandado de detenção europeu, parece-nos evidente o mesmo raciocínio. Se verificarmos a lista de factos criminosos em relação aos quais não se exige o controlo da dupla incriminação do facto para que se proceda à entrega de um indivíduo veremos que o terrorismo assume posição quase cimeira.

É, portanto, evidente que a exigência de prevenção e repressão do terrorismo contribuiu sobremaneira para a aceleração do processo de construção de um espaço europeu de justiça penal e de um direito penal euro-

---

[3] Esta decisão-quadro foi, entretanto, substituída pela Diretiva (UE) 2017/541 do Parlamento Europeu e do Conselho, de 15 de março de 2017, que alterou igualmente a Decisão 2005/671/JAI do Conselho.

peu. Um direito penal que, é certo, já se havia iniciado, pelo menos, com o Tratado de Maastricht[4] e com o Tratado de Amesterdão[5].

2. HARMONIZAÇÃO E RECONHECIMENTO MÚTUO

A construção de um espaço europeu de justiça penal e de um direito penal europeu tem sido realizado essencialmente a reboque de dois mecanismos: harmonização e reconhecimento mútuo.

A propósito do conceito de harmonização, torna-se necessário explicar a razão pela qual colocamos de parte a aproximação enquanto mecanismo autónomo. A harmonização no âmbito do direito da União Europeia em matéria penal refere-se a um "processo de aproximação de vários sistemas jurídicos através de um padrão comum"[6]. Dito de outra forma, perante mais do que um ordenamento jurídico nacional, com a harmonização pretende-se mitigar as suas diferenças normativas, sem as eliminar completamente. Neste último caso estaríamos a falar não de harmonização, mas de uma unificação jurídica[7]. Ora, se harmonizar é aproximar o que é dife-

---

[4]　O Tratado de Maastricht, que entrou em vigor em 1 de novembro de 1993, instituiu a União Europeia, assente em três pilares. O terceiro pilar correspondia à cooperação nos domínios da justiça e dos assuntos internos. Os Estados-Membros, através de um processo intergovernamental, comprometiam-se a cooperar em certos domínios relevantes para a realização dos objetivos da União Europeia. Domínios como a política de asilo, luta contra a imigração, permanência e trabalho irregulares, luta contra o terrorismo, tráfico de estupefacientes, cooperação judiciária em matéria penal, entre outros que o artigo K.1 enunciava. Significava, porém, que as instituições europeias detinham um papel de menor importância e controlo na forma como se desenvolvia este pilar. O Conselho estava dependente dos Estados-Membros ou, em certos domínios, da Comissão para adotar posições, ações comuns e elaborar convenções e, na maioria dos casos, qualquer deliberação tinha de ser tomada por unanimidade. Por seu turno, a Comissão Europeia partilhava com os Estados-Membros o direito de iniciativa, que se limitava aos domínios do artigo K.1, ponto 1 a 6. O Parlamento Europeu devia ser informado e consultado sobre as atividades no âmbito da cooperação em matéria de justiça e assuntos internos. Quanto ao Tribunal de Justiça, este tinha competência para interpretar disposições das convenções se estas previssem essa possibilidade.

[5]　Com o Tratado de Amesterdão, cuja vigência se iniciou em 1 de maio de 1999, a cooperação policial e judiciária em matéria penal ficou intensificada com a consagração de um espaço de liberdade, de segurança e de justiça.

[6]　LIMA, José Farah, *Questões de Direito Penal Europeu à Luz do Tratado de Lisboa*, Rei dos Livros, Lisboa, 2012, p. 51. Na explicitação dos conceitos de harmonização e reconhecimento mútuo, seguiremos de perto a obra do Autor.

[7]　Um caso interessante a considerar a este propósito, que nos merece reflexão sobre se estaremos a caminhar no sentido de uma verdadeira unificação jurídico-sancionatória

rente, não existirá diferença alguma entre harmonização e aproximação. Serão conceitos equivalentes[8].

Para Valsamis Mitsilegas[9], todavia, os dois termos podem ser diferenciados com base num critério de grau. No seu entender, "While both approximation and harmonisation are different from uniformity and from the

---

em certos domínios, é o Regulamento (UE) 2016/679 do Parlamento Europeu e do Conselho, de 27 de abril de 2016, relativo à proteção das pessoas singulares no que diz respeito ao tratamento de dados pessoais e à livre circulação desses dados e que revoga a Diretiva 95/46/CE (Regulamento Geral sobre a Proteção de Dados). A natureza deste ato legislativo é descrita no artigo 288.º do TFUE, segundo o qual o regulamento possui caráter geral, é obrigatório em todos os seus elementos e diretamente aplicável em todos os Estados-Membros, sem necessidade de transposição para a legislação nacional. A particularidade deste regulamento é que embora o seu objeto se centre na protecção das pessoas singulares relativamente ao tratamento de dados pessoais, estabelece um regime sancionatório no caso de incumprimento das obrigações nele descritas. Os artigos 83.º e 84.º do Regulamento apontam dois caminhos sancionatórios com natureza, concretização e efeitos distintos. Começando pelo artigo 84.º, este segue uma via mais tradicional em matéria sancionatória que é de remeter para os Estados-Membros a previsão das "regras relativas às outras sanções aplicáveis em caso de violação do disposto no presente regulamento, nomeadamente às violações que não são sujeitas a coimas nos termos do artigo [83.o], e tomam todas as medidas necessárias para garantir a sua aplicação. As sanções previstas devem ser efetivas, proporcionadas e dissuasivas". Quer isto dizer que na hipótese de sanções penais terá de haver uma atuação do legislador nacional. De resto, o considerando 149 do Regulamento afirma que os "Estados-Membros deverão poder definir as normas relativas às sanções penais aplicáveis por violação do presente regulamento, inclusive por violação das normas nacionais adotadas em conformidade com o presente regulamento, e dentro dos seus limites". O artigo 83.º, mais concretamente o n.º 4, 5 e 6, enveleda por um caminho distinto. Estamos ainda a falar de sanções, mas de uma natureza diferente: coimas (ou, na tradução espanhola, multas administrativas"). Este artigo, para além de estabelecer critérios de determinação da medida da coima aplicada em caso de violação do regulamento, fixa limites máximos, bastante alargados diga-se, da coima a aplicar ao agente. Estes limites são de 10000000€ ou 2% do volume de negócios anual a nível mundial (artigo 83.º, n.º 4) ou 20000000€ ou 4% do volume de negócios anual a nível mundial (artigo 83.º, n.º 5 e 6). A questão que tem sido colocada em Portugal é a saber se, à luz da Constituição da República Portuguesa, será necessária a intervenção do poder legislativo, apesar do efeito direto do Regulamento. No sentido de haver uma necessidade de autorização legislativa, MOUTINHO, José Lobo, "Legislador Português precisa-se. Algumas notas sobre o regime sancionatório no regulamento Geral sobre a Protecção de Dados (Regulamento (EU) 2016/679), *Fórum de Proteção de Dados*, n.º 4, Julho 2017, p. 46.

8   No mesmo sentido, WEYEMBERGH, Anne, *L'harmonisation des législations: condition de l'espace pénal européen et révélateur de ses tensions*, Éditions de l'Université de Bruxelles, Bruxelas, 2004, p. 33 *apud* MITSILEGAS, Valsamis, *EU Criminal Law*, Hart Publishing, Oxford, 2009, p. 72, n. 1.

9   MITSILEGAS, Valsamis, *EU Criminal Law*, Hart Publishing, Oxford, 2009, p. 72, n. 1.

development of a 'one-size-fits-all' criminal law, harmonisation can be seen to imply —along with the approximation of national criminal laws— the creation of common standards aiming at ensuring 'harmony' in the Community/Union system of criminal law"[10]. Resulta deste argumento, se bem percebemos o sentido do mesmo, que a harmonização é um processo mais amplo e abrangente que o de simples aproximação, na medida em que tem como objetivo a criação de *standards* comuns promotores da harmonia do direito penal europeu.

Se assim for, este argumento não procede. Em primeiro lugar, o Autor integra o definido na definição, isto é, e usando uma formulação mais simples, considera que a harmonização é um processo de aproximação normativa que visa assegurar a harmonização ao nível do direito penal europeu. Seguindo a mesma linha de raciocínio, poder-se-ia então dizer que o processo de aproximação nada mais é que um mecanismo que visa a aproximação normativa. Naturalmente que nem a primeira nem a segunda definição são suficientes para que vislumbre um critério suficientemente claro que nos elucide sobre o conteúdo material de cada um dos mecanismos e, consequentemente, quais os seus pontos distintivos.

Em segundo lugar, assumindo que o objetivo do processo de harmonização é o de criar um *standard* comum que garanta harmonia normativa, em que medida é distinto daquele que é apontado à aproximação? A aproximação não visa reduzir as diferenças normativas e, nesse sentido, harmonizar, na medida do possível, ordenamentos jurídicos em determinados domínios?

Entendemos que não foram oferecidos critérios suficientemente densificados para que possa, de forma clara e inequívoca, separar a aproximação da harmonização, como se fossem duas realidades completamente distintas e autónomas.

Seguindo o entendimento de José Farah Lima[11], a harmonização normativa pode ser entendida de dois modos, ou melhor, não existe apenas uma espécie de harmonização: a integração positiva e a integração negativa. A primeira espécie de harmonização processa-se pela harmonização do direito material de determinado setor relevante para os objetivos da União Europeia, limitando, em maior ou menor medida, a discricionariedade dos Estados-Membros para regulamentar essa mesma área. Veja-se, como

---

[10] MITSILEGAS, Valsamis, *EU Criminal Law*, Hart Publishing, Oxford, 2009, p. 72, n. 1.

[11] LIMA, José Farah, *Questões de Direito Penal Europeu à Luz do Tratado de Lisboa*, Rei dos Livros, Lisboa, 2012, p. 60-61.

exemplo, a harmonização normativa em matéria penal. Com a segunda espécie de harmonização a União Europeia, ao invés de tentar diminuir diferenças normativas nos Estados-Membros, interdita ou proíbe que os ordenamentos jurídicos nacionais possam pôr em causa direitos e liberdades essenciais ao funcionamento da União Europeia. Isto acontece nomeadamente para a proteção das liberdades de circulação que, constituindo um pilar fundamental da União Europeia, poderiam ser postas em causa pelos Estados-Membros, *v.g.*, para proteção do mercado financeiro ou laboral interno.

O reconhecimento mútuo, tido como o motor principal da integração europeia em matéria penal[12], é um mecanismo através do qual "os Estados membros reconhecem e executam as normas e decisões judiciais estabelecidas em outro Estado, mesmo que tais decisões sejam distintas daquelas que seriam adotadas naqueles Estados segundo as leis nacionais".

3. O TRATADO DE LISBOA

O Tratado de Lisboa, com data de entrada em vigor de 1 de dezembro de 2009, modificou profundamente o panorama do espaço de liberdade, segurança e justiça. Desde logo, a estrutura de três pilares do Tratado de Maastricht deixou de subsistir e assistiu-se a uma maior eficácia e democracia no processo de adoção de instrumentos legislativos relativos a domínios que antes se encontravam no terceiro pilar. Assim, a tónica intergovernamental desvanece-se e, em regra, adota-se o processo legislativo ordinário previsto no artigo 294.º do TFUE.

A promoção de um espaço de liberdade, segurança e justiça é destacada no artigo 2.º, n.º 2 do TUE, onde também se lê que deverão existir "medidas adequadas em matéria de controlos na fronteira externa, de asilo e imigração, bem como de prevenção da criminalidade e combate a este fenómeno". De entre os objetivos a que a União Europeia se propõe, este é evidentemente um dos de maior relevo, de tal modo que a sua enunciação é feita antes do TUE se referir sequer ao mercado interno, o que só acontece no número seguinte do mesmo artigo.

---

[12] MITSILEGAS, Valsamis, "Mutual recognition, mutual trust and fundamental rights after Lisbon", MITSILEGAS, Valsamis, BERGSTRÖM, Maria, KONSTADINIDES, Theodore (Dir.), *Research Handbook on EU Criminal Law*, Edward Elgar Publishing Limited, Cheltenham, 2016, p. 148.

No TFUE, mais concretamente no título V, designado "O Espaço de Liberdade, Segurança e Justiça"[13], são tratadas matérias como as políticas relativas aos controlos nas fronteiras, ao asilo e à imigração, cooperação judiciária em matéria civil, cooperação judiciária em matéria penal e cooperação policial. Ocupar-nos-emos da cooperação judiciária em matéria penal à luz dos mecanismos da harmonização e do reconhecimento mútuo.

O tom de partida é dado pelo artigo 67.º do TFUE. Por um lado, é assegurado que a "União constitui um espaço de liberdade, segurança e justiça, no respeito dos direitos fundamentais e dos diferentes sistemas e tradições jurídicos dos Estados-Membros" e, por outro, que serão envidados esforços "para garantir um elevado nível de segurança, através de medidas de prevenção da criminalidade, do racismo e da xenofobia e de combate contra estes fenómenos, através de medidas de coordenação e de cooperação entre autoridades policiais e judiciárias e outras autoridades competentes, bem como através do reconhecimento mútuo das decisões judiciais em matéria penal e, se necessário, através da aproximação das legislações penais". Fica patente, em particular neste último segmento, que o reconhecimento mútuo e a aproximação das legislações penais constituem mecanismos para a concretização do espaço de liberdade, segurança e justiça. Uma leitura mais atenta permite retirar uma outra conclusão. É que o recurso à aproximação das legislações penais situa-se num patamar secundário relativamente às demais medidas. Apenas quando necessário a União a ele recorrerá.

O direito penal europeu, à luz do Tratado de Lisboa, assenta basicamente em duas normas: o artigo 82.º do TFUE, que se ocupa da matéria processual, e o artigo 83.º, a propósito do direito substantivo.

O artigo 82.º inicia enfatizando o princípio do reconhecimento mútuo das sentenças judiciais. Este princípio constitui a pedra angular para o desenvolvimento da cooperação judiciária em matéria penal, subalternizando-se a harmonização ou aproximação das ordens jurídicas internas. Esta última surge como instrumento para facilitar o facilitar o reconhecimento mútuo das sentenças e decisões judiciais e a cooperação policial e judiciária nas matérias penais com dimensão transfronteiriça. É com este fito que o Parlamento Europeu e o Conselho podem, por meio de diretivas, estabelecer patamares normativos mínimos quanto à admissibilidade mútua dos meios de prova entre os Estados-Membros, aos direitos individuais em pro-

---

[13]   Constitui domínio de competência partilhada entre a União Europeia e os Estados-Membros (artigo 4.º, n.º 2, al. j) do TFUE.

cesso penal, aos direitos das vítimas da criminalidade e outros elementos específicos do processo penal.

A ideia que havia ficado medianamente expressa no artigo 67.º, de que a aproximação das legislações penais seria usada se necessária, ou seja, instrumentalmente, encontra, no artigo 82.º, n.º 1 e 2, uma concretização. E havendo a necessidade de adoção de regras mínimas, estas têm de ter em conta as diferenças entre as tradições e os sistemas jurídicos dos Estados-Membros.

Este patamar de harmonização normativa não preclude a possibilidade de os Estados-Membros elevarem o *standard* de proteção das pessoas.

Ainda no campo processual, instituiu-se no número 3 do artigo 82.º um "emergency brake"[14]. Introduzido pelo Tratado de Lisboa, o "emergency brake" corresponde à possibilidade de um membro do Conselho desencadear a suspensão do processo legislativo ordinário se, no seu entender, o projeto de diretiva prejudicar aspetos fundamentais do seu sistema de justiça penal. O Estado-Membro solicita que esse projeto seja submetido ao

---

[14] O processo legislativo europeu não é completamente inflexível, atendendo a que em certos domínios, mais sensíveis, os Estados-Membros não estão preparados para se destituírem de uma intervenção ativa. Para promover a integração europeia, o Tratado de Lisboa prevê três tipos de cláusulas: cláusulas-ponte (*passerelle clauses*), cláusulas-travão (*brake clauses*) e cláusulas-acelerador (*accelerator clauses*). As primeiras permitem uma alteração de processos legislativos especiais ou que requerem uma votação por unanimidade para processos legislativos ordinários ou dependentes de votação por maioria qualificada, respetivamente. Para além de uma cláusula-ponte geral prevista no artigo 48.º do TUE aplicável a todas as políticas europeias, existem seis cláusulas-ponte específicas que podem ser encontradas em disposições específicas relativas à política externa e de segurança comum (artigo 31.º do TUE), na cooperação judiciária relativa ao direito da família (artigo 81.º do TFUE), na política social (artigo 153.º do TFUE), no ambiente (artigo 192.º do TFUE), no quadro financeiro plurianual (artigo 312.º do TFUE) e na cooperação reforçada (artigo 333.º do TFUE). Em áreas como a coordenação dos sistemas de segurança social para trabalhadores migrantes (artigo 48.º do TFUE), a cooperação judiciária em matéria penal e o estabelecimento de regras comuns para determinadas infrações penais (artigo 83.º do TFUE) surgem as cláusulas-travão. Estas dão o poder aos Estados-Membros para travarem um processo legislativo ordinário e recorrerem ao Conselho Europeu. Finalmente, as cláusulas-acelerador permitem, de forma simplificada, uma cooperação reforçada e, desse modo, uma integração acelerada, desde que pelo menos 9 Estados-Membros a isso estejam dispostos. Estas cláusulas descobrem-se em domínios como a cooperação judiciária em matéria penal (artigo 82.º do TFUE), o estabelecimento de regras comuns para determinadas infrações penais (artigo 83.º do TFUE), a criação da Procuradoria Europeia (artigo 86.º do TFUE) e a cooperação policial (artigo 87.º do TFUE). Sobre este assunto, cf. WOODS, Lorna, WATSON, Philippa e COSTA, Marios, *Steiner & Woods EU Law*, Oxford University Press, Glasglow, 2017, p. 82-84.

Conselho Europeu, o que provoca a suspensão do processo. No prazo de quatro meses, havendo consenso, o Conselho Europeu remete o projeto ao Conselho e a suspensão termina. Na hipótese de não se chegar a acordo, pode haver uma cooperação reforçada com base no projeto de diretiva em questão se pelo menos nove Estados-Membros assim o pretenderem[15].

Concordamos com a apreciação crítica que Ester Herlin-Karnell faz do "emergency brake"[16]. De um lado, confere algum conforto aos Estados--Membros mais ansiosos quanto à perda de soberania nacional em matéria de direito penal. Esta área jurídica, quer na sua vertente substantiva quer adjetiva, permanece um dos últimos redutos de soberania estatal num mundo cada vez mais interligado e interdependente, não sendo, por essa razão, surpreendente encontrarmos Estados que demonstram maior relutância em abrir mão da configuração particular do seu sistema justiça penal. Afinal de contas, o direito penal é direito constitucional aplicado e, nessa medida, expressão das opções políticas fundamentais nacionais.

O perigo associado ao "emergency-brake", *rectius*, a cooperação judiciária reforçada que daí pode resultar, é o de uma fragmentação do direito penal europeu e, nessa medida, um tratamento jurídico desigual dos cidadãos europeus consoante o Estado-Membro onde se encontrem. Este perigo, porém, pode ser mais aparente do que real. Segundo Ester Herlin--Karnell, "[o]ne gets the impression that the emergency brake in reality, is not supposed to be used in the first place (and preferably not in the second or third place either). Instead, it seems to be as it says on public transport: 'refrain from abuse' (...). So it is easy to make the statement that the possibility of an emergency brake —as constituting a kind of quasi 'opt out' provision— is not the ideal solution as regards future problems; although, certainly, it looks safer"[17].

Quanto ao direito penal substantivo, o artigo 83.º do TFUE estipula que o Parlamento Europeu e o Conselho podem estabelecer regras mínimas relativas à definição das infrações penais e das sanções em domínios de criminalidade particularmente grave, como terrorismo, tráfico de seres humanos e exploração sexual de mulheres e crianças, tráfico de droga e de armas, entre outros. O instrumento legislativo pelo qual se procede a esta

---

[15] Estamos perante uma cláusula-acelerador que surge como resposta a uma cláusula-travão. O mesmo se passa no âmbito da cooperação policial (artigo 87.º do TFUE).

[16] HERLIN-KARNELL, Ester, *The Constitutional Dimension of European Criminal Law*, Hart Publishing, Oxford, 2012, p. 36.

[17] HERLIN-KARNELL, Ester, "Recent Developments in the Area of European Criminal Law", *Maastricht Journal*, vol. 14, n.º 1, 2007, p. 34-35.

harmonização de regras mínimas é a diretiva, o que leva a uma imposição quanto ao resultado a alcançar pelo Estado-Membro, embora se introduza flexibilidade relativamente ao meio e forma de o fazer. Há sem dúvidas uma harmonização neste domínio, mas é de natureza mínima, desde logo quanto ao catálogo de crimes. A razão para isto é dupla. Por um lado, a sensibilidade do tema e os sentimentos nacionalistas que lhe estão associados. A intervenção europeia no direito penal é vista, por alguns, como uma ingerência indesejável, que mina a soberania nacional. Por outro lado, o catálogo de crimes só abrange aqueles que sejam particularmente graves e tenham uma dimensão transfronteiriça. Tem então de ser respeitado um duplo critério: um de natureza quantitativa e outro de natureza territorial, respetivamente.

Um outro aspeto que pode revelar-se um óbice a uma maior aproximação dos direitos penais nacionais tem que ver com o processo legislativo que está na base de modificação do catálogo de crimes (taxativo) que consta no artigo 83.º, n.º 1 do TFUE. O Conselho pode adotar uma decisão que identifique outros domínios de criminalidade que preencham os critérios aludidos, mas tem de deliberar por unanimidade!

Apesar do que ficou dito, e tanto ou quanto contraditoriamente, o artigo 83.º, n.º 2 do TFUE, abre a possibilidade de se recorrer à harmonização em matéria penal sempre que seja indispensável para assegurar a execução eficaz de uma política da União num domínio que tenha sido objeto de medidas de harmonização.

Um dos princípios basilares do direito penal é o da subsidiariedade. Este princípio, constitucionalmente acolhido em Estados de direito democráticos, leva à afirmação de que o direito penal só atua em *ultima ratio*. Apenas quando seja absolutamente indispensável e adequada a intervenção jurídico-penal é que legitimamente e validamente se justificará a limitação de direitos fundamentais que este ramo jurídico implica. Seria farisaico olvidar que para o cumprimento da sua função de tutela de "preservação das *condições fundamentais da mais livre realização possível da personalidade de cada homem na comunidade*"[18], o direito penal não faz uso da limitação de direitos fundamentais. Por essa razão, obedecendo ao princípio constitucionalmente consagrado da proporcionalidade, a intervenção jurídico-penal é um instrumento a usar quando outros se revelem insuficientes ou inadequados. Por isso, se outros meios não penais de atuação societal e

---

[18]   DIAS, Figueiredo, *Direito penal*, Parte Geral, Tomo I, Questões fundamentais, A doutrina geral do crime, Coimbra Editora, Coimbra, 2012, p. 123.

individual forem suficientes ou adequados para se lograr a prevenção e repressão de comportamentos indesejáveis, deverão ser usados em lugar do direito penal.

A ideia de intervenção mínima e fragmentária do direito penal, implicitamente salvaguardada pelo artigo 83.°, n.° 1 do TFUE, é, tanto quanto nos é dado a perceber, posta em crise com o artigo 83.°, n.° 2 do TFUE. Esta norma alarga a competência europeia no domínio penal às situações de políticas da União que hajam sido objeto de harmonização e cuja execução eficaz esteja em causa. A este propósito, Ester Herlin-Karnell levanta as seguintes questões: "what does it mean to refer to the effectiveness of EU law and what does it mean to refer to the effectiveness of criminal law specifically? A further issue is that of legitimacy, how can effectiveness be reconciled with the principle of legality?"[19]. O *punctum crucis* desta problemática está em que o artigo 83.°, n.° 2 do TFUE pode revelar-se uma verdadeira caixa de Pandora que, a pretexto de uma integração europeia mais profunda, poderá testar os limites do futuro direito penal europeu, reequacionando o seu fundamento, legitimidade e função, de uma vez só. As questões levantadas por esta norma são complexas e múltiplas, cuja resposta não se revelará com facilidade.

Devemos perguntar-nos se o caminho do direito penal e, consequentemente, da limitação de direitos fundamentais como a liberdade é o mais adequado para a realização "eficaz" das políticas europeias. A resposta a esta questão desdobra-se em saber se a subsidiariedade do direito sancionatório, em particular o direito penal, se afirma igualmente a um nível europeu e, por outro lado, se o direito penal constitui um instrumento de política social absolutamente eficaz.

Relativamente à primeira questão, o uso da expressão "indispensável" no artigo 83.°, n.° 2 do TFUE, dá alguma paz de espírito a aqueles que, com uma postura mais garantística, veem nesta norma uma carta-branca para a incriminação daqueles comportamentos que obstaculizem políticas europeias. A aproximação legislativa dos Estados-Membros em matéria penal tem de afigurar-se indispensável e, por isso, não deve, a nosso ver, ser usada *prima facie*. No mesmo sentido, a Carta dos Direitos Fundamentais da União Europeia (CDFUE) restringe os casos de limitação de direitos fundamentais. Os dois referenciais das sanções jurídico-penais atualmente

---

[19]   HERLIN-KARNELL, Ester, "EU Competence in Criminal Law after Lisbon", BIONDI, Andrea, EECKHOUT, Piet, RIPLEY, Stefanie, *EU Law After Lisbon*, Oxford University Press, Nova Iorque, p. 339.

mais importantes, a liberdade e o património, que são limitados através das penas de prisão e de multa, respetivamente, são acolhidos enquanto direitos fundamentais nos artigos 6.º e 17.º da CDFUE. O artigo 6.º da CDFUE reconhece a todas as pessoas o direito à liberdade e à segurança, enquanto o segundo dispõe que todas as pessoas têm o direito à propriedade. Mas logo no artigo 52.º da CDFUE se admite a restrição aos direitos e liberdades aí plasmados. Nas palavras do legislador europeu, "Qualquer restrição ao exercício dos direitos e liberdades reconhecidos pela presente Carta deve ser prevista por lei e respeitar o conteúdo essencial desses direitos e liberdades. Na observância do princípio da proporcionalidade, essas restrições só podem ser introduzidas se forem necessárias e corresponderem efectivamente a objectivos de interesse geral reconhecidos pela União, ou à necessidade de protecção dos direitos e liberdades de terceiros". Ora, o princípio da proporcionalidade inscrito no artigo 52.º[20] acaba por ser um reflexo do que pode ser encontrado nas constituições dos Estados-Membros. Para usar um exemplo que nos é mais próximo, o artigo 18.º da Constituição da República Portuguesa, "a lei só pode restringir os direitos, liberdades e garantias nos casos expressamente previstos na Constituição, devendo as restrições limitar-se ao necessário para salvaguardar outros direitos ou interesses constitucionalmente protegidos". Decorre daqui a consagração jurídico-constitucional do princípio da proporcionalidade, que deve ser entendido não apenas como uma proibição do excesso, mas também a imposição da subsidiariedade do uso de instrumentos limitativos de direitos fundamentais.

Em nossa opinião, o artigo 83.º, n.º 2 do TFUE não pode deixar de ter em conta o 52.º da CDFUE e, assim, deverá respeitar o princípio da proporcionalidade que encontra, como vimos, consagração legislativa.

Outro problema umbilicalmente conexionado ao que acabamos de abordar é o da suposta eficácia do direito penal, o que nos relembra a questão da sua finalidade. Como dissemos num outro lugar, "o recurso a sanções jurídico-penais como meio de redução (e eliminação) da criminalidade não se pode dizer, com segurança arrimada empiricamente, que,

---

[20] O âmbito de aplicação do princípio da proporcionalidade no artigo 52.º é distinto daquele que pode ser descortinado no artigo 49.º, n.º 3. Neste último artigo, funciona a proporcionalidade como um critério de equilíbrio entre as penas e a infração, proibindo excessos punitivos injustificáveis em face à gravidade da infração. O princípio da proporcionalidade do artigo 52.º do CDFUE tem uma aplicação mais ampla e é um crivo ao qual o legislador deve obedecer sempre que pondere a restrição dos direitos e liberdades previstos na CDFUE.

até hoje, tenha logrado uma indisputada e incomparável eficácia, nomeadamente se comparada aos restantes meios de controlo social não penais. Se um resultado se pode assestar ao direito penal ao longo da história da sociedade humana esse sim é o de renovada defraudação das expectativas daqueles que encaram a pena como um instrumento de política criminal destinado a mitigar o fenómeno da criminalidade, principalmente se se o encararam como uma panaceia *one size fits all*, pensada, configurada e aplicada sem que se corresponda ao que a situação concreta e, mais importante ainda, o agente e vítima envolvidos no conflito penal demandam, *rectius*, necessitam para se resolverem perante o sucedido"[21].

A pena de prisão, em particular, tem sido posta em causa enquanto resposta político-criminal ao fenómeno da criminalidade, mais concretamente a de pequena ou média gravidade. Para nós, "a pena em si mesma não mais é do que um postemeiro de relativa eficácia, incapaz de isoladamente solucionar, de forma definitiva, comportamentos desviantes e antijurídicos. Em bom rigor, aliás, o nascimento e manutenção de normas jurídico-penais se justifica precisamente pela inevitabilidade do crime ao longo da história do Homem. Usando uma linguagem médica, o crime configura uma doença crónica da humanidade que, embora encontre algum alívio pontual na contínua administração da justiça e das sanções jurídico-penais, vai permanecendo umas vezes mais latente e ignota, outras manifestamente expressiva.

O papel primordial na tarefa de redução da criminalidade deve, a nosso ver, conceder-se a meios de natureza social. Esta ideia, que poderá ser apelidada de teoria dos elementos simétricos, assenta na tese de que o fenómeno do crime engloba um plano dimensional em que sobressaem três elementos —a montante, as causas do crime; no centro, a prática do crime; e, a jusante, a resposta preventiva ou reativa ao crime— e em que da interação do primeiro com o terceiro dos elementos resultará desejavelmente a anulação do elemento intermédio.

Obviamente que, no estado atual da criminologia, deve entender-se que a explicação do crime não pode, à partida, ser encontrada numa relação de linearidade determinista entre o comportamento desviante e determinadas variáveis, nem pode ser homogénea e universal no seu conteúdo independentemente das especificidades do crime concretamente praticado. As componentes explicativas da realização de um crime possuem um ca-

---

[21]   FREITAS, Pedro, *Determinação da medida da pena privativa de liberdade: um olhar crítico a partir do direito anglo-saxónico*, Rei dos Livros, Lisboa, 2016, p. 226 e ss.

rácter probabilístico no qual interagem variáveis de proveniência distinta, *v.g.* orgânica, psicológica ou social, numa combinação propícia. Daí que esta grandeza multifatorial só possa ser contrafacticamente resolvida se, do outro lado, no lado da prevenção/reação, se divise uma estratégia de natureza idêntica"[22].

E concluímos que "[a]lguns dos apontamentos que demos conta só fazem sentido precisamente porque, a montante deles, se situa o aparato estadual penal. Na verdade, há uma certa inevitabilidade de apelo ao direito penal, como há da recorrência dos atos criminosos. Mas esta inevitabilidade, se se quiser continuar a imputar ao direito penal a finalidade preventiva, não se traduz obrigatoriamente na insistência nas penas privativas de liberdade, em particular quando desligadas de esforços reabilitativos. É demais sabido dos efeitos criminógenos associados à pena de prisão. A colocação do agente num contexto caraterizado pela ausência de vínculos sociais e relacionais positivos, desprovendo-o da continuação dos laços familiares e laborais, tem o seu preço, que não é mitigado pela intermitência do contacto direto com familiares nas visitas pessoais no estabelecimento prisional. Ao que se acresce a subsistência de uma cultura intramuros que sujeita o indivíduo a um complexo fenómeno de desconexão com o mundo exterior, seus valores e hierarquias sócio-relacionais e de modelação a um ambiente em que conflui a lógica coerciva da intervenção penal e uma cultura delinquente. O arquétipo do recluso corresponde, a mais das vezes, ao de um indivíduo despersonalizado, que se situa entre a adestração da disciplina formalmente institucionalizada e a procura de um lugar nas estruturas informais de poder. Daí que o direito penal, mesmo que se lhe assestem justificações retributivas, de forma exclusiva ou não, beneficiará de um catálogo mais abrangente de sanções jurídico-penais que assegure mais adequadamente as exigências sentidas em um caso concreto. Mas não basta aplicar sanções alternativas em quantidade tal que sufoquem estatisticamente as medidas privativas da liberdade. Ou a criação de inovadoras sanções sem que esteja subjacente um raciocínio político-criminal cultural e socialmente contextualizado. A escolha da sanção tem de guiar-se e motivar-se pelo que de melhor tem o direito penal a oferecer num determinado contexto para a prossecução das finalidades que lhe são assestadas"[23].

---

[22]   FREITAS, Pedro, *Determinação da medida da pena privativa de liberdade: um olhar crítico a partir do direito anglo-saxónico*, Rei dos Livros, Lisboa, 2016, p. 234 e ss.

[23]   FREITAS, Pedro, *Determinação da medida da pena privativa de liberdade: um olhar crítico a partir do direito anglo-saxónico*, Rei dos Livros, Lisboa, 2016, p. 239 e ss.

Perante os argumentos aduzidos, é patente que a nossa posição é de profunda dúvida acerca da eficácia do direito penal no controlo da criminalidade, nomeadamente quando através deste se limita a liberdade dos cidadãos, pelo menos nos moldes atuais que a pena de prisão assume. Se assim é, o artigo 83.º, n.º 2 do TFUE assenta em dois axiomas de duvidosa sustentabilidade: 1) o direito penal é um instrumento político-criminal absolutamente eficaz; 2) a execução das políticas da União Europeu ganharão maior eficácia com o direito penal.

4. O ESPAÇO EUROPEU DE JUSTIÇA PENAL: PRESENTE E FUTURO

4.1. *A função político-judicial do Tribunal de Justiça da União Europeia*

Uma das características atuais do espaço europeu de justiça penal é a forma como o mesmo é modelado pelo Tribunal de Justiça da União Europeia (TJUE). Sendo a tendência de intensificação.

De facto, ultrapassado o período transitório de cinco anos estabelecido no artigo 10.º, n.º 3, das disposições transitórias relativas aos atos adotados com base nos títulos V e VI do Tratado da União Europeia antes da entrada em vigor do Tratado de Lisboa, assistimos a uma extensão das competências do Tribunal a matérias que anteriormente se situavam no terceiro pilar.

Um exemplo recente do papel interventivo do TJUE em matérias penais (em sentido amplo) encontra-se na apreciação da validade da Diretiva 2006/24/CE do Parlamento Europeu e do Conselho, de 15 de Março de 2006, relativa à conservação de dados gerados ou tratados no contexto da oferta de serviços de comunicações electrónicas publicamente disponíveis ou de redes públicas de comunicações[24].

No rescaldo dos ataques terroristas de Londres e Madrid, a União Europeia avançou com a Diretiva 2006/24/CE que regulava a retenção e dis-

---

[24] Cf. sobre esta matéria, FREITAS, Pedro e SILVEIRA, Alessandra, "Implicações da declaração de invalidade da Diretiva 2006/24 na conservação de dados ("metadados") nos Estados-Membros da UE: uma leitura jusfundamental", *Revista de Direito, Estado e Telecomunicações*, Brasília, v. 9, n. 1, maio de 2017, p. 47-68 e FREITAS, Pedro e SILVEIRA, Alessandra, "The recent jurisprudence of the CJEU on personal data retention: implications for criminal investigation in Portugal", *UNIO*, v. 3, n. 2, julho de 2017, p. 45-56.

ponibilização de dados gerados ou tratados no contexto de comunicações eletrónicas para efeitos de investigação, de deteção e de repressão de crimes graves. Os dados em causa eram conservados pelos fornecedores de serviços[25], independentemente de qualquer pedido prévio de acesso por parte das autoridades policiais ou judiciárias dos Estados-Membros. Por outras palavras, dados como dados de tráfego ou de localização relativos a pessoas singulares ou pessoas coletivas eram obrigatoriamente conservados independentemente de qualquer decisão de uma autoridade judicial. Mais ainda, não era realizada qualquer distinção quanto aos utilizadores cujos dados eram conservados, bastando que usassem serviços de comunicações eletrónicas. O período de conservação deveria situar-se entre os seis meses e os dois anos a contar da data de comunicação. Em suma, a diretiva permitia "a cobertura cartográfica fiel e exaustiva dos comportamentos de uma pessoa abrangidos estritamente pela sua vida privada, ou até um retrato completo e preciso da sua identidade privada"[26].

Estávamos perante um instrumento legislativo europeu indubitavelmente ligado ao espaço europeu de justiça penal na medida em foi apresentado, mais ou menos explicitamente, como uma resposta às necessidades de prevenção e repressão de crimes. Acontece, porém, que "uma obrigação geral de conservação de dados nestes termos permite ingerências individuais graves por via de uma vigilância direcionada mas também ingerências em massa porventura ainda mais preocupantes. Isto é, aquelas que afetam uma parte substancial ou mesmo toda a população relevante de um Estado-Membro, como a identificação de todos os indivíduos que sofrem de distúrbios psicológicos ou de todos os indivíduos que se opõem à política do governo. Basta que se identifique instantaneamente todos os indivíduos que contataram um psicólogo durante o período de conservação dos dados ou todos os indivíduos inscritos em listas de distribuição de mensagens de correio eletrónico que criticam a política do governo[27]"[28].

---

[25]   Apesar da declaração de invalidade da Diretiva, este regime normativo continua em vigor, por exemplo, em Portugal, ao abrigo da Lei n." 32/2008, que procedeu à transposição para a ordem jurídica interna da referida Diretiva.

[26]   Cf. conclusões (Advogado-Geral Cruz Villalón) *Digital Rights Ireland*, de 12 de dezembro de 2013, proc. C-293/12, considerandos 72 a 74.

[27]   Cf. conclusões *Tele2* (Advogado-Geral Henrik Saugmandsgaard Øe), de 19 de julho de 2016, processos apensos C-203/15 e C-698/15, considerandos 252 a 258.

[28]   FREITAS, Pedro e SILVEIRA, Alessandra, "Implicações da declaração de invalidade da Diretiva 2006/24 na conservação de dados ("metadados") nos Estados-Membros da UE: uma leitura jusfundamental", *Revista de Direito, Estado e Telecomunicações*, Brasília, v. 9, n. 1, maio de 2017, p. 49-50.

No Acórdão *Digital Rights Ireland*, de 8 de abril de 2014, processos apensos C-293/12 e C-594/12, o TJUE foi chamado a apreciar a validade da Diretiva à luz dos artigos 7.º (proteção da vida privada) e 8.º (proteção de dados pessoais) da CDFUE, tendo-a declarado inválida *ex tunc*. As repercussões ainda não se fizeram sentir totalmente nas ordens jurídicas nacionais, mas constituiu um inegável marco na tutela de direitos fundamentais no espaço da União Europeia, mostrando o papel interventivo que o TJUE pode assumir na interpretação e apreciação de instrumentos legislativos em matéria penal que possam constituir ingerências injustificadas nos direitos fundamentais dos cidadãos da União Europeia. É certo que o acórdão *Digital Rights Ireland* não excluiu completamente a compatibilidade da retenção de dados com os direitos fundamentais, porque embora a conservação dos dados imposta pela Diretiva 2006/24 constituísse uma ingerência particularmente grave na vida privada dos cidadãos e colocava em causa a protecção de dados pessoais, não era ainda assim suscetível de afetar o conteúdo essencial de tais direitos. O que punha em causa, isso sim, era o princípio da proporcionalidade. Ou seja, a legalização de uma vigilância em massa dos cidadãos europeus através da retenção de metadados não seria em si mesma castradora do núcleo essencial dos direitos fundamentais acima referidos, mas era desproporcionada em função dos objetivos delineados.

Na sequência da declaração da invalidade da Diretiva 2006/2, e perante a complexidade da compreensão dos seus efeitos para com as ordens jurídicas nacionais, dois tribunais, um sueco e um britânico, remeteram questões prejudiciais ao TJUE a fim de saber se os regimes jurídicos nacionais que estabeleciam uma obrigação geral de conservação de dados a prestadores de serviços de comunicações eletrónicas acessíveis ao público seriam compatíveis com o direito da União Europeia[29]. Concretizando. O TJUE deveria, de um lado, explicitar as consequências da declaração de invalidade da Diretiva 2006/24 decorrente do acórdão *Digital Rights Ireland* e, de outro, se as autoridades nacionais poderiam impor uma obrigação geral de conservação de dados à luz do artigo 15.º, n.º 1, da Diretiva 2002/58[30], re-

---

[29] Cf. Acórdão Tele2, de 21 de dezembro de 2016, processos apensos C-203/15 e C-698/15.

[30] A Directiva 2002/58/CE do Parlamento Europeu e do Conselho, de 12 de Julho de 2002, relativa ao tratamento de dados pessoais e à protecção da privacidade no sector das comunicações electrónicas estabelece no artigo 15.º, n.º 1 os "Estados-Membros podem adoptar medidas legislativas para restringir o âmbito dos direitos e obrigações previstos nos artigos 5.o e 6.o [confidencialidade das comunicações], nos n.os 1 a 4 do artigo 8.o [apresentação e restrição da identificação da linha chamadora e da linha

lativa ao tratamento de dados pessoais e à proteção da privacidade no setor das comunicações eletrónicas, e dos artigos 7.º, 8.º e 52.º, n.º 1, da CDFUE.

Uma vez mais o TJUE manteve a opinião segundo a qual é inadmissível uma vigilância em massa, embora tenha sustentando agora que o que estaria em causa seria o princípio da proporcionalidade em sentido estrito, levando-o a admitir que a "CDFUE se opõe a uma normativa nacional que estabeleça, com a finalidade de lutar contra a delinquência, a conservação generalizada e indiferenciada de todos os dados de tráfego e de localização de todos os utilizadores registados relativamente a todos os meios de comunicação eletrónica"[31] e que "a conservação dos dados de tráfego e localização poderia influir no uso dos meios de comunicação eletrónica e, por conseguinte, no exercício da liberdade de expressão por parte dos utilizadores de tais meios, garantida pelo artigo 11.o da CDFUE"[32].

O TJUE acabou por concluir que a Diretiva 2002/58 não se opõe à adoção de medidas de conservação seletiva de metadados para os efeitos da luta contra infrações graves, sempre que a conservação esteja limitada ao estritamente necessário quanto i) às categorias de dados a conservar-se, ii) aos meios de comunicação a que se referem, iii) às pessoas afetadas, iv) ao período de conservação previsto.

O que podemos concluir dos acórdãos *Digital Rights Ireland* e *Tele2*? O papel do TJUE na construção do espaço europeu de justiça penal é abso-

---

conectada] e no artigo 9.o [dados de localização para além dos dados de tráfego] da presente directiva sempre que essas restrições constituam uma medida necessária, adequada e proporcionada numa sociedade democrática para salvaguardar a segurança nacional (ou seja, a segurança do Estado), a defesa, a segurança pública, e a prevenção, a investigação, a detecção e a repressão de infracções penais ou a utilização não autorizada do sistema de comunicações electrónicas, tal como referido no n.o 1 do artigo 13.o da Directiva 95/46/CE. Para o efeito, os Estados-Membros podem designadamente adoptar medidas legislativas prevendo que os dados sejam conservados durante um período limitado, pelas razões enunciadas no presente número. Todas as medidas referidas no presente número deverão ser conformes com os princípios gerais do direito comunitário, incluindo os mencionados nos n.os 1 e 2 do artigo 6.o do Tratado da União Europeia".

[31]   FREITAS, Pedro e SILVEIRA, Alessandra, "Implicações da declaração de invalidade da Diretiva 2006/24 na conservação de dados ("metadados") nos Estados-Membros da UE: uma leitura jusfundamental", *Revista de Direito, Estado e Telecomunicações*, Brasília, v. 9, n. 1, maio de 2017, p. 65.

[32]   FREITAS, Pedro e SILVEIRA, Alessandra, "Implicações da declaração de invalidade da Diretiva 2006/24 na conservação de dados ("metadados") nos Estados-Membros da UE: uma leitura jusfundamental", *Revista de Direito, Estado e Telecomunicações*, Brasília, v. 9, n. 1, maio de 2017, p. 66.

lutamente vital. A sua atuação não é de "simples" interpretação dos atos legislativos emanados por outros órgãos da União Europeia. Constitui um ator de importância primordial no caminho que o direito penal em sentido amplo e o espaço europeu de justiça penal devem seguir, sobretudo quando é chamado a confrontar atos legislativos europeus com a CDFUE.

Assume as vestes de verdadeiro legislador[33]. O poder judicial europeu, mas também o nacional, não mais deve ser perspetivado como a "boca que pronuncia as palavras da lei", como se fossem simples máquinas limitadas perante o texto literal da lei. Esta conceção, cujo étimo se encontra na Revolução Francesa e na obra de Montesquieu, circunscrevia o papel do julgador ao de um técnico do direito que declarava o direito. Atualmente, mesmo no direito continental, não faz sentido continuar-se obstinadamente a advogar a clássica separação de poderes e a natureza nula e invisível do poder judicial.

O papel e poder político-legislativo do Judiciário deve ser encarado numa dupla dimensão: negativa e positiva. O juiz europeu funciona como um legislador negativo porque elimina do acervo europeu os atos legislativos que ponham em crise direitos fundamentais consagrados na CDFUE ou que simplesmente não cumpram os princípios norteadores da articulação de competências entre a União Europeia e os Estados-Membros. Mas é igualmente um legislador positivo quando, por exemplo, em reenvios prejudiciais, se pronuncia num sentido interpretativo e criador do direito europeu, delineando o futuro do direito da União Europeia e, consequentemente, as grandes políticas europeias. O TJUE não se limita, como é consabido, a um papel residual, subalternizado diante dos restantes órgãos europeus. Pelo contrário. Em bom rigor, os avanços e recuos no processo de integração europeia, em toda a sua multidimensionalidade, muito devem à participação ativa do TJUE na construção do espaço europeu em que vivemos. É, por esse motivo, um poder político funcionalmente diferenciado, que, com o Tratado de Lisboa, viu incrementadas as suas competências, designadamente no campo do direito penal europeu.

Assim perspetivado, o TJUE participa e conforma a política europeia. No direito nacional, esta nova conceção do poder judicial enquanto poder político ocasionou fenómenos como o do ativismo judicial, podendo igualmente dizer-se que "a crise dos Tribunais que hoje se vive um pouco por todo o lado mais não é do que o reflexo do esgotamento do paradigma

---

[33] Imprescindível a leitura de BRITO, Wladimir, *Teoria Geral do Processo*, s/e., Braga, 2012, p. 31 e ss., embora o Autor se dedique ao poder judicial nacional.

lockeano e montesquiano do Poder Judicial e da sua articulação com os demais poderes no quadro da teoria da separação dos poderes e do modo como, no quadro dessa separação, se concebia, e se continua a conceber, o Poder Judicial"[34].

Também ao nível europeu esta interação entre a política e justiça vai, cada vez mais, intensificar-se. Certamente que a negação de uma função judicial exclusivamente declaratória levará ao surgimento de crises e tensões que irão testar a resistência dos alicerces de cada órgão institucional europeu e a própria noção de União Europeia. A emergência de fenómenos criminosos organizados, transnacionais, complexos e especialmente graves foram e serão, a nosso ver, terreno fértil para uma ampla discussão política, jurídica e social quanto ao alcance material das respostas legislativas europeias. E aqui o TJUE não pode destituir-se da função primordial de tutela dos direitos fundamentais nomeadamente perante eventuais pulsões populistas que queiram instrumentalizar o direito penal para servir propósitos que não lhe devem ser assestados no contexto de uma ordem jurídica democrática como aquela em que vivemos e desejamos continuar a viver.

4.2. *Uma política criminal europeia*

Uma das críticas mais pungentes na UE, mesmo após o Tratado de Amesterdão, é de que falta uma política criminal europeia[35]. Definida por Liszt como o "conjunto sistemático dos princípios fundados na investigação científica das causas do crime e dos efeitos da pena, segundo os quais o Estado deve levar a cabo a luta contra o crime por meio da pena e das instituições com esta relacionadas"[36], a política criminal ocupa atualmente lugar cimeiro na chamada ciência conjunta do direito penal. Na realidade, "na questão controversíssima do estatuto e hierarquia que cada uma das ciências criminais —dogmática jurídico-penal, política criminal e criminologia— ocupa na ciência conjunta do direito penal, deve adotar-se a posição de que a dogmática não mais é, parafraseando Franz von Liszt, "barreira intransponível da política criminal". De "mera *ancilla* da dogmática" a um estatuto de transcendência e domínio na ciência conjunta do direito

---

[34]   BRITO, Wladimir, *Teoria Geral do Processo*, s/e., Braga, 2012, p. 36.
[35]   RODRIGUES, Anabela Miranda, "O mandado de detenção europeu – na vida da construção de um sistema penal europeu: um passo ou um salto", *Revista Portuguesa de Ciência Criminal*, Ano 13, n.º 1, Janeiro-Março 2003, p. 29.
[36]   *Apud* DIAS, Figueiredo, *Direito penal, Parte Geral, Tomo I, Questões fundamentais, A doutrina geral do crime*, Coimbra Editora, Coimbra, 2012, p. 20.

penal, as proposições da política criminal conheceram enorme evolução metodológica. Aliás, no modo atual de ver as coisas, detêm elas a tarefa de fornecer o padrão crítico a partir do qual se cunham e determinam, numa ótica de unidade cooperativa ou funcional, as categorias e conceitos estruturais da dogmática, tanto numa perspetiva de *iure constituendo* como —sobretudo— de *iure constituto*"[37]. Não se pode conceber um espaço de justiça penal apenas com os contributos do direito penal em sentido amplo. "Seria assim se a política criminal —com a função própria que tem de estabelecer o rumo, criminologicamente sustentado, da luta contra o crime, a ser concretizado pela dogmática— permanecesse asséptica e subsidiariamente contribuinte da dogmática, num claro aportamento do ideário positivista formal de Liszt. Mas já não se, apelando a um conceito de Estado de Justiça ou Estado de Direito material contemporâneo, se erigir a justiça material concreta a vetor prioritário, ainda que se mantenha intacto o princípio da legalidade"[38].

O próximo grande avanço no desenvolvimento do espaço europeu de justiça penal far-se-á sentir precisamente na edificação de uma política criminal europeia coerente e integrada que norteie as iniciativas legislativas no domínio penal. O espaço europeu de justiça penal tem de ser resultado de uma política racional e coerente, que sirva de baluarte contra intervenções jurídico-penais excessivas e desnecessárias. Sem dúvida que a falta de uma política criminal europeia carrega o risco de termos um sistema penal que não escolhemos consciente e deliberadamente[39]. O que, para alguns Autores, tem levado a um espaço europeu de justiça penal de carácter prioritariamente repressivo, que faz "primar o objectivo da segurança sobre o da liberdade"[40].

Para José Farah Lima, existem alguns vetores político-criminais europeus merecedores de destaque.

---

[37] FREITAS, Pedro, *Determinação da medida da pena privativa de liberdade: um olhar crítico a partir do direito anglo-saxónico*, Rei dos Livros, Lisboa, 2016, p. 5.

[38] FREITAS, Pedro, *Determinação da medida da pena privativa de liberdade: um olhar crítico a partir do direito anglo-saxónico*, Rei dos Livros, Lisboa, 2016, p. 5-6.

[39] RODRIGUES, Anabela Miranda, "O mandado de detenção europeu – na vida da construção de um sistema penal europeu: um passo ou um salto", *Revista Portuguesa de Ciência Criminal*, Ano 13, n.º 1, Janeiro-Março 2003, p. 30.

[40] RODRIGUES, Anabela Miranda, "O mandado de detenção europeu – na vida da construção de um sistema penal europeu: um passo ou um salto", *Revista Portuguesa de Ciência Criminal*, Ano 13, n.º 1, Janeiro-Março 2003, p. 31. No mesmo sentido, LIMA, José Farah, *Questões de Direito Penal Europeu à Luz do Tratado de Lisboa*, Rei dos Livros, Lisboa, 2012.

Em primeiro lugar, "uma tendência a priorizar a *repressão* no lugar da garantia de direitos fundamentais. Na União Européia, a função 'espada' do direito penal é mais forte do que a função 'escudo' deste ramo de direito"[41]. A Decisão-quadro do Conselho, de 13 de Junho de 2002, relativa ao mandado de detenção europeu e aos processos de entrega entre os Estados-Membros, será um exemplo desta tendência.

Em segundo lugar, surgirá para este Autor a preocupação relativa à proteção de bens jurídicos económico-financeiros da União Europeia que ponham em causa dimensões europeias relevantes como o mercado comum interno e a moeda europeia, entre outros.

Em terceiro lugar, a União Europeia tem recorrido à incriminação de comportamentos como medida de reforço de políticas europeias, sendo exemplo disto o fenómeno de entrada, trânsito e residência de imigrantes ilegais.

Por muito mérito que mereçam os argumentos aduzidos por estes Autores, não podemos esquecer um certo esforço legislativo europeu que vai no sentido de tutela daqueles que estão numa situação de maior fragilidade no domínio penal. Por exemplo, quanto às vítimas, temos a Diretiva 2012/29/UE do Parlamento Europeu e do Conselho, de 25 de outubro de 2012, que estabelece normas mínimas relativas aos direitos, ao apoio e à proteção das vítimas da criminalidade ou a Directiva 2011/99/UE do Parlamento Europeu e do Conselho, de 13 de Dezembro de 2011, relativa à decisão europeia de protecção. Quanto aos arguidos, são de destacar a Directiva 2010/64/UE do Parlamento Europeu e do Conselho, de 20 de Outubro de 2010, relativa ao direito à interpretação e tradução em processo penal, a Diretiva 2012/13/UE do Parlamento Europeu e do Conselho, de 22 de maio de 2012, relativa ao direito à informação em processo penal e a Diretiva 2013/48/UE do Parlamento Europeu e do Conselho, de 22 de outubro de 2013, relativa ao direito de acesso a um advogado em processo penal e nos processos de execução de mandados de detenção europeus, e ao direito de informar um terceiro aquando da privação de liberdade e de comunicar, numa situação de privação de liberdade, com terceiros e com as autoridades consulares.

Para além destas Diretivas, os artigos 47 a 50 da CDFUE garantem determinados direitos no âmbito da justiça, tais como o direito à ação e a um tribunal imparcial, a presunção de inocência e direitos de defesa, os

---

[41]   LIMA, José Farah, *Questões de Direito Penal Europeu à Luz do Tratado de Lisboa*, Rei dos Livros, Lisboa, 2012.

princípios da legalidade e da proporcionalidade dos delitos e das penas e direito a não ser julgado ou punido penalmente mais do que uma vez pelo mesmo delito.

O que verificamos então é que o equilíbrio entre liberdade e segurança tem sido realizado, com avanços e recuos, quer por atos legislativos quer pela ação do TFUE, e assistimos ao surgimento de instrumentos mais limitativos de direitos fundamentais ao lado de outros, particularmente na área do processo penal, que procuram salvaguardar direitos básicos das pessoas acusadas da prática de um crime ou que hajam sido vítimas de um crime.

Cremos que a construção de uma política criminal europeia é vital para o futuro do espaço europeu de justiça penal. A criação de uma entidade consultiva como a do Grupo de peritos sobre política penal da União Europeia, estabelecida por Decisão da Comissão de 21 de fevereiro de 2012, na sequência da Comunicação da Comissão ao Parlamento Europeu, ao Conselho, ao Comité Económico e Social Europeu e ao Comité das Regiões, de 20 de setembro de 2011, intitulada "Rumo a uma política da UE em matéria penal: assegurar o recurso ao direito penal para uma aplicação efetiva das políticas da EU, foi deveras importante. Mas o aconselhamento não deveria limitar-se ao direito penal substantivo. De acordo com as atribuições definidas no artigo 2.º da Decisão da Comissão de 21 de fevereiro de 2012 que cria o grupo de peritos sobre política penal da EU, incumbe ao grupo de peritos aconselhar a Comissão em matéria de direito penal substantivo no contexto do desenvolvimento de uma política penal da UE. Ora, isto significa negligenciar uma parte vital do espaço europeu de justiça penal que é o do processo penal. Não é possível conceber um tal espaço sem uma visão integrada das ciências jurídico-criminais, incluindo, obviamente, o direito processual penal[42].

A urgência de uma política criminal europeia é reconhecida por todos, devendo ser o motor das decisões políticas europeias em matéria penal. Merece particular atenção o trabalho realizado pela European Criminal Policy Initiative que em 2009 publicou o "Manifesto on European Criminal Policy" e em 2013 o "Manifesto on European Criminal Procedure Law".

Com o primeiro dos manifestos, este grupo de académicos pretendeu apresentar uma política criminal europeu sustentada num conjunto de princípios fundamentais que deverão ser respeitados em toda a legislação

---

[42] O grupo de peritos terá sentido esta necessidade de discussão das matérias processuais. Basta consultar-se, a título de exemplo, a minuta da reunião de 23 de março de 2017, onde surgem tópicos de como "e-evidence".

europeia em matéria penal. São princípios que não são, de todo, desconhecidos das ordens jurídico-constitucionais europeias, mas que importa reconhecer a um nível europeu.

São seis os princípios de política criminal: o princípio do propósito legítimo, o princípio da *ultima ratio*, o princípio da culpa, o princípio da legalidade, o princípio da subsidiariedade e o princípio da coerência.

De forma sumária, descreveremos os princípios propostos, começando pelo requisito de um propósito legítimo. Corolário do princípio da proporcionalidade, o propósito legítimo existirá quando a intervenção europeia em matéria penal vise tutelar direitos fundamentais que possam ser encontrados na legislação primária da União Europeia. Terá ainda de ser respeitada a CDFUE e as constituições dos Estados-Membros e a intervenção não poderá causar um dano significativo aos cidadãos ou sociedade.

O princípio da *ultima ratio* traduz-se na natureza subsidiária do direito penal. Este ramo jurídico só deverá ser usado quando se demonstre a necessidade de proteção de direitos fundamentais e os demais ramos jurídicos se mostrem insuficientes. Já havíamos aludido a este princípio, mas aqui reiteramos que as sanções jurídico-penais, designadamente a pena de prisão, carregam consigo uma estigmatização para o condenado, que, as mais das vezes, impede uma reintegração do mesmo na sociedade. Poder-se-á mesmo dizer que a pena de prisão é criminógena. O manifesto acrescenta que o uso excessivo da incriminação e sanções criminais conduzem a uma perda de eficiência do direito penal, para além de porem em crise alguns dos direitos plasmados na CDFUE.

Relativamente ao princípio da culpa (*nulla poena sine culpa*), está em causa o asseguramento da dignidade da pessoa humana. A aplicação de uma pena a um agente requer, sem qualquer tipo de exceção, a comprovação da culpa. Apenas deste modo se garante a inquebrantabilidade de um princípio fundamental num Estado de Direito democrático que é o da inviolabilidade da dignidade pessoal. Independentemente das finalidades das penas que queiramos assestar ao direito penal, a exigência de culpa deverá ser sempre um pressuposto para a aplicação de qualquer pena. Sem esta, a pessoa humana é coisificada nas mãos de um *ius puniendi*. Podemos a este propósito acrescentar que o artigo 48.º, n.º 1, da CDFUE reconhece o princípio de presunção de inocência no sentido de que "o arguido se presume inocente enquanto não tiver sido legalmente provada a sua culpa", o que implicitamente significa que a culpa constitui um pressuposto irrenunciável para a sua penalização criminal. Para além disso, de acordo com o manifesto, as sanções jurídico-penais devem corresponder à culpa do indivíduo e não poderão ser desproporcionadas em razão do crime praticado.

O princípio da legalidade é sobejamente conhecido e consagrado nos mais diversos instrumentos jurídicos nacionais e supranacionais. Dele podem ser extraídos três corolários: o requisito da *lex certa*, isto é, as normas jurídico-penais devem ser certas e determinadas, eliminando por isso qualquer ambiguidade que proporcione uma compreensão incompleta do seu conteúdo; o requisito da não retroatividade e da *lex mitior*, ou seja, o princípio da proibição da aplicação retroativa de normas penais a não ser que seja favorável ao agente do crime, quer porque descriminaliza o comportamento ou porque atenua as suas consequências jurídicas[43]; e, finalmente o requisito de *nulla poena sine lege parlamentaria*, implicando isto que de um ponto de vista formal as sanções jurídico-penais decorram de um ato legislativo.

O princípio da subsidiariedade é especialmente importante na descrição do modo de funcionamento da União Europeia. No fundo, de acordo com este princípio, a União Europeia só deverá atuar se o objetivo perseguido não possa ser suficientemente alcançado pelos Estados-Membros, e possa ser mais bem alcançado ao nível da União devido às dimensões ou aos efeitos da ação considerada (artigo 5.º do TUE).

Uma palavra final para o princípio da coerência, simplesmente para notar que um sistema de justiça penal deve ser intrassistematicamente coerente de modo a refletir uma visão partilhada dos cidadãos e da comunidade sobre os bens jurídicos que merecem uma tutela acrescida. Só assim se assegura uma legitimidade de atuação no domínio penal e um incremento da sua eficiência. Para os signatários do manifesto, na tarefa de legislar no domínio penal, "o legislador europeu deve prestar atenção especial à coerência dos sistemas de justiça penal nacionais, que constituem uma parte da identidade dos Estados-Membros, e são protegidos pelo artigo 4.º, n.º 2 do TUE (coerência vertical)". Ademais, o "legislador europeu deve prestar atenção ao enquadramento fornecido para diferentes instrumentos europeus (coerência horizontal, cf. artigo 11.º, n.º 3 do TUE)[44].

---

[43]   Cf. artigo 49.º, n.º 1 da CDFUE.
[44]   Ao longo do manifesto são feitas referências a um outro princípio, que não foi autonomizado, apelidado de boa governação, segundo o qual o legislador europeu deverá seguir as máximas da precaução, transparência e fundamentação.

5. CONCLUSÃO

Aqui chegados cumpre-nos tecer algumas considerações finais que exponham de forma sumária e interligada as ideias que foram sendo desfiadas ao longo deste texto.

Desde o Tratado de Maastricht até ao Tratado de Lisboa fomos presenciando uma evolução gradual do espaço de atuação da justiça penal no plano europeu. Esta evolução foi, em primeiro lugar, no sentido de uma maior participação dos vários *stakeholders*, não só nacionais, como os Estados-Membros, mas sobretudo daqueles que integram a orgânica da União Europeia. Esta mudança de paradigma permitiu aprofundar a integração europeia numa matéria tão sensível como a do direito penal e processo penal.

O receio de perda de soberania nacional em matéria de direito penal, tão patente em certos pontos geográficos como o Reino Unido, permanece em maior ou menor medida uma *res* latente, é verdade, mas os desafios colocados pela prevenção e repressão de criminalidade complexa, organizada e transnacional impõem uma resposta concertada dos vários Estados. Um fenómeno criminoso com estas características demanda o abandono da soberania nacional absoluta sob pena de se abrir flanco a quem não se importa com delimitações territoriais.

A União Europeia deve desempenhar um papel de liderança mundial também em matéria de prevenção e repressão da criminalidade. Daí a importância dos motores de uma progressiva interligação jurídico-criminal europeia como são a harmonização e o reconhecimento mútuo. Mas é preciso ir mais além. O estabelecimento de um clima de confiança mútua, nos mais diversos níveis, é absolutamente imprescindível, e para isso a atuação da União Europeia deve nortear-se pela transparência, racionalidade e responsabilidade. Com estes pressupostos preenchidos a legitimidade da atuação a nível europeu poderá ser reconhecida a um nível tal que mitigue os receios e ensejos daqueles que não se revêm naquilo que hoje é a União Europeia e, desse modo, crie as condições para a edificação de um verdadeiro espaço europeu de justiça penal.

A nosso ver, o TJUE irá desempenhar, cada vez mais, um papel de destaque na construção desse espaço. Obviamente que os atos legislativos são importantes, em particular a CDFUE, mas num sistema político equilibrado os diversos atores devem estar dotados das competências adequadas para formarem um sistema de controlos e equilíbrios do poder político por eles distribuído. E o TJUE, atendendo ao papel que desde sempre teve na afirmação dos princípios construtores da União Europeia, também no direito penal não deve demitir-se da sua função, não apenas meramente declarativa, mas sobretudo legislativa, nas dimensões positivas e negativas que lhe apontamos. O princípio da proporcionalidade constituirá, porventura, o seu motor e padrão hermenêutico, tal como a harmonização e o reconhecimento mútuo têm sido até ao momento os alicerces do espaço europeu de justiça penal.

Uma palavra ainda para uma realidade ainda latente, mas de importância vital. Referimo-nos à política criminal. A União Europeia não pode cair numa espiral de irracionalidade na proposta e adoção de atos legislativos em matéria penal. A natureza sensível deste regime, que decorre da sua inerente capacidade de limitação de direitos fundamentais, assim o exige. Faz-se necessária a adoção de uma estratégia coerente e sistemática que não obedeça a impulsos momentâneos ou clamores populistas situados espácio-temporalmente e se torne lanterna num mundo cada mais enegrecido pelas ameaças aos valores que nos tornam membros de uma comunidade pautada pelo respeito irrestrito da dignidade da pessoa humana.

BIBLIOGRAFIA

BIONDI, Andrea, EECKHOUT, Piet, RIPLEY, Stefanie, *EU Law After Lisbon*, Oxford University Press, Nova Iorque, 2012.

BRITO, Wladimir, *Teoria Geral Do Processo*, s/e., Braga, 2012.

DIAS, Figueiredo, *Direito penal, Parte Geral, Tomo I, Questões fundamentais, A doutrina geral do crime*, Coimbra Editora, Coimbra, 2012.

FREITAS, Pedro, *Determinação da medida da pena privativa de liberdade: um olhar crítico a partir do direito anglo-saxónico*, Rei dos Livros, Lisboa, 2016.

FREITAS, Pedro e SILVEIRA, Alessandra, "Implicações da declaração de invalidade da Diretiva 2006/24 na conservação de dados ("metadados") nos Estados-Membros da UE: uma leitura jusfundamental", *Revista de Direito, Estado e Telecomunicações*, Brasília, v. 9, n. 1, maio de 2017, p. 47-68.

FREITAS, Pedro e SILVEIRA, Alessandra, "The recent jurisprudence of the CJEU on personal data retention: implications for criminal investigation in Portugal", *UNIO*, v. 3, n. 2, julho de 2017, p. 45-56.

HERLIN-KARNELL, Ester, "Recent Developments in the Area of European Criminal Law", *Maastricht Journal*, vol. 14, n.º 1, 2007, p. 15-37.

LIMA, José Farah, *Questões de Direito Penal Europeu à Luz do Tratado de Lisboa*, Rei dos Livros, Lisboa, 2012.

MITSILEGAS, Valsamis, *EU Criminal Law*, Hart Publishing, Oxford, 2009.

MITSILEGAS, Valsamis, BERGSTRÖM, Maria, KONSTADINIDES, Theodore (Dir.), *Research Handbook on EU Criminal Law*, Edward Elgar Publishing Limited, Cheltenham, 2016.

RODRIGUES, Anabela Miranda, "O mandado de detenção europeu – na vida da cons-trução de um sistema penal europeu: um passo ou um salto", *Revista Portuguesa de Ciência Criminal*, Ano 13, n.º 1, Janeiro-Março 2003, p. 27-63.

Capítulo II

Régimen general del reconocimiento mutuo de resoluciones penales en la Unión Europea[1]

Mª DOLORES FERNÁNDEZ FUSTES

Profesora Contratada Doctora de
Derecho Procesal. Universidad de Vigo

SUMARIO: 1. INTRODUCCIÓN. 2. EL RECONOCIMIENTO MUTUO. 3. TRANSMISIÓN DE LOS INSTRUMENTOS DE RECONOCIMIENTO MUTUO EN MATERIA PENAL POR LAS AUTORIDADES ESPAÑOLAS. 3.1. Autoridad competente. 3.2. Procedimiento. 3.3. Recursos. 4. RECONOCIMIENTO Y EJECUCIÓN POR LAS AUTORIDADES JUDICIALES ESPAÑOLAS DE INSTRUMENTOS DE RECONOCIMIENTO MUTUO. 4.1. Autoridad competente. 4.2. Procedimiento. 4.2.1. Ejecución. 4.2.2. Audiencia al interesado. 4.3. Motivos de denegación. 4.3.1. Motivos obligatorios de denegación. 4.3.2. Motivos facultativos de denegación. 4.3.3. Denegación para las resoluciones dictadas en ausencia del imputado. 4.4. Resolución. 4.5. Recursos. BIBLIOGRAFÍA.

1. INTRODUCCIÓN

La entrada en vigor del Tratado de Funcionamiento de la Unión Europea (TFUE) y del Tratado de la Unión Europea (TUE) ha supuesto el fin del tercer pilar, por lo que la cooperación judicial en materia penal se convierte en materia comunitaria, integrando la Tercera Parte del TFUE "Políticas y acciones internas de la Unión"[2].

En virtud del art. 82 apartado 1 del TFUE, la cooperación judicial penal en materia penal se basará en el principio de reconocimiento mutuo de las sentencias y resoluciones judiciales, principio que se considera común-

---

[1] El presente estudio ha sido realizado en el marco del proyecto de investigación "DER2015-63942-P", titulado "Instrumentos para el reconocimiento mutuo y ejecución de resoluciones penales: incorporación al derecho español de los avances en cooperación judicial en la Unión Europea", dentro del Programa Estatal de Fomento de la Investigación Científica y Técnica de Excelencia, convocatoria 2015, financiado por el Ministerio de Economía y Competitividad.

[2] MORENO CATENA, V., "El cambio de paradigma y el principio de reconocimiento mutuo y sus implicaciones. Perspectivas del Tratado de Lisboa", en *Cooperación judicial penal en Europa*, Dykinson, Madrid, 2013, pp. 49 y ss.

mente como la piedra angular de la cooperación judicial en materia penal en la Unión desde el Consejo Europeo de Tampere de 15 y 16 de octubre de 1999[3], y, además, incluye la aproximación de las disposiciones legales y reglamentarias de los Estados miembros[4].

El principio de reconocimiento mutuo en materia penal se aplicó por primera vez en la Decisión Marco 2002/584/JAI, del Consejo, de 13 de junio de 2002, relativa a la orden de detención europea y a los procedimientos de entrega entre Estados miembros y en la Decisión Marco 2003/577/JAI del Consejo de 22 de julio de 2003 relativa a la ejecución en la Unión Europea de las resoluciones de embargo preventivo de bienes y de aseguramiento de pruebas. A partir de aquí se han aprobado otras Decisiones Marco y Directivas que se basan en este principio de reconocimiento mutuo.

Precisamente, la Ley 24/2014, de 20 de noviembre, de reconocimiento mutuo de resoluciones penales en la Unión Europea (en adelante LRM) reúne toda la normativa europea, Decisiones Marco y Directivas, aprobadas en materia de reconocimiento mutuo de resoluciones penales en el ámbito de la Unión Europea, tanto las que ya habían sido transpuestas

---

[3]   En efecto, en las Conclusiones de la Presidencia del Consejo Europeo de Tampere se señala que "debe evitarse que los delincuentes encuentren la forma de aprovecharse de las diferencias existentes entre los sistemas judiciales de los Estados miembros. Las sentencias y resoluciones deben respetarse y ejecutarse en toda la Unión, salvaguardando al mismo tiempo la seguridad jurídica básica de las personas y de los agentes económicos. Hay que lograr que aumenten la compatibilidad y la convergencia de los sistemas judiciales de los Estados miembros". En línea. Consultado el 20 de febrero de 2018. Disponible en: http://www.europarl.europa.eu/summits/tam_es.htm.

[4]   No entraremos a analizar el origen y la evolución del principio de reconocimiento mutuo al exceder del tema objeto de este trabajo. Sobre este tema véanse, entre otros, FAGGIANI, V., "El principio de reconocimiento mutuo en el Espacio Europeo de Justicia Penal. Elementos para una construcción dogmática", *Revista General de Derecho Europeo* (38) 2016, pp. 73 y ss.; FERNÁNDEZ RODRÍGUEZ, M., "Cooperación judicial penal Comunitaria. La orden de detención Europea, primer instrumento del Principio de reconocimiento mutuo de decisiones", en *Una década de cambios: de la guerra de Irak a la evolución de la primavera árabe (2003-2013)*, Asociación Veritas para el Estudio de la Historia, el Derecho y las instituciones, 2013, pp. 62 y ss.; GARCÍA MORENO, J. M., "La cooperación judicial penal en el espacio de libertad, seguridad y justicia después del Tratado de Lisboa", *Unión Europea Aranzadi*, núm. 10, 2009, pp. 25 y ss.; MORENO CATENA, V., "El cambio de paradigma y el principio de reconocimiento mutuo y sus implicaciones. Perspectivas del Tratado de Lisboa", en *Cooperación judicial penal en Europa*, Dykinson, Madrid, 2013, pp. 41 y ss.; LICATA, F., "El principio de reconocimiento mutuo y su desarrollo", en *Cooperación judicial penal en Europa*, Dykinson, Madrid, 2013, pp. 705 y ss; PEITEADO MARISCAL, P., *El reconocimiento mutuo de resoluciones penales definitivas en la Unión Europea*, Colex, Madrid, 2006, pp. 27 y ss.

a nuestro ordenamiento jurídico como las que estaban pendientes de su transposición[5]. En concreto:

- Decisión Marco 2002/584/JAI, de 13 de junio de 2002, relativa a la orden de detención europea y a los procedimientos de entrega entre Estados.

- Decisión Marco 2003/577/JAI, de 22 de julio de 2003, relativa a la ejecución en la Unión Europea de las resoluciones de embargo preventivo de bienes y aseguramiento de pruebas. Ésta ha sido sustituida por la Directiva 2014/41/CE, de 3 de abril relativa a la Orden Europea de Investigación.

- Decisión Marco 2005/214/JAI, de 24 de febrero de 2005, relativa a la aplicación del principio de reconocimiento mutuo de sanciones pecuniarias.

- Decisión Marco 2006/783/JAI, de 6 de octubre de 2006, relativa a la aplicación del principio de reconocimiento mutuo de resoluciones de decomiso.

- Decisión Marco 2008/909/JAI, de 27 de noviembre de 2008, relativa a la aplicación del principio de reconocimiento mutuo de sentencias en materia penal por las que se imponen penas u otras medidas privativas de libertad a efectos de su ejecución en la Unión Europea.

- Decisión Marco 2008/947/JAI, de 27 de noviembre de 2008, relativa a la aplicación del principio de reconocimiento mutuo de sentencias y resoluciones de libertad vigilada con miras a la vigilancia de las medidas de libertad vigilada y las penas sustitutivas.

- Decisión Marco 2008/978/JAI, de 18 de diciembre de 2008, relativa al exhorto europeo de obtención de pruebas para recabar objetos, documentos y datos destinados a procedimientos en materia penal. Ésta Decisión Marco ha sido sustituida por la Directiva 2014/41/CE del Parlamento Europeo y del Consejo de 3 abril de 2014 relativa a la Orden Europea de Investigación.

---

[5]   Resultan muy ilustrativos los apartados II. IX y X de la Exposición de Motivos de la LRM al afirmar que "se ha decidido modificar la técnica legislativa empleada hasta ahora en la incorporación de estas normas europeas, persiguiendo tanto garantizar una mejor transposición, como reducir la dispersión normativa y la complejidad de un ordenamiento que, a la postre, tiene que permitir a los distintos operadores jurídicos su tarea de aplicar el Derecho a un ámbito ya de por sí complejo y nuevo".

• Decisión Marco 2009/299/JAI, de 26 de febrero de 2009, por la que se modifican las Decisiones marco 2002/584/JAI, 2005/214/JAI, 2006/783/JAI, 2008/909/JAI y 2008/947/JAI, destinada a reforzar los derechos procesales de las personas y a propiciar la aplicación del principio de reconocimiento mutuo de las resoluciones dictadas a raíz de juicios celebrados sin comparecencia del imputado.

• Decisión Marco 2009/829/JAI, de 23 de octubre de 2009, relativa a la aplicación, entre Estados miembros de la Unión Europea, del principio de reconocimiento mutuo a las resoluciones sobre medidas de vigilancia como sustitución de la prisión provisional.

• Directiva 2011/99/UE, de 13 de diciembre de 2011, del Parlamento Europeo y del Consejo, sobre la Orden Europea de Protección.

La regulación del reconocimiento mutuo en nuestro ordenamiento jurídico se completa con la LO 6/2014, de 29 de octubre, complementaria de la Ley de reconocimiento mutuo de resoluciones penales en la Unión Europea, por la que se modifica la Ley Orgánica 6/1985, de 1 de julio, del Poder Judicial y con la LO 7/2014, de 12 de noviembre, sobre intercambio de información de antecedentes penales y consideración de resoluciones judiciales penales en la Unión Europea.

Además, hay que tener en cuenta las notificaciones efectuadas por España, en relación con las distintas Decisiones Marco que incorpora la LRM, el 19 de marzo de 2015[6].

2. EL RECONOCIMIENTO MUTUO

El art. 1 LRM define el principio de reconocimiento mutuo de resoluciones penales en el espacio de libertad, seguridad y justicia de la Unión Europea, como aquel principio en virtud del cual las autoridades judiciales españolas que dicten una orden o resolución incluida dentro de la regulación de esta Ley, podrán transmitirla a otro Estado miembro para su reconocimiento y ejecución.

Asimismo, en aplicación del mismo principio, las autoridades judiciales españolas competentes reconocerán y ejecutarán en España dentro del plazo previsto, las órdenes y las resoluciones penales previstas en esta Ley,

---

[6] En línea. Consultado el 20 de febrero de 2018. Disponible en: http://data.consilium.europa.eu/doc/document/ST-8138-2015-INIT/es/pdf.

siempre que hayan sido transmitidas correctamente por la autoridad competente de otro Estado miembro y no concurra ningún motivo tasado de denegación del reconocimiento o la ejecución.

Aun cuando este precepto se refiere a una autoridad judicial española, debemos entender que dicha referencia no se limita exclusivamente a los órganos jurisdiccionales que ejercen funciones en materia penal, incluidos los encargados de la fase de instrucción, sino que se refiere también al Ministerio Fiscal[7], ya que la propia LRM le reconoce competencia tanto para la transmitir y ejecutar diligencias de investigación en las que se debe adoptar una medida de aseguramiento de pruebas, que no sea limitativa de derechos fundamentales (art. 144.1 y 2 LRM), como para emitir y recibir órdenes europeas de investigación[8].

Por su parte, el concepto de instrumento de reconocimiento mutuo se refiere a una orden europea o una resolución emitida por una autoridad competente de un Estado miembro de la Unión Europea que se transmite a otro Estado miembro para su reconocimiento y ejecución (art. 2 LRM).

En concreto, los instrumentos de reconocimiento mutuo regulados son:

a) Orden europea de detención y entrega (título II).

b) Resoluciones por la que se impone una pena o medida privativa de libertad (título III).

c) Resoluciones de libertad vigilada (título IV).

d) Resoluciones sobre medidas alternativas a la prisión provisional (título V).

e) Orden europea de protección (título VI).

---

[7] GARCÍA MORENO, J. M., "El régimen general del reconocimiento mutuo de resoluciones penales en la Unión Europea". En línea. Consultado el 20 de febrero de 2018. Disponible en: http://www.elderecho.com/tribuna/penal/reconocimiento-resoluciones-penales-Union-Europea_11_848305001.html.

[8] El art. Único. Diecisiete del Proyecto de Ley por la que se modifica la Ley 23/2014 de noviembre, de reconocimiento mutuo de resoluciones penales en la Unión Europea, para regular la orden europea de investigación, sustituye el título X por la siguiente rúbrica y contenido "Orden Europea de Investigación en materia penal" y en el art. 187.1, al regular las autoridades competentes en España para emitir una orden europea de investigación, se refiere al Ministerio Fiscal como autoridad competente en España para su emisión, siempre que no sea limitativa de derechos fundamentales y en el art. 187.2 también se refiere al Ministerio Fiscal como autoridad competente en España para recibir las órdenes europeas de investigación emitidas por las autoridades competentes de otros Estados miembros.

f) Resoluciones de embargo preventivo de bienes y de aseguramiento de pruebas (título VII)[9].

g) Resoluciones de decomiso (título VIII).

h) Resoluciones por las que se imponen sanciones pecuniarias (título IX).

i) Orden Europea de Investigación (título X)[10].

---

[9]   La Decisión Marco 2003/577/JAI relativa a la ejecución en UE de resoluciones embargo preventivo de bienes y aseguramiento de pruebas ha sido sustituida por la Directiva 2014/41/CE, de 3 abril relativa a la Orden Europea de Investigación.

[10] La Decisión Marco 2008/978/JAI relativa al Exhorto Europeo de obtención de pruebas para recabar objetos, documentos y datos destinados a procedimientos en materia penal ha sido sustituida por la Directiva 2014/41/CE del Parlamento Europeo y del Consejo de 3 abril de 2014 relativa a la Orden Europea de Investigación.

Además, el Exhorto Europeo de obtención de pruebas ha sido derogado por el Reglamento (UE) 2016/95 de 20 de enero de 2016, por el que se derogan determinados actos en el ámbito de la cooperación policial y judicial en materia penal, pues según señala el considerando (11) dado que Orden Europea de Investigación "se aplicará entre 26 Estados miembros y el exhorto europeo solo seguiría siendo aplicable entre los dos únicos Estados miembros que no participan en la orden europea, el exhorto europeo ha perdido, por lo tanto, su utilidad como instrumento de cooperación en materia penal y debe derogarse".

La mencionada Directiva 2014/41/CE prevé en su art. 36 que "los Estados miembros tomarán las medidas necesarias para dar cumplimiento a lo dispuesto en la presente Directiva a más tardar el 22 de mayo de 2017". Ésta Directiva aún no ha sido transpuesta a nuestro ordenamiento jurídico, actualmente se está tramitando el Proyecto de Ley por la que se modifica la Ley 23/2014 de noviembre, de reconocimiento mutuo de resoluciones penales en la Unión Europea, para regular la orden europea de investigación. [En línea]. [Consultada 28 de febrero de 2018]. Disponible en: http://www.congreso.es/public_oficiales/L12/CONG/BOCG/A/BOCG-12-A-14-1.PDF. A través de esta reforma se introduce un nuevo Título X en la Ley 23/2014, de 20 de noviembre, que regula la Orden Europea de Investigación, sustituyendo al Exhorto Europeo de obtención de pruebas.

La Directiva 2014/41/CE además dispone en su art. 34.1 que "la presente Directiva sustituye, a partir del 22 de mayo de 2017, a las disposiciones correspondientes de los siguientes convenios aplicables a las relaciones entre los Estados miembros vinculados por la presente Directiva: a) Convenio Europeo de Asistencia Judicial en Materia Penal del Consejo de Europa, de 20 de abril de 1959, así como sus dos protocolos adicionales y los acuerdos bilaterales celebrados con arreglo a su artículo 26; b) Convenio relativo a la aplicación del acuerdo de Schengen; c) Convenio relativo a la asistencia judicial en materia penal entre los Estados miembros de la Unión Europea y su Protocolo. Asimismo, en su apartado 2 establece que "queda sustituida la Decisión Marco 2008/978/JAI por la presente Directiva para todos los Estados miembros vinculados por la presente Directiva. Las disposiciones de la Decisión Marco 2003/577/JAI quedan sustituidas por la presente Directiva para todos los Estados miembros vinculados por la presente Directiva en relación con el aseguramiento de pruebas. Para los Estados miembros

El reconocimiento mutuo de resoluciones penales en el ámbito de la Unión Europea deberá respetar los derechos y libertades fundamentales y los principios reconocidos en la CE, en el tratado de la Unión Europea, así como en la Carta de Derechos Fundamentales de la Unión Europea y en el Convenio Europeo de Derechos y Libertades Fundamentales del Consejo de Europa de 4 de noviembre de 1950[11] (art. 3 LRM).

Por lo que se refiere al régimen jurídico tanto de la transmisión de los instrumentos de reconocimiento mutuo como del reconocimiento y la ejecución de los mismo se aplicará la Ley 23/2014 de 20 de noviembre, de reconocimiento mutuo de resoluciones penales en la Unión Europea, las normas de la Unión Europea y los convenios internacionales vigentes en los que España sea parte. A falta de disposiciones específicas se establece que se aplicará el régimen jurídico previsto en la LECrim (art. 4.1 LRM).

La interpretación de las normas contenidas en ésta LRM se realizará de conformidad con las normas de la Unión europea que regulan cada uno de los instrumentos de reconocimiento mutuo (art. 4.3 LRM). Asimismo, deberá tener en cuenta la interpretación que haga el Tribunal de Justicia de la Unión Europea de las Directivas y de las Decisiones Marco[12].

La LRM regula, en el título I, el régimen general de la transmisión, el reconocimiento y la ejecución de los instrumentos de reconocimiento mutuo en la Unión Europea y, en los demás títulos, las normas específicas de cada instrumento de reconocimiento mutuo, que se aplicarán con carácter preferente. Precisamente, en el presente trabajo nos centraremos en el régimen general del reconocimiento mutuo contenido en el título I de la LRM.

---

vinculados por la presente Directiva, las referencias de la Decisión marco 2008/987/ JAI y, en lo que respecta a la inmovilización de activos, a la Decisión marco 2003/577/ JAI, se entenderán hechas a la presente Directiva".

Asimismo, prevé en su art. 33 que "a más tardar el 22 d mayo de 2017, los Estados miembros notificarán a la Comisión la siguiente información: a) la autoridad o autoridades que, de conformidad, con su Derecho interno, son competentes conforme al artículo 2, letras c) y d), cuando el Estado miembro de que se trate sea el Estado de emisión o el Estado de ejecución; b) las lenguas admitidas para la EOI (...); c) la información relativa a la autoridad o autoridades centrales designadas si el Estado miembro desea recurrir a la posibilidad establecida en el artículo 7, apartado 3. Esta información será obligatoria para las autoridades del Estado de emisión".

[11] Ratificado por España el 26 de septiembre de 1979. [En línea]. [Consultada 28 de febrero de 2018]. Disponible en: https://www.boe.es/diario_boe/txt.php?id=BOE-A-1979-24010.

[12] GARCÍA MORENO, J. M., "El régimen general del reconocimiento mutuo de resoluciones penales ...", *op. cit.*

El título I de la LRM establece las reglas generales que rigen la emisión y transmisión de las órdenes y resoluciones penales a otros Estados miembros de la UE y su reconocimiento y ejecución por las autoridades judiciales españolas. Por tanto, se regulan las cuestiones comunes contenidas en normas europeas relativas al reconocimiento mutuo de resoluciones en materia penal[13]. Estas reglas generales serán de aplicación en todos los instrumentos de reconocimiento mutuo, excepto en aquellos supuestos en los que exista alguna norma específica de aplicación preferente a un instrumento determinado prevista en el Título en el que se regula el mismo (art. 4.2 LRM).

3. TRANSMISIÓN DE LOS INSTRUMENTOS DE RECONOCIMIENTO MUTUO EN MATERIA PENAL POR LAS AUTORIDADES ESPAÑOLAS

La transmisión de los instrumentos de reconocimiento mutuo por las autoridades españolas se encuentra regulado en el Capítulo I del Título I LRM. Pero además habrá que tener en cuenta las disposiciones específicas previstas en cada uno de los instrumentos de reconocimiento mutuo.

El presupuesto necesario para que se acuerde la transmisión de los instrumentos de reconocimiento mutuo, por una autoridad española a otro Estado miembro de la Unión Europea, será que la eficacia de la resolución penal española que se transmite requiera la práctica de actuaciones procesales precisamente de ese Estado miembro de la Unión Europea (art. 7.1 LRM). Ahora bien, como hemos mencionado, además de éste presupuesto habrá que tener presente los presupuestos específicos previstos en cada uno de los instrumentos de reconocimiento mutuo[14].

---

[13] GARCÍA MORENO, J. M., "El régimen general del reconocimiento mutuo de resoluciones penales …", *op. cit.*

[14] Así, por ejemplo, para la Orden Europea de Detención y Entrega, el art. 39 LRM dispone que se podrá dictar dicha orden para el ejercicio de acciones penales cuando concurran los requisitos previstos en la LECrim para acordar el ingreso en prisión provisional del reclamado o los de la LORPM para acordar el internamiento cautelar del menor. Sobre esta cuestión véase más ampliamente JIMENO BULNES, M., "La orden europea de detención y entrega: análisis normativo", en *Reconocimiento mutuo de resoluciones penales en la Unión Europea. Análisis teórico-práctico de la Ley 23/2014, de 20 de noviembre*, Thomson Reuters Aranzadi, Navarra, 2015, pp. 47 y ss.

Por tanto, será la autoridad que transmite el instrumento de reconocimiento mutuo quien deberá apreciar si concurren los presupuestos que determinan su válida transmisión.

3.1. Autoridad competente

La transmisión se llevará a cabo por la autoridad judicial española competente para emitir y transmitir órdenes y resoluciones penales a otros Estados miembros de la Unión Europea[15]. Para concretar quienes son las autoridades competentes habrá que estar a la regulación de cada uno de los instrumentos de reconocimiento mutuo. Así:

a) La orden europea de detención y entrega podrá ser emitida por el Juez o Tribunal que conozca de la causa (art. 35.1 LRM).

b) La resolución que impone pena o medida privativa de libertad podrá ser transmitida por los Jueces de Vigilancia Penitenciaria; por los Jueces de Menores cuando se trate de una medida impuesta a un menor de conformidad con la LORPM y, cuando no se haya iniciado el cumplimiento de la condena, por el tribunal que hubiera dictado la sentencia en primera instancia (art. 64.1 LRM).

c) La resolución de libertad vigilada podrá ser emitida por los Jueces o Tribunales que conozcan de la ejecución de la sentencia o resolución de libertad vigilada (art. 95.1 LRM).

d) La resolución sobre medidas alternativas a la prisión provisional podrá ser emitida por los Jueces o Tribunales que hayan dictado la resolución de libertad provisional del imputado en el procedimiento penal (art. 111.1 LRM).

e) La orden europea de protección podrá ser emitida y transmitida por los Jueces y Tribunales que conozcan del procedimiento penal en el que se haya emitido la resolución adoptando la orden de protección (art. 131.1 LRM).

Por su parte, el reconocimiento mutuo de una resolución por la que se impone una pena o medida privativa de libertad prevé el cumplimiento de la pena o medida privativa de libertad en otro Estado de la Unión Europea, con la finalidad de contribuir a alcanzar el objetivo de facilitar la reinserción social del condenado (véase apartado VII de la Exposición de Motivos y art. 66 LRM).

[15] Véase LO 6/2014, de 29 de octubre, complementaria de la Ley de reconocimiento mutuo de resoluciones penales en la Unión Europea, por la que se modifica la Ley Orgánica 6/1985, de 1 de julio, del Poder Judicial.

f) La resolución de embargo preventivo de bienes o de aseguramiento de pruebas podrá ser emitida por los Jueces o Tribunales que conozcan del proceso en el que se deba adoptar la medida y, también, por los Fiscales que dirijan las diligencias de investigación en las que se debe adoptar una medida de aseguramiento de pruebas, que no sea limitativa de derechos fundamentales (art. 144.1 LRM).

g) La resolución de decomiso podrá ser emitida por los Jueces y Tribunales que conozcan de la ejecución de la sentencia en la que se imponga como consecuencia accesoria el decomiso de un bien (art. 158.1 LRM).

h) La resolución por la que se impone sanciones pecuniarias podrá ser transmitida por el órgano jurisdiccional competente para su ejecución en España (art. 174.1 LRM).

i)   Orden Europea de Investigación[16] podrá ser emitida por los Jueces o Tribunales que conozcan del proceso penal en el que se debe adoptar la medida de investigación y, también, por los Fiscales en los procedimientos que dirijan, siempre y cuando la medida contenida en la Orden de Investigación no sea limitativa de derechos fundamentales[17].

3.2. Procedimiento

El procedimiento para la transmisión de los instrumentos de reconocimiento mutuo está regulado en los artículos 7 a 12 LRM.

La transmisión de los instrumentos de reconocimiento mutuo se llevará a cabo por medio del correspondiente formulario o certificado obligatorio, firmado por la autoridad española competente para dictar la resolu-

---

[16] Como hemos mencionado el exhorto europeo de obtención de pruebas ha sido sustituido por la Orden Europea de Investigación. Véase la Directiva 2014/41/CE del Parlamento Europeo y del Consejo de 3 abril de 2014 relativa a la Orden Europea de Investigación y el Proyecto de Ley por la que se modifica la Ley 23/2014 de noviembre, de reconocimiento mutuo de resoluciones penales en la Unión Europea, para regular la orden europea de investigación.

[17] El art. único. Diecisiete del Proyecto de Ley por la que se modifica la Ley 23/2014 de noviembre, de reconocimiento mutuo de resoluciones penales en la Unión Europea, para regular la orden europea de investigación, sustituye el título X por la siguiente rúbrica y contenido "Orden Europea de Investigación en materia penal", y en el art. 187.1 regula las autoridades competentes en España para emitir una orden europea de investigación.

ción que se documenta y remitido a la autoridad competente del Estado de ejecución. Los formularios o certificados figuran como anexos en la LRM[18] y además están disponibles en la Biblioteca Judicial de la Red Judicial Europea en todas las lenguas oficiales de los Estados miembros de la Unión Europea[19].

Éste formulario o certificado deberá de acompañarse del testimonio de la resolución penal en la que se basa. Únicamente será remitido el original de la resolución o del certificado cuando así lo solicite expresamente la autoridad de ejecución (art. 7.1 *in fine* LRM).

Los únicos supuestos en los que no será necesario adjuntar dicho testimonio será cuando se trate de una Orden Europea de Detención y Entrega; una Orden Europa de Investigación[20] o una Orden Europea de

---

[18]   Anexo I Orden Europea de Detención y Entrega. Anexo II Certificado para la ejecución de resoluciones por las que se imponen penas u otras medidas privativas de libertad en otro Estado miembro de la Unión Europea. Anexo III Certificado de notificación al condenado de la transmisión a otro Estado miembro de la Unión Europa de la resolución por la que se le imponen penas u otras medidas privativas de libertad. Anexo IV Certificado para la ejecución de sentencias y resoluciones de libertad vigilada en otro Estado miembro de la Unión Europea. Anexo V Certificado sobre el incumplimiento de una medida de libertad vigilada o de una pena sustitutiva. Anexo VI Certificado para la ejecución de resoluciones que impongan medidas alternativas a la prisión provisional en otro Estado miembro de la Unión Europea. Anexo VII Certificado sobre el incumplimiento de una medida de vigilancia alternativa a la prisión provisional. Anexo VIII Orden Europea de Protección. Anexo IX Certificado sobre el incumplimiento de la medida adoptada en virtud de una nueva Orden Europea de Protección. Anexo X Certificado para la ejecución de medidas de embargo preventivo de bienes o de aseguramiento de pruebas en otro Estado miembro de la Unión Europea. Anexo XI Certificado para la ejecución de resoluciones de decomiso en otro Estado miembro de la Unión Europea. Anexo XII Certificado para la ejecución de resoluciones que exijan el pago de sanciones pecuniarias en otro Estado miembro de la Unión Europea.
En relación con los anexos de la Orden Europea de Investigación, el art. único. Veintiuno del Proyecto de Ley por la que se modifica la Ley 23/2014 de noviembre, de reconocimiento mutuo de resoluciones penales en la Unión Europea, para regular la orden europea de investigación, dispone que "se modifica el anexo VIII, relativo a la orden europea de protección, se elimina el anexo XIII relativo al exhorto europeo de obtención de pruebas y se introducen los nuevos anexos XIII, XIV y XV, relativos a la orden europea de investigación…".

[19]   https://www.ejn-crimjust.europa.eu/ejn/libcategories.aspx?Id=5&QL=0.

[20]   El art. 7.1 hace referencia al Exhorto europeo de obtención de pruebas. Sin embargo, actualmente dicha referencia debe entenderse realizada a la Orden Europea de Investigación. Véase artículo único. Dos del Proyecto de Ley por la que se modifica la Ley 23/2014 de noviembre, de reconocimiento mutuo de resoluciones penales en la Unión Europea, para regular la orden europea de investigación.

Protección, que únicamente se van a documentar a través del formulario correspondiente (art. 7.1 LRM).

La transmisión de los instrumentos de reconocimiento mutuo, así como cualquier otra notificación, *ex* art. 8.1 LRM, se hará directamente[21] a la autoridad judicial competente del Estado de ejecución[22]. Asimismo, si surgiera alguna dificultad sobre la transmisión o la autenticidad de algún documento necesario para la ejecución de un instrumento de reconocimiento mutuo se solucionará a través de la comunicación directa entre las autoridades implicadas.

No obstante, cuando la dificultad surgiera en relación con una Orden Europea de Detención y Entrega o una Orden Europea de Investigación se prevé la participación de las autoridades centrales de los correspondientes Estados miembros.

En el supuesto de que el órgano emisor desconozca quien es la autoridad de ejecución competente del Estado de ejecución, recabará la información por todos los medios necesarios, incluidos los puntos de contacto de la Red Judicial Europea (RJE)[23] y las demás redes de cooperación existentes (art. 8.2 LRM). Asimismo, se puede consultar el Atlas Judicial Europeo[24] que permite identificar a la autoridad competente del Estado de ejecución.

Será necesario informar a Eurojust en los términos establecidos en su normativa cuando el instrumento de reconocimiento mutuo afecte directamente, al menos, a tres Estado miembros y se hayan transmitido, al menos a dos Estados miembros solicitudes o decisiones de cooperación judicial. En estos supuestos, la autoridad judicial que esté conociendo del procedi-

---

[21] Así, la LRM continua con el régimen de comunicación directa entre autoridades competentes que se aplicaba en la Unión Europea a las solicitudes de asistencia judicial en materia penal. En este sentido, puede consultarse el art. 53 del Convenio de aplicación del Acuerdo de Schengen, al que se adhirió nuestro país el 25 de junio de 1991. [En línea]. [Consultado 27 de febrero de 2018]. Disponible en: https://www.boe.es/diario_boe/txt.php?id=BOE-A-1994-7586.

[22] El art. 5 LRM define el Estado de ejecución como "El Estado miembro de la Unión Europea al que se ha transmitido una orden o resolución dictada por la autoridad judicial competente de otro Estado miembro, para su reconocimiento y ejecución".

[23] https://www.ejn-crimjust.europa.eu/ejn/.

[24] https://www.ejn-crimjust.europa.eu/ejn/AtlasChooseCountry.aspx. Actualmente el Atlas Judicial Europeo no contiene toda la información relativa a las autoridades competentes para todos los instrumentos de reconocimiento mutuo, pero se está trabajando para completarla.

miento además de remitir la mencionada información podrá solicitar la asistencia de Eurojust (art. 9 LRM).

Por lo que se refiere al idioma, el art. 7.3 LRM prevé que el certificado o el formulario deberá traducirse a la lengua oficial o a una de las lenguas oficiales del Estado miembro al que se dirija. También, se podrá traducir a alguna de las lenguas oficiales de las instituciones comunitarias que dicho Estado hubiera aceptado. De esta necesidad de traducción únicamente se exceptuarán aquellos supuestos en los que las disposiciones convencionales permitan, en relación con ese Estado, su remisión en español[25].

Sin embargo, no será necesario traducir la resolución penal que se remita. Dicha resolución sólo se traducirá cuando así lo requiera la autoridad judicial del Estado de ejecución.

La transmisión de los instrumentos de reconocimiento mutuo a través de los correspondientes certificados o formularios es igual para todos los Estados de la Unión Europea, lo que simplifica notablemente la comunicación entre los órganos competentes para la transmisión y ejecución[26].

Una cuestión relevante, para facilitar el reconocimiento y ejecución del instrumento de reconocimiento mutuo, es la identificación clara y precisa del delito y de la pena. En este sentido, *ex* art. 10 LRM, la autoridad judicial que remita el formulario o el certificado en el que se documenta la resolución judicial cuya ejecución se transmite a otro Estado miembro de la Unión Europea, deberá especificar:

a) Si el delito se incardina en alguna de las categorías que eximen del control de doble tipificación de la conducta en el Estado de ejecución.

b) Si la pena prevista para el delito es, en abstracto, al menos de tres años de privación de libertad.

En relación con la ausencia de control de la doble incriminación será necesario concretar si el delito objeto de la resolución judicial se incardina en alguna de las categorías que eximen del control de doble tipificación de la conducta en el Estado de ejecución, recogidas en el artículo 20 LRM[27].

---

[25] Actualmente será posible remitirlo en español cuando el Estado de ejecución sea Portugal en virtud de lo previsto en el artículo 1 del Convenio entre el Reino de España y la República de Portugal relativo a la cooperación judicial en materia penal y civil hecho en Madrid el 19 de noviembre de 1997. [En línea]. [Consultado el 8 de febrero de 2018]. Disponible en: https://www.boe.es/diario_boe/txt.php?id=BOE-A-1999-1363.

[26] GARCÍA MORENO, J. M., "El régimen general del reconocimiento mutuo...", *op. cit.*

[27] Véase *ut infra* apartado 4.2.

La referencia a que el delito objeto del instrumento de reconocimiento mutuo pertenece a alguna de las categorías de delitos no sujetos al control de la doble tipificación de la conducta elimina la posibilidad de que la autoridad competente del Estado de ejecución supedite el reconocimiento y ejecución a que los hechos estén tipificados como delitos en su legislación.

Como hemos adelantado, la transmisión de los instrumentos de reconocimiento mutuo, así como cualquier otra notificación, se hará directamente a la autoridad judicial competente del Estado de ejecución. La forma de transmisión será a través de cualquier medio que deje constancia escrita, en condiciones que permitan acreditar su autenticidad (art. 8.1 LRM)[28]. Además, podrán transmitirse a la autoridad judicial competente con la colaboración del Miembro Nacional de España en Eurojust cuando proceda, de conformidad con sus normas reguladores (art. 8.3 LRM).

3.3. Recursos

El régimen de recursos frente a las resoluciones por las que se acuerda la transmisión de un instrumento de reconocimiento mutuo está regulado en el art. 13 LRM[29], según el cual las resoluciones por la que se acuerde la transmisión se podrán recurrir de acuerdo con los previsto en el ordenamiento jurídico español, que se tramitarán y resolverán exclusivamente por la autoridad judicial española competente conforme a la legislación española.

---

[28]   El art. 18.2 LRM, al regular la práctica de las comunicaciones cuando las autoridades españolas son las competentes para reconocer y ejecutar el instrumento de reconocimiento mutuo, especifica más que el art. 8.1 LRM la forma de realizar la comunicación y, así, dispone que el envío se podrá efectuar mediante correo certificado, medios informáticos o telemáticos, si los documentos están firmados electrónicamente, y fax. Consideramos con GASCÓN INCHAUSTI, F., "Reconocimiento mutuo de resoluciones de embargo preventivo y aseguramiento de prueba: análisis normativo", en *Reconocimiento mutuo de resoluciones penales en la Unión Europea. Análisis teórico-práctico de la Ley 23/2014, de 20 de noviembre*, Thomson Reuters Aranzadi, Navarra, 2015, p. 342, que "cabe suponer, pues, que también podrán ser éstos los medios de que se sirvan las autoridades españolas para remitir sus resoluciones a la autoridad extranjera competente.

[29]   Guarda silencio la ley sobre la posibilidad de recurrir las resoluciones en las que se deniegue la transmisión. No obstante, consideramos que la remisión del art. 13 LRM al régimen de recursos del ordenamiento jurídico español y el carácter supletorio de la LECrim, *ex* art. 4.1 LRM, permite concluir la posibilidad de recurrir las resoluciones denegatorias de la transmisión a través de los recursos ordinarios previstos en los artículos 216 y ss. de la LECrim.

Por tanto, a la hora de analizar los recursos que cabe contra la resolución acordando la transmisión de un instrumento de reconocimiento mutuo tenemos que distinguir en función de la autoridad que haya acordado dicha transmisión. Así, en el caso de que la misma hubiera sido acordada por la autoridad judicial, la decisión adoptará la forma de auto motivado y frente al mismo se podrán interponer los recursos ordinarios previstos en los artículos 216 y ss. de la LECrim.

Por su parte, si la decisión de transmisión de un instrumento de reconocimiento mutuo hubiera sido acordada por el Ministerio Fiscal en sus diligencias de investigación no cabe recurso alguno, obviamente sin perjuicio de su valoración posterior en el correspondiente procedimiento penal de conformidad con lo previsto en LECrim (art. 13.4 LRM).

El legislador ha omitido cualquier referencia a si la interposición del recurso produce o no efecto suspensivo, a diferencia de lo que ocurre en el régimen de recursos contra las resoluciones dictadas por la autoridad española competente para resolver sobre el reconocimiento y ejecución de los instrumentos de reconocimiento mutuo donde se prevé, en el art. 24.1 LRM, que la interposición del recurso podrá suspender la ejecución de la orden o resolución cuando dicha ejecución pudiera crear situación irreversibles o causar perjuicios de imposible o difícil reparación[30]. No obstante, consideramos que en términos generales dicho recurso no producirá efecto suspensivo[31], pues en el régimen de recursos frente a resoluciones interlocutorias previsto en nuestra LECrim, los mismos carecen como regla general de efectos suspensivos.

La autoridad judicial española deberá comunicar la interposición del recurso a la autoridad que conozca de la ejecución (art. 19.5 LRM) y la resolución que recaiga en el mismo.

---

[30]   Véase *ut infra* apartado 4.5.

[31]   En este sentido GASCÓN INCHAUSTI, F., "Reconocimiento mutuo de resoluciones de embargo preventivo y aseguramiento de prueba...", *op. cit.*, pp. 357 y ss., si bien añade que en el instrumento de resoluciones de embargo preventivo y aseguramiento de pruebas "las dudas deben interpretarse en todo caso a la luz de la DMEP, de modo que nunca se llegue al resultado que ésta ha querido evitar".

4. RECONOCIMIENTO Y EJECUCIÓN POR LAS AUTORIDADES JUDICIALES ESPAÑOLAS DE INSTRUMENTOS DE RECONOCIMIENTO MUTUO

El reconocimiento y la ejecución de los instrumentos de reconocimiento mutuo por las autoridades españolas se encuentran regulados en el Capítulo II del Título I LRM. Pero además habrá que tenerse en cuenta las disposiciones específicas previstas en cada uno de los instrumentos de reconocimiento mutuo.

4.1. Autoridad competente

El reconocimiento y ejecución de los instrumentos de reconocimiento mutuo transmitidos por la autoridad competente de otro Estado miembro de la Unión Europea se llevará a cabo por la autoridad judicial española competente. Para concretar quienes son las autoridades competentes habrá que estar a la regulación de cada uno de los instrumentos de reconocimiento mutuo. Así:

a) La orden europea de detención y entrega será ejecutada por el Juez Central de Instrucción de la Audiencia Nacional. Ahora bien, cuando la misma se refiera a un menor será competente el Juez Central de Menores (art. 35.2 LRM).

b) En el caso de la resolución que impone pena o medida privativa de libertad será competente para reconocer y acordar la ejecución el Juez Central de lo Penal. Para llevar a cabo su ejecución será competente el Juez Central de Vigilancia Penitenciaria. Por su parte, cuando la resolución se refiera a una medida de internamiento en régimen cerrado de un menor la competencia le corresponderá al Juez Central de Menores (art. 64.2 LRM).

c) En la resolución de libertad vigilada será competente para reconocer y acordar su ejecución el Juez Central de lo Penal. Si la resolución de libertad vigilada se refiera a un menor será competente el Juez Central de Menores (art. 95.2 LRM).

d) En la resolución sobre medidas alternativas a la prisión provisional será competente para el reconocimiento y ejecución el Juez de Instrucción o el Juez de Violencia sobre la Mujer del lugar donde el imputado tenga establecida su residencia, respecto a los delitos que sean de su competencia (art. 111.2 LRM).

e) En la orden europea de protección será competente para el reconocimiento y ejecución el Juez de Instrucción o el Juez de Violencia sobre la Mujer del lugar donde la víctima resida o tenga intención de hacerlo. No obstante, si se hubiera emitido una resolución de libertad vigilada o de una medida alternativa a la prisión provisional será competente para su reconocimiento y ejecución el mismo Juez o Tribunal que ya hubiera reconocido y ejecutado dichas resoluciones (art. 131.2 LRM).

f) En la resolución de embargo preventivo de bienes o de aseguramiento de pruebas será competente para ejecutar el Juez de Instrucción del lugar donde se encuentren los bienes o documentos objeto de aseguramiento o las pruebas que deban ser aseguradas. Asimismo, el Fiscal para la ejecución de aquellas medidas de aseguramiento de pruebas que pueda realizar dentro de sus competencias sin adoptar medidas limitativas de derechos. En el supuesto de que se hubiera emitido en relación con varios bienes ubicados en circunscripciones distintas será competente el Juez de Instrucción que primero lo reciba y en cuya circunscripción se encuentre al menos uno de dichos bienes (art. 144.2 LRM).

g) En la resolución de decomiso será competente el Juez de lo Penal del lugar donde se encuentre cualquiera de los bienes objeto de decomiso. Si el certificado se hubiera emitido en relación con varios bienes ubicados en circunscripciones distintas, el Juez de lo Penal que primero lo reciba y en cuya circunscripción se encuentre al menos uno de dichos bienes (art. 158.2 LRM).

h) En la resolución por la que se impone sanciones pecuniarias será competente con carácter principal, el Juez de lo Penal del lugar de residencia del condenado o donde tenga su sede social si se tratara de una persona jurídica; subsidiariamente, el Juez de lo Penal del lugar donde se encuentre cualquiera de los bienes inmuebles propiedad de la persona física o jurídica condenada al pago de multa y, en defecto de los anteriores, el Juez de lo Penal del lugar donde se encuentre cualquiera de las fuentes de ingresos del condenado en España. En el supuesto de que un mismo certificado se refiera a varias personas y una de ellas cumpla alguno de los requisitos mencionados, el Juez de lo Penal competente podrá asumir la ejecución en relación con todos los condenados, sin que proceda dividir una única resolución por la que se exija el pago de una sanción pecuniaria en varias (art. 174.2 LRM).

i) En la Orden Europea de Investigación será competente para reconocer y ejecutar dicha Orden el Ministerio Fiscal, excepto que la misma
contenga alguna medida limitativa de derechos fundamentales, en
cuyo caso se la remitirá al Juez competente[32].

Una vez analizadas quienes son las autoridades competentes para el reconocimiento y ejecución de los distintos instrumentos de reconocimiento
mutuo debemos detenernos en aquellos supuestos en los que dicho instrumento se remite a una autoridad que carece de competencia para reconocerla o ejecutarla. Pues bien, una vez recibido el instrumento de reconocimiento mutuo, la autoridad examinará de oficio su propia competencia y
si considera que no es competente, deberá dictar resolución declarándolo
así y acordando su remisión inmediata a la autoridad judicial que entiende
competente. Consideramos que ésta resolución deberá ser motivada por
lo que adoptará la forma de auto, que deberá ser notificado al Ministerio
Fiscal y a la autoridad judicial del Estado de emisión (art. 18.2 LRM). A
continuación, se inhibirá del conocimiento del asunto y remitirá todas las
actuaciones a la autoridad que reputa competente.

4.2. Procedimiento

El procedimiento para el reconocimiento y ejecución en España de un
instrumento transmitido por la autoridad de otro Estado miembro está
regulado en los arts. 16 a 28 de la LRM.

El art. 16 LRM dispone que las autoridades judiciales españolas competentes reconocerán y ejecutarán, en el plazo estipulado para cada caso, la
orden o resolución cuya ejecución ha sido transmitida por una autoridad
judicial de otro Estado miembro, si se cumplen los requisitos y trámites
previstos en la LRM[33].

---

[32] El art. único. Diecisiete del Proyecto de Ley por la que se modifica la Ley 23/2014 de
noviembre, de reconocimiento mutuo de resoluciones penales en la Unión Europea,
para regular la orden europea de investigación, sustituye el título X por la siguiente
rúbrica y contenido "Orden Europea de Investigación en materia penal", y en el art.
187.2. regula las autoridades competentes en España para recibir una orden europea
de investigación.

[33] Coincidimos con CARRIZO GONZÁLEZ-CASTELL A., "La Ley 23/2014 de reconocimiento mutuo de resoluciones penales en la Unión Europea", en *Revista General de
Derecho Europeo*, 36(2015), en que a pesar de la rúbrica que recibe este precepto ("reconocimiento y ejecución inmediata"), el reconocimiento y la ejecución "dista mucho
de ser tan inmediata como la propia Ley parece desear".

Por lo que se refiere al idioma, el certificado o el formulario transmitido por la autoridad de otro Estado miembro deberá estar traducido al español, salvo que un convenio en vigor con dicho Estado[34] o una declaración depositada ante la Secretaría General de la Unión Europea permitan el envío en otra lengua.

Así, si el formulario o certificado no viene traducido al español, la autoridad competente para su reconocimiento y ejecución lo devolverá inmediatamente a la autoridad judicial del Estado emisor que lo haya firmado para que lleve a cabo la correspondiente traducción (art. 17.1 LRM).

Sin embargo, no será obligatorio que se traduzca al español la resolución judicial en la que se basa el certificado, salvo que la autoridad judicial solicite su traducción cuando lo considere imprescindible para su ejecución (art. 17.2 LRM).

En cuanto a la forma en que habrá de realizarse las comunicaciones entre la autoridad que emite o transmite el instrumento de reconocimiento mutuo y la autoridad judicial española competente para su reconocimiento y ejecución, la regulación es similar a la que hemos analizado para aquellos casos en los que la transmisión de los instrumentos de reconocimiento mutuo es realizada por las autoridades españolas. Por tanto, la comunicación será directa entre las autoridades competentes del Estado de emisión[35] y la autoridad competente de nuestro país. Asimismo, se especifica que las comunicaciones que tenga que realizar, en virtud de lo previsto en la Ley, la autoridad judicial española a la autoridad de emisión se efectuarán directamente, pudiendo cursarse en español mediante correo certificado, medios electrónicos fehacientes o fax. No obstante, en éste último supuesto, la autoridad judicial española remitirá el oportuno testimonio, si la autoridad extranjera lo requiriera (art. 18.2 LRM).

A diferencia de lo que sucede con la regulación de la transmisión de los instrumentos de reconocimiento mutuo realizados por las autoridades españolas, en donde se establece que podrá realizarse por cualquier medio

---

[34]   A título de ejemplo, cuando el Estado de emisión sea Portugal, el formulario o certificado podrá estar en portugués, en virtud de lo previsto en el artículo 1 del Convenio entre el Reino de España y la República de Portugal relativo a la cooperación judicial en materia penal y civil hecho en Madrid el 19 de noviembre de 1997. [En línea]. [Consultado el 8 de febrero de 2018]. Disponible en: https://www.boe.es/diario_boe/txt.php?id=BOE-A-1999-1363.

[35]   El art. 5 define el Estado de emisión como "el Estado miembro de la Unión Europea en el que la autoridad competente ha dictado una orden o resolución de las reguladas en esta Ley al objeto de que sea reconocida y ejecutada en otro Estado miembro".

que pueda dejar constancia escrita en condiciones que permitan al Estado de ejecución establecer su autenticidad (art. 8.1 LRM), aquí el legislador especifica que las autoridades judiciales españolas admitirán que las resoluciones se les envíen mediante correo certificado o medios informáticos o telemáticos siempre que, en estos dos últimos supuestos, los documentos estén firmados electrónicamente y permitan verificar su autenticidad. Además, se admitirán las comunicaciones efectuadas por fax, pero a continuación se solicitará el envío de la documentación original a la autoridad judicial emisora y los plazos previstos en la Ley no empezarán a contar hasta su recepción (art. 18.1 LRM).

Por lo que se refiere a la subsanación del formulario o certificado, el art. 19.1 LRM prevé que en aquellos casos en los que dicho formulario o certificado falte, sea insuficiente o no se corresponda manifiestamente con la resolución judicial cuya ejecución es transmitida, la autoridad judicial española se lo comunicará a la autoridad de emisión estableciendo un plazo para que el formulario o certificado se presente de nuevo, se complete o se modifique.

Ahora bien, si el formulario o certificado se refiriere a una resolución de embargo de bienes o de aseguramiento de pruebas, la autoridad judicial podrá adoptar, tras oír al Ministerio Fiscal por el plazo de tres días, alguna de las siguientes decisiones: a) fijar un plazo para que el certificado se presente de nuevo o se complete o modifique; b) aceptar un documento equivalente de la autoridad competente del Estado de emisión que complete la información necesaria; c) dispensar a la autoridad judicial de emisión de presentar dicho certificado si considera suficiente la información suministrada (art. 19.2 LRM).

También prevé la ley como se debe proceder cuando lo que falta es la resolución cuya ejecución haya sido solicitada, cuando resultara obligatorio que se remitiera junto con el certificado o formulario. En este supuesto, la autoridad acordará un plazo para su remisión por la autoridad judicial de emisión (art. 19.3 LRM).

Una cuestión de gran relevancia es el que se refiere a la ausencia de control de la doble tipificación. Como hemos mencionado, el art. 20 LRM regula los supuestos en los que los instrumentos de reconocimiento mutuo no estarán sujetos al control de doble tipificación por el Juez o Tribunal español y sus excepciones.

En primer lugar, el art. 20.1 LRM contempla una relación de delitos que no están sujetos al control de la doble tipificación por el Juez o Tribunal español[36], siempre que además se cumplan las condiciones exigidas por la Ley para cada tipo de instrumento de reconocimiento mutuo. Por tanto, las resoluciones penales dictadas por el Estado de emisión y transmitidas a las autoridades competentes de nuestro país para su reconocimiento y ejecución no serán objeto de control de la doble incriminación[37], esto es la autoridad competente no comprobará si se trata de un delito tipificado en nuestra legislación. No obstante, será necesario que se cumplan las condiciones adicionales exigidas por la LRM para cada uno de los instrumentos de reconocimiento mutuo.

Los tipos delictivos que eximen de dicho control están previstos en el art. 20.1 LRM y son los siguientes[38]:

- Pertenencia a una organización delictiva.

- Terrorismo.

- Trata de seres humanos.

- Explotación sexual de menores y pornografía infantil.

- Tráfico ilícito de drogas y sustancias psicotrópicas.

- Tráfico ilícito de armas, municiones y explosivos.

- Corrupción.

- Fraude, incluido el que afecte a los intereses financieros de las Comunidades Europeas.

- Blanqueo de los productos del delito.

- Falsificación de moneda.

---

[36] Consideramos con GARCÍA MORENO, J. M., "El régimen general del reconocimiento mutuo…", *op. cit.*, que su aplicación práctica acarrea diversos problemas "derivados de la circunstancia de que las Decisiones Marco objeto de transposición no contienen una relación de tipos penales, sino de concretas figuras delictivas, algunas de las cuales carecen de correspondencia con los tipos penales (p. ej., el tráfico de vehículos robados), son designadas por un nomen iuris no empleado por el legislador penal español…".

[37] Como acertadamente afirma GARCÍA MORENO, J. M., "El régimen general del reconocimiento mutuo…", *op. cit.*, en este listado se concreta "el compromiso básico de los países de la UE de renunciar a la exigencia del control de doble incriminación para una serie de infracciones, uno de los rasgos distintivos que definen la cooperación penal basada en el principio de reconocimiento mutuo en el ámbito de la UE".

[38] El sistema elegido por el legislador para introducir la lista de delitos que eximen del control de doble tipificación ha sido objeto de crítica por parte de la doctrina. Véase, por todos, CARRIZO GONZÁLEZ-CASTELL, ADÁN, "La Ley 23/2014 de reconocimiento mutuo de resoluciones penales…", *op. cit.*, pp. 13 y ss.

- Delitos informáticos.
- Delitos contra el medio ambiente, incluido el tráfico ilícito de especies animales protegidas y de especies y variedades vegetales protegidas.
- Ayuda a la entrada y residencia en situación ilegal.
- Homicidio voluntario y agresión con lesiones graves.
- Tráfico ilícito de órganos y tejidos humanos.
- Secuestro, detención ilegal y toma de rehenes.
- Racismo y xenofobia.
- Robos organizados o a mano armada.
- Tráfico ilícito de bienes culturales, incluidas las antigüedades y las obras de arte.
- Estafa.
- Chantaje y extorsión de fondos.
- Violación de derechos de propiedad intelectual o industrial y falsificación de mercancías.
- Falsificación de documentos administrativos y tráfico de documentos falsos.
- Falsificación de medios de pago.
- Tráfico ilícito de sustancias hormonales y otros factores de crecimiento.
- Tráfico ilícito de materias nucleares o radiactivas.
- Tráfico de vehículos robados.
- Violación.
- Incendio provocado.
- Delitos incluidos en la jurisdicción de la Corte Penal Internacional.
- Secuestro de aeronaves y buques.
- Sabotaje.

En segundo lugar, se regulan dos excepciones a la citada regla de ausencia de control de doble tipificación aplicables a dos instrumentos de reconocimiento mutuo. Por un lado, se añade una excepción para aquellos supuestos en los que la resolución judicial transmitida por el Estado de emisión a las autoridades competentes de nuestro país para su reconocimiento y ejecución sea una resolución judicial que imponga sanciones pecuniarias (art. 20.2 LRM). Pues bien, en este caso no estarán sujetos al control de doble tipificación, además de los delitos mencionados, los siguientes delitos o infracciones:

- Conducta contraria a la legislación de tráfico, incluidas las infracciones a la legislación de conducción y de descanso y a las normas reguladoras de transporte de mercancías peligrosas.

- Contrabando de mercancías.

- Infracciones de los derechos de propiedad intelectual e industrial.

- Amenazas y actos de violencia contra las personas, incluida la violencia durante los acontecimientos deportivos.

- Vandalismo.

- Robo.

- Infracciones establecidas por el Estado de emisión en virtud de normas comunitarias.

Por otro lado, se añade otra excepción para el reconocimiento mutuo de las órdenes europeas de protección, exigiéndose que en estos casos se efectúe siempre el control de la doble tipificación (art. 20.3 LRM). Así, si la resolución penal dictada por el Estado de emisión y transmitida a la autoridad competente de nuestro país para su reconocimiento y ejecución es una Orden Europea de Protección, la autoridad competente deberá comprobar siempre si el delito en virtud del cual se ha acordado la orden de protección es un delito tipificado en nuestra legislación.

Llegados a este punto debemos analizar que sucede cuando la orden o resolución judicial dictada por el Estado de emisión y transmitida a la autoridad competente de nuestro país para su reconocimiento y ejecución se refiera a un hecho tipificado como un delito distinto de los previstos en este artículo 20 LRM. Pues bien, en estos supuestos *ex* art. 20.4 LRM, el reconocimiento y ejecución podrán supeditarse al cumplimento del requisito de la doble tipificación, siempre que además se cumplan las condiciones exigidas por la Ley para cada instrumento de reconocimiento mutuo.

Por tanto, en estos supuestos la autoridad competente deberá comprobar si el delito en virtud del cual se ha acordado es un delito tipificado en nuestra legislación. De hecho, uno de los motivos facultativos por los que la autoridad competente de nuestro país puede denegar el reconocimiento y la ejecución será que la resolución se haya impuesto por una infracción distinta de las reguladas en el art. 20.1 y 2 LRM y que dicha infracción tampoco esté tipificada en el ordenamiento jurídico español[39].

No obstante, cuando la orden o resolución se haya adoptado en relación con una infracción penal en materia tributaria, aduanera o de control de cambios no podrá denegarse la ejecución si el fundamento fuera que la legislación española no establece el mismo tributo o no contiene la misma regulación en materia tributaria, aduanera y de control de cambio que la legislación del Estado de emisión (apartado 2 del art. 20.4 LRM).

4.2.1. Ejecución

Una vez que la orden o resolución transmitida por la autoridad competente de otro Estado miembro de la Unión Europea es reconocida por la autoridad judicial española competente, se procederá a su ejecución. Dicha ejecución, según el art. 21 LRM, se regirá por el Derecho español y se llevará a cabo del mismo modo que si hubiera sido dictada por una autoridad judicial española. Ahora bien, es posible que la autoridad que hubiera transmitido la orden o resolución solicite a la autoridad competente de nuestro país que en la ejecución observe las formalidades y procedimientos expresamente indicados por la autoridad judicial del Estado de emisión, siempre y cuando no sean contrarios a los principios fundamentales del ordenamiento jurídico español.

Cómo es lógico, la ejecución de la orden o resolución se ajustará a los términos de la misma. Por tanto, no se podrá hacer extensiva a personas, bienes o documentos que no estén comprendidos en ella. La única excepción se daría en la Orden Europea de Investigación[40].

Si durante la ejecución surgiera cualquier incidencia que pudiera afectar a la misma, la autoridad judicial española deberá informar a la autoridad judicial competente del Estado de emisión, por cualquiera de los medios a los que se refiere el art. 18.2 LRM, y al Ministerio Fiscal. Especial importancia tiene esta información en aquellos supuestos en los que sea

---

[39] Véase *ut infra* apartado 4.3.2.

[40] La referencia del artículo 22.2 LRM al Exhorto europeo de obtención de pruebas actualmente debe entenderse referido a la Orden Europea de Investigación. Cómo hemos mencionado, el art. único. Diecisiete del Proyecto de Ley por la que se modifica la Ley 23/2014 de noviembre, de reconocimiento mutuo de resoluciones penales en la Unión Europea, para regular la orden europea de investigación, sustituye el título X por la siguiente rúbrica y contenido "Orden Europea de Investigación en materia penal".

imposible la ejecución, sin que se puedan ejecutar medidas alternativas no previstas en el Derecho español (art. 22.2 LRM).

4.2.2. Audiencia al interesado

El art. 22 LRM establece que "cuando el afectado tenga su domicilio o residencia en España y salvo que el procedimiento extranjero se hubiera declarado secreto o su notificación frustrara la finalidad perseguida, se le notificarán las órdenes o resoluciones judiciales extranjeras cuya ejecución se haya solicitado".

Del tenor literal de este precepto se deduce que se reconoce al interesado el derecho a intervenir en el procedimiento de reconocimiento y ejecución. Ahora bien, este derecho a intervenir en el procedimiento se dará cuando se cumplan los siguientes requisitos:

En primer lugar, que el afectado por la orden o resolución judicial, dictada por el Estado de emisión y transmitida a la autoridad competente de nuestro país para su reconocimiento y ejecución, tenga su domicilio o residencia en España. No obstante, consideramos que también hubiera sido deseable que se garantizara el derecho a intervenir en el procedimiento de reconocimiento y ejecución al interesado no residente en España[41].

En segundo lugar, que no se hubiera declarado secreto el procedimiento de reconocimiento y ejecución o que la notificación de las ordenes o resoluciones judiciales extranjeras frustrara la finalidad que se persigue con su reconocimiento y ejecución[42].

---

[41]   En este mismo sentido GASCÓN INCHAUSTI, F., "Reconocimiento mutuo de resoluciones de embargo preventivo y aseguramiento de prueba…", *op. cit.*, p. 349, entiende que "se trata de una previsión que merece ser corregida respecto de los sujetos no residentes en España, cuyo derecho de defensa solo se verá respetado si se les informa oficialmente de la resolución que acuerda el reconocimiento. Lo sensato sería acudir a los cauces del auxilio judicial internacional, en cuya instrumentación puede ser de la mayor utilidad la colaboración del tribunal de emisión". De la misma opinión se manifiesta RUIZ YAMUZA, F. G., "Cuestiones prácticas relativas al reconocimiento de sanciones pecuniarias", en *Reconocimiento mutuo de resoluciones penales en la Unión Europea. Análisis teórico-práctico de la Ley 23/2014, de 20 de noviembre*, Thomson Reuters Aranzadi, Navarra, 2015, p. 493.

[42]   JIMENO BULNÉS, M., "La orden europea de detención y entrega: análisis normativo…", *op. cit.*, p. 56 considera que la referencia contenida en el art. 22.1 a que "la notificación frustrara la finalidad perseguida se contiene en la primera relativa a la declaración de secreto de sumario pues no en vano consiste en una de sus finalidades".

Por tanto, si se dan estos dos requisitos, la autoridad competente de nuestro país para el reconocimiento y ejecución notificará al afectado las órdenes o resoluciones judiciales extranjeras cuya ejecución se haya solicitado y su derecho a intervenir en el proceso, si lo tuviere por conveniente, personándose con abogado y procurador.

La Audiencia al afectado se podrá llevar a cabo a lo largo del procedimiento a través de la aplicación de los instrumentos de Derecho internacional o de la Unión Europea que prevean la posibilidad de realizar audiencias mediante teléfono o videoconferencia (art. 22.3 LRM).

4.3. Motivos de denegación

La denegación del reconocimiento o de la ejecución de un instrumento de reconocimiento mutuo exige la concurrencia de alguno de los motivos previstos en la LRM[43].

La sección 2ª del Capítulo II del Título I (arts. 29 a 33) de la LRM regula la denegación del reconocimiento o de la ejecución de un instrumento de reconocimiento mutuo aplicables a todos los instrumentos de reconocimiento mutuo. Pero, además de estos motivos de denegación habrá que tener en cuenta los previstos específicamente para cada uno de los instrumentos de reconocimiento mutuo[44].

---

[43]   En este sentido resulta muy ilustrativo el preámbulo de la LRM al señalar en su apartado I que se regula como "excepcional el rechazo al reconocimiento y ejecución de una resolución, a partir de un listado tasado de motivos de denegación".

[44]   Así, por ejemplo, en el instrumento de reconocimiento mutuo referido a una resolución por la que se impone una pena o medida privativa de libertad, además de los motivos de denegación obligatorios generales, habrá que tener presentes los motivos imperativos de denegación específicos de este instrumento previstos en el art. 85 LRM. Sobre estos motivos específicos de denegación véase DE HOYOS SANCHO, M., "El reconocimiento mutuo de resoluciones por las que se impone una pena o medida privativa de libertad: análisis normativo", en *Reconocimiento mutuo de resoluciones penales en la Unión Europea. Análisis teórico-práctico de la Ley 23/2014, de 20 de noviembre*, Thomson Reuters Aranzadi, Navarra, 2015, pp. 124 y ss.
En el caso de la Orden Europea de Protección habrá que tener en cuenta los motivos de denegación del reconocimiento y ejecución de la misma en nuestro país regulados en el art. 140 LRM. Sobre estos motivos específicos de denegación véase DE HOYOS SANCHO, M., "La orden europea de protección de víctimas: análisis normativo", en *Reconocimiento mutuo de resoluciones penales en la Unión Europea. Análisis teórico-práctico de la Ley 23/2014, de 20 de noviembre*, Thomson Reuters Aranzadi, Navarra, 2015, pp. 287 y ss.

Nos centraremos en los motivos de denegación del reconocimiento y la ejecución de los instrumentos de reconocimiento mutuo previstos en los arts. 29 a 33 LRM.

El legislador al regular los motivos de denegación del reconocimiento o a la ejecución de las medidas solicitadas distingue entre:

a) Motivos de denegación obligatorios que son los que obligan a rechazar el reconocimiento y ejecución en España de la orden o resolución judicial, dictada por el Estado de emisión y transmitida a la autoridad competente de nuestro país para su reconocimiento y ejecución.

b) Motivos de denegación facultativos que son aquellos que permiten denegar el reconocimiento y ejecución en España de la orden o resolución judicial, dictada por el Estado de emisión y transmitida a la autoridad competente de nuestro país para su reconocimiento y ejecución.

c) Denegación en el caso de resoluciones dictadas en ausencia del imputado.

Los motivos por los que se debe o se puede denegar el reconocimiento o la ejecución aparecen tasados y previstos en la ley, por lo que la autoridad judicial no podrá denegar el reconocimiento o la ejecución, de un instrumento de reconocimiento mutuo que haya sido transmitido correctamente por la autoridad competente de otro Estado miembro de la Unión Europea, por un motivo distinto[45]. De ahí que la denegación tenga que ser motivada y fundarse, precisamente, en la concurrencia de alguno de dichos motivos.

4.3.1. Motivos obligatorios de denegación

Los motivos por los cuales es obligatorio rechazar el reconocimiento y ejecución de un instrumento de reconocimiento mutuo transmitido por la autoridad competente de otro Estado miembro de la Unión Europea están previstos en los arts. 32.1 y 33 LRM y son los siguientes:

1. El primer motivo previsto en el art. 32.1 a) LRM será la vulneración del principio *non bis in ídem* en los términos previstos en las leyes y en los convenios y tratados internacionales en que España sea parte. Se enten-

---

[45] CARRIZO GONZÁLEZ-CASTELL, A., "La Ley 23/2014 de reconocimiento mutuo de resoluciones penales…", *op. cit.*, p. 16.

derá que la ejecución vulnera dicho principio cuando se haya dictado en España o en otro Estado distinto al de emisión una resolución firme, condenatoria o absolutoria, contra la misma persona y respecto de los mismos hechos, aun cuando el condenado hubiera sido posteriormente indultado[46].

2. El segundo motivo previsto en el art. 32.1 b) LRM será la prescripción de la pena impuesta de conformidad con el Derecho español. Concurrirá este motivo denegación cuando la orden o resolución de refiera a unos hechos cuyo enjuiciamiento corresponda a la jurisdicción española y, si se hubiera dictado condena por un órgano jurisdiccional español, la pena impuesta hubiera prescrito[47] de acuerdo con el Derecho español[48].

3. Los casos de falta o incorrección del formulario o certificado que debe acompañar a la solicitud de adopción de las medidas. Así, se denegará cuando el formulario o certificado:

a. esté incompleto.

b. sea manifiestamente incorrecto.

c. no responda a la medida.

d. no se haya remitido.

---

[46]   En relación con el principio *non bis in ídem* pueden verse, entre otros, AGUILERA MORALES, M. "El ne bis in idem: un derecho fundamental en el ámbito de la Unión Europea", *Civitas. Revista española de derecho europeo*, núm. 20, 2006; GONZÁLEZ CANO, I., "Consideraciones generales sobre el Libro Verde de la Comisión Europea relativo a los conflictos de jurisdicción y el principio non bis in ídem en los procedimientos penales", en *Unión Europea Aranzadi*, núm. 11, 2006; LUPÁRIA, L., "Derechos fundamentales y principio ne bis in ídem en la cooperación judicial europea", en *La cooperación judicial entre España e Italia. La Orden europea de detención y entrega en la ejecución de sentencias penales*, Instituto Vasco de Derecho Procesal, San Sebastián, 2017; VERVAELE, J. A. E. "Ne bis in ídem: ¿un principio transnacional de rango constitucional en la Unión Europea", *Indret*, 1/2014.

[47]   GARCÍA MORENO, J. M., "El régimen general del reconocimiento mutuo…", *op. cit.*, destaca que el legislador hace referencia a la prescripción de la pena, pero omite cualquier referencia a la prescripción del delito como motivo genérico de denegación del reconocimiento y ejecución o como motivo específico aplicable a algunos de los concretos instrumentos de reconocimiento mutuo.

[48]   El art. 130.1. 7ª CP dispone que "1. La responsabilidad criminal se extingue: (…) por la prescripción de la pena o de la medida de seguridad". Por su parte, el art. 133 CP contiene la regulación de la prescripción de la pena. En relación con la prescripción de la pena pueden verse, entre otros, DÍEZ RIPOLLÉS, J. L., "Algunas cuestiones sobre la prescripción de la pena", *Indret*, núm. 2, 2008, pp. 4 y ss.; MIR PUIG, C., "Prescripción de la pena (II), *Iuris: Actualidad y práctica del Derecho*, núm. 187, 2013, pp. 29 y ss.

No obstante, hay que tener en cuenta la posibilidad de subsanación del formulario o certificado prevista en el art. 19.1 LRM, precisamente, para aquellos casos en los que dicho formulario o certificado falte, sea insuficiente o no se corresponda manifiestamente con la resolución judicial cuya ejecución es transmitida. Así, la autoridad judicial española se lo comunicará a la autoridad de emisión estableciendo un plazo para que el formulario o certificado se presente de nuevo, se complete o se modifique[49].

4. La existencia de una inmunidad que impida la ejecución de la resolución. Ahora bien, el art. 31 LRM regula la petición de levantamiento de la inmunidad de jurisdicción o de ejecución en España, distinguiendo entre aquellos supuestos en los que la competencia para acordar dicho levantamiento corresponda a una autoridad española o a otro Estado o una organización internacional. Así, si el levantamiento fuera competencia de una autoridad española, la autoridad judicial española de ejecución solicitará sin demora el levantamiento de dicho privilegio. Sin embargo, si el levantamiento fuera competencia de otro Estado o de una organización internacional, la autoridad judicial española de ejecución se lo comunicará a la autoridad que haya emitido la orden o resolución, pues a ella precisamente le corresponderá hacer la solicitud.

Mientras se resuelve sobre la solicitud de retirada de la inmunidad, la autoridad española de ejecución adoptará, en su caso, las medidas cautelares que considere necesarias para garantizar la efectiva ejecución de la orden o resolución una vez se proceda al levantamiento de la inmunidad (art. 31.2 LRM)[50].

---

[49] El legislador ha omitido cualquier referencia a las consecuencias que se derivarían en los casos en los que no se proceda a la subsanación en el plazo conferido al efecto, no obstante, consideramos que habrá que proceder a su denegación. En este sentido GASCÓN INCHAUSTI, F., "Reconocimiento mutuo de resoluciones de embargo preventivo y aseguramiento de prueba...", *op. cit.*, p. 348, afirma que no habrá más remedio que decretar la denegación por este motivo o, "como alternativa, puede acudirse a la vía de dejar el expediente en suspenso en tanto no se reciba la documentación requerida (lo cual, de facto, equivale a una denegación del reconocimiento que impide la ejecución).

[50] Afirma GASCÓN INCHAUSTI, F., "Reconocimiento mutuo de resoluciones de embargo preventivo y aseguramiento de prueba...", *op. cit.*, p. 353, que "la norma en sí misma es problemática, pues debe recordarse que la costumbre y la normativa internacional más recientes no contemplan la inmunidad de ejecución como categoría autónoma, sino que se refieren de forma más genérica a una inmunidad frente a medidas coercitivas, entre las que se pueden incluir las medidas cautelares (y esto haría imposible la aplicación, en muchos casos, de la salvaguarde del artículo 31.2 LRM)".

4.3.2. Motivos facultativos de denegación

Además de los motivos por los que es obligatorio rechazar el reconocimiento que hemos analizado, el legislador ha previsto otros motivos por los cuales la autoridad competente podrá rechazar el reconocimiento, de ahí precisamente su carácter facultativo[51].

Estos motivos facultativos de denegación están previstos en los apartados 2 y 3 del art. 32 LRM y son los siguientes:

1. El primer motivo está previsto en el art. 32.2 LRM que faculta a la autoridad judicial española a denegar el reconocimiento cuando la resolución se refiera a un delito distinto de los contemplados en el art. 20 LRM como delitos que no están sujetos al control de la doble tipificación por el Juez o Tribunal español. Así, por un lado, se podrá denegar el reconocimiento cuando la condena se hubiera impuesto por una infracción distinta de las reguladas en el apartado 1 del art. 20 LRM y los hechos no estén tipificados en el ordenamiento jurídico español. Por otro lado, también se podrá denegar el reconocimiento de la resolución judicial que imponga sanciones pecuniarias cuando la condena se hubiera impuesto por un delito distinto de los previstos en el apartado 2 del art. 20 LRM y los hechos tampoco estén tipificados en España.

Este motivo de denegación facultativo es consecuencia del control de doble tipificación. Así, como hemos mencionado, cuando la orden o resolución judicial dictada por el Estado de emisión y transmitida a la autoridad competente de nuestro país para su reconocimiento y ejecución se refiera a un hecho tipificado como un delito distinto de los previstos en este artículo 20 LRM, la autoridad competente deberá comprobar si el delito en virtud del cual se ha acordado es un delito tipificado en nuestro ordenamiento jurídico y, al tratarse de un motivo de denegación facultativo, será posible denegar por este motivo el reconocimiento o, por el contario, admitirlo[52].

---

[51]   Coincidimos con DE JORGE MESAS, L. F., "La cooperación judicial penal en la Unión Europea: aproximación a una teoría general del reconocimiento mutuo", *Revista Aranzadi Unión Europea*, número 4 (2015), con que "de esta manera se trata de hacer posible que los Estados cumplan las obligaciones que derivan de las normas de la Unión y que al mismo tiempo puedan salvaguardar las peculiaridades de su Derecho nacional (...). Por ello podemos denominarlas exclusiones, puesto que son causas que permiten excluir determinados supuestos del alcance de las consecuencias del reconocimiento mutuo".

[52]   Como acertadamente afirma GASCÓN INCHAUSTI, F., "Reconocimiento mutuo de resoluciones de embargo preventivo y aseguramiento de prueba...", *op. cit.*, p. 336,

No obstante, si la orden o resolución se ha adoptado en relación con una infracción penal en materia tributaria, aduanera o de control de cambios no podrá denegarse la ejecución si el fundamento fuera que la legislación española no establece el mismo tributo o no contiene la misma regulación en materia tributaria, aduanera o de control de cambios que la legislación del Estado de emisión (art. 20.4 LRM).

2. El segundo motivo regulado en el art. 32.3 LRM permite a la autoridad judicial española denegar el reconocimiento y la ejecución de una orden o resolución referida a hechos que el Derecho español considere cometidos en su totalidad o en parte importante o fundamental en territorio español.

4.3.3. Denegación para las resoluciones dictadas en ausencia del imputado

Entre los motivos que determinarán la denegación del reconocimiento y ejecución, el art. 33 LRM señala que la orden o resolución se hubiera dictado en ausencia del imputado, salvo que se hubieran cumplido las garantías que permitirían celebrar el juicio en ausencia del imputado. La expresión utilizada por el legislador ("denegará") nos conduce a interpretar que se trata de un motivo de denegación obligatorio[53]. Las únicas excepciones serán las siguientes (art. 33.2 LRM):

- Resoluciones que soliciten la realización de un embargo preventivo de bienes o un aseguramiento de pruebas.

- Orden europea de investigación[54].

- Resoluciones por las que se imponen medidas alternativas a la prisión provisional.

"esta opción puede generar el inconveniente práctico de que nos encontremos con criterios diferentes y de difícil unificación…".

[53] En el mismo sentido, GARCÍA MORENO, J. M., "El régimen general del reconocimiento mutuo…", *op. cit.*

[54] El art. 33.2 LRM se refiere al "exhorto europeo de obtención de pruebas", no obstante, ésta referencia actualmente debe entenderse realizada a la Orden Europea de Investigación, ya que, como hemos mencionado, el art. único. Diecisiete del Proyecto de Ley por la que se modifica la Ley 23/2014 de noviembre, de reconocimiento mutuo de resoluciones penales en la Unión Europea, para regular la orden europea de investigación, sustituye el título X por la siguiente rúbrica y contenido "Orden Europea de Investigación en materia penal".

Por tanto, se denegará el reconocimiento y ejecución cuando la orden o resolución se hubiera dictado en ausencia del imputado, a menos que en la misma conste, de acuerdo con los demás requisitos previstos en la legislación procesal del Estado de emisión, alguna de las circunstancias siguientes:

a) Que, con antelación suficiente, el imputado o bien fuera citado personalmente e informado de la fecha y lugar previstos para la celebración del juicio del que deriva esa resolución y de que podría dictarse resolución en su ausencia, o bien recibiera esa información por otros medios que dejen constancia de su efectivo conocimiento.

b) Que, conociendo la fecha y lugar del juicio, el imputado hubiera designado abogado para su defensa en el juicio y que dicho abogado lo hubiera efectivamente defendido en el juicio celebrado.

c) Que, tras serle notificada la resolución y ser informado de su derecho a un nuevo juicio o a interponer recurso, el imputado hubiera declarado expresamente que no impugnaba la resolución o no hubiera solicitado la apertura de un nuevo juicio ni interpuesto recurso en el plazo previsto para ello.

4.4. Resolución

La autoridad judicial española competente para el reconocimiento y la ejecución dictará resolución resolviendo sobre los instrumentos europeos de reconocimiento mutuo.

Como hemos mencionado, la resolución denegatoria del reconocimiento o de la ejecución de un instrumento de reconocimiento mutuo tendrá que dictarse sin dilación, ser motivada y fundarse en la concurrencia de alguno de los motivos previstos en la LRM[55]. Precisamente por esa necesidad de motivación, dicha resolución deberá adoptar forma de auto o decreto.

La resolución resolviendo sobre el reconocimiento o ejecución deberá ser notificado inmediatamente a autoridad judicial de emisión, por cualquiera de los medios a los que se refiere el art. 18.2 LRM, y al Ministerio Fiscal (véanse arts. 22.2 y 32.4 LRM). Asimismo, consideramos que dicha resolución, *ex* art. 22 LRM, deberá ser notificado al imputado que tenga su

---

[55]   Véase *ut supra* apartado 4.3.

domicilio o residencia en España, salvo que el procedimiento se hubiera declarado secreto o su notificación frustrara la finalidad perseguida[56].

Además, *ex* art. 16.3 LRM, en el supuesto de que la resolución deniegue el reconocimiento o la ejecución de la orden o resolución deberá acordar su devolución inmediata y directa a la autoridad de emisión cuando el auto sea firme.

4.5. *Recursos*

El régimen de recursos contra las resoluciones dictadas por la autoridad española competente para resolver sobre el reconocimiento y ejecución de los instrumentos de reconocimiento mutuo transmitidos por la autoridad competente de otro Estado miembro de la Unión Europea está regulado en el art. 24 LRM.

Según este precepto, contra las resoluciones de la autoridad judicial española resolviendo sobre los instrumentos europeos de reconocimiento mutuo se podrán interponer los recursos que procedan conforme a las reglas generales previstas en la LECrim. Precisamente aquí encontramos la primera diferencia con el régimen de recursos frente a las resoluciones por las que se acuerda la transmisión de un instrumento de reconocimiento mutuo (art. 13 LRM), en el que solo se prevé como recurrible la resolución acordando la transmisión[57], mientras que en este caso cabe recurrir tanto la resolución acordando el reconocimiento y ejecución del instrumento de reconocimiento mutuo como la resolución denegando el mismo.

Al analizar los recursos que caben contra la resolución acordando o denegando el reconocimiento y la ejecución tenemos que distinguir en función de la autoridad que haya dictado dicha resolución. Así, en el caso de que la misma hubiera sido dictada por la autoridad judicial, la decisión adoptará la forma de auto motivado y frente al mismo se podrán interponer los recursos ordinarios previstos en los artículos 216 y ss. de la LECrim.

Por el contrario, frente a las resoluciones del Ministerio Fiscal en ejecución de un instrumento de reconocimiento mutuo no cabe recurso alguno, sin perjuicio de las posibles impugnaciones sobre el fondo ante la

---

[56]   De la misma opinión ARANGÜENA FANEGO, C., "Reconocimiento mutuo de resoluciones sobre medidas alternativas a la prisión provisional: análisis normativo", en *Reconocimiento mutuo de resoluciones penales en la Unión Europea. Análisis teórico-práctico de la Ley 23/2014, de 20 de noviembre*, Thomson Reuters Aranzadi, Navarra, 2015, p. 242.

[57]   Véase *ut supra* apartado 3.3.

autoridad de emisión y de su valoración posterior en el procedimiento penal que se siga en el Estado de emisión (art. 24.4 LRM).

Es importante subrayar que, como es lógico, la interposición del recurso nunca podrá atacar los motivos de fondo por los que se haya adoptado la orden o resolución. Dichos motivos de fondo sólo podrán ser impugnados mediante un recurso interpuesto en el Estado miembro de la autoridad judicial de emisión.

Con carácter general la interposición del recurso no suspende la ejecución de la orden o resolución[58]. La única excepción se produciría en aquellos casos en los que la no suspensión de ésta pudiera crear situaciones irreversibles o causar perjuicios de imposible o difícil reparación, en cuyo caso se podrá suspender la ejecución y se adoptarán en todo caso las medidas cautelares que permitan asegurar la eficacia de la resolución[59].

La autoridad judicial competente comunicará a la autoridad judicial del Estado de emisión, por cualquiera de los medios a los que se refiere el art. 18.2 LRM, tanto la interposición de algún recurso y sus motivos[60] como la decisión que recaiga sobre el mismo.

---

[58] En el régimen de recursos frente a resoluciones interlocutorias previsto en nuestra LECrim, los mismos carecen como regla general de efectos suspensivos (véanse arts. 216 y ss y art. 766 LECrim).

[59] Así, por ejemplo, en el caso del instrumento de medidas alternativas a la prisión se prevé la adopción de medidas cautelares que permitan asegurar la eficacia de la resolución. En este sentido, ARANGÜENA FANEGO, C., "Reconocimiento mutuo de resoluciones sobre medidas alternativas a la prisión provisional...", op. cit., p. 243.
Respecto al reconocimiento mutuo de sanciones pecuniarias afirma RUIZ YAMUZA, F. G., "Cuestiones prácticas relativas al reconocimiento de sanciones pecuniarias...", op. cit., p. 494 que "el Juez de lo Penal habrá de valorar en cada caso la concurrencia de esta circunstancia excepcional, admitiendo en ese caso el recurso con este efecto (suspensivo) y adoptando, si procede, las medidas cautelares oportunas para asegurar la eficacia de la resolución".
Por su parte, en relación con el instrumento de resoluciones de embargo preventivo y aseguramiento de pruebas subraya GASCÓN INCHAUSTI, F., "Reconocimiento mutuo de resoluciones de embargo preventivo y aseguramiento de prueba...", op. cit., p. 360, que "la aplicación de esta regla deberá efectuarse con mucha contención, si no se quiere subvertir la voluntad del legislador europeo".

[60] Consideramos con GASCÓN INCHAUSTI, F., "Reconocimiento mutuo de resoluciones de embargo preventivo y aseguramiento de prueba...", op. cit., p. 360, que si la finalidad de esta información es permitir que el tribunal de emisión pueda presentar las alegaciones que considere oportunas, "será preciso articular la tramitación del recurso de modo que se remita su contenido a la autoridad judicial de emisión y se le conceda un plazo para formular alegaciones (...), que podrán ser tenidas en cuenta por el tribunal que conozca del recurso para fundar su resolución".

BIBLIOGRAFÍA

AGUILERA MORALES, E., "El ne bis in idem: un derecho fundamental en el ámbito de la Unión Europea", *Civitas. Revista española de derecho europeo*, núm. 20, 2006.

ARANGÜENA FANEGO, C., "Reconocimiento mutuo de resoluciones sobre medidas alternativas a la prisión provisional: análisis normativo", en *Reconocimiento mutuo de resoluciones penales en la Unión Europea. Análisis teórico-práctico de la Ley 23/2014, de 20 de noviembre*, Thomson Reuters Aranzadi, Navarra, 2015.

CARRIZO GONZÁLEZ-CASTELL, A., "La ley 2372014 de reconocimiento mutuo de resoluciones penales en la Unión Europea", *Revista General de Derecho Europeo* 26 (2015).

DE HOYOS SANCHO, M., "La orden europea de protección de víctimas: análisis normativo", en *Reconocimiento mutuo de resoluciones penales en la Unión Europea. Análisis teórico-práctico de la Ley 23/2014, de 20 de noviembre*, Thomson Reuters Aranzadi, Navarra, 2015.
   –   "El reconocimiento mutuo de resoluciones por las que se impone una pena o medida privativa de libertad: análisis normativo", en *Reconocimiento mutuo de resoluciones penales en la Unión Europea. Análisis teórico-práctico de la Ley 23/2014, de 20 de noviembre*, Thomson Reuters Aranzadi, Navarra, 2015

DE JORGE MESAS, L. F., "La cooperación judicial penal en la Unión Europea: aproximación a una teoría general del reconocimiento mutuo", *Revista Aranzadi Unión Europea*, número 4 (2015).

DÍEZ RIPOLLÉS, J. L., "Algunas cuestiones sobre la prescripción de la pena", *Indret*, núm. 2, 2008.

FAGGIANI, V., "El principio de reconocimiento mutuo en el Espacio Europeo de Justicia Penal. Elementos para una construcción dogmática", *Revista General de Derecho Europeo* (38) 2016.

FERNÁNDEZ RODRÍGUEZ, M., "Cooperación judicial penal Comunitaria. La orden de detención Europea, primer instrumento del Principio de reconocimiento mutuo de decisiones", en *Una década de cambios: de la guerra de Irak a la evolución de la primavera árabe (2003-2013)*, Asociación Veritas para el Estudio de la Historia, el Derecho y las instituciones, 2013.

GARCÍA MORENO, J. M., "El régimen general del reconocimiento mutuo de resoluciones penales en la Unión Europea". En línea. Consultado el 20 de febrero de 2018. Disponible en: http://www.elderecho.com/tribuna/penal/reconocimiento-resoluciones-penales-Union-Europea_11_848305001.html.
   –   "La cooperación judicial penal en el espacio de libertad, seguridad y justicia después del Tratado de Lisboa", *Unión Europea Aranzadi*, núm. 10, 2009.

GASCÓN INCHAUSTI, F., "Reconocimiento mutuo de resoluciones de embargo preventivo y aseguramiento de prueba: análisis normativo", en *Reconocimiento mutuo de resoluciones penales en la Unión Europea. Análisis teórico-práctico de la Ley 23/2014, de 20 de noviembre*, Thomson Reuters Aranzadi, Navarra, 2015.

GONZÁLEZ CANO, I., "Consideraciones generales sobre el Libro Verde de la Comisión Europea relativo a los conflictos de jurisdicción y el principio non bis in ídem en los procedimientos penales", en *Unión Europea Aranzadi*, núm. 11, 2006.

JIMENO BULNES, M., "La orden europea de detención y entrega: análisis normativo", en *Reconocimiento mutuo de resoluciones penales en la Unión Europea. Análisis teórico-práctico de la Ley 23/2014, de 20 de noviembre*, Thomson Reuters Aranzadi, Navarra, 2015.

LICATA, F., "El principio de reconocimiento mutuo y su desarrollo", en en *Cooperación judicial penal en Europa*, Dykinson, Madrid, 2013.

LUPÁRIA, L., "Derechos fundamentales y principio ne bis in ídem en la cooperación judicial europea", en *La cooperación judicial entre España e Italia. La Orden europea de detención y entrega en la ejecución de sentencias penales*, Instituto Vasco de Derecho Procesal, San Sebastián, 2017.

MIR PUIG, C., "Prescripción de la pena (II), *Iuris: Actualidad y práctica del Derecho*, núm. 187, 2013.

MORENO CATENA, V., "El cambio de paradigma y el principio de reconocimiento mutuo y sus implicaciones. Perspectivas del Tratado de Lisboa", en *Cooperación judicial penal en Europa*, Dykinson, Madrid, 2013.

PEITEADO MARISCAL, P., *El reconocimiento mutuo de resoluciones penales definitivas en la Unión Europea*, Colex, Madrid, 2006.

RUIZ YAMUZA, F. G., "Cuestiones prácticas relativas al reconocimiento de sanciones pecuniarias", en *Reconocimiento mutuo de resoluciones penales en la Unión Europea. Análisis teórico-práctico de la Ley 23/2014, de 20 de noviembre*, Thomson Reuters Aranzadi, Navarra, 2015.

VERVAELE, J. A. E. "Ne bis in ídem: ¿un principio transnacional de rango constitucional en la Unión Europea", *Indret*, 1/2014.

– "El principio de non bis in idem en Europa", en *La orden de detención y entrega europea*, Ediciones de la Universidad de Castilla-La Mancha, Cuenca, 2006.

Capítulo III

Algunas dificultades y cuestiones pendientes en la cooperación judicial penal en el ámbito de la Unión Europea relativas a las garantías procesales[1]

MONTSERRAT DE HOYOS SANCHO

Profesora Titular de Derecho Procesal —Acred. Catedrática—
y miembro del Instituto de Estudios Europeos.
Universidad de Valladolid

1. INTRODUCCIÓN

Como es sabido, la cooperación judicial penal en el ámbito del "espacio de libertad, seguridad y justicia" de la Unión Europea —ELSJ— se rige por el principio de reconocimiento mutuo de resoluciones judiciales[2], que

---

[1] Este trabajo se enmarca en el Proyecto de Investigación titulado *"Garantías procesales de investigados y acusados: necesidad de armonización y fortalecimiento en el ámbito de la Unión Europea"* —DER 2016-78096-P—, del que soy Investigadora Principal, junto con la Profª Dra. C. Arangüena Fanego.

[2] Me remito en este punto, *in extenso,* a trabajos previos en los que he analizado dicho principio, destacadamente: "El principio de reconocimiento mutuo de resoluciones penales en la Unión Europea: ¿Asimilación automática o corresponsabilidad?" *Revista de Derecho Comunitario Europeo,* núm. 22, sept.-dic. 2005, pp. 807 y ss.; "Armonización de los procesos penales, reconocimiento mutuo y garantías esenciales/Harmonization of criminal proceedings, mutual recognition and essential safeguards", en *El proceso penal en la Unión Europea. Garantías esenciales,* Valladolid, 2008, esp. pp. 42 y ss.; "Aproximación de los procesos penales en la Unión Europea y reconocimiento mutuo de sentencias y resoluciones judiciales tras el Tratado de Lisboa", en *Instrucción penal en*

presupone la confianza recíproca entre las autoridades implicadas[3], a la vez que se apoya en una progresiva aproximación del contenido de las legislaciones nacionales en la materia, según dispone el art. 82 TFUE.

La vigencia y efectividad de esta pauta rectora de carácter estructural supone que las resoluciones dictadas por una autoridad judicial[4] incardinada en el ELSJ, en el respectivo ámbito de aplicación y con los presupuestos de las normas que regulan una materia concreta, deberán ser reconocidas y dotadas de eficacia por las autoridades de los demás Estados miembros, prácticamente de forma automática, de tal manera que sólo se podría denegar la cooperación por motivos tasados y objetivados, expresamente contenidos en la normativa UE y siempre de interpretación restrictiva.

El reconocimiento mutuo como criterio que informa de la cooperación se completa además con la comunicación directa entre autoridades judiciales implicadas, con la supresión de las funciones que hasta ahora en materia de auxilio judicial desempeñaban las "Autoridades centrales" —el ejecutivo—, con el uso de formularios estandarizados multilingües y con el establecimiento de plazos cortos para cumplimentar el requerimiento cursado, a lo que hay que sumar la eliminación del requisito de la doble incriminación en relación con los delitos más graves.

La suma de todas estas circunstancias, unida al crecimiento exponencial de la evidente necesidad de cooperación interestatal en la lucha contra la criminalidad transnacional en un espacio sin fronteras, en un momento de suficiente estabilidad política en el espacio europeo en sentido estricto, han traído como consecuencia unos avances en la materia que, allá por los albores del sistema actual, cuando hace quince años comenzaron a operar

---

el Derecho comparado, Coord.: C. Rodríguez-Medel Nieto, CGPJ, núm. 4/2011, pp. 1 y ss. También he abordado esta cuestión más recientemente al hilo de materias específicas: "Reflexiones sobre la Directiva 2012/29/UE, por la que se establecen normas mínimas sobre los derechos, el apoyo y la protección de las víctimas de delitos, y su transposición al ordenamiento español", *Revista General de Derecho Procesal*, núm. 34, 2014, pp. 1 y ss, o en "Sobre la necesidad de armonizar las garantías procesales en los enjuiciamientos de personas jurídicas en el ámbito de la Unión Europea. Valoración de la situación actual y algunas propuestas ", *Revista General de Derecho Procesal*, núm. 43, 2017, pp. 1 y ss.

[3] Confianza recíproca que se extiende en general a todas las instituciones de los Estados miembros que puedan tener competencias en la materia. Es decir, se presupone que sus respectivos ordenamientos jurídicos nacionales y autoridades competentes están en condiciones de proporcionar una protección equivalente y efectiva de los derechos fundamentales reconocidos en el ámbito UE.

[4] Concepto autónomo del Derecho de la Unión.

estos nuevos instrumentos de cooperación judicial y policial, eran casi inimaginables.

No es la ocasión de enumerar aquí todos los instrumentos normativos aprobados u organismos creados en todos estos años con el fin de facilitar y agilizar la cooperación transnacional que nos ocupa. Son conocidos por los estudiosos y analistas de la materia; además, su listado completo actualizado puede consultarse, por ejemplo, en la web de "*European Judicial Network*", así como el concreto estado de transposición y normativa de implementación en cada uno de los países miembros[5].

Por lo que respecta a España, en nuestro país se aglutina prácticamente en un único instrumento normativo el reconocimiento mutuo de las principales resoluciones judiciales que se pueden dictar en el marco de un proceso penal: la Ley 23/2014, de reconocimiento mutuo de resoluciones penales[6] —LRMRP—, a la que no tardando[7] se deberá incorporar la transposición de la "orden europea de investigación", en un nuevo Título X de citada Ley, que vendrá a reemplazar al exhorto europeo de obtención de pruebas.

Hecha esta breve introducción a la materia, queda por determinar las que serán finalidades y objetivos de este trabajo: poner de relieve algunas de las que, a mi juicio, son las principales dificultades a que se enfrenta hoy

---

[5] https://www.ejn-crimjust.europa.eu/ejn/libcategories.aspx?Id=2

[6] A mi juicio, debe valorarse como un acierto de técnica legislativa la opción española por recoger en un único texto legislativo los instrumentos de reconocimiento mutuo, con una Parte General y tantos Títulos como instrumentos de cooperación en materia penal se han transpuesto en nuestro ordenamiento hasta la fecha. Como estaba previsto al optar por este modelo de implementación, permite incorporar las nuevas herramientas de cooperación penal en el ámbito UE, o mejorar las vigentes, simplemente con una modificación de la referida Ley 23/2014. Un exhaustivo estudio y valoraciones críticas de la misma puede encontrarse en *Reconocimiento mutuo de resoluciones penales en la Unión Europea. Análisis teórico-práctico de la Ley 23/2014, de 20 de noviembre*, Dirs.: Arangüena, C., De Hoyos, M. y Rodríguez-Medel, C., Cizur Menor, 2015.

[7] Aunque ya fuera de plazo, pues debería estar transpuesta antes del 22 de mayo de 2017. Ante el vacío que ha provocado la derogación del exhorto, sin aprobación en tiempo y forma de la ley nacional sobre transposición de la orden europea de investigación llamada a reemplazarlo, la Fiscal de Sala de Cooperación Judicial Internacional se vio obligada a publicar el <<*Dictamen 1/17 sobre el régimen legal aplicable debido a la no transposición en plazo de la Directiva sobre OEI y sobre el significado de la expresión "Disposiciones correspondientes" que sustituye dicha Directiva*>>, fechado el 19 de mayo de 2017. Por lo demás, en el momento en que se redactan estas líneas se acaba de dar a conocer —28 sept. 2017— el Informe del CGPJ al Anteproyecto de Ley que modificará la LRMRP para incorporar la orden europea de investigación, entre otras cuestiones relacionadas con el reconocimiento mutuo de resoluciones en materia penal.

la cooperación judicial penal en el ámbito UE, y destacar al mismo tiempo algunas de las cuestiones pendientes en la materia, las que considero más relevantes para seguir avanzando en la construcción del ELSJ.

Las potenciales utilidades, numerosas bondades y grandes ventajas de los instrumentos que ya se aplican son conocidas por todos; han sido analizadas con detalle por los estudiosos del tema en los distintos Estados UE. Además, los representantes de las propias instituciones de la Unión se encargan de recordarlas y de ensalzarlas de forma recurrente. Seguramente todos coincidimos con la gran mayoría de esas apreciaciones, por lo que no es necesario volver a insistir en ellas ahora.

Sin embargo, para seguir progresando con paso firme en la cooperación judicial transfronteriza basada en el reconocimiento mutuo de resoluciones, es preciso paliar algunos defectos, corregir errores en el sistema, adelantarse a la posible invocación de causas de denegación del reconocimiento, suplir las que todavía son importantes lagunas en el sistema y hacer propuestas concretas que puedan mejorar y agilizar la cooperación transfronteriza; en definitiva, hacerla más eficiente a la vez que respetuosa con los derechos de investigados, acusados y víctimas reconocidos y protegidos en los diferentes instrumentos normativos.

Desde luego, todas estas tareas corresponden a los que trabajan en las instituciones de la UE y a los que operan en la práctica con estos instrumentos, pero los que integramos la Academia, y más ampliamente todos los estudiosos de una materia tan especializada, tenemos una importante función que cumplir: detectar y poner de relieve esas deficiencias, adelantarnos a los problemas que pueden surgir y, sin duda lo más difícil, aportar claves interpretativas, formular propuestas sistemáticas y dogmáticamente bien construidas[8] que puedan ser funcionales en la consecución de los

---

[8] Interesantes siempre las reflexiones de R. KOSTORIS sobre la materia. Vid. su trabajo "Processo penale, diritto europeo e nuovi paradigmi del pluralismo guiridico postmoderno", *Riv.It.Dir.Proc.Pen.*, sept. 2015, pp. 1177 y ss.: El derecho europeo es hijo de una sociedad líquida y pluralista, impone cambios de paradigmas profundos y radicales, que afectan no sólo a la cooperación judicial, sino también al derecho procesal penal interno, y que incidirá en lo más profundo, en nuestros esquemas mentales y en nuestra propia cultura jurídica. Vivimos momentos de "crisis de la ley", como ideal normativo abstracto, coherente y sistemático, fuente monopolística del derecho y expresión de la soberanía estatal. Es necesario razonar nuevos modelos. Y frente a lo nuevo —como advertía Spinoza— no basta dispersarse o regocijarse, es necesario, sobre todo, tratar de comprenderlo. Vid. también p. 1187: En el marco de un sistema reticular de fuentes, es necesario encontrar soluciones inclusivas, que permitan coexistir a varios ordenamientos sin anularlos, valorando el pluralismo, sin precipitarse en

fines antedichos; esto es, la mejora de la persecución y sanción del crimen transfronterizo, sin merma de los derechos y garantías procesales y penales que afirmamos fundamentales[9].

La tarea es compleja y difícil de abarcar, incluso infinita, pues irán surgiendo nuevos instrumentos normativos, con sus respectivos presupuestos y problemas específicos, diversas formas delictivas que requerirán otras respuestas tal vez no planteadas hasta ahora, incluso complicaciones políticas y socio-económicas en los propios Estados miembros que pueden afectar a la fluidez de la cooperación, por mencionar sólo algunos extremos que potencialmente pueden generar complicaciones en la deseada cooperación fluida, eficaz y eficiente.

Este trabajo pretende exponer por escrito algunas de esas dificultades y cuestiones pendientes al día de hoy, formulando a la vez varias propuestas de actuación.

2. PROBLEMAS QUE PLANTEA LA APROBACIÓN DE DIRECTIVAS SOBRE GARANTÍAS PROCESALES QUE RESULTAN SER "DE MÍNIMOS", O LA VULNERACIÓN *DE FACTO* DE ALGUNOS DERECHOS FUNDAMENTALES. ESTUDIO DE VARIOS EJEMPLOS BASADOS EN LA JURISPRUDENCIA

Alterando el que según la gran mayoría de los analistas habría sido el orden lógico de actuación[10] —primero aprobar las normas de armoniza-

---

el relativismo; en definitiva, alcanzar el "pluralismo ordenado" al que ya se refiriese Delmas-Marty.

[9] Como afirma CAIANIELLO, ante el abismo que tenemos delante, es obligación de la ciencia jurídica, al menos en este momento histórico, no sólo cumplir funciones de custodios y guardianes de la tradición, sino sobre todo hacer propuestas que nos guíen hacia los nuevos escenarios, de tal manera que los impulsos que vienen *ab externo* sean recibidos de modo fecundo, y no terminen por imponerse de manera destructiva. Vid. más ampliamente las reflexiones de conjunto contenidas en su trabajo, "Dal terzo pilastro ai nuovi strumenti: diritti fondamentali, "road map" e l'impatto delle nuove Direttive", *Diritto Penale Contemporaneo*, núm. 4/2015, pp. 70 y ss., esp. p. 84.

[10] Vid. por ejemplo las valoraciones de GONZÁLEZ CANO, M.I.: "La armonización de las garantías procesales penales en la Unión Europea", en *El derecho procesal español del s. XX. A golpe de tango*, AA.VV., Valencia, 2012, pp. 1273 y ss.; de ARANGÜENA FANEGO, C. en "Nuevos avances en la armonización de garantías procesales en la Unión Europea", *Cooperación judicial penal en la Unión Europea*, Dir. M.I. González Cano, Valencia, 2015, pp. 267 y ss., y anteriormente en *Garantías procesales en los procesos penales en la*

ción de garantías procesales y luego los instrumentos de cooperación a través del reconocimiento mutuo—, y después de una larga espera para ver finalmente aprobadas y publicadas esas primeras normas de armonización o aproximación de legislaciones sobre las que deberían ser las principales garantías procesales penales. téngase en cuenta que la Decisión marco sobre la orden europea de detención y entrega, OEDE, se publicó ya en 2002— este es el estado de la cuestión[11], los principales avances normativos en la materia al día de hoy:

Teniendo como punto de partida la Decisión Marco 2009/299/JAI, "destinada a reforzar los derechos procesales de las personas y a propiciar la aplicación del principio de reconocimiento mutuo de las resoluciones dictadas a raíz de juicios celebrados sin comparecencia del imputado", en los años siguientes se aprobaron —con sus respectivos plazos de varios años para la implementación…— estas otras Directivas que abordan derechos y garantías de investigados y acusados: la Directiva 2010/64/UE, relativa al derecho a la interpretación y traducción en los procesos penales; la Directiva 2012/13/UE, relativa al derecho a la información en los procesos penales; la Directiva 2013/48/UE, relativa al derecho a la asistencia letrada en procesos penales y en procedimientos de OEDEs y sobre el derecho a comunicarse con terceros y con autoridades en situaciones de privación de privación de libertad; la Directiva 2016/343/UE, que refuerza la presunción de inocencia y el derecho a estar presente en el juicio; la Directiva 2016/800/UE, sobre garantías procesales de menores sospechosos o acusados en un proceso penal; y la última en ver la luz, la Directiva 2016/1919, sobre asistencia jurídica gratuita a sospechosos y acusados en procesos penales, y a personas buscadas en virtud de OEDEs.

Unión Europea, Valladolid, 2007, o JIMENO BULNES, M.: "Perspectiva de la orden europea de detención y entrega: el principio de reconocimiento mutuo y la cooperación judicial en la Unión Europea", en *La cooperación judicial entre España e Italia*, Coord. J. Burgos Ladrón de Guevara, San Sebastián, 2017, pp. 5 y ss. Un estudio de las posibles técnicas de armonización de los derechos del justiciable en un sistema caracterizado por el pluralismo, puede encontrarse en FAGGIANI, V.: *Los derechos procesales en el espacio europeo de justicia penal*, Cizur Menor, 2017.

[11] Vid. más ampliamente el trabajo publicado en enero de 2017 por ARANGÜENA FANEGO, precisamente titulado: "Las garantías procesales de sospechosos e imputados en procesos penales", en *Los retos del espacio de Libertad, Seguridad y Justicia de la Unión Europea en el año 2016*, Dir. A. Gutiérrez Zarza, Madrid, 2017, pp. 1 y ss.

Pero la cuestión no es sólo que se invirtiera el "orden natural" de las cosas[12], o que se tardara demasiado en aprobar las normas de garantías, o incluso, que todavía se echen en falta normas sobre derechos procesales esenciales. A mi modo de ver, el problema que está acarreando consecuencias más negativas es provocado por el hecho de que las normas que finalmente se aprueban resultan ser "de mínimos" o, peor si cabe, que incluso colocándose las garantías comunes en umbrales relativamente bajos, se incumplan de manera flagrante por las autoridades de algunos Estados miembros.

Cierto es que, como puede leerse en todas las Exposiciones de Motivos de las Directivas —"Considerandos" en el lenguaje UE—, los Estados miembros pueden incrementar ese nivel de protección en sus respectivas legislaciones nacionales, pero *al menos en teoría* esas Directivas fijan el estándar de derechos y garantías exigible "*ad extra*", es decir, a las autoridades de otros Estados miembros en materia de cooperación judicial y policial transfronteriza.

Esto ha provocado que, en la práctica, cuando las autoridades judiciales de algún Estado miembro requerido han considerado que la situación *de facto* del grado de observancia de las garantías penales o procesales esenciales en el Estado requirente era ciertamente insuficiente o deficitaria, incluso cuando las normas nacionales de éstos cumplieran textual o formalmente las referidas Directivas de armonización "de mínimos", dichas autoridades judiciales requeridas se consideren con la facultad de invocar su propio estándar de garantías fundamentales, en forma de "su propia identidad constitucional", y terminen denegando la cooperación que se le solicita por considerar que en el Estado requirente se vulneran o se podrían vulnerar derechos fundamentales de los sujetos afectados por la cooperación en caso de acceder a la petición cursada.

Esta situación descrita, que como expondré a continuación no es hipotética, sino real, genera —como poco— incertidumbre y retrasos en la que debería ser una cooperación judicial fluida, merma la eficacia potencial del sistema de reconocimiento mutuo de resoluciones judiciales, e incluso puede llegar a provocar reticencias o conflictos entre las concretas autoridades implicadas, y hasta importantes discrepancias en los "diálogos" que mantienen entre sí los Altos tribunales nacionales, o éstos con el Tribunal de Justicia UE.

---

[12]   Se pensó que los instrumentos de cooperación a través del reconocimiento actuarían a modo de "*círculo virtuoso*" que pudiera forzar una aproximación de las garantías procesales en los distintos Estados miembros. Vid. PISANI, M.: "Il processo penale europeo: problema e prospettive", *Rivista di Diritto Processuale*, julio-sept. 2004, pp. 653 y ss., esp. p. 676.

Tomando como muestra el que hasta ahora ha sido el "instrumento estrella" de la cooperación, la OEDE[13], por su antigüedad y amplia utilización, resumiré a continuación una serie de hitos jurisprudenciales que, a mi juicio, son buena muestra de lo antedicho y, en definitiva, de que la cooperación a través del reconocimiento mutuo no es, ni será, tarea fácil.

En primer lugar, es preciso traer a colación la por todos conocida Sentencia del Tribunal de Justicia UE en el asunto "Melloni", 26 de febrero de 2013[14], así como la ulterior Sentencia del TC español —STC 26/2014, de 13 de febrero—.

El TC español planteó al TJUE, en la que fue su primera cuestión prejudicial ante éste, si el Estado requerido podía supeditar la entrega en virtud de OEDE a la condición de que el Estado requirente —Italia— garantizase la posibilidad de revisar la sentencia de condena dictada en ausencia.

Expresado de un modo sucinto, el TJUE concluyó[15] que si una determinada materia estaba armonizada en el ámbito UE[16], y en virtud del llamado

---

[13]   En nuestro grupo de trabajo hemos analizado la eficacia del instrumento desde sus inicios, entre otros, en los siguientes trabajos: DE HOYOS SANCHO, M.: "Euro-orden y causas de denegación de la entrega", *Cooperación judicial penal en la Unión Europea: La Orden Europea de Detención y Entrega*, Coord. C. Aranguena Fanego, Valladolid, 2005, pp. 207 y ss.; ARANGÜENA/DE HOYOS/RODRÍGUEZ-MEDEL, *Reconocimiento mutuo de resoluciones penales en la Unión Europea. Análisis teórico-práctico de la Ley 23/2014, de 20 de noviembre*, *op. cit.*, esp. pp. 35 y ss., concretamente en el Capítulo sobre OEDE firmado por JIMENO BULNES, y de la misma autora, un estudio actualizado puede encontrarse en "Perspectiva de la orden europea de detención y entrega…", *op. cit.*

[14]   STJUE (Gran Sala), asunto C-399/11, petición de decisión prejudicial presentada por el Tribunal Constitucional español mediante resolución de 9 de junio 2011, sobre la ejecución de una orden europea de detención y entrega del Sr. Stefano Melloni a Italia, en supuestos de enjuiciamiento en ausencia.

[15]   Dicha jurisprudencia del Tribunal de Justicia no estuvo exenta de enriquecedora polémica doctrinal, en nuestro país y fuera de él. Pueden verse, entre otros, por orden cronológico de publicación, los trabajos de DUBOUT, E.: "Le niveau de protection des droits fondamentaux dans l'Union Européenne: unitarisme constitutif versus pluralisme constitutionnel", *Cahiers de droit européenne*, núm. 1, 2013, pp. 293 y ss., quien, por cierto, valoró positivamente que el TC español se atreviera a "romper el hielo" y decidiera establecer un diálogo directo con el TJUE sobre la materia —pp. 293 y 294—, a la vez que criticó la "acrobacia jurídica" de la Corte europea, la lectura "neutralizante" que hace del art. 53 CDFUE y el menoscabo que implica esta sentencia para el pluralismo constitucional en la Unión Europea —pp. 308 y ss.—. Vid. también GARCÍA SÁNCHEZ, B.: "¿Homogeneidad o estándar mínimo de protección de los derechos fundamentales en la Unión Europea?", *Revista de Derecho Comunitario Europeo*, núm. 46, sept.-dic. 2013, pp. 1137 y ss., quien entre otras cosas concluye que los resultados alcanzados en "Melloni" podrían suponer la vulneración por parte de los países miembros de otros derechos fundamentales, como es el de igualdad de trato de ciudadanos en

"principio de primacía del Derecho de la Unión", no podrían invocarse como motivo de rechazo de la OEDE, o exigir las autoridades de un Estado en sus relaciones con los otros Estados miembros, garantías, condiciones o requisitos más allá de ese nivel armonizado —en ese caso, en materia de garantías del enjuiciamiento en ausencia—, por mucho que sí tuviera plasmación en su propio Derecho nacional, incluso con rango constitucional, un mayor grado de protección de derechos en ese ámbito.

Por lo tanto, si sobre ese sector del ordenamiento existe normativa UE de armonización o aproximación, se debe entender —dijo el TJUE— que esa regulación "refleja el consenso alcanzado por los Estados miembros en su conjunto sobre el alcance que debe darse, en virtud del Derecho de la Unión" —en aquel caso en relación con una serie de derechos procesales—, no siendo posible invocar el art. 53 CDFUE con el fin de que un Estado imponga a los demás Estados miembros condiciones para el reconocimiento mutuo de resoluciones judiciales, o para la cooperación

---

un mismo territorio. También crítico con dicha STJUE se muestra MARTIN RODRÍGUEZ, P.: "Crónica de una muerte anunciada: Comentario a la Sentencia del Tribunal de Justicia (Gran Sala), de 26 de febrero 2013, Stefano Melloni, C-399/11", en *Revista General de Derecho Europeo* 30 (2013), pp. 1 y ss. RAFARACI, T.: "Diritti fondamentali, giusto processo e primato del diritto UE", *Processo penale e giustizia*, núm. 3, 2014, pp. 1 y ss.

Con más perspectiva temporal, lo que le permitía un análisis de mayor espectro de las consecuencias de esta STJUE, se pronunció también críticamente BACHMAIER WINTER, L.: "Más reflexiones sobre la sentencia Melloni: primacía, diálogo y protección de los derechos fundamentales en juicios *in absentia* en el derecho europeo", *Revista Española de Derecho Europeo*, núm. 56, oct.-dic. 2015, pp. 1 y ss., y también en: "Quo vadis— El TJUE y su papel en materia de cooperación penal al hilo de la reciente jurisprudencia sobre la orden europea de detención y entrega", *Revista General de Derecho Europeo*, núm. 38, 2016, pp. 26 y ss., vid. esp. pp. 36 y 37: el TJUE rechaza de plano el diálogo entre tribunales para defender a ultranza la primacía y unidad del Derecho europeo, sin mostrar mucho respeto por la identidad constitucional de los Estados miembros, haciendo primar la efectividad de la OEDE y el reconocimiento mutuo en el ELSJ, frente a cualquier consideración de protección de los derechos fundamentales reconocidos en las constituciones nacionales, concluye la autora. Vid. además, DANIELE, M.: "La triangolazione delle garanzie processuali fra diritto dell'Unione Europea, CEDU e sistemi nazionali", *Diritto penale contemporáneo*, núm. 4/2016, pp. 48 y ss., esp. p. 54: Los jueces de Luxemburgo han privilegiado en "Melloni" el objetivo eurounitario de la rápida entrega del condenado, a cambio del precio de la renuncia a un nivel más elevado de protección de los derechos fundamentales previsto en el Estado de ejecución.

[16] Las garantías del enjuiciamiento en ausencia que debían concurrir para ejecutar OEDEs ya se habían armonizado con la referida Decisión marco de 2009, que modificó en este punto la originaria OEDE de 2002 —vid. art. 4 bis DM OEDE—.

judicial y policial en general, que no estén previstas en la norma UE de armonización[17].

En consecuencia, como se viera obligado a asumir el Pleno de nuestro Tribunal Constitucional en la sentencia correlativa a la citada STJUE de febrero de 2013 —vid. STC 26/2014, de 13 de febrero[18] —, con la que finalmente desestimó la pretensión de amparo del Sr. Melloni e implicó su entrega a Italia, el contenido absoluto del derecho a un proceso con todas las garantías que podía exigirse por nuestros tribunales y autoridades españolas *"ad extra"*, en el supuesto de que existan normas de armonización en el ámbito UE sobre la materia, tendría que ser precisamente el contenido de esa regulación de la Unión, y no otro más amplio o superior. Por lo tanto, si se dan los presupuestos del art. 4 bis apdo. 1°de la DM sobre euroorden y requisitos del enjuiciamiento en ausencia, las autoridades nacionales carecen de cualquier margen de apreciación en la materia.

En estos concretos términos se pronunció entonces nuestro Tribunal Constitucional —FJ 4°, STC 26/2014—: "Así debemos afirmar ahora, revisando, por tanto, la doctrina establecida desde la STC 91/2000, que no vulnera el contenido absoluto del derecho a un proceso con todas las garantías (art. 24.2 CE) la imposición de una condena sin la comparecencia del acusado y sin la posibilidad ulterior de subsanar su falta de presencia en el proceso penal seguido, cuando la falta de comparecencia en el acto del juicio conste que ha sido decidida de forma voluntaria e inequívoca por un acusado debidamente emplazado y éste ha sido efectivamente defendido por Letrado designado. En consecuencia, ello nos debe conducir derechamente a la desestimación del presente recurso de amparo, pues el órgano judicial, en aplicación del art. 12 de la Ley 3/2003, de 14 de marzo, estimó que no se había producido ninguno de los supuestos que pudieran obstaculizar la entrega del condenado en ausencia al Estado italiano, lo que hacía, a su juicio, improcedente exigir de las autoridades de emisión garantías adicionales".

---

[17]   Sobre el "principio de interpretación conforme" y el papel del juez nacional en la dinámica de aplicación del Derecho de la Unión, puede consultarse KOSTORIS, R.: "Processo penale, diritto europeo e nuovi paradigmi del pluralismo giuridico postmoderno", *op. cit.,* pp. 1177 y ss., esp. pp. 1185 y ss.

[18]   Puede encontrarse un exhaustivo y ponderado estudio de esta STC y de sus consecuencias sobre el papel que deben desempeñar los Tribunales constitucionales en la arquitectura europea, en el trabajo que firma MATIA PORTILLA, F.J.: "Primacía del derecho de la Unión y derechos constitucionales. En defensa del Tribunal constitucional", en *Revista española de Derecho constitucional*, núm. 106, enero-abril 2016, pp. 479 y ss.

Siguiendo un orden cronológico en la exposición de estos hitos jurisprudenciales, parece conveniente referirse también a una relevante Sentencia del Tribunal Constitucional alemán —*Bundesverfassungsgericht*, BverfG—, de 15 diciembre 2015, 2BvR 2735/14[19], dictada casi dos años después de la STJUE en el asunto "Melloni". En mi opinión, en cierta medida, es una reacción del TC alemán a los pronunciamientos contenidos en "Melloni", y supuso un quiebro importante en materia de cooperación judicial regida por el reconocimiento mutuo.

Podremos comprobar cómo, con argumentos muy contundentes, el BVerfG alemán optó por denegar la cooperación que se le requería, también en relación con una OEDE proveniente de Italia. Después abordaré sus consecuencias sobre la propia jurisprudencia ulterior del TJUE —que tuvo que matizar las pautas rotundamente afirmadas en "Melloni"— y cuyo resultado, a mi juicio, es una situación de incertidumbre que en nada ayuda a la cooperación judicial transfronteriza.

En esta sentencia, si bien el BVerfG invocaba el principio de confianza mutua entre Estados miembros, afirmaba que la necesaria protección de los derechos fundamentales podría hacer necesario un control adicional en la OEDE con el fin de respetar "la identidad constitucional alemana" —*Verfassungsidentität*—, lo que abrió las puertas a las autoridades judiciales alemanas a la posibilidad de no aplicar el derecho de la UE —la DM sobre OEDE, en este caso—, a pesar del principio de primacía del derecho de la Unión y de lo que ya manifestó el TJUE en "Melloni".

En este supuesto concreto, las autoridades italianas habían emitido una OEDE después de haber condenado a un sujeto en ausencia a 30 años de privación de libertad (¡!). El condenado fue detenido en Alemania y se opuso a la entrega, por dos razones: afirmaba desconocer la existencia de

---

[19] Realizó un análisis de esta sentencia ARZOZ SANTIESTEBAN, X.: "Karlsruhe rechaza la doctrina Melloni del Tribunal de Justicia y advierte con el control de la identidad constitucional", *Revista Española de Derecho Europeo*, núm. 58, abril-junio 2016, pp. 1 y ss. Vid. también el trabajo que firma CLASSEN, H.D.: "Confiance mutuelle et identité constitutionnelle nationale – Quel avenir dans l'espace juridique européen? À propos de la décision de la Cour constitutionnelle allemande sur le mandat d'arrêt européen du 15 décembre 2015", en *Cahiers de Droit europeen*, vol. 52, núm. 2, 2016, pp. 667 y ss., y sus conclusiones al respecto, esp. p. 686: Es honorable el compromiso del BVerfG en materia de derechos fundamentales y democracia, pero, al mismo tiempo, es una amenaza cuando se pronuncia y sus resoluciones contradicen el derecho de la Unión. Aunque se pueda discrepar de unas u otras resoluciones del TJUE, una Unión de Derecho no puede funcionar sin confianza en la institución encargada de velar en última instancia por este Derecho, destaca CLASSEN.

la condena y, además, alegó que le sería imposible ser oído en una vista oral en el proceso de recurso que pudiera instar en Italia.

El BVerfG decidió rechazar la entrega autorizada en un primer momento por los jueces alemanes competentes —*Oberlandesgericht* Düsseldorf— alegando que, incluso aunque la OEDE que procedía de Italia pudiera observar formalmente todas las condiciones contenidas en la DM sobre OEDE, aunque tales condiciones y presupuestos estén determinados y armonizados en el derecho de la Unión, una decisión de entrega por parte de los jueces alemanes violaría los derechos fundamentales del justiciable a la luz del art. 1.apdo.1 de la *Grundgesetz*, por vulneración del "principio de culpabilidad" —*Schuldgrundsatz*[20]—. El argumento invocado por el BVerfG fue que el ordenamiento italiano no aseguraba que se practicara prueba en su presencia una vez comparecido, en el posible recurso contra la sentencia dictada en ausencia, resolución en la que se fundaba la OEDE. El TC alemán consideró que no era suficiente con que no estuviera excluida la posibilidad de prueba en el recurso[21].

En definitiva, nos encontramos ante un "nuevo/distinto" motivo de rechazo de la OEDE, no expresamente enunciado en la DM que regula el instrumento de cooperación, y sería el siguiente: aunque la materia esté armonizada, eso no exime a la autoridad judicial requerida de controlar la observancia del art. 1 de la Ley Fundamental alemana y la vigencia del aludido *Schuldgrundsatz*. A juicio del BVerfG, es posible invocar la vulneración de la "identidad constitucional" de un Estado como motivo de rechazo de la petición de colaboración.

Concluyó el BVerfG destacando que ciertos derechos fundamentales[22] no pueden verse sacrificados por los principios de eficacia de la coopera-

---

[20]   Se entiende vulnerado este principio, que forma parte de la dignidad humana y del Estado de Derecho, y que además pertenece a la "identidad constitucional alemana", si la investigación de los hechos no está asegurada, si el acusado no ha podido participar en la aportación de hechos para su defensa, o en las alegaciones sobre la determinación de la pena. El ordenamiento italiano entonces vigente no garantizaba que se practicara prueba en su presencia una vez comparecido allí —*"keine erneute Beweisaufnahme im Berufungsverfahren"*—.

[21]   El TC alemán analizó la normativa procesal entonces vigente en Italia y concluyó que sólo se ordenaría un nuevo periodo probatorio cuando el órgano jurisdiccional lo considerase imprescindible, o cuando lo solicitara una parte y el proceso no pudiera resolverse con las actuaciones ya practicadas, o bien hubiera nuevas pruebas surgidas o encontradas una vez concluida la primera instancia.

[22]   Se refiere a los derechos fundamentales que constituyen la *"Verfassungsidentität"* —la identidad constitucional alemana—, el núcleo duro de su derecho constitucional. Vid.

ción judicial y de primacía del Derecho de la Unión, afirmando que no se iba a conformar con un grado de protección "suficiente" cuando podía alcanzarse un grado de protección "máxima" de los derechos fundamentales.

En definitiva, la cuestión giraba en torno al control de la identidad constitucional del derecho derivado que, a juicio del BVerfG, se justificaba en lo dispuesto en el art. 4.2 TUE: respeto a la identidad nacional de los Estados miembros. No obstante —aclaraba el BVerfG— tal control nacional de identidad constitucional deberá ser excepcional, circunscrito a los derechos procesales esenciales y limitado a la Corte Constitucional —alemana en este caso—, correspondiendo al Estado requerido la carga de probar que el acto de cooperación judicial afectará al *Schuldgrundsatz* —principio de culpabilidad— o al derecho fundamental a la dignidad, siempre considerando la lógica de la integración europea, destacaba el TC alemán.

Se trata por tanto de una jurisprudencia de un TC nacional —y no de cualquiera: el alemán— contraria a lo que hasta entonces había manifestado claramente el TJUE, sin ir más lejos en el célebre asunto "Melloni", también relativo a la ejecución de una OEDE con base en una sentencia dictada en ausencia[23].

A mi modo de entender, esta resolución puede interpretarse como un "mensaje de fuerza" que el BVerfG envió al TJUE, recordando que la protección de los derechos fundamentales es un imperativo absoluto y que si el Tribunal de la Unión afirma en sus sentencias que *"we are not a fundamental right court"* —no somos un tribunal de tutela de derechos fundamentales—, y rechaza con su jurisprudencia —"Melloni"— atribuir a los derechos y garantías fundamentales toda la importancia que deberían tener a juicio del BVerfG, y además se rechaza la adhesión de la UE al CEDH y al control por el TEDH, el BVerfG ha resuelto tomar el relevo —o la iniciativa— en esta materia, incluso a costa de ciertos principios de la UE, si fuera preciso.

---

arts. 23.1 y 79.3 GG; no pueden ser objeto de revisión constitucional, ni modificados por la integración europea, los derechos fundamentales del art. 1 GG.

[23]   Concluye igualmente ARZOZ SANTIESTEBAN que el Tribunal alemán no esconde su rechazo a "Melloni"; más bien "lo proclama solemnemente". El principio de confianza mutua es una de las "víctimas" de esta sentencia del BVerfG, que se convierte en nada más que una presunción *iuris tantum*, que puede destruirse si se alegan indicios en el caso concreto de que no concurren las garantías mínimas para la protección de la dignidad humana. Vid. más ampliamente su trabajo "Karlsruhe rechaza la doctrina Melloni...", *op. cit.*, apdo. 3.2.4.

La confianza mutua se presume[24], pero se ve fuertemente sacudida si se constatan hechos que evidencian que no se respetan derechos esenciales para la dignidad humana, concluyó el BVerfG.

En consecuencia, esta sentencia del BVerfG abrió la puerta a futuros controles similares por parte de los Tribunales constitucionales nacionales, para hacer valer *su* respectiva "identidad constitucional en el seno de la integración europea".

Por cierto, conviene destacar que en este asunto el BVerfG alemán concluyó expresamente que no necesitaba elevar ninguna cuestión prejudicial al TJUE[25], pues no tenía dudas de cómo tenía que interpretar el derecho de la Unión —*acte clair*[26], a diferencia del TC español, que sí planteó la cuestión prejudicial en "Melloni" y finalmente se vio obligado a estimar el recurso de amparo y a entregar a Italia a un condenado en ausencia, sin las garantías —a nuestro juicio esenciales— que ya entonces operaban en España[27].

---

[24] Vid. MITSILEGAS, V.: *EU Criminal Law after Lisbon. Rights, Trust and the Transformation of Justice in Europe,* Oxford, 2016, en particular el Capítulo titulado: "From Presumed to Earned Trust in Europe's Area of Criminal Justice", pp. 151 y ss.

[25] A juicio de ARZOZ SANTIESTEBAN, el BVerfG debería haber promovido la cuestión prejudicial ante el TJUE, como hizo su homólogo español en "Melloni". Además — prosigue el autor— el punto más débil de la sentencia del BVerfG es la "expeditiva forma" en que justifica el rechazo a promover esa cuestión prejudicial. "En la peor tradición de ciertos tribunales de última instancia en algunos Estados miembros, se limita a invocar de forma lapidaria dos argumentos: a) la interpretación del Derecho de la Unión en este punto es clara; y b) el derecho de la Unión no está en conflicto en esta materia con la protección de la dignidad humana que dimana de la Ley Fundamental". No obstante —prosigue ARZOZ—, en su descargo puede aducirse que Karlsruhe ya había escarmentado previamente "en cabeza ajena": el TC español, por lo que prefirió imponer su interpretación del Derecho de la Unión, sin pasar por el Tribunal de Justicia. Vid. más ampliamente "Karlsruhe rechaza la doctrina Melloni…", *op. cit.,* apdos. 3.3. y 4.1.

[26] "Die richtige Anwendung des Unionsrechts ist derart offenkundig, dass für einen vernünftigen Zweifen keinerlei Raum bleibt".

[27] Hay quien sostiene —F.J. MATÍA PORTILLA— que el problema de "Melloni" no debería haber salido de los muros de Domenico Scarlatti. Argumenta extensamente el autor por qué a su juicio "no se entiende muy bien" que el TC español optara por plantear la cuestión prejudicial. Analiza también con detalle las distintas opciones que tenía ante sí nuestro TC a la vista del recurso de amparo presentado por el Sr. Melloni. Dicho de un modo sucinto, nos recuerda que es el TC quien debe delimitar el cada caso el alcance de los derechos fundamentales en nuestro país, siendo la eficacia de las sentencias del TJUE de carácter interpretativo —art. 10.2 CE—. Concluye que asumir el vaciamiento del art. 24 CE y permitir que sea el TJUE quien determine su contenido es incompatible con la supralegalidad constitucional que el TC debe garantizar. Vid.

De indudable interés resulta también la Sentencia que el TJUE —Gran Sala— dictó en los asuntos acumulados C-404/15 y C-659/15 PPU, "Aranyosi-Caldararu", de 5 de abril de 2016[28]. Considero que esta STJUE es en cierta medida una respuesta o reacción a la sentencia del BVerfG antes expuesta.

Estos asuntos versan sobre sendas OEDEs emitidas desde Hungría y Rumanía en relación con dos ciudadanos, húngaro y rumano, respectivamente, que fueron localizados y detenidos en Alemania. Las autoridades judiciales alemanas competentes —*Oberlandesgericht* Bremen— examinaron con detalle las peticiones de cooperación que recibieron, y constataron que las condiciones de detención/prisión a las que podrían verse sometidos los Sres. Aranyosi y Caldararu en las prisiones húngaras y rumanas a las que serían enviados, violaban sus derechos fundamentales; en particular,

---

más ampliamente su trabajo "Primacía del Derecho de la Unión...", *op. cit.*, pp. 504 y ss. Otros analistas afirman que, en una época de contienda por el dominio de la última palabra en materia de reconocimiento y tutela de derechos fundamentales, asistimos a una suerte de "velada disputa" en la que la facultad prejudicial está actuando como una especie de "caballo de Troya" de los estándares europeos en la "plaza " de los Tribunales constitucionales nacionales, a la que se responde agitando de manera sonora y desafiante la propia identidad constitucional, como forma de detener los intentos del TJUE de imponer la concepción europeo-comunitaria de los derechos fundamentales. Vid. más ampliamente J.I. UGARTEMENDIA ECEIZABARRENA, en "El control de comunitariedad de las resoluciones jurisdiccionales y el límite de la identidad constitucional", *Revista Española de Derecho Comunitario Europeo*, núm. 59/2016, pp. 1 y ss., esp. pp. 19 y 20.

[28] Que ha dado lugar abundantes comentarios desde diversos Estados de la Unión, entre los que puede mencionarse: BRIBOSIA, E./WEYEMBERGH, A.: "Arrêt Aranyosi et Caldararu: imposition de certaines limites à la confiance mutuelle dans la coopération judiciaire pénale", *Journal de Droit Européen*, 2016, pp. 225 y ss., y de las mismas autoras "Confiance mutuelle et droits fondamentaux: Back to the future", *Cahiers de droit européen*, vol. 52, núm. 2, 2016, pp. 469 y ss.; BUSTOS GISBERT, R.: "¿Un insuficiente paso en la dirección correcta? Comentario a la Sentencia del TJUE (Gran Sala), de 5 de abril de 2016, en los casos acumulados Pal Aranyosi (C-404/16) y Robert Caldararu (C-659/15 PPU)", *Revista General de Derecho Europeo,*, núm. 40, 2016, pp. 1 y ss.; MUÑOZ DE MORALES ROMERO, M.: "Dime cómo son tus cárceles y ya veré yo si coopero. Los casos Caldararu y Aranyosi como nueva forma de entender el principio de reconocimiento mutuo", *InDret*, enero 2017, pp. 1 y ss.; OLLÉ SESÉ, M./GIMBERNAT DÍAZ, E.: "Orden europea de detención y entrega y tratos inhumanos y degradantes", *La Ley. Unión Europea*, núm. 40, 30 sept. 2016, pp. 1 y ss.; CANCELLARO, F.: "La Corte di Giustizia si pronuncia sul rapporto tra mandato d'arresto europeo e condizioni di detenzione nello Stato emittente", *Diritto Penale Contemporaneo*, 18 abril 2016, pp. 1 y ss.; SORENSEN, H. "Mutual trust. blind trust or general trust with exceptions? The CJEU hears key cases on the European Arrest Warrant, *EU Law Analysis*, 18 febrero 2016, pp. 1 y ss.

las disposiciones de la Carta de Derechos Fundamentales de la Unión —
CDFUE— que prohíben los tratos inhumanos o degradantes.

Teniendo en cuenta los siguientes datos: que el TEDH había condenado reciente y reiteradamente a Hungría y a Rumanía —450 causas acu-
muladas (¡!)—, precisamente por violación de derechos fundamentales a
causa de la sobrepoblación carcelaria, la existencia de informes del Comité
europeo para la prevención de la tortura que ponen de manifiesto indicios
concretos de que las condiciones en las cárceles húngaras y rumanas son
inhumanas, entre otros informes contrastados, era posible concluir que las
condiciones de reclusión en las cárceles de estos dos Estados UE resultaban
inhumanas.

A la vista de estos datos objetivos, el OLG Bremen decidió plantear una
cuestión prejudicial ante el TJUE, a quien preguntó si, en tales circunstancias y a la vista del art. 1.3 DM OEDE[29], la ejecución de OEDEs para
ejercitar acciones penales o para ejecutar pena privativa de libertad podía
o debía denegarse, o supeditarse a que el Estado miembro emisor facilitase
información que permitiera cerciorarse de la conformidad de esas condiciones de reclusión en sus respectivos países con la vigencia de los derechos
fundamentales, en particular con el art. 4 CDFUE[30]. También preguntó si
esa información debería suministrarla directamente la autoridad judicial
del Estado de emisión, o si se debería seguir el orden competencial interno
de ese Estado miembro.

El TJUE respondió —dicho de un modo sucinto— lo siguiente: con
fundamento en la prohibición absoluta de las penas y tratos inhumanos o
degradantes, que son parte de los derechos fundamentales protegidos por
el ordenamiento de la UE, si la autoridad responsable de la ejecución de
una OEDE dispone de elementos que acreditan un riesgo real de trato inhumano o degradante de las personas que van a ser detenidas/presas en el
Estado emisor, tiene obligación de apreciar dicho riesgo antes de resolver
sobre la entrega de la persona afectada.

En todo caso, si tal riesgo se desprende de las condiciones generales
de detención/privación de libertad en el Estado miembro en cuestión —
deficiencias sistémicas del aparato penitenciario— eso no bastaría por si
solo para denegar la ejecución de OEDE; serían necesario demostrar que

---

[29] "La presente Decisión marco no podrá tener por efecto el de modificar la obligación
      de respetar los derechos fundamentales y los principios jurídicos fundamentales con-
      sagrados en el artículo 6 del Tratado de la Unión Europea".

[30] "Nadie podrá ser sometido a tortura ni a penas o tratos inhumanos o degradantes".

existen razones serias y fundadas para creer que las personas afectadas correrán efectivamente tal riesgo debido a las concretas condiciones de detención a las que se verían sometidas.

A tal efecto se establece una "obligación de consulta" por parte de la autoridad responsable de la ejecución de la OEDE a la autoridad emisora, para que de forma urgente transmita toda la información necesaria sobre condiciones de detención —elementos objetivos, fiables, precisos y debidamente actualizados—.

Si a la vista de esa información facilitada, u otra de que se pueda disponer, la autoridad responsable de la ejecución de la OEDE constata que existe, respecto a la persona frente a la que se dirige la orden, un riesgo real de trato inhumano o degradante, la ejecución de la OEDE debe aplazarse hasta que se obtenga información complementaria que permita excluir dicho riesgo, o se ofrezcan garantías de que v.gr. cumplirá la privación de libertad en un centro determinado con garantías suficientes[31]. Si tal riesgo no puede excluirse en un plazo razonable —entendemos que sería aplicable el art. 17.4 DM OEDE: 30 días de posible prórroga de plazos— la autoridad "deberá decidir si pone fin al procedimiento de entrega", concluyó el TJUE[32].

Teniendo en cuenta las conclusiones y efectos de esta STJUE "Aranyosi-Caldararu", parece que con tal resolución el Tribunal de Justicia decidió "recoger el guante" que le lanzara cuatro meses antes el BVerfG, en la sentencia de 15 diciembre de 2015 antes expuesta, y que el TJUE optó finalmente por asumir funciones de garante de los derechos fundamentales[33], teniendo en cuenta además que la Unión Europea no se iba a incorporar

---

[31] Lo que como bien ha puesto de relieve MUÑOZ DE MORALES, podría crear un sistema de presos o establecimientos penitenciarios "de primera categoría" —precisamente para supuestos de sujetos reclamados por OEDEs—, y otros "de segunda categoría", que serían los detenidos o presos en los establecimientos "ordinarios". En otro caso, podría dar lugar a también a la consolidación de "puertos seguros", es decir, países adónde se puede prever que alguien no será entregado por existir una causa de denegación/retraso en la ejecución de la OEDE. Vid. "Límites a la orden de detención europea", *Almacén de Derecho*, 20 abril 2016, pp. 1 y ss. esp. p. 6.

[32] Por lo demás, vid. el art. 73 *Gesetz über die internationale Rechtshilfe in Strafsachen* —Ley alemana sobre cooperación judicial internacional en causas penales—: Límites a la cooperación judicial internacional: la asistencia judicial será ilícita si puede contravenir principios esenciales del ordenamiento jurídico alemán (…).

[33] No obstante el paso adelante que da el TJUE, se preguntan BRIBOSIA y WEYEMBERGH por qué razón el Tribunal no optó por consagrar simple y explícitamente un motivo de rechazo obligatorio en caso de riesgo de violación de un derecho absoluto. Vid. más ampliamente "Arrêt Aranyosi-Caldararu…", *op. cit.*, p. 227.

como tal al sistema del CEDH-TEDH, según el contenido del Dictamen 2/13, de 18 de diciembre de 2014[34]—.

Por primera vez el Tribunal de Luxemburgo sostiene expresamente que la ejecución de una OEDE puede estar subordinada a la verificación del respeto de los derechos fundamentales de la persona objeto de entrega en el Estado emisor.

La cuestión que surge entonces es, ¿qué concretos derechos fundamentales debe entrar a verificar la autoridad de ejecución? En el caso "Aranyosi-Caldararu" la solución no era complicada, pues se trataba de una palmaria violación del derecho a no padecer un trato inhumano o degradante en situaciones de privación de libertad; es decir, un derecho fundamental de primer orden recogido expresamente en la CDFUE, en el CEDH y en todos los textos constitucionales los Estados miembros. Pero, ¿y si un Estado miembro decide que en sus relaciones de cooperación judicial transfronteriza debe proteger de manera activa los derechos fundamentales según *su* ordenamiento y *su* propia interpretación de los mismos? Es decir, si decide invocar como parámetro de verificación su propia "identidad constitucional". Desde luego, esta opción supondría un peligro claro para todo el sistema de cooperación penal transfronteriza basada en el reconocimiento mutuo y la confianza recíproca; no sólo para la OEDE, sino también para otros instrumentos fundamentales, como el traslado de personas condenadas, o la orden europea de investigación, por mencionar algunos.

Finalmente, un problema adicional: a diferencia de la extradición, la OEDE es un procedimiento de cooperación judicial directa entre jueces; si se tiene que requerir información de la Autoridad Central para conocer la situación real de las cárceles, de alguna manera se pierde el carácter exclusivamente jurisdiccional de la cooperación y podrían entrar en consideración argumentos político-gubernativos que frustraran estas formas de cooperación a través del reconocimiento mutuo.

Como parte de las posibles soluciones a los problemas mencionados, algunos analistas ya han puesto de manifiesto, y recuerdan expresamente la responsabilidad que no pueden eludir las instituciones comunitarias en estos casos en que se aprecien deficiencias "sistémicas" en algún Estado

---

[34]   Sobre este extremo, vid. FERNÁNDEZ ROZAS, J.C.: "La compleja adhesión de la Unión Europea al Convenio Europeo de Derechos Humanos y las secuelas del Dictamen 2/2013 del Tribunal de Justicia", *La Ley. Unión Europea*, núm. 23, febrero 2014, pp. 1 y ss.

miembro[35]. En último extremo, siempre sería posible activar mecanismos de recomendación y suspensión de derechos al Estado en cuestión —vid. art. 7 TUE—, o instar la Comisión el procedimiento por incumplimiento —arts. 258 a 260 TFUE—, para tratar de conseguir que sea efectiva la vigencia los derechos y libertades fundamentales, al menos los contenidos y protegidos en los textos de los Tratados y en la propia CDFUE.

Avanzando en el tiempo en este análisis jurisprudencial, encontramos lo que considero es un ejemplo de las consecuencias de la STJUE "Aranyosi-Caldararu" sobre los sistemas procesales nacionales y las relaciones de cooperación transfronteriza, igualmente en materia de OEDE.

Concretamente en Italia, sólo dos meses después de dicha STJUE, la Corte de Casación italiana, en sentencia de 3 de junio de 2016 —Cass. Pen. Sez. VI, núm. 23573—, resolvió un recurso frente a la sentencia de la Corte de Apelación de Bari, de 15 de abril de 2016 —Sent. MAE 7/16—, que había autorizado la entrega a Bulgaria del Sr. Terziyski, en virtud de una OEDE, con el fin de ejecutar una pena de dos años de privación de libertad.

El Sr. Terziyski recurrió la decisión de entrega alegando, entre otros motivos, las pésimas condiciones de las cárceles búlgaras, e invocando la jurisprudencia del Tribunal de Justicia, precisamente en el asunto "Aranyosi-Caldararu".

Dicho recurso fue estimado a la luz de lo dispuesto en el art. 18 h) de la Ley núm. 69 de 2005, Ley italiana sobre el mandato de arresto europeo: motivo de denegación de la entrega, por serio peligro de que la persona sea sometida a "penas o tratos inhumanos o degradantes".

La Corte de Casación puso de relieve —FJ 3.2— que Bulgaria había recibido más de veinticinco condenas del TEDH por vulneración de los

---

[35]   Vid. entre otros, BUSTOS GISBERT, R. "¿Un insuficiente paso en la dirección correcta?...", *op. cit.*, esp. p. 154: No deja de ser escandaloso —y el Abogado General acierta al denunciarlo— que en los Estados miembros de la UE se infrinjan tratos degradantes de manera sistémica o concreta a las personas privadas de libertad. Mantener la ficción de que incluso en tales supuestos existe confianza mutua entre los Estados respecto a la tutela interna de los derechos podría considerarse "un ejercicio de cinismo o de una versión europea de tancredismo". Más aún —prosigue BUSTOS— que en Europa se lesionen derechos tan básicos como la prohibición de tratos inhumanos y degradantes "debería haber hecho saltar las alarmas del TJUE si es que de verdad asume como un compromiso serio la defensa de los valores compartidos por los europeos". Vid. también MUÑOZ DE MORALES ROMERO, M.: "Límites a la orden de detención y entrega", *op. cit.*, esp. p. 6.

arts. 3 y 13 CEDH, casos recurrentes e idénticos[36], debidos a las pésimas circunstancias de las detenciones en sus cárceles —superpoblación, falta de privacidad, falta de dignidad en el acceso a los servicios domésticos, etc.—, de donde se podía derivar un problema sistémico de vulneración de derechos fundamentales. Además, la normativa búlgara sobre remedios jurisdiccionales frente a la violación de derechos fundamentales de los detenidos resultaba a todas luces ineficaz.

Por su parte, el Comité para la prevención de la tortura del Consejo de Europa, durante sus visitas a las cárceles búlgaras, había constatado el recurso a malos tratos físicos de los detenidos, superpoblación, degradación, insalubridad, así como corrupción endémica en el sistema penitenciario.

En definitiva, la Corte de Casación italiana concluyó —vid. FJ 3.4 y 4— que en este caso relativo al Sr. Terziyski, el juez italiano, antes de decidir sobre la entrega, debería haber analizado, tanto las condiciones generales existentes en el país de emisión, como las condiciones individuales que pudieran justificar riesgos para la persona cuya entrega se solicita. Para formar su criterio, la Corte de Apelación de Bari debía haber pedido información complementaria al juez búlgaro que emitió la OEDE, sobre las concretas condiciones de detención que esperaban al Sr. Terziyski cuando fuera entregado a las autoridades búlgaras, en el sentido del art. 16 de la Ley núm. 69 de 2005. En particular, sobre los siguientes aspectos —vid. FJ 3.5—: si la persona cuya entrega se reclama será privada de libertad —detenida— en una estructura carcelaria; en caso afirmativo, las condiciones de detención que le corresponderán, a fin de excluir concretamente el riesgo de un tratamiento contrario al art. 3 CEDH, o bien el nombre de la estructura en la cual será privado de libertad, el espacio individual mínimo intramuros del que dispondrá, las condiciones higiénicas y de salubridad del alojamiento, y los mecanismos nacionales o internacionales para controlar las condiciones efectivas de detención del sujeto reclamado.

Al solicitar esta petición de información complementaria, la Corte deberá fijar un término adecuado, en el sentido del citado art. 16, que no podrá ser superior a treinta días. Recibida la información, la Corte de Apelación valorará si puede excluir un riesgo concreto de trato contrario al art. 3 CEDH, en cuyo caso procedería a la entrega; o si no puede excluir la persistencia de ese riesgo, rechazará la entrega al Estado que emitió la OEDE, en aplicación de lo dispuesto en el art. 18.1.h), de la Ley núm. 69 de 2005.

---

[36] La "sentencia piloto" del TEDH fue la dictada en el asunto Neshkov y otros v. Bulgaria, de 27 de enero de 2015.

En último término, la sentencia impugnada fue anulada por la Corte de Casación y se reenvió a la Corte de Apelación de Bari para un nuevo juicio en el que se resolviera si subsistían motivos para el rechazo de la entrega solicitada, conforme a las pautas anteriormente indicadas[37].

Las conclusiones que podemos extraer de esta sentencia de la Corte de Casación italiana en el asunto "Terziyski" confirman las valoraciones que ya han sido apuntadas al hilo del análisis jurisprudencial previo: las autoridades judiciales nacionales requeridas de cooperación pueden y deben controlar las condiciones concretas de privación de libertad a que se verá sometido el sujeto reclamado cuando sea entregado, lo que puede dar lugar a que se trate de solventar estas dificultades, simplemente, habilitando "cárceles de primera categoría" —las que cumplen las condiciones del CEDH, TEDH y Comisión para la prevención de la tortura del Consejo de Europa— y el "resto de cárceles" del país, en las que son recluidos los demás detenidos o presos, no entregados en virtud de actos de cooperación judicial UE. Además, como se puso también de relieve anteriormente, la obtención de toda esa información requerirá tiempo y, generalmente, necesitará de la intervención del ejecutivo, de quien dependen los establecimientos penitenciarios, y cuyas autoridades se supone dispondrán de los concretos datos requeridos, los necesarios para poder autorizar la entrega en caso de que se muestren suficientes[38].

Para concluir este periplo jurisprudencial, regresaremos a alguna de las más recientes sentencias del TJUE en materia de cooperación judicial transfronteriza, en las que podremos apreciar un afán del Tribunal de Luxemburgo por reiterar, destacar y mantener vigentes los principios de "pri-

---

[37] Agudamente pone de relieve LUPÀRIA, precisamente al hilo de esta sentencia de la Corte de Casación italiana que, si bien la solución que ésta ofrece puede ser justa y razonable, "¡de qué púlpito viene la prédica!" —exclama el autor—, pues Italia —entre otros Estados UE— ha merecido varias sentencias condenatorias del TEDH sobre las condiciones de sus cárceles, entre las que destaca la "sentencia piloto" en asunto Torreggiani y otros contra Italia, de 8 de enero de 2013, que hace pocos años puso de manifiesto una grave situación sistémica de los establecimientos penitenciarios italianos, si bien actualmente ha sido en parte subsanada, explica LUPÀRIA. Vid. su trabajo "Derechos fundamentales y principio ne bis in ídem", en *La cooperación judicial entre España e Italia, op. cit.*, pp. 35 y ss., esp. p. 40.

[38] La propia sentencia "Terziyski" —FJ 3.5— hace referencia a que, con fundamento en la jurisprudencia del TEDH y en los informes del Comité para la prevención de la tortura, la autoridad judicial debía controlar extremos muy concretos en los establecimientos penitenciarios, como los siguientes: espacio intramuros de al menos tres metros cuadrados "transitables", o en el supuesto de celdas colectivas, al menos cuatro metros cuadrados.

macía del Derecho de la Unión" o de "interpretación conforme" del Derecho nacional, y por seguir adelante con la construcción y consolidación de "conceptos autónomos del Derecho de la Unión", aplicables de manera uniforme en todos los Estados miembros.

Así, en el asunto Dworzecki, C-108/16 PPU, STJUE de 24 de mayo de 2016, se resuelve una cuestión prejudicial que tiene por objeto la interpretación del art. 4 bis apdo. 1 de la DM sobre euroorden, planteada por el *Rechtbank* Amsterdam —Tribunal de Primera Instancia— en un supuesto en que un ciudadano polaco, el Sr. Dworzecki era reclamado por un tribunal de su país que pretendía se hiciera efectivo el cumplimiento en Polonia de tres penas de prisión que tenía pendientes el reclamado, dictadas en ausencia de éste.

Se pregunta el *Rechtbank* si los conceptos que utiliza el art. 4 bis apdo. 1 —"citado en persona y con la suficiente antelación e informado de la fecha y lugar del juicio de que deriva la resolución" y "con suficiente antelación recibió efectivamente por otros medios, de tal forma que pueda establecerse sin lugar a dudas que tenía conocimiento de la celebración prevista del juicio, información oficial de la fecha y lugar previstos para el mismo"— son conceptos autónomos del Derecho de la Unión. Y, en caso afirmativo, cómo se aplican al supuesto del Sr. Dworzecki, en el que la citación se notificó en su domicilio a un adulto que vivía en el mismo y se comprometió a entregarla a la persona reclamada, pero no se deduce del contenido de la OEDE que se le entregara efectivamente, ni consta por otros medios que el Sr. Dworzecki tuviera conocimiento con la suficiente antelación de la fecha y lugar del juicio previsto, en el que finalmente resultó condenado en ausencia.

Dicho de un modo sucinto, el TJUE respondió que las expresiones "citado en persona y con la suficiente antelación (…)" y "(…) recibió efectivamente por otros medios (…)", son conceptos autónomos del Derecho de la Unión y deben interpretarse de manera uniforme en toda la Unión Europea, de tal forma que no cumple por si sola los requisitos enunciados una citación, como la controvertida en el procedimiento principal, que no fue notificada directamente al interesado, sino que se entregó en el domicilio de éste a un adulto que allí vivía y que se comprometió a dársela al destinatario, cuando la OEDE no permita dilucidar si y, en su caso, en qué momento este adulto entregó efectivamente la citación al interesado.

En el caso Ognyanov, STJUE de 8 de noviembre 2016, asunto C-554/14, en una cuestión prejudicial relativa a la DM 2008/909/JA, sobre reconocimiento mutuo de sentencias que imponen penas u otras medidas privativas de libertad a efectos de su ejecución en la UE, el Tribunal de Justicia concluyó que "el Derecho de la Unión debe interpretarse en el sentido de que un órgano jurisdiccional está obligado a tomar en consideración todas las normas del Derecho nacional e interpretarlas, en la medida de lo posible, de conformidad con la DM 2008/909, en su versión modificada por la DM 2009/299, con el fin de alcanzar el resultado perseguido por ésta, dejando inaplicada, en caso de necesidad, de oficio, la interpretación adoptada por el órgano jurisdiccional nacional competente en última instancia, cuando dicha interpretación no sea compatible con el Derecho de la Unión".

Finalmente, a modo de colofón, resulta interesante también tener en cuenta el contenido de lo resuelto en la petición de decisión prejudicial planteada de nuevo por el *Rechtbank* Amsterdam en un procedimiento relativo a la ejecución de una OEDE dictada contra el Sr. Poplawski, a efectos de la ejecución en Polonia de una pena privativa de libertad —asunto C-579/15—, y que dio lugar a la STJUE de 29 de junio de 2017. Transcribiré literalmente algunos párrafos de la resolución porque resulta valioso poder apreciar el propio tenor con el que se expresa en este caso el Tribunal de Justicia de Luxemburgo; las cursivas son añadidas.

Fundamento 19: "Cabe señalar a este respecto, en primer lugar, que del artículo 1, apartado 2, de la Decisión Marco 2002/584 resulta que ésta consagra el principio de que los Estados miembros deben ejecutar toda ODE sobre la base del principio del reconocimiento mutuo y de acuerdo con las disposiciones de la Decisión Marco. Como ya ha declarado el Tribunal de Justicia, *salvo que se den circunstancias excepcionales*, las autoridades judiciales de ejecución sólo podrán negarse a ejecutar tal orden *en los supuestos de no ejecución establecidos por la Decisión Marco, enumerados exhaustivamente*, y la ejecución de la ODE únicamente podrá supeditarse a las condiciones definidas taxativamente en la Decisión Marco (véase, en este sentido, la sentencia de 5 de abril de 2016, Aranyosi y Căldăraru, C-404/15 y C-659/15 PPU, EU:C:2016:198, apartados 80 y 82 y jurisprudencia citada). Por consiguiente, la ejecución de la ODE constituye el principio, mientras que la denegación de la ejecución se concibe como una excepción que debe ser objeto de interpretación estricta".

Fundamento 35: "(…) el Tribunal de Justicia ya ha declarado que la exigencia de interpretación conforme obliga a los órganos jurisdiccionales nacionales a *modificar, cuando sea necesario, su jurisprudencia reiterada si ésa se basa en una interpretación del Derecho nacional incompatible con los objetivos de una Decisión marco* —sentencia de 8 de noviembre de 2016, Ognyanov C-554/14, EU:C:2016:835, apartado 67 y jurisprudencia citada-".

Fundamento 36: "El Tribunal de Justicia también ha declarado que, en el caso de que el órgano jurisdiccional nacional considere que no puede interpretar una disposición nacional de conformidad con una decisión marco, por el hecho de que está vinculado por la interpretación dada a dicha norma nacional por el Tribunal Supremo nacional en una sentencia interpretativa, le corresponde garantizar la plena eficacia de la decisión marco *dejando inaplicada en caso de necesidad, de oficio, la interpretación adoptada por el Tribunal Supremo nacional, puesto que esa interpretación no es compatible con el Derecho de la Unión* (véase, en este sentido, la sentencia de 8 de noviembre de 2016, Ognyanov, C-554/14, EU:C:2016:835, apartados 69 y 70)".

En fin, parece claro a la vista de los párrafos transcritos que el Tribunal de Luxemburgo se resiste a perder la batuta, a permitir que decaiga el principio de "primacía del Derecho de la Unión", o a que disminuya la eficacia del "reconocimiento mutuo de resoluciones judiciales" en materia de cooperación judicial transfronteriza.

3. CONCLUSIONES, PROPUESTAS Y CUESTIONES PENDIENTES

En materia de cooperación judicial penal en el ámbito del ELSJ se empezó "la casa por el tejado"; primero se aprobaron los instrumentos de reconocimiento mutuo de resoluciones judiciales y, algunos años después, las normas de armonización de garantías procesales, a la vez que se seguía se seguía avanzando con la aproximación de tipos penales y con otras cuestiones de carácter orgánico.

Se pensaba que el nuevo sistema de cooperación directa basado en el reconocimiento y en la confianza mutua entre las autoridades implicadas, junto con la propia necesidad de eficacia en la cooperación transfronteriza, iban a forzar la aproximación de las legislaciones nacionales, a modo de *circulo virtuoso*, pero pronto se evidenció que éste no era un resultado tan fácil de alcanzar[39].

---

[39] Según ya pusiera de relieve AMBOS, "El punto central de la política sobre justicia penal en la Unión Europea se sitúa en la simplificación y agilización de la cooperación policial y judicial, pero sin crear, al mismo tiempo, un estándar adecuado de Derechos fundamentales para toda la Europa unida", lo que sin duda puede provocar tensiones. Vid. "¿Reconocimiento mutuo *versus* garantías procesales?", en, *El proceso penal en la Unión Europea: garantías esenciales, op. cit.,* p. 25. Precisamente sobre las tensiones entre el binomio "justicia-seguridad", vid. los capítulos contenidos en *Justicia versus seguridad*

Muchas normas de armonización/aproximación de las garantías procesales de investigados y acusados se han logrado sacar adelante en términos de mínimos raquíticos; seguramente, al único nivel al que finalmente se pudo alcanzar el consenso entre los representantes de los Estados miembros[40].

Buena muestra de lo antedicho es una de las Directivas más recientes, sobre materias nucleares en cualquier proceso penal: la Directiva 2016/343/UE, de 9 de marzo de 2016, sobre presunción de inocencia y derecho a estar presente en el propio enjuiciamiento[41]. Pero no sólo; así, en mate-

---

en el espacio judicial europeo. *Orden de detención europea y garantías procesales*, Coord. M. JIMENO BULNES, Valencia, 2011.

[40] Vid. sobre este particular los trabajos de ARANGÜENA FANEGO, C.: "El derecho a la interpretación y a la traducción en los procesos penales: comentario a la Directiva 2010/64/UE del Parlamento Europeo y del Consejo, de 20 de octubre de 2010", *Revista General de Derecho Europeo*, núm. 24, 2011, pp. 1 y ss.; "El derecho a la asistencia letrada en la Directiva 2013/48/UE", *Revista General de Derecho Europeo*, núm. 32, 2014, pp. 1 y ss.; "Nuevos avances en la armonización de garantías procesales en la Unión Europea", *op. cit.*; "Las garantías procesales de sospechosos e imputados en procesos penales", *op. cit.*; así como JIMENO BULNES, M.: "La Directiva 2013/48/UE, del Parlamento europeo y del Consejo de 22 de octubre de 2013 sobre los derechos de asistencia letrada y comunicación en el proceso penal: ¿realidad al fin?", *Revista de Derecho Comunitario Europeo*, núm. 48, 2014, pp. 443 y ss.;VIDAL FERNÁNDEZ, B.:"El derecho a intérprete y a la traducción en los procesos penales en la UE. La iniciativa de 2010 de Directiva del Parlamento Europeo y del Consejo relativa a la interpretación y traducción", en *Espacio europeo de libertad, seguridad y justicia: últimos avances en cooperación judicial penal*, Dir.: Arangüena Fanego, C., Valladolid, 2010, pp. 183 y ss.; ARMENGOT VILAPLANA, A.: "El derecho a la información en los procesos penales (Directiva 2012/13/UE) y su incorporación a la LECrim", en *El proceso penal: cuestiones fundamentales*, Coord.: O. Fuentes Soriano, Valencia, 2016, pp. 175 y ss.; FAGGIANI, V.: "El derecho a la información en los procesos penales en la UE: la Directiva 2012/13/UE, de 22 de mayo de 2012", *Revista General de Derecho Procesal*, núm. 30, 2013, pp. 1 y ss., y de la misma autora, "Le direttive sui diritti processuali. Verso un "modello europeo di giustizia penale"?*Freedom, Security & Justice: European Legal Studies*, No. 1, 2017, pp. 84 y ss. Vid. también RUGGERI, S.: "Procedimento penale, diritto di difesa e garanzie partecipative nel diritto dell'Unione Europea", *Diritto Penale Contemporáneo*, núm. 4/2015, pp. 130 y ss., quien realiza un recorrido por las normas de armonización de garantías aprobadas hasta 2015.

[41] Un análisis crítico de esta norma puede encontrarse en: DELLA TORRE, J.: "Il paradosso della Direttiva sul rafforzamento della presunzione di innocenza e del diritto di presenziare al processo: un passo indietro rispetto alle garanzie convenzionali?", *Rivista italiana di Diritto e Procedura Penale*, núm. 4, oct.-dic. 2016, pp. 1835 y ss., y CRAS. S/ERBEZNIK, A.: "The Directive on the Presumption of Innocence and the Right to Be Present at Trial. Genesis and Description of the New EU-Measure", *EuCrim*, 1/2016, pp. 25 y ss.; LAMBERIGTS, S.: "The Directive on the Presumption of Innocence. A Missed Opportunity for Legal Persons?, *EuCrim*, núm. 1/2016, pp. 36 y ss.; RUGGERI,

ria de asistencia jurídica gratuita, las discrepancias entre los umbrales económicos que establecen las respectivas legislaciones nacionales son muy importantes, o en relación con las garantías de los derechos de menores sospechosos investigados o acusados, tampoco fue posible alcanzar una armonización previa en el ámbito UE acerca de cuándo se debe considerar a una persona menor de edad a efectos penales.

En otros ámbitos fundamentales, simplemente brillan por su ausencia las necesarias Directivas de armonización, como en la importantísima cuestión de los presupuestos de la prisión provisional —*pre-trial detention*— o del *ne bis in ídem*[42].

Y por no hablar además de las garantías procesales de las personas jurídicas investigadas o acusadas, cuestiones sobre las que no existe armonización expresa, e incluso se les excluye del ámbito de aplicación de las últimas Directivas aprobadas, por entender las instituciones UE que los modelos nacionales son muy dispares, y que es suficiente de momento con la jurisprudencia del TEDH y las legislaciones nacionales que

---

S: "Inaudito reo Proceedings, Defence Rights, and Harmonisation Goals in the EU", *EuCrim*, 1/2016, pp. 42 y ss.

[42]   Un ejemplo de la dificultad interpretativa y aplicativa de este principio puede encontrarse en la STJUE C-486/14, asunto Kossowski, 29 de junio 2016, donde el Tribunal de Luxemburgo se encargó de delimitar el principio *ne bis in ídem* en el "espacio Schengen", concretamente en relación con los efectos del sobreseimiento de las diligencias de investigación acordado por el Fiscal, que no podrán considerarse resoluciones definitivas a efectos del *ne bis in ídem*, "pues de la motivación de la resolución del Fiscal no se desprende que se llevara a cabo una investigación en profundidad de la causa": "A este respecto, la falta de audiencia de la víctima y de un eventual testigo constituye un indicio de la inexistencia de instrucción en profundidad", concluyó el TJUE. De la cuestión del *non bis in ídem* en relación con la euroorden me ocupé hace tiempo en DE HOYOS SANCHO, M.: "Eficacia transnacional del *non bis in ídem* y denegación de la euroorden", *La Ley*, núm. 4, 2005, pp. 1651 y ss. Entre el gran número de aportaciones doctrinales sobre la materia, valgan siempre como referencia los trabajos de VERVAELE, J.: "Derechos fundamentales en el espacio de libertad, seguridad y justicia: el *ne bis in idem* praetoriano del Tribunal de Justicia", *El proceso penal en la Unión Europea: garantías esenciales*, Dir.: M. de Hoyos Sancho, Valladolid, 2008, pp. 79 y ss., o "Ne bis in ídem: ¿un principio transnacional de rango constitucional en la Unión Europea?", *InDret*, enero 2014, pp. 1 y ss., así como LUPÀRIA, L.: "Derechos fundamentales y principio ne bis in ídem en la cooperación judicial europea", en *La cooperación judicial entre España e Italia…, op. cit.*, pp. 35 y ss., AMBOS, K.: *Derecho penal europeo, op. cit.*, Cap. II, Apdo. III, pp. 279 y ss.: "Especial importancia: la prohibición europea de doble incriminación", y GÓMEZ-JARA, C.: *Garantismo penal europeo*, Madrid, 2017, esp. Cap. II: "La garantía de la cosa juzgada europea".

regulan la cuestión; conclusión ésta con la que, desde luego, no puedo coincidir[43].

Este cúmulo de factores puede provocar y provoca —como se ha expuesto—, que las autoridades judiciales de los países que se consideran más evolucionados y más eficientes en materia de protección de derechos fundamentales, esgriman sus propios umbrales de garantías procesales más altos —haciendo caso omiso de lo resuelto en "Melloni"—, y que finalmente no se muestren dispuestos a esa cooperación judicial en los términos cuasi-automáticos que se planteaba en el modelo original de reconocimiento mutuo de resoluciones penales en el ámbito UE[44].

Cuando menos, este estado de cosas implicará pérdida de eficacia y dilaciones en el sistema de cooperación transfronteriza, además de inseguridad a los operadores jurídicos.

Son muchas las dudas que se plantean; entre otras: ¿cómo se interpretará en el caso concreto por la autoridad requerida esa cláusula general o tácita[45] de posible denegación del reconocimiento por potencial vulne-

---

[43] Me he ocupado ampliamente de esta cuestión en un trabajo reciente: DE HOYOS SANCHO,M.: "Sobre la necesidad de armonizar las garantías procesales en los enjuiciamientos de personas jurídicas en el ámbito de la Unión Europea…", *op. cit.*

[44] Vid. el modelo que se tenía en mente, entre los primeros trabajos sobre la materia, FONSECA MORILLO, F.: "La orden de detención y entrega europea", *Revista de Derecho Comunitario Europeo*, núm. 14, 2003, pp. 69 y ss.

[45] O ya no tan tácita, pues en la Directiva 2014/41/CE sobre orden europea de investigación en materia penal ya se incluye expresamente entre los motivos de denegación —si bien facultativo, no obligatorio— uno relativo a la posible vulneración de derechos fundamentales: vid. Considerando 19º y art. 11.1.f): "Sin perjuicio del artículo 1, apartado 4, se podrá denegar el reconocimiento o la ejecución de una OEI en el Estado de ejecución: (…) apdo. f) cuando existan motivos fundados para creer que la ejecución de la medida de investigación indicada en la OEI sería incompatible con las obligaciones del Estado miembro de ejecución de conformidad con el artículo 6 del TUE y de la Carta". Esto supone un avance significativo, pues la DM sobre OEDE no contiene tal motivo entre las causas de denegación del reconocimiento —vid. arts. 3 y 4 DM OEDE—, por mucho que en el art. 1.3 y en el "Considerando" 10º de tal DM se haga referencia a "la obligación de respetar los derechos fundamentales y los principios jurídicos fundamentales consagrados en el artículo 6 del Tratado de la Unión Europea". Vid. MITSILEGAS; *EU Criminal Law after Lisbon. Rights, Trust…, op. supra cit.*, esp. p. 152: la Directiva 2014/41/CE, relativa a la orden europea de investigación en materia penal, que introduce motivos de rechazo o denegación de la ejecución con fundamento en la posible vulneración de derechos fundamentales, en un examen de la proporcionalidad de la medida, así como una referencia expresa al hecho de que la presunción de observancia de los derechos fundamentales en el Estado de ejecución es refutable, da buena muestra de la necesidad de asegurar una protección efectiva de los derechos fundamentales en el sistema de reconocimiento mutuo. Legislar para la

ración de derechos fundamentales en el Estado requirente?, ¿creará esto "puertos seguros" para los delincuentes, países con los que no funcionará v.gr. el mecanismo de OEDE?, ¿supondrá un retorno a la "geometría variable" en materia de cooperación judicial internacional? Además, ¿tienen realmente en la práctica esos estándares más elevados de protección de derechos fundamentales los propios Estados miembros donde se deniega a otros el reconocimiento de sus resoluciones judiciales? —v.gr.: Italia, asunto Terziyski, antes expuesto—.

A mi juicio, un Estado miembro no debería poder invocar en materia de cooperación judicial *su* propia identidad constitucional para denegar la cooperación que se le solicita —principio de primacía del Derecho de la UE—, sino que, si fuera necesario, podría apelar a un posible riesgo cierto de vulneración del "orden público europeo" si reconociera la resolución que emite una determinada autoridad judicial requirente[46]. Desde luego, identidad constitucional nacional y orden público europeo no son conceptos coincidentes, pues los parámetros de referencia del segundo serían las garantías del art. 6 TUE, la Carta de Derechos fundamentales UE, el contenido del CEDH y sus Protocolos, junto con la jurisprudencia del TEDH, o las resoluciones del Consejo de Europa y de sus organismos —v.gr.: Comité para la prevención de la tortura—.

A lo antedicho debería sumarse, naturalmente, un mayor esfuerzo por completar la armonización de garantías procesales y por mejorar la efectividad práctica de las Directivas ya aprobadas, de manera que no sean "de mínimos", sino con altos estándares de protección de derechos y garantías.

Sin armonización previa sobre las cuestiones esenciales y sin estándar elevado de protección de los derechos y garantías fundamentales para todo investigado/acusado/condenado, que opere realmente en la práctica y no sólo formalmente en las normas nacionales de transposición, será muy complicada la deseada y cada vez más necesaria cooperación judicial efectiva y fluida en el ELSJ. Queda una importante labor normativa por de-

---

protección de los derechos fundamentales en el ámbito UE puede tener un importante efecto transformador y contribuir de manera decisiva al cambio desde una confianza "presunta" a una confianza "alcanzada" en el ámbito penal del espacio de libertad, seguridad y justicia, concluye MITSILEGAS.

[46]   En este mismo sentido me vengo manifestando en todos los trabajos en los que a lo largo de estos años he abordado el análisis del principio de reconocimiento mutuo de resoluciones judiciales. Vid. ya en "Euro-orden y causas de denegación de la entrega", *op. cit.*, y el resto de referencias bibliográficas contenidas *supra*, en la nota núm. 2.

lante; demostrado está una y otra vez que confianza mutua no es confianza ciega, y que el círculo virtuoso de la aproximación de ordenamientos no opera por arte de magia.

Por lo demás, llegado el caso, igual que se ha planteado en relación con otras materias —v.gr. a causa del *déficit democrático* en ciertos Estados miembros— las instituciones UE deberían estar dispuestas a utilizar los mecanismos de control, recomendaciones y eventuales sanciones que están previstos en los propios Tratados —art. 7 TUE, arts. 258 y ss. TFUE—, todo ello en aras de conseguir la efectiva vigencia los derechos y libertades fundamentales de los ciudadanos de la Unión, al menos de los contenidos y protegidos en los textos de los Tratados y en la propia CDFUE.

Ante este panorama, se cuestionan con razón los analistas ¿qué papel debe y está dispuesto a desempeñar el Tribunal de Luxemburgo en la configuración del ELSJ?[47]. Hasta ahora, parece que su principal preocupación era asegurar la eficacia del sistema de reconocimiento mutuo de resoluciones, pero tendrá que asumir también la tarea de garante de los derechos fundamentales, pues finalmente la UE no se ha incorporado al sistema del CEDH-TEDH. Por otro lado, en materia de garantías procesales, no bastan las remisiones a la jurisprudencia del TEDH, pues la casuística abarca situaciones muy dispares y, además, existen discrepancias —y seguirá habiéndolas[48]— entre la jurisprudencia del TEDH y del

---

[47] Por su directa vinculación con las cuestiones aquí abordadas, vid. el análisis que realiza BACHMAIER WINTER, L., en su trabajo: "*Quo vadis*— El TJUE y su papel en materia de cooperación penal ...", *op. cit.*, pp. 26 y ss., esp. pp. 41 y ss.: En una materia tan sensible como es la OEDE, parece que el TJUE debería asumir, además de su papel de precursor de la aplicación del principio de reconocimiento mutuo, una actuación más decidida en defensa de los derechos fundamentales. Hasta ahora parece que ha primado la perspectiva de la integración, la eficacia, un rechazo a las denegaciones de OEDEs por posible vulneración de derechos fundamentales. El TJUE se encuentra ante un reto importante: contribuir la reforzar el espacio europeo de justicia sobre la base del reconocimiento mutuo, pero sin que ello resquebraje la confianza mutua entre los Estados miembros y sus respectivos sistemas de garantías. Para que el reconocimiento mutuo siga reforzándose, debe acompañarse de un escrupuloso respeto de los derechos fundamentales en el proceso penal. Es de esperar —concluye BACHMAIER— que el TJUE ofrezca pautas a los tribunales nacionales, a través de sus respuestas a las cuestiones prejudiciales, sobre cómo fomentar el respeto a los derechos fundamentales, y no sólo sobre cómo hacer prevalecer el principio de reconocimiento mutuo. Si el TJUE no asume más decididamente su papel de garante de los derechos fundamentales, terminará resintiéndose la confianza mutua.

[48] Deben destacarse las conclusiones de la Abogado General, J. Kokott, presentadas el 30 de marzo de 2017,en el Asunto C-73/16, en lo que atañe a la relación entre la jurisprudencia del TJUE y la del TEDH, concretamente la núm. 4 —cursivas añadidas—:

TJUE, incluso sobre las mismas materias, por lo que es ineludible que el Tribunal de Luxemburgo se siga pronunciando y consolide su propia jurisprudencia, también en materia de derechos fundamentales y garantías procesales de investigados y acusados. No olvidemos también que es el máximo intérprete de la Carta de Derechos fundamentales UE. Sin ir más lejos, próximamente tendremos ocasión de comprobar cómo la puesta en marcha de la OEI[49] pondrá de manifiesto numerosas disparidades en materia probatoria entre los Estados miembros, entre las jurisprudencias de sus respectivos Tribunales Supremos y Constitucionales, a su vez con la del TEDH y, como no, con lo que vaya manifestando el TJUE sobre la cuestión. La Directiva sobre presunción de inocencia armoniza bien poco acerca de las garantías de la prueba penal; en consecuencia, las discrepancias están servidas.

BIBLIOGRAFÍA

AMBOS, K.: "¿Reconocimiento mutuo *versus* garantías procesales?", en *El proceso penal en la Unión Europea: garantías esenciales*, Dir.: M. de Hoyos, Valladolid, 2008.
AMBOS, K.: *Derecho penal europeo*, Cizur Menor, 2017.
ARANGÜENA FANEGO, C. (Coord.): *Cooperación judicial penal en la Unión Europea: La Orden Europea de Detención y Entrega*, Valladolid, 2005.

Cuando un órgano jurisdiccional nacional llegue a la conclusión de que la resolución de un procedimiento pendiente ante él dependería de una jurisprudencia del TJUE, conforme a la cual, los derechos de la CDFUE que correspondan a derechos garantizados por el CEDH, recibirían una protección menor que conforme a la jurisprudencia del TEDH, *podrá someter la cuestión al TJUE* para aclarar cómo hay que interpretar el derecho de la UE en ese caso concreto. Si las decisiones del órgano jurisdiccional nacional no son ni siquiera susceptibles de ulterior recurso judicial de Derecho interno, *estará obligado a someter la cuestión al TJUE*.

[49] Sobre este nuevo instrumento de reconocimiento mutuo, vid. BACHMAIER WINTER, L: "Prueba transnacional en Europa: la Directiva 2014/41 relativa a la Orden Europea de Investigación", *Revista General de Derecho Europeo*, núm. 36, 2015, pp. 1 y ss.; JIMENO BULNES, M.: "Orden europea de investigación en materia penal", en *Aproximación legislativa versus reconocimiento mutuo en el desarrollo del espacio judicial europeo*, Dir.: Jimeno Bulnes, M., Barcelona, 2016, pp. 151 y ss.; MARTÍNEZ GARCÍA, E.: *La orden europea de investigación*, Valencia, 2016, y más recientemente, analizando específicamente las dificultades que puede plantear la transposición del instrumento en nuestro país: ARANGÜENA FANEGO, C.: "Orden europea de investigación: próxima implementación en España del nuevo instrumento de obtención de prueba penal transfronteriza", *Revista de Derecho Comunitario Europeo*, núm. 58, sept./dic. 2017, pp. 1 y ss.

ARANGÜENA FANEGO, C. (Coord.): *Garantías procesales en los procesos penales en la Unión Europea,* Valladolid, 2007.

ARANGÜENA FANEGO, C. (Dir.): *Espacio europeo de libertad, seguridad y justicia: últimos avances en cooperación judicial penal,* Valladolid, 2010.

ARANGÜENA FANEGO, C.: "El derecho a la interpretación y a la traducción en los procesos penales: comentario a la Directiva 2010/64/UE del Parlamento Europeo y del Consejo, de 20 de octubre de 2010", *Revista General de Derecho Europeo,* núm. 24, 2011, pp. 1 y ss.

ARANGÜENA FANEGO, C.: "El derecho a la asistencia letrada en la Directiva 2013/48/ UE", *Revista General de Derecho Europeo,* núm. 32, 2014, pp. 1 y ss.

ARANGÜENA FANEGO, C.: "Nuevos avances en la armonización de garantías procesales en la Unión Europea", en *Cooperación judicial penal en la Unión Europa,* Dir.: M.I. González Cano, Valencia, 2015.

ARANGÜENA FANEGO, C.: "Las garantías procesales de sospechosos e imputados en procesos penales", en *Los retos del espacio de Libertad, Seguridad y Justicia de la Unión Europea en el año 2016,* Coord.: A. Gutiérrez Zarza, Madrid, 2017.

ARANGÜENA FANEGO, C.: "Orden europea de investigación: próxima implementación en España del nuevo instrumento de obtención de prueba penal transfronteriza", *Revista de Derecho Comunitario Europeo,* núm. 58, sept./dic. 2017, pp. 1 y ss.

ARANGÜENA FANEGO, C./DE HOYOS SANCHO, M./RODRÍGUEZ-MEDEL NIETO, C. (Dirs.): *Reconocimiento mutuo de resoluciones penales en la Unión Europea. Análisis teórico-práctico de la Ley 23/2014, de 20 de noviembre,* Cizur Menor, 2015.

ARMENGOT VILAPLANA, A.: "El derecho a la información en los procesos penales (Directiva 2012/13/UE) y su incorporación a la LECrim", en *El proceso penal: cuestiones fundamentales,* Coord.: O Fuentes Soriano, Valencia, 2016.

ARZOZ SANTISTEBAN, X.: "Karlsruhe rechaza la doctrina Melloni del Tribunal de Justicia y advierte con el control de la identidad constitucional", *Revista Española de Derecho Europeo,* núm. 58, 2016, pp. 1 y ss.

BACHMAIER WINTER, L.: "Más reflexiones sobre la sentencia Melloni: primacía, diálogo y protección de los derechos fundamentales en juicios *in absentia* en el derecho europeo", *Revista Española de Derecho Europeo,* núm. 56, 2015, pp. 1 y ss.

BACHMAIER WINTER, L: "Prueba transnacional en Europa: la Directiva 2014/41 relativa a la Orden Europea de Investigación", *Revista General de Derecho Europeo,* núm. 36, 2015, pp. 1 y ss.

BACHMAIER WINTER, L: "Quo vadis— El TJUE y su papel en materia de cooperación penal al hilo de la reciente jurisprudencia sobre la orden europea de detención y entrega", *Revista General de Derecho Europeo,* núm. 38, 2016, pp. 26 y ss.

BRIBOSIA, E./WEYEMBERGH, A.: "Arrêt Aranyosi et Caldararu: imposition de certaines limites à la confiance mutuelle dans la coopération judiciaire pénale", *Journal de Droit Européen,* 2016, pp. 225 y ss.

BRIBOSIA, E./WEYEMBERGH, A.: "Confiance mutuelle et droits fondamentaux: Back to the future", *Cahiers de droit européen,* vol. 52, núm. 2, 2016, pp. 469 y ss.

BURGOS LADRÓN DE GUEVARA, J. (Coord.): *La cooperación judicial entre España e Italia,* San Sebastián, 2017.

BUSTOS GISBERT, R.: "¿Un insuficiente paso en la dirección correcta? Comentario a la Sentencia del TJUE (Gran Sala), de 5 de abril de 2016, en los casos acumulados

Pal Aranyosi (C-404/16) y Robert Caldararu (C-659/15 PPU)", *Revista General de Derecho Europeo*, núm. 40, 2016, pp. 1 y ss.

CAIANIELLO, M.: "Dal terzo pilastro ai nuovi strumenti: diritti fondamentali, "road map" e l'impatto delle nuove Direttive", *Diritto Penale Contemporaneo*, núm. 4/2015, pp. 70 y ss.

CANCELLARO, F.: "La Corte di Giustizia si pronuncia sul rapporto tra mandato d'arresto europeo e condizioni di detenzione nello Stato emitente", *Diritto Penale Contemporaneo*, 18 abril 2016, pp. 1 y ss.

CLASSEN, H.D.: "Confiance mutuelle et identité constitutionnelle nationale – Quel avenir dans l'espace juridique européen? À propos de la décision de la Cour constitutionnelle allemande sur le mandat d'arrêt européen du 15 décembre 2015", en *Cahiers de Droit europeen*, vol. 52, núm. 2, 2016, pp. 667 y ss.

CRAS. S/ERBEZNIK, A.: "The Directive on the Presumption of Innocence and the Right to Be Present at Trial. Genesis and Description of the New EU-Measure", *EuCrim*, 1/2016, pp. 25 y ss.

DANIELE, M.: "La triangolazione delle garanzie processuali fra diritto dell'Unione Europea, CEDU e sistemi nazionali", *Diritto penale contemporáneo*, núm. 4/2016, pp. 48 y ss.

DE HOYOS SANCHO, M.: "El principio de reconocimiento mutuo de resoluciones penales en la Unión Europea: ¿Asimilación automática o corresponsabilidad?" *Revista de Derecho Comunitario Europeo*, núm. 22, sept.-dic. 2005, pp. 807 y ss.

DE HOYOS SANCHO, M.: "Euro-orden y causas de denegación de la entrega", *Cooperación judicial penal en la Unión Europea: La Orden Europea de Detención y Entrega*, Coord. C. Arangüena Fanego, Valladolid, 2005.

DE HOYOS SANCHO, M.: "Eficacia transnacional del non bis in ídem y denegación de la euroorden", *La Ley*, núm. 4, 2005, pp. 1651 y ss.

DE HOYOS SANCHO, M.: "Armonización de los procesos penales, reconocimiento mutuo y garantías esenciales/Harmonization of criminal proceedings, mutual recognition and essential safeguards", en *El proceso penal en la Unión Europea. Garantías esenciales*, Dir.: M. de Hoyos, Valladolid, 2008.

DE HOYOS SANCHO, M.: "Aproximación de los procesos penales en la Unión Europea y reconocimiento mutuo de sentencias y resoluciones judiciales tras el Tratado de Lisboa", en *Instrucción penal en el Derecho Comparado*, Coord.: C. Rodríguez-Medel Nieto, CGPJ, núm. 4/2011, pp. 1 y ss.

DE HOYOS SANCHO, M.: "Reflexiones sobre la Directiva 2012/29/UE, por la que se establecen normas mínimas sobre los derechos, el apoyo y la protección de las víctimas de delitos, y su transposición al ordenamiento español", *Revista General de Derecho Procesal*, núm. 34, 2014, pp. 1 y ss

DE HOYOS SANCHO,M.: "Sobre la necesidad de armonizar las garantías procesales en los enjuiciamientos de personas jurídicas en el ámbito de la Unión Europea. Valoración de la situación actual y algunas propuestas", *Revista General de Derecho Procesal*, núm. 43, 2017, pp. 1 y ss.

DELLA TORRE, J.: "Il paradosso della Direttiva sul rafforzamento della presunzione di innocenza e del diritto di presenziare al processo: un passo indietro rispetto alle garanzie convenzionali?", *Rivista italiana di Diritto e Procedura Penale*, núm. 4, oct.-dic. 2016, pp. 1835 y ss.

DUBOUT, E.: "Le niveau de protection des droits fondamentaux dans l'Union Européenne: unitarisme constitutif versus pluralisme constitutionnel", *Cahiers de droit européenne,* núm. 1, 2013, pp. 293 y ss.

FAGGIANI, V.: "El derecho a la información en los procesos penales en la UE: la Directiva 2012/13/UE, de 22 de mayo de 2012", *Revista General de Derecho Procesal,* núm. 30, 2013, pp. 1 y ss.

FAGGIANI, V.: "Le direttive sui diritti processuali. Verso un "modello europeo di giustizia penale"?*Freedom, Security & Justice: European Legal Studies,* No. 1, 2017, pp. 84 y ss.

FAGGIANI, V.: *Los derechos procesales en el espacio europeo de justicia penal,* Cizur Menor, 2017.

FERNÁNDEZ ROZAS, J.C.: "La compleja adhesión de la Unión Europea al Convenio Europeo de Derechos Humanos y las secuelas del Dictamen 2/2013 del Tribunal de Justicia", *La Ley. Unión Europea,* núm. 23, febrero 2014, pp. 1 y ss.

FONSECA MORILLO, F.: "La orden de detención y entrega europea", *Revista de Derecho Comunitario Europeo,* núm. 14, 2003, pp. 69 y ss.

FUENTES SORIANO, O. (Coord.): *El proceso penal: cuestiones fundamentales,* Valencia, 2016.

GARCÍA SÁNCHEZ, B.: "¿Homogeneidad o estándar mínimo de protección de los derechos fundamentales en la Unión Europea?, *Revista de Derecho Comunitario Europeo,* núm. 46, sept.-dic. 2013, pp. 1137 y ss.

GÓMEZ-JARA, C.: *Garantismo penal europeo,* Madrid, 2017.

GONZÁLEZ CANO, M.I.: "La armonización de las garantías procesales penales en la Unión Europea", Libro Homenaje al Prof. Montero Aroca, *El derecho procesal español del siglo XX. A golpe de tango,* Coords.: Gómez Colomer, J.L., Barona Vilar, S. y Calderón Cuadrado, M.P., Valencia, 2012.

GONZÁLEZ CANO, M.I. (Dir.): *Cooperación judicial penal en la Unión Europea. Reflexiones sobre algunos aspectos de la investigación y el enjuiciamiento en el espacio europeo de justicia penal,* Valencia, 2015.

GUTIERREZ ZARZA, M.A. (Dir.): *Los retos del espacio de Libertad, Seguridad y Justicia de la Unión Europea en el año 2016,* Madrid, 2017.

JIMENO BULNES, M. (Coord.): *Justicia versus seguridad en el espacio judicial europeo. Orden de detención europea y garantías procesales,* Valencia, 2011.

JIMENO BULNES, M.: "La Directiva 2013/48/UE del Parlamento Europeo y del Consejo de 22 de octubre de 2013 sobre los derechos de asistencia letrada y comunicación en el proceso penal: ¿realidad al fin?", *Revista de Derecho Comunitario Europeo,* núm. 48, 2014, pp. 443 y ss.

JIMENO BULNES, M.: "La Orden Europea de Detención y Entrega. Análisis normativo", *Reconocimiento mutuo de resoluciones penales en la Unión Europea. Análisis teórico-práctico de la Ley 23/2014, de 20 de noviembre,* Dirs.: C. Arangüena, M. de Hoyos y C. Rodríguez-Medel, Cizur Menor, 2015.

JIMENO BULNES, M. (Dir.): *Aproximación legislativa versus reconocimiento mutuo en el desarrollo del espacio judicial europeo,* Barcelona, 2016.

JIMENO BULNES, M.: "Orden europea de investigación en materia penal", en *Aproximación legislativa versus reconocimiento mutuo en el desarrollo del espacio judicial europeo,* Dir.: Jimeno Bulnes, M., Barcelona, 2016.

JIMENO BULNES, M.: "Perspectiva de la orden europea de detención y entrega: el principio de reconocimiento mutuo y la cooperación judicial en la Unión Europea", en *La cooperación judicial entre España e Italia*, Coord. J. Burgos Ladrón de Guevara, San Sebastián, 2017.

KOSTORIS, R.: "Processo penale, diritto europeo e nuovi paradigmi del pluralismo guiridico postmoderno", *Riv.It.Dir.Proc.Pen.*, sept. 2015, pp. 1177 y ss.

LAMBERIGTS, S.: "The Directive on the Presumption of Innocence. A Missed Opportunity for Legal Persons?, *EuCrim*, núm. 1/2016, pp. 36 y ss.

LUPÀRIA, L.: "Derechos fundamentales y principio ne bis in ídem", en *La cooperación judicial entre España e Italia*, Coord. J. Burgos Ladrón de Guevara, San Sebastián, 2017.

MARTIN RODRÍGUEZ, P.: "Crónica de una muerte anunciada: Comentario a la Sentencia del Tribunal de Justicia (Gran Sala), de 26 de febrero 2013, Stefano Melloni, C-399/11", en *Revista General de Derecho Europeo* 30 (2013), pp. 1 y ss.

MARTÍNEZ GARCÍA, E.: *La orden europea de investigación*, Valencia, 2016.

MATÍA PORTILLA, F.J.: "Primacía del derecho de la Unión y derechos constitucionales. En defensa del Tribunal Constitucional", *Revista Española de Derecho Constitucional*, núm. 106, 2016, pp. 479 y ss.

MITSILEGAS, V.: *EU Criminal Law after Lisbon. Rights, Trust and the Transformation of Justice in Europe*, Oxford, 2016.

MUÑOZ DE MORALES ROMERO, M.: "Límites a la orden de detención europea", *Almacén de Derecho*, 20 abril 2016, pp. 1 y ss.

MUÑOZ DE MORALES ROMERO, M.: "Dime cómo son tus cárceles y ya veré yo si coopero. Los casos Caldararu y Aranyosi como nueva forma de entender el principio de reconocimiento mutuo", *InDret*, enero 2017, pp. 1 y ss.

OLLÉ SESÉ, M./GIMBERNAT DÍAZ, E.: "Orden europea de detención y entrega y tratos inhumanos y degradantes", *La Ley. Unión Europea*, núm. 40, 30 sept. 2016, pp. 1 y ss.

PISANI, M.: "Il processo penale europeo: problema e prospettive", *Rivista di Diritto Processuale*, julio-sept. 2004, pp. 653 y ss.

RAFARACI, T.: "Diritti fondamentali, giusto processo e primato del diritto UE", *Processo penale e giustizia*, núm. 3, 2014, pp. 1 y ss.

RUGGERI, S.: "Procedimento penale, diritto de difesa e garanzie partecipative nel diritto dell'Unione Europea", *Diritto Penale Contemporáneo*, núm. 4/2015, pp. 130 y ss.

RUGGERI, S: "Inaudito reo Proceedings, Defence Rights, and Harmonisation Goals in the EU", *EuCrim*, 1/2016, pp. 42 y ss.

SORENSEN, H. "Mutual trust. blind trust or general trust with exceptions? The CJEU hears key cases on the European Arrest Warrant, *EU Law Analysis*, 18 febrero 2016, pp. 1 y ss.

UGARTEMENDÍA ECEIZABARRENA, J.I.: "El control de comunitariedad de las resoluciones jurisdiccionales y el límite de la identidad constitucional", *Revista Española de Derecho Europeo*, núm. 59, 2016, pp. 1 y ss.

VERVAELE, J.: "Derechos fundamentales en el espacio de libertad, seguridad y justicia: el *ne bis in idem* praetoriano del Tribunal de Justicia", *El proceso penal en la Unión Europea: garantías esenciales*, Dir.: M. de Hoyos Sancho, Valladolid, 2008.

VERVAELE, J.: "Ne bis in ídem: ¿un principio transnacional de rango constitucional en la Unión Europea?", *InDret*, enero 2014, pp. 1 y ss.

VIDAL FERNÁNDEZ, B.: "El derecho a intérprete y a la traducción en los procesos penales en la UE. La iniciativa de 2010 de Directiva del Parlamento Europeo y del Consejo relativa a la interpretación y traducción", en *Espacio europeo de libertad, seguridad y justicia: últimos avances en cooperación judicial penal,* Dir. Aragüena Fanego, C. (Dir.), Valladolid, 2010.

Capítulo IV

Protección y reparación de la víctima en la Unión Europea[1]

CORAL ARAGÜENA FANEGO

Catedrática de Derecho Procesal y miembro del Instituto de Estudios Europeos
Universidad de Valladolid

> **SUMARIO:** 1. INTRODUCCIÓN: EL MARCO LEGAL DE PROTECCIÓN A LAS VÍC-
> TIMAS EN LA UNIÓN EUROPEA. ESPECIAL CONSIDERACIÓN DE LA DIRECTIVA
> 2012/29/UE. 2. PROTECCIÓN. 3. REPARACIÓN. BIBLIOGRAFÍA.

1. INTRODUCCIÓN: EL MARCO LEGAL DE PROTECCIÓN A LAS VÍCTIMAS EN LA UNIÓN EUROPEA. ESPECIAL CONSIDERACIÓN DE LA DIRECTIVA 2012/29/UE

Mi intervención en este Seminario lleva un título aparentemente breve en su extensión, pero extremadamente amplio en su potencial contenido. Pues a nadie se le escapa que la acción de la Unión Europea en materia de protección y reparación a las víctimas es enorme y su potenciación en los últimos años, evidente. Al punto de que es lugar común decir que estamos asistiendo a un fenómeno de "redescubrimiento" o "recuperación" de las

---

[1] Trabajo realizado en el marco del proyecto de investigación del Plan Nacional I+D+I del Ministerio de Economía y Competitividad DER2016-78096-P (Garantías Procesales de investigados y acusados: necesidad de armonización y fortalecimiento en el ámbito de la Unión Europea), del cual soy investigadora principal junto a M. de Hoyos Sancho. Se corresponde en lo esencial con la ponencia impartida el 30 de noviembre de 2017 en la Universidad de Sevilla en el *Seminario Internacional sobre nuevos paradigmas de la cooperación judicial penal en la Unión Europea*. Para una visión más completa del tema me remito a mis trabajos precedentes "El Estatuto de la Víctima", *Consejo General del Poder judicial. Cuadernos digitales de formación*, nº 37, 2015; "Participación de la víctima en el proceso", *Consejo General del Poder judicial. Cuadernos digitales de formación*, nº 47, 2016;" Estatuto de la víctima. Incidencia en la ejecución penitenciaria", *Consejo General del Poder judicial. Cuadernos digitales de formación*, nº 55, 2016; "Participación de la víctima en la ejecución penal", De Hoyos Sancho, M. (dir), *La víctima del delito y las últimas reformas procesales penales*, Ed. Aranzadi, Cizur Menor, 2017, pp. 201-232.

víctimas en el ámbito del derecho y del proceso penal, dejando atrás el desdibujado papel que tradicionalmente ha ocupado en el sistema.

No hay tiempo ni es momento para analizar, ni tan siquiera enumerar, la batería de normas que en el ámbito internacional y nacional se han sucedido para conferirle este papel protagonista[2]. Sin embargo, parece necesario hacer una mínima alusión a las de la Unión Europea más recientes y/o que han tenido una significativa repercusión en materia de protección y reparación a la víctima, puesto que constituyen el marco legal sobre el que centraremos nuestro análisis y comentario.

Y así habría que partir como norma más amplia y/o general de la Directiva 2012/29/UE por la que se establecen normas mínimas sobre derechos, apoyo y protección a las víctimas de delitos[3], implementada de manera muy generosa en nuestro Derecho por la ley 4/2015, de 27 de abril del Estatuto de la Víctima, en vigor desde el 28 de octubre. Anterior en el tiempo y centrada en un instrumento de protección específico, la Directiva 2011/99/UE sobre la orden europea de protección en procesos penales,

---

[2]   Un buen resumen de los hitos fundamentales en el reconocimiento de los derechos de las víctimas en el ámbito internacional y europeo puede encontrarse en los trabajos de TAMARIT SUMALLA, J.M., "Los derechos de las víctimas", en *El estatuto de las víctimas de delitos. Comentarios a la ley 4/2015* (Tamarit Sumalla, J.M. coord.), Valencia, 2015, pp. 7 y ss.; VILLACAMPA ESTIARTE, C., "La protección de las víctimas en el proceso penal: consideraciones generales e instrumentos de protección", en TAMARIT (coord.) *El estatuto de las víctimas…op. cit.*, pp. 158 y ss.; ORDEÑANA GERUZAGA, I., "¿Un pasito para adelante y otro para atrás? O sobre la agridulce evolución en la protección de la víctima en la Unión Europea", en GÓMEZ COLOMER, J.L. (coord.), *El proceso penal en la encrucijada. Homenaje al Dr. César Crisóstomo Barrientos Pellecer*, vol.II, Castellón de la Plana, 2015, pp. 955-998.

[3]   Dicha Directiva 2012/29/UE constituye hasta la fecha la última de las propuestas armonizadoras de la UE dirigidas a dotar a las víctimas de un marco de garantías homogéneas a nivel de toda la Unión Europea, objetivo ligado a la consolidación del Espacio de libertad seguridad y justicia. Sobre ella vid., por todos, DE HOYOS SANCHO, M. "Reflexiones sobre la Directiva 2012/29/UE, por la que se establecen normas mínimas sobre los derechos, el apoyo y la protección de las víctimas de delitos, y su transposición al ordenamiento español", *Revista General de Derecho Procesal*, nº 34 (2014). Para una visión panorámica de las diversas normas generales y sectoriales adoptadas, vid. DE HOYOS SANCHO, M. DE., "La armonización del estatuto de las víctimas en la UE", en MIR PUIG y CORCOY BIDASOLO, (dirs), *Garantías constitucionales y Derecho penal europeo*, Madrid-Barcelona, 2012, pp. 409 y ss., VIDAL FERNÁNDEZ, B., "Protección de las víctimas en el proceso penal", en JIMENO BULNES, M. (coord.), *Nuevas aportaciones al espacio de Libertad, Seguridad y Justicia*, Granada, 2014, pp. 153 y ss., ORDEÑANA GERUZAGA, I., *El estatuto jurídico de la víctima en el derecho jurisdiccional penal español*, IVAP. Oñati, 2014, pp. 241-414; VILLACAMPA ESTIARTE, C., "La protección de las víctimas en el proceso penal…", pp. 158 y ss.

instrumento de reconocimiento mutuo transpuesto junto con otros ocho instrumentos del mismo tipo en la Ley 23/2014, de 20 de noviembre de reconocimiento mutuo de resoluciones penales en la Unión Europea[4]. También el Reglamento UE 606/2013, de 12 junio 2013, relativo al reconocimiento mutuo de medidas de protección en materia civil[5].

Coétaneas y/o posteriores, otras directivas de tipo sectorial, en cuanto dirigidas a la protección de víctimas de determinados delitos: víctimas de trata de seres humanos —Directiva 2011/36/UE del Parlamento Europeo y del Consejo, de 5.4.2911, relativa a la prevención y lucha contra la trata de seres humanos— víctimas de abusos sexuales, explotación y pornografía infantil —Directiva 2011/92/UE del Parlamento Europeo y del Consejo, de 13.12.1011 de lucha contra los abusos sexuales y la explotación sexual de los menores y la pornografía infantil— víctimas de terrorismo —Directiva (UE) 2017/541 de 15 de marzo de 2017 relativa a la lucha contra el terrorismo y por la que se sustituye la Decisión marco 2002/475/JAI del Consejo y se modifica la Decisión 2005/671/JAI del Consejo[6].

Todas ellas, al margen de centrar su objetivo en dispensar una adecuada protección a la víctima del delito, tienen en común ser el resultado normativo del Plan de trabajo del Consejo para reforzar los derechos y la protección de las víctimas, en particular en los procesos penales (el denominado Plan de Budapest)[7] y formar parte del paquete legislativo de instrumentos

---

[4] Sobre ella me remito a los capítulos que firman DE HOYOS SANCHO y RUBIO ENCINAS en la obra colectiva *Reconocimiento mutuo de resoluciones penales en la Unión Europea* (ARANGÜENA FANEGO, C.; DE HOYOS SANCHO, M.; RODRÍGUEZ-MEDEL NIETO, C. (dirs.), Cizur Menor, 2015, pp. 269-319). Vid., asimismo, ARANGÜENA FANEGO, "Emisión y ejecución en España de órdenes europeas de protección", en *Revista de Derecho Comunitario Europeo*, Volumen 51 (mayo/agosto 2015), pp. 491-535.

[5] Vid. DE HOYOS SANCHO, M.: "El reconocimiento mutuo de las medidas de protección penal y civil de las víctimas en la Unión Europea: la Directiva 2011/99, el Reglamento 606/2013, y su respectiva incorporación a los ordenamientos español y alemán", *op. cit.* pp. 63 y ss; "La orden europea de protección de víctimas. Análisis normativo", dentro de la obra colectiva: ARANGÜENA, C./DE HOYOS, M./RODRÍGUEZ-MEDEL, C.: *Reconocimiento mutuo de resoluciones penales en la Unión Europea, op. cit.*, pp. 271 y ss.

[6] Dicho instrumento establece normas mínimas relativas a la definición de las infracciones penales y las sanciones en el ámbito de los delitos de terrorismo, los delitos relacionados con un grupo terrorista y los delitos relacionados con actividades terroristas, así como medidas de protección, apoyo y asistencia a las víctimas del terrorismo.

[7] Vid. Resolución del Consejo, de 10.07.2011, sobre un Plan de trabajo para reforzar los derechos y la protección de las víctimas, en particular en los procesos penales (2011/C 187/01) donde se advierte de la necesidad de llevar a cabo una actuación a escala de

legislativos presentado a tal fin por la Comisión[8], al amparo del art. 82.2 del Tratado de Funcionamiento de la Unión Europea (TFUE).

Por su carácter general y su amplio ámbito de aplicación, sin duda la más relevante ha sido la Directiva 2012/29/UE. Dicha Directiva, sucesora de la presente Decisión marco 2001/220/JAI a la que sustituye, se erige en norma general reguladora de los derechos mínimos de la víctima del delito, actuando como "umbral" de garantías para la víctima a nivel europeo, como expresamente indica, por medio del tratamiento horizontal dado a la materia, que radica en abarcar las necesidades de todas las víctimas con independencia del tipo y las circunstancias del delito, así como del lugar en que se haya perpetrado. Constituye, como es regla en este tipo de legislación europea armonizadora de derechos —art. 82.2º TFUE— y se recuerda expresamente en el Considerando 11 de la propia Directiva, una norma de mínimos, de tal manera que los Estados miembros pueden ampliar en sus respectivos ordenamientos nacionales los derechos que en ella se establecen, con el fin de proporcionar a las víctimas un nivel más elevado de protección y garantías en aquellos procesos penales que se sustancien en sus respectivos territorios (como se recoge en los Considerandos 2 y 11). Bien entendido, naturalmente, tal y como ha tenido ocasión de precisar el TJUE en su sentencia dictada en el asunto *Melloni*, que ese mayor nivel de protección doméstica dispensado no puede imponerse en modo alguno a los restantes Estados miembros en las relaciones o asuntos que entre ellos puedan plantearse. Cuando una materia se encuentra armonizada en el ámbito UE, y en virtud del llamado "principio de primacía del Derecho de la Unión", un Estado miembro no puede invocar, en sus relaciones con los demás Estados, las disposiciones de su propio Derecho nacional, aunque fueren de rango constitucional y otorgaran un mayor grado de protección y derechos, pues si sobre ese sector del ordenamiento existe normativa UE, se entiende que esa norma de armonización-aproximación "refleja el consenso alcanzado por los Estados miembros en su conjunto sobre el alcance que debe darse, en virtud del Derecho de la Unión", en esos supuestos a una serie de derechos procesales. No siendo posible por tanto invocar el art. 53 de la Carta de Derechos Fundamentales de la Unión Europea con el

---

la Unión para reforzar los derechos y la protección de las víctimas de delitos, y se insta a la Comisión a presentar las propuestas oportunas a tal fin.

[8] Y de los que se da cuenta en la Comunicación de la Comisión al Parlamento Europeo, al Consejo, al Comité Económico y Social Europeo y al Comité de las Regiones sobre el refuerzo de los derechos de las víctimas en la UE, Bruselas, 18 de mayo de 2011, COM (2011) 274 final.

fin de que un Estado imponga a los demás Estados miembros condiciones para el reconocimiento mutuo de resoluciones judiciales, o para la cooperación judicial y policial en general, que no estén previstas en la norma europea de armonización. Por todo ello y con el objeto de consolidar el sistema judicial europeo, los Estados no pueden imponer "su parámetro nacional de protección de los derechos fundamentales", sino que deberán "moverse en sus relaciones dentro del parámetro común sustantivo y procesal"[9].

Esto tiene importancia porque, como es bien sabido, en materia de participación de la víctima en el proceso nuestro Derecho es muy generoso[10]; pero la víctima sólo puede impetrar tales derechos cuando el proceso se sigue en España y no cuando el proceso por delito se sigue en otro Estado miembro de la UE, dado que allí será aplicable la normativa de desarrollo de la Directiva que se haya acordado la cual, eso sí, deberá garantizar los derechos mínimos fijados por la norma europea.

Directiva europea y Estatuto de la Víctima español han dado lugar a la modificación de numerosos preceptos de la LECrim. que recogen nuevos derechos de las víctimas en el proceso penal, regulan su intervención de manera generosa (en especial posibilitando recurrir determinadas resoluciones aunque no sean parte, e intervenir en la ejecución) y mejoran las medidas de protección existentes. Modificaciones realizadas en su mayoría por la propia Ley 4/2015 del Estatuto de la Víctima (LEV, en adelante), pero también por la ley 41/2015 para la agilización de la justicia penal y el fortalecimiento de las garantías procesales[11], por la ley orgánica 13/2015 para el fortalecimiento de las garantías procesales y la regulación de las me-

---

[9] Véase sobre esta cuestión, ampliamente, MAPELLI MARCHENA, C., *El modelo de la Unión Europea*. Aranzadi, Cizur Menor, 2014, pp. 588-597. Asimismo, FAGGIANI, V., *Los derechos procesales en el espacio europeo de justicia penal. Técnicas de armonización*, Ed. Aranzadi, 2017.

[10] Véase, por todos, MARTÍN RÍOS, M.P., *Víctima y Justicia penal*, Ed. Atelier, Barcelona, 2012 y DE HOYOS SANCHO, M., *El ejercicio de la acción penal por las víctimas. Un estudio comparado*, Aranzadi, 2016.

[11] V.gr. información policial tras denuncia de su tramitación posterior y consecuencias derivadas, así como de la eventual incautación de efectos —284.2 y 4 LECrim.—, el apoyo a programas de atención a víctimas del delito, incluido el impulso y dotación de las Oficinas de Asistencia a las Víctimas como uno de los fines propios de propios de los recursos obtenidos por la Oficina de Recuperación y Gestión de Activos como consecuencia de las resoluciones judiciales de decomiso —nueva disposición adicional quinta 3)—.

didas de investigación tecnológica[12], por la Ley 42/2015, de 5 de octubre cuya Disposición Final tercera modifica la ley 1/1996 de Asistencia Jurídica Gratuita[13], sin olvidar la modificación de algunos preceptos del Código Penal a través de la L.O. 1/2015 que de manera más o menos directa encuentran justificación en la necesidad de tutelar de manera adecuada a la víctima conjugando sus derechos con los propios fines del derecho penal orientado de manera prioritaria a la resocialización del delincuente[14].

De los múltiples aspectos sobre los que se proyecta la Directiva y sus normas de transposición, me corresponde ocuparme de dos que revisten singular interés: la protección y reparación a la víctima.

Dedicaremos a cada uno de ellos un apartado distinto esbozando en primer lugar las exigencias sobre estos extremos de la Directiva para analizar brevemente, a continuación, la transposición efectuada en nuestro derecho. Todo ello teniendo además como punto de partida el concepto de víctima proporcionado por la Directiva en su art. 2, circunscrito a personas físicas[15] que hayan sufrido un daño o perjuicio, en especial lesiones físicas o mentales, daños emocionales o un perjuicio económico, directamente causado por una infracción penal (víctimas directas). A ellas se añade en

---

[12] Al incluirse el fin de protección de la víctima como uno de los supuestos que pueden justificar una intervención de sus propios terminales o medios de comunicación si se previera un grave riesgo para su vida o integridad —art. 588 ter b)—.

[13] incorporando varias novedades que redundan en beneficio de los tipos de víctimas cualificadas que categoriza; en particular, víctimas de violencia de género, de terrorismo y de trata de seres humanos.

[14] En este sentido ha de llamarse la atención sobre la nueva redacción dada al art. 126.3 CP estableciendo para determinados supuestos la prioridad en el pago de las costas procesales causadas a la víctima con preferencia a las del Estado. Asimismo sobre los artículos que se ocupan de la suspensión de la ejecución de la pena, cobrando una especial relevancia la reparación a la víctima como requisito para posibilitarla dentro del nuevo sistema unitario de suspensión integrado por las dos figuras tradicionales de la suspensión de la ejecución para penas privativas de libertad no superiores a dos años (en la que se valorará en particular su esfuerzo para reparar el daño causado y se exigirá que se hayan satisfecho las responsabilidades civiles que se hubieren originado para con la víctima", art. 80 CP) y la antigua sustitución de la pena privativa de libertad, hoy reconvertida en una específica modalidad de suspensión condicionada a la reparación efectiva del daño o indemnización de perjuicios o al cumplimiento del acuerdo alcanzado por las partes en virtud de mediación (arts. 80.3 y 84.1.1ª CP).

[15] Lo que excluye del ámbito de protección y derechos dispensados por la norma europea a las personas jurídicas, por más que evidentemente pueden ser también sujetos pasivos de hechos delictivos.

calidad de víctimas indirectas a los *familiares*[16] de una persona cuya muerte haya sido directamente causada por un delito y que haya sufrido un daño o perjuicio como consecuencia de la muerte de dicha persona.

2. PROTECCIÓN

La Directiva dedica su capítulo cuarto a esta materia, bajo el título "Protección de las víctimas y reconocimiento de las víctimas con necesidad de protección especial". Título muy gráfico en cuanto pone de manifiesto que pese al tratamiento horizontal que la Directiva pretende desplegar, va a diferenciar categorías de víctimas a las que dispensará un tratamiento algo diverso.

El artículo 18 constituye el punto de partida general y establece que los Estados Miembros deberán articular las medidas necesarias para proteger a las víctimas, y a sus familiares, frente a la victimización secundaria o reiterada, la intimidación o las represalias —incluido el riesgo de daños emocionales o psicológicos—, y para proteger la dignidad de las víctimas durante las declaraciones que deban prestar. Asimismo, cuando ello resulte necesario, se deberán implementar las correspondientes medidas para su protección física; a este respecto el Considerando 52º cita expresamente la conveniencia y posibilidad de adoptar como medidas de protección las órdenes de protección o de alejamiento, cobrando por ello adicional relevancia la Directiva 2011/99/UE sobre la orden europea de protección.

A los fines enunciados por este art. 18, la Directiva asume, de un lado, la existencia de diversas tipologías de víctimas, algunas de las cuales deben tener un régimen específico y privilegiado y, de otro, dispone que los derechos en ella consagrados deben materializarse, como regla, según las necesidades propias de cada una de las víctimas, lo que pasa por una evaluación individual realizada de manera temprana[17] conforme a los parámetros establecidos en el art. 22 para seleccionar las medidas de protección en cada

---

[16] Por familiares se entiende el cónyuge, la persona que convive con la víctima y mantiene con ella una relación personal íntima y comprometida, en un hogar común y de manera estable y continua, los familiares en línea directa, los hermanos y hermanas, y las personas a cargo de la víctima.

[17] Sin perjuicio de su debida actualización posterior a lo largo del proceso penal conforme prevé el apartado 7º de este art. 22.

caso más adecuadas[18]. Tal sistema tiene como consecuencia la articulación en la Directiva de tres niveles de protección en que ésta se va acentuando de forma progresiva: un nivel estándar que resulta de aplicación a todo tipo de víctimas; un segundo nivel, reforzado, referido a las víctimas en que se aprecien necesidades especiales de protección; y, un tercer nivel, de máxima protección, aplicable a las víctimas menores de edad[19]. De este modo se ajusta fielmente a la doctrina del Tribunal de Estrasburgo sobre los arts. 2 y 3 CEDH y las obligaciones positivas que se derivan para los Estados parte de incorporar normativamente y de aplicar operativamente un cuadro eficaz para la protección de las víctimas; máxime si estas son o devienen especialmente vulnerables (STEDH *Talpis v. Italia*, 2/03/2017).

Por lo que respecta al nivel básico de protección[20], se exige a los Estados miembros, en primer lugar, la adopción de los mecanismos necesarios para evitar, en cualquier fase del procedimiento penal, el contacto entre, por una parte, las víctimas y sus familiares, y, por otra, el infractor, en las dependencias judiciales. A tal efecto, todos los nuevos juzgados deben contar con salas de espera separadas para las víctimas (art. 19). Asimismo, sin perjuicio de los derechos de la defensa, se deberá prevenir, en la medida de lo posible, su victimización institucional[21]. Para ello se establece que, durante la fase de la investigación penal, tanto la toma de declaraciones a la víctima como los posibles reconocimientos médicos se realicen sin dilaciones injustificadas velando por que el número de declaraciones que presten sea el menor posible y en la medida en que sean estrictamente indispensables para los fines de la investigación. En dichos trámites la víctima podrá estar acompañada, salvo resolución motivada en contrario, además de por su abogado, por otra persona de su elección (art. 20). Se exige también la necesaria implementación en el marco del procedimiento de medidas adecuadas para proteger su intimidad, imagen física y datos perso-

---

[18]   SERRANO MASIP, M., "Medidas de protección de las víctimas", en De Hoyos Sancho, M. (dir)., *La víctima del delito y las últimas reformas procesales penales*, Ed. Aranzadi, Cizur Menor, 2017, p. 140

[19]   Estos niveles reforzados de protección pueden no resultar de aplicación cuando se den ciertas limitaciones "de orden operativo o práctico" (Considerando 59º de la Directiva 2012/29/UE).

[20]   Como apunta TAMARIT SUMALLA, J.M., "Los derechos de las víctimas", *op. cit.*, pp. 28-29, las medidas de protección contenidas en este primer nivel "reflejan una clara evolución, al preverse para todas las víctimas derechos que hasta el momento sólo habían sido concebidos o desarrollados para las víctimas consideradas más vulnerables".

[21]   La expresión es de PÉREZ RIVAS, N., *Los derechos de la víctima en el sistema penal español*, Tirant lo Blanch, Valencia, 2017, pp. 48 a 66 de la edición on line.

nales. Medidas que se orientan asimismo a neutralizar la victimización que podría derivarse de los medios de comunicación como consecuencia del tratamiento dispensado por éstos al delito sufrido para lo cual los Estados miembros les instarán a "aplicar medidas de autorregulación con el fin de proteger la intimidad, la integridad personal y los datos personales de las víctimas" (art. 21).

El segundo nivel de protección está destinado a las víctimas que presentan necesidades especiales de protección en atención a sus características personales, al tipo o naturaleza del delito sufrido y a las circunstancias de su comisión, exigiendo que los Estados miembros establezcan sistemas de evaluación tempranos e individuales para detectar su existencia (art. 22.1).

En ese caso, y sí ellas lo desean (y las circunstancias del proceso no lo impiden —art. 23.1 in fine—), se podrán adoptar las siguientes medidas:

– durante la investigación penal (artículo 23.2): la toma de declaración de la víctima se efectuará en las dependencias habilitadas a tal fin y por profesionales con formación adecuada a tal efecto; todas las tomas de declaración a la víctima serán realizadas por las mismas personas a menos que sea contrario a la buena administración de la justicia, siendo efectuadas, en caso de víctimas de violencia sexual, violencia de género o violencia en el marco de las relaciones personales, por una persona del mismo sexo que la víctima —salvo que se trate de un juez o fiscal— siempre que la víctima así lo desee y ello no vaya en detrimento del desarrollo del proceso.

– por lo que respecta a su intervención *en el juicio oral*, estas medidas especiales de protección podrán consistir en las siguientes (artículo 23.3): evitar el contacto visual entre la víctima y el infractor, incluso durante la práctica de la prueba, a través de los medios adecuados, incluido el uso de tecnologías de la comunicación; evitar que se formulen preguntas innecesarias en relación con la vida privada de la víctima sin relación con la infracción penal; y, la posibilidad de celebrar la audiencia a puerta cerrada.

Finalmente, y tratándose de víctimas menores de edad, a las que se da por supuesto tal necesidad de especial protección —art. 22.4—, se les dispensa el máximo nivel de protección. Así, además de las medidas referidas del art. 23 establecidas con carácter general para las víctimas necesitadas de especial protección, se recogen otras tres adicionales en el art. 24.1: en la fase de investigación, la grabación de todas sus tomas de declaración a efectos de que puedan servir posteriormente como prueba en el juicio; tanto en esa fase como en la de juicio oral, la designación de un representante cuando tal función no pueda ser desempeñada por sus tutores (bien por existir conflicto de intereses, bien por estar desamparado); y la asistencia de defensor en su propio nombre si existiera conflicto de intereses con los titulares de la patria potestad.

La Ley 4/2015, de 27 de abril, del estatuto de la Víctima del delito (LEV)[22] dedica el título III a la protección de las víctimas, encomendando a las autoridades y funcionarios encargados de la investigación, persecución y enjuiciamiento velar por la protección de su integridad, libertad, indemnidad (art. 19) y, tratándose de menores, especialmente a la Fiscalía.

Se sigue la línea marcada por la Directiva previendo una serie de medidas de protección comunes y de primer nivel o grado aplicables con carácter general y de manera inmediata a todo tipo de víctimas y en cualquier tipo de delitos (arts.20 a 22 LEV) y otras específicas de segundo y tercer nivel o grado orientadas, respectivamente, a evitar una eventual victimización secundaria (art. 25 LEV) y a atender las necesidades de dos categorías específicas de víctimas vulnerables (menores y discapacitados art. 26 LEV); medidas estas dos últimas que tienen en común el exigir una valoración individual previa a fin de detectar las necesidades especiales de protección conforme al procedimiento de los arts. 23 y 24 LEV y que, en su caso, acreditarán la conveniencia de adoptar las que sean oportunas del referido catálogo.

El Estatuto no define en ningún momento lo que entiende por víctima vulnerable o especialmente vulnerable[23]; da por supuesto quiénes son y aunque el Preámbulo hace varias veces referencia a ellas, en vez de definirlas o de enumerarlas opta por ejemplificar una serie de situaciones bajo las cuales puede manifestarse esa especial vulnerabilidad o, en terminología de la ley, esas necesidades de especial protección.

En cuanto a las medidas de protección generales para cualquier tipo de víctima (y/o de primer nivel) a adoptar de manera inmediata ya en fase de investigación, son similares a las enunciadas en la Directiva:

   – empleo de dependencias adecuadas para evitar el contacto con el infractor (art. 20 LEV) y procurar que la declaración se preste en la forma menos gravosa (sin dilaciones, ni reiteraciones innecesarias);

---

[22]   Sobre la LEV vid. por todos, GÓMEZ COLOMER, J.L., *Estatuto jurídico de la víctima del delito,* 2ª ed., Ed. Aranzadi, Cizur Menor, 2015.

[23]   A diferencia de su antecesora: la Decisión marco 2001/220/JAI. Véase sobre esta categoría la obra colectiva coordinada por ARMENTA DEU, T., *Código de Buenas prácticas para la protección de víctimas vulnerables,* Ed. Colex, Madrid, 2011.

reconocimientos médicos reducidos a los imprescindibles y en idénticas condiciones; posibilidad de estar acompañado de una persona de su elección (distinta de su representante procesal y, en su caso, legal) en las diligencias en que deba intervenir, extremo este último [art. 21.c.) LEV] del que motivadamente se podría prescindir "si afectara negativamente el correcto desarrollo de la diligencia".

– en todo momento (art. 22 LEV) adopción de medidas necesarias para proteger el derecho a la intimidad de víctimas y familiares impidiendo difusión de informaciones que permitan su identificación, especialmente si se tratare de menores o discapacitados. Se trata de una exigencia también recogida en el art. 21 de la Directiva y ya, anteriormente, en la Decisión marco de 2001 que había sido desatendida en su momento de una manera generalizada por los Estados miembros y sobre la que España tampoco nada había comunicado. Ni el Estatuto ni la LECrim. indican las medidas para cumplir con esta exigencia, las cuales pueden ser de muy diverso tipo y llegar a proyectarse, por ejemplo, en la propia sentencia en cuanto a los datos que deben constar y a la publicidad que debe recibir; a este respecto existen interesantes experiencias que han hecho uso de la posibilidad conferida en el art. 266.1.II LOPJ de restringir el acceso al texto de las sentencias, o a determinados extremos de las mismas, cuando el mismo pudiera afectar al derecho a la intimidad, a los derechos de las personas que requieran un especial deber de tutela o a la garantía del anonimato de las víctimas o perjudicados, cuando proceda, así como, con carácter general, para evitar que las sentencias puedan ser usadas con fines contrarios a las leyes.

A estas disposiciones generales se suman a continuación, otra serie de medidas específicas que tienen en común el exigir una evaluación previa de carácter individualizado cuyas líneas básicas (competencia y procedimiento) determina el Estatuto en sus arts. 23 y 24.

En efecto, en cuanto a estas medidas de protección específicas, se diseña en los arts.23 y 24 el procedimiento de evaluación individualizado y temprano de las circunstancias particulares de la víctima que sin perjuicio del provisional que adopte la Policía y Ministerio Fiscal en sus diligencias de investigación procesales encomienda (art. 24.1 LEV) en fase de instrucción a los Jueces de Instrucción y a los de Violencia sobre la Mujer (y al Ministerio Fiscal en el proceso de menores, aunque algunas de ellas como se verá, en realidad sólo pueden ser acordadas por el Juez— de Menores) y en fase de enjuiciamiento, al que le corresponda el conocimiento de la causa. Aunque remite a un desarrollo reglamentario posterior los aspectos fundamentales de dicho procedimiento (art. 24.1 *in fine*), sí exige que esta valoración:

– tenga en cuenta especialmente tres tipos de circunstancias (art. 23.2 LEV):

a) las características personales de la víctima y en particular: discapacidad o relación de dependencia con infractor (v.gr. afectados por alguna minusvalía más o menos severa, víctimas de violencia doméstica o de género, progenitores o parientes ancianos); víctima menor (que se completa con las previsiones del art. 23 LEV en su apartados 3º y 4º y, muy especialmente, art. 26.3 LEV que recoge una interesante y tuitiva "presunción de minoría de edad"), o necesitada de especial protección o en quien concurran factores de especial vulnerabilidad (ancianos, inmigrantes no residentes, supuestos victimización reiterada a manos de grupos de criminalidad organizada como víctima de trata, haber sufrido atentados terroristas)

b) naturaleza del delito y gravedad de perjuicios causados a la víctima y riesgo de reiteración delictiva (nuevamente víctimas de terrorismo, víctimas de trata de seres humanos, de grupos de criminalidad organizada, redes de inmigración clandestina, tráfico de estupefacientes, extorsión, pornografía infantil). A este respecto no olvidemos que este Estatuto pretende dar respuesta no sólo a las exigencias de la Directiva 2012/29/UE; también a las recogidas en otras Directivas específicas que afectan a dos categorías de víctimas de especial protección: trata de seres humanos y víctimas de abusos sexuales y explotación sexual infantil; de ahí que incorpore medidas de protección que ya se indicaban en ellas.

c) circunstancias del delito; en particular si se trata de delitos violentos

Muchas de estas circunstancias aparecen destacadas en las Reglas de Brasilia sobre acceso a la justicia de las personas en condición de vulnerabilidad (aprobadas en la XIV Cumbre Judicial Iberoamericana, celebrada en Brasilia en marzo de 2008) y en las Guías de Santiago sobre protección de víctimas y testigos (documento aprobado en la XVI Asamblea General ordinaria de la Asociación Iberoamericana de Ministerios Públicos, República Dominicana, 9 y 10 de julio de 2008).

– valore en todo caso las necesidades alegadas por la víctima y, siendo menor o afectado por algún tipo de discapacidad, sus opiniones e intereses y concluya mediante una resolución motivada en la que se incluyan las medidas a adoptar (a las cuales podrá renunciar la víctima 24.2 *in fine* LEV), exigiendo una actualización posterior si cambiaran las circunstancias (24.5 LEV). A destacar aquí el acierto del legislador en su planteamiento protector pero respetando en todo lo posible la voluntad de la víctima.

Conforme a la indicada evaluación se podrán adoptar en primer lugar las medidas específicas que podríamos denominar de segundo grado o segundo nivel que enumera el art. 25 LEV, diferenciando entre las que pueden adoptarse en fase de investigación (apartado 1° relativas a las condiciones adecuadas para la toma de declaración) y en la de plenario o juicio oral (apartado 2° concernientes a medidas orientadas a evitar la confrontación visual y preservar su intimidad), a las que les puede sumar cualquiera de las recogidas en el art. 2 de la LO 19/1994 de protección a testigos y peritos en causas criminales.

Sobre este tipo de medidas tendentes a evitar la victimización secundaria y reiterada, el CGPJ en su Informe al Anteproyecto estimó que se trata de medidas adecuadas para la protección de éstas y su entorno, "que no afectan ni suponen merma de los derechos y garantías del imputado o acusado, razón por la cual merecen una valoración positiva".

En su caso y siendo menor o persona con discapacidad, además de las anteriores se acordará alguna de las medidas de tercer grado o tercer nivel que recoge el art. 26 LEV encaminadas. las de su apartado 1°— a la preconstitución probatoria en fase de investigación de las declaraciones de la víctima con posibilidad de sustituir el interrogatorio por una exploración a través de expertos y, las del apartado 2°, al nombramiento de un defensor judicial del menor desamparado o que se halle en conflicto de intereses con sus representantes legales. Naturalmente, y tratándose de las del apartado 1°, habrá que extremar el celo tanto en la motivación de las resolución que las acuerde. con plena observancia del principio de proporcionalidad y ponderación de los intereses en juego— como en el modo de practicarlas; no realizar el interrogatorio en el juicio oral ante el órgano jurisdiccional decisor, no lo olvidemos, limita un principio fundamental del proceso penal cuales el de que las pruebas se practicarán con contradicción, inmediación y publicidad, como regla general en las sesiones del juicio oral[24].

---

[24]   Existen acertados Protocolos en algunas Audiencias para conciliar adecuadamente las exigencias antedichas. Puede consultarse, al respecto, el elaborado por el Decanato de

Para dar cumplimiento a todo este conjunto de disposiciones estatutarias se han introducido varias modificaciones de importancia en la LECrim.

– Por una parte, se ha reformado convenientemente la regulación del carácter reservado de las actuaciones sumariales (art. 301 LECrim.) reforzando las garantías para preservarlo mediante un sustancial incremento de las sanciones económicas para quien lo vulnere, lo que sin duda puede redundar positivamente en el respeto al derecho de la intimidad de la víctima. E introduciendo en la LECrim. un art. 301 bis que posibilita al Juez de Instrucción (de oficio o a instancia del Ministerio Fiscal o de la víctima) a adoptar cualquiera de las medidas del art. 681.2 LECrim. cuando resulte necesario para proteger la intimidad de la víctima o el respeto debido a ella o su familia (prohibir divulgación o publicación de su identidad, imágenes y datos o circunstancias personales tenidas en cuenta para acordar medidas de protección).

– Se regula de manera adecuada con el Estatuto de la víctima y aún con las exigencias de otras normas anteriores la exención de la obligación de denunciar del art. 261 LECrim. limitada en caso del cónyuge al no separado legalmente o de hecho e incluyendo a la pareja conviviente y eliminando las obsoletas referencias y diferencias que se recogían los apartados 2º y 3º.

– Además se regula con detalle la forma de prestar testimonio durante la instrucción de las víctimas —art. 433 LECrim. recogiendo la posibilidad de hacerse acompañar por su representante legal y por una persona de su elección (salvo decisión contraria del Juez de Instrucción para garantizar el correcto desarrollo de la diligencia) y permitiendo al Juez acordar en caso de testigos menores de edad (18 años por aplicación del Estatuto de la Víctima) o mayores con capacidad judicialmente modificada (vid. además nuevo art. 25 CP) a la vista de su falta de madurez y si resulta necesario para evitarle graves perjuicios que se les tome declaración por medio de expertos y con inter-

---

los Juzgados de Valencia (Normas de funcionamiento para la práctica de diligencias de exploración de menores, declaraciones de víctimas de especial vulnerabilidad y pruebas anticipadas por videoconferencia), disponible en su página web http://portales. gva.es/c_justicia/decanato/. Y de la Audiencia provincial de Cáceres, sobre el cual puede verse TENA ARAGÓN, M.F., "Protocolo de actuación con menores y personas con discapacidad necesitadas de especial protección", en De Hoyos Sancho, M., dir., *La víctima del delito y las últimas reformas procesales*, Ed. Aranzadi, Cizur Menor, 2017, pp. 263 y ss.

vención del Ministerio Fiscal pudiendo limitar o excluir la presencia de las partes (aunque disponiendo los medios necesarios para hacer posible que le puedan dirigir preguntas y formular aclaraciones). En tales casos el Juez ordenará la grabación por medios audiovisuales.

- Y si pasamos al juicio oral, a desarrollar bajo los principios de audiencia, contradicción igualdad e inmediación, también en la LECrim. se establecen las disposiciones oportunas para que pese a la oralidad y publicidad que informa su celebración, el Juez o Tribunal pueda acordar de oficio, o, a instancia de parte, que se celebre el debate a puerta cerrada, para la adecuada protección de la víctima, su intimidad y la de sus familiares. Algo que además puede acompañarse de la restricción de la presencia de medios de comunicación audiovisuales en los debates del juicio oral, así como de la prohibición de grabación de todas o alguna de sus sesiones (arts.681 y 682 LEcrim.). Y se faculta al Presidente del Tribunal a tomar medidas para evitar que se formule a las víctimas preguntas innecesarias relativas a la vida privada (709 LECrim.).

En este sentido y completando lo que anteriormente se señaló para la declaración de la víctima durante la instrucción, y para el caso de que fuera necesario que se practique en forma de prueba anticipada, el art. 448 LECrim. cambia en facultativo ("el juez podrá…") el anterior carácter preceptivo de evitar la confrontación visual con el inculpado de la víctima menor o (se adiciona) con capacidad judicialmente modificada. Disposición ésta que se completa con la reforma del art. 730 LECrim. que en fase de juicio oral permite la lectura o reproducción a efectos probatorios de la declaración realizada durante la fase de instrucción, que hayan realizado las víctimas menores de edad o con discapacidad necesitadas de especial protección.

En la declaración testifical a prestar en la fase de juicio oral el Juez podrá acordar que ésta se preste evitando la confrontación visual con el acusado, solución que no sólo se establece para las víctimas menores (como hasta esta reforma se preveía), sino que se extiende a las que presenten algún tipo de discapacidad y, asimismo, a cualquier otra víctima si el Juez o tribunal lo considera necesario en atención a la evaluación que se le hubiera realizado (art. 707 LECrim.).

Todo un conjunto de disposiciones, por lo demás, contenidas como hemos visto en la LECrim. pero de general aplicación en todo tipo de procesos penales; entre ellos, por ejemplo, el de menores pues, sin perjuicio de que algunas de sus previsiones puedan estar ya acogidas en su propia

Ley orgánica 5/2000 reguladora, las demás son aplicables por mor de la supletoriedad de la LECrim. (disposición final primera de la Ley Orgánica 5/2000, de Responsabilidad Penal de los Menores).

Además de todo lo anterior y en todo caso se prevén en el Estatuto y en la propia LECrim. otras medidas adicionales de protección a las víctimas:

Por una parte y en el art. 8 LEV un periodo de reflexión en garantía de los derechos de las víctimas directas o indirectas de catástrofes, calamidades públicas u otros sucesos que hubieran producido un número elevado de víctimas que cumplan los requisitos que reglamentariamente se establezcan y que puedan constituir delito, prohibiendo a los abogados y procuradores dirigirse a ellas, para ofrecerles sus servicios profesionales, hasta el transcurso de un mes desde el hecho. Esta prevención resulta adecuada para garantizar la debida tranquilidad de la víctima, así como su libertad en elección del abogado y procurador, que no se verá condicionada por la situación de shock provocada por las especiales circunstancias del hecho luctuoso.

Por otra parte, no hay que olvidar las medidas cautelares y/o de protección de las víctimas que establece la legislación procesal. Al respecto el Considerando 52 de la Directiva cita expresamente la conveniencia y posibilidad de adoptar como medidas de protección las órdenes de protección o de alejamiento. En tal sentido hay que tener en cuenta la relevancia adicional de la Directiva 2011/99/UE sobre la orden europea de protección y su transposición por la Ley 23/2014 de reconocimiento mutuo de resoluciones penales en la Unión Europea, además de la nueva medida cautelar civil introducida en la LECrim. (544 quinquies) y la reforma del art. 544.ter.7 LECrim. en cuanto a las medidas de ese tipo. En efecto, la reforma de la LECrim. que incorpora el Estatuto de la Víctima contiene dos disposiciones de importancia relativas a las medidas cautelares y/o de protección a la víctima.

- Se modifica el apartado 7º del art. 544 ter regulador de la orden de protección para incorporar la obligación del Juez de Instrucción de pronunciarse en todo caso sobre las medidas civiles en caso de existencia de menores o personas con capacidad judicialmente modificada que convivan con la víctima y dependan de ella, determinando su régimen de cumplimiento y, si procediera, las medidas complementarias que fueran precisas.

- Además se añade un nuevo art. 544 quinquies LECrim. que incorpora nuevas medidas cautelares destinadas a proteger de manera específica a víctimas menores o con la capacidad judicialmente modificada cuando resulte necesario a los fines de su protección y sin que se exija petición de parte (aunque sea lo habitual) para su adopción (aunque sí para su modificación o alzamiento una vez concluido el proceso). Pueden consistir en las más incisivas de suspensión de la patria potestad de alguno de los progenitores (pudiendo fijar un régimen de visitas), o de la tutela, curatela, guarda o acogimiento que deberán comunicarse de inmediato por el Letrado de la Administración de Justicia al Fiscal y a la entidad pública competente que tenga legalmente encomendada la protección de menores; o bien de las menos invasivas como el establecimiento de un régimen de supervisión del ejercicio de tales figuras civiles sin perjuicio de las competencias propias del Ministerio Fiscal y entidades públicas competentes o la suspensión del régimen de visitas o comunicación con el progenitor no conviviente. Las medidas pueden mantenerse hasta que concluya el procedimiento momento en el cual el juez o tribunal competente deberá ratificarlas o alzarlas y pudiendo el Fiscal y partes "afectadas" por la medida solicitar al Juez su modificación o alzamiento conforme al procedimiento del art. 770 LEC. Además en este precepto (en el apartado 2º) también se prevé la obligación del Letrado de la Administración de Justicia de activar los mecanismos de protección de menores tan pronto como advierta la existencia de una situación de desamparo comunicándolo al Ministerio Fiscal y a la entidad pública competente que tenga legalmente encomendada la protección de menores.

Finalmente, no debemos olvidar que fuera de esta Directiva (y de la LEV) se ha conferido una especial tutela a dos grupos de víctimas especialmente necesitadas de protección y apoyo cuya regulación se encuentra en dos Directivas específicas que citamos en el apartado introductorio de este trabajo: las víctimas de trata de seres humanos, y las víctimas de abusos sexuales y explotación sexual infantil. En las Directivas 2011/36/UE —art. 15— y 2011/92/UE —art. 20— dedicadas respectivamente a su tutela[25],

---

[25]   Directiva 2011/36/UE, del Parlamento Europeo y del Consejo, de 5 de abril de 2011, relativa a la prevención y lucha contra la trata de seres humanos, transpuesta en la LO 1/2015 de reforma del CP y Directiva 2011/92/UE, del Parlamento Europeo y del Consejo, de 13 de diciembre de 2011, relativa a la lucha contra los abusos sexuales y la explotación sexual de los menores y la pornografía infantil transpuesta igualmente por LO 1/2015 de reforma CP. Véase, al respecto, VILLACAMPA ESTIARTE, C. "Capítulo 4: La protección de las víctimas en el proceso penal: consideraciones generales e instrumentos de protección", en Tamarit Sumalla, J.M. (coord.), *El estatuto de las víctimas de delitos*, ed. Tirant lo Blanch, Valencia, 2015 y, de la misma autora, "La nueva

se establece, a este respecto, que los Estados miembros deberán adoptar, de forma obligatoria, no supeditándose, por tanto, al resultado de que se derive de una evaluación individualizada, las medidas de protección que resulten necesarias en orden a minimizar la victimización secundaria que pueda derivarse para la víctima como consecuencia de su intervención en el proceso penal. Éstas vienen a coincidir con las previstas, a tal efecto, en la Directiva 2012/29/UE. A destacar, asimismo y sobre la primera de las Directivas citadas el Informe de la Comisión al Parlamento europeo y al Consejo sobre los progresos realizados en la lucha contra la trata de seres humanos con arreglo al artículo 20 de la Directiva 2011/36/UE relativa a la prevención y lucha contra la trata de seres humanos y a la protección de las víctimas[26].

3. DERECHO A LA REPARACIÓN DEL DAÑO CAUSADO A LA VÍCTIMA Y DE LA INTERVENCIÓN EN EL PROCESO PENAL EN LAS ACTUACIONES DIRIGIDAS A TAL FIN

La reparación del daño sufrido es una cuestión central entre las necesidades de la víctima que ha de recibir una adecuada atención jurídica para procurar su efectividad. Sin ella, se dice, la víctima queda realmente estigmatizada y abandonada a su suerte.

Pese a su importancia, la Directiva le dispensa una regulación fragmentaria limitándose a señalar que los Estados garantizarán la obtención, por la víctima, de una reparación pecuniaria a cargo del infractor, en un plazo razonable, en el marco del proceso (art. 16). No se hace referencia alguna a la implementación de programas de compensación estatal[27] —cuestión

---

Directiva europea relativa a la prevención y la lucha contra la trata de seres humanos y a la protección de las víctimas. ¿Cambio de rumbo de la política de la Unión en materia de trata de seres humanos?", en *RECPC*, 13-14 (2011).

[26]   COM/2016/0267 final

[27]   En ello incide la STS (Sala 3ª) de 24/01/2014 (ROJ 282/2014), al señalar en su FJ 7°, con relación a la Directiva 2004/80/CE que "no está de más añadir que aunque esta Directiva garantiza el derecho a recibir información sobre su causa, a contar con servicios de apoyo, y a participar en el proceso penal(que incluye el derecho a la justicia gratuita, el reembolso de los gastos derivados de su intervención procesal, la restitución de los bienes, el derecho a obtener indemnización en el proceso penal), sin embargo no extiende a los Estados la obligación de reparar el perjuicio causado por el delito, que corresponde al infractor penal. Tampoco establece que deba asumir, subsidiariamente, la indemnización por responsabilidad fijada en la sentencia penal".

que es objeto de tratamiento en la Directiva 2004/80/CE de 29 de abril, sobre indemnización a las víctimas de delitos[28]— ni a otras formas de reparación distintas de la pecuniaria. En el caso de las víctimas de trata de seres humanos, la Directiva 2011/36/UE impone, en su art. 17, a los Estados miembros, la obligación de garantizar su acceso al régimen de compensación estatal existente para las víctimas de delitos dolosos violentos. A diferencia de la Decisión Marco 2001/220/JAI, la Directiva 2012/29/UE, que la sustituye, no obliga a los Estados miembros al impulso de la mediación penal ni exige, siquiera, la toma en consideración de los acuerdos reparadores a que hayan llegado las partes. Sus disposiciones se limitan a exigirles que faciliten la derivación de casos penales, si procede, a los servicios de justicia reparadora, regulando, para ello, el correspondiente procedimiento o las condiciones a observar (art. 12.2)[29].

Como veremos, esta escasa atención a tema tan capital ha sido también la seguida por el Estatuto de la Víctima que le dispensa una regulación fragmentaria e incompleta, toda vez que no dedica una categoría propia y específica a su tratamiento; ni tan siquiera efectúa una mención expresa de este derecho entre aquéllos que califica como básicos y que enuncia y desarrolla en sus arts. 4 a 10.

Tal omisión ha sido objeto de crítica[30] sin que en su descargo pueda alegarse que se trata de un derecho ya regulado en normas específicas, como lo son el Código Penal (arts.109 y siguientes) y la propia LECrim. (arts. 100 y siguientes), puesto que también lo están la mayor parte de los derechos que se recogen en el Estatuto de la Víctima y no por ello se deja de reconocerlos y tratarlos en tanto en cuanto proclamados en la Directiva de base que transpone.

La Directiva regula tres tipos de medidas de reparación totalmente diversas tanto en su naturaleza como en su alcance que pueden ser reconducidas a esta gran categoría (reparación del daño causado a la víctima), y que examinaremos a continuación.

---

[28]   Directiva que se refiere a la indemnización de víctimas de delitos transfronterizos en la Unión Europea. Sobre ella vid. posteriormente nota 46

[29]   Con todo, y como indica BARONA VILAR, la monitorización de la Unión europea, de la mano del eje protector de las víctimas ha sido esencial para el impulso de la mediación (BARONA VILAR, S., *Proceso penal desde la historia. Desde su origen hasta la sociedad global del miedo*, Ed. Tirant lo Blanch, Valencia, 2017, pp. 610 y ss.)

[30]   Así GÓMEZ COLOMER.J.L., *Estatuto jurídico de la víctima del delito, op. cit.*, p. 325.

3.1. Derecho a la restitución de los bienes que les hayan sido incautados en el curso de la investigación penal, salvo en caso de necesidad impuesto por el proceso penal

Es un derecho regulado en el art. 15 de la Directiva (completado con las explicaciones que proporcionan sus Considerandos 48 y 49)[31] que exige de los Estados miembros determinar las condiciones procesales conformes a las cuales se materializará la indicada restitución acordada por la autoridad competente.

El legislador español ha cumplido con dicha exigencia reconociendo en primer lugar y en similares términos en el art. 18 del Estatuto el derecho a la restitución de la víctima y modificando oportunamente los arts. 284 y 334 LECrim. para encajar en ellos las condiciones para hacerlo efectivo. En estos preceptos procesales se establece, en primer lugar, la obligación de la Policía de informar a la víctima de que se ha incautado de objetos de su pertenencia con el fin de que pueda recurrir en cualquier momento tal medida ante el Juez de Instrucción (sin necesidad de hacerlo por medio de Abogado) y pudiendo formularlo oralmente, pues según la nueva regulación el recurso se entiende interpuesto cuando las víctimas expresan su disconformidad en el momento de la incautación[32]. Además, y como regla general los efectos pertenecientes a la víctima del delito le serán restituidos de inmediato, salvo que excepcionalmente debieran ser conservados a efectos probatorios; no obstante en este caso deberían también devolverse imponiendo a su propietario conservarlos a disposición del juez o tribunal.

---

[31] Considerandos que inciden en la necesidad de proporcionar con carácter inmediato la restitución debida y en la extensión del derecho en idénticas condiciones a las víctimas que residan en un Estado distinto de aquel en que se cometió el delito.

[32] Como advierte SERRANO MASIP, M. ["Los derechos de participación en el proceso penal", en TAMARIT SUMALLA, J.M. (coord.), *El estatuto de las víctimas de delitos...*, *op. cit.*, p. 134], esto implica que si la medida es acordada por los funcionarios de la Policía Judicial estos deberán dejar constancia de la voluntad de las víctimas en el atestado. Además y en cuanto a la tipología de recursos a tal efecto, la autora citada considera que, en función de la procedencia de la autoridad que haya acordado la incautación discutida podría haberse acudido bien a uno de carácter no devolutivo como es el de reforma (si la decisión procediera del Juez de instrucción), bien a uno de carácter devolutivo (revisión) si hubiera sido acordada por la Policía Judicial; sin embargo, y lejos de adoptar esta solución de extender a este punto la aplicación de tales recursos ordinarios, el legislador ha optado por una modalidad de recurso "implícito" en el que no será necesario alegar los motivos que fundamenten la impugnación ni aportar documentos que la apoyen.

3.2. Derecho al reembolso de gastos causados con motivo de su participación activa en el proceso penal, si el sistema jurídico del país europeo lo permite

Es un derecho que reconoce el art. 14 de la Directiva y que también compete a los Estados implementar mediante la oportuna legislación, precisando el Considerando 47 que entre las condiciones para el reembolso que han de desarrollar las legislaciones nacionales se deben incluir los plazos de reclamación del reembolso, cantidades fijas para gastos de subsistencia y viajes y cantidades máximas diarias por pérdida de ingresos. Tal generoso alcance inicial es matizado de inmediato en el mismo Considerando al limitar la obligación de reembolso a aquellos casos en que el proceso nacional o las autoridades nacionales competentes exijan o requieran la presencia y participación activa de la víctima en el proceso penal.

Dados los límites de la exigencia y atendido el papel que la víctima tiene en el proceso penal español, cuya presencia en calidad de parte se regula como derecho y nunca como obligación (excepción hecha de la necesidad de ejercitar la acción para la persecución de delitos privados, en tanto única parte legitimada al efecto), se comprende. aunque no se comparta[33]— que las reformas llevadas a cabo en nuestra legislación hayan sido mínimas.

De este modo, España ha cumplido con las exigencias de la Directiva reconociendo el derecho al reembolso en el art. 14 LEV y la adicional modificación del art. 126.2 CP que establece ahora la prioridad en el pago de las costas procesales causadas a la víctima con preferencia a las del Estado en los supuestos a que se refiere el art. 14 del Estatuto; esto es, aquellos "en que se hubiera condenado al acusado a instancia de la víctima por delitos en que el Ministerio Fiscal no hubiera formulado acusación, o tras haberse revocado la resolución de archivo por recurso interpuesto por la víctima".

---

[33] Así TAMARIT SUMALLA ("Los derechos de las víctimas…", *op. cit.*, pp. 45 a 47) quién alerta sobre la creencia autocomplaciente de que las víctimas siempre han estado bien tratadas por el derecho español ha impedido a menudo reconocer los límites inherentes al modelo de la acusación particular; que si por una parte va mucho más allá de lo exigido en los estándares europeo respecto a los derechos de las víctimas, al vincular a éstas con el ejercicio de la potestad punitiva, por otra parte no garantiza una satisfacción adecuada a los intereses y los derechos de las víctimas que no hayan optado por esta forma de participación en el proceso. Las barreras, fundamentalmente económicas, que pueden existir para que las víctimas puedan contratar los servicios privados de asistencia letrada suponen en definitiva una quiebra para el principio de igualdad y no discriminación reconocido en el art. 14 CE, en la Directiva y en el art. 13 LEV.

Se trata de una solución que, como ha sido destacado por la doctrina, no tiene como propósito alterar los fundamentos de las normas sustantivas (arts.124 y 126 CP) y procesales (arts. 240 y 241 LECrim.) sobre reembolso de gastos y costas procesales y la consolidada doctrina sobre el pago de costas procesales a la acusación particular existente, aunque sí pretende complementarlas con vistas a incentivar y premiar la participación de la víctima en el proceso penal[34]. Tal solución se explica, de una parte, volviendo la vista sobre los conocidos arts. 642 y 644 LECrim. (y 782.2 en sede de procedimiento abreviado) cuando el Ministerio Fiscal no acusa y la autoridad judicial hace uso de las facultades correctoras y de fiscalización que le confieren los citados preceptos. A ello se suma, ahora, el art. 12 LEV donde se regula con gran generosidad un nuevo modo de participación de la víctima, estableciendo la obligación de comunicar a las víctimas directas cuyo domicilio constara, la decisión de sobreseimiento (y, en caso de muerte o desaparición, a las indirectas), permitiéndoles interponer recurso sin que sea necesario la previa personación en la causa[35]. Estas previsiones del Estatuto se desarrollan de manera detallada en los modificados arts.636 y 779.1.1ª LECrim. que indican quiénes y por qué medio pueden hacerlo. A su tenor el citado auto de sobreseimiento se comunicará a las víctimas en la dirección de correo electrónico que hubieran facilitado (y, en su defecto, por correo ordinario) sin que pueda recurrirse a la notificación por vía diplomática o consular más que si se tratara de no residentes en la Unión

---

[34] Así SERRANO MASIP, M., "Los derechos de participación en el proceso penal", *op. cit.*, p. 140.

[35] Resulta discutible, sin embargo, la previsión de la posibilidad de prescindir de la notificación a todos los familiares cuando la comunicación ya se haya dirigido con éxito a varios de ellos (nada impide que sus intereses no sean coincidentes con las de otros no notificados) o (menos discutible) cuando hayan resultado infructuosas las gestiones para su localización. Como advirtió en su momento el CGPJ en su Informe al Anteproyecto, de 4 de diciembre de 2014, además de lo poco respetuosa con el derecho a la información y participación de la víctima, desde el punto de vista del imputado podrá crear una situación indeseable, sometiéndole a la revisión del sobreseimiento y archivo de la causa penal, cuando quizás ya creyera que la resolución era firme por no haber sido recurrida por las víctimas-familiares efectivamente notificadas. Así, tiempo después podría comparecer un familiar no notificado, reclamando esa notificación, porque no tuviera relación con el familiar notificado siéndole estimada su pretensión y reabriendo, entonces, los plazos para recurrir. Por ello, la falta de notificación debería limitarse solo respecto de aquellos familiares que hayan otorgado su representación al familiar notificado, sin perjuicio de la conveniencia de plantearse la limitación de los familiares que puedan ser considerados como víctimas indirectas a los efectos de esta ley.

Europea. A través de esta notificación[36] se pretende brindar a las víctimas la posibilidad de personarse en la causa y poder impugnar la resolución de sobreseimiento en el caso de no estar de acuerdo con su contenido, ampliando a veinte días el plazo para hacerlo (a contar desde los cinco días de aquél en que se efectuó la comunicación), lo que en su día fue criticado desde el CGPJ en cuanto discriminatorio con el que se confiere a las partes del proceso[37].

Esta solución prevista para los procesos ordinario y abreviado, brilla por su ausencia, en cambio cuando del procedimiento por delitos leves se trata. La novedosa regulación del sobreseimiento por razones de oportunidad que en él se establece (arts.963.1 y 964.2 LECrim). —advierte RODRÍGUEZ LAINZ— deja en una nebulosa jurídica la posición de la víctima pues ambos preceptos no dan más participación a los ofendidos y perjudicados por el delito que la de la notificación de dicha resolución; sin que de forma explícita y clara se les reconozca legitimación para conseguir la celebración del juicio, cuando muestren su disconformidad con la decisión tomada por el fiscal y asumida por el juez de instrucción. Con el autor citado consideramos que "*lege data* debería reconocerse al ofendido por el delito la posibilidad de, recurriendo la decisión de sobreseimiento,

---

[36] Que se tiene por válidamente efectuada cinco días después de efectuada la comunicación.

[37] Advertía el CGPJ en su Informe citado en la nota 35, que aunque la víctima no esté personada, se trata de una víctima informada, que conoce las actuaciones judiciales, teniendo acceso a las mismas en cualquier momento y que la decisión de no personarse depende de su exclusiva voluntad, por lo que, en consecuencia, deberá asumir las consecuencias de su decisión. Por ello, la ampliación del plazo para recurrir, en claro perjuicio del imputado, no puede justificarse en la falta de personación —que no va acompañado necesariamente de un desconocimiento de las actuaciones—. La crítica, como es comprobable, ha sido desatendida por el legislador. Y de este modo se produce un trato absolutamente dispar en función de quién sea el legitimado para recurrir: veinte días en todo caso para las víctimas hasta el momento no personadas, frente a los cinco de que disponen las partes del proceso ya sea para recurrir en casación y en el ámbito del proceso ordinario los autos de sobreseimiento libre de las Audiencias (arts. 636, 848 y 856 LECrim.) ya para deducir apelación frente a los autos de archivo o sobreseimiento del Juez de instructor dictados en el abreviado (art. 779.1.1ª en relación con 766.2 LECrim.). No obstante, el empleo de la conjunción adversativa que emplean ambos preceptos (*aunque* no se hubieran mostrado parte en la causa...) hace que otros autores entiendan que ese plazo ampliado de 20 días se confiere también si la víctima se encuentra personada en la causa como acusador particular (así GONZÁLEZ-CUÉLLAR SERRANO, N., "El Estatuto de la Víctima y su proyección procesal", capítulo 3 de la obra *La reforma de la Ley de Enjuiciamiento Criminal en 2015*, con M. MARCHENA GÓMEZ, Madrid, 2015, pp. 154 y 155).

cuestionar la decisión del Ministerio Fiscal de aplicar al caso concreto el principio de oportunidad. Estamos hablando de víctimas de infracciones penales, con un interés jurídico incuestionable para hacer valer su pretensión penal, el *ius ut procedatur,* independientemente del interés mostrado por la acusación pública por considerar adecuada o no la persecución penal de los hechos. Tal situación se ve aún más ponderada en los supuestos de infracciones perseguibles exclusivamente a instancia de la persona agraviada; donde la denuncia se convierte ya en un primer presupuesto de perseguibilidad"[38]. Se trata de una solución, por lo demás, que vendría impuesta por la aplicación (aquí también) de las exigencias de la LEV.

Clarificados los supuestos en que procede el derecho al reembolso, en lo que se refiere a los conceptos por los que ha de ser reembolsada la víctima conforme a las previsiones del art. 14 LEV, se amplían los contemplados en los arts.241 LECrim. y 126 CP puesto que al reembolso de las *costas* se añade el de los *gastos necesarios para el ejercicio de sus derechos.* Se pueden generar por tanto solicitudes relativas a gastos diversos entre los que podrían incluirse el de actividades previas al proceso de las que puede no quedar constancia en las actuaciones, pero indispensables para el ejercicio efectivo de sus derechos por las víctimas, como las consultas previas con un abogado o la preparación de alguna prueba[39]. Y una cuestión no resuelta por la LEV y que puede tener consecuencias perjudiciales para la víctima: no haber previsto que en aquellos casos en que, según veremos, se permite a la víctima intervenir en la fase de ejecución recurriendo determinadas resoluciones del Juez de Vigilancia Penitenciaria, el recurso ha de interponerse por medio de Abogado de modo que la resolución que lo resuelva deberá efectuar el consiguiente pronunciamiento sobre costas. Con el peligro existente. apuntado por SERRANO MASIP— de que en el caso de que el sentido del fallo sea desestimatorio las particularidades de la legislación penitenciaria y la finalidad de la ejecución de la pena puedan conducir a que se condene en costas a la víctima recurrente por considerar que ha obrado con temeridad o mala fe[40].

Para finalizar estas consideraciones relativas al derecho al reembolso y pese a que exceden con claridad de su propio ámbito, no queremos dejar de citar la reforma operada en la Ley 1/1996, de Asistencia Jurídica Gratui-

---

[38]   RODRÍGUEZ LAINZ, J.L., "Los nuevos delitos leves: aspectos sustantivos y procesales", *Diario La Ley,* Nº 8524, 22 de abril de 2015.

[39]   Ejemplos que apunta GÓMEZ COLOMER, J.L. *Estatuto jurídico de la víctima del delito…, op. cit.,* p. 354.

[40]   SERRANO MASIP, M., "Los derechos de participación…", *op. cit.,* p. 143.

ta (LAJG) por virtud de la Ley 42/15, de 5 de octubre[41], en cuanto se halla en la misma línea de minimizar o eximir a las víctimas de los costes que pueda entrañar su participación en el proceso facilitando y fomentando su intervención; en este caso, como parte plena activa en él. La reforma amplía todavía más los relevantes beneficios que para determinadas categorías de víctimas había incorporado en 2013 el Real Decreto-ley 3/2013 (por el que se modificó el régimen de las tasas en el ámbito de la Administración de justicia y el sistema de Asistencia Jurídica Gratuita[42]) poniendo el centro de atención tanto en la tipología de delitos de que han sido víctimas como en la particular vulnerabilidad que en algunos supuestos presentan y que les hace ser merecedoras de una especial atención. Ya entonces se había incorporado como beneficiarias de la asistencia jurídica gratuita, con independencia de que tuvieran o no recursos para litigar, a las víctimas de violencia de género, de terrorismo y de trata de seres humanos en aquellos procesos que tuvieran vinculación, derivaran o fueran consecuencia de su condición de víctimas, así como a los menores de edad y las personas con discapacidad psíquica cuando fueran víctimas de situaciones de abuso o maltrato, así como a sus causahabientes en caso de fallecimiento de la víctima siempre que no fueran partícipes en los hechos. Ahora con la reforma de 2015 se mejoran y potencian para las indicadas categorías de víctimas las condiciones de dicha asistencia jurídica gratuita, mediante la incorporación de tres novedades de interés:

- Por una parte y en el art. 6.1.II LAJG se reconoce que para todos esos tipos de víctimas, la asistencia jurídica gratuita comprenderá asesoramiento y orientación gratuitos en el momento inmediatamente previo a la interposición de denuncia o querella.

- Por otra parte.en el art. 2.g) LAJG se prevé que en los diversos procesos que puedan iniciarse como consecuencia de la condición de víctima de los delitos a que se refiere esta letra (terrorismo, trata de seres humanos y, en especial, en los de violencia de género) deberá ser el mismo abogado el que asista a aquélla, siempre que con ello se garantice debidamente su derecho de defensa[43].

---

[41] Vid. su Disposición Final tercera.

[42] "Adelantando en el tiempo algunas previsiones de la futura nueva regulación de Asistencia Jurídica Gratuita" según podía leerse en su Exposición de Motivos.

[43] Por ejemplo, casos en que en un proceso penal en que se hubiere acordado una medida de protección de la víctima, ésta pretenda en un momento posterior que se expida una orden europea de protección al amparo de lo dispuesto en el Título VI de la Ley

– Finalmente se incorpora un nuevo apartado i) en el art. 2 LAJG que reconoce el derecho a la asistencia jurídica gratuita automática a las asociaciones que tengan como fin la promoción y defensa de los derechos de las víctimas del terrorismo, en armonía con el derecho al ejercicio de la acción penal que hoy de manera expresa y con carácter general para todas las asociaciones de víctimas reconoce el art. 109 bis LECrim. (siempre que fueran autorizadas por la víctima del delito).

Tales normas se han completado además dentro del Estatuto de la Víctima —en armonía con el art. 13 de la Directiva 2012/29/UE dedicado a la justicia gratuita[44]— con la concreción y ampliación de las instituciones ante las que se podrán presentar las solicitudes de reconocimiento de la asistencia jurídica gratuita extendiéndose a las Oficinas de asistencia a la víctima (art. 16 LEV) que deberán remitirlas al Colegio de Abogados que corresponda, según indica el art. 21.4 del Real Decreto 1109/2015, de 11 de diciembre, por el que se desarrolla la Ley 4/2015, de 27 de abril, del Estatuto de la víctima del delito, y se regulan las Oficinas de Asistencia a las Víctimas del Delito.

3.3. Derecho a una decisión sobre la indemnización de perjuicios por parte del autor del delito, si el Estado lo permite en el propio proceso penal

Este derecho, acogido por el art. 16 de la Directiva, tiene su reflejo en el art. 11 LEV ("Participación activa en el proceso penal") cuyo apartado

---

23/2014, de 20 de noviembre de reconocimiento mutuo de resoluciones penales en la UE.

[44] Queda la duda, para algunos autores, de si con ello el legislador español ha satisfecho las exigencias que en este punto plantea la Directiva cuyo art. 13 al regular el derecho a la justicia gratuita y atendida la diversidad de regímenes existentes en los Estados miembros lo vincula al supuesto de que la víctima tenga la condición de parte en el proceso; pero si disponen de tal estatuto los Estados deben garantizar el acceso a la asistencia jurídica gratuita. TAMARIT entiende que la LEV no ha ofrecido respuesta adecuada pues no introduce ningún cambio relevante y la situación de desigualdad entre las víctimas permanece ("Los derechos de las víctimas...", *op. cit.*, pp. 46 y 47). No obstante y pese a lo poco generoso que en este punto ha sido el legislador español, no puede decirse que haya incumplido con las exigencias de la Directiva; los amplios términos del art. 13 se encuentran matizados en el propio precepto que liga la garantía del derecho que el Estado debe proporcionar a las condiciones de desarrollo que disponga su legislación interna, siendo ilustrativa la lectura de los Considerandos 20 y 47 para deducir que no se establece en la Directiva la obligación para los Estados de extender la gratuidad de la asistencia a todas las víctimas que quieran hacer uso de su derecho a ser parte en el proceso.

a) recoge el derecho de la víctima a ejercitar además de la acción penal la acción civil conforme a lo dispuesto en la LECrim. Igualmente ha de citarse el art. 5.1. que al enunciar los extremos sobre los que la víctima tiene derecho a ser informada desde el primer contacto con las autoridades competentes, incluyendo el momento previo a la interposición de la denuncia menciona en su apartado e) las indemnizaciones a las que pueda tener derecho y, en su caso, procedimiento para reclamarlas[45].

Más allá de lo anterior, nada se dice en el Estatuto[46] pues el legislador español ha considerado suficiente la regulación vigente para cumplir con el mandato de la Directiva, al margen de alguna modificación adicional y de tipo técnico en la LECrim. para clarificar debidamente los sujetos legitimados para el ejercicio de la acción civil —art. 110 LECrim.—. Recordemos que en nuestro sistema de enjuiciamiento penal se apuesta por una acumulación de la acción civil a la penal, salvo reserva (o renuncia) expresa y conferir una legitimación extraordinaria del MF para ejercitar la pretensión

---

[45]   Téngase en cuenta que tal derecho también se reconoce en situaciones transfronterizas; esto es, aunque la víctima no resida en España. Sobre los instrumentos procesales comunitarios existentes para hacer efectivo el cobro de las indemnizaciones véase VIDAL FERNÁNDEZ, B. "La indemnización a las víctimas de delitos y proceso penal", en De Hoyos Sancho, M *La víctima del delito y las últimas reformas procesales penales,* Ed. Aranzadi, Cizur Menor, 2017, pp. 256 a 259.

[46]   Excede con mucho del objeto de esta intervención ocuparnos de la problemática que entraña el derecho a la indemnización de "víctimas transfronterizas"; a tal efecto es obligado citar aquí la Directiva 2004/80/CE del Consejo de 29 de abril de 2004, sobre Indemnización a las Víctimas de Delito, sobre la cual puede consultarse GARCÍA RODRÍGUEZ, M.J., "Marco jurídico y nuevos instrumentos para un sistema Europeo de indemnización a las víctimas de delitos", en *Boletín de Información del Ministerio de Justicia,* núms. 1980-1981, 2005, pp. 7-32. VIDAL FERNÁNDEZ, B.: "Reparación de las víctimas del delito en la Unión Europea: tutela por el Tribunal de Justicia de la UE del derecho a la indemnización", en *Revista de Estudios Europeos,* núm. 66, enero-junio 2015, pp. 1 y ss., esp. pp. 17 y ss. Y la relevante sentencia del Tribunal de Justicia de la Unión Europea (Gran Sala) de 11 de octubre de 2016, Asunto C-601/14, sobre la cual remitimos al comentario de M. de HOYOS SANCHO "Principales avances en derechos, garantías y protección de víctimas en el año 2016 dentro del Espacio de Libertad, seguridad y justicia de la Unión Europea", en Gutiérrez Zarza, A., coord., *Los retos del espacio de Libertad, Seguridad y Justicia en 2016,* ed. Wolters Kluwer, Madrid, 2017.A tener en cuenta, asimismo, la ley española 23/2014, de 20 de noviembre, de Reconocimiento mutuo de resoluciones penales en la UE cuyo título IX transpone la Decisión marco 2005/214/JAI del Consejo, relativa a la aplicación del principio de reconocimiento mutuo a las sanciones pecuniarias (para cuyo análisis, nos permitimos remitir a los capítulos que firman C. ARANGÜENA FANEGO y F. RUIZ YAMUZA en la obra colectiva *Reconocimiento mutuo de resoluciones penales en la Unión Europea...*cit., pp. 441-503).

civil de resarcimiento[47]. Sin entrar ahora a valorar las razones justificativas del sistema y el acierto o no de su mantenimiento en el momento actual, sí queremos advertir de algunas disfunciones que su regulación provoca.

Por una parte, es sobradamente conocido que un problema fundamental a la hora de que la víctima pueda alcanzar una indemnización económica del ofensor proviene de la incapacidad —originaria o sobrevenida; real o simulada— de éste para hacer frente al desembolso económico necesario. Y el tratamiento que nuestra legislación efectúa de la insolvencia del infractor dista de ser satisfactorio, con las consiguientes consecuencias negativas para la pretensión de resarcimiento de la víctima[48].

La obsolescencia de los escasos preceptos que la LECrim. dedica directa o indirectamente al efecto (arts. 590 y ss.) es más que evidente. Cierto es que se establece la obligación del Juez de Instrucción previa a la apertura del juicio oral, de declarar la solvencia o insolvencia del imputado para, en el primer caso, proceder al embargo de sus bienes —si no afianza suficientemente las responsabilidades pecuniarias que pudieran derivarse— y, en segundo lugar, proceder eventualmente contra los bienes de los terceros responsables civiles subsidiarios. Sin embargo, la LECrim. no contiene precepto alguno sobre la conducta a seguir en el supuesto de que no se encontraran bienes en el acto del embargo, sin que las soluciones empleadas en la práctica de tomar declaración a uno o más testigos, a veces presentados por el propio imputado o responsable, y de manifestar que estos carecen de bienes e incluso la actuación del propio Instructor de dirigirse a Registros (Registros de la Propiedad, de Bienes Muebles, Jefatura de Tráfico) y Organismos públicos (Tesorería General de la Seguridad Social, INEM, etc.) a través del Punto Neutro Judicial para averiguar la existencia

---

[47]   Se habla de que con ello se produce una verdadera "publificación" de los intereses privados de la víctima; es decir, el MF lleva a cabo esta función al entender el estado que la reparación al perjudicado por el delito se configura como una función propia del proceso penal, junto con la imposición de la penal por lo que se ve obligado a intervenir en defensa del interés privado de la víctima como resultado del ejercicio de un interés público en la protección a las víctimas de delitos.

[48]   Dejamos aquí al margen la existencia para las víctimas de determinados delitos de un eficaz sistema de ayudas económicas con cargo al Estado que evitan o palían en buena medida los referidos obstáculos (v.gr. Ley 29/2011, de 22 de septiembre, de reconocimiento y protección integral a las víctimas de terrorismo; Ley 35/1995, de 11 de diciembre, de ayudas y asistencia a las víctimas de delitos violentos y contra la libertad sexual (BOE 12/12) y Real Decreto 738/1997, de 23 de mayo, que reglamenta su aplicación).

de bienes o derechos sobre los que trabar embargo, haya dado resultados significativamente satisfactorios.

Hay que apuntar, no obstante, que se han producido algunas novedades en materia de derecho penal sustantivo que pueden tener repercusiones positivas cara a la efectividad de este derecho de la víctima.

Ha de citarse así el art. 258 CP que tipifica y sanciona la conducta de aquel que en un procedimiento de ejecución presente a la autoridad o funcionario encargados de la ejecución una relación de bienes o patrimonio incompleta o mendaz, y con ello dilate, dificulte o impida la satisfacción del acreedor.

Asimismo, la nueva regulación de la suspensión de la ejecución de la pena[49] sobre la que ya advertimos al inicio que al condicionarse a la satisfacción efectiva de la responsabilidad civil puede convertirse en un acicate para la inmediata y debida reparación (art. 80 CP). Sin que sea suficiente el mero compromiso que ahora se somete a plazo, valoración y garantías; también para acordar la suspensión excepcional de penas privativas de libertad que individualmente no superen los dos años a que se refiere el art. 80.3 CP y que se supedita a la satisfacción de la responsabilidad civil o a cumplir el acuerdo de mediación que se haya alcanzado. Y asimismo para la antigua sustitución de la pena privativa de libertad, hoy reconvertida en modalidad de suspensión[50] condicionada a ciertas "prestaciones o medidas", siendo la primera de las que se citan "el cumplimiento del acuerdo alcanzado por las partes en virtud de mediación" (art. 84.1.1ª CP). Y todo ello se refuerza con la posibilidad de revocación por el juez de la suspensión acordada si se incumpliera el compromiso a que hubiera sido condenado (art. 86.1°,d CP).

Además de la problemática referida relativa a las dificultades para hacer frente a la insolvencia (real o presunta) del responsable, hemos de tener en cuenta que el sistema de ejercicio acumulado de acción civil a la penal cara a la satisfacción de la víctima quiebra en el caso de que el acusado sea absuelto, volviéndose en contra de los intereses de aquélla. Recordemos que el art. 116 LECrim. establece que en el caso de extinción de la acción

---

[49] Es llamativo que en esta materia (suspensión de la pena) se han introducido relevantes modificaciones en el CP que no han tenido el correspondiente reflejo en la LECrim. Tras la reforma del art. 82 CP la suspensión de la ejecución de la pena se deberá resolver en la propia sentencia siempre que sea posible (sin que, como hasta entonces, tal posibilidad estuviera limitada a los casos de conformidad, art. 787.6 LECrim.); sólo de no resultar posible se resolverá entonces por auto.

[50] Aunque se habla de una modalidad de sustitución "disfrazada".

penal, la persona a quien corresponda podrá ejercitarla, pero únicamente a través de la vía civil; no existe pues la opción a que, fracasada la acción penal, el tribunal se pronuncie sobre posibles responsabilidades civiles que puedan derivar del hecho (que puede haber sido considerado ilícito, a pesar de la absolución del imputado), con la única excepción de que la absolución obedezca a haberse apreciado la concurrencia de una eximente de las previstas en los núms. 1º, 2º, 3º, 5º y 6º del art. 20 CP, caso en que en virtud de lo prevenido en los arts. 118 y 119 CP "el Juez o Tribunal que dicte sentencia absolutoria por estimar la concurrencia de alguna de las causas de exención citadas, procederá a fijar las responsabilidades civiles salvo que se haya hecho expresa reserva de las acciones para reclamarlas en la vía que corresponda". En el resto de los casos la sentencia penal no vincula al juez civil, a no ser que contenga una declaración relativa a la inexistencia del hecho[51]. Esto trae como consecuencia la inutilidad de todas las actuaciones realizadas y la consiguiente incomodidad para la víctima a la hora de lograr su resarcimiento pues se ve ahora remitida al proceso civil. Sería mucho más conveniente tanto para el interés de la víctima como para los principios de economía procesal que inspiran el sistema español de acumulación de acciones que acordada la absolución del encausado, el tribunal se pronunciase, acto seguido, sobre la eventual responsabilidad civil sin desaprovechar así toda la actividad realizada.

El Estatuto de la Víctima constituía una ocasión de oro para acoger en sentido generoso los postulados de la Directiva y desde ahí, haber incorporado la correspondiente modificación de los preceptos procesales para hacer posible la solución apuntada. Lejos de ello ha mantenido inmutables las disposiciones que regulan el ejercicio de la acción civil en el proceso penal encaminadas al objetivo de la restitución y/o resarcimiento y que dependen del resultado condenatorio indicado.

El único caso en que nuestra legislación vigente atempera en buena medida esta solución, al margen de la excepción citada de sentencia absolutoria por concurrencia de eximente, es el caso de los delitos contra la seguridad vial con el auto de cuantía máxima que también ha sido modificado en 2015. En concreto ha sido la Ley 35/2015, la que ha modificado sensiblemente el Texto Refundido de la Ley sobre responsabilidad civil y seguro en la circulación de vehículos a motor, aprobado por el Real Decreto Legislativo 8/2004, de 29 de octubre. Al margen de las reformas que

---

[51]   Caso en que la firmeza de tal resolución penal producirá la extinción de la acción civil (art. 116 LECrim.).

plantea en orden al modo de cuantificar los daños sufridos por la víctima (mejorando sensiblemente su valoración y protección), en lo que aquí importa pueden destacarse estas dos cuestiones: las novedades en materia de auto de cuantía máxima y la introducción de la mediación como procedimiento idóneo para solventar eventuales controversias.

En primer lugar y en cuanto al auto de cuantía máxima[52], se modifica el art. 13 del texto Refundido que limita ahora su dictado a los casos de sentencia absolutoria[53] y la condiciona a que preceda instancia de parte. En segundo lugar, se fomenta la mediación para las controversias que puedan surgir, y a tal fin se introduce un nuevo art. 14 en el Texto Refundido, que faculta a las partes a acudir a tal procedimiento de mediación de conformidad con lo previsto en la Ley 5/2012, de 6 de julio, de mediación en asuntos civiles y mercantiles, confiriendo al perjudicado la legitimación para solicitar el inicio de una mediación, en el plazo máximo de dos meses, a contar desde el momento que hubiera recibido la oferta o la respuesta motivada o los informes periciales complementarios si se hubieran pedido.

Finalmente hemos de advertir de una última novedad legislativa que a diferencia de las anteriores que hemos indicado, puede incidir de manera negativa sobre el derecho a la obtención de la debida indemnización por las víctimas del delito. Me refiero a la reforma producida en materia de prescripción de la acción civil por virtud de la Ley 42/2015 que al modificar el plazo general de prescripción de las acciones personales previsto en el art. 1964 CC ha tenido como indeseable consecuencia derivada la disminución de 15 a 5 años del plazo de prescripción de la responsabilidad civil *ex delicto*[54].

3.4. Acceso a los servicios de justicia restaurativa

La reparación del daño e indemnización de perjuicios, así como la restitución de bienes a que anteriormente me he referido, disponen ya de un

---

[52] Vid. sobre esta figura la obra de MARTÍN PASTOR, J., *El auto de cuantía máxima*, Madrid, 2013.

[53] A los que añade los de fallecimiento en accidente de circulación en los que también se dictará auto que determine la cantidad máxima a reclamar por cada perjudicado, a solicitud de éste, cuando recaiga resolución que ponga fin, provisional o definitivamente, al proceso penal incoado, sin declaración de responsabilidad.

[54] Vid. sobre esta novedad ROCA DE AGAPITO, L., "La prescripción de la responsabilidad civil derivada de la comisión de un delito. Valoración crítica de la Ley 42/2015, de 5 de octubre", en *Diario La Ley*, n° 8675 de 5 de enero de 2016.

cauce adicional, complementario y específico para su logro: la mediación penal (y demás instituciones de justicia reparadora), previstas en el art. 12 de la Directiva 2012/29/UE[55] y que han tenido inmediata acogida en el Estatuto de la Víctima.

En efecto, la necesidad de encontrar soluciones satisfactorias para una adecuada reparación a la víctima de los daños derivados del delito ha propiciado el recurso a la mediación como un instrumento que puede contribuir a paliarlos por medio de la búsqueda de un espacio adecuado para la resolución de las necesidades de la víctima que no siempre se agotan en la obtención de una reparación de tipo pecuniario[56].

La Ley del Estatuto de la Víctima ha sido la norma que regula por vez primera en el proceso penal de adultos[57] la mediación. Y lo hace, aunque de manera algo tímida (art. 15 LEV), en armonía con los términos de la

---

[55]   Véase al respecto GONZÁLEZ CANO, I., "Cooperación judicial penal, tutela de la víctima y justicia restaurativa: (especial consideración de la directiva 2012/29/UE, del Parlamento Europeo y del consejo, de 25 de octubre de 2012, por la que se establecen normas mínimas sobre los derechos, el apoyo y la protección de las víctimas de los delitos)", en *Cooperación judicial penal en la Unión Europea: Reflexiones sobre algunos aspectos de la investigación y el enjuiciamiento en el espacio europeo de justicia penal* (I. González Cano, dir.), Ed. Tirant lo Blanch, Valencia, 2016, pp. 411-434.

[56]   Se dice que con la mediación como instrumento de la justicia reparadora se consigue un triple objetivo: pacificación del conflicto, reparación adecuada a la víctima y responsabilización del autor. En el proceso penal el beneficio para la víctima se plasma en buena medida en la reparación; para el victimario, en la posibilidad de lograr por medio de la reparación que juegue la atenuante del art. 21 CP, además de procurar una sentencia de conformidad. Aplicación de pena atenuada y suspensión o sustitución de la condena. Pero para ello es necesario sentar de manera taxativa una metodología de la mediación intrajudicial que surta efectos en la posterior negociación jurídica tendente a conseguir cualquiera de los resultados procesales pretendidos y anteriormente enunciados, lo que no se encuentra regulado por el legislador que se limita a reenviar o a mencionar como posible tal posibilidad, pero sin desarrollarla debidamente (como debería por consecuencia de lo prevenido en la Directiva 2012/29/UE). La mediación, según los casos podría permitir: una sentencia condenatoria en la que se recoja la conformidad del acusado o una resolución acordando el sobreseimiento y archivo de la causa cuando se ha pronunciado la reparación del daño y la satisfacción de la víctima acordada en mediación. Sobre este tema existe un gran número de estudios que se ocupan de esta cuestión; entre ellos vid. por su carácter completo el de BARONA VILAR, S. *Mediación penal. Fundamento, fines y régimen jurídico*, Valencia, 2011; vid. asimismo entre las publicaciones más recientes JIMENO BULNES (¿Mediación penal y/o justicia restaurativa? Una perspectiva europea y española", *Diario La Ley* nº 8624, de 14 de octubre de 2015) que incluye una amplia bibliografía sobre el particular.

[57]   En el ámbito de la legislación de menores, en cambio, la regulación cuenta ya con muchos años de rodaje.

Directiva 2012/29/UE en este punto de la que se ha dicho que, frente a su predecesora (la Decisión Marco del Consejo 2001/220/JAI) rebaja el nivel de exigencia en orden a la regulación de esta institución penal pues no obliga a los Estados miembros a impulsarla ni exige, siquiera, la toma en consideración de los acuerdos reparadores a que hayan llegado las partes. Sus disposiciones se limitan a exigirles que faciliten la derivación de casos penales, si procede, a los servicios de justicia reparadora, regulando, para ello, el correspondiente procedimiento o las condiciones a observar (art. 12.2) que deberá atender, en todo caso, a una serie de requisitos mínimos; entre ellos la existencia de un consentimiento libre e informado de la víctima[58].

El Estatuto de la Víctima es bastante parco en este punto, limitándose a reconocer en el art. 15 el derecho a acceder a servicios de justicia restaurativa con la finalidad de obtener una adecuada reparación material y moral y a enunciar unos requisitos mínimos[59]; aunque difiere su efectividad a un desarrollo reglamentario que, sin embargo, a fecha de hoy sigue pendiente, pues el Real Decreto 1109/2015, de 11 de diciembre por el que se desarrolla la LEV y se regulan las Oficinas de Asistencia a las Víctimas del delito, no colma en absoluto las carencias señaladas[60].

Las previsiones que recoge la Ley aunque acertadas, son demasiado escuetas y cuya insuficiencia a fecha actual es especialmente criticable habida cuenta, como hemos adelantado, de que el legislador penal sustantivo ha introducido la mediación o más bien el cumplimiento del acuerdo logrado en mediación penal como una regla de conducta que posibilita en determinados supuestos la suspensión de la ejecución de la pena privativa de libertad, si bien lo lógico hubiera sido que tal novedad viniera acompaña-

---

[58] Véase, al respecto, ARMENTA DEU, T., "Justicia restaurativa. Mediación penal y víctima: vinculación europea y análisis crítico", *RGDE* 44 (2018).

[59] Reconocimiento de los hechos esenciales por el infractor y consentimiento a la mediación (que podrá ser revocado en cualquier momento); Consentimiento informado de la víctima (revocable); Ausencia de riesgo para la víctima; No esté prohibida para ese tipo de delito en concreto; Procedimiento confidencial y los profesionales que lo desarrollen están sujetos a secreto profesional.

[60] El referido Reglamento se centra fundamentalmente en delimitar el ámbito de actuación de las Oficinas de atención a las víctimas y garantizar un marco mínimo asistencial para que estas puedan prestar servicios en condiciones de igualdad en todo el Estado. Entre sus funciones está la de proporcionar a la víctima información de las diferentes medidas de justicia restaurativa.; proponer al órgano judicial la aplicación de la mediación penal cuando lo considere beneficioso para la víctima; y realizar actuaciones de apoyo a los servicios de mediación extrajudicial.

da por una legislación procesal que le diera cobertura, cosa que hasta el momento no se ha hecho más allá de las limitadas previsiones del Estatuto de la Víctima ya aludidas. Probablemente el problema estaría resuelto si hubiera salido adelante la reforma de la LECrim proyectada en 2013 pues en los arts. 143 a 146 y concordantes de la Propuesta de texto articulado de LECrim[61]. se establecían las condiciones para desarrollar la mediación si bien en numerosos extremos (v.gr. principios informadores, estatuto del mediador, fases del procedimiento) se remitía a la Ley 5/2012, de 6 de julio, de mediación en asuntos civiles y mercantiles. De ahí que algunos autores hayan considerado que una vez sabido que la Propuesta de reforma procesal penal no vería la luz, la solución hubiera sido que el propio Estatuto de la Víctima efectuara tal remisión a la Ley 5/2012 para completar así la insuficiente regulación que incorpora[62].

La doctrina penal no ha sido especialmente receptiva a esta novedad[63], pues además de la insuficiencia de la regulación ha criticado la expansión al ámbito de la suspensión de uno de los fallos más graves del sistema penitenciario: el hecho de vincular mejoras para el infractor forzando su participación en dinámicas aparentemente correctoras, consistan éstas en el sometimiento al tratamiento o, como ahora nos ocupa, a la mediación[64].

Tampoco en el ámbito procesal ha sido acogida con especial entusiasmo; sobre todo al ponerla en relación con el relevante (y discutible) papel que se va a dar a la víctima en la fase de ejecución penal donde se le per-

---

[61] Elaborada por la Comisión Institucional creada por Acuerdo de Consejo de Ministros de 2 de marzo de 2012 y disponible en la web del Ministerio de Justicia http://www.mjusticia.gob.es/cs/Satellite/Portal/1292387342364?blobheader=application%2Fpdf&blobheadername1=Content-Disposition&blobheadervalue1=attachment%3B+filename%3DPropuesta_texto_articulado_L.E.Crim.PDF (última consulta, 20 de enero de 2016).

[62] Así, por ejemplo, GARCÍA RODRÍGUEZ, M.J., "Buenas prácticas para la protección y asistencia a las víctimas en el Sistema de Justicia Penal", *Boletín de Información del Ministerio de Justicia*, núm. 2174 (enero 2015), pp. 33 y 34 y, asimismo, en "El nuevo Estatuto de las Víctimas del delito en el proceso penal según la Directiva europea 2012/29/UE, de 25 de octubre y su transposición al ordenamiento jurídico español", *Revista Electrónica de Ciencia y Criminología* 18-24 (2016)

[63] Más allá de algunas excepciones, entre las que destaca TAMARIT SUMALLA firme defensor de la introducción de introducción de formas de justicia reparadora en la ejecución penal (vid., por ejemplo, de este autor "La introducción de la justicia reparadora en la ejecución penal: una respuesta al rearme punitivo?", *RGDP*, n.º 1, mayo 2004.

[64] Así CASTAÑÓN ÁLVAREZ, M.J y SOLAR CALVO, P., "Estatuto de la víctima: consideraciones críticas a la nueva Ley 4/2015", en *Diario La Ley*, Nº 8685, 20 de Enero de 2016.

mite recurrir determinados autos del Juez de Vigilancia Penitenciaria[65] y que sin embargo y sorprendentemente no tiene participación alguna en el momento de decidir sobre la suspensión de la condena[66], salvo este limitado supuesto que se acaba de mencionar. Supuesto que en realidad parece estar pensado exclusivamente para aquellos casos en que se haya alcanzado un acuerdo que pueda conducir al dictado de una sentencia de conformidad[67] en cuyo seno se pronunciará el Juez sobre la suspensión, en el sentido que determina hoy el art. 82.1 CP y que no ha tenido, por cierto, el adecuado reflejo en la LECrim.

Pues en la modalidad "ordinaria" de suspensión el pronunciamiento sobre la concesión o denegación de tal beneficio deberá efectuarse, por el juez o tribunal que haya dictado la sentencia definitiva —salvo supuestos de sentencias dictadas por los jueces de instrucción, o de circunscripciones en las que existan juzgados a los que se haya atribuido funciones ejecutorias—, tras la firmeza de la sentencia, *oídas las partes* y en forma de auto (art. 789 LECrim). En sentido restrictivo, debe considerarse que el término "partes" no comprende a los ofendidos o perjudicados cuando no se encuentren personados, ya que cuando la Ley quiere incluir a los mismos, como en los trámites de informar de la fecha y lugar de celebración del juicio (art. 785.3 LECrim.), o de notificación de la sentencia (art. 789.4 LECrim.), lo establece expresamente.

---

[65] Que entre otros extremos le permite recurrir determinados autos del Juez de Vigilancia Penitenciaria sin necesidad siquiera de haber sido parte en la causa de origen (art. 13 LEV). No me detendré sobre este punto al haber una ponencia en esta Mesa sobre el tema; no obstante, permítaseme remitir a mi trabajo precedente "El Estatuto de la víctima", cit.

[66] No se entiende cómo se han introducido novedades desconocidas hasta la fecha en nuestra legislación procesal y aún en la de los demás Estados Miembros de la UE y no exigidas por la Directiva 2012/29/UE ni amparadas por ningún derecho constitucional como la intervención que se le da —si así lo desea— en fase de ejecución para recurrir determinadas resoluciones del Juez de Vigilancia, y en cambio se omita hacer lo propio con actuaciones previas más justificadas como ser oída previamente a la conformidad o en la eventual suspensión de la ejecución de la pena privativa de libertad (o permitir incluso que recurra tal suspensión).

[67] Acuerdo que precisamente puede haberse alcanzado en el seno de un procedimiento de mediación abierto en un proceso penal. Véase al respecto el "Protocolo de Mediación Penal " elaborado por el CGPJ y que integra la *Guía para la práctica de la mediación intrajudicial* (pp. 88 a 122), en el cual se determina el *iter* procesal que ha de seguirse hasta desembocar en una sentencia de conformidad en función del tipo de proceso y fase procesal en que se haya producido la derivación a mediación y fase procesal, el modo de discurrir hasta el dictado de la sentencia de conformidad

BIBLIOGRAFÍA

ARANGÜENA FANEGO, Coral, "Emisión y ejecución en España de órdenes europeas de protección", *Revista de Derecho Comunitario Europeo*, vol. 51, mayo/agosto, 2015, pp. 491-535.

ARANGÜENA FANEGO, Coral, "El Estatuto de la Víctima", *Consejo General del Poder judicial. Cuadernos digitales de formación,* num. 37, 2015.

ARANGÜENA FANEGO, Coral y RUIZ YAMUZA, Florentino-Gregorio, "Parte 8. Resoluciones por las que se imponen sanciones pecuniarias (Título IX LRM)", en ARANGÜENA FANEGO, Coral, DE HOYOS SANCHO, Montserrat y RODRÍGUEZ-MEDEL NIETO, Carmen (Dirs.), *Reconocimiento mutuo de resoluciones penales en la Unión Europea*, Aranzadi, Cizur Menor, 2015, pp. 441-503.

ARANGÜENA FANEGO, Coral, "Participación de la víctima en el proceso", *Consejo General del Poder judicial. Cuadernos digitales de formación*, núm. 47, 2016.

ARANGÜENA FANEGO, Coral, "Estatuto de la víctima. Incidencia en la ejecución penitenciaria", *Consejo General del Poder judicial. Cuadernos digitales de formación*, núm. 55, 2016.

ARANGÜENA FANEGO, Coral, "Participación de la víctima en la ejecución penal", en DE HOYOS SANCHO, Montserrat (Dir.), *La víctima del delito y las últimas reformas procesales penales*, Aranzadi, Cizur Menor, 2017, pp. 201-232.

ARMENTA DEU, Teresa, *Código de Buenas prácticas para la protección de víctimas vulnerables*, Colex, Madrid, 2011.

ARMENTA DEU, Teresa, "Justicia restaurativa. Mediación penal y víctima: vinculación europea y análisis crítico", *Revista General de Derecho Europeo*, núm. 44, 2018.

BARONA VILAR, Silvia, *Mediación penal. Fundamento, fines y régimen jurídico*, Tirant lo Blanch, Valencia, 2011.

BARONA VILAR, Silvia, *Proceso penal desde la historia. Desde su origen hasta la sociedad global del miedo*, Tirant lo Blanch, Valencia, 2017, pp. 610 y ss.

CASTAÑÓN ÁLVAREZ, María José y SOLAR CALVO, María del Puerto, "Estatuto de la víctima: consideraciones críticas a la nueva Ley 4/2015", *Diario La Ley*, núm. 8685, 20 de enero de 2016.

COMISIÓN INSTITUCIONAL, *Propuesta de texto articulado de Ley de Enjuiciamiento Criminal*, Ministerio de Justicia, Gobierno de España (http://www.mjusticia.gob.es/cs/Satellite/Portal/1292387342364?blobheader=application%2Fpdf&blobheadername1=Content-Disposition&blobheadervalue1=attachment%3B+filename%3DPropuesta_texto_articulado_L.E.Crim.PDF).

CONSEJO GENERAL DEL PODER JUDICIAL, "Protocolo de Mediación Penal", en AA.VV., *Guía para la práctica de la mediación intrajudicial*, pp. 88-122.

DE HOYOS SANCHO, Montserrat, "La armonización del estatuto de las víctimas en la UE", en MIR PUIG, Santiago y CORCOY BIDASOLO, María Luisa (Dirs.), *Garantías constitucionales y Derecho penal europeo*, Madrid-Barcelona, 2012, pp. 409 y ss.

DE HOYOS SANCHO, Montserrat, "Reflexiones sobre la Directiva 2012/29/UE, por la que se establecen normas mínimas sobre los derechos, el apoyo y la protección de las víctimas de delitos, y su transposición al ordenamiento español", *Revista General de Derecho Procesal*, núm. 34, 2014.

DE HOYOS SANCHO, Montserrat, "El reconocimiento mutuo de las medidas de protección penal y civil de las víctimas en la Unión Europea: la Directiva 2011/99, el

Reglamento 606/2013, y su respectiva incorporación a los ordenamientos español y alemán", *Revista de Derecho y proceso penal*, núm. 38, 2015, pp. 63 y ss.

DE HOYOS SANCHO, Montserrat y RUBIO ENCINAS, Ana María, "Parte 5. La orden europea de protección (Título VI LRM)" en ARANGÜENA FANEGO, Coral, DE HOYOS SANCHO, Montserrat y RODRÍGUEZ-MEDEL NIETO, Carmen (Dirs.), *Reconocimiento mutuo de resoluciones penales en la Unión Europea*, Aranzadi, Cizur Menor, 2015, pp. 269-319.

DE HOYOS SANCHO, Montserrat, *El ejercicio de la acción penal por las víctimas. Un estudio comparado*, Aranzadi, Cizur Menor, 2016.

DE HOYOS SANCHO, Montserrat, "Principales avances en derechos, garantías y protección de víctimas en el año 2016 dentro del Espacio de Libertad, seguridad y justicia de la Unión Europea", en GUTIÉRREZ ZARZA, Ángeles (Coord.), *Los retos del espacio de Libertad, Seguridad y Justicia en 2016*, Wolters Kluwer, Madrid, 2017.

FAGGIANI, Valentina, *Los derechos procesales en el espacio europeo de justicia penal. Técnicas de armonización*, Aranzadi, Cizur Menor, 2017.

GARCÍA RODRÍGUEZ, Manuel José, "Marco jurídico y nuevos instrumentos para un sistema Europeo de indemnización a las víctimas de delitos", *Boletín de Información del Ministerio de Justicia*, núms. 1980-1981, 2005, pp. 7-32.

GARCÍA RODRÍGUEZ, Manuel José, "Buenas prácticas para la protección y asistencia a las víctimas en el Sistema de Justicia Penal", *Boletín de Información del Ministerio de Justicia*, núm. 2174, enero, 2015, pp. 33 y 34.

GARCÍA RODRÍGUEZ, Manuel José, "El nuevo Estatuto de las Víctimas del delito en el proceso penal según la Directiva europea 2012/29/UE, de 25 de octubre y su transposición al ordenamiento jurídico español", *Revista Electrónica de Ciencia y Criminología*, núms. 18-24, 2016.

GÓMEZ COLOMER, Juan Luis, *Estatuto jurídico de la víctima del delito*, Aranzadi, Cizur Menor, 2015, pp. 325 y 354.

GONZÁLEZ CANO, Isabel, "Cooperación judicial penal, tutela de la víctima y justicia restaurativa: (especial consideración de la directiva 2012/29/UE, del Parlamento Europeo y del consejo, de 25 de octubre de 2012, por la que se establecen normas mínimas sobre los derechos, el apoyo y la protección de las víctimas de los delitos)", en GONZÁLEZ CANO, Isabel (Dir.), *Cooperación judicial penal en la Unión Europea: Reflexiones sobre algunos aspectos de la investigación y el enjuiciamiento en el espacio europeo de justicia penal*, Tirant lo Blanch, Valencia, 2016, pp. 411-434.

GONZÁLEZ-CUÉLLAR SERRANO, Nicolás y MARCHENA GÓMEZ, Manuel, *La reforma de la Ley de Enjuiciamiento Criminal en 2015*, Madrid, 2015, pp. 154 y 155.

JIMENO BULNES, Mar, "¿Mediación penal y/o justicia restaurativa? Una perspectiva europea y española", *Diario La Ley*, núm. 8624, de 14 de octubre de 2015.

MAPELLI MARCHENA, Clara, *El modelo de la Unión Europea*, Aranzadi, Cizur Menor, 2014, pp. 588-597.

MARTÍN PASTOR, José, *El auto de cuantía máxima*, La Ley, Madrid, 2013.

MARTÍN RÍOS, María del Pilar, *Víctima y Justicia penal*, Atelier, Barcelona, 2012.

ORDEÑANA GERUZAGA, Ixusko, *El estatuto jurídico de la víctima en el derecho jurisdiccional penal español*, Instituto Vasco de Administraciones Públicas (IVAP), Oñati, 2014, pp. 241-414.

ORDEÑANA GERUZAGA, Ixusko, "¿Un pasito para adelante y otro para atrás? O sobre la agridulce evolución en la protección de la víctima en la Unión Europea", en GÓ-

MEZ COLOMER, Juan Luis (Coord.), *El proceso penal en la encrucijada. Homenaje al Dr. César Crisóstomo Barrientos Pellecer*, vol. II, Castellón de la Plana, 2015, pp. 955-998.

PÉREZ RIVAS, Natalia, *Los derechos de la víctima en el sistema penal español*, Tirant lo Blanch, Valencia, 2017, pp. 48-66 (edición on-line).

ROCA DE AGAPITO, Luis, "La prescripción de la responsabilidad civil derivada de la comisión de un delito. Valoración crítica de la Ley 42/2015, de 5 de octubre", *Diario La Ley*, núm. 8675, de 5 de enero de 2016.

RODRÍGUEZ LAINZ, José Luis, "Los nuevos delitos leves: aspectos sustantivos y procesales", *Diario La Ley*, núm. 8524, 22 de abril de 2015.

SERRANO MASIP, Mercedes, "Los derechos de participación en el proceso penal", en TAMARIT SUMALLA, Josep Maria, VILLACAMPA ESTIARTE, Carolina y SERRANO MASIP, Mercedes (Coords.), *El estatuto de las víctimas de delitos. Comentarios a la ley 4/2015*, Tirant lo Blanch, Valencia, 2015, pp. 134, 140 y 143.

SERRANO MASIP, Mercedes, "Medidas de protección de las víctimas", en DE HOYOS SANCHO, Montserrat (Dir.), *La víctima del delito y las últimas reformas procesales penales*, Aranzadi, Cizur Menor, 2017, p. 140.

TAMARIT SUMALLA, Josep María, "La introducción de la justicia reparadora en la ejecución penal: una respuesta al rearme punitivo?", *Revista General de Derecho Penal*, núm. 1, mayo, 2004.

TAMARIT SUMALLA, Josep María, "Los derechos de las víctimas", en TAMARIT SUMALLA, Josep Maria, VILLACAMPA ESTIARTE, Carolina y SERRANO MASIP, Mercedes (Coords.), *El estatuto de las víctimas de delitos. Comentarios a la ley 4/2015*, Tirant lo Blanch, Valencia, 2015, pp. 7 y ss. y 45-47.

TENA ARAGÓN, María Félix, "Protocolo de actuación con menores y personas con discapacidad necesitadas de especial protección", en DE HOYOS SANCHO, Montserrat (Dir.), *La víctima del delito y las últimas reformas procesales*, Aranzadi, Cizur Menor, 2017, pp. 263 y ss.

VIDAL FERNÁNDEZ, Begoña, "Protección de las víctimas en el proceso penal", en JIMENO BULNES, Mar (Coord.), *Nuevas aportaciones al espacio de Libertad, Seguridad y Justicia*, Comares, Granada, 2014, pp. 153 y ss.

VIDAL FERNÁNDEZ, Begoña, "Reparación de las víctimas del delito en la Unión Europea: tutela por el Tribunal de Justicia de la UE del derecho a la indemnización", *Revista de Estudios Europeos*, núm. 66, enero-junio 2015, pp. 1 y ss., esp. pp. 17 y ss.

VIDAL FERNÁNDEZ, Begoña, "La indemnización a las víctimas de delitos y proceso penal", en DE HOYOS SANCHO, Montserrat, *La víctima del delito y las últimas reformas procesales penales*, Aranzadi, Cizur Menor, 2017, pp. 256-259.

VILLACAMPA ESTIARTE, Carolina, "La nueva Directiva europea relativa a la prevención y la lucha contra la trata de seres humanos y a la protección de las víctimas. ¿Cambio de rumbo de la política de la Unión en materia de trata de seres humanos?", *Revista Electrónica de Ciencia Penal y Criminología*, núms. 13-14, 2011.

VILLACAMPA ESTIARTE, Carolina, "Capítulo 4: La protección de las víctimas en el proceso penal: consideraciones generales e instrumentos de protección", en TAMARIT SUMALLA, Josep Maria, VILLACAMPA ESTIARTE, Carolina y SERRANO MASIP, Mercedes (Coords.), *El estatuto de las víctimas de delitos. Comentarios a la ley 4/2015*, Tirant, lo Blanch, Valencia, 2015, pp. 158 y ss.

ESPACIO DE LIBERTAD, SEGURIDAD Y JUSTICIA Y RESPUESTAS FRENTE AL TERRORISMO Y SU GLOBALIZACIÓN

Capítulo V

La bunkerización del Espacio de Libertad, Seguridad y Justicia

A propósito de la nueva Directiva de la Unión Europea relativa a la lucha contra el terrorismo

RAFAEL ZAFRA ESPINOSA DE LOS MONTEROS

Profesor Titular de Derecho Internacional Público y Relaciones Internacionales
Universidad de Sevilla

1. TRATANDO DE ENCAJAR LAS PIEZAS DEL PUZLE

Escribía el Profesor Juan Antonio Carrillo Salcedo en 2005, acerca de "la sensación de ingobernabilidad del mundo contemporáneo ante la complejidad de sus problemas", señalando que "frente a la relativa homogeneidad que había caracterizado a la sociedad internacional a lo largo de cuatro siglos, cuando estuvo constituida casi exclusivamente por Estados soberanos territoriales, el sistema internacional es hoy más heterogéneo y cada vez más inestable e imprevisible. Se han roto las barreras tradicionales que separaban a las distintas comunidades humanas, se han liberado dinámicas hasta ahora ahogadas y fuerzas y movimientos generadores de inseguridad e inestabilidad difícilmente controlables por los Estados, incluso los más poderosos, actúan con creciente relevancia en la vida internacional"[1].

---

[1] CARRILLO SALCEDO, Juan Antonio: *Globalización y orden internacional*, Secretariado de Publicaciones de la Universidad de Sevilla, 2ª ed., Sevilla, 2005, p. 14.

Es en este impresionante *puzle* que compone hoy la sociedad interna-cional donde se desarrolla uno de los fenómenos más graves de nuestro tiempo, el terrorismo global[2], que pone de manifiesto continuamente, y de forma cada vez más agravada, "tanto nuestra vulnerabilidad común (pues la inseguridad también se ha globalizado) como la necesidad de una ac-ción concertada a través de la cooperación multilateral"[3].

Diversos son los sujetos, actores y fenómenos presentes en esta dinámi-ca, que de forma sucinta pretendo presentar:

1.1. Los Estados (los grandes protagonistas)

Protagonistas absolutos de la sociedad internacional y de su sistema ju-rídico, amparados por el sacrosanto principio de la soberanía, creadores de un orden jurídico donde norma y obligación tienden a confundirse y perseguidores innatos de la salvaguardia y promoción de sus intereses individuales en una estructura organizativa puramente horizontal, los Es-tados no tuvieron más remedio, allá por la segunda parte del siglo XIX, que empezar a considerar la necesidad de atender de forma común a una fenomenología que escapaba al ámbito interno que delimitaban las hoy viejas fronteras.

Va conformándose así una nueva estructura del sistema internacional, que ya no es solo horizontal y que, además, constituirá el germen de un nuevo paradigma, el paradigma comunitario, caracterizado por la necesi-dad de satisfacer los intereses generales de una comunidad internacional aún en proceso de consolidación[4].

---

[2]   Como ha señalado Rocío Zafra Espinosa de los Monteros, "la manifestación de crimen organizado más violenta que existe ("El crimen organizado: especial consideración a Iberoamérica", *Revista Electrónica Iberoamericana*, vol. 11, n° 1. 2017, pp. 29 a 56, p. 30). Sobre las relaciones actuales entre el terrorismo y el crimen organizado puede verse, entre otros: MARREO ROCHA, Inmaculada: "Nuevas dinámicas en las relaciones en-tre crimen organizado y grupos terroristas", *Revista Española de Derecho Internacional*, Sección ESTUDIOS, Vol. 69/2, julio-diciembre 2017, Madrid, pp. 145-169 y ZAFRA ESPINOSA DE LOS MONTEROS, Rocío: "Compromise in the fight against terrorism in Spain", en MORENO CATENA, Víctor y SOLETO MUÑOZ, Helena: *Terrorism in Spain: a procedural approach*, Tirant lo Blanch, Valencia 2017, pp. 120 a 138, p. 120).

[3]   CARRILLO SALCEDO, Juan Antonio: *Op. cit.*, p. 49.

[4]   Sobre la evolución de la estructura de la comunidad internacional, puede verse el interesante estudio de RODRIGO, Ángel J.: "Entre *Westfalia* y *Wordfalia*: la comunidad internacional como comunidad social, política y jurídica", en GARCÍA SEGURA, Cate-

Intereses individuales, colectivos y generales que, por si fuera poco, han de interactuar en una sociedad internacional globalizada, pero muy heterogénea y aun escasamente institucionalizada, donde la pugna es constante entre esas dos ideas fuerza que son la soberanía y la interdependencia.

1.2. *Las Naciones Unidas (el centro armonizador, a menos que del Capítulo VII de la Carta hablemos)*

Resueltos a preservar a las generaciones venideras del flagelo de la guerra, a reafirmar la fe en los derechos fundamentales del hombre, a crear condiciones bajo las cuales puedan mantenerse la justicia y el respeto a las obligaciones y normas del Derecho Internacional y, a promover el progreso social y a elevar el nivel de vida dentro de un concepto más amplio de la libertad[5], 51 Estados crean en 1945 la Organización de las Naciones Unidas (ONU), un centro armonizador de los esfuerzos de sus Estados Miembros por mantener la paz y la seguridad internacionales, fomentar entre las naciones relaciones de amistad y realizar la cooperación internacional generalizada[6].

En este universo de cooperación, que hoy engloba a 193 Estados, encontramos un elemento integrador que nos permite calificar al Consejo de Seguridad de Naciones Unidas como "la cara visible" (o, lo más que tenemos al respecto) de la comunidad internacional organizada.

Situada al margen de la legalidad la amenaza o el uso de la fuerza y a salvo de la legítima defensa, que forma parte también del sistema de seguridad colectiva, en caso de amenaza a la paz, quebrantamiento de la paz o actos de agresión, el Consejo de Seguridad podrá decidir medidas coercitivas, que incluso pueden implicar el uso de la fuerza, para mantener o restablecer la paz y la seguridad internacionales (arts. 39 a 51 de la Carta).

---

rina (dira.): *La tensión cosmopolita. Avances y límites en la institucionalización del cosmopolitismo*, Tecnos, Madrid 2016, pp. 23 a 59, en especial pp. 47 y ss.

[5]   Así rezan las intenciones de "nosotros los pueblos de las Naciones Unidas" en el Preámbulo de la Carta de Naciones Unidas (http://www.un.org/es/charter-united-nations/index.html).

[6]   Artículo 1.4 de la Carta.

1.3. La Unión Europea (una Organización Internacional: de integración, sí..., pero una Organización Internacional)

Entre los objetivos, que la Unión habrá de perseguir por los medios apropiados y de acuerdo con las competencias que se le atribuyen en los Tratados (art. 3.6 TUE)[7], el artículo 3 del TUE señala algunos que resultan fundamentales para el tema que nos ocupa.

Yendo de lo general a lo específico:

– "En sus relaciones con el resto del mundo, la Unión afirmará y promoverá sus valores e intereses y contribuirá a la protección de sus ciudadanos. Contribuirá a la paz, la seguridad, el desarrollo sostenible del planeta, la solidaridad y el respeto mutuo entre los pueblos, el comercio libre y justo, la erradicación de la pobreza y la protección de los derechos humanos, especialmente los derechos del niño, así como al estricto respeto y al desarrollo del Derecho internacional, en particular el respeto de los principios de la Carta de las Naciones Unidas" (art. 3.5 TUE).

– "La Unión ofrecerá a sus ciudadanos un espacio de libertad, seguridad y justicia sin fronteras interiores, en el que esté garantizada la libre circulación de personas conjuntamente con medidas adecuadas en materia de control de las fronteras exteriores, asilo, inmigración y de prevención y lucha contra la delincuencia" (art. 3.2 TUE).

Pero, también:

– "La Unión tiene como finalidad promover la paz, sus valores y el bienestar de sus pueblos" (art. 3.1 TUE).

– La Unión combatirá la exclusión social y la discriminación y fomentará la justicia y la protección sociales, la igualdad entre mujeres y hombres, la solidaridad entre las generaciones y la protección de los derechos del niño.

– La Unión fomentará la cohesión económica, social y territorial y la solidaridad entre los Estados miembros.

– La Unión respetará la riqueza de su diversidad cultural y lingüística y velará por la conservación y el desarrollo del patrimonio cultural europeo (estos tres últimos en el art. 3.3 TUE).

---

[7] Tratado de la Unión Europea (http://eur-lex.europa.eu/legal-content/ES/TXT/PDF/?uri=CELEX:12016M/TXT&from=EN).

Para el cumplimiento de todos estos fines, los Estados Miembros (en adelante, EEMM) atribuyen una serie de competencias específicas, funcionales, incluso reversibles que, más allá de las competencias implícitas, los Tratados dividen en tres categorías: competencias que son exclusivas de las Unión; competencias que comparte con los EEMM y que, por tanto, la Unión ejerce bajo el principio de subsidiariedad; y, finalmente, las competencias que permiten a la Unión (igualmente bajo el principio de subsidiariedad) apoyar, coordinar o complementar la acción de los EEMM y, donde los actos jurídicamente vinculantes de la Unión no podrán implicar armonización alguna[8].

Este panorama competencial se remata con la competencia de la Unión para coordinar las políticas económicas y de empleo de los EEMM; para definir y aplicar una política exterior y de seguridad común, incluida la definición progresiva de una política común de defensa; con la obligación de respetar las funciones esenciales del Estado, especialmente las que tienen por objeto garantizar su integridad territorial, mantener el orden público y salvaguardar la seguridad nacional ("la seguridad nacional seguirá siendo responsabilidad exclusiva de cada Estado miembro", art. 4.2 TUE); y con la cláusula general de que "toda competencia no atribuida a la Unión en los Tratados corresponde a los Estados miembros" (art. 4.1 TUE).

El Espacio de Libertad, Seguridad y Justicia, que la Unión Europea ofrece a sus ciudadanos, se configura, según Alejandro Del Valle Gálvez, como "la versión jurídica europea del universal binomio "libertad-seguridad", pretendiendo esencialmente la libre circulación de personas en un espacio europeo de seguridad y justicia", contribuyendo "a conformar gradualmente el *espacio público de la Unión*"[9].

1.4. El Terrorismo (fenómenos y actores)

Se trata, sin duda, de uno de esos fenómenos que han corrido en paralelo con la evolución de las distintas estructuras del sistema internacional, que antes mencionaba. Como entre nosotros ha escrito Joaquín Alcaide

---

[8]   Artículos 2 a 6 del Título I de la Primera Parte del Tratado de Funcionamiento de la Unión Europea (TFUE) (http://eur-lex.europa.eu/legal-content/ES/TXT/PDF/?uri=CELEX:12016E/TXT&from=EN).

[9]   DEL VALLE GÁLVEZ, Alejandro: Espacio de Libertad, Seguridad y Justicia y Tratado de Lisboa", en MARTÍN Y PÉREZ DE NANCLARES, José (ed.): *El Tratado de Lisboa: la salida de la crisis institucional*, Iustel, Madrid, 2008, pp. 417 a 435, pp. 418 y 419.

Fernández, podríamos recurrir "a un lugar común: hemos pasado del terrorismo local (nacional) al terrorismo global"[10].

Terrorismo global, como ha caracterizado el Profesor Pérez Royo, "desvinculado de un Estado concreto, no protagonizado por ciudadanos del mismo país, carentes de cualquier programa dirigido a la sociedad a la que pretenden aterrorizar y cuyos actos de terror no tienen la finalidad de conseguir un objetivo concreto"[11].

Se trataría, en palabras de Rafael Calduch Cervera, de un "*terrorismo de cuarta generación* cuya manifestación más significativa sería el terrorismo de los grupos yihadistas neosalafistas y cuyo modelo imitado sería la organización Al Qaeda"[12].

No puede evitarse una cierta (e irónica) nostalgia por aquel primigenio Convenio de Tokio de 1963, sobre infracciones y ciertos actos cometidos a bordo de aeronaves[13]: atentados QBRN (con sustancias químicas, biológi-

---

[10]   ALCAIDE FERNÁNDEZ, Joaquín: "Terrorismo y Derecho Internacional. Desarrollos normativos e institucionales tras el 11-S", *Cursos de Derecho Internacional y Relaciones Internacionales de Vitoria-Gasteiz*, Thomson Reuters Aranzadi, 2016, pp. 31 a 101, p. 32.

[11]   PÉREZ ROYO, Javier: "La democracia frente al terrorismo global", en PÉREZ ROYO Javier y CARRASCO DURÁN, Manuel: *Terrorismo, democracia y seguridad, en perspectiva constitucional*, Marcial Pons, Madrid, Barcelona, Buenos Aires 2010, pp. 7 a 12, p. 10.

[12]   "En la actualidad (señala el autor) se está configurando una posición doctrinal que afirma que el terrorismo, lejos de haber desaparecido o atenuado, ha entrado en una nueva fase con autores, características y efectos sustancialmente distintos de los que definieron las etapas anteriores" [(CALDUCH CERVERA, Rafael: "El Tratado de Lisboa y la amenaza terrorista en Europa", en MARTÍN Y PÉREZ DE NANCLARES, José (ed.): *Op. cit.*, pp. 451 a 467, p. 451)]. En realidad, como ha escrito Alfonso Galán Muñoz, "el denominado terrorismo *yihadista* no es en realidad un fenómeno tan novedoso o reciente como se pudiera en un primer momento pensar. Es indudable que existe y ha generado víctimas en muchos países desde hace muchos años. Sin embargo, fueron los atentados de 11 de septiembre de 2001 en Nueva York o los cometidos en Madrid en 2004 o en Londres en 2005 los que hicieron a las sociedades occidentales tomar conciencia de la magnitud y, sobre todo, de la cercanía del riesgo que su existencia presentaba para sus ciudadanos" (GALÁN MUÑOZ, Alfonso: ¿Leyes que matan ideas frente a leyes que matan personas? Problemas de la nueva represión de los mecanismos de captación terrorista tras la reforma del Código Penal de la LO 2/2015", en GONZÁLEZ CANO, María Isabel (dira.): *Cooperación judicial penal en la Unión Europea. Reflexiones sobre algunos aspectos de la investigación y el enjuiciamiento en el espacio europeo de justicia penal*, Tirant lo Blanch, Valencia 2015, pp. 105 a 153, p. 111).

[13]   El Tratado ha sido enmendado por el Protocolo de Montreal de 4 de abril de 2014, aun no en vigor. El Reino de España lo firmó el 9 de septiembre de 2015, pero no ha procedido aun a su ratificación. El estado de firma y ratificaciones del Protocolo (a la fecha de entrega de este trabajo) puede verse en https://www.icao.int/secretariat/legal/List%20of%20Parties/Montreal_Prot_2014_ES.pdf

cas, radiológicas y nucleares), espacios blandos, amenazas hibridas, delincuencia transnacional organizada, Tecnología de la Información y las Comunicaciones (TICs), organizaciones terroristas, combatientes terroristas extranjeros, lobos solitarios, empresas multinacionales, ... No es de extrañar que el terrorismo aparezca como la segunda de las preocupaciones de los ciudadanos europeos (38%), solo por detrás de la inmigración (39%), según el Eurobarómetro estándar de otoño de 2017[14].

La fenomenología y los actores en la actualidad implicados en el terrorismo, lo convierten, sin duda, en un problema global, necesitado por tanto de estrategias y respuestas globales.

2. LA RESPUESTA DE LA COMUNIDAD INTERNACIONAL AL FENÓMENO DEL TERRORISMO: LA ESTRATEGIA GLOBAL DE LAS NACIONES UNIDAS CONTRA EL TERRORISMO

Es lugar común en la doctrina señalar el 11 de septiembre de 2001 como la fecha crítica que determina un antes y un después en el tratamiento del fenómeno terrorista en el Derecho Internacional.

Si con anterioridad al 11-S el protagonismo recaía en la actividad convencional de los Estados, patrocinada por el sistema de Naciones Unidas[15] y por las Organizaciones Internacionales regionales, el post 11-S viene marcado por el impresionante despliegue institucional en el seno de la ONU, en una doble vertiente: Asamblea General-Secretaría General, por una parte; y Consejo de Seguridad, por otra.

El Derecho Internacional convencional contra el terrorismo pre 11-S acoge, como ha señalado Joaquín Alcaide Fernández "un patrón normativo relativamente homogéneo, basado en la articulación de obligaciones para la represión de las distintas manifestaciones del terrorismo internacional: unas obligaciones accesorias (tipificar, punir y establecer la jurisdicción nacionalmente; suministrar información; detener e investigar prelimi-

---

[14] Los resultados pueden verse en http://ec.europa.eu/commfrontoffice/publicopinion/index.cfm/Survey/getSurveyDetail/instruments/STANDARD/surveyKy/2143

[15] "La lucha contra el Terrorismo es uno de los ámbitos prioritarios de las actividades de las Naciones Unidas desde hace décadas" (ESCRIBANO ÚBEDA-PORTUGUÉS, José: "Nuevos avances y retos en la lucha contra el Terrorismo", *Revista Electrónica de Estudios Internacionales*, nº 17, junio de 2009, p. 3. (se puede descargar en http://www.reei.org/index.php/revista/num17/notas/nuevos-avances-retos-lucha-contra-terrorismo).

narmente los hechos; prestar asistencia judicial en materia penal; y rendir cuentas) encaminadas a hacer efectiva la obligación principal (extraditar o someter el asunto a las autoridades nacionales competentes a efectos del ejercicio de la acción penal)"[16].

Después del 11-S, sin embargo, se inicia una nueva etapa en la lucha contra el terrorismo internacional que, en el plano universal, tendrá tres vectores principales.

Por una parte, y esperando a un *Godot* que nunca llega (Convenio general sobre Terrorismo internacional)[17], se ha ido ampliando y/o actualizando el marco jurídico convencional de lucha contra el terrorismo. En segundo lugar, el Consejo de Seguridad ha decidido asumir nuevas responsabilidades en la materia. Y, en tercer lugar, la acción conjunta de la Secretaría General y de la Asamblea General ha ido configurando una nueva arquitectura institucional, plasmada en la *Estrategia Global de las Naciones Unidas contra el Terrorismo*.

Lamentablemente, como suele ocurrir en casi todos los sectores más progresivos del Derecho Internacional: o bien los desarrollos normativos están muy por delante de los desarrollos institucionales, o bien (en tono jocoso), la arquitectura normativa va a Boston y la institucional a California…

2.1. *La arquitectura institucional*

La arquitectura institucional ha sido, en parte, recientemente modificada mediante la Resolución 71/291 de 15 de junio de 2017 que ha creado la Oficina de Lucha contra el Terrorismo, que estará encabezada por un Secretario General Adjunto y donde se integrarán tanto el Equipo Especial sobre la Ejecución de la Lucha contra el Terrorismo (EEELT), como el Centro de Naciones Unidas contra el Terrorismo. El nuevo Secretario

---

[16]   ALCAIDE FERNÁNDEZ, Joaquín: *Op. cit.*, p. 41.
[17]   "La tarea de definir el terrorismo resulta especialmente compleja y espinosa. De esta enorme dificultad dan fe los esfuerzos llevados a cabo en el ámbito de las Naciones Unidas y en el de otras organizaciones de carácter regional. De hecho, en el ámbito de Naciones Unidas los trabajos realizados desde hace ya bastantes años ni siquiera han culminado con éxito hasta la fecha" (ABAD CASTELOS, Montserrat: "El concepto jurídico de terrorismo y los problemas relativos a su ausencia en el ámbito de las Naciones Unidas", en CONDE PÉREZ, Elena (dira.): *Terrorismo y legalidad internacional*, Editorial Dykinson, Madrid, 2012, pp. 245 a 264, p. 245).

General Adjunto actuará como presidente del Equipo Especial y como Director Ejecutivo del Centro[18].

En el mes de octubre de 2017, el Secretario General de Naciones Unidas, Antonio Guterres, afirmaba públicamente que los objetivos de la Oficina de Lucha contra el Terrorismo son claros: proporcionar liderazgo en la labor de las Naciones Unidas para luchar contra el terrorismo y prevenir el extremismo violento; mejorar la coordinación y la coherencia en la aplicación de la Estrategia global contra el terrorismo; y, sobre todo, fortalecer la asistencia de creación de capacidad a los Estados Miembros[19].

Pocos días antes, el 28 de septiembre, el nuevo Secretario General Adjunto de Naciones Unidas, Vladimir Voronkov (nombrado el pasado 21 de junio[20]), se dirigía informalmente al Consejo de Seguridad[21] para reconocer que hay cuatro esferas importantes de la actividad de la ONU que deben alinearse si queremos desarrollar de manera efectiva el enfoque coherente y coordinado "Toda la ONU", puesto en marcha desde el quinto examen bienal de la Estrategia Global de las Naciones Unidas contra el Terrorismo, realizado durante el septuagésimo período de sesiones (2016) de la Asamblea General de las Naciones Unidas[22].

Esas cuatro esferas son las siguientes:

1ª) El Consejo de Seguridad y sus órganos subsidiarios, capitaneados por el Equipo de Apoyo Analítico y Vigilancia de las Sanciones; el Comité contra el Terrorismo (establecido en la famosa Resolución 1373), asistido por su Dirección Ejecutiva; y el Comité 1540, que recibe apoyo de un Grupo de Expertos;

2ª) La Asamblea General, a través de la Estrategia Global contra el Terrorismo;

---

[18] A/RES/71/291: Refuerzo de la capacidad del sistema de las Naciones Unidas de ayudar a los Estados Miembros en la aplicación de la Estrategia Global de las Naciones Unidas contra el Terrorismo (http://www.un.org/es/comun/docs/?symbol=A/RES/71/291).

[19] https://www.un.org/sg/en/content/sg/statement/2017-10-30/secretary-generals-remarks-15th-meeting-united-nations-counter

[20] https://www.un.org/press/en/2017/sga1741.doc.htm

[21] https://www.un.org/counterterrorism/ctitf/sites/www.un.org.counterterrorism.ctitf/files/20170928_SCBriefing_USG%20Voronkov.pdf

[22] A/RES/70/291: Examen de la Estrategia Global de las Naciones Unidas contra el Terrorismo (https://www.un.org/es/comun/docs/?symbol=A/RES/70/291), sobre la base del Informe del Secretario General, titulado "Actividades del sistema de las Naciones Unidas para la aplicación de la Estrategia Global de las Naciones Unidas contra el terrorismo" [A/70/826 (https://undocs.org/sp/A/70/826)].

3ª) El Secretario General y la Secretaría de las Naciones Unidas, que ahora incluye la Oficina de Lucha contra el Terrorismo; y

4ª) Las 38 agencias, fondos y programas de las Naciones Unidas que contribuyen directa o indirectamente a los esfuerzos comunes de lucha contra el terrorismo y en apoyo de la implementación equilibrada de la Estrategia Global de la ONU contra el Terrorismo.

Estas cuatro esferas de la actividad de la ONU deberán estar más estrechamente unidas si se pretende construir lo que el Secretario General Antonio Guterres ha llamado "una nueva Asociación Internacional contra el Terrorismo"[23].

La Estrategia Global de las Naciones Unidas contra el Terrorismo fue aprobada, por consenso, en la Resolución 60/288, de la Asamblea General de la ONU, de 8 de septiembre de 2006[24] y es revisada bienalmente por ella sobre la base, principalmente, del Informe del Secretario General. El próximo examen, el Sexto, será en 2018, durante el septuagésimo tercer período de sesiones de la Asamblea General.

La Estrategia reposa sobre Cuatro Pilares:

Pilar I. Medidas para hacer frente a las condiciones que propician la propagación del terrorismo.

Pilar II. Medidas para prevenir y combatir el terrorismo.

Pilar III. Medidas destinadas a aumentar la capacidad de los Estados de prevenir el terrorismo y luchar contra él, y a fortalecer el papel del sistema de las Naciones Unidas al respecto.

Pilar IV. Medidas para asegurar el respeto de los derechos humanos para todos y el imperio de la ley como base fundamental de la lucha contra el terrorismo

No resulta extraño que, en palabras del propio Secretario General, en los últimos diez años, desde que se puso en marcha la Estrategia, se haya producido una descompensación entre los cuatro Pilares[25], esto es, se ha desarrollado mucho uno de ellos (el segundo) y mucho menos los otros

---

[23]   Discurso del Secretario General en el Debate General del septuagésimo período de sesiones de la Asamblea General de las Naciones Unidas, pronunciado el 19 de septiembre de 2017 (https://www.un.org/sg/es/content/sg/speeches/2017-09-19/sgs-ga-address).

[24]   http://www.un.org/es/comun/docs/?symbol=A/RES/60/288

[25]   "a pesar de que se han llevado a cabo numerosas medidas, no se ha avanzado mucho respecto de las condiciones que favorecen la propagación del terrorismo ni de la ga-

tres. De hecho, en enero de 2016 el SG presentó a la Asamblea General su Plan de Acción para Prevenir el Extremismo Violento[26], con la clara intención de compensar el desarrollo de los Pilares I y IV, que han sido desbordados por la actividad desarrollada sobre el Pilar II (medidas para prevenir y combatir el terrorismo).

2.2. *La intervención del Consejo de Seguridad*

Es en este Pilar II, precisamente, donde se ha centrado la intervención del Consejo de Seguridad, sobre la base, además, de la construcción de una arquitectura normativa de mayor contundencia jurídica, por decirlo de una manera elegante: recuérdese que, mientras las Resoluciones de la Asamblea General que no sean *ad intra*, esto es, que no traigan su causa en el poder de auto organización de la Organización, tienen un mero valor recomendatorio para los Estados, las Resoluciones que el Consejo de Seguridad dicte en el ámbito del Capítulo VII de la Carta son obligatorias para todos los Estados, sean o no miembros de la ONU (y para todas las Organizaciones Internacionales).

En el ámbito de la *reinterpretación* casi omnicomprensiva que el Consejo de Seguridad comienza a realizar del artículo 41 de la Carta[27] tras el final de la Guerra Fría, la Resolución 1373, de 28 de septiembre de 2001 (aprobada 17 días después del 11-S)[28], inicia una práctica que Asier Garrido Muñoz ha calificado de "cortocircuito legislativo"[29].

---

rantía del respeto de los derechos humanos y el estado de derecho en la lucha contra el terrorismo" (A/70/826, par. 16)

[26] Plan de Acción para Prevenir el Extremismo Violento. Informe del Secretario General [A/70/674 (https://undocs.org/es/A/70/674)].

[27] "El Consejo de Seguridad podrá decidir qué medidas que no impliquen el uso de la fuerza armada han de emplearse para hacer efectivas sus decisiones, y podrá instar a los Miembros de las Naciones Unidas a que apliquen dichas medidas, que podrán comprender la interrupción total o parcial de las relaciones económicas y de las comunicaciones ferroviarias, marítimas, aéreas, postales, telegráficas, radioeléctricas, y otros medios de comunicación, así como la ruptura de relaciones diplomáticas".

[28] S/RES/1373 (2001) http://www.un.org/es/comun/docs/?symbol=S/RES/1373(2001)

[29] GARRIDO MUÑOZ, Asier: "Un nuevo cortocircuito legislativo en Naciones Unidas: la Resolución 2178 (2014) del Consejo de Seguridad de Naciones Unidas relativa a los combatientes terroristas extranjeros", *Revista Española de Derecho Internacional*, Sección INFORMACIÓN Y DOCUMENTACIÓN DIPub, Vol. 67/1, enero-junio 2015, Madrid, pp. 289-327, p. 303.

Así, calificando "todo acto de terrorismo internacional" como "una amenaza para la paz y la seguridad internacionales"[30] (lo que le da pie de entrada a poner en marcha el sistema de seguridad colectiva)[31], mediante la aplicación del artículo 41, el Consejo se erige en legislador internacional[32], al convertir en obligatorio para todos los Estados, entre otros, el Convenio Internacional para la represión de la financiación del terrorismo de 1999.

En esa misma Resolución se crea, además, el todo poderoso Comité contra el Terrorismo[33] y, de su relevancia da buena cuenta que, incluso, se publicara en el *Boletín Oficial del Estado*, el 23 de noviembre de 2001[34].

Esta senda abierta, se continuó con la Resolución 1540 de 5 de noviembre de 2004[35], en el ámbito de la proliferación de armas de destrucción masiva; y una nueva manifestación de la misma la encontramos en la Resolución 2178, de 24 de septiembre de 2014, sobre "amenazas a la paz y la seguridad internacionales causadas por actos terroristas" y dedicada a los combatientes terroristas extranjeros[36]. Resolución de la que trae causa, la Directiva de la UE de lucha contra el terrorismo[37].

En cualquier caso, la Resolución 2178 representa un paso más en esta más que controvertida trayectoria legislativa hegemónica del Consejo de Seguridad[38]. A diferencia de lo que sucede con las Resoluciones 1373 y

---

[30]   Tercer párrafo del Preámbulo de la Resolución 1373

[31]   Capítulo VII de la Carta, artículos 39 a 51.

[32]   "Calificamos como "legislativas" las resoluciones en las que el Consejo de Seguridad actúa como si de un órgano titular de poderes de este carácter se tratara, al imponer modelos de conducta obligatorios y generales. Fue a partir del 11 de septiembre de 2001 cuando el Consejo de Seguridad comienza a producir resoluciones en materia de terrorismo con una clara vocación de creación de normas generales" (TORRECUADRADA GARCÍA-LOZANO, Soledad: "La expansión de las funciones del Consejo de Seguridad de Naciones unidas: problemas y posibles soluciones", *Anuario Mexicano de Derecho Internacional*, vol. XII, 2012, pp. 365 a 406, p. 379).

[33]   Parágrafo 6 de la Resolución.

[34]   https://www.boe.es/boe/dias/2001/11/23/pdfs/A43030-43032.pdf

[35]   S/RES/1540 (2004) (http://www.un.org/ga/search/view_doc.asp?symbol=S/RES/1540%20(2004)&referer=/english/&Lang=S)

[36]   S/RES/2178 (2004) http://www.un.org/en/sc/ctc/docs/2015/N1454802_ES.pdf

[37]   Directiva (UE) 2017/541 del Parlamento Europeo y el Consejo de 15 de marzo de 20174, relativa a la lucha contra el terrorismo y por la que se sustituye la Decisión marco 2002/475/JAI del Consejo y se modifica la Decisión 2005/671/JAI del Consejo, publicada en el Diario Oficial de la Unión Europea el 31 de marzo de 2017 (http://eur-lex.europa.eu/legal-content/ES/TXT/PDF/?uri=CELEX:32017L0541&from=ES).

[38]   Como ha señalado Luis Miguel Hinojosa Martínez, "the dangers hidden behind the SC's normative activity are many and serious. It cannot be ruled out that, at a given

1540, aquí no contamos con un tratado específico previo[39] o, como escribe Francisco Jiménez García, la Resolución 2178 no cuenta "con un soporte consensuado (un *consensus* mínimo previo) de carácter convencional, institucional o consuetudinario. Haciendo analogía con los procesos de formación de cierta costumbre, se trataría de la aparición de una resolución normativa instantánea, en la que la ausencia de una práctica generalizada previa resultaría compensada por la intensidad en la aceptación de la misma"[40].

Y, está claro que intensidad en la aceptación de la misma, había: 104 EEMM de Naciones Unidas patrocinaron el proyecto de Resolución, el Consejo de Seguridad se reunió a nivel de Jefes de Estado y de Gobierno, la Resolución fue adoptada por unanimidad, y tras su adopción, además de los representantes de los 15 EEMM del Consejo, quisieron tomar la palabra representantes, al más alto nivel en la mayoría de los casos, de 30 EEMM y de la UE[41].

Ha de reconocerse que, si bien instalada de pleno en el Pilar II de la Estrategia Global de Naciones Unidas contra el Terrorismo, la Resolución

---

moment, a SC under pressures from the circumstances would opt to impose general obligations, with the aim to break the tough opposition of a significant group of States to accept certain compromises. However, the international society made up of independent sovereign States. If the foundations are attacked, the whole edifice can collapse" (HINOJOSA MARTINEZ, Luis Miguel: "The legislative role of the Security Council in its fight against terrorism: legal, political and practical limits", *International & Comparative Law Quarterly*, vol. 57, April 2008, pp. 333 a 359, p. 359),

[39]　"ante la previsible lentitud de los tiempos legislativos necesarios para adoptar un convenio que criminalice adecuadamente el reclutamiento de combatientes terroristas extranjeros, los Estados interesados prefieren atajar por el camino más rápido y efectivo (…) Eso sí, con un agravante respecto del primer precedente: aquí ni siquiera existe un convenio previo específico, con una definición vinculante de terrorismo, que pueda legitimar la subsiguiente acción legislativa de los Estados bajo la supervisión de la Dirección Ejecutiva del Comité contra el Terrorismo" (GARRIDO MUÑOZ, Asier: *Op. cit.*, p. 307).

[40]　JIMÉNEZ GARCÍA, Francisco: "Combatientes terroristas extranjeros y conflictos armados: utilitarismo inmediato ante fenómenos no resueltos y normas no consensuadas", *Revista Española de Derecho Internacional*, Sección ESTUDIOS, Vol. 68/2, julio-diciembre 2016, Madrid, pp. 277-301, p. 279. En el mismo sentido crítico, puede verse: LÓPEZ-JACOISTE, Eugenia: "La Unión Europea ante los combatientes terroristas extranjeros", *Revista de Estudios Europeos*, nº 67, enero-junio 2016, pp. 47 a 71, p. 50 (y bibliografía citada en la nota 12).

[41]　Todo ello puede verse en las Actas de la 7272ª Sesión del Consejo de Seguridad, celebrada el 24 de septiembre de 2014 [S/PV.7272 (http://www.un.org/es/comun/docs/?symbol=S/PV.7272)].

2178 no deja de referirse a otros Pilares (cosa que, por cierto, la Directiva 2017/541 no hace[42]).

He podido contar hasta 6 referencias, eso sí todas preambulares, que giran en torno a los otros Pilares de la Estrategia (párrafos séptimo[43], decimotercero[44], decimocuarto, decimoquinto[45], decimonoveno[46] y vigésimo[47]). Especialmente, en el párrafo 14 del Preámbulo, la Resolución reco-

---

[42] Más allá de reconocer (en el parágrafo 31 del preámbulo) que la prevención de la radicalización y la captación para el terrorismo requiere un planteamiento global y preventivo a largo plazo. "Dicho planteamiento (se dice allí) debe combinar medidas en materia de justicia penal con políticas en materia de educación, inclusión social e integración, así como la disponibilidad de programas efectivos de desradicalización o desmovilización, de salida o de rehabilitación, incluido en el contexto penitenciario y de libertad condicional".

[43] "*Reafirmando* que los Estados Miembros deben cerciorarse de que las medidas que adopten para combatir el terrorismo se ajusten a todas las obligaciones que les incumben en virtud del derecho internacional, en particular el derecho internacional de los derechos humanos, el derecho internacional de los refugiados y el derecho internacional humanitario, *recalcando* que el respeto de los derechos humanos, las libertades fundamentales y el estado de derecho son complementarios y se refuerzan mutuamente, y que junto con las medidas eficaces contra el terrorismo son esenciales para el éxito de la lucha contra el terrorismo y señala la importancia de respetar el estado de derecho a fin de prevenir y combatir eficazmente el terrorismo, y *haciendo notar* que el incumplimiento de esas y otras obligaciones internacionales, incluidas las que les impone la Carta de las Naciones Unidas, es uno de los factores que contribuyen al aumento de la radicalización y hace que cobre fuerza la sensación de impunidad".

[44] "*Reconociendo* que para hacer frente a la amenaza que plantean los combatientes terroristas extranjeros es necesario abordar de manera integral los factores subyacentes, lo que incluye prevenir la radicalización que conduce al terrorismo, frenar el reclutamiento, dificultar los viajes de combatientes terroristas extranjeros, obstaculizar el apoyo financiero a los combatientes terroristas extranjeros, contrarrestar el extremismo violento, que puede conducir al terrorismo, combatir la incitación a cometer actos de terrorismo motivados por el extremismo o la intolerancia, promover la tolerancia política y religiosa, el desarrollo económico y la cohesión social y la inclusividad, poner fin y dar solución a los conflictos armados, y facilitar la reintegración y rehabilitación".

[45] "*Subrayando* la necesidad de que los Estados Miembros cooperen con miras a impedir que los terroristas se aprovechen de tecnologías, comunicaciones y recursos para incitar al apoyo de actos terroristas, respetando al mismo tiempo los derechos humanos y las libertades fundamentales y cumpliendo otras obligaciones dimanantes del derecho internacional".

[46] "*instando* a los Estados a que adopten medidas, según corresponda, de conformidad con las obligaciones que les incumben con arreglo a su legislación nacional y al derecho internacional, incluido el derecho internacional de los derechos humanos"

[47] "*Exhortando* a los Estados a que, de conformidad con el derecho internacional, en particular el derecho internacional de los derechos humanos y el derecho internacional de los refugiados, velen por que la condición de refugiado no sea utilizada indebida-

noce que "el terrorismo no será derrotado únicamente mediante la fuerza militar, las medidas de aplicación de la ley y las operaciones de inteligencia" y subraya "la necesidad de abordar las condiciones que propician la propagación del terrorismo, como se indica en el Pilar I de la Estrategia Global de las Naciones Unidas contra el Terrorismo".

Algunas de estas referencias preambulares tienen su reflejo en el dispositivo de la Resolución (parágrafos decimosexto[48], decimoctavo[49] y decimonoveno[50]) pero, desgraciadamente, no se ven acompañadas de mandato alguno, a órgano alguno, de los múltiples y variados que participan en la Estrategia Global, más aun, cuando desde su Qunto Examen, como antes se ha dicho, dicha Estrategia viene presidida por el Enfoque "Toda la ONU".

La Resolución 2178 prefiere la mano dura del Derecho Administrativo y, sobre todo, del Derecho Penal, asumiendo que el término prevención es usado, pues, en las acepciones propias del Derecho Penal y las ciencias criminales.

Todo ello sin contar con los momentos en los que el Consejo de Seguridad ha flirteado con el uso de la fuerza, hasta caer en la trampa (¿?) de

---

mente por quienes cometen, organizan o facilitan actos de terrorismo, en particular por los combatientes terroristas extranjeros"

[48] El Consejo de Seguridad, "Alienta a los Estados Miembros a lograr la cooperación de las comunidades locales y los agentes no gubernamentales pertinentes en la formulación de estrategias para contrarrestar la retórica del extremismo violento que pueda incitar a la comisión de actos terroristas, abordar las condiciones que propicien la propagación del extremismo violento, que puede conducir al terrorismo, incluso empoderando a los jóvenes, las familias, las mujeres, los líderes religiosos, culturales y de la educación y todo otro grupo interesado de la sociedad civil, y adoptar enfoques específicos para combatir el reclutamiento de personas para este tipo de extremismo violento y promover la inclusión y la cohesión sociales".

[49] El Consejo de Seguridad, "*Exhorta* a los Estados Miembros a cooperar y prestar apoyo sistemático a sus esfuerzos recíprocos por luchar contra el extremismo violento, que puede conducir al terrorismo, en particular mediante el desarrollo de la capacidad, la coordinación de los planes y medidas, y el intercambio de las enseñanzas adquiridas".

[50] El Consejo de Seguridad "*Pone de relieve* a este respecto la importancia de que los Estados Miembros ideen medios alternativos no violentos para la prevención y solución de conflictos por las personas y las comunidades locales afectadas a fin de reducir el riesgo de radicalización con recurso al terrorismo, y de que promuevan alternativas pacíficas a la retórica violenta a la que se adhieren los combatientes terroristas extranjeros, y *recalca* la función que puede desempeñar la educación para contrarrestar las retóricas terroristas"

la Resolución 2249 de 2015[51], en la que cede, como afirma Ana Salinas de Frías, "a la presión, de la coalición internacional para, en una resolución diplomática y calculadamente ambigua, sin mencionar expresamente la autorización del uso de la fuerza con base en el capítulo VII de la Carta, permitir la intervención armada"[52] sobre el territorio que se encuentra bajo el control Daesh, en Siria y el Iraq[53].

Un "desafortunado y pernicioso *déjà vu* que no solo no hace precisamente avanzar al Derecho Internacional, sino que ofrece argumentos a la propaganda terrorista y ayuda a su causa del reclutamiento de afines[54]" y, de paso, nos devuelve a los *fantasmas de las Azores*.

Volviendo por un momento a la sesión del Consejo de Seguridad en la que se adopta la Resolución 2178 (2014), la mayoría de las 45 intervenciones, con mayor o menor énfasis, ponían el acento en que esta Resolución debía ser una pieza más de un engranaje global de lucha contra el terrorismo, donde estuvieran presentes los otros Pilares de la Estrategia Global.

Sin embargo, el Sr. Van Rompuy, presidente estable en ese momento del Consejo Europeo, hizo un discurso breve pero demoledor, en el que, alejado de cualquier otro Pilar de la Estrategia Global, termina afirmando: "debemos redoblar nuestros esfuerzos para impedir la radicalización y el extremismo en nuestras ciudades. Debemos cooperar mejor para compartir información de inteligencia, policial y judicial a fin de rastrear a los terroristas. En este

---

[51]   S/RES/2249 (2015) de 20 de noviembre de 2015 (http://www.un.org/en/sc/ctc/docs/2015/N1538417_ES.pdf)

[52]   SALINAS DE FRÍAS, Ana: "Lucha contra el terrorismo internacional: no solo del uso de la fuerza pueden vivir los Estados", *Revista Española de Derecho Internacional*, Sección ESTUDIOS, Vol. 68/2, julio-diciembre 2016, Madrid, pp. 229-252, p. 243.

[53]   En el parágrafo 5º del dispositivo de la Resolución 2249 (2015) el Consejo de Seguridad "*Exhorta* a los Estados Miembros que tengan capacidad para hacerlo a que adopten todas las medidas necesarias, de conformidad con el derecho internacional, en particular la Carta de las Naciones Unidas y el derecho internacional de los derechos humanos, el derecho internacional de los refugiados y el derecho internacional humanitario, sobre el territorio que se encuentra bajo el control del EIIL, también conocido como Daesh, en Siria y el Iraq, redoblen y coordinen sus esfuerzos para prevenir y reprimir los actos terroristas cometidos específicamente por el EIIL, también conocido como Daesh, así como el Frente Al-Nusra, y todas las demás personas, grupos, empresas y entidades asociados con Al-Qaida y otros grupos terroristas designados por el Consejo de Seguridad de las Naciones Unidas, y los que acuerde el Grupo Internacional de Apoyo a Siria y corrobore el Consejo de Seguridad, de conformidad con la declaración del Grupo Internacional de Apoyo a Siria de 14 de noviembre, y erradiquen el cobijo que han establecido en partes importantes del Iraq y Siria"

[54]   SALINAS DE FRÍAS, Ana: *Op. cit.*, p. 244.

sentido, la Unión Europea agiliza la labor sobre su registro de nombres de pasajeros. Se trata de detectar e impedir un viaje sospechoso. Los combatientes terroristas extranjeros serán investigados, enjuiciados y condenados. La Unión Europea acoge con satisfacción la resolución 2178 (2014) de hoy, en la que se pide a los Estados Miembros de las Naciones Unidas que tipifiquen como delito penal viajar al exterior con fines terroristas"[55].

Sus palabras son todo un síntoma del *estado de la cuestión* en el seno de la Unión Europea, sobre cómo ha de abordarse el fenómeno terrorista. Nada que ver con las intervenciones, por ejemplo, del entonces Secretario General de la ONU, Ban Ki-Moon[56] o del representante de la Santa Sede[57], entre otros.

Ello nos lleva directamente a analizar cuál está siendo la respuesta de la Unión Europea al fenómeno terrorista.

3. LA RESPUESTA DE LA UNIÓN EUROPEA AL FENÓMENO TERRORISTA

Desde aquella primera referencia en la cooperación en los ámbitos de justicia e interior del Tratado de Maastricht hasta hoy, mucho han cambia-

---

[55] S/PV.7272, p. 31.

[56] "Eliminar el terrorismo exige solidaridad internacional y un enfoque polifacético, entre los muchos instrumentos que debemos utilizar. También debemos abordar las condiciones subyacentes que proporcionan a los grupos extremistas violentos la oportunidad de afianzarse. Asimismo, hay que abordar cuestiones de seguridad inmediatas (…) A través de nuestros esfuerzos colectivos, debemos asegurarnos de que todas las acciones y políticas en la lucha contra el terrorismo sean compatibles con las normas internacionales de los derechos humanos y del derecho humanitario. Como custodio de la Carta de las Naciones Unidas, quiero hacer hincapié en que todas las medidas deben estar en plena consonancia con las metas, los valores y los principios de las Naciones Unidas" (*Ibíd.*, p. 3).

[57] "La cooperación internacional también debe abordar las causas profundas del terrorismo internacional. De hecho, el actual desafío terrorista tiene un gran componente sociocultural. A menudo los jóvenes que viajan al extranjero para incorporarse a las filas de organizaciones terroristas proceden de familias inmigrantes pobres, desilusionados por lo que consideran que es una situación de exclusión y por la falta de integración y de valores en determinadas sociedades. Además de utilizar herramientas y recursos jurídicos para evitar que los ciudadanos se conviertan en combatientes terroristas extranjeros, los Gobiernos deben colaborar con la sociedad civil para abordar los problemas de las comunidades más expuestas a la radicalización y al reclutamiento y lograr su integración social satisfactoria" (*Ibíd.*, p. 36).

do las cosas en la manera que ha tenido la Unión de afrontar el fenómeno terrorista[58]. No tenemos tiempo en este trabajo de detenernos en ello, aunque sí de resaltar las valiosas aportaciones que Myriam Rodríguez-Izquierdo Serrano ha realizado en la materia[59], así como en general el espléndido trabajo desarrollado por mis colegas del Departamento de Derecho Constitucional de la Universidad de Sevilla, en el marco del Proyecto sobre "Terrorismo, Democracia y Seguridad"[60].

Lo que sí me interesa apuntar aquí es la impresión de que la Unión Europea ha entrado en los últimos años en un bucle de pánico obsesivo con la seguridad. Si recordamos los cuatro Pilares de la Estrategia Global contra al Terrorismo, para la Unión Europea solo parece existir el segundo de los Pilares: Prevenir y combatir el terrorismo, asumiendo, desde luego, que debe hacerse desde el Derecho Penal.

No quisiera que se entendieran mal mis reflexiones, ni mucho menos: el castigo terrorista que estamos sufriendo en Europa en los últimos años resulta insoportable y hemos de poner todos los recursos que nos ofrece nuestro patrimonio común de valores al servicio del objetivo de terminar con esta lacra.

Lo que reclamo es que no olvidemos que la Estrategia puesta en marcha por la comunidad internacional (encarnada en la Organización de Naciones Unidas) tiene cuatro pilares y que, uno de ellos, el IV, se refiere a la

---

[58]   "Las acciones europeas contra el terrorismo internacional se iniciaron en los años setenta, pero sólo a partir de los años noventa, tras la aprobación del Tratado de la Unión Europea (TUE), se empezaron a crear los instrumentos necesarios para avanzar en una estrategia antiterrorista común en el marco del tercer pilar del TUE, que dio lugar a la creación de la Oficina Europea de Policía (Europol) en 1995 y de los magistrados de enlace en 1996" (AIXALÁ, Albert: "La estrategia de la UE ante el terrorismo internacional y la defensa de los derechos y libertades", en BARBÉ, Esther y HERRANZ, Anna (Eds.): *Política exterior y Parlamento Europeo: hacia el equilibrio entre eficacia y democracia*, Oficina del PE en Barcelona, Barcelona 2007, pp. 51 a 65, p. 51).

[59]   En especial, puede verse su artículo "El terrorismo en la evolución del Espacio de Libertad, Seguridad y Justicia, en *Revista de Derecho Comunitario Europeo*, núm. 36, Madrid, mayo/agosto (2010), pp. 531 1 559, y su contribución "Las Líneas de Acción Contra el Terrorismo de la Unión Europea y Sus Condiciones de Constitucionalidad" en PÉREZ ROYO, Javier y CARRASCO DURÁN, Manuel: *Op. cit.*, pp. 211 a 242. Una doble dimensión (doctrinal y práctica) puede verse en GUTIÉRREZ CASTILLO, Víctor Luis y LÓPEZ JARA, Manuel: *Desarrollo y consolidación del Espacio de Libertad, Seguridad y Justicia de la Unión Europea*, Tecnos, Madrid 2016.

[60]   Proyecto de Investigación "Terrorismo, Democracia y Seguridad" (SEJ-2006-04628/ JURI), financiado por el Ministerio de Ciencia e Innovación y cofinanciado con FEDER.

necesidad de asegurar el respeto de los derechos humanos para todos y el imperio de la ley como base fundamental de la lucha contra el terrorismo; y que, otro, el I, se refiere a las Medidas para hacer frente a las condiciones que propician la propagación del terrorismo.

En este último sentido, como ha constatado Inmaculada Marrero Rocha en el ámbito de los combatientes terroristas extranjeros, "a pesar de que la UE y sus Estados miembros han prestado gran atención a las políticas de carácter represivo, las políticas destinadas a hacer frente a las causas que llevan a un combatiente europeo a convertirse en terrorista han sido mucho más tardías, no tan ampliamente desarrolladas y tampoco han contado con tantos recursos e instrumentos como las de carácter represivo"[61].

El 13 de septiembre de 2017, en su Discurso sobre el Estado de la Unión, el presidente Juncker realizaba la siguiente afirmación, llena, a mi juicio, de claroscuros: "quiero que nuestra Unión se centre más en las cosas que nos importan, basándose en el trabajo que esta Comisión ya ha emprendido. No debemos inmiscuirnos en la vida cotidiana de los ciudadanos europeos regulando cada aspecto. Debemos ser grandes en las cosas grandes. No debemos arrollarlos con un torrente de nuevas iniciativas ni ampliar innecesariamente nuestras competencias. Debemos restituir competencias a los Estados miembros cuando sea lógico y sensato"[62].

Desde esta perspectiva y teniendo en cuenta las limitaciones competenciales con las que cuenta la Unión Europea, a nadie debe extrañar que nuestra Organización sea absolutamente incapaz de crear y/o mantener y/o desarrollar (realmente) una Estrategia Global de lucha contra el Terrorismo. Tenerla la tiene, sí, adoptada en 2005 por el Consejo de la UE y basada también en cuatro pilares: prevenir, proteger, perseguir y responder[63].

---

[61] MARRERO ROCHA, Inmaculada: "Los combatientes "terroristas" extranjeros de la Unión Europea a la luz de la Resolución 2178 (2014) del Consejo de Seguridad de las Naciones Unidas", *Revista de Derecho Comunitario Europeo*, 54, pp. 555 a 594, p. 593.

[62] El discurso puede consultarse en http://europa.eu/rapid/press-release_SPEECH-17-3165_es.htm (pp. 8 y 9 de la versión pdf que puede descargarse en dicha dirección).

[63] Información sobre la Estrategia de la Unión Europea de Lucha contra el Terrorismo, adoptada por el Consejo en 2005 y revisada posteriormente en 2014, puede encontrarse en la siguiente dirección: http://www.consilium.europa.eu/es/policies/fight-against-terrorism/eu-strategy/. El documento de base puede consultarse en la siguiente dirección: http://register.consilium.europa.eu/doc/srv?f=ST+14469+2005+REV+4&l=es. Un análisis puede verse en TINOCO PASTRANA, Ángel: "La lucha contra el terroris-

El problema es que la Unión Europea no tiene las mismas competencias para responder a cada uno de esos tres pilares, "moviéndose (como ha escrito recientemente Lucas Ruiz Díaz) entre el *soft law*, la capacitación y las medidas represivas"[64].

Ante esta encrucijada, y de la mano de la Comisión Juncker, la Unión Europea parece haberse entregado completamente a los brazos de la prevención y represión penales, olvidando por completo los otros componentes de la Estrategia[65].

Dos muestras creo que resultan definitivas en ese sentido: una es, precisamente, la Directiva 2017/541 del Parlamento Europeo y del Consejo, de 15 de marzo de 2017. La otra la iniciativa llamada "Una Unión de Seguridad genuina y efectiva" puesta en marcha por la Comisión en abril de 2016.

3.1. La Directiva 2017/541 relativa a la lucha contra el terrorismo

En lo que respecta a la Directiva 2017/541, 1 año, 2 meses y 8 días tardó la Comisión en presentar su propuesta, desde la aprobación de la Resolución 2178 (2014) del Consejo de Seguridad de Naciones Unidas[66].

---

mo en la Unión Europea desde una perspectiva procesal", *Araucaria. Revista Iberoamericana de Filosofía, Política y Humanidades*, año 18, nº 36. Segundo Semestre de 2016, pp. 439-463, pp. 446 y ss. E, igualmente, en MORÁN BLANCO, Sagrario: "La Unión Europea y la creación de un espacio de seguridad y justicia. Visión histórica de la lucha contra el terrorismo internacional en Europa", *Anuario Español de Derecho Internacional*, vol. 26/2010, pp. 251 a 284, pp. 277 y ss.

[64] RUIZ DÍAZ, Lucas J.: "La prevención de la radicalización en la estrategia contra el terrorismo de la Unión Europea. Entre *soft law* e impulso de medidas de apoyo", *Revista Española de Derecho Internacional*, Sección ESTUDIOS, Vol. 69/2, Madrid, pp. 257-280, p. 277.

[65] Desde un punto de vista político-ideológico, señala Leticia Delgado Godoy que "la seguridad es un valor occidental que os hace retroceder a posiciones materialistas y en la confusión que ello genera, acaba transformándose en una prioridad, no sólo de los partidos conservadores, sino también de los socialdemócratas" (DELGADO GODOY, Leticia: "España y la política de justicia e interior", en MORATA TIERRA, Francesc y MATEO GONZÁLEZ, Gema (eds.): *España en Europa. Europa en España (1986-2006)*, Fundación CIDOB, Barcelona 2007, pp. 291 a 318, p. 312).

[66] Propuesta de Directiva del Parlamento Europeo y del Consejo relativa a la lucha contra el terrorismo, y por la que se sustituye la Decisión marco 2002/475/JAI del Consejo sobre la lucha contra el terrorismo (https://ec.europa.eu/transparency/regdoc/rep/1/2015/ES/1-2015-625-ES-F1-1.PDF).

En dicha propuesta[67], la Comisión afirmaba que "se precisan disposiciones nacionales de Derecho penal más coherentes, exhaustivas y armonizadas en toda la UE que permitan prevenir y enjuiciar eficazmente los delitos relacionados con los combatientes terroristas extranjeros y responder de forma adecuada a los mayores desafíos prácticos y jurídicos que se presentan a escala transfronteriza. La Decisión marco 2002/475/JAI ya tipifica como delitos determinados actos terroristas, entre ellos la comisión de atentados terroristas, la participación en las actividades de un grupo terrorista, incluido el apoyo financiero a dichas actividades, la provocación, la captación y el adiestramiento de terroristas, y dispone normas sobre complicidad, inducción y tentativa en relación con los delitos de terrorismo. Sin embargo, es necesario revisar la Decisión marco 2002/475/JAI para aplicar las nuevas normas y obligaciones internacionales contraídas por la UE y hacer frente con mayor eficacia a la evolución de la amenaza terrorista con el fin de mejorar la seguridad de la UE y de sus ciudadanos"[68].

¿A qué obligaciones internacionales contraídas por la Unión Europea se refiere?

De la lectura del apartado "contexto de la propuesta" de la iniciativa que la Comisión presenta al Parlamento Europeo y al Consejo se deduce que "la necesidad de aplicar las normas y obligaciones internacionales pertinentes y de abordar la evolución de la amenaza terrorista" proviene de tres frentes: de la Resolución 2178 (2014) del Consejo de Seguridad de Naciones Unidas; del Protocolo de Riga de 2015 al Convenio del Consejo de Europa para la prevención del terrorismo de 2005, por el que se aplican determinadas disposiciones de Derecho penal establecidas en la Resolución 2178 (2014) del Consejo de Seguridad; y de las Recomendaciones del Grupo de Acción Financiera Internacional (GAFI) publicadas en 2012 en relación con la financiación del terrorismo[69].

Como se sabe, la Resolución 2178 (2014) concentra su foco de atención en la figura de los combatientes terroristas extranjeros, a los que define como "las personas que viajan a un Estado distinto de su Estado de residen-

---

[67] Muy criticada por el prestigioso Comité Meijers (http://www.commissie-meijers.nl/en) en una nota publicada el 16 de marzo de 2016, en la que se afirmaba que "the proposal is insufficiently substantiated, that it extends the scope of criminal law too far and compromisos fundamental rights". La nota puede verse en http://www.commissie-meijers.nl/sites/all/files/cm1603_note_on_a_proposal_for_a_directive_on_combating_terrorism_.pdf

[68] *Ibíd.*, p. 4.

[69] *Ibíd.* pp. 5 y ss.

cia o nacionalidad con el propósito de cometer, planificar o preparar actos terroristas o participar en ellos, o de proporciona o recibir adiestramiento con fines de terrorismo, incluso en relación con los conflictos armados"[70]. Entre la amplia gama de medidas que la Resolución contempla para combatir este fenómeno, el Consejo de Seguridad impone a todos los Estados que "se cercioren de que sus leyes y oros instrumentos legislativos internos tipifiquen delitos graves que sean suficientes para que se pueda enjuiciar y sancionar de modo que quede debidamente reflejada la gravedad del delito"[71]: a) el viaje o la tentativa de viaje a un tercer país con el propósito de colaborar en la comisión de actos terroristas o proporcionar o recibir adiestramiento; b) la financiación de tales viajes y; c) la organización o facilitación de los mismos.

Por su parte, en el seno del Consejo de Europa se había adoptado en 2005 un tratado para la prevención del terrorismo[72], en vigor de forma general desde el 1 de junio de 2007[73], en el que se establecía la obligación para las partes de tipificar como delito, cuando se cometan ilegal e intencionalmente: la provocación para cometer delitos terroristas (art. 5)[74], el

---

[70]   S/RES/2178 (2014), párrafo 8 del Preámbulo. El Memorando de La Haya-Marrakech sobre buenas prácticas para responder más eficazmente al fenómeno CTE, adoptado en el ámbito del Foro Global contra el Terrorismo, se refiere a ellos como "individuos que viajan al extranjero a un Estado distinto del suyo de residencia o nacionalidad para emprender, planificar, preparar, desarrollar o apoyar de cualquier otro modo actividades terroristas o para adiestrar o recibir adiestramiento para su realización (adiestramiento terrorista) (el texto puede verse en https://www.thegctf.org/Portals/1/Documents/Framework%20Documents/B/Government-of-Spain/GCTF-The-Hague-Marrakech-Memorandum-ESP.pdf). Sobre El Foro: RAMÍREZ MORÁN, David: "Foro Global contra el Terrorismo", Documento informativo 16/2014, del Instituto Español de Estudios Estratégicos, Ministerio de Defensa, Gobierno de España (http://www.ieee.es/Galerias/fichero/docs_informativos/2014/DIEEEI16-2014_Foro_Global_Contra_el_Terrorismo_DRM.pdf).

[71]   *Ibíd.*, parágrafo 6.

[72]   Convenio del Consejo de Europa para la prevención del terrorismo (Convenio n° 196 del Consejo de Europa), hecho en Varsovia el 16 de mayo de 2005.

[73]   Son parte de este Convenio (al momento de cerrar este trabajo) todos los EEMM del Consejo de Europa salvo Bélgica, Georgia, Grecia, Irlanda, Islandia, Reino Unido, San Marino y Suiza. El estado de firmas y ratificaciones puede verse en https://www.coe.int/fr/web/conventions/full-list/-/conventions/treaty/196/signatures?p_auth=A62CFyzA). Para España entró en vigor el 1 de junio de 2009, de conformidad con lo establecido en el artículo 23 del Convenio. El Instrumento de Ratificación está publicado en el *BOE* de 6 de octubre de 2009 (https://www.boe.es/boe/dias/2009/10/16/pdfs/BOE-A-2009-16476.pdf).

[74]   "Se entenderá por "provocación pública para cometer delitos terroristas" la difusión o cualquier otra forma de puesta a disposición del público de mensajes con la inten-

reclutamiento con fines terroristas (art. 6)[75] y el adiestramiento con fines terroristas (art. 7)[76], sin que, en ninguno de los tres casos, fuera necesario que el delito terrorista se hubiere cometido efectivamente (art. 8). Del mismo modo, las partes deberían tipificar como delitos: la participación como cómplice, la organización de la comisión y la contribución a la comisión de los delitos previstos en los artículos 5 a 7 del Convenio (art. 9).

Para actualizar el Convenio, ajustándolo sobre todo a las exigencias de la Resolución 2178 (2014) del Consejo de Seguridad, a principios de 2015 se iniciaron negociaciones en el seno del Consejo de Europa, que culminaron el 22 de octubre del mismo año con la firma, en Riga, de un Protocolo Adicional a la Convención del Consejo de Europa para la prevención del terrorismo[77], que ha entrado en vigor de forma general el 1 de julio de 2017.

En virtud de lo dispuesto en el Protocolo Adicional, las partes tienen la obligación de tipificar como delito: participar en una asociación o grupo con fines terroristas (art. 2)[78], recibir adiestramiento para el terrorismo[79]

---

ción de incitar a cometer delitos terroristas, cuando ese comportamiento, ya preconice directamente o no la comisión de delitos terroristas, cree peligro de que se puedan cometer uno o varios delitos".

[75] "Se entenderá por "reclutamiento con fines terroristas" el hecho de incitar a otra persona a cometer o participar en la comisión de delitos terroristas, o a unirse a una asociación o a un grupo para contribuir a que éstos cometan uno o varios delitos terroristas"

[76] "Se entenderá por "adiestramiento con fines terroristas" el hecho de dar instrucciones para la fabricación o el uso de explosivos, armas de fuego u otras armas o sustancias nocivas o peligrosas, o para otros métodos y técnicas específicos con vistas a cometer delitos terroristas o a contribuir a su comisión, sabiendo que la formación facilitada tiene por objeto servir para la realización de tales objetivos".

[77] Al momento de cerrar este trabajo, el Protocolo Adicional está en vigor para Albania, Bosnia-Herzegovina, Dinamarca, Francia, Italia, Letonia, Mónaco, Montenegro, República de Moldavia, República Checa y Turquía. El estado de firmas y ratificaciones puede verse en https://www.coe.int/fr/web/conventions/full-list/-/conventions/treaty/217/signatures?p_auth=A62CFyzA. Los textos en inglés y francés (únicos auténticos) pueden verse en https://rm.coe.int/168047c5ee

[78] Se entiende por participar en una asociación o grupo con fines terroristas participar en las actividades de una asociación o grupo con el fin de cometer o contribuir a la comisión de uno o varios delitos terroristas por parte de la asociación o grupo.

[79] Se entiende por adiestramiento para el terrorismo recibir instrucciones, incluso la obtención de conocimientos o habilidades prácticas de otra persona, para la fabricación o uso de explosivos, armas de fuego u otras armas o sustancias nocivas o peligrosas, o para otros métodos o técnicas específicos, con el fin de cometer un delito terrorista o contribuir a su comisión.

(art. 3), viajar al extranjero con fines de terrorismo[80] (art. 4), financiar viajes al extranjero con fines terroristas[81] (art. 5) y organizar o facilitar viajes al extranjero con fines terroristas[82] (art. 6).

Resulta interesante destacar aquí que, si bien la Unión Europea ha firmado tanto el Convenio de 2005 como su Protocolo Adicional de 2015, aun no es parte de los mismos y, por lo tanto, no le son obligatorios. La Comisión Europea ha realizado sendas propuestas de Decisión del Consejo el 18 de octubre de 2017: una relativa a la celebración, en nombre de la Unión Europea, del Convenio del Consejo de Europa para la prevención de terrorismo (CETS n° 196)[83], y otra relativa a la celebración, en nombre de la Unión Europea, del Protocolo adicional del Convenio del Consejo de Europa para la prevención del terrorismo (CETS n° 217)[84].

Finalmente, respecto del tercero de los frentes de donde provendrían, según la Comisión, obligaciones internacionales para la Unión Europea, se refiere la propuesta de Directiva a las "Recomendaciones del Grupo de Acción Financiera Internacional (GAFI)"[85] publicadas en 2012 en relación con la financiación del terrorismo y, más concretamente, la recomendación relativa a la tipificación de la financiación del terrorismo (Recomendación 5) (que) disponen que los países deben tipificar como delito la financiación del terrorismo sobre la base del Convenio Internacional para

---

[80]   Se entiende viajar al extranjero con fines de terrorismo viajar a un Estado que no sea el de su nacionalidad o residencia con el fin de cometer, contribuir o participar en un delito terrorista, o proporciona o recibir entrenamiento para el terrorismo. Las partes tendrán igualmente la obligación de tipificar la tentativa.

[81]   Se entiende por financiar viajes al extranjero con fines de terrorismo proporcionar o recaudar, por cualquier medio, directa o indirectamente, fondos que permitan total o parcialmente que una persona viaje al extranjero con fines terroristas, sabiendo que los fondos están total o parcialmente destinados a ser utilizados para tal fin.

[82]   Se entiende por organizar o facilitar viajes al extranjero con fines terroristas cualquier acto destinado a organizar o facilitar el viaje al extranjero con fines terroristas de cualquier persona sabiendo que la ayuda así prestada es para el terrorismo.

[83]   COM(2017) 606 final.

[84]   COM(2017) 607 final.

[85]   "El grupo de Acción Financiera Internacional (GAFI) o *Financial Action Task Force* (FATF), es un organismo intergubernamental establecido en la cumbre del G-7 que tuvo lugar en París en el año 1989, con el propósito inicial de desarrollar medidas para combatir el lavado de dinero. En octubre de 2001, el GAFI hizo extensivo su mandato al combate contra la financiación del terrorismo (además del lavado de dinero), y en 2008 el mandato del GAFI se volvió a ampliar para incluir la financiación de la proliferación de armas de destrucción masiva" (AGUDO FERNÁNDEZ, Enrique; JAÉN VALLEJO, Manuel y PERRINO PÉREZ, Ángel Luis: *Terrorismo en el siglo XXI (la respuesta penal en el escenario mundial)*, Editorial Dykinson, Madrid 2016, p. 134).

la Represión de la Financiación del Terrorismo y que deben tipificar como delito no solo la financiación de actos terroristas, sino también la financiación de organizaciones terroristas y de terroristas individuales, incluso en ausencia de relación con un acto o actos específicos de terrorismo"[86]. Una simple consulta a la página *Web* del Grupo de Acción Financiera, basta para tomar conciencia de la naturaleza de las Recomendaciones de este organismo, creado en 1989 por el G7[87].

Justificada de este modo por la Comisión la necesidad de satisfacer sus obligaciones jurídicas internacionales, actuando sobre la base jurídica del artículo 83.1 del TFUE[88], teniendo en cuenta la geometría variable[89], actuando bajo los principios de subsidiariedad[90] y propor-

---

[86] COM(2015) 625 final, p. 6.

[87] http://www.fatf-gafi.org/fr/accueil/

[88] "El Parlamento Europeo y el Consejo podrán establecer, mediante directivas adoptadas con arreglo al procedimiento legislativo ordinario, normas mínimas relativas a la definición de las infracciones penales y de las sanciones en ámbitos delictivos que sean de especial gravedad y tengan una dimensión transfronteriza derivada del carácter o de las repercusiones de dichas infracciones o de una necesidad particular de combatirlas según criterios comunes. Estos ámbitos delictivos son los siguientes: el terrorismo, la trata de seres humanos y la explotación sexual de mujeres y niños, el tráfico ilícito de drogas, el tráfico ilícito de armas, el blanqueo de capitales, la corrupción, la falsificación de medios de pago, la delincuencia informática y la delincuencia organizada". Dicha disposición, a juicio de la Comisión, constituye "la base jurídica adecuada para la presente propuesta. El citado artículo permite al Parlamento Europeo y al Consejo establecer, mediante directivas adoptadas con arreglo al procedimiento legislativo ordinario, las normas mínimas relativas a la definición de las infracciones penales y de las sanciones que consideren necesarias" [COM(2015) 625 final, p. 10].

[89] Es necesario recordar aquí que, por el juego del Protocolo n° 36, del Protocolo n° 21 y del Protocolo n° 22, anejos al TUE y al TFUE, Reino Unido, Irlanda y Dinamarca no quedarán, en principio, vinculados por la Directiva. Como señaló en su día, Alejandro Del Valle Gálvez: "parece haber un acuerdo general en que entre los éxitos del Tratado de Lisboa figura la novedosa regulación del Espacio de Libertad, Seguridad y Justicia. El precio parece haber sido el mantenimiento de las conocidas y ampliadas excepciones para el Reino Unido, Irlanda y Dinamarca" (*Op. cit.*, pp. 433 y 434).

[90] "La aplicación del Protocolo adicional, así como de los aspectos pertinentes de Derecho penal dispuestos en la RCSNU 2178 (2014), a través de normas mínimas a escala de la UE, y, en particular, de definiciones comunes adicionales de infracciones penales que tengan en cuenta la evolución de las amenazas terroristas, evitaría toda laguna jurídica que pudiera derivarse de un enfoque fragmentado y aportaría un claro valor añadido en lo concerniente a la mejora de la seguridad de la UE en general y de sus ciudadanos y las personas que viven en ella en particular. Por otra parte, las definiciones a escala de la UE facilitarían un entendimiento común y un punto de referencia para el intercambio transfronterizo de información y la cooperación en el ámbito policial y judicial. En una línea similar, y tal como se pone de relieve en la Agenda Europea

cionalidad[91] y considerando una Directiva del Parlamento Europeo y del Consejo el instrumento jurídico oportuno[92], la propuesta de la Comisión inició su andadura en el ya conocido complejo procedimiento legislativo ordinario[93].

En el marco de dicho procedimiento, el Dictamen del Comité Económico y Social Europeo, solicitado por la Comisión sobre su propuesta de Directiva, fue aprobado el 17 de marzo de 2016 por 145 votos a favor, ninguno en contra y 3 abstenciones (el órgano cuenta con 350 miembros), y resulta demoledor, no solo con respecto al contenido en sí de la propuesta, sino a su encaje en una estrategia global contra el terrorismo[94].

En cuanto a lo primero, como ya ha contestado cada vez que se le ha preguntado al respecto (Programa de La Haya, Programa de Estocolmo, Comunicación "Una Europa abierta y segura"), "el Comité considera que el punto de partida para las políticas de libertad, seguridad y justicia debe ser la protección, de manera ininterrumpida y no discriminatoria, de los derechos fundamentales garantizados por el Convenio Europeo de De-

---

de Seguridad, unas normas mínimas sobre infracciones penales en consonancia con la RCSNU 2178 (2014) y con el Protocolo adicional favorecerían asimismo la cooperación con terceros países al establecer un punto de referencia común tanto dentro de la UE como con los interlocutores internacionales (…) Así pues, el objetivo de establecer un marco exhaustivo y suficientemente homogéneo puede lograrse mejor a escala de la Unión y esta puede adoptar medidas de conformidad con el principio de subsidiariedad" [COM(2015) 625 final, p. 10].

[91]   "La propuesta de nueva Directiva se limita a lo necesario y proporcionado para, por un lado, aplicar las normas y obligaciones internacionales (…) y, por otro lado, adaptar los delitos de terrorismo ya tipificados a las nuevas amenazas terroristas (exigiendo, por ejemplo, que se tipifiquen también como delito los viajes entre Estados miembros de la UE con fines terroristas) (…) La propuesta define el alcance de los delitos con el fin de abarcar todas las conductas pertinentes sin exceder de lo necesario y proporcionado" (*Ibíd.*, p. 12).

[92]   "En virtud del artículo 83, apartado 1, del TFUE, el establecimiento de unas normas mínimas relativas a la definición de las infracciones penales y de las sanciones en ámbitos delictivos que sean de especial gravedad y tengan una dimensión transfronteriza, entre ellos el terrorismo, únicamente puede lograrse a través de una directiva del Parlamento Europeo y del Consejo adoptada con arreglo al procedimiento legislativo ordinario" (*Ibíd.*, p. 12).

[93]   Artículo 289 del TFUE.

[94]   Dictamen del Comité Económico y Social Europeo. Propuesta de Directiva del Parlamento Europeo y del Consejo relativa a la lucha contra el terrorismo, y por la que se sustituye la Decisión marco 2002/475/JAI del Consejo sobre la lucha contra el terrorismo [COM(2015) 625 final. 2015/0281 (COD)]. Publicado en el DOUE de 18 de mayo de 2015 (http://eur-lex.europa.eu/legal-content/ES/TXT/PDF/?uri=CELEX:52016 AE0019&from=ES).

rechos Humanos y la Carta de los Derechos Fundamentales de la Unión Europea"[95].

En este sentido, baste con citar aquí el parágrafo 2.4 del Dictamen donde se puede leer: "conscientes de los serios retos que plantea el contexto geopolítico actual, el Comité constata que las definiciones incluidas en la propuesta de Directiva no son suficientemente claras para garantizar la aplicación de los derechos de los ciudadanos consagrados en la Carta de los Derechos Fundamentales y recogidos en los Tratados. Señala que el margen de interpretación de los términos es demasiado amplio y que, en las circunstancias actuales, no queda a discreción de los jueces, sino de las fiscalías y fuerzas de seguridad. El Comité advierte asimismo de la posible tentación de transferir medidas de excepción hacia el Derecho común a nivel nacional y europeo, como podría parecer a la vista de la propuesta de una Directiva de este tipo en un ámbito de competencias compartidas".

En cuanto a lo segundo, el Comité recuerda que los instrumentos destinados a reprimir y combatir el terrorismo deben coordinarse con "instrumentos para prevenir la radicalización, en el marco de un programa más amplio dedicado a las causas sociales, económicas, culturales y políticas de la propagación de este tipo de amenazas"; que "la sociedad civil desempeña un papel crucial en el tratamiento de las condiciones que favorecen la radicalización y la propensión de la violencia" [96]; que "la lucha contra la pobreza, la corrupción y la exclusión política y social debe tener un carácter prioritario"; y que resulta también "prioritario contraer un compromiso más claro con los esfuerzos de pacificación, estabilización, desarrollo y democratización[97]" en aquellas regiones donde se perpetúan y/o se enquistan los conflictos, especialmente en Oriente Próximo y en África septentrional.

Por su parte, el 27 de febrero de 2017 el Parlamento Europeo aprobaba en primera lectura su Posición con vistas a la adopción de la Directiva por 498 votos a favor, 114 en contra y 29 abstenciones (la participación en la votación fue del 85%, 641 de 751 eurodiputados)[98]. Toda vez que el Parlamento Europeo y el Consejo habían llegado a un acuerdo sobre la propuesta de la Comisión, el tenor de la posición del Parlamento coincide con el acto legislativo final, la Directiva 2017/541. La Resolución legislativa

---

[95] *Ibíd.*, par. 2.1.

[96] *Ibíd.*, par. 1.6.

[97] *Ibíd.*, par. 1.7.

[98] http://www.europarl.europa.eu/sides/getDoc.do?pubRef=-//EP//NONSGML+TA+P8-TA-2017-0046+0+DOC+PDF+V0//ES

aprobada por el PE contenía, no obstante, una Declaración conjunta del Parlamento Europeo, del Consejo y de la Comisión.

Dicha Declaración conjunta podría calificarse (recurriendo a la ironía) a medio camino entre los actos de contrición y los propósitos de año nuevo.

"Para favorecer una respuesta global a una amenaza terrorista en constante evolución (acto de contrición), un marco de tipificación mejorado para la lucha contra el terrorismo debe completarse con medidas efectivas de prevención de la radicalización y un intercambio eficaz de información sobre los delitos de terrorismo"[99].

"Con este ánimo (propósitos de año nuevo), las instituciones de la UE y los Estados miembros manifiestan colectivamente su compromiso de continuar, dentro de sus respectivos ámbitos de competencia, desarrollando medidas preventivas e invirtiendo en las mismas, como parte de un planteamiento intersectorial global que abarque todas las políticas correspondientes, en particular en el ámbito de la educación y la inclusión e integración sociales, y que implique a todas las partes, entre ellas las organizaciones de la sociedad civil, los entes locales y los interlocutores de la industria. La Comisión apoyará los esfuerzos de los Estados miembros, en particular ofreciendo apoyo financiero a los proyectos cuyo objetivo sea desarrollar instrumentos para hacer frente a la radicalización y mediante iniciativas y redes de ámbito de la UE, como la Red de la UE para la Sensibilización frente a la Radicalización"[100].

A vueltas con la diferencia entre el derecho duro y el derecho blando, con la capacidad de maniobra en el reparto competencial, con ese *"efecto collage* de la política antiterrorista de la Unión"[101] y, desde luego, con una

---

[99]   Declaración conjunta del Consejo, del Parlamento Europeo y de la Comisión Europea (6580/17 ADD 1 (http://data.consilium.europa.eu/doc/document/ST-6580-2017-ADD-1/es/pdf).

[100] *Ibíd.*

[101] PÉREZ BERNÁRDEZ, Carmela: "La difícil coordinación de la política antiterrorista de la Unión Europea", en CONDE PÉREZ, Elena: *Op. cit.*, pp. 127 a 157, p. 127. "Resulta obvio señalar (indica la autora) que las debilidades de la acción de la Unión en la lucha contra el terrorismo beben de las debilidades del propio sistema de la Unión Europea, habida cuenta de su singularidad como sujeto de Derecho Internacional, de la necesidad de contar con todos sus Estados miembros y de la *descoordinación* existente en gran parte de las actividades que realiza". Baste como ejemplo de todo ello, la Propuesta de Recomendación del Consejo relativa a la promoción de valores comunes, la educación inclusiva y la dimensión europea de la enseñanza, presentada por la Comisión en enero de 2018, que ella misma sitúa en el ámbito del apoyo a la prevención de la

voluntad política deliberadamente colocada de parte de la seguridad. De hecho, como puede comprobarse en las Conclusiones del Consejo Europeo celebrado en junio de 2017, el terrorismo aparece junto a la seguridad interior como un epígrafe del capítulo Seguridad y Defensa[102].

3.2. *"Una Unión de Seguridad genuina y efectiva"*

Y, hablando de seguridad, la segunda de las muestras que propuse, tiene que ver con la iniciativa llamada "Una Unión de Seguridad genuina y efectiva". La "Agenda Europea de Seguridad" (abril de 2015)[103], la "Aplicación de la Agenda Europea de Seguridad para luchar contra el terrorismo y allanar el camino hacia una Unión de la Seguridad genuina y efectiva (abril de 2016)[104] y la Declaración de Bratislava y su hoja de ruta (septiembre de 2016)[105] son los tres pilares sobre los que se funda esta Iniciativa.

Su puesta en marcha coincide con la decisión del Presidente Juncker de crear una cartera específica de Comisario de la Unión de la Seguridad, que estará asistida "por un grupo operativo transversal, que se valdrá de los conocimientos especializados de toda la Comisión para impulsar los trabajos y garantizar la aplicación"[106]. El 19 de septiembre de 2017 era nombrado

---

radicalización que conduce al extremismo violento, tras los atentados terroristas perpetrados en Europa [COM(2018) 23 final]. El texto puede verse en http://ec.europa.eu/transparency/regdoc/rep/1/2018/ES/COM-2018-23-F1-ES-MAIN-PART-1.PDF

[102] http://www.consilium.europa.eu/media/23969/22-23-euco-final-conclusions-es.pdf

[103] Comunicación de la Comisión al Parlamento Europeo, al Consejo, al Comité Económico y social Europeo y al Comité de las regiones: Agenda Europea de Seguridad [COM(2015) 185 final]. El texto puede verse en http://eur-lex.europa.eu/legal-content/ES/TXT/PDF/?uri=CELEX:52015DC0185&from=ES

[104] Comunicación de la Comisión al Parlamento Europeo, al Consejo Europeo y al Consejo: Aplicación de la Agenda Europea de Seguridad para luchar contra el terrorismo y allanar el camino hacia una Unión de la Seguridad genuina y efectiva" [COM(2016) 230 final]. El texto puede verse en http://eur-lex.europa.eu/resource.html?uri=cellar:9aeae420-0797-11e6-b713-01aa75ed71a1.0014.02/DOC_1&format=PDF

[105] Declaración y Hoja de Ruta adoptadas en una Reunión informal de 27 Jefes de Estado o de Gobierno, celebrada el 16 de septiembre de 2016 (http://www.consilium.europa.eu/media/21234/160916-bratislava-declaration-and-roadmap-es.pdf).

[106] Comunicación de la Comisión al Parlamento Europeo, al Consejo Europeo y al Consejo: Primer Informe de situación relativo a una Unión de Seguridad genuina y efectiva [COM(2016) 670 final], p. 2 (http://ec.europa.eu/transparency/regdoc/rep/1/2016/ES/COM-2016-670-F1-ES-MAIN.PDF).

Julian King nuevo Comisario para la Unión de la Seguridad[107]. Dos meses antes (supongo que con conocimiento ya de la iniciativa del Presidente de la Comisión), en julio 2017, el Pleno del Parlamento Europeo había respaldado la creación de una nueva Comisión especial encargada de identificar las deficiencias en la lucha contra el terrorismo. Entre los siete encargos específicos que tiene la Comisión especial está el de examinar "la repercusión sobre los derechos fundamentales de las normas comunitarias en materia antiterrorista"[108].

Desde septiembre de 2016, cuando se publicó el "Primer Informe de situación relativo a una Unión de Seguridad genuina y efectiva", hasta el momento de cerrar este trabajo, se han publicado doce Informes más[109].

---

[107]   http://www.consilium.europa.eu/es/press/press-releases/2016/09/19/julian-king-new-commissioner-for-security-union/pdf

[108]   Nota de prensa del Parlamento europeo, sesión plenaria 06-07-2017 (http://www.europarl.europa.eu/news/es/press-room/20170629IPR78658/nueva-comision-en-el-pe-para-resolver-deficiencias-en-la-lucha-antiterrorista).

[109]   Comunicación de la Comisión al Parlamento Europeo, al Consejo Europeo y al Consejo: Segundo Informe de situación relativo a una Unión de Seguridad genuina y efectiva [COM(2016) 732 final] (http://eur-lex.europa.eu/legal-content/ES/TXT/PDF/?uri=CELEX:52016DC0732&from=ES); Comunicación de la Comisión al Parlamento Europeo, al Consejo Europeo y al Consejo: Tercer Informe de situación relativo a una Unión de Seguridad genuina y efectiva [COM(2016) 831 final] (http://eur-lex.europa.eu/legal-content/ES/TXT/PDF/?uri=CELEX:52016DC0831&from=ES); Comunicación de la Comisión al Parlamento Europeo, al Consejo Europeo y al Consejo: Cuarto Informe de situación relativo a una Unión de Seguridad genuina y efectiva [COM(2017) 41 final] (http://ec.europa.eu/transparency/regdoc/rep/1/2017/ES/COM-2017-41-F1-ES-MAIN-PART-1.PDF); Comunicación de la Comisión al Parlamento Europeo, al Consejo Europeo y al Consejo: Quinto Informe de situación relativo a una Unión de Seguridad genuina y efectiva [COM(2017) 203 final] (https://ec.europa.eu/transparency/regdoc/rep/1/2017/ES/COM-2017-203-F1-ES-MAIN-PART-1.PDF); Comunicación de la Comisión al Parlamento Europeo, al Consejo Europeo y al Consejo: Sexto Informe de situación relativo a una Unión de Seguridad genuina y efectiva [COM(2017) 213 final] (http://eur-lex.europa.eu/legal-content/ES/TXT/PDF/?uri=CELEX:52017DC0213&from=ES); Comunicación de la Comisión al Parlamento Europeo, al Consejo Europeo y al Consejo: Séptimo Informe de situación relativo a una Unión de Seguridad genuina y efectiva [COM(2017) 261 final] (http://ec.europa.eu/transparency/regdoc/rep/1/2017/ES/COM-2017-261-F1-ES-MAIN-PART-1.PDF); Comunicación de la Comisión al Parlamento Europeo, al Consejo Europeo y al Consejo: Octavo Informe de situación relativo a una Unión de Seguridad genuina y efectiva [COM(2017) 354 final] (http://ec.europa.eu/transparency/regdoc/rep/1/2017/ES/COM-2017-354-F1-ES-MAIN-PART-1.PDF); Comunicación de la Comisión al Parlamento Europeo, al Consejo Europeo y al Consejo: Noveno Informe de situación relativo a una Unión de Seguridad genuina y efectiva [COM(2017) 407 final] (http://eur-lex.europa.eu/legal-content/ES/TXT/PDF/?uri=CELEX:52017D

Los Informes se articulan sobre dos grandes pilares: "la lucha contra el terrorismo y la delincuencia organizada y los medios en que se apoyan; y el esfuerzo de nuestras defensas y de nuestras resilencias frente a estas amenazas"[110].

La lectura de dichos Informes transmite la sensación de cómo se está tejiendo una tela de araña, normativa e institucional, en la que va a resultar difícil no quedar atrapados, de ahí que podamos hablar de un riesgo cierto y/o real de una *bunkerización*[111] (o *securitización*[112]) del Espacio de Libertad, Seguridad y Justicia que representa la Unión Europea.

Así puede comprobarse en la Declaración conjunta sobre las prioridades legislativas de la Unión Europea para 2018-2019, de 14 de diciembre de 2017, firmada por los Presidentes del Parlamento Europeo del Consejo

---

C0407&from=ES); Comunicación de la Comisión al Parlamento Europeo, al Consejo Europeo y al Consejo: Décimo Informe de situación relativo a una Unión de Seguridad genuina y efectiva [COM(2017) 466 final] (http://eur-lex.europa.eu/legal-content/ES/TXT/PDF/?uri=CELEX:52017DC0466&from=ES); Comunicación de la Comisión al Parlamento Europeo, al Consejo Europeo y al Consejo: Undécimo Informe de situación relativo a una Unión de Seguridad genuina y efectiva [COM(2017) 608 final] (http://eur-lex.europa.eu/legal-content/ES/TXT/PDF/?uri=CELEX:52017DC0608&from=ES); Comunicación de la Comisión al Parlamento Europeo, al Consejo Europeo y al Consejo: Duodécimo Informe de situación relativo a una Unión de Seguridad genuina y efectiva [COM(2017) 779 final] (http://eur-lex.europa.eu/legal-content/ES/TXT/PDF/?uri=CELEX:52017DC0779&from=ES); y Comunicación de la Comisión al Parlamento Europeo, al Consejo Europeo y al Consejo: Decimotercer Informe de situación relativo a una Unión de Seguridad genuina y efectiva [COM(2018) 46 final] (http://data.consilium.europa.eu/doc/document/ST-5661-2018-INIT/es/pdf).

[110] Segundo Informe [COM(2016) 732 final], p. 2.

[111] "Los acontecimientos del 11-S —y los del 14 M intensificaron el efecto— han propiciado en el plano interno una mayor predisposición a la regulación por la Unión de materias que están especialmente ligadas a la soberanía y respecto a las que los Estados tradicionalmente eran especialmente reacios a perder competencias sustanciales (…) Se ha hecho, sin embargo al elevado precio de un predominio casi absoluto de la seguridad frente a la libertad o a la justicia" (MARTÍN Y PÉREZ DE NANCLARES, José: "El nuevo espacio de libertad, seguridad y justicia en el proyecto de Constitución para Europa", en RODRÍGUEZ CARRIÓN, Alejandro y PÉREZ VERA, Elisa (Coord.): *Soberanía del Estado y Derecho Internacional. Homenaje al Profesor Juan Antonio Carrillo Salcedo*, Servicio de Publicaciones de la Universidad de Sevilla, Servicio de Publicaciones de la Universidad de Málaga, 2005, vol. II, pp. 857 a 877, pp. 875 y 876).

[112] "El término "securitización" ha sido importado del término inglés "securitization" que se ha extendido para designar las consecuencias encaminadas a aumentar el nivel de seguridad a través de las políticas migratorias en el ámbito de la lucha contra el terrorismo" (IGLESIAS SÁNCHEZ, Sara: "Terrorismo e inmigración en la Unión Europea y en EEUU: "securitización de las políticas de inmigración y extranjería", en CONDE PÉREZ, Elena: *Op. cit.*, pp. 245 a 264, p. 247).

y de la Comisión Europea en nombre de las tres Instituciones[113], donde se "subraya una vez más la importancia crucial que reviste una mejor protección para los ciudadanos, colocando este objetivo en el centro de los trabajos legislativos de la Unión"[114].

El último de los Informes publicado (el Decimotercero)[115], se estructura en tres partes: implementación de las prioridades legislativas, prevención contra la radicalización e implementación de otros asuntos prioritarios en materia de seguridad.

Entre las prioridades legislativas se encuentran: las propuestas de la Comisión sobre interoperabilidad de los sistemas de información para la gestión de la seguridad, las fronteras y la inmigración; sobre la creación de un Sistema Europeo de Información y Autorización de Viajes (SEIAV); sobre el reforzamiento del Sistema de Información de Schengen (SIS), sobre el Sistema Europeo de Información de Antecedentes Penales (ECRIS); sobre la modificación de la cuarta Directiva contra el blanqueo de capitales; sobre la ampliación del mandato de la Agencia Europea de Seguridad de las Redes y de la Información (ENISA) y un nuevo marco de certificación (Reglamento de ciberseguridad).

Todo ello sin contar con las propuestas que ya son realidad, entre las cuales pueden destacarse: el Reglamento 2017/458 de 15 de marzo, de revisión del Código de fronteras Schengen, que prevé controles sistemáticos en las bases de datos de todos los viajeros que crucen las fronteras exteriores, incluidos los ciudadanos de la UE[116]; y la Directiva 2016/681 del PE y

---

[113]   https://ec.europa.eu/commission/publications/joint-declaration-eus-legislative-priorities-2018_en

[114]   En la Declaración se da prioridad "a las iniciativas destinadas a garantizar que las autoridades de los Estados miembros sepan quién cruza la frontera exterior común de la UE, a establecer sistemas de información interoperables en la UE para la gestión de la seguridad, las fronteras y la migración, y a reforzar los instrumentos de lucha contra el terrorismo y el blanqueo de capitales" [Decimotercer Informe COM(2018) 46 final, p. 1]. En el mismo sentido se expresaba el Presidente Juncker en su Carta de intenciones dirigida al Presidente Tajani y al Primer ministro Ratas (https://ec.europa.eu/commission/sites/beta-political/files/letter-of-intent-2017_es.pdf).

[115]   COM(2018) 46 final, de enero de 2018.

[116]   A juicio de la Comisión, "estas importantes disposiciones legislativas aumentarán la seguridad dentro del espacio Schengen sin perturbar los flujos del tráfico. En circunstancias determinadas y sobre la base de una evaluación previa de los riesgos que garantice que la seguridad no vaya a verse amenazada, cuando el flujo del tráfico en algunas fronteras terrestres y marítimas concretas se vea desproporcionadamente afectado, los Estados miembros pueden decidir, de manera excepcional y con carácter temporal, someter a los ciudadanos de la UE a controles selectivos en esas fronteras utilizando las

del Consejo de 27 de abril, relativa a la utilización de datos del registro de nombre de pasajeros (PNR) para la prevención, detección investigación y enjuiciamiento de los delitos de terrorismo y de la delincuencia grave, cuyo plazo de transposición expira el 25 mayo de 2018[117].

En el ámbito de la prevención de la radicalización y, sobre la base del Informe provisional del Grupo de Expertos de Alto Nivel sobre Radicalización, se destacan las iniciativas puestas en marcha, como la Red para la Sensibilización frente a la Radicalización, el Fondo Europeo sobre Internet y la Red Europea de Comunicaciones Estratégicas (RECE) y se plantean otras nuevas en ámbitos como la radicalización en los centros penitenciarios, la propaganda terrorista, los combatientes terroristas extranjeros que regresan de zonas de conflicto y la cooperación con Estados no miembros de la Unión. En este ámbito, sin embargo, no se menciona propuesta legislativa alguna, limitándose las iniciativas a recomendaciones, intercambio de buenas prácticas, conferencias para compartir modelos y creación de más grupos de expertos.

Finalmente, en cuanto a la implementación de otros asuntos prioritarios en materia de seguridad, la Comisión está evaluando el impacto de una propuesta legislativa destinada a establecer una Red de Centros de Competencias en Ciberseguridad; ha propuesto una Directiva sobre lucha contra el fraude y falsificación de medios de pago distintos del efectivo; está implementando con carácter prioritario el Plan de acción para contribuir a la protección de los espacios públicos y ha anunciado que dedicará un presupuesto de mil millones de euros a la Unión de la Seguridad en el marco del Programa de Trabajo 2018-2020 de Horizonte 2020, para

---

bases de datos. Las evaluaciones de los riesgos se comunicarán a la Guardia Europea de Fronteras y Costas" [Sexto Informe, (COM(2017) 213 final, p. 3].

117   Considerada por la Comisión "una herramienta clave en la lucha contra el terrorismo y la delincuencia organizada (…) Si bien prosiguen en todos los Estados miembros los trabajos para garantizar la plena transposición de la Directiva antes de la fecha límite del 25 de mayo de 2018, (…) siguen existiendo grandes disparidades entre los progresos de los Estados miembros en la creación de sus sistemas nacionales de PNR. Se acerca la fecha límite de transposición, por lo que es crucial intensificar los esfuerzos para alcanzar el objetivo el 25 de mayo de 2018. Es de especial importancia la puesta en marcha de los procedimientos y canales de comunicación para que las Unidades de Información sobre Pasajeros nacionales puedan compartir todos los datos PNR pertinentes con las Unidades de Información sobre Pasajeros de los demás Estados miembros y con Europol. Esta importante herramienta de seguridad de la UE solo podrá explotar su pleno potencial operativo cuando todos los Estados miembros dispongan de sistemas PNR y sean capaces de intercambiar datos de forma eficaz entre sí y con Europol" [Duodécimo Informe, COM(2017) 779 final, pp. 6 y 7].

atenuar los riesgos relacionados con el terrorismo, la delincuencia grave, la seguridad de las fronteras, la ciberdelincuencia, las amenazas hibridas, entre otros.

La obsesión, únicamente, por la seguridad llega a los extremos, por ejemplo, de que el 18 de octubre de 2017 la Comisión publico una convocatoria de propuestas a través del Fondo de Seguridad Interior-Policía por un importe de 18'5 millones de euros para promover y apoyar el desarrollo de barreras innovadoras y discretas que refuercen la seguridad de las ciudades sin desvirtuar su carácter abierto ("protección desde el diseño" le llama la Comisión)[118]. Se ha previsto, además, "una financiación adicional de hasta 100 millones de euros en el marco de las Acciones Urbanas Innovadoras (AEIU) en el marco del Fondo Europeo de Desarrollo Regional"[119].

4. A MODO DE REFLEXIÓN

Como ha señalado Manuel Carrasco Durán, un "Estado democrático no debe luchar contra los peligros que puedan oponérsele a costa de renunciar a sus elementos característicos, como es la salvaguardia de los derechos fundamentales, ya que tal renuncia conlleva, en sí, admitir una suerte de derrota frente a quienes utilizan la violencia como arma de presión"[120]. En el seno de la Unión Europea, "la clave radica (siguiendo a Juan José

---

[118]   "La ayuda que la UE puede aportar a la protección de los espacios públicos es doble: en primer lugar, puede fomentar el intercambio de las mejores prácticas entre los distintos países, destinando fondos a tal fin. Esa iniciativa incluye, por ejemplo, medidas para promover y apoyar el desarrollo de barreras innovadoras y discretas que refuercen la seguridad de las ciudades sin desvirtuar su carácter abierto ("protección desde el diseño"). Resuelta a sustentar las medidas del Plan de acción con el apoyo financiero adecuado, la Comisión ha publicado hoy una convocatoria de propuestas a través del Fondo de Seguridad Interior-Policía por un importe total de 18,5 millones EUR. Esta financiación a corto plazo se complementará en 2018 con la correspondiente a las Acciones Urbanas Innovadoras, enmarcadas en el Fondo Europeo de Desarrollo Regional, uno de cuyos temas clave será la seguridad, y cuya financiación total podrá llegar hasta 100 millones EUR. El 15 de septiembre de 2017 se abrió una consulta pública con el fin de recabar de las ciudades ideas sobre soluciones innovadoras en materia de seguridad. Sus resultados ayudarán a la Comisión a organizar las próximas convocatorias de propuestas en este ámbito" [Undécimo Informe, [COM(2017) 608 final], p. 3.

[119]   Decimotercer Informe [COM(2018) 46 final], pp. 8 y 9.

[120]   CARRASCO DURÁN, Manuel: "Medidas antiterroristas y Constitución, tras el 11 de septiembre de 2001", en PÉREZ ROYO, Javier y CARRASCO DURÁN, Manuel: *Op. cit.*, pp. 13 a 56, p. 55.

Álvarez Rubio) en lograr un balance equitativo y adecuado entre las tres dimensiones (libertad, seguridad y justicia) para no dañar los valores fundamentales (derechos humanos y libertades públicas) y principios democráticos (Estado de Derecho) compartidos en toda la Unión Europea"[121].

Obviamente ha de producirse una reacción frente a la lacra que supone el terrorismo. En este sentido, Elena Núñez Castaño escribe acertadamente que "resulta evidente que es necesario tipificar penalmente comportamientos tan sumamente graves como son el delito de terrorismo, pero esa regulación debe ser realizada al amparo de los principios de proporcionalidad, culpabilidad, intervención mínima y erradicar toda posible vulneración de los derechos fundamentales en las regulaciones realizadas en esta materia"[122]. Más aun cuando tomamos en consideración lo que ella misma califica de "infracciones satélites del terrorismo"[123].

El problema radica, de acuerdo con Francisco Jiménez García, en que "la velocidad de los acontecimientos, la conmoción social y la inminencia en la respuesta no suelen ser buenos aliados en los ámbitos jurídicos"[124] y tienen la tendencia clara de producir una tensión cada vez mayor entre la seguridad y la democracia[125], entre la seguridad y los derechos humanos[126]. Y todo ello, mientras que, muy sorprendentemente, en las grandes

---

[121] ÁLVAREZ RUBIO, Juan José: "El Tratado de Lisboa y la plena comunitarización del Espacio de Libertad, Seguridad y Justicia", *Revista Electrónica de Estudios Internacionales*, nº 15, junio de 2008, p. 6 (se puede descargar en http://www.reei.org/index.php/revista/num15/articulos/tratado-lisboa-plena-comunitarizacion-espacio-libertad-seguridad-justicia).

[122] NÚÑEZ CASTAÑO, Elena: *Los delitos de colaboración con organizaciones y grupos terroristas. Sobre el sentido de las reformas penales en materia de terrorismo*, Tirant lo Blanch, Valencia 2013, p. 289.

[123] NÚÑEZ CASTAÑO, Elena: "Tendencias político criminales en materia de terrorismo tras la LO. 2/2015, de 30 de marzo: la implementación de la normativa europea e internacional", *Revista Penal*, nº 37. Enero 2016, pp. 110 a 135, p. 130.

[124] JIMÉNEZ GARCÍA, Francisco: *Op. cit.*, p. 300.

[125] GARRIDO MUÑOZ, Asier: *Op. cit.*, p. 307. En el mismo sentido, Javier Pérez Royo se refiere a la tensión entre libertad y seguridad, como "el lugar común que no deja de aparecer cada vez que se analiza la respuesta de las sociedades democráticas ante atentados de naturaleza terrorista, especialmente tras el atentado contra las Torres Gemelas en Nueva York el 11 de septiembre de 2001" (PÉREZ ROYO, Javier: *Op. cit.*, p. 7).

[126] "En el nuevo contexto de la estrategia global contra el terrorismo internacional, se constata que la tradicional noción de seguridad nacional tiende a reinterpretarse, no ya como un interés exclusivo de un Estado en particular, sino más bien como un interés general de la comunidad internacional (…) A diez años vista desde que comenzara oficialmente la lucha contra el terrorismo internacional, no es posible afirmar

Declaraciones políticas no deja de reconocerse y predicarse la necesidad
de ajustar dichos binomios, como muestran, entre otras, las Conclusiones
adoptadas por el Consejo de la Unión, el 19 de junio de 2017 sobre la
acción exterior de la Unión Europea en materia de lucha contra el terrorismo[127]; la Declaración del G7 de Taormina de 26 de mayo de 2017 sobre
lucha contra el Terrorismo y el Extremismo Violento[128]; o el Plan de Acción para contrarrestar el Terrorismo, adoptado por el G20 en su sesión de
Hamburgo de 7 de julio de 2017[129]. Es más, la propia Comisión Europea se

---

categóricamente que una reacción menos agresiva a este fenómeno hubiera sido más
eficaz, pero de lo que no cabe duda es que la solución adoptada, que ha privilegiado
la seguridad sobre los derechos humanos, no ha producido el efecto esperado" (COS-
TAS TRASCASAS, Milena: "Seguridad nacional y derechos humanos en la reciente
jurisprudencia del Tribunal Europeo de Derechos Humanos (TEDH) en materia de
terrorismo internacional: ¿hacia un nuevo equilibrio?", en CONDE PÉREZ, Elena: *Op.
cit.*, pp. 187 a 207, pp. 205 y 206).

[127] "Le Conseil souligne qu'il importe d'adopter une approche de la lutte contre le terrorisme fondée sur la justice pénale et de soutenir les pays partenaires afin de renforcer
leur réponse pénale dans le respect du droit international, notamment le droit international relatif aux droits de l'homme, le droit international des réfugiés et le droit
international humanitaire, et d'améliorer le déroulement des enquêtes dans les af-
faires liées à la lutte contre le terrorisme, dans le cadre de l'action menée en faveur de
l'État de droit. Il convient de poursuivre les efforts visant à traduire Daech et d'autres
organisations terroristes en justice, en coopération étroite avec l'Iraq, d'autres pays
tiers et des organisations internationals (par. 24). El texto puede verse en http://
www.consilium.europa.eu/media/23998/st10384fr17-conclusions-on-eu-external-ac-
tion-on-counter-terrorism.pdf

[128] "We will bring the fight against terrorism to a higher level by relentlessly preventing,
investigating and prosecuting terrorist acts, their perpetrators and supporters. Our
shared system of values and norms, respect for human rights and cultural diversity,
the promotion of fundamental freedoms and the principles on which our societies
are built will remain a beacon for our common action and the first and best defence
against this common threat" (par. 3). "Our action against terrorism and violent ex-
tremism is rooted in a common system of values, which will continue to provide a solid
foundation for our concerted and coordinated action. We emphasize that all coun-
terterrorism efforts must be based on the common principles of democracy, respect
of human rights, and the rule of law (par. 15). El texto puede verse en http://www.
g7italy.it/sites/default/files/documents/G7%20Taormina%20Statement%20on%20
the%20Fight%20Against%20Terrorism%20and%20Violent%20Extremism_0.pdf

[129] "We reaffirm that all measures on countering terrorism need to be implemented in
accordance with the UN Charter and all obligations under international law, including
international human rights law" (par. 2). El texto puede verse en http://www.consi-
lium.europa.eu/en/press/press-releases/2017/07/07/g20-counter-terrorism/pdf

vanagloria de la posición de la Directiva 2017/541 en relación a los mencionados binomios[130].

Afortunadamente, la Unión Europea es una comunidad de Derecho y, como tal, tiene los resortes necesarios para activar todas las garantías de un Estado de Derecho. En este sentido, el 8 de abril de 2014, el Tribunal de Justicia dictaba una sentencia en la que declaraba inválida la Directiva 2006/24/CE del Parlamento Europeo y del Consejo, de 15 de marzo de 2006, sobre la conservación de datos generados o tratados en relación con la prestación de servicios de comunicaciones electrónicas de acceso público o de redes públicas de comunicaciones, por constituir una injerencia de gran magnitud y especial gravedad en los derechos fundamentales al respeto de la vida privada y a la protección de datos de carácter personal, sin que esta injerencia se limite a lo estrictamente necesario[131].

En julio de 2017 llegaba otra buena noticia desde Luxemburgo: el Tribunal, reunido en Gran Sala, emitía su Dictamen sobre la compatibilidad del Acuerdo entre la UE y Canadá sobre el tratamiento y la transmisión de datos del registro de nombres de los pasajeros con los Tratados. La respuesta dada por el Tribunal a petición del PE (otra buena señal) es que el acuerdo no puede celebrarse en su forma actual, ya que varias de sus dis-

---

[130] "Las instituciones, los órganos, las oficinas y las agencias de la Unión deben cumplir la Carta en todas sus acciones; cualquier caso de incumplimiento podrá presentarse ante el Tribunal de Justicia de la Unión Europea (TJUE). La Comisión ha hecho un gran esfuerzo por integrar transversalmente los derechos fundamentales, esto es, garantizar que se respeten plenamente en todas sus propuestas legislativas y políticas. La nueva Directiva sobre la lucha contra el terrorismo, sobre la que el Parlamento Europeo y el Consejo llegaron a un acuerdo en diciembre de 2016, es un buen ejemplo de esta integración. Aquella incluye una cláusula explícita —la primera de este tipo— sobre derechos fundamentales, y, al mismo tiempo, se tuvieron en cuenta varios aspectos de los derechos fundamentales durante los procesos de redacción y negociación, incluida la necesidad y proporcionalidad de las interferencias con los derechos de libertad de circulación, protección de datos y libertad de expresión (artículos 45, 8 y 11 de la Carta). Asimismo, se tuvieron debidamente en cuenta los principios de legalidad y proporcionalidad de los delitos y las penas (artículo 49 de la Carta) y los derechos de las víctimas, incluido el derecho a una tutela judicial efectiva (artículo 47 de la carta). La evaluación *a posteriori* de la Directiva también cubrirá su impacto en los derechos y las libertades fundamentales" [Comunicación de la Comisión al Parlamento Europeo, al Consejo, al Comité Económico y Social Europeo y al Comité de las Regiones: Informe de 2016 sobre la aplicación de la Carta de los Derechos Fundamentales de la Unión Europea, COM (2017) 239 final]. El texto puede verse en https://ec.europa.eu/transparency/regdoc/rep/1/2017/ES/COM-2017-239-F1-ES-MAIN-PART-1.PDF

[131] http://curia.europa.eu/juris/celex.jsf?celex=62012CJ0293&lang1=es&type=TXT&ancre

posiciones son incompatibles con los derechos fundamentales reconocidos por la Unión Europea, en particular el derecho a la protección de los datos y el respeto a la vida privada[132].

Esperemos que lleguen muchas más noticias como estas, hasta tanto no se tome conciencia de algo que de forma muy clara ha puesto de manifiesto Ben Emmerson, el Relator Especial sobre la promoción y protección de los derechos humanos y las libertades fundamentales en la lucha contra el terrorismo, en el que ha sido su último Informe como Relator, presentado el 21 de febrero de este 2017: "hace tiempo, que se ha reconocido que el enfoque basado meramente en la seguridad que adoptó el Consejo de Seguridad en su resolución 1373 (2001) es insuficiente y en ocasiones ha resultado contraproducente. La protección de los derechos humanos debe ser un elemento central de toda estrategia eficaz de lucha contra el terrorismo, y las Naciones Unidas en su conjunto se han comprometido oficialmente a incorporarla en todas sus iniciativas antiterroristas. Las iniciativas de lucha contra el terrorismo de los Estados deben fundamentarse en el derecho internacional y respetarlo, en particular por lo que se refiere al derecho de los derechos humanos, el derecho humanitario y el derecho de los refugiados, y no solo deben abordar las manifestaciones del terrorismo, sino también las condiciones que propician su propagación, tal como se indica en la Estrategia"[133].

Esta senda marcada por Ben Emmerson, ha sido continuada por la nueva Relatora Especial sobre la promoción y protección de los derechos humanos y las libertades fundamentales en la lucha contra el terrorismo, Fionnuala Ní Aoláin, que desempeña el cargo desde el 1 de agosto de 2017[134]. En su primer Informe, presentado en septiembre de 2017[135], señala que, estando concebida la derogación de los derechos humanos como una excepción y no como una norma[136], la exponencial prolife-

---

[132]　http://eur-lex.europa.eu/legal-content/ES/TXT/PDF/?uri=CELEX:62015CG0001&from=ES

[133]　Informe del Relator Especial sobre la promoción y protección de los derechos humanos y las libertades fundamentales en la lucha contra el terrorismo (A/HRC/34/61), par. 8. El texto puede verse en http://undocs.org/es/A/HRC/34/61

[134]　http://www.ohchr.org/EN/Issues/Terrorism/Pages/FionnualaNiAolain.aspx

[135]　Informe de la Relatora Especial sobre la promoción y la protección de los derechos humanos y las libertades fundamentales en la lucha contra el terrorismo (A/72/495). Puede verse en https://documents-dds-ny.un.org/doc/UNDOC/GEN/N17/301/22/PDF/N1730122.pdf?OpenElement

[136]　"La práctica y el derecho internacionales de los derechos humanos reconocen desde hace tiempo, entre otras cosas, que en situaciones excepcionales de guerra o emergen-

ración de normas en materia de lucha contra el terrorismo que vivimos desde 2001, tanto en el plano universal cuando en los planos regionales[137], pone en peligro la protección efectiva de los derechos humanos[138], como ocurre por ejemplo con los derechos de asociación, reunión y expresión[139]. "El respeto de las normas universales de derechos humanos debe ser una prioridad en la lucha contra el terrorismo y la respuesta a las condiciones que lo propician. La protección de los derechos humanos es fundamental para que una estrategia global sostenida pueda impedir y gestionar el terrorismo, y proteja frente a él. Aunque los Estados padecen verdaderas presiones para proporcionar seguridad, una seguridad sostenida y a largo plazo solo será posible si los derechos humanos ocupan un lugar central en todos los componentes de la lucha mundial contra el terrorismo[140].

---

cia los Estados pueden derogar determinados derechos. En los tratados de derechos humanos también se reconoce la imposición legítima de restricciones en algunos derechos, entre otros motivos, para proteger la seguridad pública. No obstante, la derogación de los derechos está concebida para ser una excepción y no la norma, como demuestran las décadas de jurisprudencia sobre derechos humanos y las opiniones expresadas por los Estados acerca de la función de la derogación y los requisitos para su establecimiento" (*Ibíd.*, par. 13).

[137] "Desde 2001, en los planos mundial, regional, nacional y subnacional han proliferado las normas jurídicas, con diversos grados de capacidad jurídica, para abordar la lucha contra el terrorismo y combatir el extremismo violento y, más recientemente, prevenirlo" (*Ibíd.*, par. 23).

[138] "En este contexto de proliferación de normas, la protección de los derechos humanos corre grave peligro de verse relegada o acallada ante el exceso de nuevas normas, regulaciones y obligaciones internacionales. Además, falta claridad en lo que respecta a la relación jurídica exacta entre los diferentes órganos de normas jurídicas, incluida la aplicación de la *lex specialis*, la diferenciación entre los derechos revocables e irrevocables a la hora de ejecutar esas normas y la cuestión de si, al elaborarlas, se tuvieron en cuenta las obligaciones existentes del Estado en materia de derechos humanos" (*Ibíd.*, par. 25).

[139] "El valor de los derechos de asociación, reunión y expresión es un elemento clave del sistema de tratados de derechos humanos, tienen un valor intrínseco y promueven el funcionamiento de ciudades donde se fomentan la dignidad y la igualdad de todos los seres humanos. La Relatora Especial señala la atención que ha prestado a las restricciones indebidas impuestas contra la sociedad civil bajo el pretexto de la seguridad y la lucha contra el terrorismo, y afirma que seguirá colaborando estrechamente con los Gobiernos y la sociedad civil con vistas a cumplir su mandato" (*Ibíd.*, par. 33).

[140] *Ibíd.*, par. 18.

BIBLIOGRAFÍA

ABAD CASTELOS, Montserrat: "El concepto jurídico de terrorismo y los problemas relativos a su ausencia en el ámbito de las Naciones Unidas", en CONDE PÉREZ, Elena (dira.): *Terrorismo y legalidad internacional*, Editorial Dykinson, Madrid, 2012, pp. 245 a 264.

AGUDO FERNÁNDEZ, Enrique; JAÉN VALLEJO, Manuel y PERRINO PÉREZ, Ángel Luis: *Terrorismo en el siglo XXI (la respuesta penal en el escenario mundial)*, Editorial Dykinson, Madrid 2016.

AIXALÁ, Albert: "La estrategia de la UE ante el terrorismo internacional y la defensa de los derechos y libertades", en BARBÉ, Esther y HERRANZ, Anna (Eds.): *Política exterior y Parlamento Europeo: hacia el equilibrio entre eficacia y democracia*, Oficina del PE en Barcelona, Barcelona 2007, pp. 51 a 65.

ALCAIDE FERNÁNDEZ, Joaquín: "Terrorismo y Derecho Internacional. Desarrollos normativos e institucionales tras el 11-S", *Cursos de Derecho Internacional y Relaciones Internacionales de Vitoria-Gasteiz*, Thomson Reuters Aranzadi, 2016, pp. 31 a 101, p. 32.

ÁLVAREZ RUBIO, Juan José: "El Tratado de Lisboa y la plena comunitarización del Espacio de Libertad, Seguridad y Justicia", *Revista Electrónica de Estudios Internacionales*, nº 15, junio de 2008.

CALDUCH CERVERA, Rafael: "El Tratado de Lisboa y la amenaza terrorista en Europa", MARTÍN Y PÉREZ DE NANCLARES, José (ed.): *El Tratado de Lisboa: la salida de la crisis institucional*, Iustel, Madrid, 2008, pp. 451 a 467.

CARRASCO DURÁN, Manuel: "Medidas antiterroristas y Constitución, tras el 11 de septiembre de 2001", en PÉREZ ROYO Javier y CARRASCO DURÁN, Manuel: *Terrorismo, democracia y seguridad, en perspectiva constitucional*, Marcial Pons, Madrid, Barcelona, Buenos Aires 2010, pp. 13 a 56.

CARRILLO SALCEDO, Juan Antonio: *Globalización y orden internacional*, Secretariado de Publicaciones de la Universidad de Sevilla, 2ª ed., Sevilla, 2005.

COSTAS TRASCASAS, Milena: "Seguridad nacional y derechos humanos en la reciente jurisprudencia del Tribunal Europeo de Derechos Humanos (TEDH) en materia de terrorismo internacional: ¿hacia un nuevo equilibrio?", en CONDE PÉREZ, Elena (dira.): *Terrorismo y legalidad internacional*, Editorial Dykinson, Madrid, 2012, pp. 187 a 207.

DEL VALLE GÁLVEZ, Alejandro: Espacio de Libertad, Seguridad y Justicia y Tratado de Lisboa", en MARTÍN Y PÉREZ DE NANCLARES, José (ed.): *El Tratado de Lisboa: la salida de la crisis institucional*, Iustel, Madrid, 2008, pp. 417 a 435.

DELGADO GODOY, Leticia: "España y la política de justicia e interior", en MORATA TIERRA, Francesc y MATEO GONZÁLEZ, Gema (eds.): *España en Europa. Europa en España (1986-2006)*, Fundación CIDOB, Barcelona 2007, pp. 291 a 318.

ESCRIBANO ÚBEDA-PORTUGUÉS, José: "Nuevos avances y retos en la lucha contra el Terrorismo", *Revista Electrónica de Estudios Internacionales*, nº 17, junio de 2009.

GALÁN MUÑOZ, Alfonso: ¿Leyes que matan ideas frente a leyes que matan personas? Problemas de la nueva represión de los mecanismos de captación terrorista tras la reforma del Código Penal de la LO 2/2015", en GONZÁLEZ CANO, María Isabel (dira.): *Cooperación judicial penal en la Unión Europea. Reflexiones sobre algunos aspectos de la investigación y el enjuiciamiento en el espacio europeo de justicia penal*, Tirant lo Blanch, Valencia 2015, pp. 105 a 153.

GARRIDO MUÑOZ, Asier: "Un nuevo cortocircuito legislativo en Naciones Unidas: la Resolución 2178 (2014) del Consejo de Seguridad de Naciones Unidas relativa a los combatientes terroristas extranjeros", *Revista Española de Derecho Internacional*, Sección INFORMACIÓN Y DOCUMENTACIÓN DIPub, Vol. 67/1, enero-junio 2015, Madrid, pp. 289-327.

GUTIÉRREZ CASTILLO, Víctor Luis y LÓPEZ JARA, Manuel: *Desarrollo y consolidación del Espacio de Libertad, Seguridad y Justicia de la Unión Europea*, Tecnos, Madrid 2016.

HINOJOSA MARTINEZ, Luis Miguel: "The legislative role of the Security Council in its fight against terrorism: legal, political and practical limits", *International & Comparative Law Quarterly*, vol. 57, April 2008, pp. 333 a 359.

IGLESIAS SÁNCHEZ, Sara: "Terrorismo e inmigración en la Unión Europea y en EEUU: "securitización de las políticas de inmigración y extranjería", en CONDE PÉREZ, Elena (dira.): *Terrorismo y legalidad internacional*, Editorial Dykinson, Madrid, 2012, pp. 245 a 264.

JIMÉNEZ GARCÍA, Francisco: "Combatientes terroristas extranjeros y conflictos armados: utilitarismo inmediato ante fenómenos no resueltos y normas no consensuadas", *Revista Española de Derecho Internacional*, Sección ESTUDIOS, Vol. 68/2, julio-diciembre 2016, Madrid, pp. 277-301.

LÓPEZ-JACOISTE, Eugenia: "La Unión Europea ante los combatientes terroristas extranjeros", *Revista de Estudios Europeos*, nº 67, enero-junio 2016, pp. 47 a 71.

MARREO ROCHA, Inmaculada: "Nuevas dinámicas en las relaciones entre crimen organizado y grupos terroristas", *Revista Española de Derecho Internacional*, Sección ESTUDIOS, Vol. 69/2, julio-diciembre 2017, Madrid, pp. 145-169.

MARRERO ROCHA, Inmaculada: "Los combatientes "terroristas" extranjeros de la Unión Europea a la luz de la Resolución 2178 (2014) del Consejo de Seguridad de las Naciones Unidas", *Revista de Derecho Comunitario Europeo*, 54, pp. 555 a 594.

MARTÍN Y PÉREZ DE NANCLARES, José: "El nuevo espacio de libertad, seguridad y justicia en el proyecto de Constitución para Europa", en RODRÍGUEZ CARRIÓN, Alejandro y PÉREZ VERA, Elisa (Coord.): *Soberanía del Estado y Derecho Internacional. Homenaje al Profesor Juan Antonio Carrillo Salcedo*, Servicio de Publicaciones de la Universidad de Sevilla, Servicio de Publicaciones de la Universidad de Málaga, 2005, vol. II, pp. 857 a 877.

MORÁN BLANCO, Sagrario: "La Unión Europea y la creación de un espacio de seguridad y justicia. Visión histórica de la lucha contra el terrorismo internacional en Europa", *Anuario Español de Derecho Internacional*, vol. 26/2010, pp. 251 a 284.

NÚÑEZ CASTAÑO, Elena: *Los delitos de colaboración con organizaciones y grupos terroristas. Sobre el sentido de las reformas penales en materia de terrorismo*, Tirant lo Blanch, Valencia 2013.
– "Tendencias político criminales en materia de terrorismo tras la LO. 2/2015, de 30 de marzo: la implementación de la normativa europea e internacional", *Revista Penal*, nº 37, enero 2016, pp. 110 a 135.

PÉREZ BERNÁRDEZ, Carmela: "La difícil coordinación de la política antiterrorista de la Unión Europea", en CONDE PÉREZ, Elena (dira.): *Terrorismo y legalidad internacional*, Editorial Dykinson, Madrid, 2012, pp. 127 a 157.

PÉREZ ROYO, Javier: "La democracia frente al terrorismo global", en PÉREZ ROYO Javier y CARRASCO DURÁN, Manuel: *Terrorismo, democracia y seguridad, en perspectiva constitucional*, Marcial Pons, Madrid, Barcelona, Buenos Aires 2010, pp. 7 a 12.

RAMÍREZ MORÁN, David: "Foro Global contra el Terrorismo", Documento informativo 16/2014, del Instituto Español de Estudios Estratégicos, Ministerio de Defensa, Gobierno de España.

RODRIGO, Ángel J.: "Entre *Westfalia* y *Wordfalia*: la comunidad internacional como comunidad social, política y jurídica", en GARCÍA SEGURA, Caterina (dira.): *La tensión cosmopolita. Avances y límites en la institucionalización del cosmopolitismo*, Tecnos, Madrid 2016, pp. 23 a 59.

RODRÍGUEZ-IZQUIERDO SERRANO, Myriam: "El terrorismo en la evolución del Espacio de Libertad, Seguridad y Justicia, *Revista de Derecho Comunitario Europeo*, núm. 36, Madrid, mayo/agosto (2010), pp. 531 a 559.

– "Las Líneas de Acción Contra el Terrorismo de la Unión Europea y Sus Condiciones de Constitucionalidad", en PÉREZ ROYO Javier y CARRASCO DURÁN, Manuel: *Terrorismo, democracia y seguridad, en perspectiva constitucional*, Marcial Pons, Madrid, Barcelona, Buenos Aires 2010, pp. 211 a 242.

RUIZ DÍAZ, Lucas J.: "La prevención de la radicalización en la estrategia contra el terrorismo de la Unión Europea. Entre *soft law* e impulso de medidas de apoyo", *Revista Española de Derecho Internacional*, Sección ESTUDIOS, Vol. 69/2, Madrid, pp. 257-280.

SALINAS DE FRÍAS, Ana: "Lucha contra el terrorismo internacional: no solo del uso de la fuerza pueden vivir los Estados", *Revista Española de Derecho Internacional*, Sección ESTUDIOS, Vol. 68/2, julio-diciembre 2016, Madrid, pp. 229-252.

TINOCO PASTRANA, Ángel: "La lucha contra el terrorismo en la Unión Europea desde una perspectiva procesal", *Araucaria. Revista Iberoamericana de Filosofía, Política y Humanidades*, año 18, n° 36. Segundo Semestre de 2016, pp. 439-463.

TORRECUADRADA GARCÍA-LOZANO, Soledad: "La expansión de las funciones del Consejo de Seguridad de Naciones unidas: problemas y posibles soluciones", *Anuario Mexicano de Derecho Internacional*, vol. XII, 2012, pp. 365 a 406.

ZAFRA ESPINOSA DE LOS MONTEROS, Rocío: "Compromise in the fight against terrorism in Spain", en MORENO CATENA, Víctor y SOLETO MUÑOZ, Helena: *Terrorism in Spain: a procedural approach*, Tirant lo Blanch, Valencia 2017, pp. 120 a 138.

– "El crimen organizado: especial consideración a Iberoamérica", *Revista Electrónica Iberoamericana*, vol. 11, n° 1. 2017, pp. 29 a 56.

Capítulo VI

¿La asociación organizada terrorista y sus actos anticipativos: un derecho penal y política criminal sin límites?[1]

JOHN VERVAELE

Catedrático en derecho penal y procesal penal, Facultad de Derecho/
Willem Pompe Institute, Universidad de Utrecht
Catedrático en derecho penal europeo, Colegio de Europa, Brujas

1. INTRODUCCIÓN

Vivimos en tiempos de atentados terroristas revindicados por organizaciones que los justifican en nombre del islam y de la guerra santa contra sus enemigos. Por cierto, estos atentados no se ejecutan solo en las zonas de conflicto, como Siria, Irak, Yemen, Libia y Afganistán, sino a escala internacional y global. Movimientos como ISIS tienen como arma de lucha la globalización y digitalización de su guerra santa. En los últimos años vemos también una creciente participación de jóvenes (de origen islámico y convertidos) en estos conflictos y en la ejecución de los atentados terroristas. Estos jóvenes no son de origen de la zona del conflicto y una parte sustancial vienen de países Europeos. Estos llamados "combatientes terroristas extranjeros" contribuyen tanto a actos violentos en la zona de combate, en la zona de ocupación territorial (como por ejemplo en Mosul y en Raqqa),

---

[1] Este articuló es una versión adaptada de J.A.E. Vervaele, Terrorismo y Seguridad: un Derecho Penal sin Límites? En S. Barona Vilar (ed.), Justicia Civil y Penal en la Era Global, Valencia, 2017, Tirant lo Blanch, p. 461-485.

como a atentados en países Europeos, como recientemente en Francia y Bélgica (Charly Hebdo, Bataclan, aeropuerto y metro en Bruselas). Una parte de ellos no fueron a la zona de conflicto y tampoco estuvieron implicados en actos terroristas en Europa. Sin embargo están etiquetados como "combatientes terroristas extranjeros", debido a su radicalización y a su potencial de involucrarse. El riesgo y el peligro les convierte en terroristas.

A la luz de este fenómeno vemos una creciente actividad legislativa y operativa penal a nivel internacional para frenar la actividad terrorista y para investigar y castigar a los responsables de los atentados. La novedad penal consiste sobre todo en neutralizar a tiempo, de manera preventiva y proactiva, la posible radicalización y participación de estos jóvenes en el yihadismo internacional. El uso del derecho penal como arma preventiva es problemático en sí y lo es aún más en el campo del terrorismo internacional, visto que muchos de los conflictos en países árabes tienen un componente altamente político e ideológico.

En primer lugar nos tenemos que plantear en qué medida la internacionalización de la respuesta penal es nueva y transforma los conceptos y principios de nuestros sistemas penales. En segundo lugar merece la pena analizar en qué medida el contenido de esta respuesta penal es nueva y transforma los conceptos y principios de nuestros sistemas penales.

2. INTERNACIONALIZACIÓN EN LA SOCIEDAD DE INFORMACIÓN POST-INDUSTRIAL

La internacionalización de la justicia penal no es nueva cuando definimos la internacionalización como un proceso de creciente colaboración entre estados y que sitúa a los estados bajo el consejo/control de organizaciones internacionales. Las convenciones de derecho internacional público que recomiendan que las normas de derecho penal sustantivo sean vinculantes existen desde hace un siglo, aunque su número e impacto ha aumentado bastante. Lo nuevo, en mi opinión, se centra en dos aspectos. Primero, en el campo de la justicia penal, las organizaciones internacionales tales como la ONU, el Consejo Europeo, la OCED, el GAFI, etc., están supervisando el proceso de cumplimiento de las obligaciones internacionales, principalmente a través de mecanismos de evaluación muy detallados y políticamente vinculantes. Podemos encontrar claros ejemplos de ello en el campo del lavado de dinero, corrupción y terrorismo. Segundo, el Consejo de Seguridad de la ONU está imponiendo a los Estados Parte obligaciones internacionales en asuntos penales sin ninguna fuente tradicional específica y eludiendo, de esta forma, el proceso de firma y de ratificación. Tras los sucesos del 11/9, el Consejo de Seguridad hizo vinculante la "acquis" convencional de la ONU en asuntos de terrorismo, independientemente de la firma o ratificación de los Estados Parte. A través de resoluciones, basadas en el capítulo VII de la Carta, el Consejo de Seguridad[2] ha vinculado estrechamente la seguridad global con la respuesta penal anti-terrorista y ha pedido a los Estados que tipifiquen conductas como viajar al extranjero, facilitar viajes, otorgar o recibir entrenamiento, etc. a condición que sean cometidas con finalidad terrorista. En 2015 GAFI[3] adoptó recomendación nr 5 en relación con financiación de terrorismo, incluyendo obligaciones derivadas de la resolución de la ONU, y ampliando financiación de terrorismo a financiación de viajes con finalidad terrorista.

En nuestras sociedades, estos procesos de internacionalización van en las últimas décadas de mano en mano con la transformación de nuestras sociedades en sociedades de información post-industrial. La e-sociedad o sociedad online ha reestructurado completamente el comportamiento social y la estructura de la sociedad. A menudo, la sociedad post moderna es caracterizada como una *"sociedad de información"*, por la amplia disponibilidad y uso de la Tecnología de la Información y la Comunicación (TIC). La sociedad de información es una sociedad post-industrial en la que la información y el conocimiento son recursos clave y juegan un papel fundamental[4]. Pero, las sociedades de información no son definidas solamente por la implementación de infraestructura tecnológica, sino más bien como fenómenos multidimensionales. Cualquier sociedad de información es una web compleja no solo de infraestructura tecnológica, sino también una estructura económica, un patrón de relaciones sociales, patrones de organización y otras facetas de organización social. Por lo tanto, es importante no centrarse sólo en la parte tecnológica, sino también en los atributos sociales de la sociedad de información, incluyendo el impacto social de la revolución de la información sobre las organizaciones sociales, incluso en el sistema de justicia penal. Por otra parte, la era post moderna de tecnología de la información transforma el contenido, la accesibilidad y la utilización de la información y el conocimiento en las organizaciones sociales, incluyendo el sistema de justicia penal. La relación entre el conocimiento y el orden ha cambiado fundamentalmente. La transformación

---

[2]   Resolución 2178 (UNSCR 2178),de 2014 es un buen ejemplo.

[3]   http://www.fatf-gafi.org/media/fatf/documents/recommendations/pdfs/FATF_Recommendations.pdf.

[4]   Daniel Bell,The Coming of Post-Industrial Society. Nueva York: Basic Books, 1976.

de las comunicaciones en tecnología de fabricación de información instantánea ha cambiado el modo en que la sociedad valora el conocimiento.
En una era en constante cambio, la estructura tradicional de autoridad
está siendo socavada y reemplazada por un método alternativo de control
social. La urgencia de un nuevo paradigma tecnológico basado en la TIC
ha dado lugar a una sociedad en red[5], en la que las estructuras sociales claves y las actividades están organizadas alrededor de redes de información
procesadas electrónicamente. Hay una transformación aún más profunda
de las instituciones políticas en la sociedad en red: el surgimiento de una
nueva forma de Estado (Estado en red) que gradualmente reemplaza a las
naciones-estado de la era industrial. En esta era tan cambiante, la estructura de la autoridad tradicional está siendo socavada y reemplazada por un
método alternativo de control social (sociedad de vigilancia). La transición
de una nación-estado a una nación en red es un proceso político y de organización, motivado por la transformación de la administración política,
representación y dominación de las condiciones de la sociedad en red.

El fenómeno del yihadismo radical y terrorista[6], sobre todo con la aparición del ISIS, es impensable sin la sociedad de información. Los medios
sociales son para ellos el instrumento por excelencia de propaganda y de
reclutamiento[7]. Curiosamente el ISIS combina nociones clásicas de estado y territorio (califato) con un sistema muy avanzado de 'governance en
red". Como la sociedad de información convierte el globo un una ciudad
global, ISIS se convierte en un actor global y sus actos se cualifican como
terrorismo global que amenaza a la seguridad global.

3. INTERNACIONALIZACIÓN Y TRANSFORMACIÓN DEL SISTEMA DE JUSTICIA PENAL

¿Qué significa todo esto para el sistema de justicia penal nacional? Es
evidente que el sistema de justicia penal nacional no ha sido reemplazado
por uno global en la ciudad global. La globalización social no conduce automáticamente a una globalización legal o globalización de la justicia penal

---

5   Manuel Castells, The Rise of the Network Society. The Information Age: Economy,
    Society and Culture, Volumen 1. Malden: Blackwell. Segunda Edición, 2000.
6   G. Kepel, Jihad. The Trail of Political Islam, 2004.
7   Viganò F. Sul contrasto al terrorismo di matrice islamica tramite il sistema penale tra
    'diritto penale del nemico'e legittimi bilanciamenti. Studi Urbinati, Scienze giuridi-
    che, politiche ed economiche. 2014 Jan 19;58(4):329-48.

y ni siquiera a la globalización de la autoridad política con respecto a la justicia penal. El nacimiento de resoluciones de derecho penal internacional en el Consejo de Seguridad de la ONU es la excepción y es el resultado de un proceso que viene desarrollándose desde hace un siglo. Aún en etapa de implementación, este nuevo sistema de justicia todavía está creando sus propios conceptos de derecho penal y proceso penal. Sin embargo, el proceso de internacionalización afecta sustancialmente al sistema de justicia penal nacional. El sistema de justicia penal nacional se enfrenta a cambios sociales por medio de los cuales los agresores están cometiendo delitos y por los que el delito, los agresores mismos y las pruebas, etc., no siempre están vinculados con el territorio de la Nación-Estado. Por la creciente movilidad de personas, bienes, servicios y capital, el sistema de justicia penal nacional tiene que proteger nuevos intereses jurídicos (*Rechtsgüter*), principalmente con un carácter transnacional (por ejemplo, protección contra expresiones de odio y xenofobia, protección contra pornografía infantil o protección contra fraudes en valores o contra robos de identidad). El sistema de justicia penal nacional está internacionalizado en un proceso de internacionalización descendente y ascendente[8]. Las organizaciones regionales e internacionales le están imponiendo a los sistemas de justicia penal nacional nuevas obligaciones sustanciales y procesales, pero los sistemas de justicia penal nacional también están incrementando su dimensión internacional para hacer frente a la criminalidad en una sociedad globalizada. Esto significa que la internacionalización des sistema de justicia penal nacional se debe tanto al comportamiento del "usuario" que del proveedor.

Sin embargo, esta renovación no se limita a alguna actualización de delitos basada en nuevos o renovados intereses jurídicos a proteger o limitada a un incremento en la asistencia jurídica recíproca. De hecho, el razonamiento clásico para el uso de la justicia penal (comenzando con la penalización primaria por la definición de delitos), basado en el *ultimium remedium* y condiciones estrictas de conducta dañosa que violan intereses jurídicamente protegidos, conceptos derivados de la filosofía Kantiana y de la época de la Ilustración, ha sido reemplazado, en las últimas décadas, por un concepto de política penal globalizado, traducido en paradigmas de política penal: combate/guerra contra las drogas, combate/guerra contra el crimen organizado, combate/guerra contra el terrorismo. Los llamo paradigmas porque funcionan como marco de referencia para la percepción de la realidad y, por lo tanto, para la definición de construcciones sociales

---

[8]   J.A.E. Vervaele, Internacionalización del derecho penal procesal penal. Necesidades y desafíos, Lima, Peru,2015, 403 p.

como delito, peligro, riesgo, inseguridad y enemigo[9]. Estos paradigmas de política penal han sido utilizados tanto a nivel nacional como internacional para justificar cambios esenciales en la relación entre estado-sociedad y justicia penal y en el sistema penal mismo.

La justicia penal moderna, con sus raíces en la Ilustración, proporciona un sistema integrado, ofreciendo tanto *protección* a los individuos (no solo a los sospechosos) (la dimensión del escudo) como *instrumentos* para la comunidad encargada de aplicar la ley, compuesta por la policía, la Fiscalía y el poder judicial (la dimensión de la espada), y previendo *controles y equilibrios/trias politica* (la dimensión constitucional). Como se mencionó, los tres paradigmas azotaron como un maremoto al sistema de justicia penal. Las tres dimensiones del sistema de justicia penal han sido afectadas por esas tres olas. Estos paradigmas han transformado totalmente nuestros sistemas de justicia penal, afectando al derecho penal general, al derecho penal especial, al proceso penal y al derecho penal internacional. En 1999, la Asociación Internacional de Derecho Penal (AIDP-IAPL) presentó un excelente análisis bajo el título *"The Criminal Justice Systems Facing the Challenges of Organized Crime" [Los Sistemas de Justicia Penal Enfrentan los Desafíos del Crimen Organizado]*[10]. No hay duda de que los cambios sustanciales y de largo alcance se han producido, también, durante la última década. El nuevo paradigma de seguridad y la política antiterrorista han llevado a una transformación que va más allá del campo de los delitos de terrorismo. La presión internacional para un enfoque común de la investigación, enjuiciamiento y condena del terrorismo, ha sido muy fuerte. Tanto la ONU como el Consejo Europeo han elaborado una serie impresionante de Convenciones internacionales y regionales sobre Crimen Organizado y Antiterrorismo. Después del 11/9, la ONU lideró el camino con las resoluciones del Consejo de Seguridad y el establecimiento de un Comité Antiterrorista que supervisa la implementación de las resoluciones, incluyendo lo esen-

---

[9] E. Raúl Zaffaroni, El enemigo en el derecho penal, Dykinson, Madrid, 2006, 225 p.; M. Cancio Meliá, Los delitos de terrorismo: estructura típica e injusto, Madrid: Reus, 2010; M. Cancio Meliá, Derecho penal' del enemigo y delitos de terrorismo. Algunas consideraciones sobre la regulación de las infracciones en materia de terrorismo en el Código penal español después de la lo 7/2000, Jueces para la Democracia, nr. 44, 2002, pp. 19-26.

[10] Ver los Informes de Thomas Weigend, Christopher Blakesley, Jean Pradel y Christine van den Wyngaert en la Revue Internationale de Droit Pénal (RIDP) *[Revista Internacional de Derecho Penal]*, 1996, 527-638.

cial de las convenciones[11]. El paradigma anti-terrorista en materia penal es anterior a los sucesos del 11/9 y a los de Madrid y Londres, etc., pero, sin duda, se ha ampliado sin precedentes con estos ataques terroristas. Por este motivo la política anti-terrorista es un campo de política criminal donde se hace más visible la transformación del sistema penal bajo el lema de la seguridad.

4. DERECHO PENAL Y TERRORISMO

4.1. Enfoque histórico e internacional

Atentados violentos con finalidad política son obviamente no el monopolio de nuestros tiempos recientes. El final del siglo XIX fue por ejemplo caracterizado por rebeliones violentas de la clases populares y actos violentos de movimientos anarquistas. En aquellos tiempos estos actos no fueron definidos como de terrorismo, sino más bien de subversión o crímenes contra la seguridad del estado.

Vistas las atrocidades cometidas durante la primera guerra mundial que se discuten en el marco de la Sociedad de Naciones (predecesor de Naciones Unidas) y en el Congreso del AIDP en 1925, un nuevo régimen jurídico relativo a la responsabilidad penal del Estado por delitos contra otros Estados o colectividades fue propuesta. Es V. Pella quien elabora en 1925 un informe sobre crimen de guerra de agresión como crimen de Estado. Él elabora también las nociones básicas de su "Code Répressif des Nations", basado en la limitación de la absoluta independencia de los Estados y de su soberanía externa con el fin de proteger el orden y la justica internacional. El establecimiento de un nuevo régimen de justicia penal internacional fracasó en el periodo entre guerras. Sin embargo, tras la muerte violenta del Rey de Yugoslavia y del ministro de Justicia de Francia en Marsella causadas por terroristas croatas, los Estados estuvieron dispuestos a ponerse de acuerdo sobre el Convenio de 1937 para la Prevención del Terrorismo y sobre un Convenio vinculado para la creación de una Corte Penal Internacional en la Sociedad de Naciones, con sede en la Haya, para enjuiciar los delitos de terrorismo[12].

---

[11]   Entre a http://www.un.org/sc/ctc/countryreports/reportA.shtml para ver la totalidad de los informes nacionales.

[12]   Se pueden encontrar los documentos en la Revista Internacional de Derecho Penal del AIDP en el volumen Documentación Histórica de la Asociación (1926-2014), 2015, nr. ¾, 851-914.

La doctrina de entonces criticó ya el conjunto de la configuración del Convenio sobre el terrorismo por carecer de seguridad jurídica, debido a tipos penales muy abiertos y actos preparatorios muy extensivos. La Convenciones nunca entraron en vigor debido a la segunda guerra mundial.

Desde la década del 60, a partir de los primeros actos de piratería aérea, la comunidad internacional. tanto al nivel global como al nivel regional— ha ido elaborando convenios internacionales para prevenir y sancionar penalmente en los Estados actos de violencia terrorista. La comunidad internacional, bajo los auspicios de la ONU el del Organismo Internacional de Energía Atómica (OIEA) ha creado 19 convenios (llamados "suppression conventions") para prevenir y sancionar penalmente los actos terroristas. Algunos convenios tienen directamente relación con la aviación civil, como por ejemplo el Convenio sobre las infracciones y ciertos otros actos cometidos a bordo de las Aeronaves (1963) o el Convenio para la Represión de Actos Ilícitos relacionados con la Aviación Civil Internacional (2010). Otros tienen relación con la protección de personal internacional, como por ejemplo la Convención Internacional contra la Toma de Rehenes (1979) o con modus operandi específicos, como por ejemplo el Convenio Internacional para la Represión de los Atentados Terroristas Cometidos con Bombas (1997) o el Convenio Internacional para la Represión de la Financiación del Terrorismo (1999).

Desde 1996[13] se está negociando en la ONU una Convención comprehensiva sobre terrorismo con el objetivo de criminalizar todas las formas de terrorismo, incluyendo la financiación y otros actos preparativos o de sostén material. Las negociaciones, que se realizaron en el Comité ad-hoc sobre terrorismo y el 6e Comité legal están desde 2013 en un punto muerto. Problema principal es la definición del terrorismo. Cuál es la diferencia entre un grupo terrorista y un grupo rebelde de liberación? Se excluyen de la definición actos terroristas cometidos por ejércitos o se excluye el terrorismo de estado?

Después de la primavera árabe, el auge de conflictos violentos en Irak, Afganistán, Siria y Yemen y sobre todo el éxodo de jóvenes árabes y convertidos a las zonas de conflicto, especialmente Siria, la comunidad internacional se ha concentrado cada vez más sobre el al terrorismo islámico. La amenaza de los talibanes, del Estado Islámico de Iraq y el Levante (EIIL),

---

[13]   Establecido por la Resolución 51/210 de 17 Diciembre 1996, que refiere a Resolucion 49/60 de 9 Diciembre 1994 y Resolución 50/53 de 11 Diciembre 1995 que reclaman medidas para eliminar el terrorismo internacional.

el Frente Al Nusra, etc. han justificado una respuesta penal aún más amplia. El Consejo de Seguridad de la ONU aprobó en 2014, unánimemente y apoyándose en el Capítulo VII de la Carta, la Resolución 2178 que se ocupa *inter alia* de la amenaza por parte de los combatientes terroristas extranjeros, a saber, las personas que viajan a un Estado distinto de su Estado de residencia o nacionalidad con el propósito de cometer, planificar o preparar actos terroristas o participar en ellos, o de proporcionar o recibir adiestramiento con fines terroristas, incluso en relación con conflictos armados. La resolución, vinculante para todos los Estados parte a la ONU, impone claramente una expansión del derecho penal aún más amplia:

> *"5. Decide que los Estados Miembros deberán, de conformidad con el derecho internacional de los derechos humanos, el derecho internacional de los refugiados y el derecho internacional humanitario, prevenir y reprimir el reclutamiento, la organización, el transporte o el equipamiento de las personas que viajan a un Estado distinto de sus Estados de residencia o nacionalidad para cometer, planificar o preparar actos terroristas o participar en ellos, o para proporcionar o recibir adiestramiento con fines de terrorismo, y la financiación de sus viajes y actividades;*
>
> *6. Recuerda su decisión contenida en la resolución 1373 (2001) de que todos los Estados Miembros velen por el enjuiciamiento de toda persona que participe en la financiación, planificación, preparación o comisión de actos de terrorismo o preste apoyo a esos actos, y decide que todos los Estados se cercioren de que sus leyes y otros instrumentos legislativos internos tipifiquen delitos graves que sean suficientes para que se pueda enjuiciar y sancionar de modo que quede debidamente reflejada la gravedad del delito:*
>
> *a) A sus nacionales que viajen o intenten viajar a un Estado distinto de sus Estados de residencia o nacionalidad, y demás personas que viajen o intenten viajar desde sus territorios a un Estado distinto de sus Estados de residencia o nacionalidad, con el propósito de cometer, planificar o preparar actos terroristas o participar en ellos, o proporcionar o recibir adiestramiento con fines de terrorismo;*
>
> *b) La provisión o recaudación intencionales de fondos, por cualquier medio, directa o indirectamente, por sus nacionales o en sus territorios con intención de que dichos fondos se utilicen, o con conocimiento de que dichos fondos se utilizarán, para financiar los viajes de personas a un Estado distinto de sus Estados de residencia o nacionalidad con el propósito de cometer, planificar o preparar actos terroristas o participar en ellos, o proporcionar o recibir adiestramiento con fines de terrorismo; y,*
>
> *c) La organización u otro tipo de facilitación deliberadas, incluidos actos de reclutamiento, por sus nacionales o en sus territorios, de los viajes de personas a un Estado distinto de sus Estados de residencia o nacionalidad con el propósito de cometer, planificar o preparar actos terroristas o participar en ellos, o proporcionar o recibir adiestramiento con fines de terrorismo".*

A pesar de la falta de unanimidad en la comunidad internacional sobre el papel del derecho penal para contrastar el terrorismo, no hay duda que hay en los 19 convenios internacionales y en las resoluciones de la ONU una clara expansión del derecho penal. Éstos no solo obligan a tipificar conductas violentas con daños concretos, sino que cada vez más obligan también a tipificar actos preparatorios y anticipativos que consisten en meros actos de peligrosidad en abstracto o en concreto, como pueden ser ciertos actos de glorificación o financiación[14]. Además lo vinculan con obligaciones en materia de jurisdicción y cooperación internacional.

La falta de unanimidad a nivel internacional no ha impedido avances importantes a nivel regional, por ejemplo en el continente Europeo.

4.2. Enfoque europeo

El fenómeno del terrorismo y de la legislación anti-terrorista penal está muy arraigado en algunos países Europeos, principalmente por el problema de terrorismo doméstico, como ETA/GRAPO en España, IRA en Inglaterra, Brigate Rosse en Italia, RAF en Alemania, Action Directe en Francia, etc. Sin embargo la mayoría de los países en el Consejo de Europa y en la Unión Europea no tenía en su legislación penal tipos penales específicos para contrastar el terrorismo. La Convención para suprimir el terrorismo de 1977[15], negociada en el Consejo de Europa, tampoco obligó a introducir estos tipos. Se limitó principalmente a no reconocer actos de terrorismo como delitos políticos a la luz de los tratados de extradición, basándose en lo que fue llamado el clima de confianza mutua entre los Estados del Consejo de Europa.

Fueron los atentados del 11 de septiembre en 2001 en Estados Unidos los que cambiaron el panorama. La Unión Europea quería mostrar solidaridad con Estados Unidos. Se adoptó la Decisión Marco de 2002[16] de acuerdo con las conclusiones del Consejo Europeo de Tampere de 1999, que identificó el terrorismo como una de las violaciones más graves de las libertades fundamentales y de los principios de los derechos humanos, y siguió el plan de acción aprobado por la Reunión extraordinaria del Consejo Europeo del 21 de septiembre de 2001. La Decisión Marco de 2002 y la

---

[14] La Convención Internacional para la Represión de la Financiación del Terrorismo, ONU, 1999 es un muy buen ejemplo.
[15] Explanatory Report to the European Convention on the Suppression of Terrorism, Strasbourg, 27.1.1977.
[16] Decisión marco del Consejo, de 13 de junio de 2002, sobre la lucha contra el terrorismo, *OJ L 164, 22.6.2002.*

Decisión Marco de 2008[17], que la modifica[18], definen los delitos de terrorismo, así como los delitos relativos a grupos terroristas o ligados a actividades terroristas. La Decisión Marco de 2002 introduce una definición penal de terrorismo —por cierto muy inspirada en la legislación contra-terrorista de Estados Unidos[19]— que combina elementos objetivos (asesinato, lesiones corporales, toma de rehenes, extorsión, comisión de atentados, amenaza de cometer cualquiera de los hechos anteriores, etc.) con el elemento subjetivo de intención pero con una finalidad especifica: actos cometidos con el objetivo de intimidar gravemente a una población, desestabilizar o destruir las estructuras de un país o una organización internacional u obligar a los poderes públicos a abstenerse de realizar un acto. Segundo, las Decisiones Marco obligan a tipificar establecimiento de grupos terroristas, la dirección de y la participación en ellas. Se trata de organizaciones estructuradas de dos o más personas, establecidas durante cierto periodo de tiempo, que actúan de manera concertada con el fin de cometer delitos de terrorismo. Además los países de la EU deberán tipificar como delitos anexos a actividades terroristas ciertos actos preparatorios o anticipativos (provocación pública, la captación y el adiestramiento de terroristas, la extorsión o la falsificación con el fin de cometer un delito de terrorismo).

El Consejo de Europa tomó claramente también los atentados del 11 de septiembre 2001 como punto de partida para una reorientación penal. El protocolo de enmienda a la Convención de 1977 fue solo una primera fase. Más importante fue la Convención nueva de 2005 sobre la Prevención del Terrorismo, llamada la Convención de Varsovia (CETS No. 196)[20]. La importancia de la Convención consiste en haber impuesto más obligaciones de tipificaciones en al campo anticipativo, especialmente en relación con

---

[17] Para más información, ver Informe de la Comisión basado en el artículo 11 de la Decisión marco del Consejo de 13 de junio de 2002 sobre la lucha contra el terrorismo, COM (2004) 409 final, 09.06.2004; Informe de la Comisión basado en el artículo 11 de la Decisión marco del Consejo, de 13 de junio de 2002, sobre la lucha contra el terrorismo, COM (2007) 681 final, 06.11.2007;; Informe de la Comisión al Parlamento Europeo y al Consejo sobre la aplicación de la Decisión Marco 2008/919/JAI del Consejo, de 28 de noviembre de 2008, por la que se modifica la Decisión Marco 2002/475/JAI sobre la lucha contra el terrorismo, COM (2014) 554 final, 05.09.2014.

[18] Decisión Marco 2008/919/JAI del Consejo, de 28 de noviembre de 2008, por la que se modifica la Decisión Marco 2002/475/JAI sobre la lucha contra el terrorismo, *OJ L 330, 9.12.2008.*

[19] Vervaele, JAE, *La legislación antiterrorista en Estados Unidos. Inter arma silent leges?* Estudios del Puerto, Buenos Aires, 2007.

[20] Explanatory Report to the Council of Europe Convention on the Prevention of Terrorism, Warsaw, 16.V.2005.

enaltecimiento público (art. 5), reclutamiento (art. 6) y entrenamiento/ adiestramiento (art. 7). Artículo 8 pone en evidencia que se trata de tipificaciones autónomas de cualquier resultado en forma de comisión de actos terroristas. Además Art. 9 obliga a tipificar también la participación en estos delitos autónomos, también en forma de establecimiento y/o dirección de grupos. En otras palabras el fenómeno de grupo o asociación de terrorismo se aplica también a estos delitos anticipativos. El enaltecimiento del artículo 5 se refiere a glorificación/apología/provocación en público con la intención de sustentar grupos terroristas o actos terroristas. Es suficiente que haya un enlace causal indirecto y temporal (ex ante o ex post) con la perpetración de un acto terrorista o es suficiente que la acción pueda crear un peligro de comisión de un acto terrorista. Para evaluar el peligro se tiene que tener en cuenta el perfil del autor, el contenido del mensaje y el contexto en el que se haya expresado. El reclutamiento del artículo 6 puede ser físico o por vía digital y se refiere solo a reclutamiento activo por parte del entrenador. No es necesario que el reclutado participe en un acto terrorista como consecuencia. Es suficiente que haya habido solicitación efectiva con el objetivo de cometer, participar o contribuir a un acto terrorista. El entrenamiento del artículo 7 tipifica la transferencia de know-how a personas con el objetivo de cometer o contribuir a la comisión de actos terroristas. El elemento subjetivo se limita al saber que esta formación puede ser utilizada para la comisión de o contribución a estos actos. La tipología no incluye recibir entrenamiento. Que se trata de delitos anticipativos es claramente reconocido en el "Explanatory Report"[21] que se refiere a "*establishing as criminal offences certain acts that may lead to the commission of terrorist offences*". De nuevo se hace referencia a la confianza mutua entre los Estados para avanzar en este nuevo terreno de criminalización.

Para ejecutar la Resolución 2178 de la ONU en Europa la respuesta fue doble. Por un lado el Consejo de Europa adoptó en 2015 un Protocolo adicional a la Convención de Varsovia de 2005 (el llamado Protocolo de Riga[22]), añadiendo nuevos tipos, sobre todo en relación con combatientes terroristas extranjeros y su entrenamiento pasivo, su viajar a zonas de conflicto, y la financiación y el soporte material para estos viajes. El entrenamiento pasivo (art. 3) puede consistir en asistir a un campo de entrenamiento o participar en forma digital en sesiones interactivas de

---

[21] Ver https://rm.coe.int/CoERMPublicCommonSearchServices/DisplayDCTMConten t?documentId=09000016800d3811, punto 26.
[22] STCE n.º 217. No entrado en vigor. Aunque firmado por muchos estados está en espera de un mínimo de ratificaciones.

entrenamiento. Viajar a zonas de conflicto (art. 4) no es una conducta criminal como tal, pero debe ser incriminada cuando tiene como objetivo cometer o participar en actos terroristas o recibir u ofrecer entrenamiento. La financiación y el suporte material para estos viajes (art. 5) se criminaliza cuando hay conciencia que estos fondos o ayudas son, por completo o parcialmente, recogidos con el objetivo mencionado. El informe explicativo indica claramente en el punto 29 que *"Parties shall take into account that Articles 2 to 6 criminalise behaviour at a stage preceding the actual commission of a terrorist offence but already having the potential to lead to the commission of such acts"*. Art. 2 del Protocolo impone también que actos como entrenamiento pasivo y viajar a zona de conflicto o financiarlo pueden calificarse como actos de participación en un grupo o asociación terrorista. En el punto 22 los autores del informe explicativo indican también que estos tipos nuevos son actos de una naturaleza seria, por el simple hecho que tienen la potencia de convertirse en la comisión de actos terroristas. Sin embargo no es necesario para su incriminación y persecución que el acto terrorista se haya consumido.

La segunda iniciativa Europea es aún más reciente y viene de la Unión Europea y ya tiene en cuenta la ola de atentados crueles en Francia y en Bélgica. Se trata de una la directiva 2017/541 [23] que remplaza la Decisión Marco de 2002/2008. En el recital 6 se refiere a que los delitos relacionados con las actividades terroristas son de extrema gravedad, ya que pueden llevar a la comisión de delitos de terrorismo y permitir que los terroristas y los grupos terroristas mantengan y sigan desarrollando sus actividades delictivas, lo que justifica la tipificación penal de dicha conducta. La propuesta hace una distinción entre delitos de terrorismo y delitos relacionados con un grupo terrorista (título II) y delitos relacionados con actividades terroristas (título III). En la primera categoría están los actos terroristas (art. 3) y el establecimiento de un grupo terroristas y dirección de o participación en él (art. 4), ya incriminados en la Decisión Marco de 2002. Solo se ha añadido interferencia en sistemas informáticos o en bancos de datos como unos de los actos que pueden cualificar. En la segunda categoría están los actos anticipativos y anexos. Son nada menos de 12 subcategorías diferentes, como provocación a la comisión de delitos terroristas (art. 5), captación de terroristas (art. 6), adiestramiento de terroristas (art. 7), recepción de adiestramiento con fines terroristas (art. 8), viajes al extranjero con fines terroristas (art. 9), la organización o facilitación de estos viajes

---

[23]   Directiva 2017/541 relativa a la lucha contra el terrorismo, OJ L 88/6, 31.03.2017.

(art. 10), financiación de terrorismo (art. 11) y otros delitos relacionados con actividades terroristas, como robo, hurto, chantaje, expedición de documentos administrativos falsos, siempre con el fin de cometer delitos terroristas (art. 12). El fenómeno de los combatientes terroristas extranjeros está en el centro de la nueva intervención penal, visto que no se tipifica solamente el viajar con fines terroristas (incluyendo recepción de adestramiento), sino también la financiación, la organización y la facilitación de estos viajes, incluyendo apoyo logístico y material, alojamiento, medios de transporte, servicios, bienes y mercancías.

5. DERECHO PENAL Y TERRORISMO: EL PARADIGMA DEL PELIGRO Y DE LA SEGURIDAD

5.1. Sistema penal y cambio paradigmáticos

El derecho penal clásico, basado en la Iluminación, y pues elaborado en la teoría del delito, tiene como objetivo justificar la intervención penal y tenerla limitada a la tutela de bienes jurídicos, cuando hay conducta penalmente relevante.

Poniendo al lado políticas criminales de derecho penal de excepción (como durante el nazismo o el estalinismo), se ha justificado a partir de los años 80 del siglo pasado una creciente necesidad de intervención penal cuando todavía no hay comisión de delito, injusto penal y daños causados. Paradigmas de política criminal para contrastar el tráfico de estupefacientes y después para contrastar al crimen organizado y el terrorismo justificaron un derecho penal anticipativo y preventivo, es decir un derecho penal *ex ante*, antes de la comisión de conductas concretas y dañosas que violan el bien jurídico penalmente tutelado.

En realidad estos tres cambios paradigmáticos han tenido como resultado una expansión del derecho penal en diferentes etapas. La primera etapa ha sido la introducción de los tipos de asociaciones criminales. Aunque existían los tipos de "*bande de malfaiteurs*" o "*conspiracy*" la incriminación de organizaciones criminales y de las organizaciones terroristas ha ido mucho más allá. De hecho no se necesita comisión concreta de delito, sino solo la formación de un grupo con el objetivo de comisión. En una segunda fase hay una expansión hacia los actos preparatorios (*inchoate offences*), desvinculados de tentativa. En tercer lugar se han tipificado actos de soporte financiero o material o de simple posesión. Muchos de estos actos son legales como tales pero se convierten en actos ilícitos por su intención (de establecer un grupo criminal o de cometer actos de terrorismo por ejemplo).

5.2. *Terrorismo: amplificación y anticipación de la intervención penal*

Anticipar el umbral de la punibilidad del comportamiento humano basándose en actos asociativos y/o actos preparatorios y/o actos anexos a ellos se justifica en razón de la necesidad de perseguir los comportamientos previos a la ejecución de los actos violentos. El gran problema es obviamente que sin criterios de ofensividad la incriminación se convierte en prevención de peligro[24]. ¿Cómo elaborar criterios de peligrosidad que correspondan a la necesidad de la taxatividad de la intervención penal de tal manera que no se incriminen conductas humanas que relieven de la libertades públicas, evitando persecuciones políticas-ideológicas? Que una asociación tenga una estructura organizada, dotada de caracteres de estabilidad y permanencia y que se configure en un grado tal de efectividad que haga factible la ejecución de un plan no es obviamente suficiente. Tiene que ser un plan criminal serio, concreto y actual que vaya más allá del intercambio de ideas o intercambio ideológico y debe reflejar el objetivo, la finalidad de comisión de actos violentos de terrorismo.

La expansión de los delitos de terrorismo se agrava cuando los delitos preparatorios o anexos no tiene como objetivo la comisión de delitos de terrorismo, sino la mera asociación terrorista o la preparación de delitos anexos. La anticipación de la intervención penal no se limita solo a construcciones como el delito de pertenencia a organización terrorista o el delito de colaboración con organización terrorista. Vemos en la legislación europea y en la práctica judicial penal construcciones en las que actos anexos a delitos terroristas pueden constituir en sí asociación ilícita terrorista sin cometido en grupo. Aquí puede ser útil un ejemplo para ilustrar la expansión sin límites de la intervención. Tres jóvenes amigos de origen árabe, viviendo en Holanda, se informan por internet y en los medios sociales sobre ciertas técnicas para viajar sin problemas a Siria, como por ejemplo cómo pueden falsificar pasaportes y pasar controles sin parecer nerviosos. También se informan sobre métodos de sobrevivencia en el desierto. Contentos de su cosecha, intercambian entre ellos de forma regular

---

[24] W. Hassemer, Sicherheit durch Strafrecht, StV, 2006, 321, 1-23 y B. Weisser, Üeber den Umgang des Strafrechts mit terroristischen Bedrohungslagen, ZStW 121 (2009), Heft 1, 131-161.

mensajes electrónicos. En algunos de estos mensajes glorifican también el coraje de algunos amigos que se fueron a Siria como combatientes. En Holanda fueron perseguidos por entrenamiento pasivo y asociación ilícita terrorista, a pesar del hecho que no comunicaron ningún hecho con el mundo exterior y a pesar del hecho que no hay ningún otra factor que indique su intención terrorista o su intención de preparar su viaje a Siria como combatientes. Aquí se trata de una ampliación del tipo de pertenencia a un grupo terrorista que infringe los principios de legalidad y de proporcionalidad, visto que no hay finalidad concreta de comisión de actos terroristas. Interpretaciones de este estilo caminan hacia un derecho penal del autor, incriminando su pensamiento y su libertad de informarse[25]. También podemos constatar que en la sociedad de información la definición de asociación terrorista cambia de estructura estable y permanente a una comunicación estructurada digitalmente.

Un segundo problema está obviamente vinculado con la última ola de incriminaciones en relación con meros actos anexos al terrorismo o con aquellas conductas que la Unión Europea llama delitos relacionados con actividades terroristas. Se trata en la mayor parte de conductas corrientes legales que se convierten en ilícitos penales de terrorismo por su finalidad terrorista. En Estados Unidos, que ha ido incriminando las conductas en su legislación anti-terrorista, se ha conceptualizado esta última ola como *"terrorist precursor crimes"*. Precursores son normalmente productos básicos que necesitamos para fabricar productos farmacéuticos o drogas. Aquí son productos y servicios básicos para poder elaborar actividad terrorista y/o establecer grupos terroristas. El "Congressional Research Service" del Congress lo define así: "Irrespective of ideology or strategic goals, all terrorist groups have several basic needs in common; funding, security, operatives/ support, propaganda, and means and/or appearance of force. In order to meet this needs, terrorist engage in a series of activities, some of which are legal, many of which are not, including various fraud schemes, petty crime, identity and immigration crimes, the counterfeit of goods, narcotics trade, and illegal weapons procurement, amongst others. *Terrorist precursor crimes*

---

[25]   A. Asúa Batarrita, Apología del terrorismo y colaboración con banda armada: delimitación de los respectivos ámbitos típicos (comentario a la sentencia de 29 de noviembre de 1997 de la Sala Penal del Tribunal Supremo), La Ley, n.o 3, 1998, pp. 1639 ss. y A. Asúa Bataritta, El discurso del enemigo y su infiltración en el derecho penal. Delitos de terrorismo, 'finalidades terroristas' y conductas periféricas, en M. Cancio Meliá y C. Gómez-Jara Díez (coords.), Derecho penal del enemigo: el discurso penal de la exclusión, vol. 1, Montevideo, 2006, pp. 239-276.

can be defined as unlawful acts undertaken to facilitate a terrorist attack of to support a terrorist campaign "[26].

De este enfoque se puede entender que cualquier acto o conducta puede calificarse como precursor delito. No tiene que extrañarnos que en el mismo documento se califiquen actos como "front business and charities, food stamp frauds, passif training, etc.". En otras palabras todos los actos que se pueden vincular con grupos terroristas, actos preparatorios a actos anexos podrían calificarse como "*terrorist predicate crimes*", como los delitos subyacentes para blanqueo de capitales. Para que exista blanqueo es precisa la previa comisión de un acto delictivo de cierta gravedad. En el caso del terrorismo, sin embargo se trata de un proceso de tipificación ascendente al delito de terrorismo. Como es ascendente el delito subyacente o de referencia no se ha cometido aún, ni se está preparando todavía; se trata de una incriminación autónoma anticipativa (ex ante). En segundo lugar el delito subyacente no se limita a actos terroristas violentos como por ejemplo los atentados en Francia o Bélgica, sino que puede consistir solamente en la constitución de grupo terrorista o actos preparatorios.

Aquí algunos ejemplos prácticos judiciales de Holanda pueden servir de nuevo para ilustrar el problema. Un joven árabe visita diferentes sitios web con el objetivo de informarse sobre cómo obtener un visado para Turquía y como viajar a Siria. También hace algunas preguntas digitales sobre detonadores. Finalmente mira YouTube buscando propaganda de ISIS y especialmente imágenes de decapitación. Algunas de ellas las almacena en su ordenador. Este joven fue perseguido por obtención de información y de habilidades de conocimiento, lo que fue considerado como entrenamiento pasivo (art. 134ª Código Penal Holandés), para poder preparar y facilitar actos terroristas. Su condena a 15 meses de encarcelamiento fue confirmada por la Corte Suprema holandesa[27] De hecho en este caso se penaliza el pensamiento ideológico como tal. Ningún acto es ilícito en sí y tampoco hay indicios concretos de actos preparatorios ni di un dolo específico que debe caracterizar la conducta y que debe constituir una proyección externa de esta finalidad.

En otro caso dos chicos de origen árabe colectan dinero en Holanda para empezar una empresa de transporte en Siria. El tribunal de Rotter-

---

[26]   S. O'Neil, CRS Report for Congress, Terrorist Precursor Crimes: Issues and Options for Congress, may 2007, Introduction, p. 1.

[27]   Hoge Raad, 31-05-2016, ECLI:NL:HR:2016: 1011.

dam[28] en Holanda les condenó a 3 años y medio de cárcel, sin necesidad de prueba de que fueron combatientes o de que participaron en actos terroristas. Facilitar a la organización ISIS en el califato, ya sea en forma de transporte o en forma de cocinero, es un tipo de facilitación que se califica como participación a la organización terrorista ISIS. Viajar al califato se convierte casi automáticamente en delito, salvo si la persona está vinculada a organizaciones "amigas" que combaten al enemigo. Quien viaja a Siria, incluyendo el califato, para participar en los combates con los peshmerga kurdos es más bien un héroe. Depende de la definición del enemigo para saber si la conducta es criminal o un acto de liberación. Es exactamente el papel que no corresponde a la justicia penal.

6. CONCLUSIÓN

Nuestro análisis muestra como el paradigma anti-terrorista convierte el derecho penal en un mero instrumento de política de seguridad y control de riesgo. A través de resoluciones, basadas en el capítulo VII de la Carta, el Consejo de Seguridad ha vinculado estrechamente la seguridad global con la respuesta penal anti-terrorista. Como la sociedad de información convierte al planeta en una ciudad global, movimientos como ISIS se posicionan como actores globales y sus actos se califican como de terrorismo global que amenazan la seguridad global. A pesar de que no hay una definición internacional de terrorismo la comunidad internacional define ad-hoc a los enemigos que hay que combatir. La cara más visible de este mecanismo son las listas de grupos y personas terroristas elaborados por la ONU, la Unión Europea y algunos Estados, que tienen como consecuencia la imposición de "smart sanctions" (congelación de cuentas bancarias, prohibición de visados, etc.)[29].

Este cambió paradigmático tiene consecuencias muy importantes para la política legislativa en materia penal y en la construcción de tipos penales. El focus sobre la prevención y sobre la incriminación anticipativa ha hecho necesario incriminar grupos terroristas sin que haya vínculo directo con actos terroristas. La finalidad se convierte en el criterio distintivo entre una asociación lícita y una terrorista. El problema es que esta finalidad se limita en ciertos casos al pensamiento de las personas activas en el grupo.

---

[28]   ECLI:NL:RBROT:2016:1264
[29]   I. Cameron (ed.), EU Sanctions: Law and Policy Issues concerning restrictive measures, Intersentia, 2013, Cambridge.

Si además el grupo se puede constituir de manera digital, sin estructura estable y permanente, llegamos a incriminaciones completamente abiertas que además llegan a un tipo de derecho penal del autor en lugar de a un derecho penal de la acción ilícita. Cuando se penaliza al autor por su manera de pensar solamente, lo hemos convertido en puramente un enemigo.

Curiosamente llegamos a estos artefactos penales con una dialéctica entre derecho internacional, europeo y nacional. Todos predican el mismo paradigma, pero son muchas veces los Estados los que en su legislación y/o jurisprudencia penal llegan a los tipos más abiertos. Solo en una minoría de Estados, como por ejemplo Italia, son los tribunales supremos y/o constitucionales los que limitan de nuevo las incriminaciones gracias a la aplicación de principios generales (principio de legalidad, principio de proporcionalidad, etc.).

El paradigma de contraterrorismo ha tenido como resultado una vasta serie de figuras de tutela anticipada y asociativa, reflejo de un punitivismo expansionista, por lo cual el objetivo de la justicia penal ha cambiado del castigo a los autores culpables de haber cometido delitos (con fines de prevención general y especial, incluyendo rehabilitación) a un campo más amplio de control social del peligro y del riesgo. El resultado es que, la comisión de conducta criminal de un sospechoso no es más que el umbral desencadenante del *ius puniendi* del Estado. El enfoque de la seguridad en el derecho penal ha llevado a una expansión del derecho penal sustantivo (parte general y parte especial) más allá de las fronteras y límites tradicionales definidos en la época de la Ilustración. Al redefinir el objetivo de la justicia penal, se ha reconvertido, también, su naturaleza. Cuanto más alto es el riesgo o el peligro, que está basado en una construcción social y, desde luego, no en hechos empíricos, más bajo es el umbral para el uso del *ius puniendi*, lo que significa que el derecho penal se convierte en derecho de la seguridad. El derecho de la seguridad, se basa, muy poco, en una definición jurídica de sospechoso y conducta criminal, vinculada a daños graves al interés jurídico, se basa más bien en una definición preestablecida de un enemigo[30] que está asociada con el riesgo, el peligro y la inseguridad. Esta deshumanización del derecho penal[31] se combina con una instrumentalización política y mediatización del delito

---

[30]   Günther Jakobs: Bürgerstrafrecht und Feindstrafrecht. In: HRRS 3/2004, S. 88-95
[31]   Ver L. Arroyo, M. Delmas-Marty (eds.), Securitarismo y Derecho Penal, Ediciones de la Universidad de Castilla-La Mancha, Cuenca, 2013.

y del miedo a la delincuencia[32]. El resultado es que el *ius puniendi* del Estado (siendo una de las más represivas interferencias de la libertad), está siendo instrumentalizado y puesto al servicio del peligro y de la administración del riesgo. Cuando la prevención de la peligrosidad se convierte en el mecanismo desencadenante para el castigo penal, el sistema de justicia penal está en riesgo de convertirse en un sistema de seguridad. Estos acontecimientos tienen como resultado una considerable expansión del sistema de justicia penal, a través del derecho penal sustantivo y procesal y, por lo tanto, una mayor injerencia en la libertad de los ciudadanos. La expansión de la justicia penal mina los principios básicos de la justicia penal moderna, elaborados en la Ilustración (nullum crimen sine iniuria, nulla poena sine culpa, ultimum remedium, juicio equitativo, etc.)[33]. Al mismo tiempo, la represión penal se convierte en una fórmula "*passe partout*" para la resolución de problemas sociales. Las expectativas respecto a la capacidad de la justicia penal para resolver problemas están, sin embargo, en agudo contraste con su efecto real. La expansión de la justicia penal es muy real en términos de control social, pero es muy simbólica en términos de capacidad de resolución de problemas sociales.

Para terminar, la construcción penal para contrastar el terrorismo exige un alto rigor conceptual y una interpretación que garantice que los principios básicos de la justicia penal moderna, reconocidos también como derechos/libertades fundamentales y/o derechos humanos, no se vean amenazados por una lucha frontal contra el terrorismo, no desencadenen una respuesta estatal que termine por afectar lo que trata de defender: los derechos humanos, la democracia, y en fin los bienes jurídicos fundamentales de una sociedad. Ellos son el fundamento y el límite del *ius puniendi* y la base de un derecho penal humanista. Un derecho penal sin límites se convierte en un instrumento de control social por parte del estado que mina no solo la mera esencia del derecho penal sino también la legitimidad del poder punitivo del Estado. Por este motivo es importante redefinir y limitar el papel del derecho penal en la lucha contra el terrorismo y reforzar el enfoque de los derechos humanos en este sector[34].

---

[32]   J. Simon, *Governing through Crime,*Oxford University Press, 2007.
[33]   L. Ferrajoli, Diritto e Ragione. Teoria del garantismo penale, Laterza, 2011.
[34]   Ver Informe del Relator Especial sobre la promoción y la protección de los derechos humanos y las libertades fundamentales en la lucha contra el terrorismo, Human Rights Council, 22 de Febrero 2016.

BIBLIOGRAFÍA

ARROYO ZAPATERO, Luis Alberto y DELMAS-MARTY, Mireille (Edits.), *Securitarismo y Derecho Penal*, Universidad de Castilla-La Mancha, Cuenca, 2013.

ASAMBLEA GENERAL DE NACIONES UNIDAS, *Informe del Relator Especial sobre la promoción y la protección de los derechos humanos y las libertades fundamentales en la lucha contra el terrorismo*, Consejo de Derechos Humanos de la Organización de las Naciones Unidas, febrero, 2016.

ASÚA BATARRITA, Adela, "Apología del terrorismo y colaboración con banda armada: delimitación de los respectivos ámbitos típicos (comentario a la sentencia de 29 de noviembre de 1997 de la Sala Penal del Tribunal Supremo)", *La Ley*, núm. 3, 1998, pp. 1639 y ss.

ASÚA BATARITTA, Adela, "El discurso del enemigo y su infiltración en el derecho penal. Delitos de terrorismo, 'finalidades terroristas' y conductas periféricas", en CANCIO MELIÁ, Manuel y GÓMEZ-JARA DÍEZ, Carlos (Coords.), *Derecho penal del enemigo: el discurso penal de la exclusión,* vol. 1, Montevideo, 2006, pp. 239-276.

BELL, Daniel, *The Coming of Post-Industrial Society*, Nueva York: Basic Books, 1976.

CAMERON, Iain, *EU Sanctions: Law and Policy Issues concerning restrictive measures*, Cambridge, Intersentia, 2013.

CANCIO MELIÁ, Manuel, "Los delitos de terrorismo: estructura típica e injusto, Madrid: Reus, 2010; M. Cancio Meliá, Derecho penal' del enemigo y delitos de terrorismo. Algunas consideraciones sobre la regulación de las infracciones en materia de terrorismo en el Código penal español después de la lo 7/2000", *Jueces para la Democracia*, núm. 44, 2002, pp. 19-26.

CASTELLS, Manuel, *The Rise of the Network Society. The Information Age: Economy, Society and Culture*, Malden: Blackwell, vol. 1, 2000.

COMISIÓN EUROPEA, *Informe del artículo 11 de la Decisión marco del Consejo, de 13 de junio de 2002, sobre la lucha contra el terrorismo*, COM (2007) 681 final, noviembre, 2007.

COMISIÓN EUROPEA, *Informe de la Comisión al Parlamento Europeo y al Consejo sobre la aplicación de la Decisión Marco 2008/919/JAI del Consejo, de 28 de noviembre de 2008, por la que se modifica la Decisión Marco 2002/475/JAI sobre la lucha contra el terrorismo*, COM (2014) 554 final, septiembre, 2014.

COUNCIL OF EUROPE, *Explanatory Report to the European Convention on the Suppression of Terrorism*, Strasbourg, January, 1977.

COUNCIL OF EUROPE, *Explanatory Report to the Council of Europe Convention on the Prevention of Terrorism,* Warsaw, May, 2005.

FERRAJOLI, Luigi, *Diritto e Ragione. Teoria del garantismo penale*, Laterza, 2011.

HASSEMER, Winfried, Sicherheit durch Strafrecht, *Strafverteidiger*, vol. 321, 2006, pp. 1-23.

JAKOBS, Günther, "Bürgerstrafrecht und Feindstrafrecht", *HRRS: Onlinezeitschrift für Höchstrichterliche Rechtsprechung zum Strafrecht*, ausgabe 3, 2004, pp. 88-95.

KEPEL, Gilles, *Jihad. The Trail of Political Islam*, 2004.

O'NEIL, Siobhan, *Terrorist Precursor Crimes: Issues and Options for Congress*, CRS Report for Congress, May, 2007, p. 1.

PELLA, Vespasian, "V. La criminalité de la guerre d'agression et l'organisation d'une répression internationale", ERES, *Revue internationale de droit pénal*, vol. 86, Documentation historique de l'association (1926-2014), nro. 3-4, 2015, pp. 851-892.

PELLA, Vespasian, "VI. Convention pour la création d'une cour pénale internationale/Convention for the création of an international criminel court", ERES, *Revue internationale de droit pénal*, vol. 86, Documentation historique de l'association (1926-2014), nro. 3-4, 2015, pp. 893-914.

SIMON, Jonathan, *Governing through Crime*, Oxford University Press, 2007.

VERVAELE, John, *Internacionalización del derecho penal procesal penal. Necesidades y desafíos*, Lima, Perú, 2015, p. 403.

VERVAELE, John, *La legislación antiterrorista en Estados Unidos. Inter arma silent leges?*, Estudios del Puerto, Buenos Aires, 2007.

VERVAELE, John, "Terrorismo y Seguridad: un Derecho Penal sin Límites?" en BARONA VILAR, Silvia (Edit.), *Justicia Civil y Penal en la Era Global*, Tirant lo Blanch, Valencia, 2017, p. 461-485.

VIGANÒ, Francesco, "Sul contrasto al terrorismo di matrice islamica tramite il sistema penale tra 'diritto penale del nemico'e legittimi bilanciamenti", *Studi Urbinati, Scienze giuridiche, politiche ed economiche*, vol. 58, fasc. 4, 2014, pp. 329-48.

WEISSER, Bettina, *Ueber den Umgang des Strafrechts mit terroristischen Bedrohungslagen*, Zeitschrift für die gesamte Strafrechtswissenschaft, vol. 121, Heft 1, 2009, pp. 131-161.

ZAFFARONI, Raúl, *El enemigo en el derecho penal*, Dykinson, Madrid, 2006, p. 225.

Informes de Thomas Weigend, Christopher Blakesley, Jean Pradel y Christine van den Wyngaert en la Revue Internationale de Droit Pénal (RIDP) [Revista Internacional de Derecho Penal], 1996, 527-638.

Capítulo VII

Algunas consideraciones sobre la trasposición al Derecho penal español de la Directiva 2017/541/ UE del Parlamento europeo y del Consejo, en materia de terrorismo: ¿una tarea necesaria?

ELENA NÚÑEZ CASTAÑO

Profesora Titular de Derecho Penal. Universidad de Sevilla

SUMARIO: 1. SOBRE LAS TENDENCIAS POLÍTICO CRIMINALES EN LA UNIÓN EUROPEA EN MATERIA DE TERRORISMO. 2. EL CONTENIDO DE LA DIRECTIVA (UE) 2017/541, DEL PARLAMENTO EUROPEO Y DEL CONSEJO, DE 15 DE MARZO. 3. ALGUNOS ASPECTOS CONFLICTIVOS DE LA REGULACIÓN DEL TERRORISMO EN EL CÓDIGO PENAL ESPAÑOL. 3.1. Sobre los delitos de terrorismo. 3.2. Difusión de mensajes y consignas terroristas: la sanción de los actos preparatorios. 3.3. Adoctrinamiento y adiestramiento terrorista. 3.4. Viajes con fines terroristas. 4. A MODO DE CONCLUSIÓN SOBRE LA NECESIDAD DE LA TRASPOSICIÓN DE LA DIRECTIVA (UE) 2017/541 Y SOBRE LA "JUSTIFICACION" DE LA ACTUAL REGULACIÓN SOBRE TERRORISMO. BIBLIOGRAFÍA.

1. SOBRE LAS TENDENCIAS POLÍTICO CRIMINALES EN LA UNIÓN EUROPEA EN MATERIA DE TERRORISMO

A partir del 11S el mundo cambió; y está afirmación que era innegable ya en 2001 (aunque lo hemos percibido mucho más tarde) se ha ido ratificando a lo largo de los años con el incremento de la actividad de los terroristas yihadistas o de corte religioso en la última década. El miedo y la sensación de inseguridad y de vulnerabilidad que los últimos y muy graves atentados terroristas han ocasionado en el mundo, y más concretamente, en Europa, han determinado que desde los más variados ámbitos de las distintas sociedades se exija a los diferentes Gobiernos y organismos internacionales una mayor intervención y protección de los ciudadanos que las componen. Como si ello fuera posible ante el ataque incontrolable de cualquier sujeto. Pero lo cierto es que estas exigencias sociales han tenido eco en los legisladores, y resulta evidente que la tendencia de las actuales legislaciones radica en centrarse en la implantación de medidas meramente preventivas y securitarias en relación con determinados delitos, y concretamente, con los delitos de terrorismo. Y esas tendencias se manifiestan en un mayor intervencionismo y una mayor presión del sistema jurídico, y por lo que a nosotros nos afecta, del jurídico penal mediante el adelantamiento de las barreras de intervención penal, la intensificación de la gravedad de las penas, la relajación del respeto de los derechos y garantías reconocidos constitucionalmente, etc.; en definitiva, tendencias que ponen a prueba la consistencia de las instituciones democráticas al enfrentarlas con "retos" como la aplicación del sistema de garantías[1].

Identificar cual sería la meta final que se persigue con la intensificación en material penal de determinados comportamientos no resulta excesivamente complicado, la seguridad; aunque, quizás, debiéramos decirlo con más claridad porque, como veremos, esa seguridad resulta una entelequia difícil de alcanzar. Así, en realidad, la meta que directamente se persigue (aunque no se reconozca), porque es la única que se puede perseguir, sería aportar a la sociedad una *sensación de seguridad*. ¿Y como puede alcanzarse este objetivo? Pues de la forma que conlleve mayor facilidad y menos esfuerzos, restringiendo de manera importante el resto de las garantías constitucionalmente reconocidas, de manera que cuanta mayor capacidad y "legitimidad" de intervención tenga un Estado sobre los derechos y las garantías de sus ciudadanos, mayor será el control de los mismos, y menores los riesgos que se deriven de sus comportamientos. Se trata, de nuevo, del famoso binomio, que planteamos a modo de pregunta, ¿*Seguridad vs. Garantías?*, tan de moda en las reformas legislativas tanto nacionales como internacionales de los últimos años.

Es evidente que la seguridad es un derecho y, por ende, en conexión directa con las garantías de los ciudadanos. Pero también es evidente que, como derecho, no es absoluto, como tampoco lo son aquellos que pudieran verse afectados por una intensificación en la protección de la seguridad. Es el caso de la libertad, por ejemplo, y no sólo la libertad ambulatoria, sino la libertad de obrar, la libertad de expresión, la libertad de asociación, la libertad ideológica, etc., etc., etc. La pregunta se puede responder con otra pregunta: ¿es necesario y legitimo restringir otros derechos y limitar o anular las garantías que los aseguran en aras de obtener una mayor (absoluta) seguridad? Es en este punto donde nos encontramos en este momento, cuando las legislaciones adoptadas por los Estados (respondiendo

---

[1]   Cfrs. GARCÍA DEL BLANCO, "Delitos de terrorismo, cumplimiento de pena y separación de poderes: el caso "De Juana Chaos"", en *La Ley penal*, nº 41, Septiembre 2007.

a las exigencias internacionales) hacen recaer todo su peso en la limitación y recortes de determinados derechos y garantías a fin de un presunto reforzamiento de otros derechos, en este caso la seguridad. Pero, como ya dije, los derechos, ninguno, son absolutos y el de seguridad tampoco. Como dijo Helen Keller: *"La seguridad es principalmente una superstición. No existe en la naturaleza, ni los hijos de los hombres en su conjunto la experimentan. Evitar el peligro no es más seguro a largo plazo que la exposición directa"*. Sobre esta base, los gobernantes consideran que limitando las posibilidades de desplazamiento, o de pensamiento, o de actuación de sus ciudadanos van a poder evitar cualquier riesgo para los mismos. Aunque dudo realmente que consideren esto posible, sino que, por el contrario, y eso es sólo mi opinión, están actuando en términos de utilidad, no de eficacia; es decir, les resulta muy útil un mayor (casi absoluto) control sobre sus ciudadanos, aunque eso no se traduzca en una mayor eficacia en la lucha por la seguridad. En mi opinión, la principal consecuencia que puede extraerse de esta idea, es que se intente lo que se intente, se restrinja lo que se restrinja y se limite lo que se limite, en ninguna circunstancia ni ocasión lograra ningún gobierno asegurar una seguridad absoluta a sus ciudadanos.

Partiendo de esta idea, considero que es preciso modificar el prisma del enfoque de la pregunta que nos hemos planteado con anterioridad. ¿La "confrontación" entre seguridad y garantías tiene como objeto reafirmar la seguridad o tiene como objeto "favorecer o facilitar" la tarea del Estado en orden a la prevención, persecución y condena de determinados tipos de comportamientos claramente delictivos unos y altamente cuestionables otros? Si la respuesta a la primera de las opciones fuera afirmativa y pudiera, al menos hipotéticamente, conllevar que una restricción de garantías determinaría un reforzamiento de la seguridad individual y colectiva, a lo mejor, sopesando en una balanza los pros y los contras que ello implica y con muchísimas matizaciones, pudieran llegar a aceptarse las restricciones mencionadas en aras de una absoluta seguridad, pero como hemos expuesto ni es el caso, ni nunca va a serlo. Como tampoco lo es que la finalidad de la restricción de derechos sea la de reafirmar la seguridad de los ciudadanos, esa es la excusa, la meta es otra bien diversa y que se centra esencialmente en la necesidad de control por parte de los Gobiernos.

Rechazada la primera de las hipótesis, ello nos conduce inevitablemente a la segunda de las opciones, las reformas restrictivas de las garantías van encaminadas a facilitar y favorecer la tarea de los Estados y Gobiernos ante determinadas conductas que han decidido criminalizar. Y aquí la respuesta, en un Estado Democrático y de Derecho debe ser contundente, mejorar las condiciones de lucha contra determinados comportamientos, no justifica, ni legitima, ni excusa, ni autoriza ningún tipo de limitación ni restricción de los derechos y libertades de las personas, y de las garantías que los sustentan. Lo "útil" y lo "eficaz" no es lo "legítimo", el discurso de todo vale para obtener una meta concreta (la que sea) no encuentra fundamento ni sustento en un orden constitucional y garantista como el nuestro. Obviamente el derecho a la seguridad debe ser protegido, pero también el resto de los derechos fundamentales, y ello implica un ejercicio muy complicado de armonización entre ambos.

Sin embargo, a pesar de todo lo que hemos dicho hasta el momento, resulta ciertamente innegable la preocupación de la comunidad internacional por la actividad terrorista. Preocupación que se ha ido poniendo de manifiesto en distintos instrumentos internacionales, desde las ya lejanas Resoluciones del Consejo de Seguridad de Naciones Unidas 1373, de 29 de septiembre, y 1377, de 12 de noviembre[2], ambas de 2001, que encontraron claro reflejo en la Unión Europea, mediante la Decisión Marco 2002/475/JAI del Consejo, de 13 de junio, sobre lucha contra el terrorismo, modificada por la Decisión Marco 2008/919/JAI, del Consejo, de 28 de noviembre de 2008.

Esta tendencia legislativa, lejos de disminuir, y claramente derivada del recrudecimiento de la actividad terrorista y la intensificación del llamamiento a cometer atentados en todas partes del mundo, se plasma en un nuevo instrumento, la Resolución del Consejo de Seguridad de Naciones Unidas 2178, de 24 de septiembre de 2014. En el catálogo de medidas que constituyen la parte dispositiva de esta Resolución, aparece en el punto sexto un recordatorio de la Resolución 1373, según la cual todos los Estados miembros deben velar por el enjuiciamiento de toda persona que participe en la financiación, planificación, preparación o comisión de actos de terrorismo, o preste apoyo a esos actos. Sobre esta base, la Resolución 2178 pide a los Estados que se cercioren de que sus leyes y otros instrumentos legislativos internos tipifiquen delitos graves que sean suficientes para que se puedan enjuiciar y sancionar las conductas terroristas que se describen, de tal forma que quede reflejada la gravedad del delito

Y, ¿qué hace nuestro legislador nacional ante esta situación? Pues una vez más, y sin pararse a reflexionar que nuestra legislación antiterrorista, por las razones históricas que todos conocemos, es una de las más amplias

---

[2] Previamente a ellas se había firmado la Resolución del Consejo de Seguridad de Naciones Unidas 1368, de 12 de Septiembre de 2001 mediante la que se condenaban los atentados terroristas perpetrados el 11S.

y represivas que existen, da una nueva vuelta de tuerca en la intensifica-ción penal en esta materia, mediante la reforma global tanto cuantitativa como cualitativa de los delitos de terrorismo realizada por la LO 2/2015, cuya finalidad principal podría concretarse en la incorporación de las mencionadas tendencias preventivas y securitarias. Y esa finalidad queda muy clara en la Exposición de Motivos de la LO 2/2015, donde a pesar de reconocer que, a causa del terrorismo nacionalista de ETA o GRAPO que nuestro país ha sufrido durante décadas, la legislación antiterrorista es muy amplia, avanzada y eficaz en nuestro ordenamiento jurídico (y, creo, se podría añadir que mucho más represiva que la de cualquiera de los países de nuestro entorno), señala que es preciso adecuarse a las nuevas realidades, amenazas y modalidades de terrorismo que existen en la actualidad, con una clara referencia al terrorismo internacional de corte yihadista. Terrorismo que, tal como afirman, se caracteriza por su vocación de expansión internacional, a través de líderes carismáticos que difunden sus mensajes y consignas por medio de internet y, especialmen-te, mediante el uso de redes sociales.

Esta es su excusa y justificación, ¿y cual es la consecuencia? La implanta-ción de un nuevo concepto de terrorismo y de un nuevo elenco amplísimo de conductas consideradas como terroristas. A modo de ejemplo, respecto de la primera de las reformas, esto es, del concepto de terrorismo, cabe señalar que se amplían las "finalidades" perseguidas por ese tipo de orga-nizaciones a fin de ser consideradas terroristas[3]; en relación con la amplia-ción del elenco de conductas, podemos hacer referencia al desmesurado adelantamiento de la intervención penal, hasta "conductas" que carecen de toda potencialidad lesiva para el bien jurídico objeto de protección, como pudiera ser el acceso, de manera habitual, a servidores o páginas de internet con contenidos idóneos para incitar a la incorporación a una

---

[3]   El nuevo art. 573 CP, incluye junto a las tradicionales finalidades de *subvertir el orden constitucional o alterar la paz pública,* otras nuevas cuya justificación resulta altamente cuestionable, como *suprimir o desestabilizar gravemente el funcionamiento de las instituciones políticas o de las estructuras económicas o sociales del Estado, obligar a los poderes públicos a realizar un acto o abstenerse de hacerlo, desestabilizar gravemente el funcionamiento de una orga-nización internacional, o provocar un estado de terror en la población o en una parte de ella.* Ello podría llevarnos a considerar como terrorismo, desde un asesino en serie que causa un estado de terror en la población, hasta una plataforma anti desahucios que impide a los poderes públicos realizar un acto. El absurdo pudiera llegar a ser de proporciones épicas.

organización terrorista o a colaborar con alguna de ellas[4]. Sobre todo ello volveremos en epígrafes posteriores.

La mencionada Resolución 2178, que motivó la reforma de nuestro Código Penal por LO 2/2015, determinó también la aprobación, en el marco de la Unión Europea de la Directiva 2017/541, del Parlamento y del Consejo, de 15 de marzo de 2017, relativa a la lucha contra el terrorismo, cuyas indicaciones analizaremos de manera más pormenorizada en el siguiente epígrafe. En este punto, es preciso, sin embargo, señalar que en la mencionada Directiva junto a la definición de terrorismo que conlleva una innegable y difícilmente justificable ampliación de su ámbito de aplicación, se enumeran de forma exhaustiva una serie de comportamientos típicos a los que los Estados miembros deben hacer frente; comportamientos típicos que se caracterizan esencialmente por un adelantamiento desmesurado de la intervención penal a estadios previos al comienzo de la ejecución delictiva e incluso en algunos supuestos, a decisiones que permanecen aún en la esfera interna del sujeto.

Todo ello implica que se establezca la necesidad de sancionar penalmente comportamientos absolutamente alejados e inconexos respecto de una potencial lesión de un bien jurídico, referente básico para legitimar cualquier intervención penal en un Estado de Derecho. Así, establece la Directiva que junto a la incorporación de unas nuevas *finalidades* que configuren el concepto de terrorismo[5], se incluyan conductas como el acceso a sistemas informáticos, la difusión de mensajes o imágenes con el objeto de obtener apoyo para las causas terroristas, el denominado *autoadiestramiento* con finalidad terrorista mediante el acceso a determinadas páginas o servi-

---

[4]   Cfrs. en este sentido el art. 575 CP que sanciona a quien, con la finalidad de capacitarse para llevar a cabo cualquiera de los delitos comprendidos entre los delitos terroristas, "acceda de manera habitual a uno o varios servicios de comunicación accesibles al público en línea o contenidos accesibles a través de internet o de un servicio de comunicaciones electrónicos cuyos contenidos estén dirigidos o resulten idóneos para incitar a la incorporación a una organización o grupo terrorista, o colaborar con uno de ellos".

[5]   Así, el art. 4 de la Directiva (UE) 2017/541, del Parlamento europeo y del Consejo, establece en su apartado segundo, que los fines a los que se refieren los delitos de terrorismo son los siguiente: intimidar gravemente a una población, obligar indebidamente a los poderes públicos o a una organización internacional a realizar un acto o a abstenerse de hacerlo, desestabilizar gravemente o destruir las estructuras políticas, constitucionales, económicas o sociales fundamentales de un país o de una organización internacional. Como veremos, incluso son menos que los establecidos en nuestro Código penal tras la reforma de 2015, pero no por ello menos perturbadores y ampliadores del concepto de terrorismo.

dores, viajar o trasladarse a un territorio dominado por una organización terrorista, basando la criminalización de todas estas conductas en la concurrencia en las mismas de una presunta finalidad terrorista.

Uno de los principales pilares de cualquier ordenamiento jurídico penal es que este tiene que ser interpretado de manera sistemática y no de forma sesgada, y todavía más cuando así lo establece expresamente el precepto en cuestión. De este modo si, tal como veremos al analizar más detenidamente alguna de las indicaciones realizadas por la mencionada Directiva, los comportamientos criminalizados implican un adelantamiento injustificable de la barrera de intervención penal a estadios absolutamente desconectados de la legitimidad que se deriva de una potencial ofensa a un bien jurídico, cuando ello se une a la ampliación indiscriminada del concepto material de terrorismo, es decir, a los casos en los que se deben considerar tales, nos puede llevar a auténticos absurdos jurídicos que impliquen una total distorsión del sistema penal y constitucional de un Estado de Derecho, que conlleva una restricción injustificada e injustificable, cuando no una anulación total, de los derechos y garantías reconocidos constitucionalmente.

Este peligro ya fue señalado expresamente en el Dictamen del Comité Económico y Social europeo[6], donde, en relación con la Propuesta de la mencionada Directiva, ya se ponía de manifiesto en sus Conclusiones y Recomendaciones que *"es peligroso para cualquier democracia tipificar en la legislación delitos anticipados, es decir, infracciones y delitos que todavía no han sido cometidos"*, y, por ello, recomendaba la supresión de determinados artículos de la Directiva en aras de salvaguardar los derechos y garantías fundamentales de los ciudadanos. A pesar de ello, la Directiva 2017/541, fue aprobada con un texto prácticamente idéntico al contenido en la Propuesta que se había analizado.

La argumentación tanto proveniente del ámbito europeo como la del legislador nacional radica en que la creciente amenaza terrorista implica un riesgo grave para la seguridad de los ciudadanos de los Estados Miembros, y es obligación de cada uno de los Estado garantizar que ese potencial riesgo desaparezca. El problema es que, en mi opinión, la regulación penal que se deriva de las diversas resoluciones internacionales, no sólo de

---

[6]   Cfrs. Dictamen del Comité Económico y Social europeo— Comunicación de la Comisión al Parlamento Europeo y al Consejo— Aplicación de la Agenda Europea de Seguridad: Propuesta de Directiva del Parlamento Europeo y del Consejo relativa a la lucha contra el terrorismo y por la que se sustituye la Decisión marco 2002/475/JAI, del Consejo sobre la lucha contra el terrorismo [COM(2015) 628 FINAL-2015/0281 (COD)] (2016/C 177/09), de 17 de marzo de 2016.

la Directiva de 2017, sino ya previamente de la Decisión Marco de 2002, y de la Resolución de Naciones Unidas 2178, no responden en absoluto a crear mayor seguridad, sino a facilitar la inocuización de todo aquello que resulte conflictivo para el Estado, al permitir la "flexibilización" (más bien, la anulación) de los derechos y garantías de las personas, en pro de algo absolutamente inalcanzable: la seguridad absoluta. Pero para ello, y enarbolándola como bandera, se ha introducido una legislación represiva, preventiva y securitaria, que persigue, aunque sólo simbólicamente, la creación de una sensación de seguridad en la sociedad.

Sin embargo, es preciso reconocer que el legislador no actúa al margen de la sociedad, sino que encuentra fundamento y motivación en determinadas exigencias o planteamientos sociales, que son los que *presuntamente* les sirven como legitimación a la hora de aprobar leyes y normativas que se enfrentan claramente con los derechos y garantías. Esta confrontación ya fue puesta de relieve por CANCIO MELIÁ[7], quien afirmaba que la reacción del Derecho penal frente al terrorismo se percibe con una doble perspectiva: por una parte, determinados sectores de la doctrina jurídico penal, ampliamente mayoritarios, manifiestan una posición muy crítica hacia determinadas medidas percibidas como abusivas en la acción de los órganos de persecución penal, como peligrosas para el Estado de Derecho, y los derechos y libertades ciudadanas; pero, por otro lado, existe la preocupación— muy extendida entre los operadores sociales y los medios de comunicación, y a consecuencia de ello entre la opinión pública— de que una especie de *exceso de garantías* determine la ineficacia e inutilidad de los mecanismos de la lucha contra el terrorismo[8].

---

[7]   Cfrs. CANCIO MELIÁ, *Los delitos de terrorismo: estructura típica e injusto*, Reus, 2010, p. 17.

[8]   Recuérdese la alarma generalizada y la indignación social y mediática que produjo la liberación por cumplimiento de la condena de determinados integrantes de la organización terrorista ETA por delitos especialmente graves. O en Septiembre de 2012, la crisis que ocasionó la puesta en libertad de un etarra por razones humanitarias dado que padecía una enfermedad grave en estado terminal (caso Bolinaga). A raíz de las mismas se produjo una nueva demanda social de intensificación y agravación de las penas, que ha desembocado en la reforma del Código penal, por la LO 1/2015, de 30 de marzo, que incluye profundas modificaciones en esta materia, entre ellas, la "famosa" *prisión permanente revisable*, que al margen de su dudosa "utilidad" en un fenómeno como el del terrorismo global de nuestros tiempos, no es sino un puro *derecho penal simbólico*, motivado por exclusivas razones electoralistas, que no preventivistas, que, en algunos supuestos, incluso podría llegar a resultar claramente mucho más beneficioso para el reo que la legislación anterior.

Estas exigencias "sociales" derivadas de la gravedad con la que la opinión pública percibe determinados comportamientos que le ocasionan o le crean, aunque sea provocada, una sensación de inseguridad[9], permiten que los legisladores, en aras de *"lo útil"* para luchar contra el terrorismo, estén relegando *"lo legítimo"* en esos mecanismos de lucha. Sobre esta base de la presunta *"legitimidad"* otorgada por la demanda social de una mayor seguridad, la reacción claramente constatable por parte del legislador es la de acudir a la respuesta penal como forma de control que se considera la adecuada por su máxima severidad y su hipotética efectividad. De este modo, cuanto más grave sea el daño temido (y es evidente que el terrorismo es uno de los más graves), más justificado se considera acudir al Derecho penal en su calidad de respuesta más dura del control social. El principal problema de esta cadena de acción-reacción es evidente: la realidad de la incapacidad e impotencia de garantizar la seguridad plena frente al delito por parte de las instituciones ante la demanda ciudadana; como afirma BRANDARIZ GARCÍA[10] *"...puede determinar, en una suerte de ejercicio autopoiético, el reforzamiento de esa demanda y de las soluciones a la misma por parte de las instancias públicas, desembocando en una aún mayor presión e intensi-*

---

[9]   A este respecto, es preciso poner de relieve que la vivencia subjetiva de los peligros es claramente superior a la existencia objetiva de los mismos, viéndose además acentuada por la actuación de los medios de comunicación e, incluso, por las instituciones estatales que en un importante numero de supuestos transmiten imágenes sesgadas de la realidad que fomentan el incremento y la difusión entre la sociedad de la sensación de inseguridad. Así, señala BRANDARIZ GARCÍA, "Seguridad ciudadana, sociedad del riesgo y retos inabordables de la política criminal", *Revista gallega de seguridad pública*, Segunda época, N° 9. (2006), p. 40 que *"del mismo modo que la percepción subjetiva de inseguridad (riesgo) es desproporcionada en relación con la entidad objetiva de los peligros, el temor subjetivo al delito no guarda correlación con los índices efectivos de criminalidad o victimización"*. Por su parte, SILVA SÁNCHEZ, *La expansión del Derecho penal. Aspectos de la política criminal en las sociedades postindustriales*, 2ª ed., Madrid 2001, pp. 37-39 pone de relieve que *"los medios, que son el instrumento de la indignación y la cólera públicas, pueden acelerar la invasión de la democracia por la emoción, propagar una sensación de miedo y de victimización e introducir de nuevo en el corazón del individualismo moderno el mecanismo del chivo expiatorio que se creía reservado para tiempos revueltos"*, cfrs. p. 39 y nota 67; DIEZ RIPOLLÉS, "De la sociedad de riesgo a la seguridad ciudadana: un debate desenfocado", en *Revista electrónica de ciencia penal y criminología*, n° 07-01, 2005, www.criminet.es, p. 4; FARALDO CABANA, "Un Derecho penal de enemigos para los integrantes de organizaciones criminales. La Ley Orgánica 7/2003, de 30 de junio para el cumplimiento íntegro y efectivo de las penas", en FARALDO CABANA (direct.), *Nuevos retos del Derecho penal en la era de la globalización*, Valencia 2004, p. 320.

[10] Cfrs. BRANDARIZ GARCÍA, "Seguridad ciudadana, sociedad de riesgo y retos inabordables de la política criminal", *op. cit.*, p. 51.

ficación de la respuesta jurídico penal ante posibles peligros"[11], concretado sobre todo en una restricción de derechos y garantías fundamentales en pro de una mayor (absoluta) seguridad.

Al llegar a este punto la pregunta es evidente: ¿no respetar los derechos y las garantías individuales es más eficaz a la hora de prevenir futuros atentados? En mi opinión, y creo que la realidad criminológica la respalda, la respuesta es claramente no. De hecho, en algún momento consideré que *"en términos de utilidad pareciese facilitar la lucha contra el terrorismo e, incluso, reducir el número de atentados, pero en términos de legitimidad democrática, es evidente que la normalización de cualquier tipo de normativa excepcional lo que provoca es una mayor inseguridad para la sociedad que se deriva, justamente, de la falta de límites al poder estatal"[12]*, pero, desgraciadamente, la realidad se ha impuesto sobre estas afirmaciones, y es evidente que la implantación de una legislación claramente restrictiva no ha servido, en absoluto, para lograr la seguridad preconizada ni para disminuir los ataques terroristas, y los últimos años sirven de prueba evidente de todo ello[13].

---

[11]   Y esto es justamente lo que está ocurriendo tal como se refleja en las continuas y sucesivas reformas penales, en las que ante la incapacidad de los poderes públicos para solucionar los conflictos y otorgar un nivel absoluto de seguridad, se intensifica la reacción penal en determinados ámbitos, como el terrorismo, el crimen organizado, los delitos sexuales, la violencia de género, etc.

[12]   Cfrs. NÚÑEZ CASTAÑO, "Tendencias político criminales en materia de terrorismo tras la LO 2/2015, de 30 de marzo: la implementación de la normativa europea e internacional", en *Revista Penal*, nº 37, Enero 2016, p. 113.

[13]   Efectivamente en los últimos años se han producido numerosos atentados de signo religioso en Europa que han provocado un enorme temor en la población. Así, en 2015 podemos señalar los siguientes: entre el 7 y 9 de enero varios atentados en París, ente ellos el del semanario *Charlie Hebbo*, y el supermercado *Hyper Cacter*, el 15 de Noviembre, también en París, el atentado en la Sala de fiestas *Bataclán* y otros lugares de la capital francesa que provocaron 130 muertos y más de 300 heridos. En 2016: los atentados en el aeropuerto y la estación de metro de Bruselas, con 32 muertos y 300 heridos, el 14 de julio en Niza, un camión arrolló a las personas que estaban paseando por el paseo principal de la ciudad, provocando 84 muertos y más de cien heridos, el 19 de diciembre en Berlín, un camión se adentró en un mercadillo navideño ocasionando 12 muertos y decenas de heridos. En 2017, el 22 de marzo en Londres, frente al Parlamento, un individuo arrolló a cinco personas y produjo 31 heridos, el 8 de abril en Estocolmo, un camión arrolló a varias personas dejando 4 muertos y 15 heridos, el 22 de mayo en Manchester se producen dos explosiones en el *Manchester Arena* durante la celebración de un concierto, que provoca 22 muertos y más de 50 heridos, el 3 de junio en Londres arrollan a varias personas junto al Puente de Londres, donde mueren 8 personas y hay 50 heridos, y el 17 de agosto en Barcelona se produce un atropello masivo en Las Ramblas que deja 16 muertos y más de 130 heridos, ese mismo

En definitiva, ha quedado de manifiesto que una legislación exclusivamente preventiva y efectista como la que se deriva de la resolución 2178, de la Directiva de 2017 y de la reforma de la LO 2/2015, ni ha servido para prevenir, ni ha servido para evitar, ni ha servido para asegurar. Con ello, la argumentación de que este tipo de normativa resulta adecuada y útil para garantizar la seguridad de los ciudadanos y el orden constitucional de los distintos países cae por su propio peso. Respecto del primero de los aspectos, porque, como ya hemos señalado, la realidad ha demostrado la ineficacia de estos planteamientos que ni han detenido, ni detendrán los atentados terroristas. Y respecto al segundo de los aspectos, porque, como ya había señalado ASÚA BATARRITA[14] el terrorismo de Al Qaeda (y entiendo que lo mismo puede predicarse de todo terrorismo) no tiene capacidad para destruir los ordenamientos jurídicos, ni el orden constitucional de los países donde realiza sus terribles ataques, *"salvo que se entienda que la reacción desmedida de los gobernantes, al responder a la provocación con la misma moneda— despreciando los límites del Derecho interno o internacional— constituye (evidentemente) una grave erosión del ordenamiento jurídico atribuible a los terroristas"*.

La amenaza más grave no se deriva de la actuación de los terroristas y del miedo o inseguridad que las mismas provocan; la mayor amenaza para el Estado de Derecho y para los derechos, libertades y garantías inherentes al mismo proviene de la propia respuesta que Estados y gobiernos articulan contra ellos, de las regulaciones (penales en este caso) que establecen, "flexibilizando" unos derechos en aras de "proteger" otros derechos. Las acciones y atentados terroristas tienen, todo lo más, una alta capacidad de ocasionar destrucción y terror pero ni atentan ni pueden hacerlo contra el sistema de derechos y garantías de los ciudadanos, contra el sistema que se deriva de un Estado de Derecho, ni ponen en peligro real, serio y grave nuestra seguridad o nuestro sistema social. Por el contrario, las estrategias antiterroristas que implantan los Estados, y que resultan incompatibles con los derechos y garantías recogidos en las Constituciones, sí que implican un foco de peligro para la democracia[15], sí reúne esa potencialidad una lu-

---

día en otro lugar de Cataluña, en Cambrils, se produce otro ataque que ocasiona 6 muertos y 5 heridos.

[14]   Cfrs. ASÚA BATARRITA, "El discurso del enemigo y su infiltración en el Derecho penal. Delitos de terrorismo, "finalidades terroristas"y conductas periféricas" en CANCIO MELIÁ/GÓMEZ-JARA DIEZ, *Derecho penal del enemigo. Discurso penal de la exclusión*, vol. I, Madrid 2006, pp. 246-247.

[15]   En el mismo sentido, LLOBET ANGLI, *Derecho penal del terrorismo, Límites de su punición en un Estado democrático*, Madrid 2010, pp. 39-41; IGNATIEF, "El mal menor", Madrid

cha contra el terrorismo teñida de excepcionalidades y restricciones de las garantías, que puede llegar a dañar y a destruir el fundamento mismo del Estado de Derecho[16], e, incluso, colaborar con la pretendida legitimación de las acciones que realizan los terroristas, al servirles como justificación de su comportamiento la vulneración de sus derechos y garantías[17].

La única opción legítima en cualquier lucha contra un problema social y penal como es el de la lucha contra el terrorismo, radica en reafirmar la prevalencia del Estado de Derecho y de los derechos, libertades y garantías que lo fundamentan. En palabras de MIR PUIG[18] *"la única reacción válida ante cada atentado terrorista es reclamar la aplicación efectiva de un Derecho penal que suponga la afirmación de los valores y principios jurídico-democráticos negados por el terrorismo. Este no sólo atenta contra las personas y los bienes, sino también contra la legitimidad del derecho. La lucha contra el terrorismo ha de ser también la lucha por la legitimidad. Pasa entonces a un primer plano la necesidad de que la pena no persiga únicamente una finalidad intimidatoria de prevención general negativa, sino también una finalidad de prevención general positiva que refuerce la legitimidad del Derecho y se la quite por completo al terrorismo. Ello sólo puede conseguirse respetando los límites consustanciales a un Derecho penal legítimo".* O como

---

2005, p. 91 indica que *"en la guerra contra el terror, el único que puede derrotar a la democracia es ella misma".*

[16] Cfrs. PRITTWITZ, "La desigual competencia entre seguridad y libertad", *Revista General de Derecho Penal*, nº 7, 2007, www.iustel.com, p. 2. En el mismo sentido, RIDAO, "Crecer a la sombra del enemigo", *El País*, de 2 de junio de 2003, p. 13, citado por LLOBET ANGLI, *Derecho penal del terrorismo, op. cit.*, al afirmar que *"por mortíferas que puedan ser las acciones de Al Qaeda y organizaciones afines, por devastadores que puedan resultar sus atentados, el riesgo más grave al que se empieza a enfrentar el mundo es otro muy distinto. Puesto que si los occidentales se sienten inseguros ante la amenaza de los islamistas, la mayor parte de los gobiernos ha decidido lanzarse a algo que en la jerga política y administrativa se denomina "el incremento del componente de seguridad" en materia de política exterior".*

[17] Así, señala CANCIO MELIÁ, "Terrorismo y Derecho penal: sueño de la prevención, pesadilla del Estado de Derecho", en CANCIO MELIÁ/POZUELO PÉREZ (coord.), *Política criminal en vanguardia: Inmigración clandestina, terrorismo, criminalidad organizada*, Navarra 2008, pp. 320-321 que *"un Derecho penal exacerbado es uno de los objetivos inmediatos de quienes cometen los delitos de terrorismo, puesto que este fenómeno sólo funciona si halla en su oponente un cómplice encubierto";* ASÚA BATARRITA, "Concepto jurídico de terrorismo y elementos subjetivos de finalidad. Fines políticos últimos y fines de terror instrumental", en *Estudios jurídicos en memoria de Jose Mª Lidón*, Echano Basaldua (coord.), 2002, p. 47 afirma que *"la anatemización indiscriminada de los métodos violentos y de su ideología favorece las tesis de quienes optan por el método del terror, en su propósito de ser identificados y nombrados por sus ideas y no por sus crímenes".*

[18] Cfrs. MIR PUIG, "Principio de proporcionalidad y fines del Derecho penal", en *Estudios jurídicos en memoria de Jose Mª Lidón*, Echano Basaldua (coord.), 2002, pp. 349 y ss.

señala TERRADILLOS BASOCO[19], *"el primer objetivo de una estrategia antiterrorista deber ser el mantenimiento de la democracia y el imperio de la ley, puesto que no está claro que el mantenimiento de la democracia como abstracción pueda lograrse recortando progresivamente las concretas libertades democráticas"[20].*

Y todo ello no se adecúa, ni de lejos, a una tendencia político criminal procedente tanto de los organismos internacionales como del propio legislador nacional, cuyo núcleo esencial radica en una *intensificación de la intervención penal*, que, esencialmente se centra en incrementar y adelantar las reacciones penales respecto determinado tipo de delincuencia, en este caso en concreto, del terrorismo, y que está configurando un concepto de delincuente cada vez más alejado de su consideración como miembro de la sociedad, de manera que la única solución factible sea inocuizar el peligro que supone para la misma. Así, aunque la gravedad del comportamiento sea prácticamente inexistente, sí lo es la *potencial peligrosidad* que los sujetos que *habitualmente* realizan este tipo de conductas suponen para la sociedad, al haberse posicionado en un *modus vivendi* contrario al respeto y cumplimiento de las normas, es decir, al haberse *situado en una contravención permanente del ordenamiento jurídico*. Con ello, la *peligrosidad* y su control, pasan a primer término de los intereses y metas de la política criminal actual, en un intento de excluir de la sociedad a quienes han optado por una forma de vida contraria al derecho, y justificar, de esta forma, el rigor de las intervenciones penales que se realicen[21], y con ello se produce el regreso a nociones que no nos son desconocidas pero que afortunadamente habían

---

[19] Cfrs. TERRADILLOS BASOCO, *Terrorismo y derecho*, Madrid 1998, pp. 23-24.

[20] En sentido similar, afirma GONZÁLEZ CUSSAC, "Derecho penal frente al terrorismo. Cuestiones y perspectivas", en GÓMEZ COLOMER/GONZÁLEZ CUSSAC (coords.), *Terrorismo y proceso penal acusatorio*, Valencia 2006, p. 88 que *"la democracia sólo puede defenderse con la democracia"*; LLOBET ANGLI, *Derecho penal del terrorismo, op. cit.*, p. 41 señala que *"un sistema democrático sólo puede mantenerse respetando el equilibrio entre libertad y seguridad"*.

[21] Como ya hemos señalado con anterioridad, cfrs. NÚÑEZ CASTAÑO, "Tendencias político criminales...", *op. cit.*, p. 116, se trata de inocuizar a determinados tipos de delincuentes (aquellos que se consideran más *peligrosos* para la sociedad) y si para ello es necesario despojarle de los derechos y garantías de los miembros de una sociedad, no hay inconveniente. Se pierde con ello la condición de ciudadano, por cuanto su propio comportamiento es quien le autoexcluye de su entorno social, y si no respeta las normas de convivencia, tampoco tiene derecho a disfrutar de los beneficios que de ella se deriven. Coincide este planteamiento con el discurso elaborado por JAKOBS, donde se contraponen los conceptos de ciudadano e individuo, y según el cual, al individuo que se muestra peligroso (y la valoración de lo que sea peligroso será realizada *ad hoc* dependiendo de las distintas ideologías y épocas) hay que tratarlo como enemigo social y, consecuentemente, privarle del status de ciudadano a causa de su tendencia a

quedado desterradas del discurso penal, recuperando el recurso a un Derecho penal de autor, configurándolo eso sí como un Derecho penal del enemigo (el delincuente terrorista en este caso), donde en la lucha contra el mismo todo vale[22].

En este punto, lo que no debe ni puede olvidarse es que una *seguridad cognitiva total* no puede nunca ser garantizada por ningún sistema, sea del tipo que sea; se podrán alcanzar niveles de seguridad más o menos elevados, pero tratando siempre que sean compatibles con los derechos y garantías constitucionales. Son dos extremos difíciles de equilibrar; pero si, como señala MUÑOZ CONDE[23], "... *la balanza se inclina descaradamente y sin ningún tipo de límites a favor de la seguridad cognitiva, la consecuencia inmediata será la paz, pero la paz de los cementerios. Una sociedad en la que la seguridad se convierte en el valor fundamental, es una sociedad paralizada, incapaz de asumir la menor posibilidad de cambio y de progreso, el menor riesgo".*

Sin embargo, a pesar de todo lo que hemos expuesto hasta el momento es innegable que el 11S (y posteriormente, el 11M y el 7J, y los sucesivos atentados terroristas que han ocurrido desde ese momento), han determinado un evidente cambio en los planteamientos de seguridad de los Estados, planteamientos que tienen su reflejo en las legislaciones y, más concretamente, en aquellas que impliquen la posibilidad de una mayor coerción de los derechos y libertades de los individuos en aras de una pretendida mayor seguridad. Obviamente, el Derecho penal constituye el mejor campo de cultivo de este tipo de planteamientos, donde la fuerza de los instrumentos de control estatales permite la mayor restricción y vulneración de los ámbitos de libertad de los ciudadanos e, incluso paradójicamente, de los de seguridad, que ahora no se va a ver vulnerada por sus semejantes sino por el aparato estatal. Planteamiento que se refleja claramente en la normativa internacional que estamos analizando, y en la reforma de la LO 2/2015 (aunque ya empezaba a aparecer esta tendencia en reformas previas), y que, en nuestra opinión resulta inaceptable. Como señala MUÑOZ CONDE[24] *"en un Estado de Derecho ni frente al terrorismo ni frente a ningún otro*

---

persistir en el delito, cfrs. JAKOBS, "Derecho penal del ciudadano y Derecho penal del enemigo", en JAKOBS/CANCIO, *Derecho penal del enemigo*, Madrid, 2003, pp. 25 a 33.

[22]   Cfrs. MUÑOZ CONDE, "Política criminal y dogmática jurídico-penal en la República de Weimar", *DOXA*, 15-16, 1994, pp. 1031 y ss.

[23]   Cfrs. MUÑOZ CONDE, "La generalización del Derecho penal de excepción: tendencias legislativas y doctrinales: entre la tolerancia cero y el Derecho penal del enemigo", en *Retos de la política criminal actual*, Revista Galega de Seguridade Publica, Xunta de Galicia, Segunda época, n° 9, p. 111.

[24]   Cfrs. MUÑOZ CONDE, *Derecho penal, Parte especial*, 20ª ed., Valencia 2015, p. 788.

tipo de delincuencia debe ser admisible un Derecho Penal incompatible con los principios básicos y los derechos fundamentales reconocidos en las Constituciones y en las Declaraciones Universales de Derechos Humanos. Ni siquiera en el caso de que fuera una "guerra", que en todo caso sería una guerra asimétrica, no entre Estados, sino entre los Estados (o algunos Estados) y entidades sin base territorial y sin una nacionalidad definida, no puede olvidarse que existe también un Derecho de Guerra".

Ahora bien, inaceptable o no el planteamiento, la realidad es que esta tendencia no constituye un mero peligro, sino una realidad que ya se ha plasmado en distintos instrumentos internacionales y en nuestro propio ordenamiento jurídico, y que conlleva una evidente tendencia expansiva del Derecho penal en relación con los delitos de terrorismo, identificando como tales supuestos que muy poco o nada tienen que ver, pero que conduce a la asignación de consecuencias jurídico penales y procesales de naturaleza excepcional a una amplísima constelación de fenómenos radicalmente diferentes entre sí, y que en ocasiones solo tienen por objeto común la mera disidencia política[25], pero que encuentran su "justificación" o "legitimidad" en evitar una posible impunidad de cualquier forma de colaboración, por muy alejada que esté del núcleo de la actividad terrorista, incriminando cualquier manifestación que *"pueda objetivamente alentar o favorecer los delitos de terrorismo, aunque no suponga una incitación directa a los mismos, ni siquiera apología en sentido estricto"[26].*

El problema central de toda esta discusión está, sin embargo, en que incluso aceptando como eje del discurso argumentativo la prevalencia de las ideas de *"utilidad"* y *"eficacia"*, que constituían el elemento justificador esencial de una intensificación penal en materia de terrorismo, y que según algunos sectores sociales daban respuesta a un terrorismo nacional o sectorial, quiebran ante el terrorismo global o de fundamento religioso, donde las reglas de juego cambian por completo. El punto de partida que resulta irrebatible es que la función preventiva del Derecho penal como medio de control social es "útil" y "eficaz" cuando hacia los que se dirige,

---

[25]   Cfrs. GÓMEZ MARTÍN, "Notas para un concepto funcional de terrorismo", en *La seguridad pública ante el Derecho penal*, en MIR PUIG/QUERALT JIMÉNEZ (direct.), Madrid 2010, p. 59. En la misma línea, señala LLOBET ANGLI, *Derecho penal del terrorismo, op. cit.*, p. 50 que *"el terrorismo como método, esto es, la utilización de actos violentos susceptibles de atemorizar a las personas se manifiesta junto con otras formas de violencia política. Uno de los problemas actuales es que se confunde el terrorismo como "fenómeno delictivo" y el terrorismo como "método" (nazismo, dictaduras que gobiernan mediante el terror). ¿Franco, Hitler, Stalin, Pinochet y Bin Laden constituyen exponentes de un mismo fenómeno?".*

[26]   Cfrs. GARCÍA ALBERO, "La reforma de los delitos de terrorismo", en *La reforma penal de 2010: análisis y comentario*, Quintero Olivares (direct.), 2010, p. 371.

esto es los ciudadanos, resulten motivados por las normas; sin embargo, cuando la consecuencia de la no-realización del acto terrorista es más grave para el sujeto que la realización del mismo, la prevención fracasa.

Y este fracaso viene derivado de un absoluto cambio de perspectiva, dado que se basa en pilares radicalmente distintos; así, la acción del terrorista no va encaminada a contribuir en la consecución de unas determinadas metas (sociales, políticas o ideológicas), sino que se convierte en la *obligación* de los *fieles creyentes* de cumplir los mandatos religiosos de eliminar a los infieles y proclamar el único Estado de la fe[27]. Consecuentemente, las acciones violentas se convierten en la exigencia de luchar (*Yihad*) contra los no creyentes[28], de tal manera que el Corán se transforma en la Constitución, en la ley, no puede existir otra ley que tenga validez, ni tampoco lo tiene un Código penal. La *obligación* derivada de la Ley es la que hay que cumplir, y esa ley es el Corán, que moviliza a la *yihad*[29]. En resumen, la religión se

---

[27] Así, Bin Laden, en su proclama de 23 de Agosto de 1996 manifestó los siguiente: "*La orden de matar a los americanos y sus aliados civiles o militares es una obligación individual de todo musulmán, que puede hacerlo en cualquier país donde le sea posible, a fin de liberar la mezquita de Al Aqsa y la mezquita santa de sus garras, y para que sus ejércitos salgan de todas las tierras del Islam, derrotados e incapaces de amenazar a ningún musulmán*". En ese momento se declara la "Yihad", o lucha de los fieles.

[28] El término "yihad", en principio significaba "lucha" o "esfuerzo" individual para acercarse a la divinidad, que aparece en el Corán y surge como deseo o impulso de cumplir los mandatos de Alá. Esta primera interpretación se deriva del Corán, que en su primera fase fue redactado en La Meca (612-622), en la que se ofrece un monoteísmo riguroso, excluyendo la violencia contra los "diferentes". En esa primera etapa, el término "yihad" tiene un doble sentido: el esfuerzo individual del creyente hacia la divinidad, y la confrontación argumental con los no creyentes sirviéndose de la doctrina, sin uso de las armas ni de la violencia. Pero a raíz de la guerra, Mahoma huye a Medina, y se produce la "hégira" o emigración a Medina, y con ella el mensaje se transforma en otro de muerte y violencia hasta el triunfo final de la fe, de manera que el Profeta legitima la aniquilación de los infieles y convierte la "yihad" en un deber sagrado para todo creyente: quien la practique será el mejor de los hombres porque la lucha por eliminar al enemigo de Alá es indispensable para cumplir la dimensión teleológica y universal de la verdadera fe.

[29] Así, Bin Laden en su mensaje de 9 de diciembre de 2001, justo después de los atentados del 11S afirmaba que "*La yihad se ha convertido en* fard-ain *(obligatoria) para todos y cada uno de los musulmanes* (...) *Ha llegado el momento en que todos los musulmanes del mundo, especialmente los jóvenes, deben unirse y clamar contra el* "kufr" *(negación de la verdad divina) y continuar la yihad hasta que esas fuerzas sean eliminadas totalmente, hasta que todas las fuerzas antiislámicas sean borradas de la faz de la tierra y el Islam conquiste el mundo entero y todas las otras falsas religiones*". El esquema ideológico es muy sencillo: para destruir el estado de ignorancia, el dominio de infieles y no creyentes y para alcanzar la meta del poder islámico, el único instrumento es la *yihad*, que requiere el recurso al terror por minorías organizadas que asuman la misión de eliminar al enemigo del Islam, y

configura como una concepción ideológica delimitadora del orden social y político en su totalidad, de manera que existe una unidad esencial entre fe y política, subordinada a la verdadera ley islámica

Es evidente que un incremento desmesurado de las penas, el adelantamiento de la barreras de intervención penal, la flexibilización de los derechos y garantías constitucionales, pueden causar algún tipo de "temor" a cualquier otro tipo de terrorismo, como pudiera ser ETA, y que ello pueda implicar su posible "inocuización"; pero, ante el terrorismo de signo religioso de la actualidad, de lucha contra el infiel, de cumplimiento de los mandatos derivados de la única ley existente, la ley de Dios, cuyo premio es el Paraíso y el castigo la condenación eterna, y el método empleado es el del *terrorista suicida* que se inmola en nombre y en gloria de su Dios y su religión, difícilmente lo "útil" va a ser "eficaz".

Ahora bien, llegados a este punto, y mantengamos el discurso que mantengamos en relación con las tendencias político criminales en materia de terrorismo que se han implantado tanto en la Unión Europea como por el legislador nacional, lo cierto es que las mismas se han plasmado en distintos textos normativos, pero esencialmente en la Directiva (UE) 2017/541, y ello nos obliga, por un lado a analizar en que consisten esencialmente, o al menos algunos de sus aspectos, y en segundo lugar a determinar que trascendencia conlleva su trasposición a nuestro ordenamiento jurídico, si es que ellos fuera preciso.

2. EL CONTENIDO DE LA DIRECTIVA (UE) 2017/541, DEL PARLAMENTO EUROPEO Y DEL CONSEJO, DE 15 DE MARZO

La Directiva (UE) 2017/541, en su art. 3 determina lo que deben considerarse delitos de terrorismo. Para ello, en el apartado primero define las conductas que deben considerarse como tales mediante una enumeración exhaustiva de una serie de conductas típicas[30], entendiendo que pueden

---

todos los creyentes deben formar parte de ese ejército de luchadores, y a cambio se les otorgará el estado máximo de la divinidad.

[30]   Así, incluye, a) los atentados contra la vida de una persona que puedan tener resultado de muerte, b) los atentados contra la integridad física de una persona, c) el secuestro o la toma de rehenes, d) destrucciones masivas de instalaciones estatales o públicas, sistemas de transporte, infraestructuras, sistemas informáticos incluidos, plataformas fijas emplazadas en la plataforma continental, lugares públicos o propiedades privadas que puedan poner en peligro las vidas humanas o producir un gran perjuicio econó-

perjudicar gravemente a un país o a una organización internacional, siempre y cuando se realicen con determinados *fines*. Estas finalidades son las descritas en el apartado segundo del mismo precepto[31]; finalidades que como veremos permiten ampliar de manera desmesurada lo que deba entenderse como terrorismo, y ello, unido a la expansión e indefinición de algunas de las conductas típicas van a determinar un intolerable e injustificable adelantamiento de las barreras de intervención penal, no sólo a estadios previos incluso a los tradicionales actos preparatorios, incidiendo esencialmente en la esfera interna de los sujetos, sino a ámbitos que nada tienen que ver con el terrorismo, pero que sí pueden responder a supuestos de disidencia política, antisistema, etc.

Esta excesiva ampliación tanto de lo que debe entenderse por terrorismo como de las conductas típicas que deben sancionarse como tales, ya fue puesta de relieve por el Dictamen del Comité Económico y Social Europeo sobre la Propuesta de la Directiva que estamos analizando, donde en la Observación particular 3.2.2.1 señala que con respecto a la definición de los delitos de terrorismo, existe el peligro de una definición demasiado amplia de terrorismo y de las acciones asociadas a este.

Efectivamente, es evidente que dentro de los distintos comportamientos enumerados como delitos de terrorismo, se incluyen conductas que, tradicionalmente, se han reconocido como actos terroristas, así muertes, lesiones, secuestros, daños, etc.; pero junto con ellas se incorporan otros

---

mico, e) el apoderamiento ilícito de aeronaves y de buques o de otros medios de transporte colectivo o de mercancías, f) la fabricación, tenencia, adquisición, transporte, suministro o utilización de explosivos o armas de fuego, armas químicas, biológicas, radiológicas o nucleares inclusive, así como la investigación y el desarrollo de armas químicas, biológicas, radiológicas o nucleares, g) la liberación de sustancias peligrosas o la provocación de incendios, inundaciones o explosiones cuyo efecto sea poner en peligro vidas humanas, h) la perturbación o interrupción del suministro de agua, electricidad u otro recurso natural básico cuyo efecto sea poner en peligro vidas humanas, i) la interferencia ilegal en los sistemas de información a tenor del artículo 4 de la Directiva 2013/40/UE, del Parlamento Europeo y del Consejo, en los casos en los que sea de aplicación su art. 9, apartado 3 o apartado 4, letras b) o c), y la interferencia ilegal en los datos a tener de su articulo 5, en los casos que sea de aplicación su articulo 9, apartado 4, letra c), j) la amenaza de cometer cualquiera de los actos enumerados en las letras a) a i).

[31] Así indica la Directiva (UE) 2017/541, que los fines que deben perseguir las conductas enumeradas para considerarse delitos de terrorismo, serían: a) intimidar gravemente a una población; b) obligar indebidamente a los poderes públicos o a una organización internacional a realizar un acto o a abstenerse de hacerlo; y c) desestabilizar gravemente o destruir las estructuras políticas, constitucionales, económicas o sociales fundamentales de un país o de una organización internacional.

comportamientos que pueden resultar altamente cuestionables. Nos centraremos en analizar alguno de ellos. Así, en la letra d) del apartado 1 del art. 3 de la Directiva se introduce expresamente la conducta consistente en la destrucción masiva de diversas instalaciones e infraestructuras, incluyendo los *sistemas informáticos*, siempre que su efecto sea poner en peligro vidas humanas o *producir un gran perjuicio económico*. Del análisis de la descripción realizada en la Directiva se deriva que la destrucción masiva de estos sistemas informáticos podría ser considerada como delito de terrorismo, de este modo la pregunta es inmediata, ¿una acción de piratería informática que provoque la destrucción masiva de sistemas informáticos podría ser un acto terrorista? De hecho, este aspecto también fue resaltado por el Dictamen del Comité Económico y Social, que señala que *"existen casos en los que este tipo de acciones* (se refiere a la destrucción de sistemas informáticos) *tienen como objetivo hacer públicos documentos de interés general y aunque su extracción y divulgación está tipificada como delito, no se corresponden con la definición habitual de terrorismo"*. De este modo sería preciso establecer un criterio que permita diferenciar qué comportamientos de piratería informática o ataque a sistemas informáticos son actos terroristas y cuales no, y el criterio vendría dado por la concurrencia de alguna de las *finalidades* previstas en el apartado 2 del art. 3 de la Directiva 2017/541. Por tanto, si la finalidad que persiguen los sujetos que realizan estos comportamientos se corresponde con alguna de las indicadas, podríamos calificar el hecho como terrorismo.

En consecuencia, las *finalidades del terrorismo* se convierten en el eje nuclear y decisivo para diferenciar el fenómeno al que nos estamos refiriendo. Así, entonces, la destrucción de un sistema informático, de manera que se hagan públicos documentos de interés general, ocasionando un grave perjuicio, con la finalidad de desestabilizar gravemente las estructuras políticas, sociales, económicas o constitucionales de un Estado, deberá castigarse como delito de terrorismo[32]. Y en este punto retomamos algunas de las consideraciones que hemos expuesto en el primer epígrafe, de ser esto lo que se pretende prevenir mediante las disposiciones contenidas en la Directiva, no se trata de otorgar seguridad a los ciudadanos, que no correrían ningún peligro directo y grave, sino de ejercer un mayor (casi absoluto) control sobre los mismos y sus actividades que en modo alguno

---

[32] Así, afirma CANO PAÑOS, "La reforma penal de los delitos de terrorismo en el año 2015. Cinco cuestiones fundamentales", en *Revista General de Derecho Penal*, nº 23, 2015, www.iustel.com, pone de ejemplo el supuesto de que uno o varios *hackers* decidiesen asaltar los archivos informáticos del Fondo Monetario Internacional.

pueda perturbar el *status quo* de los Gobiernos. Y ello no es una finalidad legítima en un Estado de Derecho.

Por el contrario, si de lo que se trata de es regular preventivamente comportamientos que sí suponen una potencial ofensa para bienes jurídicos individuales afectando la seguridad de los ciudadanos, una descripción tan amplia y desmesurada que configura como terrorismo, comportamientos que nada tienen que ver con el mismo, en poco o nada contribuyen a alcanzar estas concretas metas.

Podemos seguir con algunos ejemplos en relación con la Directiva, donde entre los delitos relacionados con actividades terroristas, establece la sanción de lo que denomina *Provocación pública a la comisión de un delito de terrorismo*, a través del cual se castigaría a quien, intencionadamente, difunda o haga públicos por cualquier medio, ya sea en línea o no, mensajes destinados a incitar a la comisión de uno de los delitos enumerados en el art. 3, apartado 1, letras a) a i), siempre que la conducta preconice *directa o indirectamente*, a través, por ejemplo, de la apología de actos terroristas, la comisión de delitos de terrorismo, generando con ello un riesgo de que se pueda cometer uno o varios de dichos delitos. Esta misma Directiva en su Considerando 10, aporta una justificación de esta concreta tipificación que se realice con objeto de obtener apoyo para la causa terrorista o bien provocar un grave temor en la población, afirmando que debe tipificarse cuando *conlleve el riesgo de que puedan cometerse actos terroristas*, de manera que será preciso examinar si en cada caso concreto se ha materializado ese riesgo en atención a las circunstancias específicas del caso, el autor y el destinatario del mensaje, así como el contexto en el que se haya producido el acto.

La indefinición de la que adolece esta disposición es evidente, sin que quede claro qué tipo de mensajes y con qué contenido deben considerarse como provocación al terrorismo, de manera que la identificación de los mismos deberá realizarse atendiendo al caso concreto, con lo cual, obviamente, quedará totalmente en manos del correspondiente órgano judicial, considerar si nos encontramos o no ante un supuestos de terrorismo. La lesión del principio de taxatividad y de seguridad jurídica es innegable, pero también lo es la colisión con otros derechos fundamentales, tan importantes como la seguridad que se pretende proteger, esto es, la libertad de expresión, la libertad de prensa o la libertad ideológica. De este modo, resultaría absolutamente necesario delimitar, cosa que no hace la Directiva, cuando mensajes que pudieran determinar una coincidencia ideológica con los postulados terroristas, o incluso la mera difusión pública de un atentado terrorista, o la información sobre determinados aspectos de las actividades o de los propios terroristas, pasan de ser ejercicio de la libertad de expresión y/o información, para convertirse en un delito de provocación terrorista[33]. Pero es más, ¿quién respondería de esos mensajes difundidos en una red social? ¿Sólo quien los crea, quienes lo comparten y consecuentemente contribuyen a difundirlos pero sin haber participado en la creación del mismo, quienes expresan su adhesión con ellos, quienes leen su contenido y realizan algún comentario al mismo? La absoluta indeterminación del tipo permite que no tenga prácticamente límites en cuanto a su aplicación, y que se pueda sancionar las meras opiniones que no sean "adecuadas", o político o socialmente correctas, tanto para quien las vea como para quien pueda enjuiciarlas. De este modo el tipo penal no queda configurado mediante su plasmación en un texto legal, sino que irá siendo "rellenado", aplicado o interpretado a golpe de caso concreto y de reacción concreta al mismo, con la consiguiente vulneración del principio de legalidad. Algo similar podría ocurrir con el principio de culpabilidad al no quedar determinado quienes y con qué conductas realizarían esa difusión o publicidad.

Otra de las figuras típicas que se establecen, y que podría ser de las más peligrosas y lesivas de los derechos y las garantías fundamentales, es el denominado *autoadiestramiento*. Es preciso reconocer, sin embargo, que en la Directiva se recoge una tipificación menos amplia que la que se ha plasmado en nuestro Código penal, tal como analizaremos en el epígrafe siguiente. Así, la Directiva en su art. 7 sanciona el *Adiestramiento para el terrorismo*, donde se castiga a quien instruye para la realización de actos terroristas[34] a otras personas, figura que ya era tradicional entre los delitos de terrorismo, al menos en nuestro ordenamiento jurídico en el que se sancionaba el adiestramiento y adoctrinamiento terrorista. Novedad es, sin embargo, la figura recogida en el art. 8 de la Directiva, donde se castiga la *Recepción de adiestramiento para el terrorismo*, entendiendo que nos encontra-

---

[33]   En este mismo sentido, el Dictamen del Comité Económico y Social de 2016, en sus Observaciones particulares 3.2.2.4 afirma que en relación con el delito de provocación a la comisión de un delito de terrorismo no queda clara la definición del mismo, y que *"en un contexto de libertad de prensa y de expresión, cabe preguntarse en qué condiciones la difusión pública de un atentado terrorista deja de ser mera información para convertirse en provocación"*.

[34]   Establece el art. 7 de la Directiva (UE) 2017/541 que *"los Estados miembros adoptarán las medidas necesarias para garantizar que se tipifique como delito, cuando se cometa intencionadamente, instruir en la fabricación o el uso de explosivos, armas de fuego u otras armas o sustancias nocivas o peligrosas, o en otros métodos o técnicas concretos, a los fines de la comisión o la contribución a la comisión de cualquiera de los delitos enumerados en el art. 3, apartado 1, letras a) a i), con conocimiento de que las capacidades transmitidas se utilizarán para tales fines"*

mos en este caso, cuando se reciba instrucción en la fabricación o el uso de explosivos, armas de fuego u otras armas o sustancias nocivas o peligrosas, o en otros métodos o técnicas concretos, a los fines de la comisión o la contribución a la comisión de cualquiera de los delitos de terrorismo. En principio este precepto podría interpretarse como la sanción del reverso de la moneda del artículo anterior, esto es, se castiga tanto a quien instruye como a quien recibe esa instrucción; de ello parece deducirse que se trata de un *adiestramiento presencial*, en el que existe un claro contacto entre instructor e instruido. Sin embargo, la Directiva en su Considerando 11 expone el contenido del mismo, afirmando por un lado que se trata de complementar el ya reconocido adiestramiento, y que incluye la obtención de conocimientos, documentación o capacidades prácticas; y, por otro, y esto es lo realmente peligroso, establece que *"el aprendizaje autónomo, en particular a través de internet o consultando otro tipo de material de aprendizaje, también debe considerarse recepción de adiestramiento para el terrorismo, cuando sea el resultado de una conducta activa y se efectúe con la intención de cometer o contribuir a la comisión de un delito de terrorismo"*. De este modo, centra la configuración como delito de *autoadiestramiento*, en la presencia de una específica finalidad o intención del sujeto que realiza el autoaprendizaje; intención que, según señala la propia Directiva, *"puede inferirse, por ejemplo, del tipo de materiales y de la frecuencia de la consulta"*[35]. Con ello, puede inferirse que la concreción del elemento finalístico o intencional se deduciría del acceso habitual o frecuente a determinadas páginas o contenidos que cumplan lo establecido en la figura típica; en definitiva, quien acceda a esos contenidos con frecuencia es porque tiene finalidad de capacitarse para cometer un delito de terrorismo.

Ante semejante ampliación de la intervención penal, en la que no sólo se está sancionando un presunto acto preparatorio de un acto preparatorio de un delito de terrorismo, sino que se está realizando la presunción de una concreta finalidad por el mero hecho de acceder a determinados contenidos, la Directiva, en el Considerando mencionado, trata de paliar los efectos potenciales de esta regulación, afirmando que el *"mero hecho de visitar páginas web o de recopilar materiales, con fines legítimos, como fines académicos o de investigación, no se considera recepción de adiestramiento para el terrorismo a tenor de la presente Directiva"*. Surgen dos cuestiones de manera inmediata: ¿qué se consideran fines legítimos? ¿sólo los académicos y/o investigado-

---

[35] Así, establece expresamente que descargarse un manual para fabricar explosivos con el fin de cometer un delito de terrorismo podría considerarse recepción de adiestramiento para el terrorismo.

res? ¿la mera recopilación de información por el simple deseo de saber o de conocer o de aprender sería o no un fin legítimo?; y, en segundo lugar, ¿qué ocurriría si el académico o investigador en cuestión emplea los conocimientos obtenidos durante su investigación o aprendizaje para la comisión de un acto terrorista? Resulta evidente que con esta regulación nos adentramos en ámbitos de pensamiento o conocimiento del sujeto activo, absolutamente alejados y desconectados de una potencial lesión o peligro para un bien jurídico, sea éste el que sea, seguridad de los ciudadanos incluida. Pero también resulta evidente, que la indefinición de esta figura permitirá que sea aplicada a supuestos que puede que no tengan absolutamente nada que ver con el ámbito terrorista; e, incluso, a supuestos que teniendo relación con el terrorismo, no son sino una manifestación de la libertad de los ciudadanos.

El afán prevencionista de la Unión Europea se refleja todavía con más claridad, si cabe, con la incorporación como figura delictiva de lo que ha denominado *Viaje con fines terroristas* que regula en el art. 9 de la Directiva[36] donde se castigará el hecho de viajar a un país a los fines de la comisión o de la contribución a la comisión de un delito de terrorismo, de la participación en las actividades de un grupo terrorista, o de adiestramiento o recepción de adiestramiento. En el Considerando 12 de la mencionada Directiva, donde se justifica la razón de esta incriminación, se hace referencia a los que denomina *combatientes terroristas extranjeros*, cuyas actividades resulta preciso criminalizar en vista de la amenaza que representan y de la necesidad de frenar el flujo de los mismos, dado que *"los viajes a territorio de la Unión con fines terroristas constituyen una amenaza creciente en materia de*

---

[36] Señala el art. 9 de la Directiva lo siguiente: *"1. Cada Estado miembro adoptará las medidas necesarias para garantizar que se tipifique como delito, cuando se cometa intencionadamente, el hecho de viajar a un país que no sea ese Estado miembro a los fines de la comisión o la contribución a la comisión de un delito de terrorismo a tenor del artículo 3, de la participación en las actividades de un grupo terrorista con conocimiento de que dicha participación contribuirá a las actividades delictivas de tal grupo a tenor del artículo 4, o del adiestramiento o la recepción de adiestramiento para el terrorismo a tenor de los artículos 7 y 8.*
2. Los Estados miembros adoptarán las medidas necesarias para garantizar que se tipifiquen como delito, cuando se cometan intencionadamente, las siguientes conductas:
a) el viaje a un Estado miembro a los fines de la comisión o la contribución a la comisión de un delito de terrorismo a tenor del artículo 3, de la participación en las actividades de un grupo terrorista con conocimiento de que dicha participación contribuirá a las actividades delictivas de tal grupo a tenor del artículo 4, o del adiestramiento o la recepción de adiestramiento para el terrorismo a tenor de los artículos 7 y 8, o
b) los actos preparatorios realizados por una persona que entre en dicho Estado miembro con ánimo de cometer o contribuir a la comisión de un delito de terrorismo a tenor del artículo 3".

seguridad". Sin embargo, a la hora de delimitar el alcance que debiera tener esta tipificación no queda claramente establecido; así, por un lado afirma expresamente que *"no es indispensable tipificar el acto de viaje como tal",* pero a continuación establece, que se puede tratar la amenaza terrorista derivada del hecho de viajar, eso si sin especificar cual pudiera ser esa amenaza, mediante la tipificación de *"los actos preparatorios, entre los que se puede incluir la planificación o la conspiración con vistas a la comisión o la contribución a la comisión de un delito de terrorismo".*

Las críticas que pueden hacerse respecto de esta concreta regulación son numerosas; en primer lugar la más importante de todas, que en nuestra opinión, lleva a una situación absolutamente insostenible en un Estado de Derecho. Si se tipifica el viaje, tanto a un Estado no miembro (art. 9.1) como a un Estado Miembro (art. 9.2 a)), que ya de por sí constituye un acto preparatorio de cualquiera de las conductas establecidas (comisión de un delito de terrorismo, participación en las actividades de un grupo terrorista, adiestramiento o recepción de adiestramiento), conductas algunas de ellas que ya son actos preparatorios de un delito de terrorismo (adiestramiento o recepción de adiestramiento), con lo cual estamos sancionando el acto preparatorio de un acto preparatorio, resulta difícil, si no imposible desde los postulados de un Estado de Derecho, justificar la tipificación de la "planificación del viaje", tal como señala el Considerando 12, o la *"tentativa de viajar con fines terroristas, de adiestramiento para el terrorismo, y de captación para el terrorismo"* que se indica en el Considerando 16, y que se traslada al art. 14.3 de la Directiva[37]; o lo que es lo mismo, ¿se sanciona la tentativa de un acto preparatorio (el viaje) de un acto preparatorio (adiestramiento) de un delito de terrorismo? El despropósito jurídico, en nuestra opinión, es de proporciones épicas.

Pero no sólo puede realizarse esta crítica en relación con este concreto precepto, sino que la propia falta de claridad a la hora de definir los *fines terroristas* y lo que deba considerarse como *combatiente terrorista extranjero* (al cual se refiere la Directiva en su Considerando 12), parece determinar que, a los efectos de esta Directiva, podría considerarse como fines terroristas el hecho de viajar, por ejemplo, para unirse a una organización terrorista, o para participar en actividades de entrenamiento; ahora bien, ¿qué pasaría

---

[37]   El art. 14.3 establece que *"los Estados miembros adoptarán las medidas necesarias para garantizar que se castigue la tentativa de comisión de cualquiera de los delitos enumerados en los artículos 3, 6 y 7, el artículo 9, apartado 1 y apartado 2, letra a), y los artículos 11 y 12, con excepción de la tenencia a tenor del artículo 3, apartado 1, letra f), y del delito a tenor del artículo 3, apartado 1, letra j)".*

en aquellos casos en los que se viaja para participar en una insurgencia, rebelión armada o guerra civil, como podría ser el caso de Libia o Siria? ¿Estaríamos también ante un comportamiento incluible en la configuración del art. 9 de la Directiva? No podemos obviar que estos grupos rebeldes o insurgentes pueden (y normalmente lo son) considerados terroristas por los gobiernos del territorio en cuestión, y ello implicaría que los combatientes que participaran o lucharan junto a estos grupos insurgentes o rebeldes pudieran ser sancionados en sus propios países por haber viajado con *fines terroristas*[38].

La Directiva incluye otros muchos comportamientos que deberán tipificarse en los correspondientes ordenamientos jurídicos de los Estados miembros, pero que, al menos en el nuestro, ya habían sido objeto de criminalización, como la financiación del terrorismo incluyendo no sólo los actos terroristas sino también los grupos terroristas, la colaboración con organizaciones o grupos terroristas, la captación para el terrorismo, etc., y cuya legitimidad, en principio, no está en cuestión, a salvo evidentemente de la concreta regulación que se haga en cada uno de los ordenamientos.

De este modo, una vez delimitados algunos de los aspectos más conflictivos de la Directiva 2017/541, el siguiente punto a tratar es el de la necesidad o no de su trasposición a nuestro Código penal, y la regulación concreta que en el mismo se haga de cada una de las figuras analizadas.

3. ALGUNOS ASPECTOS CONFLICTIVOS DE LA REGULACIÓN DEL TERRORISMO EN EL CÓDIGO PENAL ESPAÑOL

La reforma realizada por la Ley Orgánica 2/2015, de 30 de marzo, por la que se modifica el Código penal en materia de delitos de terrorismo, implicó una profunda y sustancial modificación de la regulación de este fenómeno en el ordenamiento jurídico español, a fin de adaptarlo a las exi-

---

[38] Existe un supuesto interesante que señala el Dictamen del Comité Económico y Social en sus Observaciones particulares 3.2.2.5, nota 4, que sería el de los combatientes europeos que luchan en Siria junto con las milicias kurdas, enemigos de Daesh, un grupo que se sitúa en el epicentro del fenómeno terrorista global de inspiración religiosa, y hace referencia a un caso concreto de un ciudadano neerlandés, antiguo militar del ejercito nacional, que es objeto de investigación en su país, acusado de homicidio, a raíz de su participación en los combates en Siria en las filas de la fuerzas kurdas (YPG). La pregunta es evidente, una vez se trasponga esta Directiva, ¿podría ser acusado de un delito de terrorismo?

gencias legislativas tanto de la Unión Europea como internacionales. Así, se establece en la Exposición de Motivos de la referida Ley que responde a la preocupación de la comunidad internacional por el recrudecimiento de la actividad terrorista y por la intensificación del llamamiento a cometer atentados en todas partes del mundo; preocupación que se plasma en la Resolución del Consejo de Seguridad de Naciones Unidas 2178, aprobada el 24 de septiembre de 2014. No ha sido, sin embargo esta disposición la única que ha influido en la regulación de los delitos de terrorismo, así, por ejemplo, dentro de la Unión Europea, podemos señalar la *Decisión Marco 2002/475/JAI, de 13 de junio de 2002, sobre la lucha contra el terrorismo*, la *Decisión 2005/671/JAI del Consejo, de 20 de septiembre*, la *Decisión Marco 2008/919/ JAI, de 28 de noviembre*. Tras esta reforma penal en 2015, se aprueba recientemente la *Directiva (UE) 2017/541 de Parlamento Europeo y del Consejo, de 15 de marzo, relativa a la lucha contra el terrorismo*, y que viene a sustituir la DM 2002/472/JAI, y a modificar la Decisión 2005/671/JAI, cuyo contenido hemos analizado en el epígrafe anterior. Se trata ahora de analizar si la regulación actual de los delitos de terrorismo en nuestro Código penal responde a las exigencias de la Directiva 2017/541 o si resulta preciso realizar una trasposición de la misma.

Los delitos de terrorismo contenidos en los arts. 571 a 580 del Código penal español recogen una serie de modalidades típicas catalogadas como delitos terroristas de manera genérica, abarcando tanto un *delito de organización*[39], en los arts. 571 y 572 CP, como todas las conductas que giren o puedan llegar a girar en torno al fenómeno terrorista a fin de reducir al máximo su capacidad logística anímica e ideológica, o lo que es lo mismo, *"toda forma de apoyo posible a la organización"*. De este modo, la respuesta penal en esta materia se extiende hacia los *"amigos de los enemigos"*, que como ya hemos puesto de manifiesto responde a un claro discurso preventivista que supone un adelantamiento de las barreras de protección penal y la búsqueda de la exclusión y marginación social del terrorista a toda costa.

Así, la reforma penal realizada por la LO 2/2015, de 30 de marzo llevó a cabo una profunda modificación del Capítulo VII del Título XXII del Libro II del Código penal, respecto de la que, como principal característica, podría señalarse la eliminación de la exigencia del tradicional *elemento estructural* (pertenencia a organización o grupo terrorista) definidor hasta

---

[39]   Sobre los delitos de organización, cfrs. CANCIO MELIÁ, "Delitos de organización", en *Revista electrónica del Instituto latino americano de Estudios en ciencias penales y criminológicas*, 006-01 (2011), www.ilecip.org.

ese momento del terrorismo, junto con un desmesurado, injustificable y de cuestionable legitimidad adelantamiento de las barreras de intervención penal. Por ejemplo, se amplían las *"finalidades"* perseguidas por ese tipo de organizaciones a fin de ser consideradas terroristas[40], se sancionan comportamientos que carecen de toda potencialidad lesiva para el bien jurídico objeto de protección, como pudiera ser el acceso, de manera habitual, a servidores o páginas de internet con contenidos idóneos para incitar a la incorporación a una organización terrorista o a colaborar con alguna de ellas (*autoadoctrinamiento*), o de viajes al extranjero[41], como vemos, todos los aspectos que ya hemos analizado en relación con el contenido de la Directiva 2017/541. De este modo, la respuesta a la pregunta que figura en el título de este trabajo ya podemos adelantarla: no será necesaria ninguna trasposición de la Directiva a nuestro Ordenamiento jurídico penal, por cuanto, como veremos, nuestra legislación va mucho más allá en la represión del terrorismo y de todo lo que le rodea, de lo que establece la Directiva. Consecuentemente, si el contenido de la Directiva, como ya hemos señalado, resulta altamente cuestionable desde la perspectiva de los principios y garantías de un Estado de Derecho, la regulación de nuestro Código penal es, desde esta misma perspectiva, absolutamente rechazable.

A fin de exponer esta situación de vulneración de las libertades y derechos fundamentales que este tipo de normativa conlleva, consideramos necesario analizar desde la perspectiva de la legislación nacional, algunos

---

[40] El nuevo art. 573 CP, incluye junto a las tradicionales finalidades de *subvertir el orden constitucional o alterar la paz pública*, otras nuevas cuya justificación resulta altamente cuestionable, como *suprimir o desestabilizar gravemente el funcionamiento de las instituciones políticas o de las estructuras económicas o sociales del Estado, obligar a los poderes públicos a realizar un acto o abstenerse de hacerlo, desestabilizar gravemente el funcionamiento de una organización internacional, o provocar un estado de terror en la población o en una parte de ella*. Ello podría llevarnos a considerar como terrorismo, desde un asesino en serie que causa un estado de terror en la población, hasta una plataforma anti desahucios que impide a los poderes públicos realizar un acto. El absurdo pudiera llegar a ser desproporcionado.

[41] Se trata en definitiva, de criminalizar la lectura de determinados materiales de contenido terrorista o bien la realización de viajes al extranjero, matizándolo eso si, con la exigencia de que la finalidad sea capacitarse para llevar a cabo un delito de terrorismo, o colaborar con una organización terrorista, o cometer un delito de terrorismo. El problema radica en que, la "finalidad" o la intención que se perseguía con esa lectura, es un aspecto que se demostrará mediante prueba de indicios en el juicio correspondiente (antes no resultaría posible), pero la existencia del tipo penal descrito de esa manera, habilita a la policía, mediante una autorización del Ministro del Interior o del Secretario de Estado de Seguridad, a intervenir las comunicaciones de quienes la hayan realizado, e incluso a detener preventivamente durante plazos excepcionales.

aspectos que hemos cuestionado de la regulación contenida en le Directiva (UE) 2017/541.

3.1. Sobre los delitos de terrorismo

En el art. 573 CP la reforma realizada por la LO 2/2015, pretende incorporar un concepto de lo que deba considerarse como terrorismo, sin embargo lo que realiza es la unión de una serie de tipos delictivos concretos que pudieran realizarse, con unas determinadas *finalidades* que se perseguirían con la realización de estas conductas típicas. De este modo el aspecto nuclear del terrorismo y de los delitos de terrorismo viene configurado por el *elemento teleológico*, es decir, la finalidad concreta que el o los autores persigan con la realización de las conductas típicas, constituyendo este precepto el elemento clave para la delimitación de lo que deba o no ser terrorismo. En este punto, consideramos necesario poner de manifiesto que la nueva estructura dada a los delitos de terrorismo, así como la organización sistemática de los mismos determina que el elemento estructural, esto es, la pertenencia a una organización o grupo criminal ya no resulte exigible para la calificación de los hechos como delitos de terrorismo[42].

Las conductas reflejadas en el art. 573 CP se refieren a delitos comunes tipificados en otras partes del Código penal, pero respecto de los que se agrava la pena y se les considera delitos terroristas sobre la base de las finalidades que se persiguen con su realización, así como a otra serie de comportamientos que se han incluido *ex novo*, y que pueden ser considerados como delitos de terrorismo; comportamientos que esencialmente coinciden de modo genérico con los previstos en la regulación de la Directiva (UE) 2017/541.

De este modo, el art. 573 se divide en tres apartados diferentes. En el primer apartado se sanciona la comisión de cualquier delito grave contra la vida o la integridad física, la libertad, la integridad moral, la libertad e indemnidad sexuales, el patrimonio, los recursos naturales o el medio ambiente, la salud pública, de riesgo catastrófico, incendio, contra la Corona, de atentado y tenencia, tráfico y depósito de armas, municiones o explosivos, previstos en el Código penal, así como el apoderamiento de aeronaves, buques u otros medios de transporte colectivo o de mercancías, siempre

---

[42]   Señala CANO PAÑOS, *Comentarios a la reforma del Código penal en materia de terrorismo: la LO 2/2015*, Valencia 2015, p. 41, que *"ya no es precisa ninguna plataforma operativa de terrorismo"*.

que se realizaran con determinadas finalidades; conductas todas ellas que tradicionalmente figuraban ya entre los delitos de terrorismo, y que también se encuentras plasmadas en el art. 3 de la Directiva.

En el apartado segundo del mismo precepto se afirma que también se considerarán delitos de terrorismo los delitos informáticos tipificados en los arts. 197 bis y 197 ter (delitos contra la intimidad), y en los arts. 264 a 264 quater (delitos de daños), siempre, igualmente, que se cometan con alguna de las finalidades mencionadas en el precepto. En relación con los artículos 264 a 264 *quater* se responde a la exigencia de la Directiva contenida en el apartado d) del art. 3.1, por cuanto el tipo penal, al igual que la normativa europea, exige la destrucción o inutilización de los sistemas informáticos, datos, etc., con lo cual serían trasladables todas las consideraciones realizadas al respecto; pero nuestro legislador penal no se detiene ahí, sino que también incorpora los supuestos relativos a los arts. 197 *bis* y *ter* CP, situados en sede de delitos contra la intimidad, y conocidos como delitos de intrusismo informático. Delitos estos en los que no se exige la destrucción de ningún sistema informático, sino el mero acceso ilícito al mismo.

Y, por último, el apartado tercero indica que también tendrán la consideración de delitos de terrorismo, el resto de figuras delictivas tipificadas en el Capítulo VII, del Título XXII, Libro II del Código penal, esto es, tanto la pertenencia a organizaciones o grupos terroristas, como el depósito de armas o municiones, el adoctrinamiento, adiestramiento y capacitación terrorista, el viaje a territorio extranjero con la finalidad de capacitarse o colaborar con una organización terrorista, la financiación del terrorismo, la colaboración con organizaciones y grupos terroristas, el enaltecimiento y justificación del terrorismo y la difusión de mensajes y consignas terroristas.

De este modo, nuestro Código penal sanciona una serie de comportamientos donde el núcleo esencial para su configuración como delitos de terrorismo, radica en que concurra alguna de las finalidades previstas en el apartado primero del art. 573 CP[43]; tras la reforma de 2015, junto a las tradicionales finalidades de subvertir el orden constitucional o alterar gravemente la paz pública, o incluso provocar un estado de terror en la pobla-

---

[43]   Así, lo que diferencia los delitos comunes, incluidos los supuestos de organización y grupos criminales, de los comportamientos expresamente enumerados en los distintos preceptos del Capítulo VII, es la concurrencia en estos últimos de alguna de las finalidades expresamente descritas en el art. 573 CP.

ción (lo cual resulta altamente discutible porque ello podría ser aplicable a un asesino en serie que no se convierte en terrorista por el terror causado, salvo que consideremos que todo es terrorismo), se añaden nuevas "finalidades", respondiendo a las exigencias de la normativa internacional que desvirtúan completamente el fenómeno terrorista tal como se había comprendido hasta ese momento. Sobre esta base se pueden distinguir las siguientes finalidades en relación con la configuración de las conductas realizadas como delitos de terrorismo:

1. *Subvertir el orden constitucional,* que era una de las que tradicionalmente se había sostenido en relación con los delitos de terrorismo, a la cual se equiparan expresamente las de *suprimir o desestabilizar gravemente el funcionamiento de las instituciones o de las estructuras económicas o sociales de un Estado* y *obligar a los poderes públicos a realizar un acto o abstenerse de hacerlo.*

2. *Alterar gravemente la paz pública,* finalidad que ya se encontraba tradicionalmente presente en los delitos de terrorismo.

3. *Desestabilizar gravemente el funcionamiento de una organización internacional.*

4. *Provocar un estado de terror en la población o parte de ella.*

La inclusión de estas finalidades junto con la redacción de los preceptos relativos a los delitos de terrorismo nos puede llevar a conclusiones absolutamente indeseadas en un Estado de Derecho. Y ello porque, en nuestra opinión, el problema no radica sólo en la descripción de algunas conductas típicas, ni sólo en la delimitación de las finalidades, sino en la conjunción de ambas (unido todo ello a los problemas de prueba que la concreta finalidad perseguida conlleve). Es más, incluso llegando a probar esa finalidad, es altamente cuestionable, y rechazable en muchos casos, que algunos comportamientos concretos pudieran calificarse como terrorismo.

Así, por ejemplo, en relación con la destrucción de sistemas informáticos, o del intrusismo informático que se consuma con el mero acceso ilícito al sistema, que se haya realizado, por ejemplo, para desestabilizar gravemente el funcionamiento de las instituciones o de las estructuras económicas o sociales de un Estado, resulta difícilmente justificable su calificación automática como delito de terrorismo[44]. De hecho, sobre estos parámetros,

---

[44] Téngase en cuenta que en Código penal español, el delito de intrusismo no exige la producción de un grave perjuicio; en los daños si constituye elemento del tipo al tratarse de un delito contra el patrimonio, pero no es preciso que ese perjuicio sea grave, a diferencia de lo que se exige en la Directiva (UE) 2017/541.

el caso *WikiLeaks*[45] podría ser considerado como delito de terrorismo. En nuestra opinión resulta obvio que ni la Directiva 2017/541, ni el Código penal se están refiriendo a esos supuestos, ni pretenden que se consideren como terrorismo, ¿o quizás sí?[46] Lo que resulta evidente es que nuestro Código penal, dos años antes de la aprobación de la Directiva, ya cumplía de sobra las exigencias de la misma, llegando su regulación todavía más lejos.

Las nuevas finalidades previstas no sólo plantean problemas en relación con las conductas que acabamos de analizar, sino con otros preceptos. Así, por ejemplo, el art. 573 *bis* CP en su apartado cuarto, establece que el delito de desórdenes públicos cuando se cometa por una organización o grupo terrorista o individualmente pero amparados en ella, será considerado delito de terrorismo cualificando la pena respecto de la prevista para el concreto delito. En este punto podemos diferenciar dos características que definen esta cualificación penal. La primera, es que las conductas deben realizarse por una organización terrorista o amparado en ella; sobre la base del art. 571 CP, organización terrorista sería un grupo formado por más de dos personas, con carácter estable o por tiempo indefinido que, de manera concertada y coordinada se repartan diversas tareas o funciones con el fin de cometer delitos, persiguiendo alguna de las finalidades previstas en el art. 573 CP. La segunda, que se realice un delito de desórdenes públicos del art. 557 *bis*, esto es, realizar actos de violencia que alteren la paz pública en una manifestación o reunión numerosa. De este modo, cualquier grupo organizado entre cuyas finalidades se encuentre, por ejemplo, subvertir el orden constitucional, desestabilizar el funcionamiento de las instituciones políticas o bien obligar a los poderes públicos a realizar un acto o abstenerse de hacerlo, que realice actos que alteren la paz pública en cualquier tipo de manifestación o reunión, podría ser considerado como organización terrorista, y consecuentemente, los actos por ellos realizados, delitos de

---

[45]   El caso WikiLeaks supuso por entonces la mayor filtración de documentos secretos de EEUU de la historia, un soldado estadounidense llegó a filtrar al portal del 'hacker' y activista Julian Assange más de 700.000 archivos confidenciales. Su acción puso en jaque al Gobierno de EEUU y convirtió en relevantes a Assange y WikiLeaks, que pasó de ser una web minoritaria a convertirse en uno de los mayores temores de la inteligencia estadounidense.

[46]   En este sentido, señala SÁNCHEZ-MORALEDA VILCHES, "Atentados yihadistas y nueva configuración de los delitos de terrorismo", *Diario La Ley*, nº 8932, Sección Doctrina, 2 de Marzo de 2017, La Ley 2122/2017, p. 6/13, que en su opinión resulta preciso que la finalidad de desestabilizar a la organización internacional, *"se interprete vinculada a la consistente en quebrantar el sistema político, pues en otro caso se castigarían como delitos terroristas hechos que carecen del desvalor específico que es propio de las figuras de terrorismo"*.

terrorismo. Nuevamente el núcleo del problema vuelve a girar en torno a la identificación de esas posibles finalidades.

¿Qué debemos entender por obligar a los poderes públicos a realizar un acto o abstenerse de hacerlo?, ¿impedir a una comisión judicial que acude a la realización de un desahucio decretado judicialmente que lleve a cabo el mismo podría considerarse obligar a los poderes públicos a abstenerse de realizar un acto? Nada impide en la descripción de esta finalidad que realiza el Código penal, ni tampoco la Directiva (UE) 2017/541 que impedir la actuación de una comisión judicial pueda ser considerada como obligar a un poder público a abstenerse de realizar un acto. Por tanto, se cumpliría una de las finalidades previstas en el art. 573 CP. Siguiendo con el análisis, si esa finalidad de impedir desahucios, es la que persigue un grupo organizado exclusivamente para ello, ¿podría calificarse este grupo como organización o grupo terrorista? Del art. 571 CP, sólo se deriva que estos serían aquellas agrupaciones de más de dos personas, estables y con estructura[47] que tengan por objeto la realización de alguno de los delitos previstos en los arts. 573 y ss. Sobre esta base, la duda que surge es si, por ejemplo, la Plataforma Anti desahucios podría configurarse como una organización terrorista en tanto es un grupo organizado encaminado a impedir desahucios (obligar a un poder público a abstenerse de realizar un acto); nuevamente, nada impide, en nuestra opinión, que ello pudiera ser así. Y si además, este grupo organizado impide el desahucio mediante actos de violencia en una manifestación o reunión, hacia la policía, hacia la comisión judicial, o incluso hacia bienes patrimoniales, ¿no se estaría realizando un delito de desórdenes públicos de los arts. 557 y 557 *bis* CP? Uniéndolo todo, podría afirmarse que la Plataforma Anti Desahucios es una organización terrorista que ha cometido un delito de terrorismo sancionado en el art. 573 *bis* CP[48].

---

[47] Así, el art. 571 remite de la definición de lo que deba entenderse por organizaciones o grupos terroristas a los arts. 570 *bis* y *ter* CP, donde se definen las organizaciones y grupos criminales. Así, organizaciones criminales será toda agrupación formada por más de dos personas con carácter estable o por tiempo indefinido, que de manera concertada y coordinada, se repartan diversas tareas o funciones con el fin de cometer delitos, y en el caso de las organizaciones terroristas, estos delitos son los contenidos en los arts. 573 y ss.; mientras que grupo criminal, será la unión de más de dos personas que, sin reunir alguna o algunas de las características de la organización criminal, tenga por finalidad o por objeto la perpetración concertada de delitos, igualmente en el caso de grupos terroristas estos delitos serán los contenidos en los arts. 573 y ss. CP.

[48] En este mismo sentido, CANO PAÑOS, "La reforma penal de los delitos de terrorismo en el año 2015", *op. cit.*, p. 17 señala, junto a éste, otros supuestos que podrían haber sido calificados como tales de haber estado en vigor esta reforma del Código penal,

Podemos realizar una argumentación similar respecto de otras de las *finalidades* contenidas en el art. 573, como subvertir el orden constitucional o desestabilizar el funcionamiento de instituciones políticas. ¿Sería subvertir el orden constitucional declarar la independencia de una parte del territorio español, supondría una grave desestabilización del funcionamiento de las instituciones políticas si ello se realiza, por ejemplo, mediante una resolución del Parlamento de una Comunidad Autónoma? Obviamente podría serlo, quien quiere declarar la independencia y fuerza, apoya o colabora con la declaración institucional de la misma mediante el Poder legislativo de una Comunidad autónoma, pretende alterar el orden constitucionalmente establecido en nuestro país y desestabiliza el funcionamiento de las instituciones[49]. ¿Ello implicaría que los partidos políticos que apoyaron esta declaración, y que incluso la llevan entre sus fines, como PdCat, Esquerda Republicana o la CUP serían organizaciones terroristas? ¿Lo serían también la Asamblea Nacional catalana y Omnium Cultural? Y dado que han realizado actos, votaciones, resoluciones, y han convocado manifestaciones y protestas, en las que se alega por la Fiscalía de nuestro país que se ha utilizado violencia (que califican como rebelión o sedición, sin que aún lo tengan muy claro) ¿podrían calificarse estos comportamientos como delitos de terrorismo?

Parece evidente que esa no es la finalidad de la reforma de 2015 ni de la Directiva de 2017, que van encaminadas a la persecución del terrorismo; es obvio que ningún gobierno democrático pretendería que las conductas que hemos descrito se calificaran como delitos de terrorismo, ni que las organizaciones que hemos mencionado fueran consideradas organizaciones terroristas....¿o sí? La realidad, al margen de todas las consideraciones que hemos hecho, es que el terrorismo, yihadista o de otro tipo, no se dedica a realizar actos de violencia en manifestaciones o reuniones públicas que obliguen a un poder público a abstenerse de realizar un acto, ni tampoco hace resoluciones en Parlamentos ni instituciones estatales. Pero el problema es que la legislación penal no se puede aplicar por partes, ni casuís-

---

como los disturbios ocurridos en el barrio burgalés de Gamonal a comienzos de 2014, los "escraches", las protestas contra la privatización de Aena o el Canal de Isabel II, afirmando que, bajo estos parámetros *"tantos las FFCCSS como los jueces tendrían el correspondiente respaldo legal para responder con operaciones antiterroristas contra aquellos sujetos que protagonizasen actuaciones con fuerza contra, por ejemplo, la construcción de centrales nuclearas y otras obras susceptibles de dañar el medio ambiente"*

[49]   Tanto se desestabilizó, que la declaración unilateral de independencia realizada por el Gobierno y el Parlamento de Cataluña, derivó en la aplicación del art. 155 de la Constitución que prevé la suspensión de la autonomía y su gestión por el Gobierno central.

ticamente, ni en virtud de cada caso concreto, sino que debe ser aplicada en su conjunto; y ese conjunto es el que nos puede llevar a las absurdas conclusiones y calificaciones que acabamos de exponer.

No terminan aquí los aspectos cuestionables en relación con la regulación del terrorismo que se derivan precisamente de la ampliación de las finalidades previstas en el art. 573, y de la indefinición de las mismas, con la consecuente expansión del concepto de terrorismo y de organizaciones terroristas.

3.2. *Difusión de mensajes y consignas terroristas: la sanción de los actos pre- paratorios*

Como ya señalamos, la Directiva (UE) 2017/541, en su art. 5 como *Provocación pública a la comisión de delitos de terrorismo*, indica que sería preciso sancionar a quien difunda o haga públicos mensajes destinados a la comisión de delitos de terrorismo mediante una apología directa o indirecta de los mismos. Ya previamente, nuestro Código penal, tras la reforma de 2015, y respondiendo a las indicaciones contenidas en la Resolución de Naciones Unidas 2178, incorpora en el art. 579 CP, con la pena inferior en uno o dos grados a la prevista para el delito de que se trate, la realización de una serie de actos preparatorios que enumera en los distintos apartados del precepto, que como veremos podrían equipararse a una provocación o a una suerte de apología de los delitos de terrorismo.

Así, en el art. 579, en su apartado primero sanciona a quien *por cualquier medio, difunda públicamente mensajes o consignas que tengan como finalidad o que, por su contenido, sean idóneos para incitar a otros a la comisión de alguno de los delitos* del Capítulo VII, Libro XXII. Se trata de un comportamiento respecto del cual, a pesar de requerirse el elemento incitador, no se configura como una incitación directa (la del art. 18 CP), con lo cual sería una suerte de provocación o apología menor. Pero, además, la regulación del apartado tercero del mismo precepto, obliga a derivar las incitaciones directas e inmediatas a la comisión de un delito concreto al supuesto de provocación previsto en éste[50]. En definitiva, resulta cuanto menos cuestionable que en relación con el apartado primero del art. 579 nos encontremos ante com-

---

[50]   El apartado tercero del art. 579 CP, sanciona los actos preparatorios clásicos, esto es, la provocación, conspiración y proposición para cometer alguno de los delitos regulados en el Capítulo VII, del Título XXII, castigándolo con la pena inferior en uno o dos grados a la que corresponda respectivamente a cada uno de los delitos.

portamientos aptos e idóneos para determinar a otros a la realización de un delito concreto y determinado, pareciendo que lo que en realidad se trata de sancionar son las incitaciones o llamadas genéricas a delinquir[51]; y ello conlleva el claro y evidente peligro de que se acaben sancionando meras conductas de adhesión ideológica[52]. Es este primer apartado el que más fielmente responde al contenido del art. 5 de la Directiva, con lo cual, nuevamente, resultaría innecesaria su trasposición.

Esta regulación implicaría las mismas críticas que ya hemos expuesto en relación con el art. 5 de la Directiva 2017/541: la indefinición de la misma que no deja claro qué tipo de mensajes y con qué contenido constituirían el objeto material de este delito, la indeterminación de los autores, la trascendencia de la mera adhesión ideológica, etc. En definitiva, como ya hemos expuesto, la regulación actual implicaría la lesión del principio de taxatividad y seguridad jurídica, y del derecho a la libertad de expresión, de información, de opinión, ideológica, etc., etc., dado que podría conllevar que mensajes o consignas que determinen una coincidencia ideológica con alguna de las acciones o finalidades previstas como delitos de terrorismo en los arts. 573 y ss., pasaran a convertirse en un delito tipificado en el art. 579 CP, respecto del cual no quedaría establecido quien o quienes responderían del mismo. Esta absoluta indeterminación del tipo permite que no tenga prácticamente límites en cuanto a su aplicación, y que se puedan sancionar las meras opiniones que no sean "adecuadas", o político o socialmente correctas, tanto para quien las vea como para quien pueda enjuiciarlas. De este modo el tipo penal no queda configurado mediante su plasmación en un texto legal, sino que irá siendo "rellenado", aplicado o interpretado a golpe de caso concreto y de reacción concreta al mismo[53],

---

[51]   Esto parece derivarse de la Exposición de Motivos de la LO 2/2015, de 30 de marzo, donde se alude a la vocación de expansión internacional del terrorismo yihadista que *"a través de líderes carismáticos que difunden sus mensajes y consignas por medio de internet y, especialmente, mediante el uso de redes sociales, haciendo público un mensaje de extrema crueldad que pretende provocar terror en la población o en parte de ella y realizando un llamamiento a sus adeptos de todo el mundo para que cometan atentados";* en definitiva, una llamada generalizada a atentar contra personas, objetivos, estructuras indeterminadas.

[52]   CUERDA ARNAU, en *Derecho Penal, Parte especial,* GONZÁLEZ CUSSAC (coord.), 5º ed., revisada y actualizada a la Ley orgánica 1/2015, Valencia, 2016, p. 780.

[53]   Así, aplicando la regulación penal en conjunto, si tal como hemos expuesto, la Asamblea nacional catalana y Ómnium cultural podrían reunir las características de una organización terrorista por cuanto entre sus finalidades pudieran identificarse algunas coincidentes con las recogidas en el art. 573 CP, habría que concluir que los mensajes y consignas que han difundido, encaminadas al apoyo de la independencia de Cataluña, podrían ser consideradas como un delito de terrorismo del art. 579 CP.

con la consiguiente vulneración del principio de legalidad. Algo similar podría ocurrir con el principio de culpabilidad al no quedar determinado quienes y con qué conductas realizarían esa difusión o publicidad[54].

De hecho, como ya he indicado, esta regulación choca de frente con la libertad de expresión que resulta esencial en un estado democrático, dado que *"se constituye en garantía para la formación y existencia de una opinión pública libre, lo que la convierte en uno de los pilares de una sociedad libre y democrática, en la que se pueden exponer ideas con el fin de configurar, no sólo el sistema político, sino la misma vida social de los individuos que conforman el Estado"*[55]. Si bien es cierto que el Tribunal Constitucional ha establecido que el derecho a la libertad de expresión tiene un carácter limitable[56], también reconoce específicamente que los límites a los que está sometido el derecho a la libertad de expresión deben ser siempre proporcionados y no implicar una extra-limitación del ejercicio del *ius puniendi* del Estado, para evitar convertir al Derecho penal en un factor de disuasión del ejercicio de la libertad de expresión, que resultaría inaceptable en un Estado de Derecho, de manera que sólo el peligro real y concreto, o dicho de otro modo, el conflicto efectivo con otros derechos o intereses constitucionales podrían permitir una restricción del mismo, siempre al amparo de los criterios de propor-

---

[54] Iguales consideraciones y críticas respecto de su legitimidad pueden realizarse en relación con el apartado segundo del art. 579 CP que establece que se impondrá la misma pena a quien *públicamente o ante una concurrencia de personas, incite a otros a la comisión de alguno de los delitos del Capítulo VII, así como a quien solicite a otra persona que los cometa.* Se prevén dos modalidades: incitar a otros, y solicitar a otra persona. Respecto de la primera de ellas, es complicado encontrarle un ámbito de aplicación porque si se trata de una llamada genérica a delinquir debería incluirse en el apartado primero, o, en cualquier otro caso será un supuesto de provocación del apartado tercero de este precepto. Lo mismo puede sostenerse en relación con la modalidad consistente en solicitar a otra persona que cometa un delito, dado que nos encontraríamos bien ante una inducción respecto del delito concreto, o bien ante actos preparatorios punibles contemplados en el apartado tercero.

[55] Cfrs. MUÑOZ CUESTA, "Interpretación del enaltecimiento del terrorismo conforme a la Directiva UE 2017/541, de 18 de marzo", en *Revista Aranzadi Doctrinal*, nº 8/2017, Cizur Menor, 2017, p. 2/5.

[56] Así, la STC 177/2015, de 22 de julio, al analizar el alcance de la libertad de expresión, y concretamente el derivado de las manifestaciones que alienten la violencia o formas de actividad delictiva que tengan tal componente, afirma que este derecho a la libertad de expresión no es de carácter absoluto, pudiéndose considerar necesario en las sociedades democráticas prevenir y sancionar las formas de expresión que propaguen, inciten, promuevan o justifiquen el odio basado en la intolerancia, de la misma forma que la libre exposición de ideas no autoriza el uso de la violencia para imponer criterios propios en ejercicio precisamente de esa libertad.

cionalidad y necesidad[57]. Consideraciones éstas que, en mi opinión, no se respetan en la regulación penal en materia de terrorismo.

3.3. Adoctrinamiento y adiestramiento terrorista

La regulación del adiestramiento y adoctrinamiento terrorista se ha complicado tras la reforma de la LO 2/2015, de manera que su castigo se encuentra disperso a lo largo de diversos preceptos del Capítulo VII. Así, por un lado podemos diferenciar entre el adiestramiento y adoctrinamiento pasivo, autoadiestramiento y autoadoctrinamiento y capacitación, y, por otro, el adoctrinamiento, adiestramiento o capacitación activa[58]. Como veremos, la regulación contenida en el Código penal tras la reforma de 2015 es mucho más amplia que la realizada en los arts. 7 y 8 de la Directiva 2017/541, con lo cual, nuevamente resultaría innecesaria la trasposición de la misma a nuestro ordenamiento jurídico, por cuanto el Código penal supera con creces las disposiciones de la Unión Europea, adelantando de manera injustificable las barreras de la intervención penal.

Tal como señala la Exposición de Motivos de la LO 2/2015, el art. 575 CP *"tipifica el adoctrinamiento y el adiestramiento militar o de combate o en el manejo de toda clase de armas y explosivos, incluyendo expresamente el adoctrinamiento y adiestramiento pasivo, con especial mención al que se realiza a través de internet o de servicios de comunicación accesibles al público, que exige, para ser considerado delito, una nota de habitualidad y un elemento finalista que no es otro que estar dirigido a incorporarse a una organización terrorista, colaborar con ella o perseguir sus fines. También se tipifica en este precepto el fenómeno de los combatientes terroristas extranjeros, esto es, quienes para integrarse o colaborar con una organización terrorista o para cometer un delito de terrorismo se desplacen al extranjero".*

---

[57]   Cfrs. SSTC 177/2015, de 22 de julio, y 112/2016, de 20 de junio.

[58]   Son diversos los preceptos mediante los cuales se sancionan las conductas de captación, adiestramiento o adoctrinamiento activo, es decir, a quienes facilitan, elaboran o transmiten la información y conocimientos necesarios para capacitarse en la realización de delitos de terrorismo, para integrarse en una organización terrorista o para colaborar con ella, así el art. 577, 579, etc. Para un análisis más detallado, vid. GALÁN MUÑOZ, "¿Leyes que matan ideas frente a las ideas que matan personas? Problemas de la nueva represión de los mecanismos de captación terrorista tras la reforma del Código penal de la LO 2/2015", en *Cooperación judicial penal en la Unión Europea, Reflexiones sobre algunos aspectos de la investigación y el enjuiciamiento en el espacio europeo de justicia penal*, GONZÁLEZ CANO (Direct.), Tirant lo Blanch, Valencia 2015, pp. 105 a 154.

Sobre esta base, el legislador castiga una serie de comportamientos directamente relacionados con actividades encaminadas al adiestramiento y adoctrinamiento terrorista, siempre y cuando se realicen con la *finalidad de capacitarse para llevar a cabo cualquiera de los delitos tipificados en el Capítulo VII del Título XXI*. Evidentemente la ofensividad de las conductas tipificadas respecto del bien jurídico protegido es altamente discutible, pero más aún lo es su muy cuestionable legitimidad al sancionar comportamientos que constituyen claros delitos de sospecha [59], mediante el cual se está realizando la presunción de una concreta finalidad por el mero hecho de acceder a determinados contenidos.

El apartado primero del art. 575 CP castiga a quienes reciban adoctrinamiento o adiestramiento militar o de combate, o en técnicas de desarrollo de armas químicas o biológicas, de elaboración o preparación de sustancias o aparatos explosivos, inflamables, incendiarios o asfixiantes, o específicamente destinados a facilitar la comisión de alguna de tales infracciones. De este modo, dentro de las conductas típicas previstas en este apartado podemos diferenciar entre:

– Recibir de terceros adiestramiento militar o de combate, o técnicas de desarrollo de armas o preparación de sustancias[60]. Se trata de desarrollar las habilidades precisas para desarrollar un eventual ataque terrorista participar en un combate[61].

– Recibir de terceros adoctrinamiento, que guarda directa relación con medidas y prácticas educativas y de propaganda encaminadas a inculcar determinados valores o formas de pensar, planteamientos

---

[59] Cfrs. GALÁN MUÑOZ, "¿Leyes que matan ideas frente a las ideas que matan personas?", *op. cit.*, pp. 123-128.

[60] Es decir, se tipifica la conducta del "alumno", mientras que la del docente se verá sancionada como adiestramiento activo en el art. 577.2 CP.

[61] Al mismo tiempo, esta conducta típica puede incluirse dentro de las sancionadas en el art. 577.1 párrafo segundo CP, que define como actos de colaboración con una organización o grupo terrorista la *asistencia a prácticas de entrenamiento*. Ello ha determinado que algunos autores, como GARCÍA ALBERO en *Comentarios al Código penal español, Tomo II (arts. 234 a DF. 7ª)*, en QUINTERO OLIVARES (Direct.), MORALES PRATS (Coord.), 7ª ed., Aranzadi, 2016, p. 1908, afirme que el art. 575 CP quedaría reservado para aquellos supuestos en los que el adiestramiento se realiza "a distancia" o de manera virtual o telemática, mientras que los casos en los que la formación práctica sea presencial deberían incluirse en el art. 577 que conlleva una penalidad más grave. Sin embargo, de la redacción del texto penal nada puede deducirse al respecto, aunque la "mayor decisión delictiva" que podría derivarse de una asistencia presencial a las prácticas de entrenamiento, es la que pudiera sustentar esta interpretación que, en mi opinión, no encuentra respaldo legal.

ideológicos, etc. Así, consiste en recibir instrucción y enseñanzas de una determinada doctrina con la finalidad de capacitarse para la realización de actos de terrorismo.

En relación con la primera de ellas, esto es, el *adiestramiento* se podría considerar que en realidad, tal como se ha afirmado en relación con el contenido de la Directiva 2017/541, lo que se trata es de completar la ya tradicional sanción del adiestramiento o adoctrinamiento terrorista, incluyendo no sólo a quien la imparte sino también a quien lo recibe. Sin embargo, la reforma realizada por la LO 2/2015, da un paso mas allá castigando no sólo a quien recibe instrucción o adiestramiento de un tercero, sino que el apartado segundo del art. 575 CP, extiende la sanción penal a los supuestos de *autoadoctrinamiento o autoadiestramiento* siempre que se realice con la misma finalidad de capacitarse para la comisión de algún delito de terrorismo. De este modo, establece en el párrafo segundo del art. 575.2 CP una presunción en virtud de la cual se entenderá que comete este tipo penal quien, con la finalidad de capacitarse, *acceda de manera habitual a uno o varios servicios de comunicación accesibles a través de internet o de un servicio de comunicaciones electrónicas cuyos contenidos estén dirigidos o resulten idóneos para incitar a la incorporación a una organización o grupo terrorista, o a colaborar con cualquiera de ellos o sus fines.* Esta sanción del acceso por internet a determinados contenidos, incluso conllevando el requisito típico de la habitualidad, queda expresamente condicionada a la concurrencia de la finalidad de capacitación del sujeto activo para la comisión de delitos de terrorismo; ello implica que no podría entenderse presumida dicha finalidad por el mero hecho del acceso reiterado so pena de infringir el derecho a la presunción de inocencia, pero, además, la sanción de este comportamiento por la simple concurrencia de una determinada finalidad de capacitación implica un adelantamiento de la barrera de intervención penal a estadios en los que ni siquiera se ha dado el paso a la ideación de la comisión de un concreto hecho delictivo de naturaleza terrorista. Esta interpretación, en mi opinión, vulnera de manera clara y evidente derechos fundamentales básicos como la libertad de recibir información o la libertad ideológica[62]. Similares consideraciones pueden realizarse respecto del párrafo tercero

---

[62]   Cfrs. GARCÍA ALBERO, en *Comentarios al Código penal español, Tomo II (arts. 234 a DF. 7ª)*, en QUINTERO OLIVARES (Direct.), MORALES PRATS (Coord.), 7ª ed., Aranzadi, 2016, pp. 1910 y 1911; en el mismo sentido, GALÁN MUÑOZ, "¿Leyes que matan ideas frente a las ideas que matan personas", *op. cit.*, pp. 126 y 127, donde señala críticamente que este tipo de regulación responde a parámetros basados en la peligrosidad subjetiva que presentan los terroristas, pasando a considerarlos como enemigos y meras fuentes de peligro que hay que inocuizar y neutralizar a cualquier precio.

del art. 575.2 CP, quien equipara a los anteriores el comportamiento de aquellos sujetos que, con la misma finalidad, *adquiera o tenga en su poder documentos que estén dirigidos o, por su contenido, resulten idóneos para incitar a la incorporación a una organización o grupo terrorista o a colaborar con cualquier de ellos o en sus fines.*

En mi opinión, en relación con el *autodiestramiento* de lo que se trata es de criminalizar la lectura de determinados materiales, de contenido terrorista, matizándolo eso sí con la exigencia de que la finalidad que se persiga con ese acceso sea la de capacitarse para llevar a cabo un delito de terrorismo. El problema radica en que la finalidad o la intención que se perseguía con esa lectura, es un aspecto que pertenece al fuero interno del sujeto activo y que sólo podrá demostrarse mediante prueba de indicios en el juicio correspondiente. Obviamente considero que, so pena de infringir el principio de presunción de inocencia, no podría entenderse presumida esa finalidad por el mero hecho del acceso reiterado a determinadas páginas web, que es lo que parece deducirse de la Directiva; pero, desafortunadamente, también resulta evidente que ya no será necesario demostrar que el sujeto ha comenzado efectivamente a adiestrarse o adoctrinarse, sino que será suficiente con el acceso a determinadas páginas y contenidos demostrando que se persigue la finalidad de capacitación para que se cumpla el tipo penal. De este modo se estará castigando no a quien se autocapacite efectivamente para poder realizar un potencial futuro acto terrorista (que ya sería por sí un acto preparatorio de un delito de terrorismo), sino a quien comience a realizar comportamientos encaminados a poder capacitarse para ello, por ejemplo, se descargue documentos de internet que posteriormente estudiará y analizará para poder capacitarse[63]. O lo que es lo mismo, se está sancionando el acto preparatorio de un acto preparatorio de un delito de terrorismo, en definitiva, ¿cuál sería la ofensa del bien jurídico?

Grave resulta lo expuesto hasta el momento, pero la situación se complica todavía más en relación con el *adoctrinamiento* y el *autoadoctrinamiento*[64], supuestos que no se encuentran previstos en la Directiva (UE) 2017/541, pero que el afán expansivo y preventivo del legislador español ha determi-

---

[63] Cfrs. GALÁN MUÑOZ, "Leyes que matan ideas frente a ideas que matan personas", *op. cit.*, pp. 124 y ss., donde pone de relieve, además, una serie de problemas concursales que plantearía esta regulación.

[64] Cfrs., en el mismo sentido, CANO PAÑOS, "La reforma penal de los delitos de terrorismo en el año 2015", *op. cit.*, p. 23, quien afirma que en estos casos pueden surgir problemas más que evidentes en relación a derechos fundamentales.

nado que se incluya como delito en el art. 575 CP equiparándolo a los supuestos de adiestramiento. Así, el adoctrinamiento guarda directa relación con medidas y prácticas educativas y de propaganda encaminadas a inculcar determinados valores o formas de pensar, planteamientos ideológicos, etc., en definitiva, se trata de explicación, transmisión y comunión con determinadas ideas, creencias o planteamientos. Y, por muy reprochables y peligrosas que puedan resultar determinadas ideas o creencias, entran de lleno en el derecho a la libertad ideológica, religiosa, de expresión y de información, sin que exista, o mejor dicho, sin que deba existir posibilidad alguna desde los recursos de un Estado de Derecho de limitar, restringir o criminalizar las ideas, creencias o pensamientos de las personas[65]. Si alguna justificación pudiera tener en el caso del adoctrinamiento activo, esto es, respecto de aquellos que transmiten ideas o pensamiento con la idea de convencer a otros (lo cual resulta altamente cuestionable), pierde toda legitimidad en el caso del *autoadoctrinamiento*. Si este comportamiento es, por definición, la auto aprehensión y comunión con una determinada ideología, su sanción se centraría en prohibir que pudiera tenerse una determinada opinión o forma de pensar, que ni siquiera ha sido provocada por nadie directamente identificado; es decir, estaríamos sancionando el pensamiento de una determinada persona por el simple hecho de que puede coincidir con determinados postulados que hemos calificado como terroristas. Es el famoso *crimen de pensamiento*, que tan acertadamente había previsto Orwell, y es, también, el retorno a épocas pasadas donde era el gobernante de turno quien establecía qué y cuando se podía pensar y expresar lo que se pensaba, criminalizando aquellos supuestos que se salían de la pauta de comportamiento.

3.4. Viajes con fines terroristas

De modo similar a como ocurre con la Directiva (UE) 2017/541, el afán prevencionista del legislador español se refleja con mayor claridad, si ello es posible, con la incorporación, dos años antes de la aprobación de la Directiva, mediante la LO 2/2015, de la tipificación de los viajes con fines terroristas. Efectivamente, el apartado tercero del art. 575 CP intro-

---

[65] Así, afirma CANO PAÑOS, "La reforma penal de los delitos de terrorismo en el año 2015", *op. cit.*, p. 27 que un derecho penal respetuoso con el Estado de Derecho *"no puede nunca tipificar penalmente la actitud interna de un sujeto, su concreta ideología, por muy radical y tergiversada que esta pueda parecer, ni incluso tampoco la eventual predisposición de aquel a hacer uso de la violencia, aunque sea con fines terroristas".*

duce una de las modalidades típicas más polémicas de toda la reforma, dando un nuevo giro de tuerca en el adelantamiento de la intervención penal y en la reinstalación de los delitos de sospecha; así, se castiga a quien, *con la finalidad de capacitarse para llevar a cabo delitos de terrorismo, o bien para colaborar con una organización o grupo terrorista, o para cometer cualquiera de los delitos comprendidos en el Capítulo VII de Título XXII del Código penal, se traslade o establezca en un territorio extranjero contralado por un grupo u organización terrorista.*

Con esta regulación, nuevamente el núcleo esencial de la definición de la conductas típica radica en la finalidad que se persiga; y, justamente ese es uno de los problemas, ¿cómo determinamos que quien viaja a un territorio extranjero controlado por una organización terrorista lo hace con la finalidad de incorporarse a la misma o a sus actividades? Y si simplemente viaja a ese territorio a fin de contactar con ellos, pero finalmente no se realiza esa incorporación o colaboración, ¿se estaría también realizando este tipo penal? ¿En qué momento es legítimo que intervenga el Estado entendiendo que ya se ha consumado el delito? ¿Cuándo saca el billete, cuando acude al aeropuerto, cuando efectivamente viaja, cuando contacta con la organización terrorista, cuando efectivamente se incorpora a la misma?

La lesión de los derechos fundamentales, de la libertad y, más concretamente de la libertad ambulatoria, está servida, configurando como tipo penal un comportamiento en el cual el sujeto ni siquiera ha comenzado el adiestramiento o adoctrinamiento, ni obviamente la ideación, sino que se criminaliza la simple toma de decisión de trasladarse a un determinado territorio con una determinada finalidad, sin que se exija que efectivamente haya realizado conductas claras de incorporación, adhesión o incluso capacitación respecto de las organizaciones terroristas o de delitos de terrorismo. Nuevamente se introducen de nuevo en nuestro ordenamiento jurídico los delitos de sospecha claramente incompatibles con nuestra Constitución[66], y que ni siquiera exigen una cercanía a una potencial ofensa de un bien jurídico, por cuanto el adelantamiento de la intervención penal se encuentra ya es esferas que nada tienen que ver con el terrorismo y la seguridad, y que tienen mucho que ver con la restricción de las libertades y el control de las actividades de los ciudadanos.

---

[66]   Cfrs. GALÁN MUÑOZ, "¿Leyes que matan ideas frente a las ideas que matan personas", *op. cit.*, p. 128.

4. A MODO DE CONCLUSIÓN SOBRE LA NECESIDAD DE LA TRASPOSICIÓN DE LA DIRECTIVA (UE) 2017/541 Y SOBRE LA "JUSTIFICACIÓN" DE LA ACTUAL REGULACIÓN SOBRE TERRORISMO

Los ejemplos que podríamos analizar en este ámbito son numerosos, así la financiación del terrorismo, el enaltecimiento de determinadas personas o comportamientos, la colaboración con organizaciones y grupos terroristas, etc., sin embargo, por razones de extensión, he decidido centrarme en los aspectos que hemos expuesto y que son los que más claramente configuran la tendencia político criminal de prevencionismo y seguridad que influyen tanto en la normativa internacional, y más concretamente en la procedente de la Unión Europea, como al legislador nacional. Como hemos ido señalando a lo largo de todo este trabajo, básicamente coinciden las indicaciones contenidas en la Directiva (UE) 2017/541 con la regulación realizada dos años antes por el legislador español mediante la reforma del Código penal por la LO 2/2015, siendo ésta última mucho más amplia que la normativa europea. Consecuentemente, la trasposición de esta Directiva a nuestro ordenamiento jurídico penal es absolutamente innecesaria.

Pero quizás si sea necesario dedicar, al menos unas páginas a analizar cual puede ser el sentido de todas estas reformas penales y si efectivamente servirán o no para alcanzar las metas que afirman perseguir los legisladores, es decir, la seguridad. Llegados a este punto considero necesaria una recapitulación de lo que hemos ido exponiendo a lo largo de este trabajo a fin de tomar postura de manera clara en relación con la necesidad, procedencia y adecuación de la legislación antiterrorista que se esta imponiendo tanto en nuestro país como en la Unión Europea y en nuestro entorno jurídico.

En primer lugar afirmábamos que en los últimos tiempos se ha suscitado un incontrolable sentimiento de *inseguridad* en la sociedad, alentado tanto desde los medios de comunicación como desde las instituciones nacionales e internacionales. Ello provoca la exigencia social de que los poderes públicos arbitren todas las medidas precisas y necesarias para obtener una mayor (total) seguridad, por muy extremas que éstas sean y por mucho que atenten y lesionen los derechos y garantías de las personas. Y la solución que reclama la sociedad y por la que optan los poderes públicos es siempre la misma: el recurso al Derecho penal, unas veces mediante una expansión que implica la tipificación de nuevos comportamientos, la mayor parte de los cuales se encuentran absolutamente desconectados de la potencial lesión de los bienes jurídicos, pero que se perciben como potencialmente peligrosos o intolerables; y otras mediante una intensificación de la respuesta en la intervención penal que se traduce generalmente en un incremento absolutamente desmesurado de las penas y en una relajación (si no eliminación) de las garantías penales y procesales.

En este punto, probablemente resultaría reiterativo que repitiese lo que ha se ha dicho en innumerables ocasiones a lo largo de este trabajo: que los derechos y las garantías de las personas son (o, al menos, debieran ser) inquebrantables, inalienables e irrenunciables; que ningún comportamiento, ni siquiera el más atroz de todos, justifica que en un Estado de Derecho, se renuncie, obvie, manipule o aplique de modo discriminado e interesado las garantías constitucionales. Para el Estado de Derecho y la *"seguridad"* de los ciudadanos es mucho más lesiva y peligrosa una legislación excepcional encaminada a la inocuización/eliminación del delincuente, que el delincuente mismo y sus acciones, terrorismo incluido. No voy a repetirlo, porque considero que ha quedado muy clara mi postura al respecto. Pero sí creo preciso realizar un análisis y valoración global de todas estas reformas penales, de las medidas exclusivamente preventivas y securitarias con las que se avala la relajación, flexibilización o elusión del respeto a los derechos y garantías constitucionalmente reconocidos. Y para ello, trataré de basar mi análisis en la misma línea argumental que mantienen los partidarios de este tipo de normativa, esto es, el lenguaje de la *utilidad-eficacia*.

En términos de utilidad/eficacia respecto de la lucha contra el terrorismo surge una *"obsesión"* del legislador por luchar denodadamente contra este fenómeno, y, obviamente, el Derecho penal constituye el mejor instrumento dado que se permite la mayor restricción y vulneración de los ámbitos de libertad de los ciudadanos de todo el ordenamiento jurídico e, incluso paradójicamente, de las de seguridad, que ahora no se verá vulnerada por sus semejantes sino por el aparato estatal. De este modo, y desde el prisma de la utilidad/eficacia, se produce una ruptura del modo tradicional de la lucha contra el terrorismo, de manera que se consienten todo tipo de excesos normativos que se han plasmado en las sucesivas reformas penales. Por un lado, surge una tendencia expansiva del Derecho penal en relación con los delitos de terrorismo, identificando como tales supuestos que poco o nada tienen que ver con el mismo, pero que conllevan la aplicación de consecuencias jurídico penales y procesales de naturaleza excepcional a una amplísima constelación de fenómenos radicalmente diferentes entre sí, y que la mayor parte de las veces sólo tienen por nexo común la mera disidencia o discrepancia política; clara manifestación de ello puede ser la tipificación de las conductas de difusión de mensajes o consignas, el adoctrinamiento pasivo mediante el acceso a contenidos de internet, el autoadoctrinamiento, los viajes a territorios controlados por una organización terrorista, etc.

En definitiva, con las últimas resoluciones internacionales así como con las últimas reformas penales el legislador persigue sancionar los actos preparatorios o *"infracciones satélites"* del terrorismo, tratando de abarcar penalmente todas las conductas que giren o puedan llegar a girar en torno al fenómeno terrorista a fin de reducir al máximo su capacidad logística anímica e ideológica, o lo que es lo mismo, *"toda forma de apoyo posible a la organización"*. De este modo, la respuesta penal en esta materia se extiende hacia los *"amigos de los enemigos"*, en un claro discurso preventivista que supone un adelantamiento de las barreras de protección penal y la búsqueda de la exclusión y marginación social del terrorista a toda costa[67]. Por tanto, se trata de evitar el terrorismo, de erradicarlo, mediante la prevención, por cualquier medio o medida, de sus actividades y también de los de su círculo o entorno social.

Desde estos planteamientos, nos enfrentamos a una lucha contra el enemigo y su entorno, en la que cualquier medida, constitucional o no, está justificada siempre y cuando sea útil y eficaz para la consecución de la meta perseguida, esto es, para la erradicación del terrorismo. Se trata de ir aislándolo, hasta que se encuentren absolutamente solos y su única opción sea la *rendición* o la *desaparición* del panorama social. De este modo, la prevención (general) se convierte en el único núcleo y finalidad de la norma penal; todo gira en aras del prevencionismo absoluto, encaminado a evitar como sea y a costa de lo que sea cualquier tipo de acto terrorista. En definitiva, todo vale siempre que sea útil y eficaz para erradicar el terrorismo. O dicho de otro modo, la *"prevención eficaz"* es lo único que *"legitimaría"* la vulneración del Estado de Derecho. Así, desde la postura de los defensores de estos planteamientos, y utilizando sus argumentos exclusivamente como hipótesis, siempre que estas reformas y medidas sirvan para prevenir serán válidas y *"legítimas"*, lo que nos lleva inexorablemente a analizar si efectivamente las medidas incluidas en las últimas reformas penales sirven para *"prevenir"*.

Si analizamos estas reformas desde la perspectiva de un terrorismo nacionalista (ETA, GRAPO, IRA, etc.) en el que nos enfrentamos a sujetos (terroristas enemigos) que responden a los mismos parámetros de aprendizaje y estructuras de control social (formales e informales) que el resto

---

[67]   Cfrs. NÚÑEZ CASTAÑO, "Tendencias político criminales...", *op. cit.*, p. 130.

de la sociedad hacia la que dirigen sus acciones, las tendencias preventivas y securitarias, intensificadoras de la intervención penal, es posible que hipotéticamente pudieran tener alguna eficacia preventiva. Si la erradicación del terrorismo nacionalista se asienta sobre la eficacia de la prevención que se desprende de las normas penales, y esta eficacia se sustenta en la idoneidad motivadora que conlleva, podría aceptarse, como mera hipótesis de trabajo, que estas medidas preventivas y securitarias pueden causa algún tipo de *temor* a este terrorismo, y, por consiguiente, implican una potencial utilidad para acabar con el mismo. En conclusión, para los partidarios de este planteamiento, si las medidas preventivas sirven para luchar contra el terrorismo, se convierten el "legitimas".

El razonamiento sería el siguiente: si las medidas son idóneas para prevenir, entonces las medidas son válidas para el ordenamiento jurídico. El problema surgiría en el caso de que dicho razonamiento quebrase porque esa prevención no se produjese; es decir, si a pesar de la incorporación de todo un arsenal de medidas intensificadoras de la intervención penal encaminadas a que los sujetos se vean motivados por ellas, y, por tanto, sean útiles para prevenir el delito, esta prevención no se produce porque los sujetos no resultan motivados por la norma, o por esa concreta norma.

Es lo que sucede en el caso del terrorismo de signo religioso o islamista. Los sujetos (terroristas enemigos) actúan motivados por sus convicciones religiosas que son *"su"* ley, con lo que no se sentirán motivados por los mandatos normativos contenidos en un ordenamiento jurídico elaborado por los hombres, y que no proviene de la *voluntad de Dios*. Su motivación se deriva del *mandato divino* contenido en la *ley de Dios*, y este mandato les conmina a la realización de un comportamiento contrario a la ley de los hombres, a participar en la *guerra santa*, en la *yihad*, a tratar de alcanzar la eliminación del infiel por cualquier medio, fundamentalmente violentos. De este modo la capacidad motivadora y, consecuentemente, la eficacia preventiva de un Código penal elaborado por los hombres y de todas las reformas legislativas que en esta materia pudieran hacerse, es totalmente nula.

En este punto, si la justificación de una legislación que vulnera los principios de un Estado de Derecho y lesiona las garantías de los ciudadanos, radicaba según los defensores de la misma, en su potencial eficacia preventiva, y esta eficacia preventiva no existe, ¿para qué se crean este tipo de normas que vulneran todos los principios y garantías de un Estado de Derecho, y, por tanto, son absolutamente rechazables? La respuesta ya la dimos en al principio de este trabajo, porque quizás no se pretende lo que se afirma pretender, esto es, prevenir este tipo de comportamientos para otorgar una mayor seguridad a los ciudadanos, sino que lo que se busca es un control y limitación de los ámbitos de libertad de los ciudadanos permitiendo con ello al Estado una mayor facilidad en su actuación.

Por ello, ningún tipo de comportamiento, ni siquiera el más atroz de ellos, ni la intranquilidad o aparente inseguridad de la sociedad, ni la indignación de la misma puede justificar que en un Estado de Derecho se renuncie al respeto a los principios que lo informan y fundamentan y a las garantías y derechos de los ciudadanos que del mismo se derivan, pero sobre todo, que en ningún Estado de Derecho existe un *"exceso de garantías"*, y ni siquiera excepcionalmente puede ni debe renunciarse a ellos. El peligro para cualquier sociedad democrática no está en el terrorismo, ni en los terroristas ni en sus acciones. El peligro grave, real y serio se encuentra en una lucha contra el terrorismo teñida de excepcionalidades y restricciones de las garantías que puede llegar a dañar y destruir el fundamento mismo del Estado de Derecho por la inseguridad que provoca. Esta misma idea se desprende del Dictamen del Comité Económico y Social, que sostiene que *"los Estados deben ejercer sus funciones de manera proporcionada y eficaz, a fin de evitar medidas que puedan tener efectos contrarios a los buscados. La lucha contra el terrorismo y su prevención sólo puede llevarse a cabo respetando el Estado de Derecho, los derechos fundamentales y los tratados internacionales"*. Justo lo que no se hace con la normativa internacional, europea y nacional.

Es, por ello, que considero muy adecuado terminar el presente trabajo con las palabras de GALÁN MUÑOZ[68] *"todo ello lleva a que resulte urgente realizar una nueva y completa revisión del régimen normativo establecido con respecto al terrorismo. Una revisión que no solo tendrá que solventar los evidentes y gravísimos problemas técnicos de toda índole que la legislación vigente viene a plantear, sino que también habrá de evitar que el Derecho penal, en su supuesto empeño por prevenir y sancionar al terrorismo en sus manifestaciones mas iniciales, más que perseguir a la ideas que los criminales utilizan para conseguir que se mate a personas, termine "matando" aquellas ideas que, por más que nos molesten o lo hagan a quien ostenta en cada concreto momento el poder de usar dicho instrumento represivo, tienen que ser expresadas con total libertad si queremos impedir que sea el Derecho de los Estados supuestamente democráticos y no el terrorismo, el que finalmente termine por eliminar las libertades y derechos que hacen, precisamente, que dichos Estados se presenten como los espacios de convivencia pacífica y diálogo abierto entre diferentes culturas,*

---

[68]   Cfrs. GALÁN MUÑOZ, "¿Leyes que matan ideas frente a las ideas que matan personas?", *op. cit.*, p. 151.

creencias e ideologías, con los que justamente los nuevos terroristas, en su visión maniquea del mundo, tratan de acabar".

BIBLIOGRAFÍA

ASÚA BATARRITA, "Concepto jurídico de terrorismo y elementos subjetivos de finalidad. Fines políticos últimos y fines de terror instrumental", en *Estudios jurídicos en memoria de Jose Mª Lidón*, Echano Basaldua (coord.), 2002.

– "El discurso del enemigo y su infiltración en el Derecho penal. Delitos de terrorismo, "finalidades terroristas" y conductas periféricas" en CANCIO MELIÁ/ GÓMEZ-JARA DIEZ, *Derecho penal del enemigo. Discurso penal de la exclusión*, vol. I, Madrid 2006.

BRANDARIZ GARCÍA, "Itinerarios de evolución del sistema penal como mecanismo de control social en las sociedades contemporáneas", en FARALDO CABANA (direct.), *Nuevos retos del Derecho penal en la era de la globalización*, Valencia 2004.

– "Seguridad ciudadana, sociedad del riesgo y retos inabordables de la política criminal", *Revista gallega de seguridad pública*, Segunda época, Nº 9. (2006).

CANCIO MELIÁ, "¿Derecho penal del enemigo?, en JAKOBS/CANCIO MELIÁ, *Derecho penal del enemigo*, Madrid 2003.

– "Delitos de organización", en *Revista electrónica del Instituto latino americano de Estudios en ciencias penales y criminológicas*, 006-01 (2011), www.ilecip.org.

– "Terrorismo y Derecho penal: sueño de la prevención, pesadilla del Estado de Derecho", en CANCIO MELIÁ/POZUELO PÉREZ (coord.), *Política criminal en vanguardia: Inmigración clandestina, terrorismo, criminalidad organizada*, Navarra 2008.

– *Los delitos de terrorismo: estructura típica e injusto*, Reus, 2010.

CANO PAÑOS, "La reforma penal de los delitos de terrorismo en el año 2015. Cinco cuestiones fundamentales", en *Revista General de Derecho Penal*, nº 23, 2015, www. iustel.com

– "Los delitos de terrorismo en el Código penal español tras la reforma de 2010", en *la Ley penal*, nº 86, octubre 2011.

CUERDA ARNAU, en *Derecho Penal, Parte especial*, GONZÁLEZ CUSSAC (coord.), 5º ed., revisada y actualizada a la Ley orgánica 1/2015, Valencia, 2016.

DIEZ RIPOLLÉS, "De la sociedad de riesgo a la seguridad ciudadana: un debate desenfocado", en *Revista electrónica de ciencia penal y criminología*, nº 07-01, 2005, www. criminet.es.

– "El Derecho penal simbólico y los efectos de la pena", en *Actualidad Penal*, nº 1, 1-7, enero 2001.

FARALDO CABANA, "Un Derecho penal de enemigos para los integrantes de organizaciones criminales. La Ley Orgánica 7/2003, de 30 de junio para el cumplimiento íntegro y efectivo de las penas", en FARALDO CABANA (direct.), *Nuevos retos del Derecho penal en la era de la globalización*, Valencia 2004.

GALÁN MUÑOZ, "¿Leyes que matan ideas frente a las ideas que matan personas? Problemas de la nueva represión de los mecanismos de captación terrorista tras la reforma del Código penal de la LO 2/2015", en *Cooperación judicial penal en la*

Unión Europea, Reflexiones sobre algunos aspectos de la investigación y el enjuiciamiento en el especio europeo de justicia penal, GONZÁLEZ CANO (Direct.), Tirant lo Blanch, Valencia 2015.

GARCÍA ALBERO en *Comentarios al Código penal español, Tomo II (arts. 234 a DF. 7ª)*, en QUINTERO OLIVARES (Direct.), MORALES PRATS (Coord.), 7ª ed., Aranzadi, 2016.

– "La reforma de los delitos de terrorismo", en *La reforma penal de 2010: análisis y comentario*, Quintero Olivares (direct.), 2010.

GARCÍA DEL BLANCO, "Delitos de terrorismo, cumplimiento de pena y separación de poderes: el caso "De Juana Chaos"", en *La Ley penal*, nº 41, septiembre 2007.

GÓMEZ MARTÍN, "Notas para un concepto funcional de terrorismo", en *La seguridad pública ante el Derecho penal*, en MIR PUIG/QUERALT JIMÉNEZ (direct.), Madrid 2010.

GONZÁLEZ CUSSAC, "Derecho penal frente al terrorismo. Cuestiones y perspectivas", en GÓMEZ COLOMER/GONZÁLEZ CUSSAC (coords.), *Terrorismo y proceso penal acusatorio*, Valencia 2006.

IGNATIEF, "El mal menor", Madrid 2005.

JAKOBS, "Derecho penal del ciudadano y Derecho penal del enemigo", en JAKOBS/CANCIO, *Derecho penal del enemigo*, Madrid, 2003.

LLOBET ANGLI, *Derecho penal del terrorismo, Limites de su punición en un Estado democrático*, Madrid 2010.

MIR PUIG, "Principio de proporcionalidad y fines del Derecho penal", en *Estudios jurídicos en memoria de Jose Mª Lidón*, Echano Basaldua (coord.), 2002.

MUÑOZ CONDE, "La generalización del Derecho penal de excepción: tendencias legislativas y doctrinales: entre la tolerancia cero y el Derecho penal del enemigo", en *Retos de la política criminal actual*, Revista Galega de Seguridade Publica, Xunta de Galicia, Segunda época, nº 9.

– "Política criminal y dogmática jurídico-penal en la República de Weimar", *DOXA*, 15-16, 1994.

– *De nuevo sobre el "Derecho penal del enemigo"*, Buenos Aires, 2005.

– *Derecho penal, Parte especial*, 20ª ed., Valencia 2015,

MUÑOZ CUESTA, "Interpretación del enaltecimiento del terrorismo conforme a la Directiva UE 2017/541, de 18 de marzo", en *Revista Aranzadi Doctrinal*, nº 8/2017, Cizur Menor, 2017.

NÚÑEZ CASTAÑO, "Tendencias político criminales en materia de terrorismo tras la LO 2/2015, de 30 de marzo: la implementación de la normativa europea e internacional", en *Revista Penal*, nº 37, enero 2016.

PRITTWITZ, "La desigual competencia entre seguridad y libertad", *Revista General de Derecho Penal*, nº 7, 2007, www.iustel.com.

SÁNCHEZ-MORALEDA VILCHES, "Atentados yihadistas y nueva configuración de los delitos de terrorismo", *Diario La Ley*, nº 8932, Sección Doctrina, 2 de marzo de 2017, La Ley 2122/2017,

SILVA SÁNCHEZ, *La expansión del Derecho penal. Aspectos de la política criminal en las sociedades postindustriales*, 2ª ed., Madrid 2001.

TERRADILLOS BASOCO, *Terrorismo y derecho*, Madrid 1998.

TERCERA PARTE

FISCALÍA EUROPEA Y PROTECCIÓN DE LOS INTERESES FINANCIEROS DE LA UNIÓN EUROPEA

Capítulo VIII

La Fiscalía Europea (naturaleza, atribuciones y principios de actuación)

RAÚL SÁNCHEZ GÓMEZ

Profesor Doctor de Derecho Procesal
Universidad Pablo de Olavide de Sevilla

> **SUMARIO:** 1. LA NATURALEZA JURÍDICA DE LA FISCALÍA EUROPEA. 2. LAS ATRI-
> BUCIONES DE LA FISCALÍA EUROPEA. 2.1. La competencia material de la Fiscalía
> Europea. 2.2. La competencia territorial y personal de la Fiscalía Europea. 3. LOS PRIN-
> CIPIOS DE ACTUACIÓN QUE INFORMAN LA FISCALÍA EUROPEA. BIBLIOGRAFÍA.

1. LA NATURALEZA JURÍDICA DE LA FISCALÍA EUROPEA

El art. 86 del Tratado de Funcionamiento de la Unión Europea dispu-
so la posible creación de una Fiscalía Europea, a partir de Eurojust, con
una finalidad específica, cual es combatir las infracciones que perjudiquen
los intereses financieros de la Unión[1]. Presenta el texto un lenguaje claramente belicista, impropio de un texto normativo moderno y adaptado
a las exigencias jurisprudenciales del Tribunal Europeo de Derechos Humanos. Las infracciones penales se previenen, investigan y enjuician, pero
no se combaten. El precepto engloba en dicha aceptación cualquier tipo
de infracción que pudiera cometerse contra los intereses financieros de la
Unión, incluidas claro está, aquéllas de índole penal. Para la consecución
de dicha finalidad específica se dota a la Fiscalía de competencias para
descubrir, en colaboración con Europol, a los autores y cómplices de infracciones que perjudiquen a los intereses financieros de la Unión y para

---

[1] Para un desarrollo pormenorizado del art. 86 del TUE, y su relación con el resto de
preceptos del mismo Capítulo, puede consultarse la tesis doctoral de JORDANA SAN-
TIAGO, El proceso de institucionalización de Eurojust y su contribución al desarrollo
de un modelo de cooperación judicial penal de la Unión Europea, Universidad Autónoma de Barcelona, 2015; MARTÍN Y PÉREZ DE NACLARES y URREA CORRES,
Tratado de Lisboa, Marcial Pons, 2008, pp. 119 a 123 y PIRIS, *El Tratado Constitucional para*
Europa: un análisis jurídico, Marcial Pons, Madrid, 2006.

incoar un procedimiento penal y solicitar la apertura de juicio contra ellos. Además, la Fiscalía Europea ejercerá ante los órganos jurisdiccionales competentes de los Estados Miembros la acción penal relativa a dichas infracciones. De todo esto, podemos colegir que las infracciones perseguibles a través de la Fiscalía Europea, según la versión del Tratado de Funcionamiento de la Unión Europea escrita en español[2], pudieran trascender del orden penal, situándose en la órbita de infracciones administrativas, civiles y laborales, donde la posición que ocuparía el Ministerio Público a los efectos del ordenamiento jurídico español sería atípica. Lo anterior, sería un auténtico despropósito, por lo que se debe entender que las infracciones que se detallan serán de naturaleza penal.

De esta forma, continúa el precepto analizado delimitando el *quorum* necesario para la efectiva implementación de la Fiscalía Europea, dejando abierto el recurso a la cooperación reforzada en caso de no alcanzarse aquel. Mediante la promulgación del oportuno Reglamento se diseñará el Estatuto de la Fiscalía Europea, las condiciones para el desempeño de sus funciones, las normas de procedimiento aplicables a sus actividades y aquellas que rijan la admisibilidad de las pruebas. Asimismo, se introducen las normas aplicables al control jurisdiccional de los actos procesales realizados en el desempeño de sus funciones. Ya en estas breves ideas se pone de manifiesto ciertas discrepancias con el modelo de investigación fiscal del ordenamiento jurídico español. Por último, prevé el apartado cuarto del citado precepto la posibilidad de ampliar el ámbito de competencia material de la Fiscalía Europea, pudiendo plantearse la adquisición de competencias en materia de delincuencia grave que tenga una dimensión transfronteriza, esto es, delitos graves que afecten a varios Estados Miembros.

---

[2]   La versión francesa sigue al pie de la letra la opción aquí desarrollada, mientras que las versiones en los idiomas inglés, alemán e italiano refieren exclusivamente infracciones penales. Qué duda cabe, que la delimitación competencial del Ministerio Fiscal difiere en el modelo español y, en menor medida el francés, del resto de modelos comentados. Respecto las diferencias fundamentales a efectos de Fiscalía entre los distintos ordenamiento jurídicos de los Estados Miembros, puede cotejarse, FERNÁNDEZ APARICIO, "El nacimiento del Fiscal Europeo", en *Revista de Derecho Comunitario Europeo*, 2004, Año núm. 8, núm. 17, pp. 220 a 229; MORENO CATENA *Fiscalía Europea y derechos fundamentales*, Tirant lo Blanch, Valencia, 2014, pp. 35 a 40; PÉREZ MARÍN, "El futuro órgano instructor común: una propuesta para la organización de la Fiscalía Europea y para el control de su actividad", en *Cuadernos de política criminal*, 2012, núm. 108, pp. 141 a 174 y ORMAZÁBAL SÁNCHEZ, "Hacia una autoridad de persecución criminal común para Europa. Reflexiones acerca de la conveniencia de crear una Fiscalía Europea y sobre el papel de EUROJUST", en *la Ley Penal: Revista de Derecho Penal, Procesal y Penitenciario*, 2009, núm. 56, pp. 5 y 6.

Como afirma MORENO CATENA[3], "la propuesta de creación de la Fiscalía Europea es el mero y preciso cumplimiento del mandato del artículo 86 del Tratado de Funcionamiento de la Unión Europea (TFUE), del que no se mueve ni un ápice. De acuerdo con lo dispuesto en esta norma, la FE será "competente para descubrir a los autores y cómplices de infracciones que perjudiquen a los intereses financieros de la Unión" (art. 86.2 TFUE), y esta disposición o bien se podrá aprobar por unanimidad o, si algún Estado utiliza la llamada "cláusula de freno" para oponerse a la norma, a base de un mecanismo de cooperación reforzada especial, establecido en el propio artículo 86.1, siempre que participen nueve Estados a través de la que se denomina "cláusula de acelerador" especial, sin la propuesta de la Comisión ni la votación del Consejo".

Posteriormente[4], se publica el Libro Verde sobre la protección penal de los intereses financieros comunitarios y la creación de un Fiscal Europeo (en adelante el Libro Verde)[5] que comienza a acotar tanto el estatuto como el ámbito de actuación de una futura Fiscalía Europea con competencia territorial circunscrita al ámbito comunitario. Se pretende la integración de las funciones de investigación y de enjuiciamiento resultante de la creación del Fiscal Europeo. Asimismo, se atenúan determinadas dificultades en materia de competencia y acceso a información o bien de reconocimiento del material probatorio obtenido o practicado en un Estado Miembro, pero carente en principio de validez en el territorio de otro.

---

[3]   MORENO CATENA, *Fiscalía Europea y derechos fundamentales*, ob. cit., p. 9.

[4]   Sobre los orígenes y justificación de la Fiscalía Europea, puede consultarse DORESTE ARMAS, "El espacio judicial europeo y la fiscalía europea como órgano de investigación y persecución penal; versus modelo procesal español", en *Diario La Ley*, Wolters Kluwer, no 8981, de 17 de mayo de 2017, pp. 1 a 26; GAROT, "¿Un Fiscal Europeo?", en Cuadernos de derecho público, 2002, núm. 16, pp. 276 a 279 y LLORENTE SÁNCHEZ-ARJONA, "La fiscalía europea y la investigación de la criminalidad organizada y económica", en *Cooperación judicial penal en la Unión Europea, Reflexiones sobre algunos aspectos de la investigación y el enjuiciamiento en el espacio europeo de justicia penal* (González Cano, Dir.), Tirant lo Blanch, Valencia, 2016, pp. 317 a 366.

[5]   Libro Verde sobre la protección penal de los intereses financieros comunitarios y la creación de un Fiscal Europeo, Bruselas, 11.12.2001 COM (2001) 715 final. Sobre sendos Corpus Iuris de 1997 y de 2000 puede consultarse DELMAS-MARTY y VERVAELE, *La aplicación del Corpus Iuris en los Estados Miembros*, Intersentia, Utrecht, 2000; ORMAZÁBAL SÁNCHEZ, "Hacia una autoridad de persecución criminal común para Europa. Reflexiones acerca de la conveniencia de crear una Fiscalía europea y sobre el papel de EUROJUST", en *la Ley Penal: Revista de Derecho Penal, Procesal y Penitenciario*, ob. cit., pp. 2 a 5; VERVAELE, "La Unión Europea y su espacio judicial europeo— los desafíos del modelo Corpus Juris 2000 y de la Fiscalía Europea", en *Revista Penal*, 2002, núm. 9, pp. 134 a 148.

Para ello, se prevé que el Fiscal Europeo, que recurrirá a las autoridades de investigación existentes (Fuerzas y Cuerpos de Seguridad)[6], ejerza la dirección de las actividades de investigación en los asuntos de su competencia. No obstante, los actos realizados bajo la autoridad del Fiscal Europeo, en la medida en que pueden cuestionar las libertades individuales y los derechos fundamentales, deberán someterse al control del juez nacional que ejerza la función de juez de libertades[7]. El control así efectuado en un Estado Miembro se reconocerá en toda la Comunidad, con el fin de permitir la ejecución de los actos autorizados y la admisibilidad de las pruebas obtenidas en cualquier otro Estado Miembro. En efecto, la Fiscalía Europea debe ser también entendida desde la perspectiva de la cooperación penal y del reconocimiento mutuo de sentencias y resoluciones judiciales (arts. 82 a 86 del Tratado de Funcionamiento de la Unión Europea). En otras palabras, el nacimiento del Fiscal Europeo no puede entenderse sin tener en cuenta el proceso de integración europea[8]. Desde la perspectiva del ordenamiento jurídico español convivirían, entonces, dos modelos de investigación criminal en función del tipo delictivo investigado. El modelo que se prevé para las infracciones relacionadas con los intereses financieros de la Unión es ajeno a la actual Ley de Enjuiciamiento Criminal española. Asimismo, la creación de una Fiscalía Europea podrá atenuar aquellas dificultades pero no solventarlas. Que la actuación del Juez de Garantías comentado tenga

---

[6] Sostiene la posibilidad de ampliar dicha situación a los órganos jurisdiccionales, GA-ROT, "¿Un Fiscal Europeo?", en *Cuadernos de derecho público, ob. cit.*, p. 288.

[7] No es posible compartir la propuesta de GAROT, "¿Un Fiscal Europeo?", en Cuadernos de derecho público, *ob. cit.*, p. 287, de que bajo la coordinación y dirección de la Fiscalía Europea puedan "investigar por sí mismos un asunto (es decir, recabar cualquier información útil, oír a los testigos e interrogar a los sospechosos; obligar a estos últimos a comparecer ante él; efectuar registros; realizar incautaciones, incluida la correspondencia; embargar preventivamente activos, recurrir a escuchas telefónicas y a otras formas de interceptación de las comunicaciones; utilizar técnicas de investigación especiales, útiles en materia financiera; solicitar que se libre una orden de detención; encontrarse a disposición del Juzgado para una detención provisional); y, en su caso, llevarlo a juicio". Propuesta posteriormente matizada en su desarrollo.

[8] DORESTE ARMAS, "El espacio judicial europeo y la fiscalía europea como órgano de investigación y persecución penal; versus modelo procesal español", en *Diario La Ley, ob. cit.*, p. 5. Sobre tales principios en los que se asienta la conformación de la Fiscalía Europea se pronuncia VERVAELE, "El Ministerio Fiscal Europeo y el Espacio judicial europeo. Protección eficaz de los intereses comunitarios o el inicio de un Derecho Procesal Penal Europeo", en *Cuadernos de Derecho Judicial*, Volumen IV, Consejo General del Poder Judicial, Madrid, 2002, p. 273 y ss. Asimismo, puede verse, ESTÉVEZ MENDOZA, "La Fiscalía Europea: ¿el próximo paso en la esfera de la cooperación judicial entre Estados Miembros de la Unión Europea", en *Los desafíos de la justicia en la era post crisis* (Bueno de la Mata y Pérez Gaipo, Coords.), Atelier, 2016, pp. 317 a 335.

más o menos eficacia en los diferentes Estados Miembros dependerá de lo que prevén las normativas procesales nacionales y no de la actuación de la Fiscalía Europea. Por tanto, la garantía de la eficacia pretendida redundará en materia de reconocimiento mutuo de resoluciones judiciales entre los Estados Miembros y en base a los principios de cooperación judicial y policial ya positivizados.

Posteriormente, el Consejo de la Unión Europea aprueba la Propuesta de Reglamento del Consejo relativo a la creación de la Fiscalía Europea {SWD(2013) 274 y 275 final}, junto al Documento de Trabajo de los Servicios de la Comisión, resumen de la Evaluación del Impacto que acompaña al documento Propuesta de Reglamento del Consejo sobre la creación de la Fiscalía Europea {COM (2013) 534 final} {SWD (2013) 274 final}, cuyo contenido revela, muy a las claras, una serie de premisas respecto de la labor que a las instituciones de la Unión le merece la actuación del Ministerio Público de los diferentes Estados Miembros. La creación de la Fiscalía Europea se justifica en tales documentos bajo criterios de eficacia y eficiencia, visto el bajo nivel de investigación, procesamiento y capacidad disuasoria de los Estados Miembros respecto de los delitos que atenten contra los intereses financieros de la Unión[9]. En otras palabras, el bajo nivel de protección que los Estados Miembros dispensan a los intereses financieros de la Unión. No obstante, cabría poner de manifiesto que tales criterios pueden ser también aplicables a los organismos comunitarios creados con anterioridad a Fiscalía Europa, con competencia en las materias que le son propias[10].

---

[9]   Sobre la capacidad de las autoridades nacionales para llevar a cabo investigaciones de delitos que afectan a los intereses financieros de la Unión y la posición idónea de la Fiscalía Europea al respecto se manifiesta ESTÉVEZ MENDOZA, "La instauración de la fiscalía europea como cooperación reforzada: Problemas orgánicos y procesales", en *Revista de estudios europeos*, 2017, núm. Extra 1, pp. 106 a 122.

[10]   En sentido similar, ESCALADA LÓPEZ, "Los instrumentos de cooperación judicial europea: hacia una futura fiscalía europea", en *Revista de Derecho Comunitario*, 2014, Año 18, núm. 47, pp. 118, 125 y 126; SANZ HERMIDA, "La mejora de los instrumentos de protección de los intereses financieros de la UE: la creación de la Fiscalía Europea y la reforma de Eurojust", en *Revista General de Derecho Procesal*, Madrid, 2012, núm. 31, 2012, pp. 6 y 7 y ORMAZÁBAL SÁNCHEZ, "Hacia una autoridad de persecución criminal común para Europa. Reflexiones acerca de la conveniencia de crear una Fiscalía europea y sobre el papel de EUROJUST", en la *Ley Penal: Revista de Derecho Penal, Procesal y Penitenciario*, *ob. cit.*, p. 7. Sobre la idoneidad de Eurojust al respecto, véase ALONSO MOREDA, "Eurojust, a la vanguardia de la cooperación judicial en materia penal en la Unión Europea", en *Revista de Derecho Comunitario Europeo*, 2012, Año núm. 16, núm. 41, pp. 119 a 157.

A ello se une, el hecho de que los niveles actuales de intercambio de información y la coordinación a escala europea y nacional son insuficientes para procesar de forma eficaz los delitos que atañen a los intereses financieros de la Unión. De esta forma los objetivos de dicha propuesta son:

- Contribuir a reforzar la protección de los intereses financieros de la Unión y al desarrollo de uno de los ámbitos de la justicia, así como fomentar la confianza de las empresas y los ciudadanos en las instituciones de la Unión, a la vez que se respetan todos los derechos fundamentales consagrados en la Carta de los Derechos Fundamentales de la Unión Europea.

- Establecer un sistema europeo coherente para la investigación y la incoación de procedimientos penales contra los delitos que afecten a los intereses financieros de la Unión.

- Garantizar investigaciones y procedimientos penales más eficaces y efectivos contra los delitos que afectan a los intereses financieros de la UE.

- Aumentar el número de procedimientos penales, generando así un mayor número de condenas y recuperaciones de fondos de la Unión obtenidos de forma fraudulenta.

- Garantizar una estrecha cooperación y un intercambio de información eficaz entre las autoridades europeas y las autoridades nacionales competentes.

- Aumentar el efecto disuasorio para disminuir los delitos que afectan a los intereses financieros de la Unión.

Dicho lo anterior, la naturaleza jurídica de la Fiscalía Europea plantea los interrogantes propios del modelo nacional desde el que se contempla. En efecto, aun cuando el Libro Verde subraya su carácter judicial, dicha afirmación parte del ámbito en que el Fiscal Europeo desarrollará sus funciones. Desde la óptica del ordenamiento jurídico español, donde el Ministerio Público tiene naturaleza gubernativa, tanto determinadas funciones o competencias judiciales que detallan el Libro Verde como su naturaleza no encuentran un adecuado respaldo jurídico. La naturaleza jurídica debe buscarse más allá de tales contornos, es decir, en el ámbito territorial de actuación previsto, así como, en los organismos con competencia para el nombramiento, supervisión y cese del Fiscal Europeo. De esta forma, se promulga el Reglamento (UE) 2017/1939 del Consejo de 12 de octubre de 2017 (en adelante el Reglamento) por el que se establece una cooperación reforzada para la creación de la Fiscalía Europea, aporta algunas notas esclarecedoras[11]. En primer lugar, la Fiscalía Europea es un órgano propio de la Unión (art. 1.1 del Reglamento), que rinde cuentas de sus actividades generales ante el Parlamento Europeo, el Consejo y la Comisión (art. 6.2 del Reglamento). Su nombramiento corresponde de común acuerdo al Parlamento Europeo y el Consejo, por un mandato no renovable de siete años (art. 14.1 del Reglamento). Mientras que su cese corresponderá al Tribunal de Justicia, que a instancia del Parlamento Europeo, del Consejo o de la Comisión, podrá destituir al Fiscal General Europeo si estima que ya no está en condiciones de desempeñar sus funciones o que ha incurrido en una falta grave (art. 14.5 del Reglamento). Asimismo, contará con estrechos vínculos operativos, administrativos y de gestión con Eurojust (arts. 3 y 100 del Reglamento)[12]. De esta forma, es posible afirmar que se trataría de un órgano propio e independiente, que desarrollará sus funciones en el territorio de la Unión, conforme a las competencias que en materia de infracciones penales contra los intereses financieros de la Unión tienen encomendadas. Indudablemente, supone un paso importante en la formación de un ente supranacional con competencias penales, que detrae del conocimiento de los Fiscales de los Estados Miembros determinados asuntos con trascendencia comunitaria. Por tanto, se diferencian unos delitos determinados cuya investigación tendrá, generalmente, carácter exclusivamente comunitario. No obstante, el enjuiciamiento sigue encomendado a órganos judiciales de los Estados Miembros, no previéndose la creación de órganos judiciales comunitarios con sede en los Estados Miembros que conozcan de los delitos de naturaleza comunitaria, cuya dotación o enumeración, previsiblemente, iría aumentando con el transcurso del tiempo[13].

---

[11]   No se tratará en el presente trabajo la materia de protección de datos, desarrollándose únicamente las tareas investigadoras, el ejercicio y sostenimiento de la acción penal por parte de la Fiscalía Europea.

[12]   Sobre dichos vínculos, puede consultarse LUCHTMAN y VERVAELE, "Agencias europeas de justicia penal y aplicación compartida (Eurojust y Fiscalía Europea)", en *Justicia: revista de derecho procesal*, 2015, núm. 1, pp. 385 a 434 y ORDOÑEZ SOLÍS, "La lucha europea contra el fraude en la gestión de los fondos y contra la corrupción en la contratación pública", en *Gaceta jurídica de la Unión Europea y de la competencia*, 2010, núm. 16, pp. 9 a 29.

[13]   Sobre la necesidad de constituir un órgano judicial europeo al efecto se pronuncia ORMAZÁBAL SÁNCHEZ, "Hacia una autoridad de persecución criminal común para Europa. Reflexiones acerca de la conveniencia de crear una Fiscalía europea y sobre el papel de EUROJUST", en *la Ley Penal: Revista de Derecho Penal, Procesal y Penitenciario, ob. cit.*, pp. 12 y 13. Puede también consultarse, VERVAELE, "El Ministerio Fiscal europeo y el espacio judicial europeo. Protección eficaz de los intereses comunitarios o el inicio de un Derecho Procesal Penal europeo", en *Cuadernos de Derecho Judicial, ob. cit.*, pp. 273 a 322. Sobre las relaciones entre EORUJUST, OLAF y la Fiscalía Europea

Como sostiene MORENO CATENA[14], "la creación de la Fiscalía Europea no supone, sin embargo, crear tribunales propios para el enjuiciamiento de esas conductas; la decisión comunitaria se refiere al órgano de investigación y de persecución penal, y reserva el enjuiciamiento de los delitos por los que la presente acusación a los tribunales nacionales que resulten competentes. Es decir, se ha diseñado un órgano al que se atribuyen las competencias solamente para abrir el procedimiento penal y formular acusación, cuando se trate de presuntos delitos que atenten contra intereses económicos de la UE (art. 11.4 PRFE), dejando a los tribunales estatales la competencia, de acuerdo con sus propias normas, para dictar la sentencia en esos procesos".

2. LAS ATRIBUCIONES DE LA FISCALÍA EUROPEA

Conforme ha quedado apuntado, la actuación de la Fiscalía Europea se prevé frente a una especialidad delictiva concreta, en sus diferentes manifestaciones, que implica, en principio, desapoderar a los Estados Miembros de tales competencias. De esta forma, conforme mandata el art. 86.2 TUE, la Fiscalía Europea, en su caso en colaboración con Europol, será competente para descubrir a los autores y cómplices de infracciones que perjudiquen a los intereses financieros de la Unión y para incoar un procedimiento penal y solicitar la apertura de juicio contra ellos. Ejercerá ante los órganos jurisdiccionales competentes de los Estados Miembros la acción penal relativa a dichas infracciones. Asimismo, el Reglamento fija las condiciones para el desempeño de sus funciones, las normas de procedimiento aplicables a sus actividades y aquellas que rijan la admisibilidad de las pruebas, así como, las normas aplicables al control jurisdiccional de los actos procesales realizados en el desempeño de sus funciones. De esta forma, el art. 4 del Reglamento establece que la Fiscalía Europea será responsable de investigar los delitos que perjudiquen a los intereses financieros de la Unión previstos en la Directiva (UE) 2017/1371 y determinados por el Reglamento, así como de ejercer la acción penal y solicitar la apertura de juicio contra sus autores y los cómplices de éstos. A tal fin, la Fiscalía Europea efectuará las investigaciones y practicará los actos propios del ejercicio de la acción penal y realizará las funciones de acusación ante los órganos

---

véase, ESPINA RAMOS y VICENTE CARBAJOSA, *La futura Fiscalía Europea*, Catálogo General de Publicaciones Oficiales, Madrid, 2009.

[14]   MORENO CATENA, *Fiscalía Europea y derechos fundamentales, ob. cit.*, p. 17.

jurisdiccionales competentes de los Estados Miembros, hasta que concluya definitivamente el caso de que se trate. Asimismo, dispone el art. 5.3 del Reglamento el carácter supletorio de la legislación nacional pero también el carácter prevalente del Reglamento respecto de ésta, en caso de que una misma cuestión se encuentre regulada en ambos.

Por tanto, es posible afirmar que la Fiscalía Europea está facultada para el ejercicio y sostenimiento de la acción penal a lo largo del proceso penal y tendrá la responsabilidad primera de investigar los delitos de que conoce. En dicho esquema ya podrá advertirse alguna discrepancia con el ordenamiento jurídico español. Parece clara la apuesta de la Unión Europea por constituir una Fiscalía ajena a sus propias tradiciones jurídicas, o si se prefiere vinculada a un determinado modelo de actuación fiscal. La tacha más inmediata se representa en el modelo de instrucción español, donde el Ministerio Fiscal tiene unas competencias específicas no comparables en su totalidad a las de la Fiscalía Europea. No obstante, dicha cuestión debería ser imputable también al Legislador español que no termina de culminar el tan ansiado cambio de paradigma en la investigación penal, dotando al Ministerio Público de competencias para dirigir la investigación penal[15]. Si

---

[15] Sobre la idoneidad del Ministerio Fiscal para dirigir la investigación penal, puede confrontarse, BACIGALUPO ZAPATER, "La posición del Fiscal en la investigación penal", pp. 15 a 28; GIMENO SENDRA, "La reforma de la Ley de Enjuiciamiento Criminal y la posición del Ministerio Fiscal", pp. 29 a 44, MORENO CATENA, "La posición del Fiscal en la investigación penal: la reforma de la Ley de Enjuiciamiento Criminal", pp. 45 a 76 TORRES-DULCE LIFANTE, "La reforma de la Instrucción en el Proceso Penal y el Fiscal Investigador", pp. 77 a 88, todos en *La posición del Fiscal en la investigación penal: la reforma de la Ley de Enjuiciamiento Criminal*, Thompson Aranzadi, Navarra, 2005. Asimismo, CABEZUDO RODRÍGUEZ, "Sobre la conveniencia de atribuir la instrucción penal al Ministerio Fiscal", en Revista jurídica de Castilla y León, 2008, núm. 14, pp. 185 a 221; DE LA OLIVA SANTOS, "Sobre el Ministerio Fiscal y la instrucción del Proceso Penal", en El derecho procesal español del siglo XX a golpe de tango: Liber Amicorum, en homenaje y para celebrar su LXX cumpleaños (Montero Aroca, Hom., Gómez Colomer, Barona Vilar, Calderón Cuadrado, Coords.), Tirant lo Blanch, Valencia, 2012, pp. 975 a 986; GÓMEZ COLOMER, "La instrucción del proceso penal por el Ministerio Fiscal: aspectos estructurales a la luz del derecho comparado", en *Revista del Ministerio Fiscal*, 1997, núm. 4, pp. 83 a 113; GUIBERT OVEJERO BECERRA, *El ministerio fiscal en el siglo XXI*, Tirant lo Blanch, Valencia, 2017, pp. 301 a 407; GIMENO SENDRA, El ministerio fiscal-director de la instrucción, Iustel, Madrid, 2006, pp. 23 a 47 y 49 a 73; MARCHENA GÓMEZ, "La inaplazable necesidad de reforma del proceso penal: hacia un modelo de Fiscal investigador, en la Instrucción penal", en *La instrucción penal ¿Juez inquisitivo o juez de garantías? El papel del Fiscal*, Wolter Kluwer, Madrid, 2014, pp. 151 y ss. y MORENO CATENA, "El Ministerio Fiscal, director de la investigación de los delitos", en *Teoría derecho: revista de pensamiento crítico*, 2007, núm. 1, pp. 74 a 97, entre otros.

dicho cambio de paradigma tuvo ocasión de situarse en la confrontación entre los principios de legalidad y oportunidad, superada ya dicha diatriba, con mayor o menor fortuna, hoy en día quizás convenga situarlo en términos de organización presupuestaria, entre otros elementos, que dificultan la armonización del modelo de investigación penal español respecto de la práctica totalidad de Estados Miembros. El debate está servido en el seno del Estado español al proponerse para la Fiscalía Europea un modelo de trabajo ajeno a la praxis judicial, pero de obligado cumplimiento en los Juzgados de Instrucción. En efecto, como señalan ZARATE CONDE y DE PRADA RODRÍGUEZ[16], "en el plano nacional se plantea como aspectos más relevantes el no ajustarse al esquema actual de instrucción penal español, que según podemos presumir, no se alterará en un periodo corto de tiempo encargando a los Fiscales la investigación penal. Las posibilidades para su transposición a nuestro Derecho, (…), requerirán, en cualquier caso, de modificaciones competenciales tal y como fueron, por ejemplo, las introducidas en su día para la jurisdicción penal de menores o incluso adoptar la posición decidida de llegar a atribuir la investigación finalmente al Ministerio Fiscal".

Más preocupante que lo anterior resulta la vocación estrictamente acusatoria que, en un principio, se dispone para la Fiscalía Europea, olvidando quizás el reverso de la moneda, puesto que compete al Ministerio Público, conforme el modelo español informado por los arts. 124 CE, 773 LECrim 1 y 3.3 de la Ley 50/1981, 30 diciembre, por la que se regula el Estatuto Orgánico del Ministerio Fiscal (en adelante EOMF), velar por el respeto de los derechos fundamentales y libertades públicas con cuantas actuaciones exija su defensa, incluidos aquellos cuyo titular sea el sujeto pasivo de un proceso penal. Todo ello, quizás atemperado por el contenido del art. 41 del Reglamento, que efectivamente mandata que las actividades de la Fiscalía Europea se lleven a cabo de plena conformidad con los derechos de los sospechosos o acusados consagrados en la Carta de los Derechos Fundamentales de la Unión Europea (arts. 47 a 50), para posteriormente enumerar aquellos derechos titularidad del sujeto pasivo del proceso penal reconocidos en sede comunitaria[17]. No obstante, en ninguno de tales preceptos se regula de manera específica la actuación de Fiscalía. Se añaden,

---

[16]   ZARATE CONDE y DE PRADA RODRÍGUEZ, "La fiscalía europea: una realidad cada vez más cercana", en *Diario La Ley*, Wolter Kluwers, Madrid, 2015, núm. 8.641, p. 15.

[17]   Para un estudio en profundidad sobre los derechos procesales reconocidos en sede comunitaria, puede verse AAVV, *Garantías procesales en los procesos penales en la Unión Europea*, Lex Nova, Valladolid, 2007.

además, todos los derechos procesales que les proporcione la legislación nacional aplicable, incluida la posibilidad de presentar pruebas[18], de solicitar que se nombren peritos y se oiga a testigos, así como de solicitar que la Fiscalía Europea obtenga tales medidas en nombre de la defensa. Dicha remisión, se produce de manera genérica respecto de los derechos procesales del sujeto pasivo del proceso penal (lo cual no puede entenderse como una remisión directa al EOMF) y de manera específica respecto de la posibilidad de presentar pruebas y articular respecto de éstas el principio de contradicción[19]. Ello nos sitúa, razonablemente, en el ámbito de conocimiento del juicio oral[20]. Respecto del ámbito de la investigación, según la legislación procesal española, durante esta fase el juez instructor debe practicar las primeras diligencias, dando cuenta de dicha incoación al Ministerio Fiscal (art. 308 LECRIM). Con la entrada en vigor del Reglamento, esta obligación de iniciar la investigación deberá ser asumida por el Fiscal Europeo Delegado del Estado Miembro, que lo anotará en el sistema de gestión de casos[21].

---

[18]　Crítico con la atribución de competencia en materia probatoria a la Fiscalía Europea se muestra MORENO CATENA, *Fiscalía Europea y derechos fundamentales*, ob. cit., p. 145 para quien "no parece admisible esta solución que convierte al FE en el dueño de toda la actividad probatoria, al margen de las garantías legales que vienen exigidas para el resto de los procesos por el ordenamiento nacional". Véase, asimismo, LUCHTMAN y VERVAELE, "Agencias europeas de justicia penal y aplicación compartida (Eurojust y Fiscalía Europea)", en *Justicia: revista de derecho procesal, ob. cit.*, pp. 401 y ss.

[19]　Afirma la posibilidad de extender la competencia exclusiva de la Fiscalía Europea a la investigación y también al procesamiento de los delitos penales que atenten contra los intereses financieros de la Unión, en base a la Propuesta de Reglamento citada, ESCALADA LÓPEZ, "Los instrumentos de cooperación judicial europea: hacia una futura fiscalía europea", en Revista de Derecho Comunitario, *ob. cit.*, p. 121. Asimismo, en base al Libro Verde, se pronuncia en términos similares GAROT, "¿Un Fiscal Europeo?", en *Cuadernos de derecho público,* 2002, núm. 16, p. 280.

[20]　No obstante, el Considerando 65 del Reglamento informa que las investigaciones y el ejercicio de la acción penal de la Fiscalía Europea deben regirse por los principios de proporcionalidad, imparcialidad y equidad hacia el sospechoso o acusado. Tales principios obligan a buscar todo tipo de pruebas, tanto inculpatorias como exculpatorias, ya sea *motu proprio* o a petición de la defensa. Sin embargo, finalmente el contenido del Considerando no encuentra un reflejo normativo consolidado en el articulado del Reglamento.

[21]　RUIZ MAGAÑA, "La Fiscalía Europea como órgano instructor. Actos de imputación y garantías procesales del sujeto pasivo", en *Revista de estudios europeos*, núm. Extra, 2017, p. 126.

2.1. La competencia material de la Fiscalía Europea

El art. 22 del Reglamento regula la competencia material de la Fiscalía Europea, pudiendo conocer únicamente de aquellos delitos que perjudiquen a los intereses financieros de la Unión[22], con independencia de que el mismo comportamiento constitutivo de delito pueda clasificarse como constitutivo de otro tipo de delito con arreglo al Derecho nacional[23]. Se produzcan estos de manera individual o bien mediando la participación en una organización delictiva[24]. Por último la Fiscalía Europea también será competente respecto de cualquier otro delito que esté indisociablemente vinculado con los citados delitos, salvo que traigan causa en delitos referentes a los impuestos directos nacionales. Quizás la premisa "cualquier otro delito" resulte especialmente amplia, vistas las opciones concursales y de conexidad delictiva que pueda presentar la casuística. A tal fin, deberá afirmarse que podrá conocer de cualquier otro delito, dentro del listado taxativo que ofrecen las citadas Directivas, que presenten un marcado carácter económico o patrimonial, siempre y cuando resulte posible su enjuiciamiento de manera conjunta conforme a las reglas concursales previstas en los arts. 8 y 73 a 79 del Código Penal y concurrentes. No obstante lo anterior, se debe tener presente que a afectos de conexidad delictiva (art. 17 y ss. LECrim) algunos presupuestos del proceso penal pueden llegar a modificarse al reunirse en un solo procedimiento, la investigación y persecución de varios hechos; de este modo, puede cambiar la jurisdicción (de uno a otro país), la competencia objetiva (atribuyéndola a un tipo de tribunal u otro diferente), la competencia territorial (asignando el caso al tribunal de un lugar o de otro) o el procedimiento (por la mayor gravedad de alguno de los delitos investigados)[25].

---

[22]   Conforme el contenido de la Directiva (UE) 2017/1371 del Parlamento Europeo y del Consejo, de 5 de julio de 2017, sobre la lucha contra el fraude que afecta a los intereses financieros de la Unión a través del Derecho penal y tal y como ésta se haya transpuesto por la legislación nacional.

[23]   En lo que respecta a los delitos del art. 3.2.d) de la Directiva (UE 2017/1371, relativo a acciones u omisiones cometida en una trama fraudulenta transfronteriza en materia de ingresos procedentes de los recursos propios del IVA, la Fiscalía Europea solo será competente cuando tengan relación con el territorio de dos o más Estados miembros y supongan un perjuicio total de al menos 10 millones de euros.

[24]   Para la definición de organización delictiva debe acudirse a la Decisión Marco 2008/841/JAI del Consejo de 24 de octubre de 2008, relativa a la lucha contra la delincuencia organizada.

[25]   MORENO CATENA, *Fiscalía Europea y derechos fundamentales*, ob. cit., p. 46.

De otro lado, el art. 24 del Reglamento prevé soluciones para el caso de conflicto de competencias entre la Fiscalía Europea y las autoridades judiciales o policiales de un Estado Miembro. El art. 25 del Reglamento, por su parte, comienza a perfilar el ejercicio de la competencia de la Fiscalía Europea en el seno de los diferentes Estados Miembros, por cuanto ésta ejercerá su competencia iniciando una investigación de conformidad con el artículo 26, o bien decidiendo ejercer su derecho de avocación de conformidad con el artículo 27. Cuando la Fiscalía Europea decida ejercer su competencia, las autoridades nacionales competentes no ejercerán la suya respecto del mismo comportamiento constitutivo de delito. Los posibles conflictos de competencia respecto de los arts. 22, apartados 2 o 3, o del art. 25, apartados 2 o 3, se solventarán ante las autoridades nacionales competentes en materia de atribución de competencia para el ejercicio de la acción penal a escala nacional que decidirán quién será competente para la investigación del caso. Se muestra, por tanto, uno de los puntos de fricción entre el modelo de investigación y ejercicio de la acción penal propuesto en el Reglamento y la Ley de Enjuiciamiento Criminal española. En el ordenamiento jurídico español el ejercicio de la acción penal ha sido concebido por la Jurisprudencia constitucional como un *ius ut procedatur*, es decir, no como parte de ningún otro derecho fundamental sustantivo, sino estrictamente como manifestación específica del derecho a la Jurisdicción (STC 16/2001, de 29 de enero (F. J. 4°) en relación con la STC 31/1996, de 27 de febrero (FF. JJ. 10° y 11°), entre otras). El primer paso en la resolución de una controversia cuya composición pretenda canalizarse a través de vías institucionalizadas será precisamente el acceso a la jurisdicción (STC 6/1989, de 19 de enero —F. J. 2°—)[26], esto es, el derecho a promover la actividad jurisdiccional que desemboque en una decisión judicial sobre aquello que se somete a conocimiento de los órganos estatales (STC 63/1985, de 10 de mayo —F. J. 1°—). Si bien, las particularidades del proceso penal ofrecen una singular perspectiva al confluir en los términos expuestos, con el derecho material de penar, de naturaleza exclusivamente pública y cuya titularidad corresponde al Estado. No se vislumbra, lógicamente, un hipotético derecho a la condena de la contraparte (SSTC 157/1990, de 18 de octubre (F. J. 4°) y 199/1996, de 3 de diciembre (F. J. 4°), entre otras). El derecho a formular acusación no garantiza el éxito de lo planteado ni, por supuesto, puede imponer la obligación de acordar sanciones penales (STC 83/1989, de 10 de mayo —F. J. 2°—). Tampoco

---

[26] CHAMORRO BERNAL, *La tutela judicial efectiva. Derechos y garantías procesales derivados del art. 24.1 de la Constitución*, Bosch, Barcelona, 1994, p. 18.

confiere un derecho absoluto a la apertura y plena sustanciación del proceso penal, (STC 111/1995, de 4 de julio —F. J. 3º—), a la incoación o apertura de una instrucción penal (SSTC 29/2008, de 20 de febrero (F. J. 10º—). Por tanto, la inadmisión a trámite de una determinada denuncia o querella no tiene por qué implicar necesariamente la vulneración del citado derecho fundamental. Por ejemplo, véanse aquellos casos en que los hechos que se someten a conocimiento judicial carecen de relevancia penal (STC 129/2001, de 4 de junio —F. J. 2º—). Ahora bien, nada impide reconocer inserto en el contenido del derecho analizado la posibilidad de agotar los medios de investigación (STC 148/1987, de 28 de septiembre —F. J. 3º—), una vez apreciada la apariencia delictiva de los mencionados hechos. Como advierte la STC 34/2008, de 25 de febrero (F. J. 4º): "el derecho a la tutela judicial efectiva sólo se satisface si se produce una investigación de lo denunciado que sea a su vez suficiente y efectiva, pues la tutela que se solicita consiste inicialmente en que se indague sobre lo acaecido. Tales suficiencia y efectividad sólo pueden evaluarse con las circunstancias concretas de la denuncia y de lo denunciado, y desde la gravedad de lo denunciado y su previa opacidad, rasgos ambos que afectan al grado de esfuerzo judicial exigido por el art. 24.1 CE[27]". En consecuencia, el art. 100 LECrim establece que de todo delito nace acción penal para el castigo del culpable[28]. El ejercicio de la acción penal, entendido como el derecho a formular acusación, corresponde bien a los directamente ofendidos o perjudicados por el hecho delictivo, bien a todo ciudadano mediante el ejercicio de la acción popular (art. 270 LECrim). Asimismo, considerar las funciones encomendadas al Ministerio Fiscal[29]. De esta forma, el art. 125

---

[27]   Véase también la STC 63/2010, de 18 de octubre.

[28]   La técnica jurídica empleada en la redacción del precepto no puede ser más desafortunada.

[29]   Sobre dicha cuestión, por todos, FLORES PRADA, *El Ministerio Fiscal en España*, Tirant lo Blanch, Valencia, 1999, en concreto, "Las Funciones del Ministerio Fiscal en la Constitución y en el Estatuto Orgánico", pp. 383 a 534 y "Los Llamados Principios Funcionales", pp. 535 a 624. Sobre la líneas tangenciales en la actuación del Ministerio Público y el acusador popular, véase GIMENO SENDRA, "La acción popular, el jurado y los tribunales de escabinos", en *Comentarios a la legislación penal*, (Cobo del Rosal, Dir.), Edersa, Madrid, 1992, p. 338; GUTIÉRREZ ALVIZ CONRADI y MORENO CATENA, "Artículo 125: La participación popular en la Administración de Justicia", en *Comentarios a la Constitución española de 1978*, (Alzaga Villaamil, Dir.), Edemas, Madrid, Tomo IX, 1996, p. 569 y MONTERO AROCA "Las Partes", en *Derecho Jurisdiccional III. Proceso Penal*, (con Gómez Colomer, Montón Redondo y Barona Vilar), Tirant lo Blanch, Valencia, 2011, pp. 69 y 70.

CE constitucionaliza[30] la participación de los ciudadanos en la Administración de Justicia mediante el ejercicio de la acción popular, y la institución del Jurado, en la forma y respecto a aquellos procesos penales que la ley determine, así como en los tribunales consuetudinarios y tradicionales. La acción popular (*quivis ex populo*) surge en nuestro ordenamiento jurídico en el campo del proceso penal y para la persecución de ciertos tipos delictivos que se consideraban más altamente reprochables, o de más amplia repercusión social[31]. Como afirma GIMENO SENDRA[32], "por acción popular puede entenderse el derecho que asiste a todos los sujetos no titulares de un derecho, interés o bien jurídico vulnerado, a incoar un proceso y a deducir en él una pretensión, en nombre de la sociedad, mediante la cual se reconozca una determinada situación o derecho subjetivo y/o se condene a una determinada persona al cumplimiento de una prestación". Se trataría de un derecho constitucional (art. 125 CE), de configuración legal (art. 19.1 LOPJ) reconocido expresamente para los procesos penales que la Ley determine (art. 101, 270 y 761 LECrim)[33]. Aunque se prevén figu-

---

[30]   El instituto de la acción popular fue regulado en los arts. 255 y 307 de la Constitución de 1812, arts. 73 y 93 de la Constitución de 1856, art. 93 de la Constitución de 1869, art. 29 y 103 de la Constitución de 1931. Una especial preocupación por la participación del ciudadano en la Administración de Justicia puede apreciarse en el proceso constituyente de 1869, así como en el Manifiesto Progresista Democrático, de 6 de abril de 1849, el Programa de Gobierno de la Estrema (sic) Izquierda en el Congreso de 1849, el Manifiesto del Comité Central Democrático a sus correligionarios de 15 de marzo de 1865, el Manifiesto de la Junta Revolucionaria, de 20 de septiembre de 1868 o la Declaración de Derechos de Junta Superior Revolucionaria de 8 de octubre de 1868. Para una visión histórica de conjunto sobre la constitucionalización de la acción popular, véase GONZÁLEZ-CUÉLLAR SERRANO y GUTIÉRREZ, "Artículo 101", en *Comentarios a la Ley de Enjuiciamiento Criminal y otras leyes del proceso penal*, (Conde-Pumpido Ferreiro, Dir.), Tirant lo Blanch, Valencia, 2005, pp. 503 y ss. y PÉREZ GIL, *La acusación popular*, Comares, Granada, 1998, pp. 7 a 31.

[31]   MORENO CATENA, "La acción popular", en *El Proceso Penal* (Moreno Catena, Dir.), Tirant Online, Valencia, 2000, disponible en Web: www.tirantonline.com, consultado el día 1 de septiembre de 2015.

[32]   GIMENO SENDRA, *Constitución y Proceso*, Tecnos, Madrid, 1998, p. 83.

[33]   En contra, AÑÓN CALVETE, *Doctrina Botín y doctrina Atutxa. Acusación particular y acusación popular: límites al ejercicio de la acción popular*, en Tirant Online, Valencia, 2014, disponible en Web: www.tirantonline.com, consultado el día 14 de septiembre de 2015, quien afirma que se trataría de un auténtico derecho fundamental. Asimismo, puede acudirse a ECHANO BASALDÚA, "¿Legitimación de las personas jurídico-públicas y de los partidos políticos?", en *Problemas actuales del proceso penal y derechos fundamentales*, Universidad de Deusto, 2010, p. 167 y GONZÁLEZ-CUÉLLAR SERRANO y GUTIÉRREZ, "Artículo 101", en *Comentarios a la Ley de Enjuiciamiento Criminal y otras leyes del proceso penal*, (Conde-Pumpido Ferreiro, Dir.), *ob. cit.*, pp. 503 a 511.

ras afines en materias ajenas al proceso penal, por ejemplo, en cuestiones relacionadas con el Derecho urbanístico (arts. 4 y 48 del RD Legislativo 2/2008, de 20 de junio, por el que se aprueba el Texto Refundido de la Ley de Suelo)[34]. Asimismo, como sostiene MORENO CATENA[35], el diseño de la Fiscalía Europea "considera que la acción penal se ejercita por el FE, y sólo por él, sin prever la participación de ningún otro sujeto en la posición acusadora. Pero previamente parece que esta propuesta desconoce los derechos de las víctimas conforme se regulan en la Directiva 2012/29/UE del Parlamento Europeo y del Consejo, de 25 de octubre".

Por tanto, visto la diferencia conceptual en cuanto a la legitimación para el ejercicio de la acción penal, habrá además de advertirse qué se entiende, conforme el ordenamiento jurídico español, por autoridades nacionales competentes en materia de atribución de competencia para el ejercicio de la acción penal a escala nacional y cuál sería el cauce procesal que habría que seguir para alcanzar una solución[36]. Los arts. 42 y ss. de la Ley Orgánica 6/1985, de 1 de julio, del Poder Judicial regulan los posibles conflictos de competencia que puedan producirse entre Juzgados o Tribunales de distinto orden jurisdiccional, integrados en el Poder Judicial, los cuales se resolverán por una Sala especial del Tribunal Supremo, presidida por el Presidente y compuesta por dos Magistrados, uno por cada orden jurisdiccional en conflicto, que serán designados anualmente por la Sala de Gobierno. Actuará como Secretario de esta Sala especial el de Gobierno del Tribunal Supremo (art. 42 LOPJ). Tales conflictos de competencia, tanto positivos como negativos, podrán ser promovidos de oficio o a instancia de parte o del Ministerio Fiscal, mientras el proceso no haya concluido por sentencia firme, salvo que el conflicto se refiera a la ejecución del fallo (art. 43 LOPJ). Sin embargo, el orden jurisdiccional penal es siempre preferente. Ningún Juez o Tribunal podrá plantear conflicto de competencia a los órganos de dicho orden jurisdiccional (art. 44 LOPJ). Respecto de la manera de resolver los conflictos de competencia entre Jueces de Instruc-

---

[34]   Véase REGO BLANCO, *La acción popular en el Derecho Administrativo y, en especial, en el urbanismo*, Instituto Andaluz de Administraciones Públicas, Sevilla, 2005. Asimismo, para un tratamiento integral de la acción popular en los diferentes órdenes jurisdiccionales, puede consultarse, OROMÍ VALL-LLOVERA, *El ejercicio de la acción popular. (Pautas para una futura regulación)*, Marcial Pons, Madrid, 2003, pp. 19 a 29.

[35]   MORENO CATENA, *Fiscalía Europea y derechos fundamentales*, ob. cit., p. 152.

[36]   LLORENTE SÁNCHEZ-ARJONA, "La fiscalía europea y la investigación de la criminalidad organizada y económica", en *Cooperación judicial penal en la Unión Europea, Reflexiones sobre algunos aspectos de la investigación y el enjuiciamiento en el espacio europeo de justicia penal* (González Cano, Dir.), ob. cit., p. 338.

ción[37], el art. 22 LECrim establece las pautas a seguir al disponer que cuando dos o más Jueces de Instrucción se reputen competentes para actuar en un asunto, si a la primera comunicación entre ambos no se pusieren de acuerdo sobre la competencia, darán cuenta, con remisión de testimonio, al superior competente; y éste, en su vista, decidirá de plano y sin ulterior recurso cuál de los Jueces instructores debe actuar. Desde la perspectiva del Ministerio Fiscal el art. 23 EOMF dispone la posibilidad de avocación de un determinado asunto, delimitando los órganos internos competentes para resolver las cuestiones que el ejercicio de tal facultad (por el contrario el Reglamento le otorga categoría de derecho) pueda conllevar. De esta forma, en cualquier momento de la actividad que un Fiscal esté realizando (en cumplimiento de sus funciones o antes de iniciar la que le estuviese asignada en virtud del sistema de distribución de asuntos entre los miembros de la Fiscalía), podrá su superior jerárquico inmediato, mediante resolución motivada, avocar para sí el asunto o designar a otro Fiscal para que lo despache. Si existiese discrepancia, resolverá el superior jerárquico común a ambos. La sustitución será comunicada en todo caso al Consejo Fiscal, que podrá expresar su parecer. Asimismo, el art. 23 EOMF regula la relación entre ambas instituciones en los casos en que durante el sumario o en cualquier fase de instrucción de un proceso penal el Ministerio Fiscal (o cualquiera de las partes) entendieran que el Juez instructor no tiene competencia para actuar en la causa podrán reclamar ante el Tribunal superior que corresponda, el cual, previos los informes que estime necesarios, resolverá de plano y sin ulterior recurso. Por tanto, quedan expuestas las reglas de determinación de la competencia en los casos en que éstas se ventilen entre órganos jurisdiccionales o bien entre miembros del Ministerio Fiscal, incluyendo los casos en que este último sostenga la falta de competencia de un órgano jurisdiccional concreto, con la finalidad de que conozca el órgano competente, sin que proceda arrogarse dicha competencia para sí. En este punto y visto el contenido del Reglamento, quizás sea conveniente diferenciar a los efectos de Fiscalía Europea los conceptos de investigación e instrucción. En el primer caso, podrán llegar a cabo las actuaciones propias de una investigación penal tanto el Ministerio Público como las Fuerzas y Cuerpos de seguridad, pero en el segundo caso, va de suyo, la instrucción de las causas corresponde al Juez de Instrucción del partido en que el delito se hubiere cometido o el Juez Central de Instrucción respecto de los delitos que la Ley determine, como dispone el art. 14.2 LECrim.

---

[37] Dejando abierta en principio las competencias de los Juzgados Centrales de Instrucción y de la Audiencia Nacional al respecto.

Respecto de la posibilidad de que la Fiscalía Europea no ejercite su competencia, aun cumpliéndose el ámbito material que informa su actuación, se pronuncia el art. 25 del Reglamento. Cuando un delito incluido en el ámbito de aplicación del artículo 22 del Reglamento cause o pueda causar un perjuicio para los intereses financieros de la Unión cuya cuantía sea inferior a 10.000 euros, la Fiscalía Europea únicamente podrá ejercer su competencia cuando:

a) El asunto tenga repercusiones a escala de la Unión que requieran que la Fiscalía Europea lleve a cabo una investigación, o

b) Funcionarios u otros agentes de la Unión o miembros de las instituciones de la Unión sean sospechosos de haber cometido el delito.

La Fiscalía Europea consultará, según proceda, a las autoridades nacionales u órganos de la Unión competentes, a fin de establecer si se cumplen los anteriores criterios. No obstante, la Fiscalía Europea se abstendrá de ejercer su competencia respecto de todo delito comprendido en el ámbito de aplicación del art. 22 del Reglamento y, previa consulta con las autoridades nacionales competentes, remitirá el caso sin dilación indebida a estas últimas, de conformidad con el art. 34 del Reglamento, si:

a) La sanción máxima establecida por la legislación nacional para un delito incluido en el ámbito de aplicación del art. 22.1 del Reglamento, es igual a, o menos severa que la sanción máxima establecida para un delito indisociablemente vinculado a que se refiere el art. 22.3 del Reglamento, salvo en caso de que este último delito haya sido un instrumental para cometer el delito incluido en el ámbito de aplicación del art. 22.1 del Reglamento.

b) Existe algún motivo para suponer que el perjuicio causado o que puede causar a los intereses financieros de la Unión un delito de los mencionados en el art. 22 del Reglamento no es mayor que el perjuicio causado o que puede causarse a otra víctima[38]. No obstante, la Fiscalía Europea podrá, con el consentimiento de las autoridades nacionales competentes, ejercer su competencia si se encuentra en mejores condiciones para investigar o ejercer la acción penal. Un concepto quizás especialmente abstracto sobre qué debe entenderse por mejores condiciones. Si atendemos a criterios materiales, recursos humanos o utilización de infraestructuras, no tendría sentido dicha afirmación, puesto

---

[38] No resultará de aplicación a los delitos mencionados en el artículo 3, apartado 2, letras a), b) y d), de la Directiva (UE) 2017/1371 tal como se haya transpuesto por la legislación nacional.

que el Ministerio Fiscal es único para todo el Estado (art. 22 EOMF), pudiendo dar a cuantos funcionarios constituyen la Policía Judicial las órdenes e instrucciones procedentes en cada caso (arts. 3.5 y 4.4 ambos del EOFM). Puede acogerse, por tanto, un criterio de especialización en la materia objeto de investigación y posterior ejercicio de la acción penal. Dicho criterio de especialización no resulta ajeno al ordenamiento jurídico español. En todo caso, la Fiscalía Europea informará a las autoridades nacionales competentes, sin dilación indebida, de toda decisión de ejercer o no su competencia.

Al margen de lo anterior, el Fiscal Europeo deberá atenerse en su actuación a lo establecido en su Reglamento específico, siendo supletoria la aplicación de los ordenamientos jurídicos nacionales en aras de colmar las diferentes praxis procedimentales de los Estados Miembros. En otras palabras, como establece en el art. 5.3 del Reglamento las investigaciones y las acusaciones en nombre de la Fiscalía Europea se regirán por el Reglamento. La legislación nacional se aplicará a las cuestiones que no estén reguladas por éste. El precepto entiende la aplicación supletoria del derecho nacional en positivo, es decir, para aquellas cuestiones no reguladas en el Reglamento. Sin embargo, la posibilidad de que existan colisiones entre lo dispuesto en el Reglamento y los ordenamientos jurídicos de los diferentes Estados Miembros existe. La regulación procedimental de las actuaciones y competencias del Fiscal Europeo pone de manifiesto que deberán ajustarse a lo previsto tanto en el Reglamento como en el ordenamiento jurídico nacional A modo de ejemplo, el art. 28.1 del Reglamento dispone que el Fiscal Europeo Delegado encargado de un caso podrá, de conformidad con el Reglamento y con el Derecho nacional, bien emprender medidas de investigación u otras medidas por iniciativa propia, bien encomendárselas a las autoridades competentes de su Estado Miembro. Partiendo de la idea que el propio modelo de investigación que propone el Reglamento es ajeno, como se dijo, al ordenamiento jurídico español, se plantean algunos interrogantes no despejados de manera cierta en el articulado del Reglamento. La investigación preliminar del Ministerio Público viene regulada primeramente en el art. 5 apartados segundo y tercero del EOMF, con reenvío expreso a la Ley de Enjuiciamiento Criminal respecto de las diligencias que el Ministerio Fiscal se encuentra legitimado para practicar. El modelo implica una previa investigación fiscal, que una vez concluida, se remitirá al órgano judicial competente quien desarrollará, conforme o no, las resultas de una investigación fiscal no vinculante, las actuaciones instructoras oficiales. Concluida la fase de investigación dirigida por un órgano jurisdiccional, se abrirá la posibilidad de celebrar el juicio oral. Por el contrario, el modelo propuesto por el Reglamento difiere, al menos formalmente, de tales parámetros. Dicho modelo está pensado desde la óptica de un Fiscal investigador que inicia, sostiene y dirige la investigación hasta las mismas puertas del juicio oral (art. 36 del Reglamento). Además, su intervención pudiera contravenir los criterios que informan las competencias del Ministerio Fiscal español en materia de diligencias de investigación y adopción de medidas cautelares (aun cuando el art. 30 del Reglamento disponga la posibilidad de ordenar o solicitar su práctica) o incluso la validez de los actos de prueba (art. 37 del Reglamento).

2.2. *La competencia territorial y personal de la Fiscalía Europea*

El art. 23 del Reglamento regula la competencia territorial y personal de la Fiscalía Europea, por cuanto conocerá de los delitos recogidos en el art. 22 del Reglamento cuando:

a) Hayan sido cometidos total o parcialmente en el territorio de uno o varios de los Estados Miembros;

b) Hayan sido cometidos por un nacional de un Estado Miembro, siempre que un Estado Miembro sea competente respecto de ese tipo de delito cuando se haya cometido fuera de su territorio, o

c) Hayan sido cometidos fuera de los territorios a que se refiere la letra a) por una persona sujeta al Estatuto de los funcionarios o al Régimen aplicable a los otros agentes en el momento de la perpetración del delito, siempre que un Estado Miembro sea competente respecto de ese tipo de delito cuando se haya cometido fuera de su territorio.

La competencia territorial de la Fiscalía Europea se circunscribe al territorio de la Unión, no previéndose un ámbito de actuación territorial mayor, aunque se produzcan tales ilícitos penales, de manera efectiva, en territorio ajeno a la Unión Europea. Algo que puede parecer lógico en un primer momento, si bien, se debe tener presente que los intereses financieros de la Unión trascienden su propio territorio, unas veces por mor del espacio Schengen, otras veces impulsando y financiando políticas públicas en terceros países, normalmente fronterizos con el territorio de la Unión.

3. LOS PRINCIPIOS DE ACTUACIÓN QUE INFORMAN LA FISCALÍA EUROPEA

La Fiscalía Europea está informada por una serie de principios cuyo cumplimiento se pone en relación con el respeto de sus actividades para con los derechos consagrados en la Carta de Derechos Fundamentales de la Unión Europea (art. 5 del Reglamento). De esta forma, junto al carácter prevalente del Reglamento respecto de las legislaciones nacionales y la aplicación supletoria de éstas últimas (ya comentadas *ut supra*)[39], la Fiscalía Europea respetará los principios de legalidad y proporcionalidad en todas sus actividades.

Respecto del principio de legalidad debe ser entendido en conexión con el principio de oportunidad[40], pues así lo permite el precepto en los casos en los que la Fiscalía Europea decida no iniciar una investigación penal sobre hechos de su competencia, conforme los casos establecidos en el Reglamento. Como sostiene CASTILLEJO MANZANARES[41], "el Fiscal, además de valorar la legalidad de su decisión, ponderará también si ésta es oportuna, conveniente o adecuada". Por tanto, desde el punto de vista de la praxis "solo el principio de oportunidad —siempre reglado, siempre bajo la definición y el control de la ley— permite llevar a cabo un tratamiento diferenciado de los hechos punibles, eligiendo la persecución de

---

[39] Para un mejor entendimiento del Ministerio Fiscal puede consultarse BENAVENTE CUQUERELLA, *La dirección de la investigación criminal por el Ministerio Fiscal en España*, Fé de erratas, Madrid, 2014; CONDE-PUMPIDO FERREIRO, *El Ministerio Fiscal*, Aranzadi, Pamplona, 1999; FLORES PRADA, *El Ministerio Fiscal en España, ob. cit.*, pp. 383 a 534; HERRERO TEJEDOR ALGAR, *La reforma del Ministerio Fiscal*, Colex, Madrid, 2003; IZAGUIRRE GUERRICAGOITIA, *La investigación preliminar del Ministerio Fiscal: la intervención de las partes en la misma*, Aranzadi, Elcano (Navarra), 2001 y MARTÍN PASTOR, *El Ministerio Fiscal como director de la investigación oficial en el proceso penal*, Real Colegio de España, Bolonia, 2005.

[40] Respecto de la articulación procesal de los principios de legalidad y oportunidad puede acudirse a GÓMEZ COLOMER, *Constitución y proceso penal*, Tecnos, Madrid, 1996. Asimismo, FLORES PRADA, *El Ministerio Fiscal en España, ob. cit.*, pp. 535 a 624.

[41] CASTILLEJO MANZANARES, *El principio de oportunidad en el proceso penal, Ministerio Fiscal*, disponible en web: www.fiscal.es, consultado el día 1 de febrero de 2018. Asimismo, puede consultarse, ARMENTA DEU, "La reforma del proceso penal: Principios irrenunciables y opciones de política criminal", en *Revista del Poder Judicial*, 2000, núm. 58, pp. 261 a 298; CASTILLEJO MANZANARES, "El fomento del principio de oportunidad", en *El proceso penal: cuestiones fundamentales* (Fuentes Soriano, Dir.), Tirant lo Blanch, Valencia, 2016, pp. 587 a 599; CONDE-PUMPIDO FERREIRO, "El principio de legalidad y el uso de la oportunidad en el proceso penal", en *Poder Judicial*, 1998, núm. Extra 6, pp. 17 a 56.

aquellos en los que existe un verdadero interés social de punición y excluyendo las bagatelas penales, esto es, los hechos con un mínimo interés social y en los que la pena carece de significación". En efecto, como afirmara GIMENO SENDRA[42], "si con arreglo a nuestra LECrim es obligado afirmar que el principio de legalidad está normativamente consagrado y que, por tanto, el de oportunidad no encuentra cabida en nuestro ordenamiento procesal, podría resultar excesivo, tomando como punto de partida esta observación, el llegar a la conclusión de que "en nuestra práctica forense", el principio de oportunidad está totalmente ausente, pues en la realidad ocurre otra cosa". No obstante, la introducción del principio de oportunidad, sin mayores esfuerzos argumentales, se ha producido a colación del procedimiento para juicio de delitos leves (arts. 962 a 982 LECrim) y el proceso de aceptación por decreto (arts. 803 bis a) a 803 bis j) LECrim). La cuestión a dilucidar sería si existiendo la posibilidad de activar el mecanismo de resolución de conflictos que el juicio jurisdiccional penal representa, en todo o en parte, se decide por criterios diversos, no acoger dicha opción compositiva. Ello puede representar un incentivo hacia la destipificación de las conductas que admiten dicho truncamiento del proceso penal. Como afirma HASSEMER[43], "los principios de legalidad y oportunidad referidos a la persecución penal, hacen hincapié en distintas partes de la idea de Derecho: La legalidad subraya la justicia; la oportunidad resalta la finalidad (efectividad, inteligencia política). Una opción político-criminal debería, por tanto, tener en cuenta que la justicia es la meta, pero que la finalidad es la condición restrictiva para alcanzar la meta. Expresado sucintamente sería: Tanta legalidad como sea posible; tanta oportunidad como (política y económica en la actualidad) sea necesario". Por tanto, dicho principio de legalidad debe ser entendido también conforme la legislación nacional donde está llamado a desplegar sus efectos, y sus correspondientes tradiciones jurídicas. De esta forma, corresponde al Ministerio Fiscal, por expreso mandato constitucional, la promoción de la Justicia en defensa de la legalidad, de los derechos de los ciudadanos y del interés público tutelado por la ley (art. 124 CE y art. 541 LOPJ). El Ministerio Público, garante de la legalidad, promociona el interés público tutelado por la Ley, destacado interés público que concurre en la protección de los derechos

---

[42] GIMENO SENDRA, *Fundamentos de Derecho Procesal (jurisdicción, acción y proceso)*, Civitas, Madrid, 1981, p. 195.
[43] HASSEMER, *La persecución penal: legalidad y oportunidad*, ponencia presentada al "Symposium internacional sobre la transformación de la Administración de la Justicia penal", organizado en Buenos Aires, del 2 al 5 de mayo de 198, p. 10.

fundamentales (SSTC 65/1983, de 21 de julio (F. J. 4°) y 93/1984, de 16 de octubre —F. J. 3°—). Respecto del principio de proporcionalidad, no se encuentra en todo el articulado del Reglamento unos parámetros que regulen su desarrollo y aplicación, debiendo por tanto, acudirse al derecho nacional del Estado Miembro en que la investigación o enjuiciamiento esté teniendo lugar. No obstante, el Considerando 65 afirma que las investigaciones y el ejercicio de la acción penal de la Fiscalía Europea deben regirse por los principios de proporcionalidad, imparcialidad y equidad[44] hacia el sospechoso o acusado. Tales principios obligan a buscar todo tipo de pruebas, tanto inculpatorias como exculpatorias, ya sea *motu proprio* o a petición de la defensa. Asimismo, el Considerando 70 sostiene que en aras de la eficacia de la investigación de los delitos que perjudiquen a los intereses financieros de la Unión y de la acción penal correspondiente, es fundamental que la Fiscalía Europea pueda recabar pruebas utilizando al menos un conjunto mínimo de medidas de investigación al tiempo que respeta el principio de proporcionalidad. Por su parte, el Considerando 80 concluye afirmando la posibilidad de que los órganos jurisdiccionales nacionales controlen la validez de los actos procesales de la Fiscalía Europea que están destinados a producir efectos jurídicos ante terceros, por lo que respecta al principio de proporcionalidad consagrado en el Derecho nacional. Por tanto, es necesario recurrir al desarrollo del principio de proporcionalidad, en sentido amplio, en el ordenamiento jurídico español, más aun teniendo en cuenta la posibilidad cierta de que puedan articularse dos modelos de investigación penal, donde Ministerio Fiscal y Fiscalía Europea tendrán facultades y competencias, en principio, diversas.

De esta forma, el principio de proporcionalidad requiere ponderar la existencia de un fin constitucionalmente legítimo, la adecuación de la medida para alcanzarlo y el carácter imprescindible de la misma[45]. A lo que se ha de añadir la existencia de los suficientes indicios a partir de los cuales poder deducir la conexión de la persona investigada con el delito investigado, pues la conexión entre la causa justificativa de la limitación pretendida, esto es, la averiguación del delito, y el sujeto afectado por ésta, es un *prius* lógico del juicio de proporcionalidad[46]. La actuación de la Fiscalía Europea deberá venir presidida por las directrices que aporta el test de

---

[44]   El principio de equidad solo se recoge en dicho Considerando no apareciendo su correspondiente desarrollo reglamentario de manera específica en el texto del Reglamento.

[45]   STC 49/1999, de 5 de abril (F. J. 5°), entre otras.

[46]   SSTC 49/1999, de 5 de abril (F. J. 8°) y 166/1999, de 27 de septiembre (F. J. 8°).

legitimidad constitucional[47]. La medida deberá ser adoptada, en principio, por un órgano competente en el curso de un proceso, mediante resolución motivada y observándose las exigencias derivadas del principio de proporcionalidad, esto es, orientada a un fin constitucionalmente legítimo, como son las investigaciones por delitos graves (STC 239/2006, de 17 de julio —F. J. 2º—), en atención al bien jurídico protegido y a la relevancia social del mismo (STC 166/1999, de 27 de septiembre —F. J. 3º—)[48]. Por último, procederá la valoración de las específicas circunstancias concurrentes, que permitan constatar la proporcionalidad de la medida[49]. Asimismo, se habrá de tomar en consideración los indicios, razonables y objetivos, de que se disponga, a partir de los cuales poder deducir la posible comisión de un delito y la participación en el mismo de la persona investigada.

Continuando con el análisis del precepto comentado, la Fiscalía Europea llevará a cabo sus investigaciones de forma imparcial. A tenor del principio de imparcialidad actuará con plena objetividad[50] e independencia en defensa de los intereses que le están encomendados[51] (art. 7 EOMF y art. 124 CE). Como afirma LÓPEZ AGUILAR[52], "en el Ministerio Fiscal, la imparcialidad se desprende de la promoción objetiva de la legalidad ante los tribunales (art. 7 EOMF), sin sujeción mecánica ni a las posiciones sostenidas por las partes ni al propio órgano encargado de instruir o juzgar". Imparcialidad que se predica tanto de la fase investigadora, como específicamente en fase de juicio oral, pues la Fiscalía Europea buscará todas las pruebas pertinentes, tanto inculpatorias como exculpatorias. Como señala DE LLERA SUÁREZ-BÁRCENA[53], "cuando se habla de la imparcialidad del MF, que éste ocupa una genuina e innegable posición de parte procesal,

---

[47]   SSTC 167/2002, de 18 de septiembre (F. J. 4º) y 184/2003, de 23 de octubre (F. J. 2º), dictadas por el Pleno de dicho Tribunal.
[48]   SSTC 299/2000, de 11 de diciembre (F. J. 2º) y 82/2002, de 22 de abril (F. J. 4º).
[49]   SSTC 126/2000, de 16 de mayo (F. J. 8º), 14/2001, de 29 de enero (F. J. 2º) y 202/2001, de 15 de octubre (F. J. 2º), entre otras.
[50]   Crítico con la neutralidad objetiva que informa el principio de imparcialidad se muestra GÓMEZ COLOMER, "La investigación criminal: problemas actuales y perspectivas de unificación internacional", en Revista Poder Judicial, 2001, núm. 64, p. 211.
[51]   DE LLERA SUÁREZ-BÁRCENA, "El ministerio fiscal. Concepto y principios rectores"", en El Proceso Penal (Moreno Catena, Dir.), Tirant Online, 2000, disponible en web: www.tirantonline.com, consultado el día 08 de enero de 2018.
[52]   LÓPEZ AGUILAR, La justicia y sus problemas en la Constitución: justicia, jueces y fiscales en el Estado social y democrático de Derecho, Tecnos, Madrid, 1996, p. 180.
[53]   DE LLERA SUÁREZ-BÁRCENA, "El ministerio fiscal. Concepto y principios rectores"", en El Proceso Penal (Moreno Catena, Dir.), ob. cit., disponible en web: www.tirantonline.com, consultado el día 08 de enero de 2018.

adornada si se quiere de los calificativos de "parte formal" o "parte imparcial", pero en todo caso postulando una concreta resolución del órgano judicial. Sin embargo, es lo cierto que la parcialidad de la actuación del MF en un proceso determinado no viene dada por su postura material en el proceso, puesto que no plantea en él pretensiones propias, sino en defensa del interés general; de aquí que la imparcialidad supone esencialmente que su intervención debe estar presidida exclusivamente por la defensa del interés público y social, lo que le permite en el proceso penal postular no sólo la condena de quien considere responsable de un hecho delictivo, sino también la absolución de quien entienda es inocente; es decir, esto le lleva a que su actuación, aun guiada por una postura material de acusación, venga incluso, en determinados supuestos, a recurrir en defensa de los intereses del condenado (art. 2 LECRIM)[54]. Ya se puso de manifiesto la manera de proceder ante los eventuales conflictos de competencia que pudieran suscitarse, tanto entre órganos jurisdiccionales como en la parte atinente a Fiscalía, también en los casos en que según el Reglamento deberá abstenerse de conocer de un determinado asunto. Procede ahora completar lo anterior, conforme a las reglas sobre abstención que informan la normativa española, que será aplicable de manera supletoria a lo dispuesto en el Reglamento. Junto al régimen de incompatibilidades previsto en los arts. 57 y 58 EOMF (véase también el art. 54 LECrim), se sitúan las reglas de abstenciones previstas en los arts. 28 EOMF y 219 y 220 LOPJ. Ciertamente, el art. 28 EOMF niega la posibilidad de recusación respecto del Ministerio Fiscal, si bien, la abstención debe plantearse *motu proprio*: los arts. 96 y 99 LECrim regulan las causas, el procedimiento y la competencia para sustituir a un determinado miembro del Ministerio Fiscal en quien concurran alguna causa de abstención[55]. Como sostiene FLORES PRADA[56], "la expresión del art. 28 EOMF —no podrán ser recusados— no responde a la hipótesis de que en el Fiscal concreto no pueda concurrir alguna de las

---

[54] Sobre la actuación del Ministerio Fiscal conforme el citado precepto, puede consultarse GÓMEZ ORBANEJA, *Comentarios a la Ley de enjuiciamiento criminal: de 14 de Septiembre de 1882 con la legislación orgánica y procesal complementaria*, Bosch, Barcelona, 1947—, Tomo I, pp. 114 a 116.

[55] A mayor abundamiento, puede consultarse GUIBERT OVEJERO BECERRA, *El ministerio fiscal en el siglo XXI, ob. cit.*, pp. 131 a 139; LÓPEZ LÓPEZ, *El ministerio fiscal español, principios orgánicos y funcionales*, Colex, Madrid, 2001, p. 131 y ss. y MARTÍNEZ DALMAU, *Aspectos constitucionales del Ministerio Fiscal*, Tirant lo Blanch, Valencia, 1999, pp. 188 a 192.

[56] FLORES PRADA, *El Ministerio Fiscal en España, ob. cit.*, p. 612.

causas que motivan la recusación del Juez, ya que de hecho los fiscales sí vienen obligados a abstenerse".

El apartado quinto del art. 5 del Reglamento regula, parcamente, los tiempos que informan la actuación de la Fiscalía Europea. Los plazos de interactuación que se manejan respecto de Fiscalía Europea con las autoridades nacionales como de ésta en su seno interno, resultan especialmente expeditivos, contándose en la práctica totalidad de los casos en días (art. 27 del Reglamento, cinco días respecto del derecho de avocación, art. 34 del Reglamento, tres días para que el Fiscal General Europeo solicite a la Sala Permanente que revise su decisión en caso de que considere que dicha revisión propiciaría el objetivo de garantizar la coherencia de la política de remisión de la Fiscalía Europea; se regula el mismo plazo para los casos en que las autoridades competentes no acepten asumir el caso de conformidad con los apartados 2 y 3 del mismo precepto, en cuyo caso la Fiscalía Europea seguirá siendo competente para enjuiciar o archivar el caso, conforme a las normas establecidas en el presente Reglamento; art. 36 del Reglamento, cuando el Fiscal Europeo Delegado presente una propuesta de decisión proponiendo llevar un caso a juicio, la Sala Permanente decidirá sobre dicha propuesta, con arreglo a los procedimientos establecidos en el art. 35 del Reglamento, dentro del plazo de veintiún días. Si tras dicho plazo, la Sala Permanente no ha tomado una decisión, se entenderá aceptada la propuesta). De esta forma, no existiendo un plazo máximo respecto de la investigación de la Fiscalía Europea, se habrá de estar a lo establecido en el art. 5.2 EOMF, según el cual la duración de la investigación habrá de ser proporcionada a la naturaleza del hecho investigado, sin que pueda exceder de seis meses, salvo prórroga acordada mediante decreto motivado del Fiscal General del Estado. Por tanto, existen dos límites temporales, la duración proporcionada al hecho, por un lado, y el plazo máximo de seis meses prorrogables, por otro lado. No obstante, las diligencias de investigación en relación con los delitos a que se hace referencia en el art. 19.4 EOMF, (donde consta genéricamente delitos de trascendencia nacional pero que coinciden conceptualmente con los delitos preceptuados en el art. 4 del Reglamento y la citada Directiva (UE) 2017/1371 del Parlamento Europeo y del Consejo, de 5 de julio de 2017, sobre la lucha contra el fraude que afecta a los intereses financieros de la Unión a través del Derecho penal), tendrán una duración máxima de doce meses salvo prórroga acordada mediante Decreto motivado del Fiscal General del Estado. Asimismo, la transposición al Código Penal español de conductas típicas que afectan los intereses financieros de la Unión, a modo de ejemplo, arts. 305.3 o bien 306, permite sostener la posible aplicación de una investigación informada por el referido plazo de doce meses. Esta opción puede generar disfunciones en cuanto a la duración de las diligencias de investigación de la Fiscalía Europea en función de la normativa aplicable según el Estado Miembro donde se estén llevando a cabo. Sería razonable que el Reglamento hubiera fijado un plazo máximo, común para todos los Estados Miembros[57].

El apartado quinto del art. 6 del Reglamento regula la obligación de las autoridades nacionales competentes de asistir y respaldar[58] activamente las investigaciones y acusaciones de la Fiscalía Europea. Todos los actos, estrategias o procesos a que se refiere el Reglamento se guiarán por el principio de cooperación leal. Junto a las premisas dispuestas en el ya comentado art. 24 del Reglamento y el derecho de acceso a la información pertinente conservada en las bases de datos nacionales de investigaciones penales y de las autoridades policiales por parte de la Fiscalía Europea, (art. 43 del Reglamento) resulta conveniente considerar la normativa nacional aplicable. Será en base a los procedimientos y competencias descritos en ésta que la cooperación leal sea posible. Dicha cooperación se producirá en un doble plano. De un lado, respecto de la actuación de las Fuerzas y Cuerpos de Seguridad, conforme la habilitación que dispone el art. 4.4 EOMF en las que cabría considerar criterios de jerarquía funcional y material más que de cooperación leal[59], puesto que el Ministerio Fiscal podrá dar a cuantos funcionarios constituyen la Policía Judicial las órdenes e instrucciones procedentes en cada caso. Misma identidad de razón. De otro lado, respecto de la relación con los órganos jurisdiccionales, no será posible sostener criterios de cooperación leal estrictos entre ambos pues, como se dijo, se

---

[57] Sobre la ausencia de una regla común respecto a la duración de las diligencias de investigación de Fiscalía Europea puede consultarse, MORENO CATENA, *Fiscalía Europea y derechos fundamentales, ob. cit.*, p. 153.

[58] Siempre que sea posible dicho respaldo conforme la normativa aplicable.

[59] Para LLORENTE SÁNCHEZ-ARJONA, "La fiscalía europea y la investigación de la criminalidad organizada y económica", en *Cooperación judicial penal en la Unión Europea, Reflexiones sobre algunos aspectos de la investigación y el enjuiciamiento en el espacio europeo de justicia penal* (González Cano, Dir.), *ob. cit.*, p. 327, según el principio de dependencia jerárquica, "es el Fiscal Europeo el que ostenta la dirección y supervisión de las investigaciones y los procedimientos penales que realizan los fiscales europeos delegados (art. 6.4 PRFE), pudiendo ejercer su autoridad de forma directa si ello se considerase necesario. Esta dependencia jerárquica implica, a su vez, que los fiscales delegados deberán acatar las instrucciones, directrices y decisiones que emanen del Fiscal Europeo debiendo someterse única y exclusivamente a su autoridad. Además, cuando actúen en el desempeño de las funciones que emanan de este Reglamento son completamente independientes de las fiscalías nacionales, no teniendo obligaciones respecto a las mismas (art. 6.5 PRFE).

mueven en diferentes planos y modelo de actuación. Otra cuestión sería la existencia de una cooperación leal entre Fiscalía Europea, Fiscalía española y los órganos de gobierno de Juzgados y Tribunales (a los efectos del art. 43 del Reglamento).

Por último, el art. 6 del Reglamento regula el principio de independencia de la Fiscalía Europea. Desde un estructura jerarquizada, descentralizada[60] y con división funcional en la toma de decisiones se proyecta la independencia *ad extra* como institución. Por tanto, el Fiscal General Europeo, los Fiscales Adjuntos al Fiscal General Europeo, los Fiscales Europeos, los Fiscales Europeos Delegados, el Director Administrativo y el personal de la Fiscalía Europea actuarán en interés de la Unión en su conjunto y no solicitarán ni aceptarán instrucciones de ninguna persona ajena a la Fiscalía Europea, de ningún Estado Miembro de la Unión Europea o institución, órgano u organismo de la Unión en el desempeño de sus obligaciones[61]. Los Estados Miembros de la Unión Europea y las instituciones, órganos y organismos de la Unión respetarán la independencia de la Fiscalía Europea y no intentarán influir en ella en el ejercicio de sus funciones. No obstante, la Fiscalía Europea rendirá cuentas de sus actividades generales ante el Parlamento Europeo, el Consejo y la Comisión y presentará informes anuales de conformidad con el art. 7. A tal fin, sostiene LLORENTE SÁNCHEZ-ARJONA[62], que la independencia "se predica tanto desde un punto de vista activo, por cuanto tanto el Fiscal Europeo como los fiscales delegados no solicitarán ni aceptarán instrucciones de ninguna de las instituciones mencionadas, como pasiva, ya que las citadas instituciones están obligadas a respetar esta independencia, no intentado influir en el ejercicio de sus funciones". Por tanto, se sostiene dicho principio de independencia de la Fiscalía Europea desde su autonomía presupuestaria, las

---

[60]   Sobre la pretendida descentralización de Fiscalía Europea, puede verse LLORENTE SÁNCHEZ-ARJONA, "La fiscalía europea y la investigación de la criminalidad organizada y económica", en *Cooperación judicial penal en la Unión Europea, Reflexiones sobre algunos aspectos de la investigación y el enjuiciamiento en el espacio europeo de justicia penal* (González Cano, Dir.), *ob. cit.*, pp. 329 y ss.

[61]   Sobre una posible articulación limitada del principio de independencia debido al sometimiento del Fiscal Europeo a la legalidad comunitaria previéndose expresamente la posibilidad de destitución por el propio Tribunal de Justicia, a petición del Parlamento, el Consejo o la Comisión, se pronuncia FERNÁNDEZ APARICIO, "El nacimiento del Fiscal Europeo", en *Revista de Derecho Comunitario Europeo, ob. cit.*, pp. 234.

[62]   LLORENTE SÁNCHEZ-ARJONA, "La fiscalía europea y la investigación de la criminalidad organizada y económica", en *Cooperación judicial penal en la Unión Europea, Reflexiones sobre algunos aspectos de la investigación y el enjuiciamiento en el espacio europeo de justicia penal* (González Cano, Dir.), *ob. cit.*, p. 326.

pautas de nombramiento, plazo máximo de ejercicio y las causas de desti-tución de sus organismos y profesionales a su servicio (por ejemplo arts. 14 del Reglamento respecto del nombramiento y destitución del Fiscal Gene-ral Europeo, art. 16 del Reglamento respecto del nombramiento y destitu-ción de los Fiscales Europeos o el art. 19 del Reglamento respecto de las responsabilidades del Director Administrativo). Respecto de la indepen-dencia *ad intra*, la estructura jerarquizada y colegiada, unida a la división funcional en la toma de decisiones[63], permite su minusvaloración[64], pues como afirma MORENO CATENA[65], "se ha abierto camino la posición ger-mano francesa de concebir una FE colegiada, lo que en la práctica supone erosionar desde el principio el poder de investigación y la iniciativa de la persecución, al quedar las decisiones de dirección de la investigación de los delitos en manos de varios fiscales que habrían de actuar con el juego de mayorías. A esa posición se ha sumado el gobierno español, lo que su-pone dar marcha atrás de la postura mantenida desde siempre por nuestro país en apoyo de un fiscal europeo, con iniciativa propia en el ejercicio de las acciones penales y con inamovilidad política".

BIBLIOGRAFÍA

AAVV, *Garantías procesales en los procesos penales en la Unión Europea*, Lex Nova, Valladolid, 2007.

ALONSO MOREDA, "Eurojust, a la vanguardia de la cooperación judicial en materia penal en la Unión Europea", en Revista de Derecho Comunitario Europeo, 2012, Año núm. 16, núm. 41, pp. 119 a 157.

AÑÓN CALVETE, *Doctrina Botín y doctrina Atutxa. Acusación particular y acusación popu-lar: límites al ejercicio de la acción popular*, en Tirant Online, Valencia, 2014, disponible en Web: www.tirantonline.com, consultado el día 14 de septiembre de 2015.

---

[63] Sobre los efectos de dicha división funcional, puede verse LUCHTMAN y VERVAELE, "Agencias europeas de justicia penal y aplicación compartida (Eurojust y Fiscalía Eu-ropea)", en *Justicia: revista de derecho procesal, ob. cit.*, pp. 398 y ss.

[64] Sostiene la independencia interna de la Fiscalía Europea en base a la garantía que aporta su régimen estatutario ESCALADA LÓPEZ, "Los instrumentos de cooperación judicial europea: hacia una futura fiscalía europea", en Revista de Derecho Comunita-rio, *ob. cit.*, p. 120. Por su parte GAROT, "¿Un Fiscal Europeo?", en *Cuadernos de derecho público*, 2002, núm. 16, pp. 279 y 280 tilda de original la propuesta del principio de in-dependencia (recogido en el Libro Verde) respecto de la Fiscalía Europea puesto que en la mayoría de los Estados miembros, el Ministerio Fiscal, como institución, depende directa o indirectamente del Poder Ejecutivo.

[65] MORENO CATENA, *Fiscalía Europea y derechos fundamentales, ob. cit.*, p. 16.

ARMENTA DEU, "La reforma del proceso penal: Principios irrenunciables y opciones de política criminal", en *Revista del Poder Judicial*, 2000, núm. 58, pp. 261 a 298.

BACIGALUPO ZAPATER, "La posición del Fiscal en la investigación penal", en *La posición del Fiscal en la investigación penal: la reforma de la Ley de Enjuiciamiento Criminal*, Thompson Aranzadi, Navarra, 2005.

BENAVENTE CUQUERELLA, *La dirección de la investigación criminal por el Ministerio Fiscal en España*, Fe de erratas, Madrid, 2014;

CABEZUDO RODRÍGUEZ, "Sobre la conveniencia de atribuir la instrucción penal al Ministerio Fiscal", en Revista jurídica de Castilla y León, 2008, núm. 14, pp. 185 a 221.

CASTILLEJO MANZANARES, "El fomento del principio de oportunidad", en *El proceso penal: cuestiones fundamentales* (Fuentes Soriano, Dir.), Tirant lo Blanch, Valencia, 2016,

CASTILLEJO MANZANARES, *El principio de oportunidad en el proceso penal, Ministerio Fiscal*, disponible en web: www.fiscal.es, consultado el día 1 de febrero de 2018.

CHAMORRO BERNAL, *La tutela judicial efectiva. Derechos y garantías procesales derivados del art. 24.1 de la Constitución*, Bosch, Barcelona, 1994.

CONDE-PUMPIDO FERREIRO, "El principio de legalidad y el uso de la oportunidad en el proceso penal", en *Poder Judicial*, 1998, núm. Extra 6, pp. 17 a 56.

CONDE-PÚMPIDO FERREIRO, *El Ministerio Fiscal*, Aranzadi, Pamplona, 1999.

HERRERO TEJEDOR ALGAR, *La reforma del Ministerio Fiscal*, Colex, Madrid, 2003.

IZAGUIRRE GUERRICAGOITIA, *La investigación preliminar del Ministerio Fiscal: la intervención de las partes en la misma*, Aranzadi, Elcano (Navarra), 2001

MARTÍN PASTOR, *El Ministerio Fiscal como director de la investigación oficial en el proceso penal*, Real Colegio de España, Bolonia, 2005.

DE LA OLIVA SANTOS, "Sobre el Ministerio Fiscal y la instrucción del Proceso Penal", en El derecho procesal español del siglo XX a golpe de tango: Liber Amicorum, en homenaje y para celebrar su LXX cumpleaños (Montero Aroca, Hom., Gómez Colomer, Barona Vilar, Calderón Cuadrado, Coords.), Tirant lo Blanch, Valencia, 2012.

DE LLERA SUÁREZ-BÁRCENA, "El ministerio fiscal. Concepto y principios rectores"", en *El Proceso Penal* (Moreno Catena, Dir.), Tirant Online, 2000, disponible en web: www.tirantonline.com, consultado el día 08 de enero de 2018.

DELMAS-MARTY y VERVAELE, *La aplicación del Corpus Iuris en los Estados Miembros*, Intersentia, Utrecht, 2000.

DORESTE ARMAS, "El espacio judicial europeo y la fiscalía europea como órgano de investigación y persecución penal; versus modelo procesal español", en *Diario La Ley*, Wolters Kluwer, no 8981, de 17 de mayo de 2017, pp. 1 a 26.

ECHANO BASALDÚA, "¿Legitimación de las personas jurídico-públicas y de los partidos políticos?", en *Problemas actuales del proceso penal y derechos fundamentales*, Universidad de Deusto, 2010.

ESCALADA LÓPEZ, "Los instrumentos de cooperación judicial europea: hacia una futura fiscalía europea", en Revista de Derecho Comunitario, 2014, Año 18, núm. 47, pp. 89 a 127.

ESPINA RAMOS y VICENTE CARBAJOSA, *La futura Fiscalía Europea*, Catálogo General de Publicaciones Oficiales, Madrid, 2009.

ESTÉVEZ MENDOZA, "La Fiscalía Europea: ¿el próximo paso en la esfera de la cooperación judicial entre Estados Miembros de la Unión Europea", en Los desafíos de la justicia en la era post crisis (Bueno de la Mata y Pérez Gaipo, Coords.), Atelier, 2016.

ESTÉVEZ MENDOZA, "La instauración de la fiscalía europea como cooperación reforzada: Problemas orgánicos y procesales", en *Revista de estudios europeos*, 2017, núm. Extra 1, pp. 106 a 122.

FERNÁNDEZ APARICIO, "El nacimiento del Fiscal Europeo", en *Revista de Derecho Comunitario Europeo*, 2004, Año núm. 8, núm. 17, pp. 219 a 236.

FLORES PRADA, *El Ministerio Fiscal en España*, Tirant lo Blanch, Valencia, 1999.

GAROT, "¿Un Fiscal Europeo?", en Cuadernos de derecho público, 2002, núm. 16, pp. 275 a 294.

GIMENO SENDRA, *Constitución y Proceso*, Tecnos, Madrid, 1998.

GIMENO SENDRA, *Fundamentos de Derecho Procesal (jurisdicción, acción y proceso)*, Civitas, Madrid, 1981.

GIMENO SENDRA, "La acción popular, el jurado y los tribunales de escabinos", en *Comentarios a la legislación penal*, (Cobo del Rosal, Dir.), Edersa, Madrid, 1992.

GIMENO SENDRA, "La reforma de la Ley de Enjuiciamiento Criminal y la posición del Ministerio Fiscal", en *La posición del Fiscal en la investigación penal: la reforma de la Ley de Enjuiciamiento Criminal*, Thompson Aranzadi, Navarra, 2005.

GIMENO SENDRA, El ministerio fiscal-director de la instrucción, Iustel, Madrid, 2006.

GÓMEZ COLOMER, *Constitución y proceso penal*, Tecnos, Madrid, 1996.

GÓMEZ COLOMER, "La instrucción del proceso penal por el Ministerio Fiscal: aspectos estructurales a la luz del derecho comparado", en *Revista del Ministerio Fiscal*, 1997, núm. 4, pp. 83 a 113.

GÓMEZ COLOMER, "La investigación criminal: problemas actuales y perspectivas de unificación internacional", en *Revista Poder Judicial*, 2001, núm. 64, p. 205 a 245.

GÓMEZ ORBANEJA, *Comentarios a la Ley de enjuiciamiento criminal: de 14 de septiembre de 1882 con la legislación orgánica y procesal complementaria*, Bosch, Barcelona, 1947, Tomo I.

GONZÁLEZ-CUÉLLAR SERRANO y GUTIÉRREZ, "Artículo 101", en *Comentarios a la Ley de Enjuiciamiento Criminal y otras leyes del proceso penal*, (Conde-Pumpido Ferreiro, Dir.), Tirant lo Blanch, Valencia, 2005.

PÉREZ GIL, *La acusación popular*, Comares, Granada, 1998.

GUIBERT OVEJERO BECERRA, *El ministerio fiscal en el siglo XXI*, Tirant lo Blanch, Valencia, 2017.

GUTIÉRREZ ALVIZ CONRADI y MORENO CATENA, "Artículo 125: La participación popular en la Administración de Justicia", en *Comentarios a la Constitución española de 1978*, (Alzaga Villaamil, Dir.), Edemas, Madrid, Tomo IX, 1996.

HASSEMER, *La persecución penal: legalidad y oportunidad*, ponencia presentada al "Symposium internacional sobre la transformación de la Administración de la Justicia penal", organizado en Buenos Aires, del 2 al 5 de mayo de 198, pp. 8 a 11.

JORDANA SANTIAGO, El proceso de institucionalización de Eurojust y su contribución al desarrollo de un modelo de cooperación judicial penal de la Unión Europea, Universidad Autónoma de Barcelona, 2015

LLORENTE SÁNCHEZ-ARJONA, "La fiscalía europea y la investigación de la criminalidad organizada y económica", en *Cooperación judicial penal en la Unión Europea*,

Reflexiones sobre algunos aspectos de la investigación y el enjuiciamiento en el espacio europeo de justicia penal (González Cano, Dir.), Tirant lo Blanch, Valencia, 2016.

LÓPEZ AGUILAR, *La justicia y sus problemas en la Constitución: justicia, jueces y fiscales en el Estado social y democrático de Derecho*, Tecnos, Madrid, 1996.

LÓPEZ LÓPEZ, *El ministerio fiscal español, principios orgánicos y funcionales*, Colex, Madrid, 2001.

LUCHTMAN y VERVAELE, "Agencias europeas de justicia penal y aplicación compartida (Eurojust y Fiscalía Europea)", en Justicia: revista de derecho procesal, 2015, núm. 1, pp. 385 a 434.

MARCHENA GÓMEZ, "La inaplazable necesidad de reforma del proceso penal: hacia un modelo de Fiscal investigador, en la Instrucción penal", en *La instrucción penal ¿Juez inquisitivo o juez de garantías? El papel del Fiscal*, Wolter Kluwer, Madrid, 2014

MARTÍN Y PÉREZ DE NACLARES y URREA CORRES, *Tratado de Lisboa, Marcial Pons*, 2008.

MARTÍNEZ DALMAU, *Aspectos constitucionales del Ministerio Fiscal*, Tirant lo Blanch, Valencia, 1999.

MONTERO AROCA "Las Partes", en *Derecho Jurisdiccional III. Proceso Penal*, (con Gómez Colomer, Montón Redondo y Barona Vilar), Tirant lo Blanch, Valencia, 2011.

MORENO CATENA, "La acción popular", en *El Proceso Penal* (Moreno Catena, Dir.), Tirant Online, Valencia, 2000, disponible en Web: www.tirantonline.com, consultado el día 1 de septiembre de 2015.

MORENO CATENA, "La posición del Fiscal en la investigación penal: la reforma de la Ley de Enjuiciamiento Criminal", en *La posición del Fiscal en la investigación penal: la reforma de la Ley de Enjuiciamiento Criminal*, Thompson Aranzadi, Navarra, 2005.

MORENO CATENA *Fiscalía Europea y derechos fundamentales*, Tirant lo Blanch, Valencia, 2014.

MORENO CATENA, "El Ministerio Fiscal, director de la investigación de los delitos", en *Teoría derecho: revista de pensamiento crítico*, 2007, núm. 1, pp. 74 a 97.

ORDOÑEZ SOLÍS, "La lucha europea contra el fraude en la gestión de los fondos y contra la corrupción en la contratación pública", en *Gaceta jurídica de la Unión Europea y de la competencia*, 2010, núm. 16, pp. 7 a 29.

ORMAZÁBAL SÁNCHEZ, "Hacia una autoridad de persecución criminal común para Europa. Reflexiones acerca de la conveniencia de crear una Fiscalía Europea y sobre el papel de EUROJUST", en *la Ley Penal: Revista de Derecho Penal, Procesal y Penitenciario*, 2009, núm. 56, pp. 1 a 24.

OROMÍ VALL-LLOVERA, *El ejercicio de la acción popular. (Pautas para una futura regulación)*, Marcial Pons, Madrid, 2003.

PÉREZ MARÍN, "El futuro órgano instructor común: una propuesta para la organización de la Fiscalía Europea y para el control de su actividad", en *Cuadernos de política criminal*, 2012, núm. 108, pp. 141 a 174.

PIRIS, *El Tratado Constitucional para Europa: un análisis jurídico*, Marcial Pons, Madrid, 2006.

REGO BLANCO, *La acción popular en el Derecho Administrativo y, en especial, en el urbanismo*, Instituto Andaluz de Administraciones Públicas, Sevilla, 2005.

RUIZ MAGAÑA, "La Fiscalía Europea como órgano instructor. Actos de imputación y garantías procesales del sujeto pasivo", en *Revista de estudios europeos*, núm. Extra, 2017, p. 123 a 144.

SANZ HERMIDA, "La mejora de los instrumentos de protección de los intereses financieros de la UE: la creación de la Fiscalía Europea y la reforma de Eurojust", en *Revista General de Derecho Procesal*, Madrid, 2012, núm. 31, 2012, pp. 1 a 9.

TORRES-DULCE LIFANTE, "La reforma de la Instrucción en el Proceso Penal y el Fiscal Investigador" en *La posición del Fiscal en la investigación penal: la reforma de la Ley de Enjuiciamiento Criminal*, Thompson Aranzadi, Navarra, 2005.

VERVAELE, "El Ministerio Fiscal Europeo y el Espacio judicial europeo. Protección eficaz de los intereses comunitarios o el inicio de un Derecho Procesal Penal Europeo", en *Cuadernos de Derecho Judicial*, Volumen IV, Consejo General del Poder Judicial, Madrid, 2002, pp. 273 a 322.

VERVAELE, "La Unión Europea y su espacio judicial europeo— los desafíos del modelo Corpus Juris 2000 y de la Fiscalía Europea", en *Revista Penal*, 2002, núm. 9, pp. 134 a 148.

ZARATE CONDE y DE PRADA RODRÍGUEZ, "La fiscalía europea: una realidad cada vez más cercana", en *Diario La Ley*, Wolter Kluwers, Madrid, 2015, núm. 8.641, pp. 1 a 16.

Capítulo IX

El control jurisdiccional de la aplicabilidad de la Carta de Derechos Fundamentales de la Unión Europea en las actividades de investigación desarrolladas por la Fiscalía Europea

FRANCISCO SALVADOR GIL GARCÍA

Doctorando en Derecho Procesal
Universidad de Sevilla

1. ¿LA BÚSQUEDA DE UN EQUILIBRIO INALCANZABLE EN LA EUROPA ACTUAL?

Resulta innegable que la construcción de un Espacio de Libertad, Seguridad y Justicia (en adelante, ELSJ) ha supuesto una revolución en materia de protección de los derechos fundamentales de los investigados o acusados en el territorio de la Unión Europea[1]; revolución que, si no existe

---

[1]   Sobre el origen y la construcción del ELSJ, *vid.* FERNÁNDEZ ROZAS, J.C.: "El espacio de libertad, seguridad y justicia consolidado por la Constitución Europea", *Revista Jurídica Española*, La Ley, núm. 4, 2004, pp. 1867-1881; VALLE GÁLDEZ, A.: "Espacio de Libertad, Seguridad y Justicia y Tratado constitucional", *Noticias de la Unión Europea*, núm. 250, 2005; VIDAL FERNÁNDEZ, B.: "De la asistencia judicial penal en Europa a un espacio común de justicia europeo", en la obra colectiva AA.VV.: *Cooperación judicial penal en la Unión Europea: la orden europea de detención y entrega* (*Coord.* ARANGÜENA FANEGO, C.), Valladolid, 2005, pp. 23 y ss.; ARANGÜENA FANEGO, C.: "Cooperación judicial penal en la Unión Europea", en la obra colectiva AA.VV.: *El Tratado de Roma en su cincuenta aniversario* (*Coords.* ALONSO, J. y HERRE-

novedad al respecto, se verá condicionada por la puesta en funcionamiento de la Fiscalía Europea, a través del *Reglamento (UE) 2017/1939, de 12 de octubre de 2017, por el que se establece una cooperación reforzada para la creación de la Fiscalía Europea*[2] (en adelante, el Reglamento).

Esta nueva institución será la encargada de proteger los intereses financieros de la Unión, en relación con la comisión de aquellos delitos que, cada año, causan mayores daños financieros a la Unión Europea (Considerando 2).

RO, A.), Granada, 2007, pp. 327 y ss.; JIMENO BULNES, M.: "Origen y evolución de la cooperación judicial en la Unión Europea", en la obra colectiva AA.VV.: *La Cooperación judicial civil y penal en el ámbito de la Unión Europea: instrumentos procesales* (*Coord.* JIMENO BULNES, M.), Universidad de Burgos, Bosch, Barcelona, 2007, pp. 29 y ss.; CARRERA, S. y GEYER, F.: "El Tratado de Lisboa y un Espacio de Libertad, Seguridad y Justicia: Excepcionalismo y Fragmentación en la Unión Europea", *Revista de Derecho Comunitario Europeo,* núm. 29, Madrid, enero/abril, 2008; DE HOYOS SANCHO, M.: "Armonización de los procesos penales, reconocimiento mutuo y garantías esenciales", en la obra colectiva AA.VV.: *El Proceso Penal en la Unión Europea: garantías esenciales* (*Coord.* DE HOYOS SANCHO, M.), Lex Nova, Valladolid, 2008, p. 42; DEL VALLE GÁLVEZ, A.: "Espacio de Libertad, Seguridad y Justicia y Tratado de Lisboa", en la obra colectiva AA.VV.: *Tratado de Lisboa. La salida de la crisis constitucional* (*Coord.* MARTÍN PÉREZ DE NANCLARES, J.), Iustel, Madrid, 2008, p. 418; DÍAZ BARRADO, C.M.: "El espacio de libertad, seguridad y justicia en el Tratado de Lisboa", en la obra colectiva AA.VV.: *El tratado de Lisboa: análisis y perspectivas* (*Coords.* FERNÁNDEZ LIESA, C.R., DÍAZ BARRADO, C.M., ALCOCEBA GALLEGO, M.A. y MANERO SALVADOR, A.), 2008, pp. 81-96; AA.VV.: "Cooperación judicial civil y penal en el nuevo escenario de Lisboa" (*Dir.* ARANGÜENA FANEGO, C.), Granada, 2011, pp. 271-273; GONZÁLEZ CANO, Mª.I.: "La armonización de las garantías procesales penales en la Unión Europea", en la obra colectiva AA.VV.: *El Derecho Procesal Español del Siglo XX a golpe de tango. Liber Amicorum, en homenaje y para celebrar su LXX cumpleaños* (*Coords.* MONTERO AROCA, J., BARONA VILAR, S. y CALDERÓN CUADRADO, P.), Tirant lo Blanch, Colección Homenajes y Congresos, Valencia, 2012, p. 1247-1254; LLORENTE SÁNCHEZ-ARJONA, M.: "Las garantías procesales en el espacio europeo de justicia penal", Tirant lo Blanch, Colección Monografías, núm. 959, Valencia, 2014, pp. 17-75; y, GONZÁLEZ CANO, Mª.I.: "Nuevos Paradigmas de la Cooperación Judicial Penal en la Unión Europea", en la obra colectiva AA.VV.: *Justicia civil y penal en la era global* (*Edit.* BARONA VILAR, S.), Tirant lo Blanch, Colección Alternativa, núm. 64, Valencia, 2017, pp. 339-362.

[2]   Reglamento (UE) 2017/1939, de 12 de octubre de 2017, por el que se establece una cooperación reforzada para la creación de la Fiscalía Europea (Diario Oficial núm. L 283, de 31 de octubre de 2017). Disponible en la siguiente página web [recurso electrónico]: http://eur-lex.europa.eu/legal-content/ES/TXT/PDF/?uri=CELEX:32017R1939&from=ES (Última vez consultada el 24/01/2018).

Al tratarse de una institución de reciente creación, su configuración suscita diversas dudas, en torno al equilibrio que debe existir en la Unión Europea entre la persecución y enjuiciamiento de este tipo de delincuencia organizada, y la protección adecuada de los derechos que las personas involucradas en las investigaciones supranacionales ostentan. En este sentido, se han tomado, para el presente estudio, aquéllas más relevantes. A saber: *a)* el grado de dificultad con que cuenta la Fiscalía Europea, a la hora de interpretar y aplicar la Carta de Derechos Fundamentales de la Unión Europea (en adelante, CDFUE)[3] a aquellas medidas y actos que hayan sido considerados necesarios por ésta, para la averiguación y el esclarecimiento de la supuesta actividad delictiva transfronteriza, desarrollada en territorio europeo; *b)* la interpretación que el Tribunal de Justicia de la Unión Europea (en adelante, TJUE) ha realizado de la CDFUE en los últimos asuntos sometidos a su consideración; y, *c)* la ausencia de todo cauce procesal interno que permita ejercer cierto control jurisdiccional sobre la adopción de medidas de investigación, que los Fiscales Europeos Delegados —como parte procesal— pretendan adoptar, especialmente, al inicio de sus actuaciones.

2. LA CDFUE Y EL DERECHO AL JUEZ IMPARCIAL EN EL NUEVO REGLAMENTO SOBRE LA FISCALÍA EUROPEA: ¿UNA TUTELA MULTINIVEL GARANTIZADA?

Con la entrada en vigor del Tratado de Lisboa, se le ha atribuido a la CDFUE el mismo valor jurídico que se le otorga a los Tratados [artículo 6.1 del Tratado de la Unión Europea (en adelante, TUE)][4]. De este modo, ello

---

[3]   Esta Carta fue firmada en Estrasburgo el 12 de diciembre de 2007 (Diario Oficial núm. C 306, de 17 de diciembre de 2007), por los presidentes de la Comisión, el Consejo y el Parlamento Europeo.

[4]   MANERO SALVADOR, A.: "El valor jurídico de la Carta de los Derechos Fundamentales: de Niza a Lisboa", en la obra colectiva AA.VV.: *El Tratado de Lisboa: Análisis y perspectivas* (*Coords.* ALCOCEBA GALLEGO, Mª.A., DÍAZ BARRADO, C., FERNÁNDEZ LIESA, C. y MANERO SALVADOR, A.), Dykinson, Madrid, 2008, pp. 113-132; LLORENTE SÁNCHEZ-ARJONA, M.: "Las garantías procesales…", *op. cit.*, Tirant lo Blanch, Colección Monografías, núm. 959, Valencia, 2014, pp. 131-141; y, MANGAS MARTÍN, A. y LIÑÁN NOGUERAS, D.J.: "Instituciones y Derecho de la Unión Europea", Tecnos, 9ª ed., Madrid, 2016, 123-150.

ha fundamentado el reconocimiento de un conjunto de derechos civiles, políticos, económicos y sociales[5] a la ciudadanía europea[6].

En cuanto a sus disposiciones, cabe advertir que las mismas se desarrollan a lo largo de 54 artículos, ordenados en siete títulos que versan sobre la Dignidad (*Título I*), la Igualdad (*Título II*), la Libertad (*Título III*), la Solidaridad (*Título IV*), la Ciudadanía (*Título V*), la Justicia (*Título VI*), donde se reconoce el derecho a la tutela judicial efectiva, a un juez independiente e imparcial, a la presunción de inocencia, a los principios de legalidad y proporcionalidad de los delitos y las penas, así como el derecho a no ser acusado o condenado penalmente dos veces por el mismo delito, y un último *Título VII*, que contiene las *Disposiciones generales que rigen la interpretación y aplicación de la Carta*[7].

Con ello, la CDFUE ha buscado garantizar un conjunto de derechos fundamentales a todas aquellas personas que se vean afectadas, por un proceso penal, en territorio comunitario; y ello, porque la libertad "*necesita un auténtico espacio de justicia en el que los ciudadanos puedan acudir a los tribunales y a las autoridades de cualquier otro Estado en las mismas condiciones que en su propio país*"[8].

Así pues, el respeto a los derechos fundamentales de naturaleza procesal y a las garantías de la función jurisdiccional conforma un elemento indispensable e indisponible por las partes, para garantizar una mayor seguridad jurídica, reforzar la confianza mutua entre los Estados miembros[9], y contribuir a eliminar las diferencias existentes entre los sistemas judiciales

---

[5]   ROLDÁN BARBERO, J.: "La Carta de Derechos Fundamentales de la Unión Europea: Su Estatuto Constitucional", *Revista de Derecho Comunitario Europeo,* vol. 7, núm. 16, 2003, pp. 943-991. Como pone de manifiesto el Prof. ROLDÁN BARBERO, es el primer instrumento internacional que reúne en un único texto tanto los derechos civiles y políticos como los derechos económicos, sociales y culturales.

[6]   En relación con la transformación del territorio europeo en materia de derechos y garantías procesales, tras la entrada en vigor del Tratado de Lisboa, *vid.* MITSILEGAS, V.: *EU Criminal Law After Lisbon Rights, Trust and the Transformation of Justice in Europe,* Hart Pub Limited, 2015.

[7]   BOU FRANCH, V. y CASTILLO DAUDÍ, M.: "Derecho internacional de los derechos humanos y Derecho internacional humanitario", Tirant lo Blanch, Colección Monografías, núm. 930, Valencia, 2014, p. 208.

[8]   *Vid.* las Conclusiones del Consejo de Tampere de 15 y 16 de octubre de 1999, párr. 5º.

[9]   Respecto a los límites de la confianza mutua en el ELSJ, *vid.* MITSILEGAS, V.: "The Limits of Mutual Trust in Europe's Area of Freedom, Security and Justice: From Automatic Inter-State Cooperation to the Slow Emergence of the Individual", *Yearbook of European Law,* vol. 31, núm. 1, 2012, pp. 319-372.

de los distintos Estados miembros, a través del reconocimiento mutuo de resoluciones judiciales[10].

De todo lo aquí expuesto, se infiere la enorme relevancia que la Carta debería poseer en el ámbito de la actuación de la Fiscalía Europea, habida cuenta de que tal institución no sólo investigará y enjuiciará la criminalidad organizada y el fraude de los intereses financieros de la Unión Europea, sino que también habrá de velar, en idéntico nivel de protección, por los derechos fundamentales de los investigados o acusados, en el inicio de sus actividades contra los presuntos responsables.

Sin embargo, lejos de cumplir este objetivo, el reciente Reglamento ha optado en su Considerando núm. 30, por seguir la senda ya marcada en la Propuesta de Reglamento del año 2013[11] y someter el control jurisdiccional de determinados actos a la potestad supervisora del Fiscal Europeo supervisor, de acuerdo con el reglamento interno de la Fiscalía Europea; un reglamento interno que aún no existe y cuya propuesta, actualmente, se desconoce.

Asimismo, añade el citado Considerando que, en tales supuestos, los Estados miembros no estarán obligados a disponer el control jurisdiccional por los tribunales nacionales, salvando, eso sí, el derecho a la tutela judicial efectiva y a un juez imparcial.

---

[10] Sobre la relación entre el reconocimiento mutuo de resoluciones judiciales penales y los derechos fundamentales/garantías procesales de los investigados o acusados en un proceso penal, *vid.* GONZÁLEZ CANO, Mª.I.: "Algunas consideraciones sobre el reconocimiento mutuo de resoluciones firmes en materia penal", Tribunales de Justicia, *REDP*, núm. 7, 2001, pp. 19-40; MITSILEGAS, V.: "The constitutional implications of mutual recognition in criminal matters in the EU", *Common Market Law Review*, núm. 43, 2006. Disponible en la siguiente página web [recurso electrónico]: https://www.biicl.org/files/3190_cmlr_mutual_recognition_article.pdf (Última vez consultada el 24/01/2018); AA.VV.: *Reconocimiento Mutuo de Resoluciones Penales en la Unión Europea. Análisis teórico-práctico de la Ley 23/2014, de 20 de noviembre (Coords.* ARANGÜENA FANEGO, C., DE HOYOS SANCHO, M. y RODRÍGUEZ-MEDEL NIETO, C.), Aranzadi, Thomson Reuters, 1ª ed., en coord. con el CGPJ e Instituto de Estudios Europeos de la Universidad de Valladolid, 2015; y, ARANGÜENA FANEGO, C.: "Nuevos avances en la armonización de garantías procesales en la UE", en la obra colectiva AA.VV.: *Cooperación judicial penal en la Unión Europea. Reflexiones sobre algunos aspectos de la investigación y el enjuiciamiento en el espacio europeo de justicia penal (Dir.* GONZÁLEZ CANO, Mª.I.), Tirant lo Blanch, Colección Monografías, Valencia, 2015.

[11] Propuesta de Reglamento del Consejo, relativo a la creación de la Fiscalía Europea [COM (2013) 534 final].

En este orden de cosas, escasa trascendencia posee este último inciso del Considerando, si se tiene presente que no sólo se trata de disposiciones sin valor jurídico vinculante, pues carecen de validez normativa, sino que, además, se está ante una clara remisión forzada a la CDFUE, a fin de salvar su redacción.

A continuación, se encuentra, de nuevo, el lector con otra referencia a la CDFUE en el Considerando núm. 80. En él, se vuelve a hacer hincapié en que el Reglamento respeta los derechos fundamentales y observa los principios reconocidos por el artículo 6 del TUE y por el Capítulo Sexto de la Carta; es más, el Reglamento dispone, en el citado Considerando, que *"nada de lo dispuesto [en él] podrá interpretarse en el sentido de que impid[a] que el órgano jurisdiccional que conozca de un caso [pueda aplicar] los principios fundamentales del Derecho nacional en materia de imparcialidad del procedimiento que son de aplicación en sus sistemas nacionales"*.

A pesar de lo que, en apariencia, pueda parecer, este Considerando confirma la argumentación detallada *ut supra*, pues se halla el lector ante un espejismo; y ello, porque la dicción del artículo 5.1 del presente Reglamento establece la posibilidad de que sea la propia Fiscalía Europea, la que se encargue de asegurar que sus actividades respeten los derechos consagrados en la Carta. De esta manera, el legislador europeo modera lo planteado en los Considerandos y declara su verdadera voluntad: la implantación de un sistema de investigación y persecución, donde se le dote a los Fiscales Europeos Delegados de unas amplias potestades que, si bien estarían limitadas en determinados casos, sí que, en igual medida, es cierto que podrían recurrir a ellas sin contar con una autorización judicial, cuando no fuese posible recurrir a medidas menos intrusivas y, siempre que permitan lograr el mismo resultado (principio de proporcionalidad).

Por tanto, la contradicción entre un Reglamento, cuyo contenido es de aplicación directa en los Estados miembros que han participado en su adopción y la imperiosa necesidad de acomodar sus disposiciones a la legislación nacional, para poder establecer cauces procesales adecuados, a través de los cuales poder no sólo adoptar las medidas de investigación que sean imprescindibles, sino también controlar los derechos fundamentales y las garantías del investigado o acusado, dificulta, en gran medida, el camino seguido para su adopción.

Respecto a ello, añade el apartado primero del artículo 30 del Reglamento que las medidas de investigación contenidas en las letras *c)*, *e)* y *f)* podrán estar sujetas a otras condiciones o limitaciones, de conformidad con lo previsto por su Derecho nacional aplicable[12]. Así lo confirma su apartado tercero, el cual ha previsto que los Estados miembros puedan restringir la aplicación de algunas medidas a aquellos supuestos en que el Derecho nacional, que resulte aplicable, coincida con la tipificación que la *Directiva (UE) 2017/1371 del Parlamento Europeo y del Consejo, de 5 de julio de 2017, sobre la lucha contra el fraude que afecta a los intereses financieros de la Unión a través del Derecho penal*[13] contempla.

Sin perjuicio de ello, la concesión de estas amplias facultades, en orden a la práctica de medidas de investigación por los Fiscales Europeos Delegados, no obstaculizará a que cualquier otra medida, que se exceda del ámbito de aplicación aquellas estipuladas en el artículo 30 del Reglamento, precise, en todo caso, de la autorización del órgano jurisdiccional nacional competente (Considerando 87).

Por esta razón, se le debería haber impuesto el deber de informar tanto al órgano juzgador, respecto a la Fiscalía Europea, como a ésta, para con aquél, dado que no se puede dejar, a una de las posibles partes del proceso penal, la opción de que restrinja o limite los derechos fundamentales de los investigados o acusados, sin necesidad de contar, previamente, con una autorización judicial, que garantice, al mismo tiempo, una adecuada tutela de los derechos fundamentales de investigados o acusados.

En consecuencia, se trata de una falla del citado Reglamento, que impide asegurar, en todo caso, que la Fiscalía Europea velará por el contenido esencial de los derechos fundamentales y los garantizará en la forma debida y establecida por la doctrina jurisprudencial de nuestro Tribunal Constitucional (artículo 41.1 y 41.3 del Reglamento).

A todo ello, se suma la exigencia de salvaguardar la coexistencia de tradiciones constitucionales diversas. Ahora bien, resulta incoherente dedicar un Considerando a exhibir la dualidad de tradiciones o sistemas judiciales imperantes en la Unión Europea[14], habida cuenta de que Inglaterra, principal promotor de uno de ellos, no ha participado en la elaboración

---

[12]   Según el artículo 30.3, *in fine*, del Reglamento, para poder someter a condición o limitación alguna de las medidas indicadas en el texto, se requerirá, por parte del Estado miembro interesado en hacer uso de esta opción, la correspondiente notificación con una lista de delitos graves que poder someter a condición.

[13]   Directiva (UE) 2017/1371 del Parlamento Europeo y del Consejo, de 5 de julio de 2017, sobre la lucha contra el fraude que afecta a los intereses financieros de la Unión a través del Derecho penal (Diario Oficial núm. L 198, de 28 de julio de 2017, p. 29).

[14]   Esta diversidad de sistemas judiciales se hace visible mediante la dicción con que el Considerando 46 del Reglamento expresa que los Fiscales Europeos Delegados se-

ni aprobación del presente Reglamento, y cuya intervención dentro de la Unión Europea está quedando reducida a asuntos concretos, tras la decisión de desvincularse de esta organización internacional (*Brexit*)[15].

En un ejercicio de comprensión, puede imaginarse que el legislador europeo visualizó un futuro Derecho Procesal penal, donde existiría una única legislación europea para todos los Estados miembros.

No obstante, dudo que éste hubiera sido el principal propósito de los diferentes Estados miembros, habida cuenta cuán imposible resultaría reformar o unificar todos los sistemas procesales internos en un plazo tan breve.

Más tarde, al ser consciente el legislador europeo de la amalgama creada en torno al Considerando núm. 80, dedica el Considerando núm. 83 del nuevo Reglamento a requerir a la Fiscalía Europea que respete, en especial, el derecho a un proceso judicial imparcial, los derechos de la defensa y la presunción de inocencia, consagrados en los artículos 47[16] y 48 de la Carta.

---

guirán siendo "*miembros activos de las fiscalías o de la judicatura de sus respectivos Estados miembros*".

Una vez señalada esta posibilidad, cabe advertir al lector de que ello provocará una mayor inseguridad jurídica, habida cuenta de que la instrucción de todo procedimiento penal está sometida, en España, al control jurisdiccional, lo cual implica que el Fiscal que se persone en el procedimiento, en calidad de parte, podrá realizar determinadas actuaciones sin necesidad de autorización judicial. Ahora bien, algunas de las medidas que se les permite adoptar con el presente Reglamento no se encuentran dentro del elenco de aquéllas, lo que, en consecuencia da lugar a que la solicitud de autorización judicial no resulte imprescindible, para aquellos casos en que las medidas de que se trate sean algunas de las expuestas por el Reglamento en su artículo 30.

Todo elloentrañará un mayor o menor respeto, dependiendo de lo consolidado que esté el cumplimiento efectivo de los derechos fundamentales de los investigados o acusados en el proceso penal interno de cada Estado miembro.

Otra solución sería llevar a cabo la reforma de la instrucción, estableciendo un juez de garantías y un Fiscal instructor. Ahora bien, ¿cuánto tiempo se dispone para ello, si se entiende que el presente Reglamento entró en vigor el día 20 de noviembre de 2017 y el mismo constituye una norma de aplicación directa? Siguiendo con este razonamiento, ¿es posible llevar a efecto tal reforma en cualquier Estado miembro de la Unión Europea como si fuese un proceso de producción en masa?

Sin duda, toda esta regulación de que se le ha dotado al Reglamento plantea serias dudas de aplicación en la práctica.

[15] Sobre la versátil relación entre la Unión Europea y el Reino Unido en materia penal, *vid.* MITSILEGAS, V.: "The Uneasy Relationship between the United Kingdom and European Criminal Law. From Opt-Outs to Brexit?", *Criminal Law Review*, 2016. Disponible en la siguiente página web [recurso electrónico]: http://qmro.qmul.ac.uk/xmlui/handle/123456789/13700 (Última vez consultada el 24/01/2018).

[16] Sobre la interpretación que el TJUE ha realizado respecto del artículo 47 de la CDFUE, *vid.* CIENFUEGOS MATEO, M.: "Artículo 47: derecho a la tutela judicial

Así, la Unión Europea reitera su intención, como si la repetición continuada y sistemática del respeto a los derechos fundamentales de la CDFUE, así como de los contemplados en la legislación interna de cada Estado miembro, permitiese garantizar la falta de consecución de su principal objetivo: el control jurisdiccional de la completa actuación de la Fiscalía Europea y de sus fiscales y la equitativa ponderación de los intereses en conflicto, a lo largo de todo el proceso judicial.

Además, cabe poner de manifiesto la genérica y extraña expresión empleada por el Reglamento, cuando afirma el derecho a un *proceso imparcial.*

No se trata de un problema o de un defecto de traducción a la lengua española, ya que las diferentes versiones del Reglamento [*правото на справедлив съдебен процес* (bg); *des Rechts auf ein faires Verfahren* (de); *tribunal impartial* (fr); *the right to a fair trial* (en); *το δικαίωμα αμερόληπτου δικαστηρίου* (el); *teisę̇ teisinga bylos nagrin* (lt); *tribunal imparcial* (pt), entre otros] utilizan expresiones similares a la ofrecida por la versión española del Reglamento o, en cualquier caso, evitan hablar del *derecho del investigado o acusado a un juez imparcial predeterminado por la Ley.*

Por tanto, su uso confirma la idea de que algún o algunos Estados miembros se encuentran incómodos[17], cuando deben abordar esta garantía como un derecho fundamental del investigado o acusado y no sólo como una obligación que el Reglamento y la legislación interna de cada Estado miembro impone al órgano jurisdiccional.

En resumen, el Reglamento rechaza toda mención del derecho fundamental a un juez imparcial, lo cual origina una *rebaja* de las garantías procesales de los investigados o acusados en un proceso penal europeo,

---

efectiva y a un juez imparcial", en la obra colectiva AA.VV.: *La carta de los derechos fundamentales de la Unión Europea. Materiales de innovación docente* (*Dirs.* UGARTEMENDÍA ECEIZABARRENA, J.I., GARCÍA-VÁZQUEZ, S. y GOIZUETA VÉRTIZ, J.), Thomson Reuters-Aranzadi, 2013, pp. 453-462; y, MILIONE, C.: "La interpretación del artículo 47 CDFUE como expresión de la labor hermenéutica del Tribunal de Luxemburgo en la construcción de un estándar europeo de protección de los derechos", *Revista Teoría y Realidad Constitucional,* núm. 39, 2017, pp. 655-674; y, con relación al artículo 48 de la CDFUE, *vid.* LIZARRALDE MARÍN, I.: "Artículo 48: presunción de inocencia y derechos de la defensa", en la obra colectiva AA.VV.: *La carta de los derechos fundamentales de la Unión Europea. Materiales…, op. cit.*, pp. 463-470.

[17] La falta de amparo del citado derecho fundamental se puso de manifiesto en el artículo 27.4 de la Propuesta de Reglamento del Consejo, relativo a la creación de la Fiscalía Europea, debatida en Bruselas y publicada, por vez primera, el 17 de julio de 2013 [COM (2013) 534 final]. En dicho precepto, se establecía que "*el Fiscal Europeo [elegiría] la jurisdicción y [determinaría] el órgano jurisdiccional nacional competente*".

al transitar de un derecho fundamental a un mero principio jurídico que inspira la actuación de la Fiscalía Europea.

El artículo 41.1 del Reglamento recoge la última referencia a la CDFUE a lo largo de su articulado. En concreto, este precepto evidencia la trascendencia y alcance de la Carta, en aras de una adecuada y correcta investigación. Si bien, también esquiva cualquier vinculación que se pudiera desprender de lo estipulado en el mismo. Tan es así, que el Reglamento dedica otro artículo al control jurisdiccional, en el que, por supuesto, no consta absolutamente nada acerca del mismo durante la investigación que la Fiscalía Europea realice.

Con todo ello, el legislador europeo trata de demostrar que tales derechos forman parte del *status* del investigado o sospechoso, a través de su constante alusión. Sin embargo, *olvida* establecer un mecanismo de tutela o control jurisdiccional que ampare los derechos y garantías procesales inherentes a esa posición procesal, al mismo nivel, en cualquier Estado miembro, pues ello entra en clara colisión con las continuas remisiones a la normativa procesal interna de cada país (artículo 42.1, *in fine*, del Reglamento). Tácitamente, se está asistiendo a la justificación de la existencia de una *tutela multinivel* dentro del ELSJ de la Unión Europea.

3. EL PAPEL DE LA FISCALÍA EUROPEA EN LA TUTELA MULTINIVEL CORREGIDA POR EL TJUE

A pesar de lo dispuesto en el nuevo Reglamento sobre la creación de una Fiscalía Europea, cuando se produce un conflicto entre la legislación nacional de cada Estado miembro y los derechos garantizados por la Carta, el tribunal nacional que resulte competente para resolver tal conflicto habrá de dar primacía a la Carta, incluso "*de resultar necesario, denegando, de oficio* —esto es, por el propio órgano juzgador—, *la eficacia de cualquier disposición que sea contradictoria con la legislación nacional*"[18].

---

[18]   STJUE de 26 de febrero de 2013, Gran Sala; C-617/10; TJCE 2013\56 y Ponente: M. Safjan. En ella, se afirma que la inaplicación de la Carta contemplada por el Tribunal deberá producirse únicamente en aquellos casos en que la Carta regule un *derecho*, mientras que éste no debería ser el caso cuando los *principios* entran en juego. Asimismo, añade el TJUE que, mientras los *principios* deben ser *observados* e implementados tanto por las instituciones y organismos de la Unión Europea, como por el desarrollo legislativo de los Estados miembros, los *derechos* deben ser *respetados* siempre (principio de eficacia). Esta misma explicación aparece desarrollada también en el documento

Esta interpretación deviene fundamental para el desarrollo del presente estudio, habida cuenta de que no sólo garantiza un mínimo de protección de los derechos fundamentales en cualquier Estado miembro, sino que también determina el ámbito de aplicación de la Carta (artículo 51), al contemplar que la misma resultará aplicable "*a las instituciones, órganos, oficinas y organismos de la Unión*", como es la Fiscalía Europea[19] (artículo 3.1 del Reglamento).

Como ya se ha visto, el TJUE da lugar a una reducción de los estándares mínimos, con que se deben amparar los derechos fundamentales y las garantías procesales de los investigados o acusados, en cualquier país de la Unión Europea.

Sin duda, ello se debe a que, en el asunto *Melloni*[20] —anterior al caso *Fransson*[21]—, el Alto Tribunal europeo concluyó —sin demasiada fortuna—

---

relativo a las Explicaciones sobre la Carta de los Derechos Fundamentales; y, en especial, en el artículo 51 de la tantas veces citada Carta (Diario Oficial núm. C 303 de 35, de 14 de diciembre de 2007).

[19]   No cabe ninguna duda de que se trata de un caso típico, donde se está aplicando el Derecho de la Unión Europea; es más, los Fiscales Europeos Delegados podrán ejercer sus funciones como fiscales nacionales, en la medida en que ello no les impida cumplir con sus obligaciones supranacionales. Asimismo, también deberán llevar a efecto sus investigaciones, de tal modo que la dirección y supervisión de su actividad quede en manos del Fiscal Europeo supervisor. Con ello, se logra, por tanto, articular la institución y adecuarla al esquema de organización previsto por el nuevo Reglamento (artículo 13, en relación con el Considerando 33), de conformidad con lo establecido por la legislación interna de cada Estado miembro. Así, se evitaría que la aplicación de la Carta fuese puesta en duda o impugnada por la defensa, en base a la legislación nacional en que su argumentaicón se fundamente.

[20]   STJUE de 26 de febrero de 2013, Gran Sala; C-399/11; TJCE 2013\54 y Ponente: M. Safjan. Sobre este caso, *vid.* MARTÍN RODRÍGUEZ, P.: "Crónica de una muerte anunciada: Comentario a la Sentencia del Tribunal de Justicia (Gran Sala), de 26 de febrero de 2013, Stefano Melloni, C-399/11", *Revista General de Derecho Europeo*, núm. 30, 2013; ÁLVAREZ-OSSORIO MICHEO, F.: "Repatriar derechos o pluralismo constitucional. El espacio de libertad, seguridad y justicia como desafío", en la obra colectiva AA.VV.: *Cooperación judicial penal en la Unión Europea. Reflexiones sobre...*, op. cit., pp. 26-30, 37-46 y 48-49; PUNSET BLANCO, R.: "Derechos fundamentales y primacía del derecho europeo antes y después del caso Melloni", *Revista Teoría y realidad constitucional*, núm. 39, 2017, pp. 189-212; y, MONTESINOS PADILLA, C.: "La tutela multinivel de los derechos desde una perspectiva jurídico-procesal. El caso español", Tirant lo Blanch, Colección Monografías, Valencia, 2017, pp. 347-349 y 351-356.

[21]   STJUE de 26 de febrero de 2013, Gran Sala; C-617/10; TJCE 2013\56 y Ponente: M. Safjan. Sobre este pronunciamiento del TJUE y su relevancia dentro de su línea jurisprudencial, *vid.* VAN RICKEVORSEL, E.: "Droits fondamentaux (arrêt 'Akerberg Fransson"; arrêt "Stefano Melloni c. Ministerio Fiscal'", *Revue du droit de l'Union Européenne*, núm. 1, 2013, p. 187.

que la legislación de la Unión Europea, que posibilita el mantenimiento del respeto y la relevancia concedida a la Carta, ostenta primacía sobre el derecho constitucional nacional; incluso, cuando éste proporcione un nivel de protección más elevado.

A pesar de que esta decisión pueda considerarse una disminución de la protección de los derechos fundamentales de los investigados o acusados en determinados Estados miembros, el TJUE ha compensado este posible resultado —explicado por la necesidad de garantizar la primacía, ofrecer una cierta unidad y dotar de eficacia al Derecho de la Unión Europea—, adoptando una interpretación amplia de los parámetros del ámbito de aplicación de la Carta (artículo 51.1)[22].

Consciente de la confusión creada, este Tribunal ha venido a desarrollar su enfoque sobre la aplicabilidad de la CDFUE en el asunto *Siragusa*[23], donde determinó que el concepto de *aplicación del Derecho de la Unión Europea* (artículo 51) requiere de un cierto grado de vinculación, más allá de los diversos puntos de vista con que se concrete su enfoque[24]. Por esta razón, el Tribunal argumenta el amplio alcance que la Carta posee, al englobar medidas nacionales de carácter penal; incluso, con independencia de que las mismas estén relacionadas, directamente, con aquellas otras medidas internas que no implementen o desarrollen la legislación dictada por la Unión Europea.

Asimismo, esta opinión del TJUE se ve reforzada con la conclusión obtenida en el caso *Siragusa*, donde puso de manifiesto la importancia de tutelar correctamente los derechos fundamentales de los investigados o acusados en el Derecho de la Unión Europea, a través de diversos mecanismos de control jurisdiccional, que impidan, en todo caso, la vulneración de los mismos en áreas propias de la Unión Europea, ya sea mediante acciones a

---

[22] Sobre la jurisprudencia sucesiva al caso *Melloni, vid.* el trabajo de BARAGGIA, A.: "La tutela dei diritti in Europa nel dialogo tra Corti: 'Epifanie' di una Unione dai tratti ancora indefiniti", *Rivista Associazione Italiana dei Costituzionalisti (AIC)*, núm. 2, 2015.

[23] STJUE de 6 de marzo de 2014, Sala Décima; C-206/13; TJCE 2014\51 y Ponente: A. Rosas. Sobre la evolución que, con relación a este asunto, ha experimentado la jurisprudencia del TJUE, *vid.* J. KOKOTT, J. y SOBOTTA, C.: "Protection of Fundamental Rights in the European Union: on the relationship between EU fundamental rights, the European Convention and national standards of protection", *Yearbook of European Law*, vol. 34, 2015, pp. 60-73; y, VALDÉS DAL-RÉ, F.: "A función de protección dos dereitos fundamentais polo tribunal de xustiza da Unión Europea: entre a renovación e o continuismo", *Revista Galega de Dereito Social*, 2ª etapa, núm. 1, 2016, pp. 32-33.

[24] *Ibíd.* párr. 26.

nivel de la Unión Europea, ya sea a través de la aplicación de la legislación de la Unión Europea, por parte de sus Estados miembros.

A la luz de la jurisprudencia del TJUE sobre la aplicabilidad de la Carta[25], resulta conveniente exponer la evidente distinción que cabe realizar, entre aquellos ámbitos de competencia donde la intervención de la Unión Europea queda relegada a un segundo plano, respecto a la legislación nacional, y aquellos otros en los que existe un fuerte interés de la Unión Europea en juego.

Sin duda, esta diferencia entre ambas áreas dará lugar a una mayor prudencia por parte del TJUE a la hora de reconocer la aplicabilidad de la CDFUE.

A todo ello, se suma el hecho de que las actividades desempeñadas por la Fiscalía Europea se sitúen en el centro de ambos planos, ya que, por un lado, la creación de este nuevo órgano de la Unión Europea tiene la intención de ir más allá de la mera coordinación entre autoridades nacionales, en la lucha contra la delincuencia transfronteriza, que afecte a intereses financieros de la Unión Europea, y por otro lado, porque el mecanismo de coordinación todavía debe adquirir mayor relevancia en las investigaciones que la Fiscalía Europea pretenda llevar a cabo y pasar, de esta manera, a ocupar un primer plano[26].

4. EL CONTROL JURISDICCIONAL NACIONAL DE LOS DERECHOS FUNDAMENTALES CONSOLIDADOS EN LA CDFUE: ¿LA SOLUCIÓN DEFINITIVA?

Llegados a este punto, conviene reflexionar acerca de lo que, en esencia, conforma la voluntad del legislador europeo, pues sólo ella nos brindará la clave para entender su actual redacción y, en consecuencia, examinar

---

[25]   Para un detallado examen de la jurisprudencia más reciente del TJUE sobre los extremos esbozados, *vid.* CONTI, R.: "Dalla Fransson alla Siragusa. Prove tecniche di definizione dei "confini" fra diritto UE e diritti nazionali dopo Corte giust. 6 marzo, causa C-206/13 Cruciano Siragusa", *Consultaonline*, 2014.

[26]   MITSILEGAS, V. y GIUFFRIDA, F.: "6. The European Public Prosecutor´s Office and Human Rights", en la obra colectiva AA.VV.: *Shifting Perspectives on the European Public Prosecutor's Office* (*Edits.* GEELHOED, W., ERKELENS, L.H. y MEIJ, A.). Springer, T.M.C. Asser Press, The Hague, 2018, p. 61.

las opciones descartadas, así como aquella que hubiera resultado la más viable, atendidas las demás.

Siguiendo con lo expuesto, no cabe duda de que la idea original era incorporar el Reglamento al Derecho interno, como si fuese una norma nacional. De este modo, se incrustaría la Fiscalía Europea dentro de cada sistema nacional, como un Departamento especializado en la materia y, dedicado, en exclusiva, a la persecución del fraude de los intereses financieros de la Unión Europea.

Ello evitaría impugnar la deficiente aplicación que la Fiscalía Europea podría hacer del contenido de la Carta durante el tiempo en que la investigación del procedimiento penal quedase sujeta al criterio de sus miembros. Habría de situarse, pues, ante una fase procesal inicial en que la autoridad judicial del Estado miembro que resultase competente desconocería el inicio de actuaciones encaminadas al esclarecimiento de los hechos, dado que nada dispone el Reglamento sobre la obligación de notificar a la autoridad judicial del citado país el inicio de actuaciones por parte de la Fiscalía Europea.

El examen del nuevo Reglamento se vuelve más complejo, cuando la atención se centra en los juicios que deberán seguirse, una vez realizadas las investigaciones oportunas por parte de la Fiscalía Europea, bien ante un tribunal creado *ad hoc* para enjuiciar unos hechos concretos, o bien ante un tribunal nacional que conozca del asunto, en virtud de la elección que efectúe una sola de las partes.

Como es sabido, ambas opciones se encuentran vedadas, dada la redacción del artículo 47.II de la CDFUE, en orden a la protección de derechos fundamentales y garantías procesales.

En concreto, la primera de las opciones daría lugar a una evidente quiebra del derecho a la tutela judicial efectiva, pues la evolución histórica se ha encargado de demostrar que la creación de tribunales *ad hoc*, como el Tribunal Penal Internacional para la *ex* Yugoslavia[27], para Ruan-

---

[27] El Tribunal para la *ex*-Yugoslavia se creó en 1993, por la Resolución 827 del Consejo de Seguridad de la ONU, para el enjuiciamiento de los presuntos responsables de las violaciones graves del Derecho Internacional Humanitario, cometidos en el territorio de la antigua Yugoslavia desde 1991, cuya competencia se extendió a las graves violaciones de las Convenciones de Ginebra de 1949; las violaciones de las Convenciones Internacionales sobre la guerra y el Derecho Internacional consuetudinario; crímenes contra la humanidad y genocidio. A este respecto, cabe destacar que el contenido de la citada Resolución se encuentra disponible en la siguiente página web [recurso electró-

da[28] y para Sierra Leona[29], destinados a enjuiciar gravísimos crímenes de guerra, genocidio y delitos contra la humanidad, no parece ser la mejor opción, para evitar la impunidad de graves crímenes que eran imputables, bien directamente a los Gobiernos y a sus Presidentes, bien porque, como señala MORENO CATENA[30], "*contaban con su connivencia*", lo que, a su vez, impedía el inicio de cualquier investigación y persecución efectiva contra los máximos responsables de aquellos crímenes.

Esta ausencia del derecho a un juicio justo con todas sus garantías, además de ponerse en tela de juicio, en multitud de ocasiones, por los letrados defensores, también fue, finalmente, rechazada por la comunidad internacional, debido al amplio consenso existente sobre esta innegable realidad.

En base a los principales argumentos expuestos, resulta indiscutible poner en cuestión la desestimación de la opción aquí examinada y, debidamente rechazada por el legislador europeo.

Analizada la primera opción, resulta obligado comentar la segunda, aunque ésta se descarte por sí sola; y ello, porque la mera posibilidad de elegir un tribunal concreto, al que someter un asunto penal, favorecería el *forum shopping* en materia penal, lo que vulneraría los derechos fundamentales de los investigados o acusados, de forma flagrante.

---

nico]: http://www.un.org/es/comun/docs/?symbol=S/RES/827%20(1993) (Última vez consultada el 23/01/2018).

[28] En 1994, por la Resolución 955 del Consejo de Seguridad de Naciones Unidas, se creó el Tribunal Penal Internacional para Ruanda. Este tribunal se constituyó en base a una estructura semejante a la del tribunal de la antigua Yugoslavia, con el objetivo de enjuiciar los delitos de genocidio, crímenes contra la humanidad y violaciones del artículo 3 común de los Convenios de Ginebra, cometidos entre el 1 de enero y el 31 de diciembre del año 1994.
La mencionada Resolución se ha recuperado de la siguiente página web [recurso electrónico]: http://www.un.org/es/comun/docs/?symbol=S/RES/955%20(1994) (Última vez consultada el 23/01/2018).

[29] El último de los tribunales creados *ad hoc*, para el enjuiciamiento de violaciones del Derecho penal humanitario, cometidas desde noviembre del año 1996, es el Tribunal Especial para Sierra Leona, el cual se creó en el año 2000, en virtud de la Resolución 1315 del Consejo de Seguridad de Naciones Unidas. En este orden de cosas, cabe exponer aquí que el contenido de la citada Resolución puede verse en la siguiente página web [recurso electrónico]: http://www.un.org/es/comun/docs/?symbol=S/RES/1315%20(2000) (Última vez consultada el 23/01/2018).

[30] . Para un análisis más exhaustivo, *vid.* MORENO CATENA, V.: "Fiscalía europea y Derechos Fundamentales", Tirant lo Blanch, Colección Monografías, núm. 960, Valencia, 2014, p. 52.

Por todo ello, la falta de opciones que revistan adecuada equidad en el proceso penal que se llevará a cabo frente a los presuntos responsables conduce a los Estados miembros, vinculados por el Reglamento, a concluir que la mejor alternativa es seguir la tramitación de la causa ante un órgano judicial de carácter nacional, que resulte competente, que esté predeterminado por la Ley nacional, y que vele por el efectivo cumplimiento de los derechos de los investigados o acusados, en consonancia con la normativa interna y supranacional que regula e interpreta los mismos.

Es, pues, en este punto, donde acontece la ansiada conciliación entre la total y absoluta ausencia de garantías del Reglamento y la remisión realizada a la legislación nacional. De este modo, se garantizaría, sin problemas, la efectiva protección de los derechos fundamentales de los investigados o acusados; y, en especial, el derecho a un juez imparcial predeterminado por la Ley nacional de que se trate.

Salvado el primer obstáculo, se encuentra el legislador europeo ante el segundo de los problemas, pues, el fiscal que hubiera iniciado y continuado con la investigación penal[31] representará, probablemente, a la fiscalía nacional durante el juicio (artículos 4, 36.3 y 37.2, en relación con los Considerandos 11 y 50 del Reglamento)[32]. Sin embargo, este vínculo subjetivo, por sí solo, no será motivo suficiente para justificar la aplicación de la Carta, ya que los tribunales nacionales, encargados de decidir sobre los asuntos sometidos a su jurisdicción por la Fiscalía Europea, no pueden ser considerados como "*instituciones, órganos, oficinas y organismos de la Unión Europea*" (artículo 51.1 de la CDFUE). Por ello, habrá que acudir al caso *Fransson*, según el cual, el solo hecho de que el juicio se refiera a delitos

---

[31]   Este sistema de investigación penal tan peculiar estaba previsto en el "Corpus Juris portant dispositions pénales pour la protection des intérêts financiers de l'Union Européenne", bajo la dirección de la Profa. M. DELMAS-MARTY, Economica, París, 1997. Para obtener más información sobre el mencionado *Corpus Iuris*, vid. DELMAS-MARTY, M. y VERVAELE, J.A.: "La aplicación del Corpus iuris en los Estados miembros", Intersentia, Utrecht, 2000. El texto, en la traducción española de la Profa. SILVA CASTAÑO está disponible en la página web [recurso electrónico]. http://ec.europa.eu/anti_fraud/green_paper/corpus/es-revise.pdf (Última vez consultada el 24/01/2018); MITSILEGAS, V.: "EU Criminal Law", Hart, Oxford/Portland, Series Modern Studies in European Law, 2ª ed., Oregon, 2009, p. 229.

[32]   A este respecto, *vid.* también el artículo 4 de la Propuesta de Reglamento del Consejo, relativo a la creación de la Fiscalía Europea, donde consta, de forma manifiesta, tal representación.

que afectan a intereses financieros de la Unión Europea será motivo suficiente, para garantizar la aplicabilidad de la Carta[33].

Además, estas infracciones penales relativas al fraude, que afectan a los intereses financieros de la Unión, han sido ya definidas en la *Directiva (UE) 2017/1371 del Parlamento Europeo y del Consejo, de 5 de julio de 2017* (artículos 3 y 4)[34].

Por último, cabe destacar otra de las carencias con que cuenta el actual Reglamento: la ausencia de alusión alguna al Convenio Europeo de Derechos Humanos (en adelante, CEDH). Ésta no sólo habría sido apropiada, sino también conveniente, especialmente, "*a la luz de proximidad anticipada de la adhesión de la Unión Europea al Tribunal Europeo de Derechos Humanos*"[35] (en adelante, TEDH). En este sentido, conviene reseñar que ya, con anterioridad, la jurisprudencia del TEDH ha abordado, en múltiples y reiteradas ocasiones, casos relacionados con el cumplimiento y salvaguarda de los derechos fundamentales de los investigados o sospechosos en procedimientos penales. Un ejemplo de este tipo de resoluciones lo constituye el caso *Gavril Covaci*[36].

---

[33] Al comentar el caso de Siragusa, SPAVENTA afirma, con cautela, que [no] *está claro si el caso Fransson* [...] *habría superado la prueba de Siragusa*. A este respecto, *vid.*, con más detalle, lo expuesto por SPAVENTA, E. en *The interpretation of Article 51 of the EU Charter of Fundamental Rights: the dilemma of stricter or broader application of the Charter to national measures. A Study promoted by the Petition Committee of the European Parliament,* 2016, p. 21; y, COSTANZO, P. y TRUCCO, L.: "Il principio del "Ne bis in idem" nello spazio giuridico nazionale ed europeo (materiali per una comparazione multilivello)", en la obra colectiva AA.VV.: *La ciencia del Derecho Constitucional comparado. Estudios en homenaje a Lucio Pegoraro* (*Coords.* BAGNI, S., FIGUEROA MEJÍA, G.A. y PAVANI, G.), Tirant lo Blanch, Colección Homenajes y Congresos, Tomo III, Valencia, 2017, pp. 411-416.

[34] El artículo 22.1, en relación con el Considerando 11 del Reglamento, declara que la Fiscalía Europea será competente para investigar los delitos previstos por el artículo 3 de la Directiva (UE) 2017/1371 del Parlamento Europeo y del Consejo, de 5 de julio de 2017, sobre la lucha contra el fraude que afecta a los intereses financieros de la Unión a través del Derecho penal, así como aquellos otros delitos que estén indisociablemente ligados con ellos, conforme a lo previsto por el artículo 4 de la misma.

[35] PAWLIK, M. y KLIP, A.: "Disappointing First Draft for a European Public Prosecutor's Office", en la obra colectiva *The European Public Prosecutor's Office: An Extended Arm or a Two-Headed Dragon?* (*Edits.* ERKELENS, L.H., MEIJ, A.W.H., PAWLIK, M.), T.M.C. Asser Press, The Hague, 2015, p. 188.

[36] STJUE de 15 de octubre de 2015, Sala Primera; C-216/14; JUR 2015\240659 y Ponente: A. Tizzano. Sobre este asunto, *vid.* OLLÉ SESÉ, M.: "Derecho de los sospechosos y acusados en procesos penales a interpretación, a traducción y a la información sobre la acusación: STJUE de 15 de octubre de 2015, C-216/2014: Gavril Covaci", *La Ley,* Unión Europea, núm. 35, 2016.

No obstante, la situación actual de "*no adhesión*"[37] suscita inevitables dudas en torno a "*la existencia de dos organizaciones internacionales con ámbitos materiales y personales coincidentes, pero en la que una (con un número de Estados*

---

[37]   Sobre el estado actual de la cuestión, cabe destacar que, consultado el TJUE sobre el Proyecto de acuerdo de adhesión y, conociendo que el mismo no modificará las competencias de la Unión Europea que se definen en los Tratados, en virtud de lo dispuesto por el artículo 6.2 del TUE, el citado Tribunal ha concluido que el mismo no es compatible con las disposiciones del Derecho de la Unión Europea (Dictamen núm. 2/13, de 18 de diciembre de 2014, del TJUE). Sobre esta conclusión obtenida por el TJUE, destacan, entre otros: PASTOR RIDRUEJO, A.: "La Carta de Derechos Fundamentales de la Unión Europea y la adhesión al Convenio Europeo según el Tratado de Lisboa", en la obra colectiva AA.VV.: *Integración Europea a través de derechos fundamentales: de un sistema binario a otro integrado* (*Dirs.* GARCÍA ROCA, J. y FERNÁNDEZ SÁNCHEZ, P.A.), Centro de Estudios Políticos y Constitucionales, Madrid, 2009, p. 12; COBO SÁENZ, J.F.: "La adhesión de la Unión al Convenio Europeo de Derechos Humanos y sus efectos en la aplicación judicial del Derecho de la Unión", Noticias de la Unión Europea, núm. 291, 2009, pp. 59-76; GONZÁLEZ HERRERA, D.: "Dictamen 2/13 del Tribunal de Justicia de la Unión Europea (Pleno): Adhesión de la Unión Europea al Convenio Europeo de Derechos Humanos", Ars Iuris Salmanticensis, *Revista europea e iberoamericana de pensamiento y análisis de derecho, ciencia política y criminología*, vol. 3, núm. 1, 2015, pp. 367-369; GONZÁLEZ VEGA, J. A.: "La 'teoría del big bang' o la creciente distancia entre Luxemburgo y Estrasburgo: (Comentarios al Dictamen 2/13, del Tribunal de Justicia, de 18 de diciembre de 2014 sobre la adhesión de la unión Europea al Convenio Europeo de Derechos Humanos)", La Ley, Unión Europea, núm. 25, 2015, pp. 17-50; MARTÍN Y PÉREZ DE NANCLARES, J.: "El TJUE pierde el rumbo en el dictamen 2/13: ¿merece todavía la pena la adhesión de la UE al CEDH?", *Revista de Derecho Comunitario Europeo*, año XIX, núm. 52, 2015, pp. 825-869; y, LLOPIS NADAL, P.: "La necesidad procesal de la adhesión de la Unión Europea al CEDH: un asunto que continúa pendiente tras el dictamen 2/13 del TJUE", *Revista electrónica de estudios internacionales (REEI)*, núm. 29, 2015.
    Con esta conclusión del TJUE, se pone de manifiesto un claro conflicto de supremacía, pues podría pensarse que la adhesión de la Unión Europea al CEDH conllevaría la sumisión del TJUE al TEDH en materia de protección de derechos humanos. Sobre esta problemática, *vid.* LÓPEZ GUERRA, L.: "Derechos e integración europea", en la obra colectiva AA.VV.: *Derecho Constitucional Europeo. Actas del VIII Congreso de la Asociación de Constitucionalistas de España* (*Coords.* UGARTEMENDIA ECEIZABARRENA, J.I. y JÁUREGUI BERECIARTU, G.), Tirant lo Blanch, Colección Homenajes y Congresos, Valencia, 2011, pp. 29-37; BARRERO ORTEGA, A., LÓPEZ BASAGUREN, A. y ESCAJEDO SAN EPIFANIO, L.: "El Derecho primario", en la obra colectiva AA.VV.: *Instituciones y Derecho de la Unión Europea* (*Dir.* LÓPEZ CASTILLO, A.), Tirant lo Blanch, Colección Manuales, vol. II. Derecho de la Unión Europea, Valencia, 2016, pp. 58-64; y, SARRIÓN ESTEVE, J.: "Lecciones Fundamentales de Derecho de la Unión Europea", Tirant lo Blanch, Colección Apuntes, Valencia, 2017, p. 103.

miembros que casi duplica a los de la otra) está fuertemente especializada en la protección internacional de los derechos humanos"[38].

En conclusión, la aplicación de la CDFUE se asegurará, en la medida de lo posible, por el órgano judicial que resulte competente para conocer del asunto, si bien es cierto que la adecuada interpretación y aplicación de la Carta dependerá, en la mayoría de casos, de la legislación nacional ante la que se encuentre el presunto responsable y de la tradición constitucional que posean sus órganos jurisdiccionales, pues, de todos es sabido, que algunos Estados miembros ostentan mayores estándares de protección de los derechos fundamentales de los investigados o acusados que otros.

5. UN NUEVO DESAFÍO: UNA NUEVA REALIDAD

En este último apartado, se abordará el estudio del cambio de paradigma que ha supuesto la decisión de la Unión Europea de primar la seguridad, conformando instrumentos represivos tendentes a facilitar y acelerar la investigación de los delitos transfronterizos, y desplazar, por consiguiente, el alcance y la relevancia que los derechos humanos y las garantías procesales de los investigados, sospechosos o acusados deberían poseer en el marco del espacio europeo de justicia penal, en general, y, en el presente Reglamento, en particular.

Este cambio de paradigma de la cooperación judicial penal en la Unión Europea ha sido fruto, como afirma MORENO CATENA[39], del camino que se ha recorrido, al transitar de un sistema sustentado en las resoluciones judiciales de auxilio o ayuda, en el que la resolución extranjera carecía de eficacia *per se*, necesitando un proceso especial para su reconocimiento como acto de soberanía en el Estado miembro de ejecución, a un siste-

---

[38]   Sobre las consecuencias jurídicas que implica la falta de adhesión de la Unión Europea al CEDH, *vid.* PÉREZ VERA, E.: "La problemática adhesión de la Unión Europea al Convenio Europeo de Derechos Humanos", en la obra colectiva AA.VV.: *España y la Unión Europea en el orden internacional (XXVI Jornadas Ordinarias de la Asociación Española de Profesores de Derecho Internacional y Relaciones Internacionales)* (*Edits.* ALCAIDE FERNÁNDEZ, J. y PETIT DE GABRIEL, E.W.*), Tirant lo Blanch, Colección Homenajes y Congresos, Valencia, 2017, p. 61.

[39]   MORENO CATENA, V.: "El cambio de paradigma y el principio de reconocimiento mutuo y sus implicaciones. Perspectivas del Tratado de Lisboa", en la obra colectiva AA.VV.: *Cooperación judicial penal en Europa* (*Dirs.* CARMONA RUANO, M., GONZÁLEZ VEGA, I. y MORENO CATENA, V., y *Coord.* ARNÁIZ SERRANO, A), Dykinson, Madrid, 2013, pp. 41 y ss.

ma basado en la confianza recíproca entre Estados miembros, que resulta imprescindible para el adecuado desarrollo y efectividad del principio de reconocimiento mutuo y ejecución de resoluciones extranjeras en el territorio nacional de otro Estado miembro[40].

Esta misma transformación ha tenido su reflejo en la Fiscalía Europea, pues atrás han quedado las consideraciones sobre una *zona jurídica única* (artículo 25.1 de la Propuesta de la Comisión), así como respecto a la introducción de principios como el relativo a la territorialidad europea, que declaraba que, a los efectos de la investigación, el enjuiciamiento, el juicio y la ejecución de las sentencias relativas a las infracciones del Corpus Iuris, el territorio de los Estados miembros de la Unión Europea constituía un área única. Es más, con ello, la Comisión pretendía crear una Fiscalía Europea, entendida como un órgano único en un área única, sin la imperativa necesidad de recurrir a instrumentos de reconocimiento mutuo para su funcionamiento. Sin embargo, la inconmensurable realidad política, de nuevo, tosca ante los ojos de los juristas, ha impedido que, actualmente, se pueda contar con un Reglamento a la altura de lo posible y conveniente.

Para justificar la existencia de este retroceso, cabría preguntarse *¿cuál es el valor añadido de establecer un órgano como la Fiscalía Europea, si no va a existir avance alguno en la materia?*[41]. Éste es uno de los interrogantes que más dificultad ostenta dentro de este significativo cambio de paradigma, orquestado por un fuerte movimiento a favor de la seguridad y reducción, en consecuencia, de las libertades individuales dentro del territorio de la Unión Europea.

Este retroceso, de nuevo, hacia el reconocimiento mutuo emana de los artículos 13, 26.4 y 5 y, en especial, del apartado primero del artículo 31 del Reglamento, pues éstos consolidan la idea de que, en aquellos supuestos en que un Fiscal Europeo Delegado precise la adopción o ejecución de una medida en un Estado miembro distinto del Estado miembro del Fiscal

---

[40]   GONZÁLEZ CANO, Mª.I.: "Nuevos Paradigmas de la Cooperación Judicial Penal en la Unión Europea", en la obra colectiva AA.VV.: *Justicia civil y penal…, op. cit.*, pp. 348-352.

[41]   Esta misma pregunta fue también formulada por los Profs. MITSILEGAS, V. y GIUFFRIDA, F. en el Capítulo VI "The European Public Prosecutor´s Office and Human Rights" del libro *Shifting Perspectives…, op. cit.*, por lo que cabe estimar su esfuerzo para corregir la situación de retroceso creada por la Propuesta de Reglamento del año 2013, y consolidada, más tarde, con el presente Reglamento.
Por desgracia, la pregunta expuesta *ut supra*, lejos de perder vigencia, ha aumentado, dada la ausencia de enmienda al contenido de las disposiciones del Reglamento sobre la Fiscalía Europea, que tratan esta importante cuestión.

Europeo Delegado encargado del caso, "*este Fiscal Europeo Delegado decidirá sobre la adopción de la medida necesaria y la asignará a un Fiscal Europeo Delegado, ubicado en el Estado miembro en el que haya de ejecutarse la medida*".

6. CONCLUSIÓN

En conclusión, se encuentra el lector ante nuevos paradigmas de la cooperación judicial penal, que nacen de un nuevo desafío y de una nueva realidad; una realidad cambiante y convulsa por la rapidez con que están evolucionando algunos fenómenos globales, como la criminalidad organizada transnacional, la corrupción, el tráfico de drogas, la inmigración clandestina y el terrorismo, y su virulencia a la hora de acometer sus actos.

Ello ha de servir como estímulo a los Gobiernos de los diversos Estados miembros para reaccionar frente a tales fenómenos con ponderada agilidad y prudencia, a fin de evitar permanecer pasivos y esperar a que la eterna tensión, entre el mantenimiento de un estándar mínimo de protección de los derechos fundamentales de los sospechosos y/o acusados y la creación de instituciones, dedicadas a la lucha contra la criminalidad organizada transnacional, conforme un obstáculo en los procesos penales transfronterizos.

BIBLIOGRAFÍA

ÁLVAREZ-OSSORIO MICHEO, Fernando, "Capítulo I. Repatriar derechos o pluralismo constitucional. El espacio de libertad, seguridad y justicia como desafío", en GONZÁLEZ CANO, María Isabel (Dir.), *Cooperación judicial penal en la Unión Europea. Reflexiones sobre algunos aspectos de la investigación y el enjuiciamiento en el espacio europeo de justicia penal*, Tirant lo Blanch, Valencia, 2015, pp. 26-30, 37-46 y 48-49.

ARANGÜENA FANEGO, Coral, "Cooperación judicial penal en la Unión Europea", en ALONSO MARTÍNEZ, Jesús María y HERRERO DE LA FUENTE, Alberto (Coords.), *El Tratado de Roma en su cincuenta aniversario*, Granada, 2007, pp. 327 y ss.

ARANGÜENA FANEGO, Coral (Dir.), *Cooperación judicial civil y penal en el nuevo escenario de Lisboa*, Granada, 2011, pp. 271-273.

ARANGÜENA FANEGO, Coral, "Nuevos avances en la armonización de garantías procesales en la UE", en GONZÁLEZ CANO, María Isabel (Dir.), *Cooperación judicial penal en la Unión Europea. Reflexiones sobre algunos aspectos de la investigación y el enjuiciamiento en el espacio europeo de justicia penal*, Tirant lo Blanch, Valencia, 2015.

ARANGÜENA FANEGO, Coral, DE HOYOS SANCHO, Montserrat y RODRÍGUEZ-MEDEL NIETO, Carmen (Coords.), *Reconocimiento Mutuo de Resoluciones Penales en la Unión Europea. Análisis teórico-práctico de la Ley 23/2014, de 20 de noviembre*, Aranzadi, Thomson Reuters, en coord. con el CGPJ e Instituto de Estudios Europeos de la Universidad de Valladolid, 2015.

BARAGGIA, Antonia, "La tutela dei diritti in Europa nel dialogo tra Corti: 'Epifanie' di una Unione dai tratti ancora indefiniti", *Rivista Associazione Italiana dei Costituzionalisti (AIC)*, núm. 2, 2015.

BARRERO ORTEGA, Abraham, LÓPEZ BASAGUREN, Alberto y ESCAJEDO SAN EPIFANIO, Leire, "Tema 1. El Derecho primario", en LÓPEZ CASTILLO, Antonio (Dir.), *Instituciones y Derecho de la Unión Europea*, Tirant lo Blanch, vol. II. Derecho de la Unión Europea, Valencia, 2016, pp. 58-64.

BOU FRANCH, Valentín y CASTILLO DAUDÍ, Mireya, *Derecho internacional de los derechos humanos y Derecho internacional humanitario*, Tirant lo Blanch, Valencia, 2014, p. 208.

CARRERA, Sergio y GEYER, Florian, "El Tratado de Lisboa y un Espacio de Libertad, Seguridad y Justicia: Excepcionalismo y Fragmentación en la Unión Europea", *Revista de Derecho Comunitario Europeo*, núm. 29, Madrid, enero/abril, 2008.

CIENFUEGOS MATEO, Manuel, "Artículo 47: derecho a la tutela judicial efectiva y a un juez imparcial", en UGARTEMENDÍA ECEIZABARRENA, Juan Ignacio, GARCÍA-VÁZQUEZ, Sonia y GOIZUETA VÉRTIZ, Juana (Dirs.), *La carta de los derechos fundamentales de la Unión Europea. Materiales de innovación docente*, Aranzadi, Thomson Reuters, 2013, pp. 453-462.

COBO SÁENZ, José Francisco, "La adhesión de la Unión al Convenio Europeo de Derechos Humanos y sus efectos en la aplicación judicial del Derecho de la Unión", *Noticias de la Unión Europea*, núm. 291, 2009, pp. 59-76.

CONTI, Roberto, "Dalla Fransson alla Siragusa. Prove tecniche di definizione dei "confini" fra diritto UE e diritti nazionali dopo Corte giust. 6 marzo,causa C-206/13 Cruciano Siragusa", *Consultaonline*, 2014.

COSTANZO, Pasquale y TRUCCO, Lara, "Il principio del "Ne bis in idem" nello spazio giuridico nazionale ed europeo (materiali per una comparazione multilivello)", en BAGNI, Silvia, FIGUEROA MEJÍA, Giovanni Azael y PAVANI, Giorgia (Coords.), *La ciencia del Derecho Constitucional comparado. Estudios en homenaje a Lucio Pegoraro* (*Coords.*), Tirant lo Blanch, Tomo III, Valencia, 2017, pp. 411-416.

DE HOYOS SANCHO, Montserrat, "Armonización de los procesos penales, reconocimiento mutuo y garantías esenciales", en DE HOYOS SANCHO, Monserrat (Coord.), *El Proceso Penal en la Unión Europea: garantías esenciales*, Lex Nova, Valladolid, 2008, p. 42.

DELMAS-MARTY, Mireille, *Corpus Juris portant dispositions pénales pour la protection des intérêts financiers de l'Union Européenne*, Economica, París, 1997.

DELMAS-MARTY, Mireille y VERVAELE, John, *La aplicación del Corpus iuris en los Estados miembros*, Intersentia, Utrecht, 2000 (http://ec.europa.eu/anti_fraud/green_paper/corpus/es-revise.pdf).

DEL VALLE GÁLVEZ, José Alejandro, "Espacio de Libertad, Seguridad y Justicia y Tratado de Lisboa", en MARTÍN PÉREZ DE NANCLARES, José (Coord.), *Tratado de Lisboa. La salida de la crisis constitucional*, Iustel, Madrid, 2008, p. 418.

DÍAZ BARRADO, Cástor Miguel, "El espacio de libertad, seguridad y justicia en el Tratado de Lisboa", en FERNÁNDEZ LIESA, Carlos Ramón, DÍAZ BARRADO, Cástor Miguel, ALCOCEBA GALLEGO, María Amparo, y MANERO SALVADOR, Ana (Coords.), *El tratado de Lisboa: análisis y perspectivas*, Dykinson, 2008, pp. 81-96.

FERNÁNDEZ ROZAS, José Carlos, "El espacio de libertad, seguridad y justicia consolidado por la Constitución Europea", *Revista Jurídica Española*, La Ley, núm. 4, 2004, pp. 1867-1881.

GONZÁLEZ CANO, María Isabel, "Algunas consideraciones sobre el reconocimiento mutuo de resoluciones firmes en materia penal", *Revista Española de Derecho Procesal*, núm. 7, 2001, pp. 19-40.

GONZÁLEZ CANO, María Isabel, "La armonización de las garantías procesales penales en la Unión Europea", en MONTERO AROCA, Juan, BARONA VILAR, Silvia y CALDERÓN CUADRADO, María Pía (Coords.), *El Derecho Procesal Español del Siglo XX a golpe de tango. Liber Amicorum, en homenaje y para celebrar su LXX cumpleaños*, Tirant lo Blanch, Valencia, 2012, p. 1247-1254.

GONZÁLEZ CANO, María Isabel, "Capítulo 11. Nuevos Paradigmas de la Cooperación Judicial Penal en la Unión Europea", en BARONA VILAR, Silvia (Edit.), *Justicia civil y penal en la era global*, Tirant lo Blanch, Valencia, 2017, pp. 339-362.

GONZÁLEZ HERRERA, Daniel, "Dictamen 2/13 del Tribunal de Justicia de la Unión Europea (Pleno): Adhesión de la Unión Europea al Convenio Europeo de Derechos Humanos", Ars Iuris Salmanticensis, *Revista europea e iberoamericana de pensamiento y análisis de derecho, ciencia política y criminología*, vol. 3, núm. 1, 2015, pp. 367-369.

GONZÁLEZ VEGA, Javier Andrés, "La "teoría del big bang" o la creciente distancia entre Luxemburgo y Estrasburgo: (Comentarios al Dictamen 2/13, del Tribunal de Justicia, de 18 de diciembre de 2014 sobre la adhesión de la unión Europea al Convenio Europeo de Derechos Humanos)", *La Ley*, Unión Europea, núm. 25, 2015, pp. 17-50.

JIMENO BULNES, Mar, "Origen y evolución de la cooperación judicial en la Unión Europea", en JIMENO BULNES, Mar (Coord.), *La Cooperación judicial civil y penal en el ámbito de la Unión Europea: instrumentos procesales*, Universidad de Burgos, Bosch, Barcelona, 2007, pp. 29 y ss.

KOKOTT, Juliane y SOBOTTA, Christoph, "Protection of Fundamental Rights in the European Union: on the relationship between EU fundamental rights, the European Convention and national standards of protection", *Yearbook of European Law*, núm. 34, 2015, pp. 60-73.

LIZARRALDE MARÍN, Imanol, "Artículo 48: presunción de inocencia y derechos de la defensa", en UGARTEMENDÍA ECEIZABARRENA, Juan Ignacio, GARCÍA-VÁZQUEZ, Sonia y GOIZUETA VÉRTIZ, Juana (Dirs.), *La carta de los derechos fundamentales de la Unión Europea. Materiales de innovación docente*, Aranzadi, Thomson Reuters, 2013, pp. 463-470.

LLOPIS NADAL, Patricia, "La necesidad procesal de la adhesión de la Unión Europea al CEDH: un asunto que continúa pendiente tras el dictamen 2/13 del TJUE", *Revista electrónica de estudios internacionales (REEI)*, núm. 29, 2015.

LLORENTE SÁNCHEZ-ARJONA, Mercedes, *Las garantías procesales en el espacio europeo de justicia penal*, Tirant lo Blanch, Valencia, 2014, pp. 17-75 y 131-141.

LÓPEZ GUERRA, Luis, "Capítulo 1. Derechos e integración europea", en UGARTEMENDIA ECEIZABARRENA, Juan Ignacio y JÁUREGUI BERECIARTU, Gurutz (Coords.), *Derecho Constitucional Europeo. Actas del VIII Congreso de la Asociación de Constitucionalistas de España*, Tirant lo Blanch, Valencia, 2011, pp. 29-37.

MANERO SALVADOR, Ana, "El valor jurídico de la Carta de los Derechos Fundamentales: de Niza a Lisboa", en ALCOCEBA GALLEGO, María Amparo, DÍAZ BARRADO, Cástor Miguel, FERNÁNDEZ LIESA, Carlos Ramón y MANERO SALVADOR, Ana (Coords.), *El Tratado de Lisboa: Análisis y perspectivas*, Dykinson, Madrid, 2008, pp. 113-132.

MANGAS MARTÍN, Araceli y LIÑÁN NOGUERAS, Diego Javier, *Instituciones y Derecho de la Unión Europea*, Tecnos, Madrid, 2016, pp. 123-150.

MARTÍN RODRÍGUEZ, Pablo, "Crónica de una muerte anunciada: Comentario a la Sentencia del Tribunal de Justicia (Gran Sala), de 26 de febrero de 2013, Stefano Melloni, C-399/11", *Revista General de Derecho Europeo*, núm. 30, 2013.

MARTÍN Y PÉREZ DE NANCLARES, José, "El TJUE pierde el rumbo en el dictamen 2/13: ¿merece todavía la pena la adhesión de la UE al CEDH?", *Revista de Derecho Comunitario Europeo*, año XIX, núm. 52, 2015, pp. 825-869.

MILIONE, Ciro, "La interpretación del artículo 47 CDFUE como expresión de la labor hermenéutica del Tribunal de Luxemburgo en la construcción de un estándar europeo de protección de los derechos", *Revista Teoría y Realidad Constitucional*, núm. 39, 2017, pp. 655-674.

MITSILEGAS, Valsamis, "The constitutional implications of mutual recognition in criminal matters in the EU", *Common Market Law Review*, núm. 43, 2006 (https://www.biicl.org/files/3190_cmlr_mutual_recognition_article.pdf).

MITSILEGAS, Valsamis, *EU Criminal Law*, Hart, Oxford/Portland, Series Modern Studies in European Law, Oregon, 2009, p. 229.

MITSILEGAS, Valsamis, "The Limits of Mutual Trust in Europe's Area of Freedom, Security and Justice: From Automatic Inter-State Cooperation to the Slow Emergence of the Individual", *Yearbook of European Law*, vol. 31, núm. 1, 2012, pp. 319-372.

MITSILEGAS, Valsamis, *EU Criminal Law after Lisbon Rights, Trust and the Transformation of Justice in Europe*, Hart Pub Limited, 2015.

MITSILEGAS, Valsamis, "The Uneasy Relationship between the United Kingdom and European Criminal Law. From Opt-Outs to Brexit?", *Criminal Law Review*, 2016 (http://qmro.qmul.ac.uk/xmlui/handle/123456789/13700).

MITSILEGAS, Valsamis y GIUFFRIDA, Fabio, "6. The European Public Prosecutor´s Office and Human Rights", en GEELHOED, Willem, ERKELENS, Leendert Hendrik y MEIJ, Arjen (Edits.), *Shifting Perspectives on the European Public Prosecutor's Office*, Springer, T.M.C. Asser Press, The Hague, 2018, p. 61.

MONTESINOS PADILLA, Carmen, *La tutela multinivel de los derechos desde una perspectiva jurídico-procesal. El caso español*, Tirant lo Blanch, Valencia, 2017, pp. 347-349 y 351-356.

MORENO CATENA, Víctor, "El cambio de paradigma y el principio de reconocimiento mutuo y sus implicaciones. Perspectivas del Tratado de Lisboa", en CARMONA RUANO, Miguel, GONZÁLEZ VEGA, Ignacio y MORENO CATENA, Víctor (Dirs.), y ARNÁIZ SERRANO, Amaya (Coord.), *Cooperación judicial penal en Europa*, Dykinson, Madrid, 2013, pp. 41 y ss.

MORENO CATENA, Víctor, *Fiscalía europea y Derechos Fundamentales*, Tirant lo Blanch, Valencia, 2014, p. 52.

OLLÉ SESÉ, Manuel, "Derecho de los sospechosos y acusados en procesos penales a interpretación, a traducción y a la información sobre la acusación: STJUE de 15 de octubre de 2015, C-216/2014: Gavril Covaci", *La Ley*, Unión Europea, núm. 35, 2016.

PASTOR RIDRUEJO, José Antonio, "La Carta de Derechos Fundamentales de la Unión Europea y la adhesión al Convenio Europeo según el Tratado de Lisboa", en GARCÍA ROCA, Francisco Javier y FERNÁNDEZ SÁNCHEZ, Pablo Antonio (Dirs.), *Integración Europea a través de derechos fundamentales: de un sistema binario a otro integrado*, Centro de Estudios Políticos y Constitucionales, Madrid, 2009, p. 12.

PAWLIK, Marta y KLIP, André, "Disappointing First Draft for a European Public Prosecutor's Office", en ERKELENS, Leendert Hendrik, MEIJ, Arjen y PAWLIK, Marta (Edits.), *The European Public Prosecutor's Office. An Extended Arm or a Two-Headed Dragon?*, T.M.C. Asser Press, The Hague, 2015, p. 188.

PÉREZ VERA, Elisa, "La problemática adhesión de la Unión Europea al Convenio Europeo de Derechos Humanos", en ALCAIDE FERNÁNDEZ, Joaquín y PETIT DE GABRIEL, Eulalia Wladimir (Edits.), *España y la Unión Europea en el orden internacional (XXVI Jornadas Ordinarias de la Asociación Española de Profesores de Derecho Internacional y Relaciones Internacionales)*, Tirant lo Blanch, Valencia, 2017, p. 61.

PUNSET BLANCO, Ramón, "Derechos fundamentales y primacía del derecho europeo antes y después del caso Melloni", *Revista Teoría y realidad constitucional*, núm. 39, 2017, pp. 189-212.

ROLDÁN BARBERO, Francisco Javier, "La Carta de Derechos Fundamentales de la Unión Europea: Su Estatuto Constitucional", *Revista de Derecho Comunitario Europeo*, vol. 7, núm. 16, 2003, pp. 943-991.

SARRIÓN ESTEVE, Joaquín, *Lecciones Fundamentales de Derecho de la Unión Europea*, Tirant lo Blanch, Valencia, 2017, p. 103.

SPAVENTA, Eleanor, *The interpretation of Article 51 of the EU Charter of Fundamental Rights: the dilemma of stricter or broader application of the Charter to national measures. A study promoted by the Petition Committee of the European Parliament*, 2016, p. 21.

VALDÉS DAL-RÉ, Fernando, "A función de protección dos dereitos fundamentais polo tribunal de xustiza da Unión Europea: entre a renovación e o continuismo", *Revista Galega de Dereito Social*, 2ª etapa, núm. 1, 2016, pp. 32-33.

VALLE-GÁLDEZ, José Alejandro: "Espacio de Libertad, Seguridad y Justicia y Tratado constitucional", *Noticias de la Unión Europea*, núm. 250, 2005.

VAN RICKEVORSEL, Elisabeth, "Droits fondamentaux (arrêt "Akerberg Fransson"; arrêt "Stefano Melloni c. Ministerio Fiscal")", *Revue du droit de l'Union Européenne*, núm. 1, 2013, p. 187.

VIDAL FERNÁNDEZ, Begoña, "De la asistencia judicial penal en Europa a un espacio común de justicia europeo", en ARANGÜENA FANEGO, Coral (Coord.), *Cooperación judicial penal en la Unión Europea: la orden europea de detención y entrega*, Valladolid, 2005, pp. 23 y ss.

CUARTA PARTE
INSTRUMENTOS PARA LA LUCHA CONTRA LA DELINCUENCIA: ¿SEGURIDAD *VERSUS* GARANTÍAS?

Capítulo X

La prueba penal en Europa, una cuestión compleja. La orden europea de investigación como nuevo instrumento de obtención de pruebas en procesos penales transnacionales y su próxima incorporación al Derecho español

Mª ISABEL ROMERO PRADAS
Catedrática EU de Derecho Procesal
Universidad de Sevilla

SUMARIO: 1. CONSIDERACIONES GENERALES. 2. ASISTENCIA JUDICIAL Y RECONOCIMIENTO MUTUO EN MATERIA DE OBTENCIÓN DE PRUEBAS. 2.1. Instrumentos de asistencia judicial mutua. 2.2. Instrumentos basados en el principio de reconocimiento mutuo. 2.2.1. Resolución de embargo preventivo de bienes y de aseguramiento de pruebas. 2.2.2. Exhorto europeo de obtención de pruebas. 2.2.3. Hacia un único instrumento de investigación y obtención de pruebas. 2.3. La Propuesta de Directiva relativa al inicialmente denominado Exhorto Europeo de Investigación: flexibilización del principio de reconocimiento mutuo. 3. LA DIRECTIVA 2014/41/CE, DE 3 DE ABRIL, RELATIVA A LA ORDEN EUROPEA DE INVESTIGACIÓN EN MATERIA PENAL. 3.1. Aspectos generales. 3.2. Principales problemas que plantea su aplicación. 3.2.1. Aplicación en el tiempo. 3.2.2. Posible aplicación en relación a otros convenios. 3.2.3. Futura transposición a nuestro ordenamiento. 4. LA ORDEN EUROPEA DE INVESTIGACIÓN COMO NUEVO INSTRUMENTO DE OBTENCIÓN DE PRUEBA PENAL TRANSFRONTERIZA. 4.1. Definición y ámbito de aplicación. 4.1.1. Ámbito. 4.1.2. Procedimientos. 4.2. Contenido y forma. 4.3. Cuestiones relativas al procedimiento: emisión y ejecución. 4.3.1. Autoridades competentes. 4.3.1.1. Autoridad de emisión. 4.3.1.2. Autoridad de ejecución. 4.3.2. Sobre la emisión y transmisión. 4.3.2.1. Solicitud de parte. 4.3.2.2. Requisitos para la emisión. 4.3.3.3. Transmisión. 4.3.3. Sobre el reconocimiento y la ejecución. 4.3.3.1. Recepción de la orden. 4.3.3.2. Principio de equivalencia. 4.3.3.3. Reconocimiento pero no ejecución. 4.3.3.4. Ley aplicable en la ejecución. 4.3.3.5. Sustitución. 4.3.3.6. Límites al principio de reconocimiento mutuo: los motivos de denegación. BIBLIOGRAFÍA.

1. CONSIDERACIONES GENERALES

Uno de los temas más complejos en el ámbito de la cooperación judicial penal es sin duda el relativo a la posibilidad de obtener pruebas en el territorio de un Estado distinto a aquél en el que se sigue el proceso para la investigación y el enjuiciamiento de la infracción penal cometida. La soberanía nacional tiene fronteras, pero la delincuencia, fundamentalmente la organizada, opera más allá de los límites territoriales de un solo Estado; la dificultad en la efectiva persecución de estos delitos transnacionales, cometidos en el territorio de dos o más Estados, favorece su impunidad.

En particular, en la cooperación judicial penal en Europa y la consecución del espacio de libertad, seguridad y justicia objetivo de la Unión Europea[1] (UE), una de las principales cuestiones planteadas y a las que se ha venido buscando solución desde las instituciones europeas, ha sido la relativa a la prueba en procesos transnacionales[2].

Pues bien, si el principio de reconocimiento mutuo, consagrado en el art. 82.1 TFEU como base de la cooperación judicial en materia penal, es la herramienta fundamental para la construcción de la Europa de la Libertad, Seguridad y Justicia, siguiendo a ORMAZÁBAL SÁNCHEZ, podemos afirmar que *uno de los aspectos más relevantes de dicho principio en materia de justicia penal en el espacio judicial europeo, es su proyección en el ámbito probatorio*[3]. Determinar el alcance del principio de reconocimiento mutuo en relación a la admisibilidad de la prueba obtenida en otro Estado miembro viene siendo, así, una de las cuestiones que reviste más complejidad.

La apertura de fronteras y la libre circulación de personas y bienes en el ámbito de la Unión determina no sólo un aumento de los intercambios entre las personas y empresas de los distintos Estados, sino, y en lo que nos

---

[1]   Arts. 3 del Tratado de la Unión Europea (TUE) y 67 del Tratado de Funcionamiento de la Unión Europea (TFUE).

[2]   BACHMAIER WINTER, Lorena, "La orden europea de investigación y el principio de proporcionalidad", *Revista General de Derecho Europeo*, núm. 25, 2011, p. 2.

[3]   *Junto con los relativos a la extradición o entrega de personas y la ejecución de sentencias*, Vid. ORMAZÁBAL SÁNCHEZ, Guillermo, "La formación del espacio judicial europeo n materia penal y el principio de mutuo reconocimiento. Especial referencia a la extradición y al mutuo reconocimiento de pruebas", en *El Derecho procesal penal en la Unión Europea* (coords.: ARMENTA DEU, Teresa; GASCÓN INCHAUSTI, Fernando; y CEDEÑO HERNÁN, Marina), Colex, Madrid, 2006, p. 44; y "La prueba penal en el Espacio judicial europeo. Asistencia judicial y mutuo reconocimiento", *La Ley Penal*, núm. 74, septiembre 2010, p. 15. En sentido similar, referido a la cooperación judicial internacional en materia penal en la UE, y destacando la recuperación de activos, JIMÉNEZ-VILLAREJO FERNÁNDEZ, Francisco, "Orden europea de investigación", *Cooperación jurídica penal internacional* (dir.: JUANES PECES, Ángel), Memento experto Francis Lefebvre, Madrid, 2016, p. 387.

interesa, una mayor facilidad para una delincuencia transnacional que busca la impunidad aprovechando esa libertad de circulación[4].

El espacio de libertad, seguridad y justicia implica la necesaria y progresiva cooperación judicial en materia penal, con la conjunción del principio de seguridad de las personas y los Estados con el derecho a la libre circulación de los ciudadanos; se trata de conseguir un espacio en el que se pueda ofrecer una respuesta conjunta del sistema judicial a la comisión de hechos delictivos con independencia del lugar de su ejecución. El binomio seguridad *versus* justicia en materia de prueba penal determina que la necesidad de conseguir un sistema eficaz en el que resulte posible la obtención de fuentes de prueba en todo el ámbito de la Unión, tenga que compatibilizarse con su utilización con las debidas garantías en el enjuiciamiento penal que se siga en cualquiera de los Estados[5].

El objetivo que potencian las instituciones europeas no es otro que la creación de una suerte de equivalente o versión probatoria de la libre circulación de mercaderías dentro de la UE[6]. En este sentido, la denominada *libre circulación de la prueba penal* aparece como uno de los objetivos prioritarios en la creación de un espacio de justicia europeo y en la lucha eficaz contra la delincuencia transnacional[7].

Lo que sucede es que el principio de reconocimiento mutuo, mientras que en el ámbito civil, en el que surge, como observa MARTÍNEZ GARCÍA, asegura el movimiento de mercados y de los derechos privados, con un efecto *liberalizador*, su expansión al proceso penal, exige asegurar la circulación de títulos judiciales que afectan a derechos fundamentales en la

---

[4] DELGADO MARTÍN, Joaquín, "La orden de detención europea y los procedimientos de entrega entre los estados miembros de la Unión Europea", en *Derecho Penal supranacional y cooperación jurídica internacional* (dir. GALGO PECO, Ángel), Cuadernos de Derecho Judicial, núm, 13, 2003, p. 288.

[5] MARTÍN GARCÍA, Antonio Luis y BUJOSA VADELL, Lorenzo, *La obtención de prueba en materia penal en la Unión Europea*, Atelier, Barcelona, 2016, pp. 15 y 16. Sobre la trasposición del principio de reconocimiento mutuo a la persecución penal el trabajo de DE HOYOS SANCHO, Monserrat, "El principio de reconocimiento mutuo de resoluciones penales en la unión europea: ¿asimilación automática o corresponsabilidad?", *Revista de Derecho Comunitario Europeo*, 2005, núm. 22, pp. 807 a 842, especialmente, pags. 818 y ss.

[6] ORMAZÁBAL SÁNCHEZ, Guillermo, "La formación del espacio judicial europeo n materia penal y el principio de mutuo reconocimiento. Especial referencia a la extradición y al mutuo reconocimiento de pruebas", op. cit, p. 44; y "La prueba penal en el Espacio judicial europeo. Asistencia judicial y mutuo reconocimiento", *op. cit.*, p. 15

[7] BACHMAIER WINTER, Lorena, "La orden europea de investigación y el principio de proporcionalidad", *Revista General de Derecho Europeo*, núm. 25, 2011, p. 75.

mayoría de los casos y, precisamente, tiene un efecto contrario, es decir, sirve para *expandir restricciones y limitaciones a la libertad personal* impuestas por una autoridad nacional sobre un individuo[8]. Y si, como se ha afirmado, la discusión generada en torno a la de Decisión Marco (DM) relativa al exhorto de obtención de pruebas muestra la complejidad de desarrollar el principio de reconocimiento mutuo, cuando no va precedido de la armonización, tanto del derecho material como del procesal, *hablar de armonización del derecho procesal en lo tocante a la prueba es hablar de derechos fundamentales y de las garantías básicas del proceso penal[9]. Especialmente, en materia de derechos fundamentales se hace compleja la materialización de este principio sin unos mínimos legales comunes que aseguren el respeto del núcleo esencial de dichos derechos[10]*. Precisamente esta dificultad lleva poniéndose de manifiesto a través de los instrumentos que han ido aplicando el principio de reconocimiento mutuo a la cooperación en materia de investigación y prueba desde hace años[11], como se analizará en el presente trabajo, y la doctrina viene reivindicando ciertos estándares de armonización para hacerlo viable[12].

En efecto, las cuestiones atinentes a la prueba en el espacio de libertad, seguridad y justicia, han seguido una evolución bastante compleja.

---

[8]   MARTÍNEZ GARCÍA, Elena, *La orden europea de investigación*, Titant lo blanch, Valencia, 2016, pp. 13 y 14. Sobre la diferente significación del principio de reconocimiento mutuo en el proceso civil y en el penal, vid. ORMAZÁBAL SÁNCHEZ, Guillermo, "La formación del espacio judicial europeo n materia penal y el principio de mutuo reconocimiento. Especial referencia a la extradición y al mutuo reconocimiento de pruebas", *op. cit.*, pp. 43 y 44.

[9]   MORENO CATENA, Víctor y ARROYO ZAPATERO, Luis, Prólogo de la obra *La Prueba en el Espacio Europeo de Libertad, Seguridad y Justicia Penal* (VVAA), Aranzadi, Navarra, 2006, p. 12.

[10] MARTÍNEZ GARCÍA, Elena, *op. cit.*, p. 14.

[11] Vid. las reflexiones de GASCÓN INCHAUSTI, Fernando, "Investigación transfronteriza, obtención de prueba penal en el extranjero y derechos fundamentales", en *Juan Montero Aroca, El Derecho Procesal español del Siglo XX a golpe de tango, Liber Amicirun, en homenaje y para celebrar su LXX cumpleaños* (coords.: GÓMEZ COLOMER, Juan Luis; BARONA VILAR, Silvia; y CALDERÓN CUADRADO, Pia), Tirant lo Blanch, Valencia, 2012, pp. 1245 y ss.

[12] Entre otros, GLASER, Sanja, MOTZ, Andreas y ZIMMERMANN, Frank, "Mutual Recognition and its Implications for the Gathering of Evidence in Criminal Proceedings: A Critical Analysis of the Initiative for a European Investigation Order", Themis 2010, Barcelona, pp. 6 y ss; AGUILERA MORALES, Marien, "El exhorto europeo de investigación: a la búsqueda de la eficacia y la protección de los derechos fundamentales en las investigaciones penales transfronterizas", *Boletín del Ministerio de Justicia*, núm. 2145, Agosto de 2012, p. 4; MARTÍNEZ GARCÍA, Elena, *op. cit.*, p. 14; MARTÍN GARCÍA, Antonio Luis y BUJOSA VADELL, Lorenzo, *op. cit.*, p. 16.

En este devenir, del que nos ocupamos en las siguientes páginas, asistimos a un escenario muy particular y decisivo, por cuanto de un lado, y tras un largo periplo legislativo, la norma europea que regula el tan esperado y esperanzado instrumento para la obtención de pruebas en el ámbito europeo, la Orden Europea de Investigación (OEI), aparece regulada en la Directiva 2014/41/CE del Parlamento Europeo y del Consejo de 3 de abril de 2014, relativa a la orden europea de investigación en materia penal (DOEI)[13]; y, por otra parte, transcurrido el tiempo previsto para que la norma europea fuera transpuesta a las legislaciones nacionales (el plazo era hasta el 22 de mayo de 2017), varios países, entre ellos España, están pendientes de su incorporación a los respectivos ordenamientos internos, si bien contamos en el nuestro con un Proyecto de Ley en tramitación que, con la reforma de la Ley 23/2014, de 20 de noviembre, de reconocimiento mutuo de resoluciones penales en la Unión Europea (LRM), incorpora la directiva a nuestro derecho[14].

A mayor abundamiento, la falta de transposición de la DOEI ha motivando la adopción del Dictamen 1/17 de la Fiscal de Sala de Cooperación Judicial Internacional sobre el régimen legal aplicable debido a la transposición en plazo de la Directiva de la Orden Europea de Investigación y sobre el significado de la expresión "disposiciones correspondientes" que sustituye dicha directiva.

Evidentemente, una aportación de las características de la presente, no puede abordar las innumerables cuestiones que tema tan trascendental como el que proponemos plantea en la cooperación judicial penal en Europa, ni por supuesto un análisis exhaustivo de los distintos instrumentos que vienen permitiendo la prueba transnacional en la UE, incluida la nueva OEI, respecto de los que contamos con abundantes y magníficos estudios doctrinales[15]. Sin embargo, nos parece que es ocasión más que propicia

---

[13]   DOUE L 130, de 1.5.2014.

[14]   España es uno de los cuatro Estados destinatarios del dictamen motivado emitido por la Comisión Europea el pasado 25 de enero en el que se les exhorta a transponer las normas para facilitar el intercambio de pruebas dentro de la UE, como se expone *infra*, 3.2.1.

[15]   Entre otros, SALCEDO VELASCO, Andrés, "Orden Europea de Embargo Preventivo y Aseguramiento de Pruebas, Decomiso y Exhorto europeo", en *Cooperación judicial penal en Europa* (dirs.: CARMONA RUANO., Miguel; GONZÁLEZ VEGA, Ignacio; y MORENO CATENA, Víctor), Dykinson, Madrid, 2013, pp. 610 a 647; BARRIENTOS PACHO, Jesús M. (dir.), *La nueva Ley para la eficacia en la Unión Europea de las resoluciones de embargo y aseguramiento de pruebas en procedimientos penales*, Estudios de Derecho Judicial, Madrid, 2007; ALIAGA CASANOVA, Alfonso C., "La Ejecución en la Unión

para detenernos y reflexionar acerca del camino recorrido y, sobre todo, de las posibilidades que el nuevo instrumento ofrece en el intercambio de pruebas en procesos penales transfronterizos.

2. ASISTENCIA JUDICIAL Y RECONOCIMIENTO MUTUO EN MATERIA DE OBTENCIÓN DE PRUEBAS

Las normas relativas a la obtención de pruebas en materia penal en la UE son de dos tipos, que aun compartiendo su origen supranacional, difieren en su fundamento y en su ámbito de aplicación. Por un lado, existen instrumentos basados en el principio de la asistencia mutua y, por otro, hay instrumentos que se basan en el principio del reconocimiento mutuo. En materia de obtención de elementos probatorios coexisten, así, instrumentos convencionales basados en la asistencia judicial mutua y en la idea de una cooperación flexible pero en todo caso respetuosa con la soberanía nacional de cada Estado, e instrumentos normativos basados en el principio de reconocimiento mutuo, que en principio imponen como obligatoria para los Estados la prestación de la cooperación instada[16].

Europea de las resoluciones de embargo preventivo de bienes y aseguramiento de pruebas. La víctima y su derecho al cobro de la indemnización", *Estudios Jurídicos*, 2008, pp. 1 a 49; BUJOSA VADELL, Lorenzo, "Ejecución en la Unión Europea de las resoluciones de embargo preventivo de bienes y de aseguramiento de pruebas. Comentario a la Decisión Marco 2003/577 JAI del Consejo, de 22 de julio de 2003", *Revista General de Derecho Europeo*, núm. 3, pp. 1 a 12; GASCÓN INCHAUSTI, Fernando, "Reconocimiento mutuo de resoluciones de embargo preventivo y aseguramiento de prueba: análisis normativo", en *Reconocimiento mutuo de resoluciones penales en la Unión Europea* (dirs. y coords.: ARANGÜENA FANEGO, Coral; DE HOYOS SANCHO, Monserrat; y RODRÍGUEZ-MEDEL NIETO, Carmen), Aranzadi, Cizur Menor, 2015, pp. 323 a 363; DE JORGE MESAS, Luis Francisco, *Reconocimiento de las resoluciones penales en la Unión Europea*, Tirant lo blanch, Valencia, 2016; BACHMAIER WINTER, Lorena, "El exhorto europeo de obtención de pruebas: análisis normativo", en *Reconocimiento mutuo de resoluciones penales en la Unión Europea* (dirs. y coords.: ARANGÜENA FANEGO, Coral; DE HOYOS SANCHO, Monserrat; y RODRÍGUEZ-MEDEL NIETO, Carmen), *op. cit.*, pp. 507 a 520; GONZÁLEZ CANO, Mª Isabel, "El Proyecto de Decisión Marco sobre el exhorto europeo de medios de prueba", en *La Prueba en el Espacio Europeo de Libertad, Seguridad y Justicia Penal* (VVAA), Aranzadi, Navarra, 2006, pp. 95 a 116.

[16] BACHMAIER WINTER, Lorena, "La orden europea de investigación y el principio de proporcionalidad", *op. cit.*, p. 75.

2.1. Instrumentos de asistencia judicial mutua

La asistencia judicial para la obtención de pruebas en el ámbito europeo se ha basado principalmente en las disposiciones del Convenio de 20 de abril de 1959 sobre asistencia mutua en materia penal, elaborado en el seno del Consejo de Europa, y sus Protocolos de 1978 y 2001. El Convenio de 1959 se completa con las previsiones contenidas en el Convenio de Aplicación del Acuerdo de Schengen, de 10 de junio de 1990.

La regla general establecida en el Convenio de 1959 (art. 3.1) es que las comisiones rogatorias han de ejecutarse de conformidad con las normas procesales del Estado requerido. También se prevé (art. 4) la posibilidad de que el Estado requirente solicite expresamente al requerido que le informe de la fecha y lugar de ejecución de la comisión rogatoria con el objeto de que, si así lo consiente el Estado requerido, las autoridades y las personas interesadas puedan concurrir al acto de práctica de la prueba. Además, se incluyen como causas de denegación de la asistencia judicial, entre otras (art. 5), el posible "perjuicio a la soberanía, la seguridad, el orden público u otros intereses esenciales de su país" (art. 2.b), causas que dejan abierto un amplio margen de discrecionalidad, ya que su contenido es amplio y poco definido. Debe resaltarse, igualmente, que el requisito de la doble incriminación se suaviza mediante el Convenio de Aplicación de Schengen (art. 51), que reduce además sensiblemente los motivos de denegación y, como regla, permite el contacto directo entre las autoridades judiciales del Estado requirente y requerido (art. 53).

Estos eran los principales instrumentos para la obtención de pruebas en el ámbito de procesos penales transfronterizos hasta la entrada en vigor del Convenio europeo relativo a la asistencia judicial en materia penal entre los Estados miembros de la Unión Europea, de 29 de mayo de 2000 (25 de agosto de 2005), y que, sin abandonar los principios de la asistencia mutua sobre los que se asienta el Convenio de 1959, representó un importante avance en el desarrollo de la cooperación judicial, y al que hay que unir un Protocolo Adicional de 16 de octubre de 2001. El Convenio tiene por objeto mejorar la cooperación judicial en materia penal entre los Estados miembros de la Unión (art. 1), lo que significa que para aquellas materias o cuestiones que no se regulan en el Convenio de 2000, siguen siendo aplicables las disposiciones del Convenio de 1959 y el Acuerdo de Schengen[17]. El Convenio de 2000 recoge la regulación detallada de la posible adopción

---

[17]   BACHMAIER WINTER, Lorena, "El exhorto europeo de obtención de pruebas en el proceso penal. Estudio y perspectivas de la propuesta de Decisión Marco", en *El Dere-*

de diligencias o técnicas especiales de investigación internacionales, con la finalidad de contribuir a la lucha contra la criminalidad organizada. De acuerdo con el art. 4.1, en los casos en los que se conceda la asistencia judicial, el Estado miembro requerido observará los trámites y procedimientos indicados expresamente por el Estado miembro requirente, salvo disposición contraria del presente Convenio y siempre que dichos trámites y procedimientos no sean contrarios a los principios fundamentales del Derecho del Estado miembro requerido; esta cierta asunción del principio *forum regit actum*, aunque condicionado a los principios fundamentales del Derecho del Estado miembro requerido, facilita que las medidas ejecutadas en el Estado requerido sean admisibles en el Estado solicitante.

2.2. *Instrumentos basados en el principio de reconocimiento mutuo*

Al tiempo que avanzaba la vía convencional para dotar de mayor agilidad a la tramitación y cumplimiento de las peticiones de asistencia judicial mutua, a partir del Consejo Europeo de Tampere de 1999 se acuerda avanzar en la cooperación judicial sustituyendo paulatinamente el sistema de asistencia judicial mutua por el principio de reconocimiento mutuo, también en materia de prueba penal. Dicho principio, consagrado entonces como "piedra angular" de la cooperación judicial civil y penal en la UE[18], tiene como base la confianza mutua y ha supuesto una auténtica revolución en las relaciones de cooperación entre los Estados miembros, al permitir que aquella resolución emitida por una autoridad judicial de un Estado sea reconocida y ejecutada en otro Estado miembro, salvo cuando concurra alguno de los motivos que permita denegar su reconocimiento[19].

Y es que, de acuerdo con la valoración realizada por las instituciones europeas, los mecanismos convencionales de asistencia judicial mutua ado-

---

cho procesal penal en la Unión Europea (coords.: ARMENTA DEU, Teresa; GASCÓN IN-CHAUSTI, Fernando; y CEDEÑO HERNÁN, Marina), Colex, Madrid, 2006, pp. 135.

[18] Conclusión núm. 33: "Un mejor reconocimiento mutuo de las resoluciones y sentencias judiciales y la necesaria aproximación de las legislaciones facilitaría la cooperación entre autoridades y la protección judicial de los derechos individuales. Por consiguiente, el Consejo Europeo hace suyo el principio del reconocimiento mutuo, que, a su juicio, debe ser la piedra angular de la cooperación judicial en materia civil y penal en la Unión. El principio debe aplicarse tanto a las sentencias como a otras resoluciones de las autoridades judiciales".

[19] Así se expresa el Preámbulo de la LRM (I), en el que se resume de manera clara y ordenada la asunción, alcance y evolución del reconocimiento mutuo en la cooperación judicial en la UE.

lecen de falta de agilidad y eficacia, por lo que se persigue sustituir la vía de la asistencia mutua por instrumentos de cooperación judicial europea, que además de agilizar la transmisión de solicitudes y evitar obstáculos lingüísticos y formales, limiten los motivos de denegación de auxilio[20].

2.2.1. Resolución de embargo preventivo de bienes y de aseguramiento de pruebas

De acuerdo con la conclusión núm. 36 del tan citado Consejo de Tampere, "el principio del reconocimiento mutuo debe aplicarse también a los autos anteriores al juicio, en particular a los que permiten a las autoridades competentes actuar con rapidez para obtener pruebas y embargar bienes que puedan ser trasladados con facilidad; las pruebas obtenidas legalmente por las autoridades de un Estado miembro deberán ser admisibles ante los tribunales de otros Estados miembros, teniendo en cuenta la normativa que se aplique en ellos".

En 2001, según lo dispuesto en el Programa de medidas destinado a poner en práctica el principio de reconocimiento mutuo de las resoluciones en materia penal[21], dicho principio "debe procurarse" en cada una de las fases del proceso penal, tanto antes, como durante e incluso después de dictarse la sentencia condenatoria. Así, el Programa[22], fijaba como prioridades la adopción de instrumentos que apliquen el principio de reconocimiento mutuo al embargo preventivo de bienes y al aseguramiento de pruebas[23]. De ahí que se iniciaran los trabajos en esta materia que abocaron

---

[20] Vid. BACHMAIER WINTER, Lorena, "La orden europea de investigación: la propuesta de Directiva europea para la obtención de pruebas en el proceso penal", *op. cit.* p. 78.

[21] Diario Oficial n° C 012 de 15/01/2001 p. 0010. 0022.

[22] Adoptado el 29 de noviembre de 2000, de conformidad con las conclusiones del Consejo Europeo de Tampere (36).

[23] Entre las resoluciones relativas a la protección de las pruebas y al embargo de bienes (2.1), se consideran, en primer término, las destinadas a la obtención de pruebas (2.1.1), con el objetivo de "permitir la admisibilidad de las pruebas, evitar su desaparición y facilitar la ejecución de las resoluciones de registro y de incautación con el objeto de garantizar que se obtengan rápidamente elementos probatorios en el marco de una causa penal (punto 36 de las conclusiones del Consejo Europeo de Tampere). Convendrá tener presentes el artículo 26 del Convenio europeo sobre transmisión de procedimientos en materia penal, de 15 de mayo de 1972, y el artículo 8 del Convenio de Roma de 6 de noviembre de 1990 sobre transmisión de los procedimientos en materia penal"; en segundo lugar, las medidas provisionales a efectos de decomiso o de devolución a las víctimas (2.1.2), con el objetivo de "permitir el reconocimiento y la

en la Decisión Marco del Consejo 2003/577/JAI, de 22 de julio de 2003, relativa a la Ejecución en la Unión Europea de las resoluciones de embargo preventivo de bienes y aseguramiento de pruebas[24], segundo paso de la Unión en el desarrollo del principio de reconocimiento mutuo, después de la Decisión Marco 2002/584/JAI del Consejo, de 13 de junio de 2002, relativa a la orden de detención europea y a los procedimientos de entrega entre Estados miembros[25], y primero, aunque tímido, en orden a abordar la necesidad de del reconocimiento mutuo inmediato de resoluciones para prevenir la destrucción, transformación, desplazamiento, transferencia o enajenación de pruebas. No obstante, habida cuenta de que el instrumento se limita a la fase de embargo, las resoluciones de embargo tienen que ir acompañadas de una solicitud por separado de transferencia de la prueba de conformidad con las normas aplicables a la asistencia mutua en materia penal. Esto resulta en un procedimiento en dos etapas, lo que perjudica su eficacia. Además, este régimen coexiste con los instrumentos tradicionales de cooperación, por lo que en la práctica las autoridades competentes lo utilizan con muy poca frecuencia[26].

La DM 2003/577JAI fue incorporada al Derecho español a través de la Ley 18/2006, de 5 de junio, para la eficacia en la Unión Europea de las

---

ejecución inmediata de las resoluciones de embargo preventivo de bienes con vistas al decomiso o a su devolución a la víctima de una infracción penal":

Medida n° 6: Elaboración de un instrumento sobre reconocimiento de las resoluciones de embargo de pruebas, a fin de impedir la pérdida de pruebas que se encuentren en el territorio de otro Estado miembro.

Medida n° 7: Elaboración de un instrumento sobre el reconocimiento mutuo de las resoluciones de embargo preventivo de bienes. Este instrumento debería permitir embargar provisionalmente bienes en caso de urgencia, sin recurrir a los procedimientos de asistencia judicial, mediante la ejecución de los autos pronunciados por un órgano jurisdiccional de otro Estado miembro.

Se podrá prever el mismo instrumento para la realización de las medidas 6 y 7.

[24] DOUE L 196, de 2.8.2003, en adelante, DMEPBAP.

Iniciativa de la República Francesa, del Reino de Suecia y del Reino de Bélgica, DO C 75, de 7/3/2001, p. 3.

[25] DOUE L 190, de 18.7.2002, en adelante DMODE. Se ha afirmado que el motivo de que fuera aprobada con anterioridad esta última no es otro que lo atentados del 11-S (SALCEDO VELASCO, A., "Orden Europea de Embargo Preventivo y Aseguramiento de Pruebas, Decomiso y Exhorto europeo", *op. cit.*, p. 618.

[26] Considerando 3 DOEI.

Vid. ALIAGA CASANOVA, Alfonso C., "La Ejecución en la Unión Europea de las resoluciones de embargo preventivo de bienes y aseguramiento de pruebas. La víctima y su derecho al cobro de la indemnización", *op. cit.*, p. 20; RODRÍGUEZ-MEDEL NIETO, Carmen, *Obtención y admisibilidad en España de la prueba penal transfronteriza: de las comisiones rogatorias a la orden europea de investigación, op. cit.*, p. 502.

resoluciones de embargo y aseguramiento de pruebas en procedimientos penales y, posteriormente, integrada su regulación en la LRM (Título VII, arts. 143 a 156).

2.2.2. Exhorto europeo de obtención de pruebas

El denominado Programa de la Haya[27] (también conocido, informalmente, como Tampere II), para la consolidación de la libertad, la seguridad y la justicia en la Unión Europea, abordó específicamente, dentro del plan de implementación del principio de reconocimiento mutuo, las resoluciones que tienen por objeto la obtención y admisibilidad de la prueba disponiendo que el Consejo deberá adoptar para finales de 2005 la Decisión marco relativa al exhorto europeo de obtención de pruebas[28].

La Comisión había presentado la Propuesta de Decisión Marco en 2003[29], que fijaba como fecha límite para su implementación el 1 de enero de 2005[30]. Sin embargo, la Decisión Marco no vio la luz hasta finales de 2008 (DM 2008/978/JAI del Consejo, de 18 de diciembre, relativa al exhorto europeo de obtención de pruebas para recabar objetos, documentos y datos destinados a procedimientos en materia penal[31]), después de largas negociaciones[32], en las que la propuesta de la Comisión se fue reduciendo notablemente[33], debido a los recelos frente a la implantación del principio

---

[27] Aprobado en el Consejo Europeo de 4 y 5 de diciembre de 2004 (DOUE C 53/1).
Punto 3.3.1: "Deberá completarse el amplio programa de medidas destinadas a poner en práctica el principio de reconocimiento mutuo de las resoluciones judiciales en materia penal, que abarca las resoluciones judiciales en todas las etapas del procedimiento penal o relativas por otros conceptos a dicho procedimiento, como la obtención y admisibilidad de las pruebas, …".

[28] Punto 3.3.1, III; COM(2003) 688 final, Propuesta presentada por la Comisión el 14.11.2003.

[29] COM (2003) 688 final, Propuesta presentada por la Comisión el 14.11.2003.

[30] Art. 25 de la Propuesta.

[31] DOUE L 350, de 30.12.2008.

[32] El Plan de Acción elaborado para cumplir los objetivos fijados en el programa de la Haya presentado en 2005 menciona en el punto 4.1 el objetivo de completar el EEP para 2007.

[33] Son abundantes e interesantes los estudios doctrinales sobre este instrumento durante todo este tiempo. Véase como muestra, GONZÁLEZ CANO, Mª Isabel, "El Proyecto de Decisión Marco sobre el exhorto europeo de medios de prueba", *op. cit.*, pp. 100 y ss.; BACHMAIER WINTER, Lorena, "El exhorto europeo de obtención de pruebas en el proceso penal. Estudio y perspectivas de la propuesta de Decisión Marco", en *El Derecho procesal penal en la Unión Europea* (coords.: ARMENTA DEU, Teresa; GASCÓN

de reconocimiento mutuo y la problemática específica que se plantea en materia de obtención de pruebas en otro Estado[34].

Resulta innegable que se quiso avanzar respecto de la anterior DM 2003/577/JAI, relativa a la ejecución en la Unión Europea de las resoluciones de embargo preventivo de bienes y aseguramiento de pruebas, que abordó la necesidad del reconocimiento mutuo inmediato de resoluciones para prevenir la destrucción, transformación, desplazamiento, transferencia o enajenación de pruebas. Se argumentaba, como se ha dicho, que ésta sólo cubre la parte de la cooperación judicial en materia penal en cuanto a pruebas, y el traslado subsiguiente de la misma se deja a los procedimientos de asistencia judicial. Era necesario por ello mejorar más la cooperación judicial aplicando el principio de reconocimiento mutuo a una resolución judicial, bajo la forma de un exhorto europeo, con el fin de obtener objetos, documentos y datos para su uso en procesos penales[35].

El exhorto podrá utilizarse para obtener cualquier objeto, documento o dato para su uso en los procedimientos en materia penal para los que puede emitirse. Estos pueden ser, por ejemplo: objetos, documentos o datos de un tercero; los procedentes de un registro de los locales del sospechoso, incluido su domicilio; datos históricos sobre el uso de cualquier servicio incluidas transacciones financieras; documentos históricos de declaraciones, entrevistas e interrogatorios; y otros documentos, incluidos los resultados de técnicas de investigación especiales[36].

Debe destacarse que esta DM crea, al igual que la DM sobre la orden europea de detención y entrega, un título europeo único a través del cual, con único modelo, todas las autoridades judiciales competentes solicitan el traslado de la prueba a las autoridades competentes del Estado donde ésta se encuentra.

Con el exhorto, efectivamente, se da un paso importantísimo para obtener pruebas que obren en otro Estado, bajo el principio de reconocimiento mutuo. Se trata de una resolución judicial emitida por una autoridad competente de un Estado miembro, con objeto de recabar objetos, documentos y datos de otro Estado miembro para incorporarlos a los procesos

---

INCHAUSTI, Fernando; y CEDEÑO HERNÁN, Marina), Colex, Madrid, 2006, pp. 132 y ss.

[34] BACHMAIER WINTER, Lorena, "La propuesta de Directiva europea sobre la orden de investigación penal: valoración crítica de los motivos de denegación", *Diario La Ley*, 28 de diciembre de 2012, núm. 7992, p. 76.

[35] Considerandos 5 y 6 DM 2008/978/JAI.

[36] Considerando 7 DM 2008/978/JAI.

penales entablados por una autoridad judicial o que van a entablarse por hechos constitutivos de delito con arreglo a la legislación nacional del Estado de emisión (arts. 1 y 5 DM 2003/577/JAI).

Se ha afirmado que, como consecuencia de los principios inspiradores del exhorto, se genera la desaparición del principio de doble incriminación, se produce una restricción de las causas de denegación de la ejecución del exhorto, se crea un procedimiento exclusivamente judicial y se utiliza un modelo unificado de resolución judicial para toda la UE que se transmitirá de manera directa de juez a juez si se conoce el paradero de aquello que quiere solicitarse, previéndose la posibilidad de asistencia por la Red Judicial Europea o de Eurojust[37].

Debe expedirse sólo cuando la autoridad de emisión considere que los objetos, documentos o datos recabados son necesarios y proporcionados al objeto del procedimiento para el que se solicita y que podrían obtenerse conforme a la ley del Estado de emisión en un caso comparable si estuvieran disponibles en su territorio, aunque hubiera que utilizar para ello medidas procesales diferentes (art. 7 DM 2003/577/JAI).

Sin embargo, el exhorto sólo podrá emitirse para obtener los objetos, documentos o datos que ya obren en poder de la autoridad de ejecución antes de la emisión del exhorto (art. 4 DM), por lo que su escaso éxito estaba ya anunciado desde su nacimiento. En este sentido resulta muy ilustrativa la Exposición de Motivos que acompañaba a la Propuesta de DM, al considerar el EEP un "primer paso hacia un único instrumento de reconocimiento mutuo que en su momento sustituirá al actual régimen de asistencia judicial"[38]. Y es que, en esta primera fase que constituyó el EEP al fin y al cabo, el reconocimiento mutuo se refiere sólo a las pruebas preexistentes, como claramente se desprende del contenido del art. 4 en sus distintos apartados, lo que constata la estrecha cobertura de este instrumento que en ningún caso permite la práctica de pruebas nuevas por parte de la autoridad de ejecución, sino sólo el traslado de las preexistentes y su disposición[39].

---

[37] GRANDE MARLASKA-GÓMEZ, Fernando y DEL POZO PÉREZ, Marta, "La obtención de fuentes de prueba en la Unión europea y su validez en el proceso penal español", *Revista General de Derecho Europeo*, núm. 24, 2011, p. 32; y MARTÍN GARCÍA, Antonio Luis y BUJOSA VADELL, Lorenzo, *op. cit.*, pp. 60 y 61.

[38] Punto 39 de la EM de la DM 2008/978 JAI

[39] MARTÍN GARCÍA, Antonio Luis y BUJOSA VADELL, Lorenzo, *op. cit.*, p. 61.

El EEP nació con vocación de provisionalidad dado su ámbito en exceso reducido al prever de forma exclusiva el reconocimiento de resoluciones jurisdiccionales dictadas con el fin de reunir (y en su caso remitir) tales objetos, documentos o datos destinados a ser utilizados en un proceso penal pendiente en diferente Estado miembro sin contemplar cualesquiera otros medios probatorios más allá de éste de carácter documental[40].

La DM 2008/978/JAI no fue transpuesta a nuestro derecho hasta la promulgación de la LRM (Título X, arts. 186 a 200), ley integradora de todos los instrumentos de reconocimiento mutuo, cuando la DOEI ya estaba aprobada, circunstancia curiosa que tendremos ocasión de comentar.

2.2.3. Hacia un único instrumento de investigación y obtención de pruebas

Como se apuntaba, la escasa utilización del EEP motivada fundamentalmente por su limitado ámbito de aplicación, provocó que pronto ya se hablara de su sustitución por un instrumento más completo, aprovechando el nuevo marco sentado por el Tratado de Lisboa[41].

En este sentido se fueron sucediendo y superponiendo distintas actuaciones tendentes a aclarar y solucionar en el ámbito de la UE la deficiente regulación de la obtención de pruebas en los procesos penales transfronterizos.

---

[40]   JIMENO BULNES, Mar, "Orden europea de investigación en materia penal", *Aproximación legislativa versus reconocimiento mutuo en el desarrollo del espacio judicial europeo: una perspectiva multidisciplinar* (dir. JIMENO BULNES, Mar), Barcelona, Bosch, 2016, p. 153; GRANDE MARLASKA-GÓMEZ, Fernando y DEL POZO PÉREZ, Marta", *op. cit.* p. 33; BACHMAIER WINTER, Lorena, "La orden europea de investigación: la propuesta de Directiva europea para la obtención de pruebas en el proceso penal", *op. cit.*, pp. 79, 80 y 91, especialmente; MORÁN MARTÍNEZ, Rosa Ana, "Obtención y utilización de la prueba transnacional", *Revista de Derecho Penal*, núm. 30, mayo 2010, p. 102; y RODRÍGUEZ-MEDEL NIETO, Carmen, *op. cit.*, pp. 502 y 503..

[41]   Así lo mantuvo también el Parlamento europeo años atrás, en su informe de 22 de marzo de 2004 en el calificó de "prematura" la Propuesta de DM del EEP. Se afirma en dicho informe que "sólo podrá aprobarse un exhorto europeo de obtención de pruebas una vez que entre en vigor un Tratado constitucional europeo que prevea la protección efectiva de los derechos fundamentales y el papel legislativo del Parlamento Europeo".

En primer lugar, el Programa de Estocolmo[42] reafirma el objetivo de alcanzar la implantación del principio de reconocimiento mutuo en la obtención de cualquier tipo de prueba en los procesos transnacionales en materia penal. El Consejo Europeo considera que debe proseguirse la creación de un sistema general para obtener pruebas en los casos con dimensión transfronteriza, basado en el principio de reconocimiento mutuo. Los instrumentos existentes en este ámbito constituyen un sistema fragmentario. Es necesario un nuevo planteamiento, basado en el principio de reconocimiento mutuo, pero que tenga también en cuenta la flexibilidad del sistema tradicional de asistencia judicial. Este nuevo modelo podría tener un alcance más amplio y debería cubrir tantos tipos de pruebas como sea posible, teniendo en cuenta las medidas de que se trate. Se concluye así con la necesidad de aprobar un sistema integral y completo que sustituya al exhorto europeo y al aseguramiento de las pruebas conforme a la DM de 2003, que cubra, en la medida de lo posible, todos los tipos de pruebas, preexistentes o no, que contenga plazos concretos de ejecución y limite en la medida de lo posible los argumentos para la denegación; así como que se estudie si hay otros medios para facilitar la admisión de pruebas en este ámbito[43].

Por otra parte, el 11.11.2009 la Comisión adoptó el denominado "Libro Verde sobre la obtención de pruebas en materia penal en otro Estado miembro y sobre la garantía de su admisibilidad", con el objetivo de consultar a los Estados miembros, así como a todas las partes interesadas, sobre la configuración de un nuevo instrumento europeo para la obtención de pruebas y su admisibilidad en el proceso penal[44], que tiene por objeto pulsar opiniones y recoger experiencias para presentar una propuesta de regulación[45].

---

[42] "Una Europa abierta y segura que sirva y proteja al ciudadano", adoptado los días 11 y 12 de diciembre de 2009 (DO C 115, de 4.5.2010).

[43] Punto 3.1.1.

[44] COM(2009)624 final.

[45] Como se destaca en los antecedentes, "desde la entrada en vigor del Tratado de Ámsterdam, un cierto número de textos han puesto en evidencia la necesidad de facilitar la obtención de pruebas en un contexto transfronterizo y de fomentar la admisibilidad de tales pruebas en los tribunales": tras destacar las conclusiones de Tampere y aludir al Programa de la Haya, señala que la Comunicación de la Comisión "Un espacio de libertad, seguridad y justicia al servicio de los ciudadanos" —Comunicación de la Comisión al Parlamento Europeo y al Consejo, COM(2009) 262— prevé entre otras medidas el establecimiento de un sistema completo de obtención de pruebas en los asuntos transnacionales. Con arreglo a dicha Comunicación, para ello sería necesario un nuevo y único instrumento que sustituyera a todos los instrumentos jurídicos exis-

Finalmente, en abril de 2010, superponiéndose al Libro Verde, y antes incluso de que llegara a aplicarse el exhorto europeo de obtención de pruebas, a iniciativa de varios estados miembros, la Comisión presentó la Propuesta de Directiva relativa al exhorto europeo de investigación[46] (EEI), con un ámbito mucho más extenso que el del EEP.

2.3. La Propuesta de Directiva relativa al inicialmente denominado Exhorto Europeo de Investigación: flexibilización del principio de reconocimiento mutuo

En efecto, en abril de 2010 siete Estados miembros (entre ellos, España[47]) presentaron al Parlamento Europeo y al Consejo una iniciativa con vistas a la adopción de una directiva relativa al exhorto europeo de investigación en materia penal. Con este texto se pretendió alcanzar el anhelado objetivo de lograr una cooperación más eficaz en la obtención de fuentes de prueba en materia penal, de acuerdo con la consulta, aunque no se abordó el propósito de establecer una regulación unitaria en materia de admisibilidad de pruebas, dada la ausencia de consenso sobre este punto por parte de las delegaciones de los estados miembros, aparcando el segundo objetivo del anterior Libro Verde[48]. Se seguía la ruta iniciada por el Programa de Estocolmo, apostando por erigirse en el único instrumento que diera cobertura normativa a un sistema para la obtención de cualquier fuente de prueba con trascendencia penal, tomando para ello como referencia la flexibilidad propia del sistema del sistema tradicional de asistencia mutua y como base el principio de reconocimiento mutuo consagrado en el Tratado de Lisboa (art. 82.1.a TFUE) [49].

---

tentes en este ámbito. Este instrumento, reconocido automáticamente y aplicable en toda la Unión, favorecería una cooperación flexible y rápida entre los Estados miembros. Además de fijar plazos de ejecución y limitar al máximo los motivos de denegación, podría incluir normas sobre la prueba electrónica y un sistema europeo de orden de comparecencia que haga uso de las oportunidades que ofrece la videoconferencia. También podrían establecerse unos principios mínimos para facilitar la admisibilidad mutua de las pruebas entre Estados miembros, incluidas las pruebas científicas.

[46]   DOUE C 165, de 24.5.2010.
[47]   Además de Bélgica, Bulgaria, Estonia, Austria, Eslovenia y Suecia. DOC 165, de 24.6.2010.
[48]   JIMENO BULNES, Mar, op. cit., p. 158.
[49]   AGUILERA MORALES, Marien, op. cit., p. 3.

El punto de partida que sirve de fundamento a la PDOEI[50] para ofrecer un novedoso planteamiento que favorece la libre y eficaz circulación de pruebas no es otro que el "fragmentario y complicado", según se ha calificado por la doctrina y la propia Exposición de motivos de la Propuesta, marco normativo vigente en materia de obtención de prueba transfronteriza[51].

En efecto, la situación es confusa para los operadores jurídicos, para quienes no resulta fácil concretar a qué instrumento recurrir debido a la fragmentación normativa. Además, es frecuente en la práctica acudir a los sistemas de asistencia judicial antes que a los de reconocimiento mutuo, no sólo por la tradición en su utilización sino por el limitado ámbito de aplicación de estos últimos, algunos sin haber alcanzado siquiera la implementación (la fecha prevista de transposición de la DM sobre el EEP era el 19.1.2011). De este modo lo común era acudir a los instrumentos convencionales de asistencia mutua porque pese a la escasa eficacia y la lentitud que los caracteriza, permiten cubrir todas las solicitudes de obtención de pruebas, así como su aseguramiento y transferencia al Estado requirente[52].

En innegable que la Propuesta pretende alcanzar el anhelado objetivo de lograr una cooperación más eficaz en la obtención de pruebas en materia penal, siguiendo la ruta trazada por el Programa de Estocolmo. La empresa no es fácil y a pesar de la loable intención que la animaba, pronto se sucedieron críticas fundadas sobre todo en dos factores: de una lado, se cuestionaba el propio fundamento del principio de reconocimiento mutuo en relación con las resoluciones de obtención de pruebas; de otro, la ausencia de parámetros comunes acerca del estándar de protección que deben tener los derechos fundamentales y las garantías procesales básicas en relación con las diligencias de investigación penal[53].

---

[50] Adoptamos esta nomenclatura para referirnos a la Propuesta de directiva que finalmente cambia el término exhorto por el de orde, como se comentara Infra, 3.1.

[51] También de la DOEI. Vid. AGUILERA MORALES, Marien, *op. cit.*, p. 5; y JIMÉNEZ-VILLAREJO FERNÁNDEZ, Francisco, "Orden europea de investigación: ¿adiós a las comisiones rogatorias?", en Cooperación judicial civil y penal en el nuevo escenario de Lisboa (coord.: ARANGÜENA FANEGO, Coral), Comares, Granada, 2011, p. 178, donde muy gráficamente escenifica la situación con un símil teatral.

[52] BACHMAIER WINTER, Lorena, "La orden europea de investigación: la propuesta de Directiva europea para la obtención de pruebas en el proceso penal", *op. cit.*, pp. 79 y 80; AGUILERA MORALES, Marien, *op. cit.*, p. 5.

[53] AGUILERA MORALES, Marien, *op. cit.*, pp. 3 y 4.
Vid. JIMÉNEZ-VILLAREJO FERNÁNDEZ, Francisco, "Orden europea de investigación: ¿adiós a las comisiones rogatorias?", *op. cit.*, pp. 180 y ss. Afirma este autor en

3. LA DIRECTIVA 2014/41/CE, DE 3 DE ABRIL, RELATIVA A LA ORDEN EUROPEA DE INVESTIGACIÓN EN MATERIA PENAL

Con los antecedentes y el marco normativo descritos, finalmente en abril de 2014 se aprueba la DOEI[54], tras un largo proceso de negociación desde que la iniciativa fuera presentada en abril de 2010[55].

Advierte JIMÉNEZ-VILLAREJO que tratándose de una de las primeras normas de la era post-Lisboa[56] se ha escogido por el legislador europeo la Directiva como fuente normativa de legislación secundaria del Derecho de la Unión. Con ello, sin perjuicio del desarrollo que se haga de la misma en cada Estado miembro, la DOEI contiene una regulación común con evidente valor hermenéutico, no sólo por lo establecido en la conocida Sentencia del caso Pupino, sino también, y sobre todo, por lo previsto con carácter general en la LRM (art. 4.3), que prescribe la interpretación de sus normas de conformidad con las normas de la UE reguladoras de cada uno de los instrumentos de reconocimiento mutuo, aplicable por adelantado a la transposición que España haga de la DOEI en un futuro próximo[57].

Debe tenerse en cuenta que la creación de este nuevo instrumento representa un paso importantísimo en la obtención de pruebas en otro Estado miembro y obedece al objetivo marcado de superar la complejidad del sistema vigente en el que se mezclan y superponen instrumentos basados en el principio de reconocimiento mutuo con los de asistencia mutua, lo

---

"Orden europea de investigación", *op. cit.*, p. 387, que la PDOEI responde al propósito declarado de transformar el desangelado y fragmentado sistema actual de aseguramiento, obtención y traslado de elementos de prueba entre los Estados miembros de la UE, sustituyéndolo por un nuevo marco normativo que reemplace al existente puzzle normativo de convenios, protocolos, acciones comunes, decisiones y decisiones marco vigentes, creando un régimen único y consolidado, evidentemente más consistente, previsible y eficaz, como "piedra angular" del "Derecho Probatorio Europeo", basado en un sistema de libre circulación de pruebas en materia penal dentro del Espacio de Libertad, Seguridad y Justicia Europeo.

[54]　Citada supra, 1.

[55]　Vid. las consideraciones de RODRÍGUEZ-MEDEL NIETO, Carmen, *op. cit.*, pp. 502 y 503.

[56]　Señala ARANGÜENA FANEGO, Coral, "Orden europea de investigación: próxima implementación en España del nuevo instrumento de obtención de prueba penal transfronteriza", *Revista de Derecho Comunitario Europeo*, núm. 58, 2017, p. 908, que es la primera directiva europea en materia de prueba transnacional que ha sido adoptada al amparo del art. 82.2 del TFEU.

[57]　JIMÉNEZ-VILLAREJO FERNÁNDEZ, Francisco, "Orden europea de investigación", *op. cit.*, p. 390.

que desde todos los análisis resultaba insostenible. Esta es la razón por la que se apostó por un único instrumento, de alcance más amplio, y que permita cubrir tantos tipos de pruebas como sea posible, esto es, tanto las medidas de investigación con vistas a la obtención de pruebas, como la obtención de pruebas que ya están en posesión de la autoridad de ejecución.

En este sentido, es innegable, a pesar de los debates sobre la conveniencia de adoptar el sistema que se diseña en la norma europea[58], que la opción va a contribuir a avanzar en la obtención y transmisión de pruebas en procesos penales transnacionales, sin desconocer que hay cuestiones que se podrían haber mejorado y que habrá que estar a la transposición a los ordenamientos internos que aún no lo han hecho, entre ellos el español, transcurrida con exceso la fecha de implementación prevista en la norma europea.

Pues bien, en el presente apartado nos ocupamos de las cuestiones más generales relativas a la norma europea que crea el nuevo instrumento de cooperación judicial y que, además de las características esenciales, tienen que ver con su entrada en vigor y su efectiva aplicación en los procesos penales transnacionales. Las cuestiones relativas al contenido de la Directiva y el funcionamiento de la OEI las abordaremos en el epígrafe que se dedica a la OEI, aunque no pretendemos ni es el momento de realizar un exhaustivo análisis de todas ellas, por otra parte abordadas en interesantes trabajos doctrinales[59].

---

[58]   Se debatió sobre la necesidad de la aprobación de este instrumento, así como de la conveniencia de sustituir el sistema de asistencia mutua por el principio de reconocimiento mutuo para articular la cooperación judicial internacional de la UE en materia de prueba penal. Vid. ORMAZÁBAL SÁNCHEZ, Guillermo, "La formación del espacio judicial europeo n materia penal y el principio de mutuo reconocimiento. Especial referencia a la extradición y al mutuo reconocimiento de pruebas", *op. cit.*, pp. 50 y ss,; y "La prueba penal en el Espacio judicial europeo. Asistencia judicial y mutuo reconocimiento", pp. 15 y ss. También BACHMAIER WINTER, Lorena, "La orden europea de investigación: la propuesta de Directiva europea para la obtención de pruebas en el proceso penal", *op. cit.* p. 92; y "Prueba transnacional penal en Europa: la Directiva 2014/41 relativa a la Orden Europea de Investigación", *Revista General de Derecho Europeo*, núm. 36, 2015, p. 3.

[59]   RODRÍGUEZ-MEDEL NIETO, *op. cit.* pp. 293 y ss.; MARTÍNEZ GARCÍA, Elena, *op. cit.*; JIMÉNEZ-VILLAREJO FERNÁNDEZ, Francisco, "Orden europea de investigación", *op. cit.*; GONZÁLEZ MONJE, Alicia, Cooperación jurídica internacional en materia penal e intervención de comunicaciones como técnica especial de investigación, Comares, Granada, 2017, pp. 79 y ss; DE JORGE MESAS, Luis Francisco, Reconocimiento de las resoluciones penales en la Unión Europea, *op. cit.*, pp. 117 y ss; y BACHMAIER WINTER, Lorena, "Prueba transnacional penal en Europa: la Directiva 2014/41 relati-

3.1. Aspectos generales

La Directiva se aprueba finalmente el 3 de abril de 2014, después de un largo e intenso *iter* legislativo, adoptando finalmente el instrumento la denominación de "orden" que sustituye al original término de "exhorto", cuestión terminológica que la doctrina vino poniendo de manifiesto desde un inicio[60], y que consta de un Preámbulo con cuarenta y seis considerandos, treinta y nueve artículos distribuidos en siete capítulos (la orden europea de investigación; procedimientos y salvaguardias para el Estado de emisión; procedimientos y salvaguardias para el Estado de ejecución; disposiciones específicas para determinadas medidas de investigación; intervención de telecomunicaciones;, medidas cautelares y disposiciones finales) así como cuatro anexos.

Como se ha recogido de manera sucinta, y en la literatura sobre cooperación judicial en materia penal se ha desarrollado con detalle en los últimos años, la diferencia del nuevo instrumento que crea la directiva con el anterior EEP es clara[61], fundamentalmente porque cubre cualquier medida de investigación, contribuyendo al desarrollo del denominado *Derecho probatorio transnacional*[62]. Puede afirmarse que con la nueva norma queda

---

va a la Orden Europea de Investigación", Revista General de Derecho Europeo, núm. 36, 2015, pp. 1 a 35.

[60] Ya para el anterior EEP se había puesto así de manifiesto por GONZÁLEZ CANO, Mª Isabel, *op. cit.*, p. 102, quien incluso destacaba que hablar de "exhorto" para la "obtención de pruebas" resulta procesalmente impropio, ya que lo que se recaba o respecto a lo que se solicita la entrega son datos, objetos o elementos que puedan llegar a constituir fuentes de prueba, y en su día, en el juicio oral, material sobre el que practica la prueba en sentido estricto. También destaca AGUILERA MORALES, Marien, *op. cit.* p. 3, nota 3, que "exhorto" es término habitual de los tradicionales instrumentos de asistencia judicial de índole convencional, mientras que lo propio de los instrumentos normativos europeos basados en el reconocimiento mutuo son términos como "mandato" u "orden", más acordes con el carácter generalmente vinculante que se liga a su ejecución. Sobre el acierto del cambio de denominación vid. más recientemente JIMENO BULNES, Mar, "Orden europea de investigación en materia penal", *op. cit.*, p. 160; y GONZÁLEZ MONJE, Alicia, *op. cit.*, p. 80.
En la sección K del formulario A (también en el PMLRM) se mantiene por inercia el término exhorto.

[61] Vid. BACHMAIER WINTER, Lorena, "La orden europea de investigación: la propuesta de Directiva europea para la obtención de pruebas en el proceso penal", *op. cit.*, pp. 80 y ss.

[62] VOGEL, Joachin, "La prueba transnacional en el proceso penal: un marco para la teoría y praxis", en *La Prueba en el Espacio Europeo de Libertad, Seguridad y Justicia Penal* (VVAA), Aranzadi, Navarra, 2006, p. 48.

superado el *escenario desordenado*, como lo calificó JIMÉNEZ-VILLAREJO[63], provocado por la convivencia de distintos instrumentos convencionales y de reconocimiento mutuo en la UE en materia de prueba, con la sustitución de las comisiones rogatorias por un sistema de certificado único con base en el modelo de cooperación horizontal entre autoridades judiciales[64].

En relación con lo anterior, la DOEI asume un planteamiento muy acertado, que resulta imprescindible a nuestro juicio, para que el nuevo instrumento pueda ser utilizado de manera eficaz. Téngase en cuenta, como se ha dicho, que se trata de un instrumento de reconocimiento mutuo y no de aproximación legislativa, al haber sido aparcado el segundo objetivo recogido en el Libro Verde, el de la adopción de criterios comunes en materia de admisibilidad probatoria, debido a la falta de consenso entre los Estados miembros para esta cuestión[65]. Un instrumento como el que se regula en la DOEI y con la finalidad de aunar la dispersa regulación en materia probatoria no hubiera salido adelante basado de manera estricta y exclusiva en el principio de reconocimiento mutuo. De ahí que el planteamiento de la norma haya sido el de combinar el principio de reconocimiento mutuo, en el que efectivamente se basa el instrumento, con los que fundamentan los sistemas convencionales de asistencia judicial[66], lo que atribuye a la Directiva una naturaleza compleja, en la que se evidencia un significativo desplazamiento de la concepción del modelo de reconocimiento mutuo como alternativa al sistema de asistencia judicial, al modelo de reconocimiento mutuo combinado con el sistema de asistencia judicial[67].

---

[63] JIMÉNEZ-VILLAREJO FERNÁNDEZ, Francisco, "Orden europea de investigación: ¿adiós a las comisiones rogatorias?",*op. cit.*, p. 178.

[64] DE AMICIS, Gaetano, "Llimiti e prospettive del mandato europeo di ricerca della prova", https://www.penalecontemporaneo.it/upload/Relazione%20De%20Amicis.pdf, p. 12; JIMENO BULNES, Mar, "Orden europea de investigación en materia penal", *op. cit.*, pp. 159 y160.

[65] Vid. supra, 2.3.

[66] El propio Preámbulo, en el considerando 6 señala que "El Consejo Europeo indicó que los instrumentos existentes en este ámbito constituyen un régimen fragmentario y que es necesario un nuevo planteamiento basado en el principio de reconocimiento mutuo pero que tenga también en cuenta la flexibilidad del sistema tradicional de asistencia judicial".

[67] GONZÁLEZ MONJE, Alicia, *op. cit.*, pp. 80 y 81, donde señala que este nuevo modelo podrá tener un alcance más amplio y deberá cubrir tantos tipos de pruebas como sea posible, teniendo en cuenta las medidas de que se trate. Vid. también BACHMAIER WINTER, Lorena, "La orden europea de investigación: la propuesta de Directiva europea para la obtención de pruebas en el proceso penal", *op. cit.*, p. 86; y "Prueba

Como tercera característica debe destacarse que al concebirse la OEI como único instrumento para la obtención de prueba penal transfronteriza en la Unión Europea consigue unificar la normativa sobre la materia[68], pues como el art. 34 dispone, sustituye —para los Estados miembros vinculados por la Directiva— a la Decisión Marco 2008/978/JAI, las disposiciones de la Decisión Marco 2003/577/JAI en relación con el aseguramiento de pruebas, y a las disposiciones correspondientes de los instrumentos convencionales de asistencia judicial que recoge, esto es, al Convenio Europeo de Asistencia Judicial en Materia Penal del Consejo de Europa, de 20 de abril de 1959, así como sus dos protocolos adicionales, al Convenio relativo a la aplicación del acuerdo de Schengen; y al Convenio relativo a la asistencia judicial en materia penal entre los Estados miembros de la Unión Europea y su Protocolo —aplicables a las relaciones entre los Estados miembros también vinculados por la Directiva—. Como único instrumento para la obtención de prueba penal transfronteriza en la Unión Europea, la orden se expedirá a efectos de obtener una o varias medidas de investigación específicas que se llevarán a cabo en el Estado de ejecución de la misma, con vistas a la obtención de pruebas o a recabar las que ya están en posesión de la autoridad de ejecución[69].

Especial consideración merecen las notas de simplificación y celeridad procedimental[70] en la obtención y traslado transfronterizo de fuentes de prueba con las que se ha concebido la OEI, Así, de un lado, la simplificación de trámites y requisitos formales se consigue mediante el empleo de un formulario estandarizado; y la aceleración que se imprime en la obten-

---

transnacional penal en Europa: la Directiva 2014/41 relativa a la Orden Europea de Investigación", *op. cit.*, pp. 29 y ss.

[68] JIMÉNEZ-VILLAREJO FERNÁNDEZ, Francisco, "Orden europea de investigación", *op. cit.*, p. 391; SALCEDO VELASCO, Andrés, *op. cit.*, p. 618; y AGUILERA MORALES, Marien, *op. cit.*, pp. 5 y 6.

[69] En el mismo sentido, JIMÉNEZ-VILLAREJO FERNÁNDEZ, Francisco, "Orden europea de investigación", *op. cit.*, p. 395, donde analiza la relación de la DOEI con los diferentes instrumentos normativos existentes, partiendo del indudable acierto que —a su juicio— ha supuesto la aprobación de un único instrumento normativo integrador o global en materia de obtención y libre circulación del material probatorio, incluyendo la práctica de diligencias de investigación necesarias para su obtención, mediante la sustitución o reemplazo de todos los convenios de asistencia mutua en materia penal y las Decisiones Marco existentes, tal y como establece el art. 34 de la DOEI. De ahí el ámbito horizontal que predica el considerando 8 DOEI, como ver AGUILERA MORALES, Marien, emos Infra, 4.1.1.

[70] AGUILERA MORALES, Marien, *op. cit.*, p. 6.

ción de prueba transnacional, mediante la fijación de plazos para acusar recibo de la orden de investigación, reconocimiento y ejecución[71].

La DOEI diseña con carácter general un verdadero procedimiento supranacional[72] para la obtención transfronteriza de material probatorio, ya que se ocupa de regular de manera bastante completa, la emisión y transmisión, el reconocimiento y la ejecución de una OEI, con plazos vinculantes de reconocimiento y ejecución (art. 12), el traslado de pruebas (art. 13), las vías de recurso (art. 14), así como otras cuestiones relevantes, aunque no siempre con el mismo acierto.

Finalmente, y en el bance negativo, debemos referir, como se ha puesto de manifiesto, la asistemática y dispersa regulación de los motivos de denegación del reconocimiento o la ejecución[73].

3.2. *Principales problemas que plantea su aplicación*

3.2.1. Aplicación en el tiempo

La DOEI entró en vigor, de acuerdo con el art. 38, a los veinte días de su publicación en el DOUE, debiendo los Estados miembros tomar las medidas necesarias para dar cumplimiento a lo previsto en la norma europea "a más tardar el 22 de mayo de 2017", en los términos del art. 36. Como disposiciones transitorias se disponía que "las solicitudes de asistencia judicial recibidas antes del 22 de mayo de 2017 se seguirán rigiendo por los instrumentos existentes sobre asistencia judicial en materia penal, así como que "las resoluciones de aseguramiento de pruebas adoptadas en virtud de la Decisión Marco 2003/577/JAI y recibidas antes del 22 de mayo de 2017 también se regirán por esta última Decisión Marco" (art. 35)[74].

Además, al haberse concebido a la OEI como único instrumento en orden a la obtención de pruebas, el art. 34, que dispone las relaciones con

---

[71] ARANGÜENA FANEGO, Coral, *op. cit.* p. 914.
[72] JIMÉNEZ-VILLAREJO FERNÁNDEZ, Francisco, "Orden europea de investigación", *op. cit.*, p. 391; y ARANGÜENA FANEGO, Coral, *op. cit.*, pp. 913 y 914.
[73] JIMÉNEZ-VILLAREJO FERNÁNDEZ, Francisco, "Orden europea de investigación", *op. cit.*, p. 392; y ARANGÜENA FANEGO, Coral, *op. cit.*, p. 914. Vid. Infra, 4.3.3.6.
[74] De acuerdo con el núm 2 del precepto, "el artículo 8, apartado 1, será aplicable *mutatis mutandis* a la OEI como consecuencia de una resolución de embargo preventivo de bienes o aseguramiento de pruebas adoptada en virtud de la Decisión Marco 2003/577/JAI".

otros instrumentos jurídicos, acuerdos y pactos, según se ha visto, establece en sus dos primeros números lo siguiente:

> "1. Sin perjuicio de su aplicación entre los Estados miembros y terceros Estados y de su aplicación temporal en virtud del artículo 35, la presente Directiva sustituye, a partir del 22 de mayo de 2017, a las disposiciones correspondientes de los siguientes convenios aplicables a las relaciones entre los Estados miembros vinculados por la presente Directiva:
>
> a) Convenio Europeo de Asistencia Judicial en Materia Penal del Consejo de Europa, de 20 de abril de 1959, así como sus dos protocolos adicionales y los acuerdos bilaterales celebrados con arreglo a su artículo 26;
>
> b) Convenio relativo a la aplicación del acuerdo de Schengen;
>
> c) Convenio relativo a la asistencia judicial en materia penal entre los Estados miembros de la Unión Europea y su Protocolo.
>
> 2. Queda sustituida la Decisión Marco 2008/978/JAI por la presente Directiva para todos los Estados miembros vinculados por la presente Directiva. Las disposiciones de la Decisión Marco 2003/577/JAI quedan sustituidas por la presente Directiva para todos los Estados miembros vinculados por la presente Directiva en relación con el aseguramiento de pruebas".

Pues bien, en la fecha inicialmente prevista, eran pocos los Estados que habían traspuesto la DOEI a sus legislaciones internas. En el caso de España, como se ha dicho, se da la circunstancia de que la DOEI se aprueba cuando ni siquiera la DM 2008/978/JAI había sido transpuesta a nuestro derecho, lo que aconteció, como se sabe, con la LRM, ley integradora de todos los instrumentos de reconocimiento mutuo. Pues bien, disponiendo la DOEI la sustitución de la DM 2008/978/JAI para todos los Estados miembros vinculados por la Directiva (art. 34.2), se plantea una primera cuestión: la vigencia de los arts. 186 a 200 LRM, cuando además el Reglamento (UE) 2016/95 del Parlamento Europeo y del Consejo de 20 de enero de 2016, por el que se derogan determinados actos en el ámbito de la cooperación policial y judicial en materia penal[75] deroga la DM Marco 2008/978/JAI (exhorto europeo de obtención de pruebas) que, como se indica en el considerando 11 "fue sustituida por la Directiva 2014/41/UE del Parlamento Europeo y del Consejo relativa a la orden europea de investigación, ya que el ámbito del exhorto europeo de obtención de pruebas era demasiado limitado"; y "puesto que la orden europea se aplicará entre 26 Estados miembros y el exhorto europeo solo seguiría siendo aplicable entre los dos únicos Estados miembros que no participan en la orden europea, el exhorto europeo ha perdido, por lo tanto, su utilidad como instrumento de cooperación en materia penal y debe derogarse".

---

[75]   DOUE L 26, de 2.2.2016

Esta incierta situación se acrecienta por la falta de transposición, como hubiera sido deseable, en plazo, lo que sin duda hubiera servido para aclarar el escenario complicado que la DOEI está llamada a corregir y que se verá prorrogado hasta tanto se cuente con todas las normas de transposición. Las normas contenidas en los arts. 34 a 36 DOEI no permiten resolver las situaciones originadas por la falta de transposición, consideradas por ARANGÜENA FANEGO *de asimetría absoluta al coexistir Estados que han transpuesto de directiva con aquéllos que no lo han hecho*[76]. A fecha de finales de febrero de 2018, al cerrar estas páginas, aún varios Estado, uno de ello el nuestro, no han cumplido con la obligación de transposición, lo que ha provocado que la Comisión Europea haya emitido un dictamen motivado[77] dirigido a ellos en el que se les exhorta a transponer las normas de la DOEI para facilitar el intercambio de pruebas, en los siguientes términos: "Los Estados miembros tenían como plazo hasta el 22 de mayo de 2017 para incorporar a sus legislaciones nacionales las normas de la UE relativas a la orden europea de investigación. La Comisión envió una carta de emplazamiento a estos Estados miembros en julio de 2017. Si los Estados miembros en cuestión no actúan en el plazo de dos meses, el asunto podría remitirse al Tribunal de Justicia de la UE".

3.2.2. Posible aplicación en relación a otros convenios

Otro interesante problema se deriva de la escasa precisión, en el art. 34.1 DOEI, de lo que deba entenderse por "disposiciones correspondientes" de los convenios que sustituye la norma. El precepto sólo dispone, al regular las relaciones con otros instrumentos jurídicos, acuerdos y pactos, que "sin perjuicio de su aplicación entre los Estados miembros y terceros Estados y de su aplicación temporal en virtud del artículo 35, la presente Directiva sustituye, a partir del 22 de mayo de 2017, a las disposiciones co-

---

[76] ARANGÜENA FANEGO, Coral, *op. cit.*, p. 912, señalando que la directiva no contempla previsión alguna para dar solución a las situaciones de falta de transposición. Vid también RODRÍGUEZ-MEDEL NIETO, Carmen, *op. cit.*, pp. 303 y 304.

[77] Se argumenta que la Directiva, que se basa en el reconocimiento mutuo, exige a los Estados miembros que reconozcan y ejecuten la solicitud de pruebas presentada por otro Estado miembro de la misma manera y bajo las mismas circunstancias que si la medida de investigación hubiera sido ordenada por una autoridad nacional. De esta manera, la lucha contra la delincuencia y el terrorismo es mucho más rápida y eficaz a nivel europeo. Puede consultarse en *Boletín Unión Europea*, enero 2018, http://intranet.bibliotecasgc.bage.es/intranet-tmpl/prog/img/local_repository/koha_upload/690f1446f33c9a9f393de9956650702a_Boletin%20UE%20ENERO18.pdf.

rrespondientes de los siguientes convenios aplicables a las relaciones entre los Estados miembros vinculados por la presente Directiva: Convenio Europeo de Asistencia Judicial en Materia Penal del Consejo de Europa, de 20 de abril de 1959, así como sus dos protocolos adicionales y los acuerdos bilaterales celebrados con arreglo a su artículo 26; Convenio relativo a la aplicación del acuerdo de Schengen; Convenio relativo a la asistencia judicial en materia penal entre los Estados miembros de la Unión Europea y su Protocolo". Esta falta de claridad ha sido observada desde distintos ámbitos, y exigirá la aclaración de la interpretación que deba darse a la expresión recogida en la norma. Como se ha puesto de manifiesto, se trata de una expresión excesivamente vaga[78] que obligará a las autoridades nacionales a realizar un esfuerzo interpretativo adicional a la hora de establecer si una concreta medida a solicitar ha de canalizarse a través de los convenios o de la OEI teniendo en cuenta, por tanto, que los convenios siguen siendo aplicables parcialmente[79]. En palabras de RODRÍGUEZ-MEDEL, dejar al operador jurídico nacional la determinación de cuándo debe entenderse sustituida o no una determinada disposición convencional por el articulado de la DOEI genera una seria incertidumbre que, previsiblemente, dará lugar a problemas prácticos en su interpretación y aplicación por nuestros tribunales[80].

3.2.3. Futura transposición a nuestro ordenamiento

Como se viene exponiendo, España ha incumplido sus obligaciones en cuanto a la implementación de la OEI, según el plazo previsto en la DOEI para su transposición a las legislaciones internas de los Estados miembros.

Pues bien, como también se ha referido, la falta de transposición genera situaciones de incertidumbre evidentes, ya que la norma europea no contempla estos supuestos de falta de transposición. Teniendo en cuenta que era relevante el número de Estados miembros que no tendrían transpuesta la norma en plazo y la situación de especial gravedad a la que irremediablemente conducía tal circunstancia, la Fiscalía General del Estado, a través de Fiscal de Sala de Cooperación Judicial Internacional, adoptó en mayo

---

[78]   Así fue destacado en el Dictamen de Eurojust a la Propuesta de DOEI, publicado como documento del Consejo de 4 de marzo de 2011 (6814/11).

[79]   ARANGÜENA FANEGO, Coral, *op. cit.*, p. 912. Vid. también, JIMÉNEZ-VILLAREJO FERNÁNDEZ, Francisco, "Orden europea de investigación", *op. cit.*, pp. 395 y 396.

[80]   RODRÍGUEZ-MEDEL NIETO, Carmen, *op. cit.*, p. 306, y sobre la problemática, pp. 304 y ss.

pasado[81] el Dictamen 1/17 sobre el régimen legal aplicable debido a la no transposición en plazo de la Directiva de la Orden Europea de Investigación y sobre el significado de la expresión "disposiciones correspondientes" que sustituye dicha directiva.

Presentado un Anteproyecto en julio de 2017[82], el 24 de noviembre pasado, el Consejo de Ministros, a propuesta del ministro de Justicia, Rafael Catalá, ha aprobado el Proyecto de Ley por la que se modifica la Ley 23/2014, de 20 de noviembre, de reconocimiento mutuo de resoluciones penales en la Unión Europea, para regular la Orden Europea de Investigación[83] al que estamos denominando PMLRM.

Esta ley aborda, en consecuencia, el mandato de transposición de la citada directiva y, a tal fin, modifica la LRM con el fin de incorporarla al Derecho español. También se prevén una serie de pequeños ajustes de cuestiones surgidas durante la vigencia de dicha ley y que era necesario actualizar o corregir[84].

Aunque tras la promulgación de la LRM pudo pensarse que el nuevo instrumento, ya diseñado en la Directiva, se incluiría a través de un nuevo título en el texto de la Ley, el XI, tras el Exhorto, es lo cierto que sustituida la norma europea por la Directiva y posteriormente derogada por el Reglamento (UE) 2016/95 del Parlamento europeo y del Consejo de 20 de enero de 2016, la reforma de la LRM en tramitación parlamentaria acertadamente opta por sustituir el título X dedicado al exhorto por el nuevo instrumento, la orden europea de investigación[85].

---

[81] El 19 de mayo de 2017.

[82] El Pleno del CGPJ emitió su Informe sobre el Anteproyecto de Ley por la que se modifica la Ley 23/2014, de 20 de noviembre, de reconocimiento mutuo de resoluciones penales en la unión europea, para regular la orden europea de Investigación el 28 de septiembre de 2017; puede consultarse el texto en http://www.poderjudicial.es/cgpj/es/Poder-Judicial/Consejo-General-del-Poder-Judicial/Actividad-del-CGPJ/Informes/

[83] BOCG de 1 de diciembre de 2017.

[84] EM PMLRM II, penúltimo párrafo.

[85] Vid. las consideraciones al respecto de RODRÍGUEZ-MEDEL NIETO, Carmen, *op. cit.*, p. 302.
No faltan voces que ponen de manifiesto que quizás hubiera sido preferible postergar la promulgación de la norma española a fin de recoger el nuevo instrumento, evitando la problemática que la situación actual está provocando. En este sentido, JIMENO BULNES, Mar, *op. cit.*, pp. 153 y 154.
Expresa la EX LMPRM, III, segundo párrafo, que el proceso de transposición conlleva modificar los artículos relevantes de la Ley 23/2014, de 20 de noviembre, con la introducción de las previsiones que el Derecho de la Unión Europea requiere. Esta

Los criterios seguidos en la transposición —según la EM II, último párrafo— se han basado en los principios de la buena regulación, comprendiendo el principio de necesidad y eficacia al cumplir la obligación de transposición con fidelidad al texto de la directiva y con la mínima reforma de la actual normativa, de manera que se evite la dispersión en aras de la simplificación; así como en los principios de proporcionalidad, al contener la regulación imprescindible para atender la necesidad a cubrir, y de seguridad jurídica, ya que se realiza con el ánimo de mantener el marco normativo estable, predecible, integrado y claro, que produjo la compilación de la LRM.

"El apartado diecisiete del artículo único introduce un nuevo Título X en la Ley 23/2014, de 20 de noviembre, que regula la orden europea de investigación, sustituyendo al exhorto, derogado por la normativa europea; en particular, por el Reglamento (UE) 2016/95 del Parlamento Europeo y del Consejo, de 20 de enero de 2016, por el que se derogan determinados actos en el ámbito de la cooperación policial y judicial en materia penal. Dicho título se estructura siguiendo el esquema de la ley modificada, esto es, un capítulo de cuestiones generales de la orden de investigación, y sendos capítulos para emisión y ejecución.

En coherencia con lo anterior, se sustituye el anexo XIII de la Ley 23/2014, de 20 de noviembre, que se correspondía con el anexo correspondiente al exhorto, incluyendo en la modificación los anexos correspondientes a la orden europea de investigación"[86].

En realidad lo que quedaba pendiente con la promulgación de la LRM no era sólo la inclusión del nuevo instrumento, sino la forma de abordarla teniendo en cuenta que la DOEI sustituye a la DM 2008/978, y de manera parcial, a la 2003/577 en relación con el aseguramiento de pruebas, para todos los Estados miembros vinculados por aquélla[87].

---

forma de transposición es la más idónea, la más adecuada desde el punto de vista de la técnica normativa y la que ofrece mayor seguridad jurídica, ya que se continúa con el sistema de inclusión y regulación en una sola norma —con rango de Ley por exigencia formal y material— de los instrumentos y medidas de reconocimiento mutuo penales dentro de la Unión Europea, ofreciendo así a los operadores jurídicos una visión completa del sistema de reconocimiento mutuo penal dentro de la UE y de su regulación en un único instrumento jurídico en el ordenamiento interno y evitando la dispersión normativa.

[86] Párrafos tercero y cuarto de la EM LMLRM III.
[87] En este sentido la única previsión que contiene el PMLRM es la introducción de un nuevo apartado 4 en el art. 143 con la siguiente redacción: "La resolución de aseguramiento de pruebas regulada en este título únicamente podrá ser emitida o recono-

4. LA ORDEN EUROPEA DE INVESTIGACIÓN COMO NUEVO INSTRUMENTO DE OBTENCIÓN DE PRUEBA PENAL TRANSFRONTERIZA

El nuevo instrumento de reconocimiento mutuo, denominado OEI, incluye el concepto de requerimiento entre autoridades mediante la utilización del término "orden", ajeno a los mecanismos de asistencia convencional a través de comisiones rogatorias. Por otra parte, la mención del término "investigación", da clara muestra de su finalidad, la de llevar a cabo medidas de investigación con vistas a la obtención de pruebas, que constituye su objetivo principal[88].

Para completar este estudio sobre la obtención de pruebas en la UE corresponde finalmente analizar, aunque sólo pueda hacerse de manera general y breve, la regulación que realiza la DOEI sobre los aspectos mas generales del nuevo instrumento, lo que además parece oportuno abordar acudiendo también a las previsiones que se contienen en el PMLRM que se está tramitando, con las necesarias reservas por tratarse de una norma proyectada.

4.1. Definición y ámbito de aplicación

De conformidad con el art. 1.1 DOEI, la OEI se configura como una resolución judicial emitida o validada por una autoridad judicial de un Estado miembro para llevar a cabo una o varias medidas de investigación en otro Estado miembro con vistas a obtener pruebas con arreglo a la presente Directiva. También se podrá emitir una OEI, según el precepto, para obtener pruebas que ya obren en poder de las autoridades competentes del Estado de ejecución[89].

---

cida y ejecutada en España cuando se dirija o provenga, respectivamente, de Estados miembros de la Unión Europea que no estuvieran vinculados por la orden europea de investigación regulada en el título X".

[88] RODRÍGUEZ MEDEL NIETO, Carmen, *op. cit.* p. 296, nota 2, puntualiza que es cierto que la DOEI no regula sólo diligencias de investigación sino también medidas cautelares (art. 32), pero entendemos que lo hace de manera accesoria a la propia investigación, que reviste el carácter de objetivo principal del instrumento.

[89] De manera similar, aunque algo más precisa, el art. 186.1.II PMLRM la define como la una resolución penal emitida o validada por la autoridad competente de un Estado miembro de la Unión Europea, dictada con vistas a la realización de una o varias medidas de investigación en otro Estado miembro, cuyo objetivo es la obtención de pruebas para su uso en un proceso penal. También se podrá emitir una orden europea de

Sucede, sin embargo, que la DOEI no contiene, como parece que hubiera sido deseable, una definición de lo que deba entenderse por medida de investigación[90], cuando además desde un inicio en la tramitación de la directiva ha estado claro que el objeto fundamental de la OEI es la adopción de una o varias medidas de investigación y no la prueba que con ella se pretende obtener[91]. Una correcta definición, que podría haberse abordado en el art. 2 DOEI, hubiera permitido distinguir, como señala RODRÍGUEZ MEDEL[92], cuándo se trata de una medida con finalidad de investigar y cuándo de una medida para el aseguramiento cautelar, como las reguladas en el art. 32 DOEI.

Como se ha venido poniendo de manifiesto, la determinación del ámbito de los distintos instrumentos jurídicos para la obtención de prueba penal transfronteriza constituye característica definitoria del instrumento en cuestión; esto es lo que ha justificado la promulgación de distintas normas europeas sobre esta materia[93].

Debe abordarse así, junto a la definición de la OEI, su ámbito de aplicación, al que se refiere de manera expresa y directa, no única, el art. 3 DOEI y, en relación al mismo, los tipos de procedimientos para los que puede emitirse, según el art. 4.

4.1.1. Ámbito

Conforme al art. 3 DOEI, "la OEI comprenderá todas las medidas de investigación con excepción de la creación de un equipo conjunto de investigación y la obtención de pruebas en dicho equipo".

De este modo, en la delimitación del ámbito de aplicación de la OEI destaca ante todo la amplitud con la que se ha concebido al nuevo instrumento, en íntima relación con su propia razón de ser. Como gráficamente se expresa el considerando 8 de la propia DOEI, "la OEI debe tener un ámbito horizontal y por ello se debe aplicar a todas las medidas de investigación dirigidas a la obtención de pruebas".

---

investigación con vistas a la remisión de pruebas o de diligencias de investigación que ya obren en poder de las autoridades competentes del Estado miembro de Ejecución.
[90]   JIMENO BULNES, Mar, *op. cit.*, pp. 169 y 170.
[91]   ARANGÜENA FANEGO, Coral, *op. cit.*, p. 916.
[92]   RODRÍGUEZ-MEDEL NIETO, Carmen, *op. cit.*, p. 309.
[93]   Vid. RODRÍGUEZ-MEDEL NIETO, Carmen, *op. cit.*, p. 308.

No obstante, como se ha puesto de manifiesto, la previsión ha sido de manea general criticada por no definir lo que debe entenderse por medida de investigación[94].

Es evidente, por tanto, que esta amplitud implica aglutinar en un único instrumento jurídico medidas de muy distinta naturaleza, por lo que desde la Propuesta, junto al régimen general aplicable a todas estas medidas, se ha regulado también un régimen especial para ciertas medidas de investigación en los capítulos IV y V (arts. 22 a 31), únicas para las que sí hay una referencia específica.

Con las precisiones anteriores, el ámbito se extiende de manera fundamental a medidas de investigación que deban practicarse, comprendiendo también las que ya obren en poder de las autoridades competentes del Estado de ejecución, así como las que tiendan a la adopción de cualquier medida de investigación destinada a impedir de forma cautelar la destrucción, transformación, desplazamiento, transferencia o enajenación de un objeto que pudiera emplearse como pruebas (art. 32.1 DOEI)[95].

La amplitud con la que se ha concebido el ámbito de aplicación de la OEI alcanza también a cualquier fase del procedimiento penal, incluida la del enjuiciamiento. Como se indica en el considerando 25, la DOEI "establece normas para la práctica de una medida de investigación en cualquiera de las fases del procedimiento penal, incluida la de la vista", previsión que no se ha llevado, sin embargo, al articulado del texto legal, lo que sin duda hubiera sido más correcto y conveniente[96].

La DOEI excluye de su ámbito de aplicación a los equipos conjuntos de investigación y la obtención de pruebas en dicho equipo, como queda establecido en el artículo 13 del Convenio relativo a la asistencia judicial

---

[94] Vid. tambien MANGIARACINA, Annalisa, "A New and Controversial Scenario in the Gathering of Evidence at the European Level: The Proposal for a Directive on the European Investigation Order", *Utrecht Law Review*, vol. 10, Issue I (January) 2014, p. 120; JIMENO BULNES, Mar, *op. cit.*, pp. 170 y 171; AGUILERA MORALES, Marien, *op. cit.*, p. 9; ARANGÜENA FANEGO, Coral, *op. cit.*, p. 916; JIMÉNEZ-VILLAREJO FERNÁNDEZ, Francisco, "Orden europea de investigación", *op. cit.*, p. 402; y GONZÁLEZ MONJE, Alicia, *op. cit.*, p. 83.

[95] Vid. sobre las medidas de aseguramiento de pruebas, RODRÍGUEZ-MEDEL NIETO, Carmen, *op. cit.*, pp. 333 y 334.

[96] Señala RODRÍGUEZ-MEDEL NIETO, Carmen, *op. cit.*, p. 310, que del modo en que ha quedado plasmado —sólo en el considerando 25— puede pasar desapercibido para el operador jurídico nacional o para el legislador nacional de implementación, cuando es una cuestión de singular importancia que no se colige fácilmente de una primera lectura del texto.

en materia penal entre los Estados miembros de la Unión Europea[97] y en la Decisión Marco 2002/465/JAI del Consejo[98], salvo a efectos de la aplicación, respectivamente, del artículo 13, apartado 8, del Convenio y del artículo 1, apartado 8, de la Decisión Marco. Se coincide en justificar la exclusión en que la creación de equipos conjuntos de investigación se basa en la autonomía de la voluntad de los estados miembros implicados y no en el principio de reconocimiento mutuo, ya que en estos casos las pruebas circulan libremente entre los miembros del equipo, sin que necesiten una OEI para ello[99]. No obstante, se tiene en cuenta, según el art. 13.8 CAJ, que cuando el equipo conjunto de investigación necesite ayuda de un Estado miembro que no haya participado en la creación del equipo o de un tercer Estado, las autoridades competentes del Estado en el que actúe el equipo podrán formular la petición de ayuda a las autoridades competentes del otro Estado afectado, de conformidad con los instrumentos o disposiciones aplicables", lo que incluye la emisión, en su caso, de una OEI[100].

El PMLRM, entre las disposiciones generales, se refiere expresamente y en los mismos términos a este ámbito y la exclusión relativa a los equipos conjuntos de investigación, aclarando de manera expresa que "cuando un equipo conjunto de investigación necesite que las diligencias de investigación se practiquen en el territorio de un Estado miembro que no haya participado en el equipo podrá emitirse una orden europea de investigación a las autoridades competentes de dicho Estado".

Por otra parte, también queda fuera del ámbito de aplicación de la OEI la vigilancia transfronteriza a la que se refiere el Convenio de aplicación del Acuerdo de Schengen, según se indica expresamente en el considerando 9 DOEI. En este caso la exclusión no se recoge en el articulado de la norma, que de manera expresa tampoco excluye la cooperación policial y administrativa, a la que pertenece la vigilancia aduanera, a la que sin lugar a dudas no se aplica la DOEI, y que sólo cuanta con plasmaciones concretas en el texto normativo. De todos modos, no puede desconocerse que la exclusión relativa a la vigilancia transfronteriza puede suscitar dudas en los

---

[97]   Convenio celebrado por el Consejo de conformidad con el artículo 34 del Tratado de la Unión Europea relativo a la asistencia judicial en material penal entre los Estados miembros de la Unión Europea (DO C 197 de 12.7.2000).

[98]   Decisión marco 2002/465/JAI del Consejo, de 13 de junio de 2002, sobre equipos conjuntos de investigación (DO L 162 de 20.6.2002).

[99]   GONZÁLEZ MONJE, Alicia, *op. cit.*, p. 83.

[100] ARANGÜENA FANEGO, Coral, *op. cit.*, pág 917; GONZÁLEZ MONJE, Alicia, *op. cit.*, p. 84.

ordenamientos en los que, como el nuestro, precisan autorización judicial para su adopción, por ser la medida judicial[101].

Finalmente, el art. 186.4 PMLRM también dispone que "queda fuera del ámbito de la orden europea de investigación el régimen de transmisión de los antecedentes penales, que se regirá por su normativa específica".

4.1.2. Procedimientos

La misma idea de amplitud se extiende a los procedimientos en los que puede adoptarse una OEI, a los que se refiere el art. 4 DOEI.

De acuerdo con el referido precepto, "la OEI podrá emitirse:

a) en relación con los procedimientos penales incoados por una autoridad judicial, o que puedan entablarse ante una autoridad judicial, por hechos constitutivos de delito con arreglo al Derecho interno del Estado de emisión;

b) en los procedimientos incoados por autoridades administrativas por hechos tipificados en el Derecho interno del Estado de emisión por ser infracciones de disposiciones legales, y cuando la decisión pueda dar lugar a un procedimiento ante una autoridad jurisdiccional competente, en particular, en materia penal;

c) en los procedimientos incoados por autoridades judiciales por hechos tipificados en el Derecho interno del Estado de emisión por ser infracciones de disposiciones legales, y cuando la decisión pueda dar lugar a un procedimiento ante un órgano jurisdiccional competente, en particular, en materia penal, y

d) en relación con los procedimientos mencionados en las letras a), b) y c) que se refieran a delitos o infracciones por los cuales una persona jurídica pueda ser considerada responsable o ser castigada en el Estado de emisión".

La OEI es así de aplicación en procesos penales tramitados por autoridades judiciales (jueces y fiscales) frente a personas físicas o jurídicas (art. 4.a y d), pero también en los procedimientos no penales de tipo administrativo-sancionador, seguidos frente a personas físicas o jurídicas, cuando la decisión se pueda revisar ante autoridades jurisdiccionales en materia

---

[101] Art. 588 quinquies b. Vid. más ampliamente, RODRÍGUEZ-MEDEL NIETO, Carmen, *op. cit.*, pp. 313 y 314; y ARANGÜENA FANEGO, Coral, *op. cit.*, p. 918.

penal (art. 4.a, b y c). Efectivamente este supuesto no resulta posible en nuestro ordenamiento desde la vertiente activa, pero sí tiene operatividad desde la vertiente pasiva: las autoridades españolas no podrían emitir una OEI en procedimientos administrativos de tipo sancionador, al ser este tipo de sanciones recurribles únicamente ante la jurisdicción contencioso-administrativa; sin embargo, las autoridades españolas de ejecución podrán ser requeridas para reconocer y ejecutar una OEI acordada en ese tipo de procedimientos.

Ciertamente, la disparidad normativa entre los distintos Estados puede generar desajustes importantes. A este respecto lo que ha considerado la DOEI es un específico control mediante una adicional causa de denegación regulada en el art. 11.1.c DOEI: "cuando la OEI haya sido emitida para los procedimientos contemplados en el artículo 4, letras b) y c), y la medida de investigación no estuviese autorizada, con arreglo al Derecho del Estado de ejecución, para un caso interno similar".

El PMLRM que se está tramitando ha previsto expresamente que "la orden europea de investigación podrá referirse a procedimientos incoados por las autoridades competentes de otros Estados miembros de la Unión Europea, tanto administrativas como judiciales, por la comisión de hechos tipificados como infracciones administrativas en su ordenamiento cuando la decisión pueda dar lugar a un proceso ante un órgano jurisdiccional, en particular, en el orden penal" (art. 186.2).

4.2. Contenido y forma

Una de las características principales de de la OEI es la simplificación de trámites (y celeridad procedimental) y requisitos formales mediante la utilización de un formulario[102]. La DOEI opta así por la utilización de un formulario, el denominado Anexo A, cuya cumplimentación y firma por la autoridad de emisión sirve como modelo de solicitud en la que se requiere la colaboración del estado de ejecución, sin necesidad de acompañar la resolución judicial. Es decir, en el caso de la OEI se ha previsto, como sucede con la orden de detención y entrega, y la orden de protección (también para el EEP era así), que el formulario o certificado sea el único documento a ser transmitido por la autoridad de emisión, sin necesidad de ajuntar copia certificada de la resolución judicial dictada en el procedimiento nacional, como ocurre con el resto de certificados (embargo, decomiso,

---

[102]   Vid. supra, 3.1.

sanciones pecuniarias, etc.). Como afirma JIMÉNEZ-VILLAREJO, la OEI documentada en el formulario del anexo A de la DOEI, concentra la condición de título judicial estructurado y uniformizado, siendo un título judicial en sí mismo y, por tanto, equivale a una resolución judicial con fuerza vinculante y no necesita se adjunte resolución judicial dictada en el procedimiento nacional principal alguna[103].

Así, para determinar el contenido de la OEI hay que estar al art. 5 DOEI y al modelo de solicitud (anexo A) común para cualquier tipo de medida de investigación. El PMLRM recoge de manera fiel a la DOEI el contenido de la OEI en el art. 188 y reproduce el formulario en el anexo XIII.

De acuerdo con el art. 5.1 DOEI, "la OEI emitida utilizando el formulario establecido en el anexo A deberá ir cumplimentada y firmada, y las informaciones que contiene deberán ser certificadas como exactas y correctas por la autoridad de emisión.

La OEI deberá contener, en particular, la siguiente información:

a) la datos de la autoridad de emisión y, cuando proceda, de la autoridad validadora;

b) el objeto y los motivos de la OEI;

c) la información necesaria sobre la persona o personas afectadas;

d) la descripción de la conducta delictiva que es objeto de la investigación o proceso y las disposiciones aplicables del Derecho penal del Estado de emisión;

e) la descripción de la medida o medidas de investigación que se solicitan y de las pruebas a obtener.

2. Cada Estado miembro indicará cuál o cuáles de las lenguas oficiales de las instituciones de la Unión Europea, además de la lengua o lenguas oficiales del Estado miembro de que se trate, podrán utilizarse para cumplimentar o traducir la OEI cuando el Estado miembro de que se trate sea el Estado de ejecución.

3. La autoridad competente del Estado de emisión traducirá la OEI establecida en el anexo A a una lengua oficial del Estado de ejecución o a cualquier otra lengua indicada por este de conformidad con el apartado 2 del presente artículo".

---

[103] "Orden europea de investigación", *op. cit.*, p. 391.

El art. 188.1 PMLRM reproduce el contenido del correspondiente 5.1 DOEI, añadiendo en una letra f la mención a las formalidades y procedimientos cuya observancia solicita que sean respetadas por el Estado de ejecución.

4.3. Cuestiones relativas al procedimiento: emisión y ejecución

En la regulación de los instrumentos de reconocimiento mutuo la dinámica, junto a disposiciones generales, es la de contemplar, de una parte, la emisión y transmisión, en este caso, de la OEI, y el reconocimiento y la ejecución, por otra. La DOEI lo hace así en la regulación general, en los Capítulo I a III, titulando al primero con la denominación del instrumento y a los siguientes "Procedimientos y salvaguardias para el estado de emisión" (capítulo II, arts. 6 a 8) y "Procedimientos y salvaguardias para el estado de ejecución" (capítulo III, arts. 9 a 21).

El PMLRM que dedica a la OEI el Título X, como ya se ha dicho, contiene, como en la regulación de los restantes instrumentos, los tres respectivos capítulos referidos: en el I, el de las disposiciones generales se ocupa de la OEI (art. 186) y de las autoridades competentes en España para emitir y ejecutar una orden europea de investigación (art. 187), tratando en los dedicados a la emisión y transmisión (capítulo II) y al reconocimiento y ejecución (capítulo III), respectivamente, una primera sección con el régimen general y una segunda a las que se refieren a medidas específicas de investigación.

En este trabajo, en el que hemos querido ofrecer una visión general de la obtención de prueba en el ámbito de la cooperación en Europa hasta llegar al actual instrumento, la OEI y su efectiva aplicación en procesos penales transfronterizos, haremos siquiera una breve referencia a la forma de llevarse a efecto la emisión y la ejecución de la orden, pero sin poder detenernos, por razones obvias, en todas las cuestiones que plantea este procedimiento, ni por supuesto a las medidas específicas.

Nos referimos previamente y por separado a las autoridades competentes para emitir y para ejecutar la OEI.

4.3.1. Autoridades competentes

Como en todo instrumento de reconocimiento mutuo, en la OEI la comunicación es directa entre las autoridades judiciales, debiendo tenerse presente el concepto amplio de autoridad judicial en materia de cooperación judicial penal.

Como recuerda JIMÉNEZ-VILLAREJO[104], en el ámbito de la cooperación judicial penal a nivel europeo, el Ministerio Público se encuentra siempre y de manera unánime incluido en el concepto (amplio) de autoridad judicial.

La DOEI en el art. 2, el dedicado a las definiciones, además de las de Estado de emisión y de ejecución (letras a y b), se ocupa de las respectivas autoridades de emisión de la OEI y de ejecución de la misma.

4.3.1.1. *Autoridad de emisión*

De acuerdo con el referido precepto, se entiende por autoridad de emisión "un juez, órgano jurisdiccional, juez de instrucción o fiscal competente en el asunto de que se trate"; o "cualquier otra autoridad competente según la defina el Estado de emisión que, en el asunto específico de que se trate, actúe en calidad de autoridad de investigación en procesos penales y tenga competencia para ordenar la obtención de pruebas con arreglo al Derecho nacional. Además, antes de su transmisión a la autoridad de ejecución, la OEI deberá ser validada, previo control de su conformidad con los requisitos para la emisión de una OEI en virtud de la presente Directiva, en particular las condiciones establecidas en el artículo 6, apartado 1, por un juez, un órgano jurisdiccional, un fiscal o un magistrado instructor del Estado de emisión. Cuando la OEI haya sido validada por una autoridad judicial, dicha autoridad también podrá considerarse autoridad de emisión a efectos de la transmisión de la OEI" (art. 2.c).

Se distinguen, por tanto, dos tipos de autoridades, ya que junto a la autoridad judicial en terminología europea, y debido a los distintos modelos procesales existentes en los veintiséis Estados miembros de la UE obligados por la directiva, se ha tenido que atender a dar cabida a los sistemas en los que la competencia de investigación no corresponde a jueces o fiscales sino a autoridades policiales o administrativas, exigiéndose en estos casos la validación por la autoridad judicial como requisito indispensable para la emisión de la OEI[105].

---

[104] JIMÉNEZ-VILLAREJO FERNÁNDEZ, Francisco, "Orden europea de investigación", *op. cit.*, pp. 404 y 405.

[105] AGUILERA MORALES, Marien, *op. cit.*, pp. 9 y 10, donde afirma que para conjugar los intereses de los Estados miembros —los que propugnaban que sólo la autoridad judi-

Como era de esperar, en nuestro ordenamiento el PMLRM ha previsto que sean en todo caso autoridades judiciales en el sentido del instrumento, esto es, jueces y fiscales, quienes emitan la OEI, por lo que nunca será necesaria la validación judicial prevista por la DOEI.

Son autoridades de emisión de una orden europea de investigación, de acuerdo con el art. 187.1, "Jueces o Tribunales que conozcan del proceso penal en el que se debe adoptar la medida de investigación o que hayan admitido la prueba si el procedimiento se encuentra en fase de enjuiciamiento", pero también "los Fiscales en los procedimientos que dirijan, siempre que la medida que contenga la orden europea de investigación no sea limitativa de derechos fundamentales"[106].

4.3.1.2. Autoridad de ejecución

El art. 2.d DOEI define a la autoridad de ejecución como "una autoridad que tenga competencia para reconocer una OEI y asegurar su ejecución de conformidad con la presente Directiva y los procedimientos aplicables en un caso interno similar. Dichos procedimientos pueden requerir una autorización judicial del Estado de ejecución cuando así se disponga en su legislación interna".

La norma europea deja en manos de cada Estado miembro la determinación de la autoridad de ejecución, señalando únicamente la exigencia de que dicha autoridad "tenga competencia para reconocer una OEI y asegurar su ejecución de conformidad con la presente Directiva y los procedimientos aplicables en un caso interno similar". Se observa que como

---

cial fuera competente en entonces denominados EEI y los que abogaban porque fuera posibilidad igualmente abierta a la Policía— la solución que patrocinó el Proyecto de Directiva pasó por acoger esta última alternativa, esto es, por permitir que el exhorto sea emitido por la Policía, si bien bajo la preceptiva condición de que, antes de ser transmitido, el EEI sea validado por una autoridad judicial —Juez o Fiscal—, previo control de su conformidad con las condiciones generales para la emisión de un EEI. Esta solución, además de corresponderse con la consideración del propio EEI como una resolución judicial, comporta la ventaja añadida de extender el ya amplio espectro de aplicación del EEI, pues permite que la Policía pueda implicar a otro estado miembro en la práctica de las diligencias de investigación que interesen.

[106]   El párrafo III del art. 187.1 añade que "A estos efectos las autoridades competentes señaladas podrán emitir órdenes europeas de investigación para la ejecución de medidas que podrían ordenar o ejecutar conforme a las disposiciones de la Ley de Enjuiciamiento Criminal y la Ley Orgánica 5/2000, de 12 de enero, reguladora de la responsabilidad penal de los menores".

regla tampoco se exige que se trate de una autoridad judicial, si bien añade el precepto tal exigencia —requisito de autorización judicial— "cuando así se disponga en su legislación interna"[107].

El PMLRM, siguiendo el modelo ya acogido por la LRM tanto para la ejecución de la orden de embargo y aseguramiento de prueba (art. 144) como para el exhorto de obtención de pruebas (art. 188), distribuye la competencia para la ejecución entre jueces y fiscales en función de que la medida de investigación cuya ejecución se solicita sea limitativa o no de derechos fundamentales[108] (art. 187 PMLRM).

Además, se dispone que el "Ministerio Fiscal es la autoridad competente en España para recibir las órdenes europeas de investigación emitidas por las autoridades competentes de otros Estados miembros"[109].

Se opta así en el texto proyectado por un criterio funcional a efectos de la recepción y una primera valoración de la OEI, que se asigna al Ministerio Fiscal[110], que será el encargada de recibir, acusar recibo, registrar todas la OEI que se reciban en España y asegura su ejecución.

---

[107] BACHMAIER WINTER, Lorena, "Prueba transnacional penal en Europa: la Directiva 2014/41 relativa a la Orden Europea de Investigación", *op. cit.*, p. 10; y JIMENO BULNES, Mar, *op. cit.*, p. 178.

[108] ARANGÜENA FANEGO, Coral, *op. cit.*, pp. 920 y 921.

[109] Continúa el art. 187.2:

"Una vez registrada y tras haber acusado recibo a la autoridad de emisión, el Ministerio Fiscal conocerá del reconocimiento y ejecución de la orden europea de investigación o la remitirá al Juez competente, de conformidad con las siguientes reglas.

a) Cuando la orden europea de investigación no contenga medida alguna limitativa de derechos fundamentales, el Ministerio Fiscal será competente para reconocer y ejecutar la orden europea de investigación.

b) Cuando la orden europea de investigación contenga alguna medida limitativa de derechos fundamentales, y que no pueda ser sustituida por otra que no restrinja dichos derechos, ésta será remitida por el Ministerio Fiscal al Juez o Tribunal para su reconocimiento y ejecución. También será remitida por el Ministerio Fiscal al Juez o Tribunal para su reconocimiento y ejecución la orden europea de investigación en la que se indique expresamente por la autoridad de emisión que la medida de investigación debe ser ejecutada por un órgano judicial.

En estos supuestos se acompañará de informe preceptivo del Ministerio Fiscal en el que se pronuncie sobre la concurrencia o no de causa de denegación de la ejecución de la orden, y si se entiende ajustada a Derecho la adopción de cada una de las medidas de investigación que la orden contenga".

[110] Vid. ampliamente, sobre esta atribución al Ministerio Fiscal, JIMÉNEZ-VILLAREJO FERNÁNDEZ, Francisco, "Orden europea de investigación", *op. cit.*, pp. 411 y 412. También, ARANGÜENA FANEGO, Coral, *op. cit.*, p. 921.

Una vez registrada y tras haber acusado recibo a la autoridad de emisión, el Ministerio Fiscal conocerá del reconocimiento y ejecución de la orden europea de investigación o la remitirá al Juez competente objetiva y territorialmente para su reconocimiento y ejecución, dependiendo de que la orden europea de investigación no contenga o sí lo haga alguna medida limitativa de derechos fundamentales (art. 187.2). En estos supuestos (remisión al juez[111]) "se acompañará de informe preceptivo del Ministerio Fiscal en el que se pronuncie sobre la concurrencia o no de causa de denegación de la ejecución de la orden, y si se entiende ajustada a Derecho la adopción de cada una de las medidas de investigación que la orden contenga" con el objetivo implícito de facilitar una aplicación homogénea del instrumento[112].

4.3.2. Sobre la emisión y transmisión

La DOEI encabeza este capítulo con la rúbrica "procedimientos y salvaguardias para el estado de emisión" (arts. 6 a 8).

Varias cuestiones deben ser abordadas en este apartado.

4.3.2.1. Solicitud de parte

El texto de la DOEI ha previsto finalmente que la emisión de una OEI pueda realizarse no sólo a los únicos efectos de la investigación y con vistas a la obtención de pruebas necesarias para la acusación, sino también para obtener pruebas de descargo por la defensa; sale, así, al paso, de una de las críticas habituales a los instrumentos de reconocimiento mutuo: centrarse casi en exclusiva en procurar beneficios inmediatos a las autoridades encargadas en el proceso de la investigación y acusación, olvidando la posición de la defensa y acentuando la posición de desigualdad de las partes[113].

Evidentemente la emisión de una OEI pasará siempre por una autoridad judicial, pero resulta a todas luces necesario que la DOEI haya previs-

---

[111] Las reglas de competencia objetiva y territoriall se contienen en el art. 187.3 PMLRM.
[112] ARANGÜENA FANEGO, Coral, *op. cit.* p. 922.
[113] ARANGÜENA FANEGO, Coral, *op. cit.* pp. 925 y 926. Vid. también BACHMAIER WINTER, Lorena, "Prueba transnacional penal en Europa: la Directiva 2014/41 relativa a la Orden Europea de Investigación", *op. cit.* pp. 11 y 12, donde pone de manifiesto que fue uno de los aspectos más criticados a lo largo de la larga negociación de la Directiva, pero concluye que no parece suficiente para equilibrar la desigualdad entre las partes; y JIMENO BULNES, Mar, *op. cit.*, p. 176.

to finalmente esta posibilidad. La inclusión de esta previsión en el texto definitivo tiene así una importancia decisiva en el ejercicio del derecho de defensa, logrando la necesaria "igualdad de armas" con la acusación[114].

En efecto, dispone el art. 1.3 DOEI que "la emisión de una OEI puede ser solicitada por una persona sospechosa o acusada (o por un abogado en su nombre), en el marco de los derechos de la defensa aplicables de conformidad con el procedimiento penal nacional". Esta es la única previsión al respecto, por lo que la DOEI se ha limitado a imponer a los Estados miembros que confieran al imputado la posibilidad de solicitar una OEI, pero compete en todo caso a cada uno de ellos regular la tramitación, el modo, momento y condiciones para ejercer este derecho de que se emita una OEI para la defensa del imputado[115].

El PMLRM de manera genérica dispone en el art. 189.1, el que recoge los requisitos para la emisión, que la autoridad de emisión podrá emitirla, "de oficio o a instancia de parte", previsión que se corresponde con nuestro sistema procesal penal en el que, junto al MF, se permite la existencia de otras acusaciones.

4.3.2.2. *Requisitos para la emisión*

A) Necesidad, proporcionalidad y legalidad

Lo que el art. 6 de la DOEI denomina "condiciones para la emisión y transmisión de una OEI" no son más que los requisitos (de fondo[116]) o presupuestos que deben concurrir para que la autoridad de emisión que ha acordado una medida en el proceso nacional pueda interesar a través de la OEI que se practique esa medida en el Estado de ejecución.

Como señala el art. 6.1 DOEI, "La autoridad de emisión únicamente podrá emitir una OEI cuando:

a) la emisión de la OEI sea necesaria y proporcionada a los fines de los procedimientos a que se refiere el artículo 4 teniendo en cuenta los derechos del sospechoso o acusado, y

---

[114] Vid. MANGIAARACINA, Annalisa, *op. cit.*, p. 123. Vid. también GONZÁLEZ MONJE, Alicia, *op. cit.*, p. 90.
[115] BACHMAIER WINTER, Lorena, op. et loc. cit. Vid. tambien, RODRÍGUEZ-MEDEL NIETO, Carmen, *op. cit.*, p. 385.
[116] MARTÍNEZ GARCÍA, Elena, *op. cit.* pp. 65 y ss.

b) la medida o medidas de investigación requeridas en la OEI podrían haberse dictado en las mismas condiciones para un caso interno similar".

Explica el considerando 10 DOEI, que "la autoridad de emisión es la que mejor puede decidir, en función de los detalles de la investigación de los que tenga conocimiento, a qué medida de investigación ha de recurrirse". Es así la autoridad de emisión la que toma la decisión sobre la concreta medida de investigación que debe ejecutarse; a ella se le confía la comprobación de la concurrencia de los requisitos a los que se condiciona la emisión de la OEI: necesidad, proporcionalidad y legalidad de la medida. Como señala el art. 6.2 DOEI, "las condiciones a que se refiere el apartado 1 serán evaluadas por la autoridad de emisión en cada caso".

El considerando 11 trata de explicar estos requisitos en los siguientes términos: "Debe optarse por la OEI cuando la ejecución de una medida de investigación se considere proporcionada, adecuada y aplicable al caso concreto. La autoridad de emisión debe asegurarse, por consiguiente, de que la prueba buscada sea necesaria y proporcionada para el procedimiento, de que la medida de investigación escogida sea necesaria y proporcionada para obtener la prueba en cuestión, y de si procede implicar a otro Estado miembro en la obtención de dicha prueba por medio de la emisión de una OEI"[117].

Necesidad y proporcionalidad están íntimamente relacionados, ya que la primera exigencia que entraña el principio de proporcionalidad es que la medida sea necesaria para alcanzar el objetivo previsto (se justifique en razón de los fines perseguidos)[118]; esto es, como aclara ARANGÜENA FANEGO, que la medida cuya práctica se solicita en el Estado de ejecución sea indispensable a los fines de la investigación que se desarrolla en el de emisión e idónea para obtener mediante su ejecución los datos y pruebas necesarios[119].

---

[117] Continúa: "La misma evaluación debe llevarse a cabo en el procedimiento de validación, cuando se requiera la validación de una OEI con arreglo a la presente Directiva. No debe denegarse la ejecución de una OEI por motivos distintos de los previstos en la presente Directiva. No obstante, la autoridad de ejecución debe poder optar por una medida de investigación menos invasora de la intimidad que la indicada en la OEI, a condición de que permita obtener resultados similares".

[118] BACHMAIER WINTER, Lorena, "La orden europea de investigación y el principio de proporcionalidad", *op. cit.*, pp. 5 y 6.

[119] ARANGÜENA FANEGO, Coral, *op. cit.*, pp. 922 y 923. También, BACHMAIER WINTER, Lorena, "Prueba transnacional penal en Europa: la Directiva 2014/41 relativa a la Orden Europea de Investigación", *op. cit.*, p. 15.

El requisito de proporcionalidad que, sin duda, alude a la ponderación que debe hacerse entre la medida de investigación que se solicita en relación a la gravedad del delito, la afección en la esfera individual de los sujetos afectados por su práctica (singularmente, los derechos del sospechoso o acusado) y la inexistencia de una medida menos gravosa, pero con idéntica eficacia, es el que entraña mayor complejidad[120].

Por su parte, el requisito de la legalidad, aunque con escasa precisión terminológica, sí aparece meridianamente explicado en el art. 6.1.b DOEI, cuando indica como requisito para la emisión que la medida de investigación contenida en la OEI podría "haberse dictado en las mismas condiciones para un caso interno similar". En realidad, como observa RODRÍGUEZ MEDEL, la redacción del precepto genera cierta dificultad de entendimiento, pues de hecho la medida tiene que haberse acordado en el procedimiento de que se trate, sirviendo la OEI únicamente para su transmisión a otro Estado miembro para que las autoridades de éste acuerden su ejecución. Como se coincide en afirmar, con este requisito se persigue evitar el llamado "forum shopping probatorio", es decir, que se recabe fuera del Estado que conoce del procedimiento lo que no podría obtenerse fuera de sus fronteras porque la medida no podría haberse acordado en un caso interno similar[121].

B) Revisión de las condiciones por la autoridad de ejecución

Como se ha dicho, la concurrencia de estos requisitos o condiciones sólo puede evaluarse por la autoridad de emisión individualizadamente para cada caso, incluida la autoridad de validación (considerando 11 y art. 2.2.ii DOEI). En principio, por tanto, el juicio de proporcionalidad y necesidad será realizado con carácter previo por la autoridad de emisión, estando privada la autoridad de ejecución de controlar la idoneidad o proporcionalidad de la medida de investigación solicitada. Sin embargo, la autoridad de emisión no puede desconocer que la de ejecución mantiene ciertas facultades de revisión de estas condiciones, que varían sutilmente según la condición de que se trate. Y es que, según dispone el art. 6.3 DOEI, "cuando la autoridad de ejecución tuviera razones para creer que

---

[120] ARANGÜENA FANEGO, Coral, *op. et cit.* Es, sin duda, como observa BACHMAIER WINTER, Lorena, *op. et loc. cit.*, el que más debate ha suscitado y el que resulta más difícil de definir, no digamos ya, reelaborar un concepto armonizado a nivel europeo.

[121] Ampliamente sobre la legalidad, RODRÍGUEZ-MEDEL NIETO, Carmen, *op. cit.*, pp. 376 a 378. Vid. también, ARANGÜENA FANEGO, Coral, *op. cit.*, pp. 923 y 924.

no se han cumplido las condiciones a que se refiere el apartado 1, podrá consultar a la autoridad de emisión sobre la importancia de la ejecución de la OEI. Tras esta consulta, la autoridad de emisión podrá decidir la retirada de la OEI"[122].

C) Respeto de los derechos del sospechoso o acusado

Debe resaltarse que, como se indica en el considerando 12 DOEI, "al emitir una OEI, la autoridad de emisión debería prestar especial atención a garantizar el pleno respeto de los derechos reconocidos en el artículo 48 de la Carta de los Derechos Fundamentales de la Unión Europea (la Carta). La presunción de inocencia y los derechos de la defensa en los procesos penales, son una piedra angular de los derechos fundamentales reconocidos en la Carta en el ámbito de la justicia penal. Cualquier limitación de estos derechos mediante una medida de investigación ordenada de conformidad con la presente Directiva debe ajustarse a los requisitos establecidos en el artículo 52 de la Carta con respecto a la necesidad, proporcionalidad y a los objetivos de interés general que debe buscar, o a la necesidad de proteger los derechos y libertades de los demás".

En este respeto juegan un papel fundamental las siguientes normas europeas, teniendo en cuanta que la DOEI, en el considerando 15, sólo contempla, como no podía ser de otra manera, las que se habían promulgado cuando se aprobó[123]. De este modo, la DOEI "debe aplicarse teniendo en cuenta las Directivas": 2010/64/UE del Parlamento Europeo y del Consejo, de 20 de octubre de 2010, relativa al derecho a interpretación y a traducción en los procesos penales[124]; 2012/13/UE del Parlamento Europeo y del Consejo, de 22 de mayo de 2012, relativa al derecho a la información en los procesos penales[125]; 2013/48/UE Directiva 2013/48/UE del Parlamento Europeo y del Consejo, de 22 de octubre de 2013, sobre el derecho a la asistencia de letrado en los procesos penales y en los procedimientos relativos a la orden de detención europea, y sobre el derecho a que se

---

[122] Dejamos apuntada esta cuestión, respecto de la que se pronuncian BACHMAIER WINTER, Lorena, "Prueba transnacional penal en Europa: la Directiva 2014/41 relativa a la Orden Europea de Investigación", *op. cit.*, p. 18; RODRÍGUEZ-MEDEL NIETO, Carmen, *op. cit.*, pp. 378 y ss.; MARTÍNEZ GARCÍA, Elena, *op. cit.*, p. 66; o GONZÁLEZ MONJE, Alicia, *op. cit.*, pp. 98 y 99.

[123] Vid. GONZÁLEZ MONJE, Alicia, *op. cit.*, p. 99.

[124] DOUE L 280, de 26.10.2010.

[125] DOUE L 142, de 1.6.2012.

informe a un tercero en el momento de la privación de libertad y a comunicarse con terceros y con autoridades consulares durante la privación de libertad[126]; 216/343 del Parlamento Europeo y del Consejo de 9 de marzo de 2016 por las que se refuerzan en el proceso penal determinados aspectos de la presunción de inocencia y el derecho a estar presente en el juicio[127].

4.3.3.3. Transmisión

Entrando en los aspectos formales, hay que destacar los requisitos exigidos por el art. 7 DOEI para proceder a la transmisión eficaz del certificado de cooperación entre autoridades de emisión y ejecución[128].

Como en el resto de instrumentos de reconocimiento mutuo, la DOEI prevé que la OEI se hará directamente a la autoridad judicial competente del Estado de ejecución y por cualquier medio que pueda dejar constancia escrita en condiciones que permitan al Estado de ejecución establecer su autenticidad (arts. 7.1 y 2 DOEI y 8.1.I LRM). No obstante, es posible la designación de autoridades centrales que se encargarán de dicha comunicación o transmisión administrativa[129].

La autoridad de emisión tiene que averiguar quién es la de destino, para lo que se ha previsto que en caso de no conocer la identidad de la autoridad de ejecución, "la autoridad de emisión realizará las averiguaciones necesarias, incluso a través de los puntos de contacto de la RJE, para obtener la información del Estado de ejecución" (arts. 7.5 DOEI y 8.2 LRM).

Se recoge en el considerando 13 DOEI que con objeto de garantizar la transmisión de la OEI a la autoridad competente del Estado de ejecución, la autoridad de emisión puede utilizar cualquier medio de transmisión posible o pertinente, por ejemplo el sistema de telecomunicaciones seguro de la Red Judicial Europea (RJE), Eurojust u otros canales utilizados por las autoridades judiciales o policiales. En relación con ello, el art. 7.4 DOEI dispone que la autoridad de emisión podrá transmitir las OEI utilizando el sistema de telecomunicaciones de la Red Judicial Europea".

También se ha previsto que la autoridad del Estado de ejecución que recibe una OEI no sea competente para reconocerla y adoptar las medidas

---

[126] DOUE L 294, de 6.11.2013.
[127] DOUE L 65, de 11.3.2016.
[128] MARTÍNEZ GARCÍA, Elena, *op. cit.*, p. 67, configurándolos como requisitos de forma.
[129] En el caso español, el Ministerio de Justicia (art. 6 LRM).

necesarias para su ejecución, en cuyo caso deberá transmitirla de oficio a la autoridad de ejecución y notificarla a la autoridad de emisión (art. 7.6 DOEI).

Finalmente, cualquier dificultad que surja en relación con la transmisión o autenticidad de algún documento necesario para la ejecución de la OEI se tratará mediante consulta directa entre la autoridad de emisión y la autoridad de ejecución interesadas o, en su caso, con la participación de las autoridades centrales de los Estados miembros (art. 7.7 DOEI).

Deben tenerse en cuenta, además, las previsiones que contiene el art. 8 DOEI sobre la emisión de una OEI relacionada con una anterior[130].

4.3.3. Sobre el reconocimiento y la ejecución

Paralelamente a la rúbrica del capítulo II, el III lleva como título "procedimientos y salvaguardias para el estado de ejecución" (arts. 9 a 21 DOEI). Evidentemente, es aquí donde reside la clave del instrumento y por ello se le dedica la mayor parte (23 de los 39) de los artículos de que consta la norma europea.

Obviamente y como ya se ha explicado, con más razón en este caso, no podemos detenernos en todos los puntos tratados en el capítulo, sino que nos referiremos a los de mayor interés.

4.3.3.1. Recepción de la orden

De acuerdo con el art. 9.1 DOEI, la autoridad de ejecución deberá reconocer una OEI, transmitida de conformidad con la presente Directiva sin requerir otra formalidad.

Además, según el art. 16.1 DOEI, la autoridad competente del Estado de ejecución que reciba la OEI, acusará su recibo, sin demora y en cualquier caso en el plazo de una semana después de su recepción, mediante la cumplimentación y el envío del formulario establecido en el anexo B. La obligación de acusar recibo tras la recepción a través de un documento común debe considerar altamente positivo. Cuando se haya designado una autoridad central de conformidad con el art. 7.3, esta obligación recaerá tanto en la autoridad central como en la autoridad de ejecución que reciba la OEI de la autoridad central.

---

[130] El art. 188.2 PMLRM se refiere también a esta cuestión.

En los casos a los que se refiere el artículo 7.6 DOEI, cuando la autoridad del Estado de ejecución que recibe una OEI no sea competente para reconocerla y adoptar las medidas necesarias para su ejecución, deberá transmitirla de oficio a la autoridad de ejecución y notificarla a la autoridad de emisión, esta obligación recaerá tanto en la autoridad competente que recibe inicialmente la OEI como en la autoridad de ejecución a la que se transmite finalmente la OEI (art. 16.1).

También se dispone que cuando una autoridad de ejecución reciba una OEI que no haya sido emitida por una autoridad de emisión como se especifica en el artículo 2, letra c), la autoridad de ejecución deberá devolver la OEI al Estado de emisión (art. 9.3 DOEI; en el mismo sentido, el art. 205.2 PMLRM).

En España, según los arts. 187.2 y 212.1 PMLRM, será el MF el que reciba OEI y acuse recibo de su recepción mediante la cumplimentación del anexo XIV.

4.3.3.2. Principio de equivalencia

En relación a los caracteres generales del reconocimiento y ejecución, se observa que la DOEI sigue el denominado principio de equivalencia[131]. Como dispone el art. 9.1 DOEI, la autoridad de ejecución se asegurará de que la OEI se ejecute de la misma manera y bajo las mismas circunstancias que si la medida de investigación de que se trate hubiera sido ordenada por una autoridad del Estado de ejecución, salvo que la autoridad de ejecución decida invocar alguno de los motivos de denegación del reconocimiento (art. 11) o de la ejecución de la OEI, o alguno de los motivos de aplazamiento (art. 15) contemplados en la presente Directiva.

Téngase en cuenta, además, que los procedimientos aplicables en un caso interno similar pueden requerir una autorización judicial (art. 2.d DOEI).

Por otra parte, el principio de equivalencia se extiende a los plazos de ejecución de la orden (art. 12.1 DOEI). La resolución de reconocimiento o ejecución se adoptará y la medida de investigación se llevará a cabo con la misma celeridad y prioridad que en casos internos similares y, en cual-

---

[131] JIMÉNEZ-VILLAREJO FERNÁNDEZ, Francisco, "Orden europea de investigación: ¿adiós a las comisiones rogatorias?", *op. cit.*, pp. 192 y ss; y JIMENO BULNES, Mar, *op. cit.*, pag. 179.

quier caso, dentro de los límites temporales previstos en el art. 12 DOEI. Se ha previsto que la autoridad de ejecución adoptará la resolución de reconocimiento o ejecución de la OEI lo antes posible y, a más tardar 30 días después de la recepción de la OEI por la autoridad de ejecución competente, aunque es posible, de un lado, que la autoridad de emisión haya indicado un plazo menor (art. 12.2), o que el inicial sea prorrogado por un máximo de 30 días previa información a la autoridad de emisión de las causas que lo justifican (art. 12. 5). La posterior ejecución de la medida de investigación debe hacerse sin demora y, a más tardar 90 días después de que se adopte la resolución de reconocimiento, si bien también aquí se ha previsto la reducción o extensión del plazo (art. 12.4 y 6 DOEI). Además de estos plazos generales, se han dispuesto plazos específicos más reducidos para algunos tipos de medidas[132].

El art. 208 PMLRM reproduce fielmente el contenido del art. 12.3 DOEI sobre los plazos que se acaba de comentar.

4.3.3.3. *Reconocimiento pero no ejecución*

La regulación que contiene la DOEI sobre el procedimiento de reconocimiento y ejecución de la OEI, con distintos plazos para uno y otro, permite diferenciar ambas decisiones: la relativa al reconocimiento y la decisión sobre la ejecución. La DOEI prevé así supuestos de reconocimiento de la OEI y posterior declaración de imposibilidad de ejecución. Es lo que sucede en el supuesto que contempla el art. 10.5 DOEI: cuando la medida no existe para un caso similar y no hay ninguna otra medida distinta que tenga el mismo resultado, la autoridad de ejecución notificará a la autoridad de emisión que no ha sido posible proporcionar la asistencia requerida (en los mismos términos se expresa el art. 206.5 PMLRM). Como apunta RODRÍGUEZ MEDEL, no es un caso de denegación del reconocimiento o de la ejecución (cuyas causas tasadas vienen recogidas en el art. 11 DOEI), sino un supuesto de reconocimiento de la OEI con imposibilidad de ejecución de la medida[133].

---

[132] Por ejemplo, para las cautelares, según el art. 32.2 DOEI,
[133] RODRÍGUEZ-MEDEL NIETO, Carmen, *op. cit.*, pp. 408 y 409. Señala también la autora que también sucede así cuando hay desacuerdo con la autoridad de emisión sobre las condiciones de ejecución de la diligencia de investigación (por ejemplo, para la entrega vigilada o para el traslado de detenidos *ex* arts. 28.2 y 22.5 DOEI); o cuando se reconoce la OEI pero se aplaza su ejecución en los términos del art. 15 DOEI. En este

4.3.3.4. *Ley aplicable en la ejecución*

Una de las cuestiones fundamentales en relación a la ejecución de la OEI es la relativa a las normas que se hayan aplicado a la obtención de de una prueba en otro Estado en orden a su admisión en el proceso. Como se viene exponiendo desde el principio, la dificultad en el libre intercambio de pruebas, en lo que se ha venido en denominar "libre circulación de la prueba penal", estriba en que admitir sin más las pruebas realizadas en el territorio de otro Estado y a través de sus normas puede afectar a los derechos del sujeto pasivo del proceso penal.

Pues bien, en este sentido, la DOEI, a fin de garantizar la admisibilidad probatoria de la diligencia solicitada, en cuanto al ordenamiento jurídico aplicable en la ejecución de la medida de investigación (o probatoria/cautelar) solicitada en la OEI, prevé que opere con carácter general la *lex fori*, siempre que la misma no contradiga la *lex loci*: "la autoridad de ejecución observará las formalidades y procedimientos expresamente indicados por la autoridad de emisión, salvo que la presente Directiva disponga lo contrario y siempre que tales formalidades y procedimientos no sean contrarios a los principios jurídicos fundamentales del Estado de ejecución" (art. 9.2 DOEI). Como señala JIMENO BULNES, en puridad se observa una combinación de ambos principios *locus regit actum* y *forum regit actum*, a diferencia de la exclusividad del último de ellos anteriormente preconizada en el Convenio Europeo de Asistencia Mutua de 2000 (art. 4)[134], lo que cataloga como uno de los rasgos más interesantes del nuevo instrumento a fin de garantizar la admisibilidad probatoria.

Se busca así evitar que la prueba sea finalmente ineficaz por no cumplir con la *lex fori*. Por ello, y para garantizar la correcta ejecución de la OEI y que se ajusta a las formalidades requeridas, también se ha previsto que la autoridad de emisión pueda pedir que autoridades de su país asistan en la ejecución de la OEI "para apoyar a las autoridades competentes del Estado de ejecución en la medida en que las autoridades del Estado de emisión designadas estén facultadas para participar en la ejecución de las medidas de investigación requeridas en la OEI en un caso interno similar. La autoridad de ejecución accederá a dicha petición, siempre que esa asistencia no sea contraria a los principios jurídicos fundamentales del Estado de ejecución ni perjudique sus intereses de seguridad nacional esenciales" (art.

último caso, no obstante, debe tenerse en cuenta que el precepto habla de aplazar "el reconocimiento o la ejecución).

[134] También en la DM 2008/978 JAI del EEP (art. 12).

9.4). Se añade en la regulación que "las autoridades del Estado de emisión presentes en el Estado de ejecución se someterán al Derecho del Estado de ejecución durante la ejecución de la OEI. No tendrán ninguna competencia coercitiva en el territorio del Estado de ejecución, a no ser que el ejercicio de dicha competencia en el territorio del Estado de ejecución sea conforme con el Derecho nacional del Estado de ejecución y en la medida acordada entre la autoridad de emisión y la de ejecución" (art. 9.5).

Al mismo tiempo la DOEI evita la imposición de la *lex fori* en el Estado de ejecución si ésta no es compatible con la *lex loci,* mejor dicho, en palabras de BACHMAIER WINTER, *con sus principios jurídicos fundamentales,* por lo que la previsión de un lado favorece la cooperación y de otro la admisibilidad ulterior de las fuentes de prueba obtenidas en el extranjero[135].

Como complemento de estas reglas y a falta de normas generales sobre admisibilidad de las pruebas en procesos penales transnacionales en Europa, a fin de garantizar el derecho de defensa, debe considerarse un importante avance la regla incorporada en el art. 14.5 DOEI, en el que se dispone que "sin perjuicio de las normas procesales internas, los Estados miembros velarán porque, en los procesos penales en el Estado de emisión, se respeten los derechos de la defensa y la equidad del proceso al evaluar las pruebas obtenidas a través de la OEI". El precepto parece dar a entender, como señala BACHMAIER WINTER, *que los tribunales han de promover o comprobar que el modo en que se obtuvieron las pruebas en otro Estado respeta las garantías fundamentales*[136].

4.3.3.5. *Sustitución*

Decidido el reconocimiento de la OEI, la autoridad de ejecución debe pronunciarse sobre si ejecutará la misma medida que contiene la OEI o si procederá a su sustitución por otra medida distinta. El art. 10 DOEI, rubricado "recurso a medidas de investigación distintas", distingue varios supuestos, que han pasado al art. 206 PMLRM ("ejecución de las medidas de investigación solicitadas en la orden europea de investigación"). Es importante tener en cuenta que la posibilidad de que el órgano de la ejecución recurra a medidas diferentes de las solicitadas favorece la colabo-

---

[135] BACHMAIER WINTER, Lorena, "Prueba transnacional penal en Europa: la Directiva 2014/41 relativa a la Orden Europea de Investigación", *op. cit.,* p. 27.
[136] BACHMAIER WINTER, Lorena, "Prueba transnacional penal en Europa: la Directiva 2014/41 relativa a la Orden Europea de Investigación", *op. cit.,* p. 28.

ración entre los Estados a fin de no acabar con una denegación de la OEI, asegurando su eficacia[137].

En primer término, la autoridad de ejecución puede siempre optar por una "medida distinta a la indicada en la OEI cuando la medida de investigación elegida por la autoridad de ejecución tenga el mismo resultado por medios menos invasores de la intimidad que la medida de investigación indicada en la OEI (art. 10.3 DOEI y 206.2 PMLRM). Esta previsión tiene que ser puesta en relación con el posible control de las condiciones de emisión de la orden que el art. 6.3 viene a atribuir a la autoridad de ejecución[138].

Cuando la autoridad de ejecución tuviera razones para creer que no se han cumplido las condiciones a que se refiere el apartado 1, podrá consultar a la autoridad de emisión sobre la importancia de la ejecución de la OEI. Tras esta consulta, la autoridad de emisión podrá decidir la retirada de la OEI.

Del mismo modo, deberá sustituirla si la medida no está prevista en el Derecho nacional del Estado de ejecución, o no lo está para un caso interno similar (art. 10.1 DOEI y 206.3 PMLRM).

En los casos de sustitución, cuando la autoridad de ejecución decida hacer uso de las posibilidades contempladas en los apartados 1 y 3, informará en primer lugar a la autoridad de emisión, la cual podrá decidir retirar o completar la OEI (art. 10.4), y debe hacerlo sin demora (art. 16.3.a) y lógicamente con carácter previo a la ejecución.

No obstante, la DOEI unifica una serie de medidas, recogidas en el art. 10.2, que pueden considerarse privilegiadas por cuanto "siempre tienen que existir en el Derecho nacional del Estado de ejecución": la obtención de información o de pruebas que obren ya en poder de la autoridad de ejecución siempre que, de conformidad con el Derecho nacional del Estado de ejecución, esa información o esas pruebas hubieran podido obtenerse en el contexto de un procedimiento penal o a los fines de la OEI; la obtención de información contenida en bases de datos que obren en poder de

---

[137] Vid. JIMENO BULNES, Mar, *op. cit.*, p. 182; y MARTÍNEZ GARCÍA, Elena, *op. cit.*, p. 70.

[138] En este sentido, señala MARTÍNEZ GARCÍA, Elena, *op. cit.*, p. 71, que se podrá en todo caso ejecutar una medida distinta de la solicitada, siempre y cuando la autoridad de destino considere que siendo menos gravosa conforme a su ordenamiento interno, obtiene los mismos datos solicitados en condiciones de utilidad. Es el juicio de proporcionalidad —añade— quien le obliga a tomar esta decisión para lograr integrar el principio de reconocimiento mutuo en su marco jurídico.
Vid. también supra, 4.3.2.2.

las autoridades policiales o judiciales y que sean directamente accesibles a la autoridad de ejecución en el marco de un procedimiento penal; la declaración de un testigo, un perito, una víctima, un investigado o acusado o un tercero en el territorio del Estado de ejecución; cualquier medida de investigación no invasiva definida con arreglo al Derecho nacional del Estado de ejecución; y la identificación de personas que sean titulares de un número de teléfono o una dirección IP determinados. EL art. 206. PMLRM recoge los mismos supuestos, como era de esperar en la norma de implementación. No en vano el paso decisivo de la norma europea al contemplar estos supuestos es el de blindarlos para impedir que pueda denegarse la cooperación o el reconocimiento en esos casos.

4.3.3.6. *Límites al principio de reconocimiento mutuo: los motivos de denegación*

Una de las cuestiones *más importantes y espinosas*[139] en relación al reconocimiento y ejecución de la OEI es, sin duda, la relativa a los motivos de denegación. Buena prueba de ello constituye la comparación entre la Propuesta inicial de Directiva (art. 10) y el texto finalmente aprobado (art. 11).

Como afirma JIMÉNEZ VILLAREJO, *la existencia de causas de denegación supone, en sí misma, una derogación parcial del principio de reconocimiento mutuo, por lo que se deberían limitar a las estrictamente necesarias*[140]. Efectivamente, la Propuesta pretendió profundizar en la aplicación del principio de reconocimiento mutuo introduciendo una severa reducción de los motivos de no reconocimiento o ejecución que además se recogieron como facultativos (y no preceptivos)[141]. Y no cabe duda de que cuanto más se reduzcan los

---

[139] JIMENO BULNES, Mar, *op. cit.*, p. 183.
[140] JIMÉNEZ-VILLAREJO FERNÁNDEZ, Francisco, "Orden europea de investigación", *op. cit.*, p. 426.
[141] El considerando 6 de la Propuesta coincidía prácticamente con el de la DOEI: "En el Programa de Estocolmo, adoptado por el Consejo Europeo de los días 10 y 11 de diciembre de 2009, este decidió que debía proseguirse la creación de un sistema general para obtener pruebas en los casos de dimensión transfronteriza, basado en el principio de reconocimiento mutuo. El Consejo Europeo indicó que los instrumentos existentes en este ámbito constituyen un régimen fragmentario y que es necesario un nuevo planteamiento basado en el principio de reconocimiento mutuo pero que tenga también en cuenta la flexibilidad del sistema tradicional de asistencia judicial. Por ello, el Consejo Europeo abogó por un sistema general que sustituya a todos los instrumentos existentes en este ámbito, incluida la Decisión Marco 2008/978/JAI, que cubra, en la medida de lo posible, todos los tipos de pruebas, contenga plazos para su aplicación y limite en la medida de lo posible los argumentos para la denegación".

posibles motivos de denegación, más virtualidad adquiere el principio de reconocimiento mutuo, y a la inversa. Pero sucede que desde la primera propuesta de Directiva de abril de 2010, se han ampliado los motivos de denegación de la ejecución, lo que contribuye a dotar de flexibilidad a este instrumento, aunque, como observa BACHMAIER WINTER, *le resta automatismo en su aplicación, lo cual obviamente presenta ventajas e inconvenientes*[142].

Puede afirmarse así que la extensión de los motivos de denegación del reconocimiento y ejecución de la OEI ha sido uno de los aspectos más debatidos de la OEI[143].

Pues bien, los motivos que se recogen en el art. 11 DOEI como "Motivos de denegación del reconocimiento o de la ejecución", coinciden básicamente con los regulados en los convenios internacionales de asistencia mutua penal de 1959 y 2000, con excepción del principio de orden público y de doble incriminación, y la incorporación de la protección de los derechos fundamentales conforme al derecho de la Unión y los motivos derivados del derecho interno[144].

Se comprenderá que no podamos detenernos en el análisis detallado de cada uno de los motivos y de todas las cuestiones que la materia suscita[145], por lo que, hechas las consideraciones generales anteriores, nos limitaremos a exponer los motivos de denegación que la DOEI menciona, haciendo una breve alusión, como en los puntos anteriores, al PMLRM. Debe tenerse en cuenta, además, que la regulación no es sistemática ni ordenada, y que en el caso de la implementación a nuestro ordenamiento se aprecia que la complejidad es aún mayor, ya que se configuran todas las causas como obligatorias, y el precepto que las regula comienza remitiéndose a las causas generales del art. 32.1 LRM.

[142] BACHMAIER WINTER, Lorena, "La propuesta de Directiva europea sobre la orden de investigación penal: valoración crítica de los motivos de denegación", Diario La Ley, 28 de diciembre de 2012, núm. 7992, p. 47.
[143] JIMÉNEZ-VILLAREJO FERNÁNDEZ, Francisco, "Orden europea de investigación", *op. cit.*, p. 426.
[144] En este sentido, BACHMAIER WINTER, Lorena, "Prueba transnacional penal en Europa: la Directiva 2014/41 relativa a la Orden Europea de Investigación", *op. cit.*, p. 24; y MARTÍNEZ GARCÍA, Elena, *op. cit.*, p. 74.
[145] Vid. ampliamente, BACHMAIER WINTER, Lorena, "La propuesta de Directiva europea sobre la orden de investigación penal: valoración crítica de los motivos de denegación", *op. cit.*, pp. 47 y ss; RODRÍGUEZ-MEDEL NIETO, Carmen, *op. cit.*, pp. 416 y ss; y MARTÍNEZ GARCÍA, Elena, *op. cit.*, pp. 73 y ss.

Además de las causas específicas para las concretas medidas de investigación reguladas en los capítulos IV y V, en las que tampoco entramos,
las generales, enunciadas en el art. 11 pueden exponerse del modo que
recogemos a continuación.

En primer término, el precepto, previamente a enumerar la lista concreta de los motivos de denegación, se remite a lo dispuesto en el art. 1.4
DOEI[146], al señalar que "sin perjuicio del artículo 1, apartado 4, se podrá
denegar el reconocimiento o la ejecución de una OEI en el Estado de
ejecución". La previsión preside las causas de denegación y puesto en relación con el considerando 19[147] en tanto establece que "si hubiere motivos
sustanciales para creer que la ejecución de una medida de investigación indicada en la OEI vulneraría un derecho fundamental del interesado y que
el Estado de ejecución ignoraría sus obligaciones relativas a la protección
de los derechos fundamentales reconocidos en la Carta, la ejecución de
la OEI I debe denegarse", permite afirmar que se configura como motivo
autónomo de denegación[148].

Además, y aunque nos salgamos del orden de la enumeración del art.
11.1 DOEI, debe mencionarse que también se ha recogido en la letra f del
precepto como causa facultativa de denegación "cuando existan motivos
fundados para creer que la ejecución de la medida de investigación indicada en la OEI sería incompatible con las obligaciones del Estado miembro
de ejecución de conformidad con el artículo 6 del TUE y de la Carta".
Entiende BACHMAIER WINTER que la formulación de este motivo de
denegación es ciertamente amplia, porque no es necesario acreditar que
la ejecución llevará a una vulneración de los derechos fundamentales, sino
que basta que se tengan "motivos fundados para creer" que podrá generar-
se una posible vulneración de los derechos fundamentales, lo que permite
calificarla como una especie de cláusula de *orden público europeo*[149].

---

[146]   Dispone el precepto que "La presente Directiva no podrá tener por efecto modificar la
        obligación de respetar los derechos fundamentales y los principios jurídicos enuncia-
        dos en el artículo 6 del TUE, incluido el derecho de defensa de las personas imputadas
        en un proceso penal, y cualesquiera obligaciones que correspondan a las autoridades
        judiciales a este respecto permanecerán incólumes".
[147]   En relación con el considerando 18.
[148]   Vid ampliamente, JIMÉNEZ-VILLAREJO FERNÁNDEZ, Francisco, "Orden europea
        de investigación", *op. cit.*, p. 427, argumentando cómo lo deseable hubiera sido que se
        articulara como motivo extraordinario y no general.
[149]   BACHMAIER WINTER, Lorena, "Prueba transnacional penal en Europa: la Directiva
        2014/41 relativa a la Orden Europea de Investigación", *op. cit.*, p. 25.

Al margen de lo expuesto, se podrá denegar el reconocimiento o la ejecución de una OEI en el Estado de ejecución de conformidad con el art. 11.1: a) cuando exista una inmunidad o privilegio en el Derecho del Estado de ejecución que haga imposible ejecutar la OEI, o normas sobre determinación y limitación de la responsabilidad penal en relación con la libertad de la prensa y la libertad de expresión en otros medios de comunicación que imposibiliten su ejecución; b) cuando la ejecución de la OEI pudiera lesionar, en un caso concreto, intereses esenciales de seguridad nacional, comprometer a la fuente de la información, o implicar la utilización de información clasificada relacionada con determinadas actividades de inteligencia; c) cuando la OEI haya sido emitida para los procedimientos contemplados en el artículo 4, letras b) y c), y la medida de investigación no estuviese autorizada, con arreglo al Derecho del Estado de ejecución, para un caso interno similar; d) cuando la ejecución de la OEI fuera contraria al principio de *ne bis in idem*; e) cuando la OEI se refiera a un delito que presuntamente ha sido cometido fuera del territorio del Estado de emisión y total o parcialmente en el territorio del Estado de ejecución, y la conducta en relación con la cual se emite la OEI no sea constitutiva de delito en el Estado de ejecución; g) cuando la conducta que dio origen a la emisión de la OEI no sea constitutiva de delito con arreglo al Derecho del Estado de ejecución, y no esté recogida en las categorías de delitos que figuran en el anexo D, conforme a lo indicado por la autoridad de emisión en la OEI, si en el Estado de emisión es punible con una pena o medida de seguridad privativas de libertad de un máximo de al menos tres años; o h) cuando el uso de la medida de investigación indicada en la OEI esté limitado, con arreglo al Derecho del Estado de ejecución, a una lista o categoría de delitos, o a delitos castigados con penas de a partir de un determinado umbral que no alcance el delito a que se refiere la OEI.

De acuerdo con el art. 11.2, las dos últimas causas, ausencia de doble incriminación, delito no incluido en el anexo D y pena no superior a tres años de privación de libertad (g), o cuando la medida solicitada esté limitada en el estado de ejecución a una lista o categoría de delitos (h), no se aplican a las medidas de investigación a que se refiere el artículo 10, apartado 2, las no invasivas que se consideran privilegiadas[150].

Antes de decidir sobre la denegación total o parcial del reconocimiento o de la ejecución de una OEI, se ha previsto (art. 11.4) que la autoridad del Estado de ejecución consulte a la autoridad del Estado de emisión y, en

---

[150]   Vid. supra, 4.3.3.5.

su caso, le solicite que facilite sin demora la información necesaria, como vía para promover la fluida relación entre ambas autoridades y solventar posibles dudas en cuanto a la existencia de las causas de denegación. Lo que sucede es que el precepto sólo ha dispuesto esta consulta previa como preceptiva en todas las causas salvo las de las letras c, g y h, esto es, en caso de falta de doble incriminación y de la imposibilidad de aplicar la medida a un caso interno similar (ya sea por infracción administrativa o no), cuando para este último caso el art. 10.4 prevé que se informe a la autoridad requirente.

Finalmente, debe apuntarse que el art. 207 PMLRM, "Denegación del reconocimiento y ejecución de la orden europea de investigación", dispone que en su núm. 1 que "la autoridad competente española denegará el reconocimiento y ejecución de la orden europea de investigación, además de en los supuestos del apartado 1 del artículo 32", en los casos recogidos en siete apartados. Pues bien, como se ha dicho, aquí todavía resulta más compleja la exposición de los motivos de denegación. Podemos colegir que básicamente se recogen todos los que la DOEI enumera, debiendo añadirse, evidentemente; también los que se refieren a medidas especiales (arts. 214 a 223 PMLRM), observando que alguno de los motivos se repite, y se enuncia tanto en el art. 32.1 como en el 207 (es el caso de la inmunidad), y que en el listado del art. 207 faltaría el *ne bis in idem*, al ser motivo general en la regulación del Título I LRM.

BIBLIOGRAFÍA

AGUILERA MORALES, Marien, "El exhorto europeo de investigación: a la búsqueda de la eficacia y la protección de los derechos fundamentales en las investigaciones penales transfronterizas", *Boletín del Ministerio de Justicia*, núm. 2145, agosto de 2012, pp. 1 a 27.

ALIAGA CASANOVA, Alfonso C., "La Ejecución en la Unión Europea de las resoluciones de embargo preventivo de bienes y aseguramiento de pruebas. La víctima y su derecho al cobro de la indemnización", *Estudios Jurídicos*, 2008, pp. 1 a 49.

ARANGÜENA FANEGO, Coral, "Orden europea de investigación: próxima implementación en España del nuevo instrumento de obtención de prueba penal transfronteriza", *Revista de Derecho Comunitario Europeo*, núm. 58, 2017, pp. 905 a 939.

ARANGÜENA FANEGO, Coral; DE HOYOS SANCHO, Monserrat; y RODRÍGUEZ-MEDEL NIETO, Carmen (dirs. y coords.), *Reconocimiento mutuo de resoluciones penales en la Unión Europea*, Aranzadi, Cizur Menor, 2015.

BACHMAIER WINTER, Lorena, "El exhorto europeo de obtención de pruebas en el proceso penal. Estudio y perspectivas de la propuesta de Decisión Marco", en *El Derecho procesal penal en la Unión Europea* (coords.: ARMENTA DEU, Teresa; GASCÓN

INCHAUSTI, Fernando; y CEDEÑO HERNÁN, Marina), Colex, Madrid, 2006, pp. 131 a 178.

BACHMAIER WINTER, Lorena, "La orden europea de investigación y el principio de proporcionalidad", *Revista General de Derecho Europeo*, núm. 25, 2011.

BACHMAIER WINTER, Lorena, "La orden europea de investigación: la propuesta de Directiva europea para la obtención de pruebas en el proceso penal", *Revista Española de Derecho Europeo*, núm. 37, 2011, pp. 71 a 93.

BACHMAIER WINTER, Lorena, "La propuesta de Directiva europea sobre la orden de investigación penal: valoración crítica de los motivos de denegación", *Diario La Ley*, 28 de diciembre de 2012, núm. 7992, pp. 46 a 57.

BACHMAIER WINTER, Lorena, "Prueba transnacional penal en Europa: la Directiva 2014/41 relativa a la Orden Europea de Investigación", *Revista General de Derecho Europeo*, núm. 36, 2015, pp. 1 a 35.

BACHMAIER WINTER, Lorena, "El exhorto europeo de obtención de pruebas: análisis normativo", en *Reconocimiento mutuo de resoluciones penales en la Unión Europea* (dirs. y coords.: ARANGÜENA FANEGO, Coral; DE HOYOS SANCHO, Monserrat; y RODRÍGUEZ-MEDEL NIETO, Carmen), Aranzadi, Cizur Menor, 2015, pp. 507 a 520.

BARRIENTOS PACHO, Jesús M. (dir.), *La nueva Ley para la eficacia en la Unión Europea de las resoluciones de embargo y aseguramiento de pruebas en procedimientos penales*, Estudios de Derecho Judicial, Madrid, 2007.

BUJOSA VADELL, Lorenzo, "Ejecución en la Unión Europea de las resoluciones de embargo preventivo de bienes y de aseguramiento de pruebas. Comentario a la Decisión Marco 2003/577 JAI del Consejo, de 22 de julio de 2003", *Revista General de Derecho Europeo*, núm. 3, pp. 1 a 12.

DE JORGE MESAS, Luis Francisco, *Reconocimiento de las resoluciones penales en la Unión Europea*, Tirant lo blanch, Valencia, 2016.

DE AMICIS, Gaetano, "Llimiti e prospettive del mandato europeo di ricerca della prova", https://www.penalecontemporaneo.it/upload/Relazione%20De%20Amicis.pdf

DE HOYOS SANCHO, Monserrat, "El principio de reconocimiento mutuo de resoluciones penales en la Unión Europea: ¿asimilación automática o corresponsabilidad?", *Revista de Derecho Comunitario Europeo*, 2005, núm. 22, pp. 807 a 842.

DELGADO MARTÍN, Joaquín, "La orden de detención europea y los procedimientos de entrega entre los estados miembros de la Unión Europea", en *Derecho Penal supranacional y cooperación jurídica internacional* (dir. GALGO PECO, Ángel), Cuadernos de Derecho Judicial, núm., 13, 2003, pp. 281-380.

DELGADO MARTÍN, Joaquín, "La Orden Europea de Detención y Entrega", *Diario La Ley*, núm. 6205, 2005, pp. 1507-1523.

DÍAZ PITA, Mª Paula, "La orden europea de investigación en materia penal (OEI) y la lucha contra la criminalidad organizada transnacional en la Unión Europea", *Observatorio de Criminalidad Organizada Transnacional de la Universidad de Salamanca*, http://crimtrans.usal.es/sites/default/files/DIAZ%20PITA%20MP_La%20Orden%20Europea%20de%20Investigaci%C3%83%C2%B3n%20en%20materia%20penal%20SEVILLA.pdf

GASCÓN INCHAUSTI, Fernando, "Investigación transfronteriza, obtención de prueba penal en el extranjero y derechos fundamentales", en *Juan Montero Aroca, El*

Derecho Procesal español del Siglo XX a golpe de tango, Liber Amicirun, en homenaje y para celebrar su LXX cumpleaños (coords.: GÓMEZ COLOMER, Juan Luis; BARONA VILAR, Silvia; y CALDERÓN CUADRADO, Pia), Tirant lo Blanch, Valencia, 2012, pp. 1245 a 1272.

GASCÓN INCHAUSTI, Fernando, "Reconocimiento mutuo de resoluciones de embargo preventivo y aseguramiento de prueba: análisis normativo", en *Reconocimiento mutuo de resoluciones penales en la Unión Europea* (dirs. y coords.: ARANGÜENA FANEGO, Coral; DE HOYOS SANCHO, Monserrat; y RODRÍGUEZ-MEDEL NIETO, Carmen), Aranzadi, Cizur Menor, 2015, pp. 323 a 363.

GLASER, Sanja, MOTZ, Andreas y ZIMMERMANN, Frank, "Mutual Recognition and its Implications for the Gathering of Evidence in Criminal Proceedings: A Critical Analysis of the Initiative for a European Investigation Order", Themis 2010, Barcelona, pp. 1 a 20.

GONZÁLEZ CANO, Mª Isabel, "El Proyecto de Decisión Marco sobre el exhorto europeo de medios de prueba", en *La Prueba en el Espacio Europeo de Libertad, Seguridad y Justicia Penal* (VVAA), Aranzadi, Navarra, 2006, pp. 95 a 116.

GONZÁLEZ MONJE, Alicia, *Cooperación jurídica internacional en materia penal e intervención de comunicaciones como técnica especial de investigación*, Comares, Granada, 2017.

GRANDE MARLASKA-GÓMEZ, Fernando y DEL POZO PÉREZ, Marta, "La obtención de fuentes de prueba en la Unión europea y su validez en el proceso penal español", *Revista General de Derecho Europeo*, núm. 24, 2011, pp. 1 a 42.

JIMÉNEZ-VILLAREJO FERNÁNDEZ, Francisco, "Orden europea de investigación: ¿adiós a las comisiones rogatorias?", en Cooperación judicial civil y penal en el nuevo escenario de Lisboa (coord.: ARANGÜENA FANEGO, Coral), Comares, Granada, 2011, pp. 175 a 203.

JIMÉNEZ-VILLAREJO FERNÁNDEZ, Francisco, "Orden europea de investigación", *Cooperación jurídica penal internacional* (dir.: JUANES PECES, Ángel), Memento experto Francis Lefebvre, Madrid, 2016, pp. 387 a 441.

JIMENO BULNES, Mar, "Orden europea de investigación en materia penal", *Aproximación legislativa versus reconocimiento mutuo en el desarrollo del espacio judicial europeo: una perspectiva multidisciplinar* (dir. JIMENO BULNES, Mar), Barcelona, Bosch, 2016, pp. 152 a 208.

MANGIARACINA, Annalisa, "A New and Controversial Scenario in the Gathering of Evidence at the European Level: The Proposal for a Directive on the European Investigation Order", *Utrecht Law Review*, vol. 10, Issue I (January) 2014, pp. 113 a 133.

MARTÍN GARCÍA, Antonio Luis y BUJOSA VADELL, Lorenzo, *La obtención de prueba en materia penal en la Unión Europea*, Atelier, Barcelona, 2016.

MARTÍNEZ GARCÍA, Elena, *La orden europea de investigación*, Titant lo blanch, Valencia, 2016.

MORÁN MARTÍNEZ, Rosa Ana, "Obtención y utilización de la prueba transnacional", *Revista de Derecho Penal*, núm. 30, mayo 2010, pp. 79 a 102.

ORMAZÁBAL SÁNCHEZ, Guillermo, "La formación del espacio judicial europeo en materia penal y el principio de mutuo reconocimiento. Especial referencia a la extradición y al mutuo reconocimiento de pruebas", en *El Derecho procesal penal en la Unión Europea* (coords.: ARMENTA DEU, Teresa; GASCÓN INCHAUSTI, Fernando; y CEDEÑO HERNÁN, Marina), Colex, Madrid, 2006, pp. 37 a 73.

ORMAZÁBAL SÁNCHEZ, Guillermo, "La prueba penal en el Espacio judicial europeo. Asistencia judicial y mutuo reconocimiento", *La Ley Penal*, núm. 74, septiembre 2010, pp. 1 a 28.

RODRÍGUEZ-MEDEL NIETO, Carmen, *Obtención y admisibilidad en España de la prueba penal transfronteriza: de las comisiones rogatorias a la orden europea de investigación*, Cizur Menor, Aranzadi, 2016.

SALCEDO VELASCO, Andrés, "Orden Europea de Embargo Preventivo y Aseguramiento de Pruebas, Decomiso y Exhorto europeo", en *Cooperación judicial penal en Europa* (dirs.: CARMONA RUANO., Miguel; GONZÁLEZ VEGA, Ignacio; y MORENO CATENA, Víctor), Dykinson, Madrid, 2013, pp. 610 a 647.

VOGEL, Joachin, "La prueba transnacional en el proceso penal: un marco para la teoría y praxis", en *La Prueba en el Espacio Europeo de Libertad, Seguridad y Justicia Penal* (VVAA), Aranzadi, Navarra, 2006, pp. 45 a 90.

Capítulo XI

La orden europea de investigación

ELENA MARTÍNEZ GARCÍA

Profesora Titular de Derecho Procesal (acreditada al cuerpo de Catedráticos)
Universitat de València

1. LA ORDEN EUROPEA DE INVESTIGACIÓN

La aprobación de la Directiva 2014/41/UE del Parlamento Europeo sobre la Orden Europea de Investigación (OEI) comienza su transposición, a nuestro ordenamiento jurídico, con la incorporación en la Ley 23/2014, de 20 de noviembre de Reconocimiento mutuo de resoluciones judiciales penales en la UE, a través del actual Proyecto de Ley por el que se modifica la Ley 23/2014 para regular la Orden Europea de Investigación (PLOEI)[1]. Ello conlleva igualmente la aplicación del Reglamento (UE) 2016/95 del Parlamento Europeo y del Consejo, de 20 de enero de 2016, por el que se derogan determinados actos en el ámbito de la cooperación judicial y policial penal y la sustitución de las Decisiones Marco 2003/577/JAI sobre el aseguramiento de pruebas y la 2008/978/JAI sobre Exhorto Obtención

---

[1]   Proyecto de Ley 121/000014 (1 de diciembre de 2017).

pruebas. Asimismo, hemos de señalar que recientemente se ha emitido igualmente el Dictamen 1/2017 del Fiscal de Sala de Cooperación judicial internacional destinado a interpretar ciertos mínimos de esta nueva legislación.

Esta iniciativa de cooperación judicial penal, que establece relaciones directas entre jueces y magistrados del territorio de la UE, se inserta en el marco del Tratado de Lisboa (2007) y el III Pilar Libertad, Seguridad y Justicia, donde la cooperación Judicial pasa a formar parte del Tratado de Funcionamiento de la Unión Europea. Junto a ello, ha tenido un papel muy especial el Programa de Estocolmo (2009) destinado a hacer una realidad la confianza mutua entre Estados. Se ha producido una evolución desde un sistema de cooperación judicial entre diferentes (2008), a un sistema de confianza y equivalencia de las resoluciones del estado vecino (2014). Así se ve claramente en materia probatoria, donde la Orden Europea de Investigación pasa a sustituir al Exhorto de Obtención de prueba (2008).

La nueva Directiva sobre la Orden de Investigación Europea aprobada por el Parlamento y Consejo Europeos, representa un gran avance y la superación del complejo y fragmentado sistema de asistencia mutua, dirigido a la obtención de pruebas en asuntos penales a través del embargo preventivo de bienes y aseguramiento de pruebas (Directiva 2003/577/JHA de 22 de julio), así como las limitaciones derivadas del Exhorto de Obtención de Pruebas (Decisión 2008/978/JHA de 18 de diciembre)[2]. Es importante discernir entre estas dos situaciones en materia de obtención de prueba, a saber, el Exhorto de Obtención de Prueba[3] y el nuevo instrumento creado

---

[2]   GLASER, S./MOTZ, A./ZIMMERMANN,F., "Mutual Recognition and its implications for the Gathering of Evidence in Criminal Proceedings: A critical Analysis of The initiative for a European Investigation Order", *op. cit.*, p. 1-6.

[3]   Sobre esta Directiva existen dos estudios básicos y pioneros en España, a los que me remito para conocer este borrador objeto de estudio AGUILERA MORALES, M., "El exhorto europeo de investigación: A las búsqueda de la eficacia y la protección de los derechos fundamentales en las investigaciones penales transfronterizas", Boletín del Ministerio de Justicia, núm.2145 Agosto 2012 y BACHMAIER; L., La propuesta de Directiva europea sobre la orden de investigación penal: Valoración crítica de los motivos de denegación, CISS, Wolters Kluwer, febrero 2013, BURCHARD, C., "Die Europäishe Ermittlungsanordnung („European Investigation Order"): Exekutorishe Strafrechtsvergleichung uns das Prinzip der gegenseitigen Anerkenung", Beck, S. *Strafrechtsvergleichung als Problem und Lösung*, Nomos-Vergl.-Ges 2011, GASCÓN INCHAUSTI, F., "Investigación transfronteriza, obtención de prueba penal en el extranjero y derechos fundamentales (Reflexiones a la luz de la jurisprudencia española)", *Derecho Procesal Español del S. XX a golpe de tango*, Tirant lo Blanch, 2012 y DÍAZ PITA, M.P., "La

tras la Directiva relativa a la Orden Europea de Investigación[4]. El cambio, como decimos, es cualitativo al permitirse que una investigación penal que se desarrolla en España pueda introducirse en el *terreno de juego* de otro país —de su soberanía— y decirle lo que quiere que haga y cómo quiere que se haga, es decir, qué acto de investigación le es útil al Estado español y cómo quiere que éste se lleve a cabo, obviamente con las limitaciones propias derivadas de la Directiva objeto de estudio. Por tanto, hemos evolucionado desde un sistema voluntario de cooperación judicial entre *diferentes,* a un sistema basado en la confianza y la *equivalencia,* que *obliga* a cooperar intensamente más allá de la diferencia de la *lex loci* y la *lex fori*[5].

La fecha límite de transposición se fijó para el 22 de mayo de 2017 y la han transpuesto casi todos los estados con mayor o menor precisión. En conclusión, la Orden Europea de Investigación se aplica en todos los Estados de la Unión Europea, salvo Irlanda y Dinamarca que han ejercido el *opt-out.* Por su lado Reino Unido tiene transpuesta la directiva a pesar del denominado Brexit.

La fundamentación de este sistema de cooperación judicial penal y reconocimiento mutuo la encontramos en la Carta de Derechos Fundamentales (art. 47) y el CEDH (art. 6), TFUE (art. 82.2.a) y debemos contar con la jurisprudencia ya consolidada del TEDH (Doctrina *Melloni*, Doctri-

---

lucha contra los delitos transfronterizos y no transfronterizos en la Unión Europea: Los instrumentos de investigación transfronteriza y el principio de reconocimiento mutuo", *Revista General de Derecho penal* 20 (2013).

[4] Para entender este estudio en su importancia y necesidad, ha sido básica la lectura del extraordinario trabajo realizado previamente por VERMEULEN, DE BONDT &VAN DAMME, *EU Cross-border gathering and use of evidence in criminal matters. Towards mutual recognition of investigative measures and free movement of evidence?,* Vol. 37, Maklu (2010). Allí se usa un triple enfoque sobre la admisibilidad de las pruebas ilícitas en todos los Estados Miembros, a saber, respecto de las pruebas obtenidas en un ámbito doméstico, las obtenidas en el extranjero y las obtenidas en función de una ejecución solicitada en materia de cooperación judicial.

[5] El principio de reconocimiento mutuo es la herramienta clave para la construcción de la Europa de la Libertad, Seguridad y Justicia. Si bien este principio surgió en el ámbito de la cooperación judicial civil, en aras de asegurar la circulación de títulos en el mercado de la Unión, con el consecuente efecto *liberalizador,* podemos afirmar que su expansión al proceso penal exige asegurar la circulación de título judiciales que afectan principalmente a derechos fundamentales, teniendo precisamente, un efecto contrario, es decir, sirve para *expandir restricciones y limitaciones a la libertad personal* impuestas por una autoridad nacional sobre un individuo, GLASER, S.,/MOTZ, A.,/ZIMMERMANN,F., "Mutual Recognition and its implications for teh Gathering of Evidence in Criminal Proceedings: A critical Analysis of The initiative for a European Investigation Order", Themis 2010, p. 1.

na *Pupino*, Doctrina *Schenk*) con el fin de integrar este instrumento en las legislaciones nacionales de los Estados-Miembros.

Especialmente, en materia de derechos fundamentales se hace compleja la materialización de este principio de reconocimiento mutuo sin unos mínimos legales comunes, que aseguren el respeto del núcleo esencial de dichos derechos. Esta dificultad lleva poniéndose de manifiesto a través de diversos instrumentos de investigación en la Unión Europea desde hace años[6] y es mucha la doctrina que reivindica ciertos mínimos de *estandarización* para hacer viable este principio[7]. Hoy añadimos un eslabón más a esta cadena con la Directiva relativa a la Orden Europea de Investigación[8]. Llegado a este punto, la pregunta que surge inmediatamente al lector conocedor del funcionamiento de las fuentes de prueba ante la conexión de dos ordenamientos, como ocurre aquí, será la relativa a *¿cuándo la futura directiva sobre derechos fundamentales en UE e ilicitud probatoria?*

---

[6]   Nos referimos, principalmente, a la Decisión marco 2003/577/JAI del Consejo, de 22 de julio de 2003, relativa a la ejecución en la Unión Europea de las resoluciones de embargo preventivo de bienes y de aseguramiento de pruebas y la Decisión marco 2008/978/JAI del Consejo, de 18 de diciembre de 2008, relativa al Exhorto de Obtención de pruebas para recabar objetos, documentos y datos destinados a procedimientos en materia penal, ambos hoy transpuestos en la Ley 23/2014, de 20 de noviembre, de Reconocimiento mutuo de resoluciones judiciales penales en la Unión Europea.

[7]   "Mutual trust can only exist if there is a certain common basis in all Member States' systems of ciminal justice. (…) A mínimum aproximation of the member States' substantive criminal laws is necessary because the certainty that the behaviour would also constitute a criminal offence in its domestic law would make it easier for the requested State to excute a request for assitance. (…) The aproximation of national procedural laws is a prerequisite for the development of mutual trust in transnational criminal proceedings within the EU. (…) Without such a mínimum synchronization the conflicts going along with the principle of mutual recognition would be intractable. If the member State' systems of criminal justice were completely independent and incoherente, there would be no basis to justify the extraterritoriality being produced by the obligation to recognise foreing judicial decisions", GLASER, S./MOTZ, A./ZIMMERMANN,F., "Mutual Recognition and its implications for teh Gathering of Evidence in Criminal Proceedings: A critical Analysis of The initiative for a European Investigation Order", *op. cit.*, p. 6. Un excelente estudio sobre los límites de este principio de reconocimiento mutuo lo encontramos en SUOMINEN, A., "Limits of mutual recognition in cooperation in criminal matters within the EU —especially in light of recent Judgments of both European Courts", European Criminal Law Review, Vol.4, num.3, Diciembre 2014.

[8]   Directiva 2014/41 de 3 de abril DOUE 1 de mayo 2014. Señalar que ni Irlanda ni Dinamarca son objeto de aplicación de esta Directiva, pero sí finalmente Reino Unido que ha formulado su voluntad de adhesión.

2. ¿QUÉ ES LA ORDEN EUROPEA DE INVESTIGACIÓN?

El artículo 186 del PLOEI establece que "La Orden Europea de Investigación es una resolución penal emitida o validada por la autoridad competente de un Estado miembro de la Unión Europea, dictada con vistas a la realización de una o varias medidas de investigación en otro Estado miembro, cuyo objetivo es *la obtención de pruebas* para su uso en un proceso penal. También se podrá emitir una Orden Europea de Investigación con vistas a la *remisión de pruebas o de diligencias de investigación que ya obren en poder de las autoridades* competentes del Estado miembro de Ejecución". La idea clave, por tanto, es que entran en coordinación dos jurisdicciones, dos autoridades (emisión y ejecución) y dos ordenamientos. En alguna ocasión la Ley prevé la aparición de un tercer Estado en la presente colaboración a través de la Orden Europea de Investigación.

La solicitud y práctica de una medida de investigación se podrá llevar a cabo en cualquiera de las fases del procedimiento penal, incluida la de la vista, si es preciso con la participación del interesado, a efectos de la obtención de pruebas. No obstante, el proyecto aclara que si se debe trasladar a la persona a otro Estado miembro a efectos de su enjuiciamiento, con inclusión de su puesta a disposición de un órgano jurisdiccional para ser sometida a juicio, deberá emitirse una orden europea de detención y entrega. En este sentido, la orden solo puede servir para investigar y asegurar pruebas.

Se trata de una resolución penal dirigida a solicitar la realización de un acto de investigación o para pedir pruebas y diligencias que consten en poder de la autoridad de otro país. Siempre se debe dicta en un proceso penal o infracción administrativa que a posteriori puede dar lugar a proceso penal. Esto responde a la diversidad procesal existente entre países, la diferente forma de ver los poderes del juez y autoridad administrativa y, en definitiva, los derechos fundamentales o no del investigado. Por tanto, hay *Orden emitida por Juez* y *Orden emitida por autoridad administrativa y validada por Juez. Pensemos en una autoridad portuaria, por ejemplo, que emite una orden de investigación; en este caso, antes de salir del país dicha orden requiere validación judicial para ser ejecutada en España, aunque podría darse este requisito como innecesario entre ordenamientos semejantes que tengan tales sistemas administrativos de limitación de derechos en una investigación.*

La Orden Europea de Investigación puede adoptarse de oficio o a instancia de parte acusadora o acusada. Nada se dice de la posible víctima, algo que nos hace ver el modelo procesal prioritario en la UE, donde la

ELENA MARTÍNEZ GARCÍA

víctima apenas tiene participación y su lugar lo ocupa el Ministerio Fiscal[9]. En conclusión, debemos poner de relieve que en esta nueva normativa el protagonismo del Ministerio Fiscal es indudable tanto para emitir como para ejecutar, siempre con el límite de que la investigación solicitada conlleve actos limitativos derechos fundamentales, que en este caso requerirá siempre intervención de Juez, pudiendo solicitar y ejecutar el Ministerio Fiscal todos actos de investigación que no sea limitativo de derechos de esta naturaleza.

Según indica el artículo 187.1 PLOEI, las autoridades competentes señaladas podrán emitir órdenes europeas de investigación para la ejecución de medidas que podrían ordenar o ejecutar conforme a las disposiciones de la Ley de Enjuiciamiento Criminal y la Ley Orgánica 5/2000, de 12 de enero, reguladora de la responsabilidad penal de los menores.

3. COOPERACIÓN ACTIVA Y PASIVA DE ESPAÑA COMO ESTADO DE EJECUCIÓN

3.1. Cooperación pasiva de España como Estado de Emisión

La situación actual hasta la aprobación del actual Proyecto de Ley nos lleva a tener un doble régimen según si el país de emisión haya o no transpuesto la Directiva 2014/41/UE del Parlamento Europeo sobre la Orden Europea de Investigación. Es decir, España se encuentra en la situación de recibir dos tipologías de títulos de cooperación judicial, a saber, "comisiones rogatorias" —si no hay transposición de la Directiva—, o la OEI —en el supuesto de transposición de la Directiva—.

A tal fin, el Dictamen de la Fiscalía General del Estado 1/2017 deja claro que "En tanto la Directiva no esté transpuesta en España sigue siendo de aplicación el convenio de asistencia mutua 2000, pero con *la interpretación*

---

[9] Sin embargo, esta falta de previsión acerca de la intervención de la víctima en la aportación de pruebas en el proceso penal pensamos que choca frontalmente con el artículo 10.1 de la Directiva 2012/29/UE del Parlamento Europeo y del Consejo, de 25 de octubre de 2012, por la que se establecen normas mínimas sobre los derechos, el apoyo y la protección de las víctimas de delitos, y por la que se sustituye la Decisión marco 2001/220/JAI del Consejo. En dicho precepto se establece que "Los Estados miembros garantizarán a la víctima la posibilidad de ser oída durante las actuaciones y de *facilitar elementos de prueba*. Cuando una víctima menor haya de ser oída, se tendrán debidamente en cuenta la edad y la madurez del menor".

posible acorde con Directiva (de acuerdo con la Sentencia del Tribunal Constitucional 13/2017 de 30 enero)"[10]. Así lo ha establecido también la conocida *Doctrina Pupino,* que afirma que no puede rechazarse el instrumento de cooperación judicial porque no haya habido transposición en el país de destino y se debe aplicar en lo beneficioso[11].

Este control no puede dejar una puerta abierta a denegar el reconocimiento de las decisiones penales de otro país, si no es por los motivos estrictamente regulados (art. 11 y *Caso Pupino*); a tal fin, en la OEI se prevé, en primer lugar, la posibilidad de que la autoridad de ejecución —antes que denegar una medida de investigación solicitada— aplique de forma proporcional y conforme a su ordenamiento una medida alternativa a la solicitada, pero que sirva a los fines de obtener estas pruebas buscadas por el estado de emisión. En segundo término, se permite al juez de ejecución que "observe las formalidades y procedimientos expresamente indicados por la autoridad de emisión, salvo que la presente directiva disponga lo contrario y siempre que tales formalidades y procedimientos no sean contrarios a los principios jurídicos fundamentales del Estado de ejecución" (art. 9.2. Directiva).

3.2. Cooperación activa de España como Estado de emisión

Por su lado, España como órgano emisor, dictará comisiones rogatorias hasta la aprobación del actual Proyecto de Ley, pero dicha afirmación debe complementarse con la Circular de Fiscalía citada en el apartado anterior, de modo que la interpretación de la cooperación tradicional debe ser adecuada a la Directiva OEI. Así lo ha establecido también la Doctrina *Pupino* como indicábamos *supra.* De este modo, no es posible rechazar el instrumento, porque no haya habido transposición, debiéndose aplicar la Directiva en lo más beneficioso. Es más, el nuevo Proyecto de Ley recoge en el art. 186 que "se considerarán válidos en España los actos de investigación realizados por el Estado de ejecución, siempre que no contradigan los principios fundamentales del ordenamiento jurídico español"[12]. Es decir,

---

[10]   Dictamen de la Fiscalía General del Estado 1/2017 de 19 de mayo de 2017 sobre el régimen legal aplicable mientras se transpone la Directiva sobre la Orden Europea de Investigación.

[11]   Sentencia nº 632/2014 de TS, Sala 2ª, de lo Penal, 14 de Octubre de 2014

[12]   Llama la atención el cambio de criterio realizado en la tramitación de este Proyecto de Ley, dado que el antiguo art. 186 del Anteproyecto afirmaba lo contrario, en el sentido establecido por la STS 1281/2006 de 26 de diciembre "En el marco de la UE (…) no

aquí entramos en una situación compleja que a *priori* puede chocar con la Doctrina *Melloni*, relativa a que todo aspecto que esté armonizado por la Directiva debe prevalecer frente al derecho nacional. Sin embargo, en este supuesto el contenido de las medidas no está armonizado por lo que los problemas pueden surgir, sí, peros sobre todo en materia de ilicitud probatoria.

4. FORMA DE SOLICITAR LA ORDEN EUROPEA DE INVESTIGACIÓN

Según el artículo 7.1 de la Ley 23/2014, de 20 de noviembre, de reconocimiento mutuo de resoluciones penales en la Unión Europea, "Cuando la eficacia de una resolución penal española requiera la práctica de actuaciones procesales en otro Estado miembro de la Unión Europea, tratándose de algún instrumento de reconocimiento mutuo regulado en esta Ley, la autoridad judicial española competente la documentará en el formulario o certificado obligatorio, que transmitirá a la autoridad competente del otro Estado miembro para que proceda a su ejecución". En este caso, no debe aportarse el testimonio de la resolución penal en la que se basa el certificado, sino simplemente el formulario.

Es decir, tanto el estado de emisión como de ejecución deben de usar el conocido certificado del Anexo XIII de la Ley 23/2014. El anexo irá firmado por la autoridad judicial competente para dictar la resolución que se documenta, bien directamente porque lo solicita o porque lo valida.

El formulario o anexo es único y está disponible en diferentes idiomas. La resolución penal sólo será objeto del anexo y, por tanto, de traducción, cuando así se requiera por la autoridad judicial de ejecución. El certificado o el formulario se traducirán a la lengua oficial o a una de las lenguas oficiales del Estado miembro al que se dirija o, en su caso, a una lengua oficial de las instituciones comunitarias que hubiera aceptado dicho Estado, salvo que disposiciones convencionales permitan, en relación con ese Estado, su remisión en español. El coste de la traducción será asumido por el Estado de ejecución que la reclama, con la excepción de la resolución por la que se impone una pena o medida privativa de libertad regulada en el Título III.

---

le corresponde a la autoridad judicial española verificar la cadena de legalidad llevada a cabo por los funcionarios de otro país".

El artículo 212.1 del Proyecto de Ley por la que se modifica la Ley 23/2014, diseña un procedimiento ágil por el cual el Ministerio Fiscal debe acusar recibo en el plazo de una semana desde la recepción de la OEI, mediante la cumplimentación del anexo XIV, debiendo, además, supervisar y emitir un dictamen sobre su viabilidad y, en su caso, las causas de denegación.

De este modo, se trata de que en un plazo de 30 días se acepte la solicitud de cooperación judicial penal (art. 208.1 PLOEI) y que en 90 días que se realice el acto de investigación (art. 208.4 PLOEI). En todo caso, ha de mediar el informe preceptivo del MF sobre la concurrencia o no de causa de denegación de la ejecución de la orden y si se entiende ajustada a Derecho la adopción de la medida de investigación [art. 187.2.b) PLOEI].

Por último decir que existe una herramienta básica que nos puede ayudar a determinar, con bastante aproximación, el órgano de ejecución al que pedir cooperación judicial o, en su caso, la autoridad fiscal o judicial del país que se encarga del reparto. Nos estamos refiriendo a la Red Judicial penal Europea (https://www.ejn-crimjust.europa.eu/ejn/).

5. COMPETENCIA PARA LA EMISIÓN Y EJECUCIÓN DE UNA ORDEN EUROPEA DE INVESTIGACIÓN

A tenor del artículo 187 del POLEI debemos de distinguir entre la competencia para emitir una orden y para ejecutar la orden recibida por el Estado Español.

Son autoridades de emisión de una orden europea de investigación los Jueces o Tribunales que conozcan del proceso penal en el que se debe adoptar la medida de investigación o que hayan admitido la prueba si el procedimiento se encuentra en fase de enjuiciamiento.

La competencia para emitir una orden de investigación en España la tienen los Jueces o Tribunales que conozcan del proceso penal en el que se debe adoptar la medida de investigación o que hayan admitido la prueba si el procedimiento se encuentra en fase de enjuiciamiento.

También son autoridades de emisión los Fiscales en los procedimientos que dirijan, siempre que la medida que contenga la orden europea de investigación no sea limitativa de derechos fundamentales.

En cuanto a la competencia para la recepción de una Orden Europea de Investigación debemos distinguir dos posibilidades. En primer término, se contempla la ejecución directa por el propio ministerio fiscal, que reconoce y ejecuta cuando es acto de investigación no limitativo de DF, debiendo incluso decretar la sustitución de la medida solicitada por otra menos restrictiva si con ello es posible el acceso a la misma información solicitada (art. 187.2 PLOEI). En caso de que el Fiscal observara que debe restringirse un derecho fundamental, remitirá al Juez competente (o así se pida expresamente por autoridad de emisión). Este caso último tiene especial importancia porque nuestro Estado, valga como ejemplo, es de los que no podría admitir una ejecución de un acto de investigación por Ministerio Fiscal en aquello países donde sí cabe la limitación de derechos fundamentales por esta institución.

Por último, a tenor del art. 187.2 a) PLOEI, se le reconoce igualmente el protagonismo del MF para emitir un Informe preceptivo en el que se deberá pronunciar sobre la concurrencia o no de causa de denegación de la ejecución de la orden, y si se entiende ajustada a Derecho la adopción de cada una de las medidas de investigación que la orden contenga.

En segundo lugar, a tenor del art. 187.3 del PLOEI serán competentes los siguientes órganos jurisdiccionales cuando se traten de intervenciones de derechos fundamentales a las que, por tanto, no puede acceder nuestro Ministerio Fiscal.

a) Los Jueces de Instrucción o de Menores del lugar donde deban practicarse las medidas de investigación o, subsidiariamente, donde exista alguna otra conexión territorial con el delito, con el investigado o con la víctima. Si no hubiera ningún elemento de conexión territorial para poder concretar la competencia, serán competentes los Jueces Centrales de Instrucción.

b) Los Jueces Centrales de Instrucción si la Orden Europea de Investigación se emitió por delito de terrorismo u otro de los delitos cuyo enjuiciamiento competa a la Audiencia Nacional, o si se trata de la notificación prevista en el artículo 222.

c) Los Jueces Centrales de lo Penal o Central de Menores en el caso de traslado al Estado de emisión de personas privadas de libertad en España, de conformidad con lo previsto en el artículo 214.

Este mismo precepto 187.3 del PLOEI prevé que el Ministerio Fiscal podrá practicar las diligencias oportunas a fin de determinar el Juez o Tribunal competente a quien remitir la Orden Europea de Investigación para su ejecución. El cambio sobrevenido del lugar donde deba practicarse la medida de investigación no implicará una pérdida sobrevenida de competencia del juez o Tribunal que hubiera acordado el reconocimiento y ejecución de la Orden Europea de Investigación.

Si dicha Orden Europea de Investigación se hubiese emitido en relación con varias diligencias de investigación que tuvieran que practicarse en lugares distintos, será competente para el reconocimiento y ejecución de la orden el Juez o Tribunal al que el Ministerio Fiscal remita dicha orden, de entre los competentes de acuerdo con las reglas previstas en propio artículo 187.3 del PLOEI y, en lo no previsto en ellas, conforme a las normas de preferencia de la Ley de Enjuiciamiento Criminal. El Juez o Tribunal a quien corresponda la ejecución notificará al Ministerio Fiscal el reconocimiento y ejecución de las medidas de investigación y su remisión a la autoridad de emisión.

6. MEDIDAS Y PROCEDIMIENTO PARA LA ADOPCIÓN Y EJECUCIÓN DE LA ORDEN EUROPEA DE INVESTIGACIÓN

6.1. Medidas y Procedimiento de emisión de medidas específicas de investigación dictadas por España (art. 195 ss. PLOEI)

Las medidas de investigación que son adoptables por los juzgados españoles a la hora de solicitar la cooperación judicial penal versan sobre 7 actuaciones posibles:

- Traslado temporal de detenidos (testigos y peritos) para reunir pruebas (art. 196)

- Consulta de cuentas bancarias y operaciones financieras (arts.198 y 199)

- Comparecencia por videoconferencia u otros medios de transmisión audiovisual (art. 197)

- Investigaciones encubiertas e interceptación de telecomunicaciones (arts.202 y 204)[13]

---

[13]   Artículo 186. 5. A efectos de la emisión y de la ejecución de órdenes europeas de investigación para obtener información sobre cuentas bancarias y otro tipo de cuentas financieras o sobre operaciones bancarias y otro tipo de operaciones financieras:
a) Se considerará como entidad financiera aquélla que se ajuste a la definición establecida por la legislación de prevención del blanqueo de capitales y de la financiación del terrorismo.

- Aseguramiento de pruebas (art. 203)
- La obtención en tiempo real (art. 200)
- La realización de investigaciones encubiertas (art. 201)

Quedan fuera de la OEI la investigación de los equipos conjuntos (art. 186.3 PLOEI) y la solicitud de los antecedentes penales (art. 186.4 PLOEI). No obstante lo anterior, cuando un equipo conjunto de investigación necesite que las diligencias de investigación se practiquen en el territorio de un Estado miembro que no haya participado en el equipo, podrá emitirse una Orden Europea de Investigación a las autoridades competentes de dicho Estado.

El contenido que se debe señalar en la orden emitida es, según prescribe el artículo 188 del PLOEI, el siguiente: a) Los datos de la autoridad de emisión; b) El objeto y motivos de la orden europea de investigación; c) La información necesaria sobre la persona o personas afectadas; d) La descripción de la conducta delictiva que es objeto de la investigación o proceso y las disposiciones aplicables del Derecho penal español; e) La descripción de la medida o medidas de investigación que se solicitan y de las pruebas a obtener; y f) Las formalidades y procedimientos cuya observancia solicita que sean respetadas por el Estado de ejecución.

Asimismo, existe la posibilidad de dictar OEI complementarias cuando se decida solicitar nuevos actos o nuevas fuentes de prueba para el mismo proceso penal para el que se cursó originariamente la medida. Para ello, establece el artículo 188.2 del PLOEI, la orden europea de investigación complementaria se documentará en la forma señalada en el apartado e del artículo 188.1 del mismo cuerpo legal, indicando su relación con la orden anterior en la sección D del mismo formulario del anexo XIII.

Así, España podrá, ya en el país de ejecución, cursar ante su autoridad dicha solicitud complementaria, en los casos en los que se haya trasladado allí para cooperar en la ejecución. Resulta acertada esta idea que dará mucha agilidad a la cooperación judicial penal. También está previsto que la OEI se dicte para que haya un traslado de detenidos para acto de investigación concreto que se vaya a realizar en el estado de ejecución o con testigos o peritos por conferencia telefónica

---

b) Se considerará como dato de la cuenta o el depósito al menos el nombre y el domicilio del titular, los pormenores de los poderes de representación otorgados sobre esa cuenta, los datos relativos a la titularidad real y cualesquiera otros detalles o documentos que haya suministrado el titular en el momento de la apertura.

Por último señalar que se articula el trámite de la confirmación de la recepción de una OEI, básico para el cómputo de los plazos en los que debe de aceptar y luego desarrollar la autoridad judicial cooperante.

Los requisitos que marca la Ley para que la autoridad de emisión pueda emitir, de oficio o a instancia de parte, una Orden Europea de Investigación son los siguientes a tenor del artículo 189 del PLOEI: a) Que la emisión de una Orden Europea de Investigación sea necesaria y proporcionada a los fines del procedimiento para el que se solicita, teniendo en cuenta los derechos del investigado o encausado; b) Que la medida o medidas de investigación solicitadas cuyo reconocimiento y ejecución se pretende se hayan acordado en el proceso penal español en el que se emite la Orden Europea de Investigación y pudieran haberse ordenado en las mismas condiciones para un caso interno similar.

La autoridad española competente podrá indicar en la propia orden que se requiere un plazo más corto que el previsto con carácter general para la ejecución de la medida, o que la medida de investigación tiene que llevarse a cabo en una fecha concreta. Está petición se fundamentará de manera expresa en los plazos procesales, la gravedad del delito u otras circunstancias particularmente urgentes.

6.2. *Medidas establecidas para el procedimiento de ejecución en España de una OEI*

El primer paso que debe realizar la autoridad competente española que reciba una Orden Europea de Investigación, es dictar un auto o decreto de reconocimiento y ejecución de la misma, salvo que concurra alguno de los motivos de denegación o suspensión a que se refieren los artículos 207 y 209 del PLOEI (art. 205 del PLOEI). Igualmente, "la autoridad competente española que reciba una Orden Europea de Investigación que no hubiera sido emitida por la autoridad de emisión competente, o validada en su caso por el juez, Tribunal o fiscal competente del Estado de emisión, procederá a su devolución".

A tenor del artículo 206 del PLOEI, corresponde a "la autoridad competente española llevará a cabo la ejecución de la medida a de investigación solicitada si dicha medida de investigación existiera en Derecho español y estuviera prevista para un caso interno similar". En particular, sin perjuicio de lo dispuesto en el artículo 207 del PLOEI, la autoridad competente española ordenará la ejecución en todo caso si la medida de investigación solicitada fuera alguna de las siguientes:

a) la obtención de información o de pruebas que obren ya en poder de la autoridad competente española siempre que, de conformidad con el Derecho nacional, esa información o esas pruebas hubieran podido obtenerse en el contexto de un procedimiento penal o a los fines de la Orden Europea de Investigación;

b) la obtención de información contenida en bases de datos que obren en poder de las autoridades policiales o judiciales y que sean directamente accesibles en el marco de un procedimiento penal;

c) la declaración de un testigo, un perito, una víctima, un investigado o encausado o un tercero en territorio español;

d) cualquier medida de investigación no invasiva definida con arreglo al Derecho nacional;

e) la identificación de personas que sean titulares de un número de teléfono o una dirección IP determinados.

A tenor del principio de proporcionalidad (necesidad), cuando el resultado perseguido por la Orden Europea de Investigación pudiera conseguirse mediante una medida de investigación menos restrictiva de los derechos fundamentales que la solicitada en la Orden Europea de Investigación, la autoridad competente española ordenará la ejecución de esta última. Por su lado, podemos encontrar que la medida de investigación solicitada no existiera en Derecho español o no estuviera prevista para un caso interno similar. En estos supuestos la autoridad competente española ordenará la ejecución de una medida de investigación distinta a la solicitada, si dicha medida fuera idónea para los fines de la orden solicitada. En tal caso corresponderá a la autoridad competente, antes de adoptar la resolución, informar a la autoridad de emisión de los cambios a realizar. Si la autoridad de emisión no comunicara su decisión de retirar o completar la Orden Europea de Investigación en el plazo de diez días, la autoridad de ejecución ordenará la ejecución de la medida de investigación alternativa. El silencio es positivo, por tanto, al ser una decisión menos restrictiva de derechos.

Pudiera darse el caso, de que la medida de investigación indicada en la Orden Europea de Investigación no exista en el Derecho nacional o, existiendo, no hubiera podido ser adoptada en un caso interno similar y, además, no exista ninguna otra medida de investigación que pudiera obtener el mismo resultado que la medida de investigación solicitada; en estos supuestos, corresponde a la autoridad española competente notificar a la autoridad del Estado emisión que no ha sido posible proporcionar la asistencia requerida.

6.3. *Procedimiento para reconocimiento y ejecución*

La autoridad competente española que reciba la Orden Europea de Investigación, si no aprecia la concurrencia de causa alguna de denegación o suspensión, dictará sin dilación auto o decreto, respectivamente, reconociendo la concurrencia de los requisitos exigidos legalmente y ordenando su ejecución (arts. 205 y 208 del PLOEI). El auto o decreto contendrá las instrucciones necesarias para la práctica de las medidas de investigación solicitadas. La decisión de reconocer y ejecutar la Orden Europea de Investigación o, en su caso, denegar su ejecución deberá ser tomada a la mayor brevedad posible, y a más tardar, en el plazo de treinta días desde su recepción por la autoridad competente. Se trata de un primer plazo, el de decisión sobre el reconocimiento de la medida. A continuación se da un plazo de ejecución de la medida concreta, también breve.

Cuando en un caso concreto, la autoridad competente española aprecie que no podrá cumplirse el plazo previsto para dictar el auto o decreto, respectivamente, de reconocimiento y ejecución de la orden, informará sin demora a la autoridad de emisión explicando las razones y comunicando el plazo estimado necesario para adoptar la resolución. En este supuesto, el plazo establecido para dictar la resolución de reconocimiento y ejecución podrá prorrogarse hasta un máximo de 30 días.

La Ley prevé la colaboración conjunta entre el estado de emisión y ejecución, dentro del ámbito de este último. Para ello hará falta que se señale en una orden complementaria, que se podrá emitir antes de la ejecución en cualquier momento.

La autoridad competente española llevará a cabo la ejecución de la medida de investigación sin demora y, a más tardar, en el plazo de 90 días después de que se adopte la resolución de reconocimiento y ejecución, a menos que, con arreglo a lo dispuesto en el artículo 209 del PLOEI, exista algún motivo para la suspensión del procedimiento o porque la prueba solicitada a través del acto ya se encuentre en posesión del Estado español.

Igualmente, es posible la solicitud de acortamiento de los plazos de ejecución de la medida solicitada o realización en fecha cierta cuando la autoridad de emisión lo justifique bien por la gravedad del delito o por otras circunstancias particularmente urgentes. En caso de que no fuera posible, España, como estado de ejecución, lo comunicará a la autoridad de emisión sin demora. Lo mismo ocurrirá si por cualquier razón no es ejecutable la medida, fuera o no de carácter urgente la misma.

La comunicación entre jueces es básica. El art. 190 del PLOEI otorga competencia a la autoridad judicial española para solicitar autorización a la autoridad extranjera, que pide la ejecución de la orden de investigación en España, la posibilidad de adoptar otras medidas complementarias para su eficacia o, en su caso, si no puede cumplir con las formalidades exigidas para la validez de ese acto en el país vecino solicitante. Igualmente, prevé el artículo 191 del citado texto, que la autoridad española competente, siempre que señala las razones por las que lo considera conveniente, podrá solicitar al Estado ejecutante la participación en la ejecución de la Orden Europea de Investigación de una o varias autoridades o funcionarios españoles, de la misma forma que hubieran podido estar presentes en su ejecución en territorio nacional.

Así, la autoridad o funcionario español que participe en la ejecución de la orden europea de investigación podrá recibir directamente las pruebas obtenidas por la autoridad del Estado de ejecución, siempre que así se hubiera solicitado en dicha orden y ello sea posible con arreglo al Derecho del Estado de ejecución.

Contra las resoluciones dictadas por la autoridad judicial española resolviendo acerca de los instrumentos europeos de reconocimiento mutuo se podrán interponer los recursos que procedan conforme a las reglas generales previstas en la Ley de Enjuiciamiento Criminal (art. 24 de la Ley 23/2014). La interposición del recurso podrá suspender la ejecución de la orden o resolución cuando ésta pudiera crear situaciones irreversibles o causar perjuicios de imposible o difícil reparación, adoptándose en todo caso las medidas cautelares que permitan asegurar la eficacia de la resolución.

La autoridad judicial competente comunicará a la autoridad judicial del Estado de emisión tanto la interposición de algún recurso y sus motivos como la decisión que recaiga sobre el mismo. Los motivos de fondo por los que se haya adoptado la orden o resolución sólo podrán ser impugnados mediante un recurso interpuesto en el Estado miembro de la autoridad judicial de emisión. Contra las resoluciones del Ministerio Fiscal en ejecución de los instrumentos de reconocimiento mutuo no cabrá recurso, sin perjuicio de las posibles impugnaciones sobre el fondo ante la autoridad de emisión y de su valoración posterior en el procedimiento penal que se siga en el Estado de emisión.

6.4. El filtro de la proporcionalidad, el derecho de defensa y la confidencialidad como principios comunes al principio de reconocimiento mutuo

La realización del principio de reconocimiento mutuo se ha dicho que es la piedra angular de la cooperación judicial y de la realización transfronteriza de los títulos judiciales penales, que debe incluir cierto o mínimo grado de armonización (art. 82.1 TFEU), por lo que atiende a nuestro caso, tanto en lo relativo a la admisibilidad de la prueba como a los derechos procesales, los cuales pueden verse puestos en jaque ante un acto de investigación invasivo de estas características por la policía, jueces o fiscales.

Los limites al reconocimiento mutuo son varios[14]. Los principios y reglas de la Unión Europea, los propios límites de la cooperación en materia penal y los derechos fundamentales. Dentro de los principios y reglas de la Unión encontramos la subsidiariedad (art. 5 y 6 TEU) y el principio de proporcionalidad (art. 5 TEU). Nos interesa especialmente aludir a la proporcionalidad, regla intensamente recogida en la Directiva reguladora de la Orden de Investigación Europea como un doble filtro, tanto para la autoridad de emisión como de ejecución/validación (Ex.Mot.11). Es decir, la autoridad de emisión debe de asegurarse que la *prueba* buscada y la *medida de investigación* escogida sean necesarias y proporcionales al fin buscado en el marco procesal en el que se adopta, claro está, desde la perspectiva doble de los dos órganos judiciales que intervienen. La misma evaluación deberá de llevarse a cabo en el procedimiento de validación, cuando así se requiera, según lo establecido en la Directiva[15].

La lealtad con el Derecho de la Unión exige respeto por los principios de necesidad, proporcionalidad, interés general y la protección de los derechos y libertades de los demás[16]. Por esta razón se exige el deber del estado de ejecución de preservar los derechos fundamentales (Ex. Mot.

---

[14] SUOMINEN, A., "Limits of mutual recognition in cooperation in criminal matters within the EU —especially in light of recent Judgments of both European Courts", *European Criminal Law Review*, Vol.4, num.3, Diciembre 2014.

[15] Este principio de proporcionalidad ha sido calificado como "the hidden ground for refusal" desde algunas instancias, *vid.* MANGIARACINA, A., "A new and controversial Scenario in Gathering of Evidence at the European Level: The porposal for a Directive on the European Investigation Order", *Utrecht Law Review*, Vol.10, Issue 1 Enero) 2014

[16] El principio de cooperación leal entre Estados miembros exige que la aplicación transnacional de cualquier norma, nacional o europea, se haga de forma leal con el derecho de la Unión y en este ámbito el principio de proporcionalidad cumple ese cometido. SUOMINEN, A., "Limits of mutual recognition in cooperation in criminal matters

19); se trata de una presunción *iuris tantum* en una doble dirección: tanto para el emisor como para el receptor, es decir, significa que un Estado de ejecución debe presumir que la medida solicitada es respetuosa con los derechos fundamentales del investigado y, por otro lado, el país de emisión aceptará que la medida se ha ejecutado y, por tanto, obtenido con los estándares que exige la intervención de un derecho o libertad fundamental en la UE.

Se trata, por tanto, de un doble "check", la constatación de la afectación del derecho fundamental y el grado de adecuación a su derecho interno y, en segundo lugar, el importante papel que en este test tiene el principio de proporcionalidad[17] y, con carácter general, los derechos procesales[18], con especial atención al derecho de defensa. Si el coste de llevar a cabo este principio de reconocimiento mutuo conlleva una pérdida o daño sobre el derecho fundamental individual, este reconocimiento no debe de darse. Y la explicación a ello está en el valor intrínseco de los derechos y libertades fundamentales y la garantía procesal que estos tienen dentro de un proceso, a saber, el derecho al proceso celebrado con todas las garantías[19].

A la luz de todo lo dicho, concluimos que el estado de ejecución interpretará la solicitud de una medida de investigación de acuerdo con sus propios cánones de constitucionalidad o *lex loci* —de conformidad con las necesidades procedimentales comunicadas de conformidad con la *lex fori*—, y corresponde al país de emisión al recepcionar esas pruebas, prestar la confianza en lo hecho en el país ajeno (o inadmitirlo, en su caso). Estas son las reglas básicas de entendimiento que fija la Directiva y tal vez sea exigir demasiada confianza entre países tan distintos y con un concepto de democracia tan dispar. Consideramos que se ha perdido una oportunidad para mejorar este auténtico problema de nefastas repercusiones en la investigación criminal.

---

within the EU —especially in light of recent Judgments of both European Courts", *op. cit.*, p. 218.

[17] ANAGNOSTOPOULOS, I., "Criminal justice cooperation in the European Union after the first few "steps": a defence view", *ERA Forum* (2014), p. 19.

[18] Los derechos y las garantías procesales están siendo ampliamente desarrollados por la UE como vía para posibilitar y favorecer el principio de reconocimiento mutuo reconocimiento mutuo, *vid.* MANGIARACINA, A., "A new and controversial Scenario in Gathering of Evidence at the European Level: The porposal for a Directive on the European Investigation Order", *op. cit.*

[19] Sobre este aspecto ya se pronunció la Fundamental Rights Agency durante la tramitación de esta Directiva el 14 de febrero de 2011.

Especial importancia cobra el derecho de defensa como límite al reconocimiento mutuo. En este balance de intereses entre la cooperación judicial y los derechos del investigado o imputado no podemos aceptar invertir la balanza y, la verdad sea dicha, la nueva Directiva apenas dedica una línea a exigir la defensa de este derecho fundamental, tal vez porque le ha dedicado una Directiva completa al mismo, lo que no es óbice para haberle dado el tratamiento exigido en esta Directiva sobre la Orden de Investigación Europea, dado que es el derecho más vulnerable en la presente cooperación[20].

El control de lo acaecido en esa fase de cooperación judicial (en el extranjero) es imposible de saber e impugnar, si no se ha garantizado la intervención del imputado a través de su derecho de defensa, lo que exigiría una doble defensa letrada para cada ámbito jurisdiccional en aras de proteger el proceso equitativo o con todas las garantías al que nos venimos refiriendo (art. 14.7 Directiva), lo que económicamente es difícil de costear por el imputado con carácter general. Por su lado, se ha evaluado la posibilidad de que exista un Eurodefensor[21] encargado de velar por los derechos del imputado en causas transnacionales y de impedir la violación de derechos fundamentales, a modo de contrapeso del poder coercitivo que lleva a cabo una medida de investigación. Finalmente, tras la aprobación de la Directiva sobre los derechos del sospechoso, la figura del abogado se ha establecido como suficiente para velar por el derecho de defensa del investigado. Lo que enlaza directamente con el derecho a la asistencia jurídica gratuita que deben de tener en cualquier país de la Unión. Nada se dice de las víctimas, pero tendrán los derechos y garantías establecidos en la Directiva 2012/29/EU de 25 de octubre recientemente transpuesta en el caso español[22].

---

[20] Directiva 2013/48/UE de 22 de octubre, sobre el derecho de asistencia letrada en los procesos penales y en los procedimientos relativos a la orden de detención europea, y sobre el derecho a que se informe a un tercero en el momento de la privación de libertad y a comunicarse con terceros, hoy transpuesta en la Ley 1/2015, modificadora del código penal, que afecta a la Ley de Enjuiciamiento Criminal, al modificar los contenidos transnacionales del derecho de defensa. Por su lado, en materia de justicia gratuita no se ha aprobado a día de hoy en anteproyecto existente.

[21] NESTLER, C., "European defence in transnational criminal procedeeings", en SCHÜNEMANN, *A Programme for European Criminal Justice*, 2006, pp. 415 y ss. Y en KAIAFA-GBANDI, M., „Harmonisation of criminal procedure on the basis of common principles. The EU's challenge for Rule-of-Law Transnational crime control", en FIJNAUT& OUWERKERK, J., *The future of police and judicial cooperation in the european Union*, 2010, p. 393.

[22] Ley 4/2015, de 27 de Abril sobre el Estatuto de la Víctima del Delito.

El artículo 13 de la Directiva simplemente hace alusión a la posibilidad de recurrir las pruebas obtenidas en el país de ejecución con el fin de suspender su traslado, sobre la argumentación de sus vicios en la obtención. Todo ello, bajo la propia facultad discrecional, que allí se recoge para el juez de ejecución, destinada a decidir que existen razones urgentes que avalan la entrega de las fuentes de pruebas, a pesar de la pendencia de un recurso. Le corresponde al juez de destino ponderar entre el daño previsible al imputado y las suficientes razones de urgencias para entregar la prueba. Especial inquietud presenta el secreto de las comunicaciones entre el letrado y el cliente y la enorme distancia que en esta materia vamos a encontrar a través de este instrumento de cooperación judicial, en el marco de protección fijada por el Convenio europeo de derecho Humanos (arts. 6 y 8).

La propia Exposición de Motivos de la Directiva sobre la OEI (37) expresa que en este ámbito, si fuera necesario, podría hacer falta recurrir al principio de subsidiariedad del artículo 5 TUE[23], con el fin de superar los escollos propios de la construcción europea. Sobre estas bases, con toda certeza, en los próximos años debemos acontecer a la regulación del proceso penal transnacional europeo donde se incluyan estos pormenores para superar el déficit democrático al que, en esta materia, nos vemos abocados.

Solo las estadísticas que obligatoriamente debe de hacer la Comisión, traerá como resultado el grado de seguridad jurídica que, muy especialmente en materia de derecho de defensa, se ha generado con la aplicación de esta directiva (art. 37). Durante estos años, imaginamos que la propia Comisión creará las redes de información y la formación necesaria para que los letrados y letradas que actúen en procesos transfronterizos de esta

---

[23] Pfo. 3. En virtud del principio de subsidiariedad, en los ámbitos que no sean de su competencia exclusiva, la Unión intervendrá sólo en caso de que, y en la medida en que, los objetivos de la acción pretendida no puedan ser alcanzados de manera suficiente por los Estados miembros, ni a nivel central ni a nivel regional y local, sino que puedan alcanzarse mejor, debido a la dimensión o a los efectos de la acción pretendida, a escala de la Unión.
Las instituciones de la Unión aplicarán el principio de subsidiariedad de conformidad con el Protocolo sobre la aplicación de los principios de subsidiariedad y proporcionalidad. Los Parlamentos nacionales velarán por el respeto del principio de subsidiariedad con arreglo al procedimiento establecido en el mencionado Protocolo.

naturaleza, adquieran los conocimientos necesarios para asegurar este derecho fundamental[24].

Por último debemos referirnos a la obligación de confidencialidad de los estados. Los datos personales obtenidos por la ejecución de la orden no pueden ser empleados por las autoridades para procesos diferentes al que ha sido emitido para su ejecución o aquellos otros relacionados de forma directa con él o, en su caso, excepcionalmente para prevenir una amenaza de la seguridad pública inmediata y grave (art. 193 PLOEI). La norma posibilita que sea el estado de ejecución quien autorice a España para el uso de esos datos más allá de los fines establecidos originariamente. Se crea una situación extraña pues lo que España considere amenaza pública debe de ser autorizado su uso por el estado de ejecución, en mi opinión. Al tiempo se impone la necesidad de que España informe al estado de ejecución sobre el uso que haga de los datos.

A su vez el art. 194 del PLOEI establece la obligación de confidencialidad para el estado español sobre todo los datos que aparecen en la Orden Europea de Investigación, salvo lo que sea estrictamente necesario desvelar, de acuerdo con el derecho español, para desarrollar la investigación. Por último, el artículo 213 del PLOEI establece la confidencialidad de España como estado de ejecución, tanto respecto de los hechos como respecto del fondo, salvo el grado que sea necesario desvelar esa información para poder ejecutar la medida.

7. DIFICULTADES EN LA INVESTIGACIÓN TRANSFRONTERIZA EN LA UNIÓN EUROPEA

La Directiva sobre la Orden de Investigación Europea nace con ambición de aproximar y compatibilizar ordenamientos. Este nuevo instrumento ha fijado los mimbres para la *comunicación* entre autoridades en materia de investigación del delito; ha consolidado las *actividades delictivas* que merecen colaboración transnacional para obtener pruebas; y ha unificado las *medidas de investigación* que deben de existir en todos los países de la Unión.

---

[24]   Vease la posición de la European Criminal Bar Association (ECBA) en relación al *Green Paper on obtaining evidence in criminal matters from one member state to another and securing ist admisibility* (2010).

Sin embargo, las dificultades que la aplicación de esta Directiva sobre la Orden Europea de Investigación puede acarrear desde el punto de vista del ordenamiento jurídico español son muchas[25].

La base del reconocimiento mutuo es la *confianza* jurídica en el sistema jurídico vecino y ello se suele generar por la proximidad de ciertos estándares mínimos entre los ordenamientos —sin que tengan que ser legislaciones uniformes sino al contrario—, que permitan la *equivalencia* de las resoluciones del estado vecino[26]. Es un deber de la Unión Europea tomar cartas en el asunto y aproximar dichos mínimos legales imprescindibles para que estos instrumentos devengan eficaces y seguros[27]. Hoy, esos mínimos vienen establecidos por la Jurisprudencia del Tribunal Europeo de

---

[25] MARTÍNEZ GARCÍA, E., "La orden de Investigación Europea: Las futuras complejidades previsibles en la implementación de la Directiva en España", *La Ley Penal*, Nº 106, Sección Artículos, Editorial LA LEY, 2014 y *Idem*, *La Orden Europea de Investigación*, Tirant Lo Blanch, 2015. Allí se explica que la "a) Existencia de dificultades en la aplicación de la OEI derivadas de la falta de similitud entre los *modelos de investigación del crimen y los modelos procesales* en el que se incardina la investigación del crimen, b) Dificultades derivadas del diferente *sentido y alcance de los derechos fundamentales* objeto de una investigación en los diferentes países miembros, *diferencias en sus garantías*, lo que conlleva concepciones diferentes del nivel de exigibilidad a la autoridad que los interviene o restringe los derechos limitados en una investigación, c) Dificultades derivadas de las distintas concepciones existentes en torno a las *consecuencias ante su posible transgresión*. Nos referimos al valor que el resultado probatorio obtenido en el extranjero dentro de una investigación liderada en el país de origen (solicitante), éste será lícito o ilícito según decidamos cuál es el límite que debe de tener el principio de reconocimiento mutuo y los derechos fundamentales. Es decir, habrá que reflexionar sobre el valor de la prueba ilícitamente obtenida en esta suerte de *comunicación transnacional*: ¿vale todo lo obtenido en el extranjero conforme a la *lex loci* del lugar de ejecución que presta la asistencia? Según la Jurisprudencia de nuestro Tribunal Supremo así debe de ser aceptado, doctrina que, como se verá, no es del todo compartible".

[26] Los conceptos de armonización y reconocimiento mutuo son antagónicos, pero es verdad, siguiendo a NIETO MARTÍN, que la existencia de unos mínimos comunes facilita el reconocimiento mutuo, "Fundamentos constitucionales del derecho penal europeo", *Revista General del Derecho penal* núm. 3, 2005. Así quedó claro en la Juristpudencia del Rribunal de Justicia de la Unión Sentencia de 3 de mayo 2007 Asunto C-303/2005, *Caso Advocaten voor de Wereld*.

[27] Cuando se habla de "mínimo legal imprescindible" nos referimos, principalmente, al núcleo esencial de los derechos fundamentales y las garantías materiales y procesales que los integran, respetando que somos ordenamientos distintos, pero en estos aspectos —que atienden a la esencia de los derechos fundamentales— debemos de ser en ciertos mínimos comunes o equivalentes. El principio de reconocimiento mutuo no puede ser una alternativa a la aproximación de los derechos nacionales, sino que solo tras cierta armonización es posible su aplicación.

Derechos Humanos, de acuerdo con el Convenio Europeo de Derechos Humanos y la Carta de Derechos Fundamentales de la Unión[28]. Probablemente, el Tribunal de Justicia de la Unión debería velar más por lograr estos mínimos comunes, en un diálogo más próximo con los Tribunales nacionales[29].

La novedad de esta herramienta sobre obtención de pruebas (OEI) es, precisamente, la de crear un *corpus* común de normas para la práctica de diligencias de investigación y la obtención de pruebas en un país de la UE distinto al que conoce del proceso principal, enmarcado en un movimiento ya iniciado desde el Tratado de Lisboa y caracterizado por una prolífica labor del Consejo en materia de reconocimiento mutuo[30]. Los parámetros mínimos para que el reconocimiento mutuo funcione están hace tiempo establecidos[31], pero falta una voluntad política real de cesión —en definitiva— de soberanía dirigida a la aproximación de los ordenamientos[32].

---

[28] De no hacer esto, se corre el riesgo —tan frecuente hasta ahora tal y como se deduce de la jurisprudencia de nuestro Tribunal Constitucional y del TEDH— que ante un sistema con fuertes desniveles, se pretenda reforzar los poderes del juez de ejecución para que supervise que la decisión emitida es respetuosa con los derechos fundamentales y el proceso justo de su país. Ello va en detrimento del principio de reconocimiento mutuo, pero es el coste que se impone para evitar los problemas que aquí vamos a ir apuntando.

[29] BRODOWSKI, D., "Europäischer ordre public als Ablehnungsgrund für Vollstreckung Europäischer Haftbefehle?", en http://www.hrr-strafrecht.de/hrr/archiv/13-02/hrrs-2-13.pdf.

[30] Nos referimos a las Decisiones Marco relativas al reconocimiento mútuo de sanciones pecuniarias, resoluciones de decomiso, intercambio de información entre registros de antecedentes penales, resoluciones condenatorias a penas y medidas de libertad, la resoluciones de medidas de libertad vigilada y penas sustitutivas, la protección de datos personales en el marco de cooperación judicial y policial, exhorto de obtención de pruebas para recabar objetos, documentos y datos, la destinada a reforzar derechos procesales y a recnocer sentencias de procesos celebrados en ausencia, la orden de protección europea y, ahora, la futura orden de investigación europea.

[31] Según consta en la Decisión COM (2000) sobre el reconocimiento mutuo de decisiones finales en materia criminal (Decisión 495, de 26 de julio).

[32] La conclusión 37 del Consejo de Tampere se admitió que el reconocimiento mutuo no puede reemplazar enteramente la aproximación de ordenamientos, sino que los dos deberían ir juntos. Sin embargo, las normas mínimas alli propuestas hacen referencia a los aspectos básicos de la detención de acusado y aspectos de la victim, hoy casi en su totalidad aprobados.

8. LA PRUEBA TRANSNACIONAL OBTENIDA CON VULNERACIÓN DE DERECHOS FUNDAMENTALES EN EL MARCO INTERPRETATIVO DEL DERECHO EUROPEO

El problema que se presenta en la materia es la diferente concepción procesal y constitucional de lo que es o no núcleo esencial en un derecho fundamental para cada uno de los Estados miembros, es decir, el límite que no pueden permitirse los poderes públicos de un Estado transgredir porque están protegidos por el artículo 6 del CEDH, el 47 de la Carta Europea de Derechos Fundamentales y el artículo 6 del Tratado de la Unión Europea. Está cuestión no está bien resuelta en la UE, aunque existen algunos pronunciamientos jurisprudenciales importantes que van fijando ciertos mínimos comunes a los Estados. La importancia es tal que ya se está pensando desde la Unión en crear una directiva en el futuro que atienda, precisamente, a regular comúnmente la admisibilidad o inadmisibilidad de las pruebas, a saber, las reglas relativas a la ilicitud probatoria[33], que se expondrán a continuación.

Si observamos el tenor de la Directiva y proyecto de Ley ahora objeto de estudio, se ha limitado a establecer el pleno respeto por los derechos fundamentales del sujeto investigado, dejando cualquier consecuencia de una actuación indebida a la tradición constitucional de cada país en materia de derechos fundamentales, respetando siempre el *marco mínimo* establecido por la Jurisprudencia del Tribunal Europeo de Derechos Humanos, Convenio Europeo de Derechos Humanos y la Carta de Derechos Fundamentales de la Unión Europea, citadas *supra*. El problema es que en la Unión Europea nuestro *común denominador* en materia de prueba ilícita viene establecido por el Tribunal Europeo de Derechos Humanos, que por lo que se refiere a España, fija unos contenidos inferiores —o menos exigentes— que la doctrina fijada por nuestro Tribunal Constitucional[34]. Ello

---

[33]   Así se expone en la web de la Comisión Europea para el ámbito de cooperación judicial en materia criminal sin recibir mayor desarrollo.

[34]   EL TEDH en materia de licitud probatoria reconoce la posibilidad de ejercicio de un poder jurisdiccional a modo de *balance de intereses* en los casos en los que haya habido una trasgresión de este tipo de derechos poniendo en la balanza (1) el grado de la violación del derecho fundamental, (2) el resultado obtenido y (3) las necesidades de tutela del derecho como freno a la actuación policial. Si el balance no es negativo, concluye el Tribunal, que ha de darse protección al interés social (más bien estatal) frente al particular (que no es sino un derecho fundamental).
       Esta línea encuentra su acomodo en nuestra jurisprudencia a propósito de la STC 81/1998, de 2 de abril. Parecen olvidarse de la perspectiva introducida por el al art. 24.

nos hace ver que la problemática con la futura Orden Europea de Investigación estará servida[35].

Debemos adelantar que la versión del Proyecto de ley no soluciona los dos problemas básicos que encontramos claves en este tema: (1) Las causas de rechazo de una prueba que ha violentado derechos fundamentales y (3) la regla de exclusión probatoria ante una posible ilicitud de la fuente obtenida con vulneración de derechos fundamentales, en el marco de la actuación de dos órganos y dos ordenamientos. Que la solución estas cuestiones se remita al derecho español no soluciona el problema.

La Jurisprudencia del Tribunal Europeo de Derechos Humanos marca una distancia enorme —por lo menos vista desde la perspectiva le la legislación española— entre determinados derechos del Convenio (CEDH) y crea dos niveles de derechos y de ineficacia ante su posible transgresión.

En primer lugar, un grupo de derechos fundamentales cuya trasgresión en una investigación *impondría ipso facto* la regla de la exclusión probatoria; nos referimos a la derecho a no autoincriminarse y a la prohibición de las torturas[36]. En segundo término, esos otros derechos fundamentales —la

---

2 CE relativa al derecho al proceso celebrado con todas las garantías que, en nuestra opinión, viene integrado, entre otras garantías, con la establecida en el artículo 11.1 LOPJ objeto de estudio en este trabajo.

A este respecto, MARTÍNEZ GARCÍA, E., *Actos de Investigación e Ilicitud de la prueba*, Tirant lo Blanch 2009 y MARTÍNEZ GARCÍA, E., "Análisis de la "tesis de la desvinculación de la antijuridicidad". Una explicación de sus límites basada en el derecho al proceso y sus garantías (art. 24.2 CE)", en la *Revista Teoría y Derecho. Revista de Pensamiento Jurídico*, Núm. 9/2011, donde analizo la regla de la exclusión probatoria del actual artículo 11.1 LOPJ como garantía esencial del derecho fundamental al proceso celebrado con todas las garantías del artículo 24.2 CE, en el sentido que Ferrajoli da a los derechos fundamentales y a sus garantías. También véase MIRANDA ESTRAMPES, M., "La prueba ilícita: La regla de las exclusión y sus excepciones", *Revista Catalana de la seguridad pública*, mayo 2010

[35] En esta línea, tiene todo el sentido recordar aquí que los Estados Miembros de la UE son responsables en el marco del Convenio Europeo de Derechos Humanos por las violaciones cometidas en otro territorio (*Bosphorus vs Ireland* 45036/98, de 30 de junio 2005), como límite al respeto de los derechos fundamentales, al igual que la no aplicación del derecho europeo puede acarrear sanciones para el Estado que se niega aludiendo a su incompatibilidad su con derecho nacional (STJUE 13 de junio 2006 asunto *Traghetti del Mediterraneo* C-173/03).

Véase ANAGNOSTOPOULOS, I., "Criminal justice cooperation in the European Union after the first few "steps": a defence view", *op. cit.*, P. 19.

[36] SÁNCHEZ YLLERA, I., "La aparente irrelevancia de la prueba ilícita en la jurisprudencia del Tribunal Europeo de Derechos Humanos", Jornada sobre Pruebas Ilícitas, CEJ, 12 de marzo 2012.

mayoría— cuya valoración sobre la ilicitud y su exclusión se deja en manos de los ordenamientos y jurisdicciones nacionales, algo con lo que no estamos enteramente de acuerdo[37].

Esta dualidad, en si misma, no se acaba de entender, pues pareciera que el valor de los derechos fundamentales es diferente y unas transgresiones serán merecedoras de la expulsión del proceso reconocida por el CEDH y otras, sin embargo, corren peor suerte y se deja su expulsión en manos de lo que diversamente decida cada uno de los 28 ordenamientos —27 cuando el Brexit tenga lugar—. En este sentido, remitiendo a lo dicho por escrito en un artículo anterior, consideramos necesario hacer hincapié en la obligación que tiene la UE de legislar en materia de intervención de los derechos fundamentales mínimamente[38], con el fin de preservar la primacía del derecho comunitario y evitar conflictos interpretativos[39]. Debemos de partir de la base de que ello parece ser lo que ha pretendido de forma mínima la Directiva objeto de reflexión y a ello dedicaremos las siguientes epígrafes.

A tal fin, existen tres pronunciamientos del TJUE altamente clarificadores en esta materia. Nos referimos al *caso Pupino, caso Melloni* y *caso Schenck*[40]. Son tres las conclusiones a las que podemos llegar tras esta revisión de la Jurisprudencia y de la normativa europea.

1) El Convenio Europeo y la Carta regulan el derecho al proceso justo, pero no la regla de la exclusión, es decir, no se manifiestan sobre uno de sus aspectos en relación a las consecuencias de la violación de un derecho fundamental en una investigación. Ello nos hace pensar que puede obedecer a una concepción en la que esta *exclusionary rule* no es garantía del proceso debido, sino del derecho fundamental sustantivo o procesal violado[41]. Para el TEDH sólo serán ilimitables los derechos fundamentales relativos a la *prohibición de tortura y a la no autoincriminación*. La consecuencia de esta

---

[37]   MARTÍNEZ GARCÍA, E., "La orden de investigación europea…", *op. cit.*

[38]   GRASSO, "La protección de los derechos fundamentales en el ordenamiento comunitario y su repercusión en los sistemas nacionales de los Estados miembros", ARROYO/TIEDEMAN, *Estudios de Derecho penal económico*, Cuenca 1994, p. 293 y ss.

[39]   El origen de esta cuestión lo planteó acertadamente Alemania en el *caso Solange I* y posteriormente en *Solange II*. Más recientemente la Sentencia de 30 de junio 2009 (BVerG, 2 BvE 2/08) donde reivindica el derecho penal como núcleo neurálgico de su soberanía, poder estatal y legitimidad democrática. En el mismo sentido encontramos en España la STC 28/1991, de 14 de abril.

[40]   Para un estudio más exhaustivo de este tema véase MARTÍNEZ GARCÍA, E., La orden europea de Investigación, Tirant lo Blanch 2015.

[41]   A este respecto, véase mi obra *Actos de Investigación e Ilicitud de la Prueba, op. cit.*

concepción será que únicamente en estos dos casos *no* se relega a una interpretación *nacional* del problema de exclusión probatoria.

2) En segundo lugar, cuando la prueba sea obtenida con posible violación de *esos otros derechos fundamentales* diferentes a los citados en el párrafo anterior, podrá ser admitida, de conformidad con los *ordenamientos nacionales, si el proceso equitativo en su conjunto no resulta vulnerado*[42].

3) En el caso español, esto supone que España podría convertirse en un refugio para delincuentes, dado que el nivel de exigencia para la actuación de los poderes públicos es alto y encontrarán mayor acomodo e impunidad por el mayor formalismo exigido a Jueces y Policía. Es decir, España como Estado de emisión de órdenes de investigación va a recibir en sus países vecinos niveles más bajos de exigencia en la injerencia de los derechos fundamentales. Por su lado, España como país de ejecución probablemente va a actuar siempre más cautelosamente que su requirente. Esto que decimos, traducido en materia de regla de exclusión probatoria supone que los riesgos de que el fruto de la colaboración sea impugnado en España es superior a otros países, pues la ejecución de dichas medidas en terceros países podría ser abusiva desde nuestra práctica constitucional nacional.

Inevitablemente, esta situación va a traer como consecuencia que *vía europea* y *de lege ferenda* vamos a acabar regulando un sistema menos garantista que el que tenemos en la actualidad y, por tanto, del derecho al proceso celebrado con todas las garantías porque no tiene sentido democrático que el derecho al proceso tenga diferentes valores en los Estados de la Unión. Si finalmente desde la Unión se regula el valor común de las pruebas obtenidas con vulneración de derechos, lo que pensamos que está muy lejos, quedarán solventadas muchas de las cuestiones aquí planteadas. Mientras tanto, el valor de los derechos fundamentales sustantivos y del derecho al proceso celebrado con todas las garantías es muy diferentes según el país de la Unión ante el que estemos solicitando colaboración.

Esta norma pide confianza ciega del los Jueces españoles sobre lo hecho en el Estado vecino, de conformidad con los requisitos expresamente señalados por este mismo Juez en su solicitud. Parece que de una forma un tanto parca ha intentado juntar en un único precepto toda la doctrina del

---

[42]   Para intuir lo que significa esto, véase VERMEULEN, DE BONDT &VAN DAMME, *EU Cross-border gathering and use of evidence in criminal matters. Towards mutual recognition of investigative measures and free movement of evidence?*, Vol. 37, Maklu (2010), donde hace un análisis del valor de la regla de exclusión y del proceso debido en los diferentes países de la Unión Europea.

TEDH, impidiendo al Juez dar prioridad al derecho nacional sobre el ordenamiento de la Unión. Todo hace indicar que el desarrollo de la futura Ley que implemente la Orden Europea de Investigación, hará esta misma interpretación de la norma europea, en contra de la propia Exposición de Motivos de la Directiva de la Orden de Investigación Europea (núm.10). Aceptar como *carta blanca* todo lo que venga de un país extranjero parece excesivamente generoso con los derechos fundamentales de las personas investigadas en cada uno de los 28 EM. La Seguridad, Libertad y Justicia en la UE se debe de caracterizar por el respeto de los derechos fundamentales como clave de la democracia.

9. CONCLUSIONES

Es un lugar común afirmar que la realización del principio de reconocimiento mutuo es la piedra angular de la cooperación judicial y de la realización transfronteriza de los títulos judiciales penales. La materialización de este principio exige también de un cierto o mínimo grado de armonización para hacerlo factible y realista, y esto que decimos se hace muy evidente en materia de actos de investigación y de obtención de pruebas.

Con carácter general, podemos afirmar que la nueva Directiva sobre la Orden de Investigación Europea ya ha traído consigo el efecto beneficioso de poner de acuerdo a 26 Estados —descontando a Irlanda y Dinamarca— para sacar adelante una política de colaboración judicial penal en materia de obtención de prueba. Igualmente ha traído como consecuencia la admisión de ciertos actos de investigación que necesariamente deben de estar regulados en todos los Estados miembro. Asimismo, se han observado algunos efectos colaterales como la inexistencia de legislaciones, aplicables al caso, traducidas al inglés; el desequilibro posible entre dotaciones a Juzgados de equipos de comunicación y transmisión de información, que aseguren la capacidad técnica para realizar las medidas de investigación fiable; o exigencias tales como la debilidad o vulnerabilidad del derecho a la defensa letrada y a la justicia gratuita en estos procesos transfronterizos; o el desequilibrio presupuestario entre los diferentes Estados destinado a poner medios y recursos económicos para a tal fin. Todo ello son mínimos que llevará su tiempo que lleguen a homogeneizarse y que nada hace pensar que no ser hará así.

En el ámbito de la investigación del crimen y obtención de fuentes de prueba se debe de ser extremadamente prudente, aunque la existencia de 26 versiones diferentes de lo que se entiende por *prudencia* puede traer problemas sobre la licitud de una prueba obtenida en otro Estado, y puede llegar a constituir un verdadero subterfugio destinado a obviar garantías exigibles en el Estado requirente de ayuda. Por esta razón, debemos afirmar sin ambages, que el principio de reconocimiento mutuo tiene sus límites, como son, los principios y reglas de la Unión Europea, los propios límites de la cooperación en material penal y los derechos fundamentales. Estos son los criterios que bien regulados convierte la *prudencia* en legalidad y democracia.

El reconocimiento mutuo es un principio dirigido fundamentalmente a proteger intereses colectivos —antes que los individuales—, al tratarse en definitiva de una extensión del proceso penal en otro Estado, pero si el coste de llevar a acabo el reconocimiento mutuo de una decisión conlleva una pérdida o daño sobre el derecho fundamental individual, muy especialmente considerado el derecho de defensa, este reconocimiento no debe de darse. Y en esta explicación reside el valor intrínseco de los derechos y libertades fundamentales, así como de la garantía procesal que estos tienen dentro de un proceso, a saber, el derecho a la expulsión de las pruebas obtenidas ilícitamente, dado que choca frontalmente con el derecho proceso celebrado con todas las garantías. Y es aquí donde hemos localizado los mayores problemas que traerá consigo la aplicación de la Directiva sobre la Orden de Investigación Europea, lo que si no se resuelve podría llegar a afectar a las bases de la cooperación judicial.

La falta de un desarrollo de mínimos por parte de la UE en materia de intervención de derechos fundamentales crea un desnivel entre la protección que dan los diferentes Estados a los derechos fundamentales. Consecuencia de ello, actualmente ante una violación grave de un derecho de esta naturaleza, se produce una delegación de su valoración —y de la aplicación de la regla de la exclusión de las pruebas ilícitas— a las normas de desarrollo nacional y a las jurisdicciones nacionales y ello puede generar un *asimetría peligrosa*, pues ante violaciones idénticas encontraremos consecuencias procesales muy diversas. La valoración judicial de la prueba obtenida será diferente según nos encontremos ante un plano de interpretación valorativa nacional o supranacional. Esto puede suponer un déficit democrático que chirría con nuestra Constitución y, en este sentido, los límites del principio de reconocimiento mutuo deben de funcionar a modo de balance entre el derecho europeo y el nacional.

Siendo esto como decimos, la valoración de la licitud de la prueba y la posible aplicación de la regla de la exclusión probatoria deben derivarse al derecho nacional en cuestión que, en materia de Orden Europea de Investigación, será competencia del ordenamiento del Estado de emisión.

La amplia distancia existente entre nuestra doctrina jurisprudencial sobre la ilicitud probatoria y los actuales estándares seguidos por el Derecho europeo —especialmente en lo relativo al juicio de ponderación de intereses en conflicto o la tesis de la desconexión de antijuridicidad en nuestra terminología— hace prever un alto desnivel en las garantías integrantes del derecho al proceso debido.

Es decir, la primacía en la aplicación del derecho europeo establecida en la doctrina *Melloni* nos hace pensar que en estos conflictos con obtención de prueba transnacional acabaremos aplicando ese nivel de legalidad, hoy todavía lejos de nuestros estándares de protección en materia de prueba, a saber, bastante más elevados. Consideramos, pues, que la falta de *previsión legal a nivel europeo* de las reglas sobre la admisibilidad probatoria afecta al *núcleo* del derecho al proceso con todas las garantías y al derecho fundamental en cuestión violentado. Desconocer esto, es tanto como aceptar *un déficit democrático* en materia de intervención de derechos fundamentales en la UE.

En materia de Orden de Investigación el caso español, intuimos que España podría convertirse en una suerte de refugio para delincuentes, dado que el nivel de exigencia para la actuación de los poderes públicos españoles es alto —comparativamente con otros muchos estados— y lo que creará una mayor impunidad para éstos por el mayor formalismo exigido a Jueces y Policía. Es decir, España como Estado de emisión de órdenes de investigación podría recibir en algunos de sus países vecinos niveles más bajos de exigencia en la injerencia de los derechos fundamentales, lo que será salvable con una actuación prudente de nuestros jueces. Por su lado, como país de ejecución a menudo va a actuar siempre más cautelosamente que su requirente. Esto que decimos, traducido en materia de regla de exclusión probatoria supone que los riesgos de que el fruto de la colaboración sea impugnado en España es superior a otros países, pues la ejecución de dichas medidas en terceros países podría ser abusiva desde nuestra práctica constitucional nacional. Esta asimetría entre Estados, como decimos, podría ser utilizada como forma de abuso por la policía o fiscales en una investigación, donde se haga un *shopping* de la jurisdicción que menos exigencias o trabas ponga a una determinada investigación.

Aceptar como *carta blanca* todo lo que venga de un país extranjero —según viene estableciendo la doctrina del Tribunal Supremo— parece excesivamente generoso con los derechos fundamentales de las personas investigadas en cada uno de los Estados Miembros. La Seguridad, Libertad y Justicia en la UE se debe de caracterizar por el respeto de los derechos fundamentales como clave de la democracia. De no tener pronunciamiento al respecto, doy por sentado que la balanza acabará priorizando, como viene ocurriendo, el derecho comunitario y siendo un espejo en nuestro Estado y, por tanto, nuestra legislación acabará basculando hacia unos niveles de garantismo que se encuentran muy por debajo a los establecidos por la Jurisprudencia española.

BIBLIOGRAFÍA

AGUILERA MORALES, Marien, "El exhorto europeo de investigación: A las búsqueda de la eficacia y la protección de los derechos fundamentales en las investigaciones penales transfronterizas", *Boletín del Ministerio de Justicia*, núm. 2145, agosto, 2012.

ANAGNOSTOPOULOS, Ilias, "Criminal justice cooperation in the European Union after the first few "steps": a defence view", *ERA Forum*, 2014, p. 19.

BACHMAIER WINTER, Lorena, "La propuesta de Directiva europea sobre la orden de investigación penal: valoración crítica de los motivos de denegación", CISS, *Wolters Kluwer*, febrero 2013.

BRODOWSKI, Dominik, "Europäischer ordre public als Ablehnungsgrund für Vollstreckung Europäischer Haftbefehle?", *HRRS: Onlinezeitschrift für Höchstrichterliche Rechtsprechung zum Strafrecht*, ausgabe 2, 2013 (http://www.hrr-strafrecht.de/hrr/archiv/13-02/hrrs-2-13.pdf).

BURCHARD, Christoph, "Die Europäische Ermittlungsanordnung ("European Investigation Order"): Exekutorische Strafrechtsvergleichung und das Prinzip der gegenseitigen Anerkennung". In BECK, S., BURCHARD, Christoph y FATEH-MOGHADAM (Hrsg.), *Strafrechtsvergleichung als Problem und Lösung*, Nomos, 2011.

DÍAZ PITA, María Pía, "La lucha contra los delitos transfronterizos y no transfronterizos en la Unión Europea: Los instrumentos de investigación transfronteriza y el principio de reconocimiento mutuo", *Revista General de Derecho penal*, núm. 20, 2013.

FISCALÍA GENERAL DEL ESTADO, *Dictamen 1/17 de la Fiscal de Sala de Cooperación Penal Internacional sobre el régimen legal aplicable debido a la no transposición en plazo de la Directiva de la Orden Europea de Investigación y sobre el significado de la expresión "disposiciones correspondientes" que sustituye dicha directiva* (https://www.fiscal.es/fiscal/PA_WebApp_SGNTJ_NFIS/descarga/DIC%201-17%20OEI%20Regimen%20transitorio_2.pdf?idFile=6b507dd8-4ec7-427a-b17d-4d29de03539f).

GASCÓN INCHAUSTI, Fernando, "Investigación transfronteriza, obtención de prueba penal en el extranjero y derechos fundamentales (Reflexiones a la luz de la jurisprudencia española)", en MONTERO AROCA, Juan, BARONA VILAR, Silvia y CALDERÓN CUADRADO, María Pía (Coords.), *Derecho Procesal Español del S. XX a golpe de tango,* Tirant lo Blanch, 2012

GLASER, Sanja, MOTZ, Andreas y ZIMMERMANN, Frank, "Mutual Recognition and its implications for the Gathering of Evidence in Criminal Proceedings: A critical Analysis of The initiative for a European Investigation Order", *Themis*, 2010, p. 1.

GRASSO, Giovanni, "La protección de los derechos fundamentales en el ordenamiento comunitario y su repercusión en los sistemas nacionales de los Estados miembros", en ARROYO ZAPATERO, Luis Alberto y TIEDEMAN, Klaus (Edits.), *Estudios de Derecho penal económico,* Cuenca, 1994, pp. 293 y ss.

KAIAFA-GBANDI, Maria, "Harmonisation of criminal procedure on the basis of common principles. The EU's challenge for Rule-of-Law Transnational crime control", en FIJNAUT, Cyrille y OUWERKERK, Jannemieke (Edits.), *The future of police and judicial cooperation in the european Union,* 2010, p. 393.

MANGIARACINA, Annalisa, "A new and controversial Scenario in Gathering of Evidence at the European Level: The porposal for a Directive on the European Investigation Order", *Utrecht Law Review,* vol. 10, Issue 1, enero, 2014.

MARTÍNEZ GARCÍA, Elena, *Actos de Investigación e Ilicitud de la prueba,* Tirant lo Blanch, 2009.

MARTÍNEZ GARCÍA, Elena, "Análisis de la "tesis de la desvinculación de la antijuridicidad. Una explicación de sus límites basada en el derecho al proceso y sus garantías (art. 24.2 CE)", *Revista Teoría y Derecho. Revista de Pensamiento Jurídico,* núm. 9, 2011.

MARTÍNEZ GARCÍA, Elena, "La orden de Investigación Europea: las futuras complejidades previsibles en la implementación de la Directiva en España", *La Ley Penal,* núm. 106, LA LEY, Sección Artículos, 2014.

MARTÍNEZ GARCÍA, Elena, *La Orden Europea de Investigación,* Tirant Lo Blanch, 2015.

MIRANDA ESTRAMPES, Manuel, "La prueba ilícita: La regla de las exclusión y sus excepciones", *Revista Catalana de la seguridad pública,* mayo, 2010.

NESTLER, Cornelius, "European defence in transnational criminal proceedings", en SCHÜNEMANN, Bernd (Edit.), *Programme for European Criminal Justice,* Carl Heymanns Verlag, 2006, pp. 415 y ss.

NIETO MARTÍN, Adán, "Fundamentos constitucionales del derecho penal europeo", *Revista General del Derecho penal,* núm. 3, 2005.

SÁNCHEZ YLLERA, Ignacio, "La aparente irrelevancia de la prueba ilícita en la jurisprudencia del Tribunal Europeo de Derechos Humanos", *Jornada sobre Pruebas Ilícitas,* CEJ, marzo, 2012.

SUOMINEN, Annika, "Limits of mutual recognition in cooperation in criminal matters within the EU —especially in light of recent Judgments of both European Courts", *European Criminal Law Review,* vol. 4, num. 3, December, 2014.

VERMEULEN, Gert, DE BONDT, Wendy y VAN DAMME, Yasmin, *EU Cross-bordergathering and use of evidence in criminal matters. Towards mutual recognition of investigative measures and free movement of evidence?,* vol. 37, Maklu, 2010.

Capítulo XII

Reconocimiento y ejecución en España de una Orden Europea de Investigación

(Análisis del Proyecto de Ley por la que se modifica la Ley 23/2014, de 20 de noviembre, de reconocimiento mutuo de resoluciones penales en la Unión Europea, para regular la Orden Europea de Investigación)

PABLO GRANDE SEARA

Profesor Contratado Doctor de Derecho Procesal
Universidad de Vigo

1. INTRODUCCIÓN

La Orden Europea de Investigación en materia penal (en adelante OEI) es el resultado de la aprobación de la Directiva 2014/41/UE del Parlamento Europeo y del Consejo, de 3 de abril de 2014, relativa a la orden europea de investigación en materia penal (en adelante DOEI)[1], con la que se pretende implementar un único instrumento para la obtención de prueba penal transfronteriza en la Unión Europea, basado en el principio de reconocimiento mutuo[2]. Como es sabido, este principio supone la articulación

---

[1]   Recordemos que esta Directiva 2014/41/UE es el fruto de la iniciativa promovida en 2010 por siete Estados miembros (Bélgica, Bulgaria, Estonia, Austria, Eslovenia, Suecia y España) bajo la presidencia Española de la UE, y su aprobación ha sido el resultado de un lento y complejo proceso de negociación que se prolongó hasta 2014. El texto original de la Propuesta de Directiva (publicado en el DOUE el 24 de junio de 2010), en el que se utilizaba la denominación *"Exhorto Europeo de Investigación Penal"*, fue objeto de importantes críticas por parte del Supervisor Europeo de Protección de Datos y de la Comisión de Libertades Civiles, Justicia y Asuntos de Interior del Parlamento Europeo y de la Comisión Europea. El primero puso de relieve la escasa protección que tal Propuesta dispensaba a los datos personales, especialmente cuando se trataba de medidas de investigación tendentes a la obtención de información sobre cuentas y operaciones bancarias y financieras, o de medidas relativas a la comparecencia por videoconferencia o a la intervención de comunicaciones. A su vez, la Comisión parlamentaria y el Consejo reprocharon que la Propuesta de Directiva no contuviera una referencia expresa a los principios básicos en materia de obtención de prueba (en particular, el de proporcionalidad y el *ne bis in idem*), ni una referencia expresa a las disposiciones europeas de obligado cumplimiento en esta materia, como el Convenio Europeo para la Protección de los Derechos Humanos y de las Libertades Fundamentales (CEDH) y la Carta de Derechos Fundamentales de la Unión Europea (CDFUE). Tras la corrección de las anteriores objeciones mediante las oportunas enmiendas, y la adopción de la actual denominación, la Directiva se aprobó el 4 de abril de 2014, y se publicó en el DOUE el 1 de mayo de 2014. Una exposición detallada del iter legislativo de la OEI puede verse en RODRÍGUEZ-MEDEL NIETO, Carmen, *Obtención y admisibilidad en España de la Prueba Penal Transfronteriza. De las comisiones rogatorias a la orden europea de investigación*, Aranzadi, Cizur Menor, 2016, pp. 295 a 307.

[2]   A tenor del Considerando 2 DOEI, la base jurídica de la misma se encuentra en el art. 82.1 del Tratado de Funcionamiento de la Unión Europea (TFUE), en virtud del cual la cooperación judicial en materia penal se basará en el principio de reconocimiento mutuo de las sentencias y resoluciones judiciales, principio que se considera comúnmente como la piedra angular de la cooperación judicial en materia penal en la Unión desde el Consejo Europeo de Tampere de 15 y 16 de octubre de 1999.
Como destaca AGUILERA MORALES ("El Exhorto Europeo de Investigación: a la búsqueda de la eficacia y la protección de los derechos fundamentales en las investigaciones penales transfronterizas", *Boletín Oficial del Ministerio de Justicia*, núm. 2145, agosto 2012, pp. 5 a 7) el sistema diseñado por esta Directiva se asienta en cuatro pilares: 1º. *Reunificación normativa*, ya que la Directiva operará un sobresaliente efecto codificador, a la vista de las Decisiones Marco y otros instrumentos convencionales de asistencia ju-

de la cooperación judicial penal entre los Estados miembros sobre la base de relaciones directas entre las autoridades judiciales, que no requiere la intervención necesaria ni obligatoria de las autoridades centrales. El sistema se basa también en la confianza mutua, que lleva a un reconocimiento y ejecución de las resoluciones dictadas por las autoridades competentes de emisión de otros Estados de manera prácticamente automática, con causas tasadas de suspensión y denegación del reconocimiento.

En este sentido, la OEI está llamada a poner fin a la fragmentación actual de las fuentes europeas aplicables a la obtención de prueba penal transfronteriza, dando cobertura en la medida de lo posible a todos los tipos de prueba, fijando plazos concretos para su ejecución y limitando los motivos para la denegación de su reconocimiento y ejecución (Considerando 6 DOEI).

La OEI se define en el art. 1 DOEI como *"una resolución judicial emitida o validada por una autoridad judicial de un Estado miembro ("el Estado de emisión") para llevar a cabo una o varias medidas de investigación en otro Estado miembro ("el Estado de ejecución") con vistas a obtener pruebas"* que surtan efectos en un proceso penal abierto en el Estado de emisión. Además, el segundo inciso de este mismo precepto añade que *"también se podrá emitir una OEI para obtener pruebas que ya obren en poder de las autoridades competentes del Estado de ejecución"*.

Por tanto, la OEI constituye un instrumento para llevar a cabo una o varias medidas de investigación en otro Estado miembro (Estado de ejecución) con vistas a la obtención de pruebas, o para la obtención de pruebas que ya están en poder de las autoridades de dicho Estado, con el objeto de que surtan efectos en un proceso penal que se sigue en el Estado que emite la OEI. Como se puede apreciar, a diferencia del Exhorto europeo de obtención de pruebas (en adelante EEP), que no es propiamente un instrumento de investigación penal, sino un instrumento para recabar objetos,

---

dicial en materia penal que está llamada a sustituir. 2º. *Horizontalidad y centralidad*, por cuanto, con algunas excepciones, pueden ser objeto de la OEI cualesquiera medidas de investigación cuya ejecución interese al Estado de emisión, y no sólo aquellas cuya existencia conste en el Estado de ejecución. 3º. *Simplificación y celeridad procedimental*, que se refleja, fundamentalmente, en que la Directiva apuesta por el uso de formularios normalizados en línea con los demás instrumentos europeos de cooperación judicial basados en el reconocimiento mutuo, y en el establecimiento de plazos relativamente cortos para la ejecución de las medidas de investigación interesadas por el Estado de emisión. 4º. *Reforzamiento del principio de reconocimiento mutuo*, que se refleja en la restricción de los motivos de denegación del reconocimiento y ejecución de la OEI.

documentos y datos que ya obren en poder de la autoridad de ejecución o que ésta pueda descubrir sin que medien investigaciones complementarias, la OEI es mucho más ambiciosa, y pone el acento en la práctica de medidas de investigación para la obtención de dichas pruebas transfronterizas, incluyendo la adopción de medidas cautelares para el aseguramiento de esta prueba (art. 32 DOEI).

En este sentido, el Considerando 8 DOEI señala que la OEI debe tener un ámbito horizontal, es decir, aplicable a todas las medidas de investigación dirigidas a la obtención de pruebas y en cualquiera de las fases del procedimiento; aunque de tal ámbito quedan excluidas la creación de los equipos conjuntos de investigación y la obtención de pruebas en dichos equipos (art. 3 DOEI), así como la vigilancia transfronteriza, que se rige por el Convenio de aplicación del Acuerdo de Schengen de 14 de junio de 1985 (Considerando 9 DOEI).

Por lo demás, conforme al art. 4 DOEI, la OEI puede emitirse no sólo en el marco de un procedimiento penal incoado o que pueda incoarse, sino también en procedimientos incoados por autoridades administrativas o judiciales por hechos tipificados en el ordenamiento interno del Estado de emisión como infracciones administrativas, cuando la decisión sobre el mismo pueda dar lugar a un procedimiento ante un órgano jurisdiccional penal. No obstante, en el caso de España, la emisión de la OEI queda limitada a los procesos penales.

Finalmente, por lo que se refiere a la transposición de esta Directiva, el art. 36 DOEI fijaba como plazo límite para la misma el 22 de mayo de 2017, plazo incumplido por la mayoría de los Estados miembros[3]. En el caso de España, el Consejo de Ministros, en su reunión de 24 de noviembre de 2017, aprobó a tal fin el *Proyecto de Ley por la que se modifica la Ley 23/2014, de 20 de noviembre, de reconocimiento mutuo de resoluciones penales en la Unión Europea, para regular la Orden Europea de Investigación* (en adelante PLRM),

---

[3] Para tratar de dar respuesta a la situación de inseguridad jurídica creada por este incumplimiento, por cuanto en la DOEI no se contempla un régimen transitorio, la Unidad de Cooperación Internacional de la Fiscalía General del Estado ha emitido un dictamen, dirigido a todas las fiscalías, para tramitar las Ordenes Europeas de Investigación mientras España incorpora a su ordenamiento la DOEI: *Dictamen 1/17 de la Fiscal de Sala de Cooperación Penal Internacional sobre el régimen legal aplicable debido a la no transposición en plazo de la Directiva de la Orden Europea de Investigación y sobre el significado de la expresión "disposiciones correspondientes" que sustituye dicha directiva* (https://www.fiscal.es/fiscal/PA_WebApp_SGNTJ_NFIS/descarga/DIC%201-17%20OEI%20Regimen%20transitorio_2.pdf?idFile=6b507dd8-4ec7-427a-b17d-4d29de03539f)

que fue remitido a las Cortes Generales y publicado en el Boletín Oficial de la Cortes Generales de 1 de diciembre de 2017[4]. Por acuerdo de 28 de noviembre de 2017, la Mesa de la Cámara acordó encomendar su aprobación con competencia legislativa plena y por el procedimiento de urgencia a la Comisión de Justicia.

Como se puede apreciar, la recepción interna de la DOEI se llevará a cabo a través de la modificación de la Ley 23/2014, de 20 de noviembre, de reconocimiento mutuo de resoluciones penales en la Unión Europea (en adelante LRM), que, entre otras modificaciones más puntuales, supondrá la sustitución de su Título X, dedicado al *"Exhorto europeo de obtención de pruebas"*, por otro dedicado a la *"Orden europea de investigación en materia penal"*. Esta fórmula que ha elegido el prelegislador, incluyendo la regulación de la OEI en la LRM, en sustitución de la del EEP, se considera la más adecuada desde el punto de vista de técnica legislativa, porque la LRM constituye el marco normativo llamado a incorporar y recoger la hasta entonces dispersa regulación en materia de reconocimiento de resoluciones en materia penal[5].

Pues bien, el objeto de este trabajo será analizar el proyectado régimen jurídico del reconocimiento y ejecución en España de una OEI. A tal efecto, tras es el examen del art. 187.2 y 3 PLRM, en el que se determina cuál será la autoridad competente en España para tal reconocimiento y ejecución, se estudia el contenido del Capítulo III del proyectado Título X de la LRM, prestando particular atención a los motivos de denegación del reconocimiento y ejecución de la OEI.

---

[4] http://www.congreso.es/public_oficiales/L12/CONG/BOCG/A/BOCG-12-A-14-1.PDF

[5] Como se indica en el apdo. II de su Preámbulo, *"la presente Ley da por amortizada la técnica de la incorporación individual de cada decisión marco o directiva europea en una ley ordinaria y su correspondiente ley orgánica complementaria, y se presenta como un texto conjunto en el que se reúnen todas las decisiones marco y la directiva aprobadas hasta hoy en materia de reconocimiento mutuo de resoluciones penales. Incluye tanto las ya transpuestas a nuestro Derecho como las que están pendientes, evitando la señalada dispersión normativa y facilitando su conocimiento y manejo por los profesionales del Derecho. Además, se articula a través de un esquema en el que tiene fácil cabida la incorporación de las futuras directivas que puedan ir adoptándose en esta materia".*

2. AUTORIDADES COMPETENTES EN ESPAÑA PARA RECONOCER Y EJECUTAR UNA ORDEN EUROPEA DE INVESTIGACIÓN

A los efectos de la ejecución de una OEI, el art. 2 d) DOEI define la *autoridad de ejecución* como *"una autoridad que tenga competencia para reconocer una OEI y asegurar su ejecución de conformidad con la presente Directiva y los procedimientos aplicables en un caso interno similar"*; y añade que *"dichos procedimientos pueden requerir una autorización judicial del Estado de ejecución cuando así se disponga en su legislación interna"*. No obstante, cada Estado miembro también podrá designar una o varias autoridades centrales, para asistir a las autoridades de ejecución competentes, y a las que podrá asignar la función de transmisión y recepción administrativas de la OEI y de la correspondencia oficial relativa a la misma (art. 7.3 DOEI).

Esto significa que la autoridad de ejecución debe ser competente, conforme a la legislación interna del Estado de ejecución, para adoptar la medida de investigación requerida en la OEI, debiendo tratarse de una autoridad judicial cuando así lo exija la legislación interna para la adopción de tal medida de investigación en un caso interno similar. Ello no obsta para que, como señala el art. 7.3 DOEI, cada Estado miembro pueda designar una autoridad central que asista a la autoridad de ejecución competente en las funciones administrativas derivadas de la OEI, como pueden ser la recepción de la misma o la transmisión y recepción de la correspondencia oficial a ella vinculada.

Pues bien, la solución adoptada por el prelegislador español a este respecto, se recoge en el art. 187.2 PLRM, optando por una distribución de funciones entre el Ministerio Fiscal y los órganos jurisdiccionales en los siguientes términos.

Por una parte, el Ministerio Fiscal será la autoridad competente en España para recibir todas las OEI emitidas por las autoridades competentes de otros Estados miembros, debiendo registrarlas y acusar recibo de las mismas a la autoridad de emisión. Además, él mismo será la autoridad competente para reconocer y ejecutar las OEI que no contengan medidas de investigación limitativas de derechos fundamentales o que, aun conteniendo este tipo de medidas, puedan ser sustituidas por otras que no restrinjan dichos derechos; lo que a su vez implica que el propio Ministerio Fiscal también será el competente para acordar la sustitución.

En cambio, cuando la OEI contenga alguna medida de investigación limitativa de derechos fundamentales, que no pueda ser sustituida por otra que no restrinja tales derechos, o cuando en la misma OEI se indique expresamente por la autoridad de emisión que la medida de investigación debe ser ejecutada por un órgano judicial, ésta será remitida por el Ministerio Fiscal al Juez o Tribunal que proceda conforme a lo previsto en el art. 187.3 PLRM, que será la autoridad competente para su reconocimiento y ejecución.

E incluso en estos supuestos, el Ministerio Fiscal acompañará la remisión de la OEI de un informe preceptivo en el que se pronuncie sobre la concurrencia o no de causa de denegación de la ejecución de la misma, y si entiende o no ajustada a Derecho la adopción de cada una de las medidas de investigación que la orden contenga[6].

A su vez, el art. 187.3 PLRM fija las reglas de competencia objetiva y territorial en estos casos en que la autoridad de ejecución deba ser un órgano jurisdiccional:

a. En primer lugar, la competencia le corresponderá a los Jueces de Instrucción o de Menores del lugar donde deban practicarse las medidas de investigación o, subsidiariamente, donde exista alguna otra conexión territorial con el delito, con el investigado o con la víctima. Si no hubiera ningún elemento de conexión territorial para poder concretar la competencia, serán competentes los Jueces Centrales de Instrucción[7].

b. Los Jueces Centrales de Instrucción serán competentes cuando la OEI se haya emitido por un delito de terrorismo u otro de los delitos cuyo

---

[6]   El Pleno del CGPJ, en su *Informe sobre el Anteproyecto de Ley por la que se modifica la Ley 23/2014, de 20 de noviembre, de reconocimiento mutuo de resoluciones penales en la unión europea, para regular la Orden Europea de Investigación* (de 28 de septiembre de 2017) (http://www.poderjudicial.es/cgpj/es/Poder-Judicial/Consejo-General-del-Poder-Judicial/Actividad-del-CGPJ/Informes/, apdos. núm. 72 a 79), si bien entiende que el establecimiento de una única autoridad para la recepción de la OEI facilita el mecanismo de reconocimiento y ejecución de las medidas de investigación, cuestiona la referida atribución competencial al Ministerio Fiscal. En la misma línea se manifiesta RODRÍGUEZ-MEDEL NIETO, Carmen, *Obtención y admisibilidad en España de la Prueba Penal...*, *op. cit.*, pp. 398 a 400.

[7]   Cabe destacar que este precepto ha sido modificado en dos extremos con respecto a lo que se preveía en el Anteproyecto de Ley, acogiendo las observaciones que en este sentido se hacían en el Informe del CGPJ (pp. 26 y 27): a) por una parte, se introduce como fuero subsidiario el del lugar *"donde exista alguna otra conexión territorial con el delito, con el investigado o con la víctima"*, para el caso de que no pueda ser aplicable el del lugar de ejecución de la medida (por ejemplo, en el caso de las OEI para obtener información sobre cuentas u operaciones bancarias o financieras); b) por otra, para el caso de que no exista ningún elemento de conexión territorial que permita concretar la competencia, ésta se le atribuye a los Juzgados Centrales de Instrucción; y no a *"los Jueces de Instrucción de Madrid"*, lo cual carecía de justificación suficiente.

enjuiciamiento competa a la Audiencia Nacional, o si se trata de la notificación prevista en el art. 222 PLRM (notificación a España de la intervención de telecomunicaciones con interceptación de la dirección IP de una persona investigada o encausada que se encuentre en España y cuya asistencia técnica no sea necesaria).

c. Finalmente, la autoridad de ejecución competente serán los Jueces Centrales de lo Penal o Central de Menores, en función de la edad del investigado, cuando la medida solicitada consista en el traslado temporal al Estado de emisión de personas privadas de libertad en España, de conformidad con lo previsto en el art. 214 PLRM.

Tales reglas competenciales se complementan con otras dos previsiones importantes contenidas en el art. 187.3 PLRM, tendentes a concentrar la competencia en un único órgano jurisdiccional, evitando los reenvíos sucesivos cuando se produzca un cambio sobrevenido del lugar donde deba practicarse la medida de investigación, o cuando una OEI contenga varias diligencias de investigación que deban practicarse en lugares distintos.

Así, se dispone que *"el cambio sobrevenido del lugar donde deba practicarse la medida de investigación no implicará una pérdida sobrevenida de competencia del juez o Tribunal que hubiera acordado el reconocimiento y ejecución de la orden europea de investigación"*; lo que no es más que una consecuencia típica de la litispendencia.

Y, para el caso de que en una OEI se soliciten varias diligencias de investigación que tuvieran que practicarse en lugares distintos, será competente para el reconocimiento y ejecución de la misma el Juez o Tribunal al que el Ministerio Fiscal remita dicha orden, de entre los competentes de acuerdo con las reglas vistas anteriormente y, en lo no previsto en ellas, conforme a las normas de preferencia de la LECrim. Es decir, en estos supuestos, el Juez o Tribunal que resulte competente para conocer de alguna de las medidas de investigación solicitadas, y al que el Ministerio Fiscal le haya remitido la OEI, también lo será para la ejecución de las restantes medidas requeridas en dicha orden, aunque deban ejecutarse fuera de su circunscripción.

3. PRESUPUESTOS PARA EL RECONOCIMIENTO Y EJECUCIÓN DE UNA ORDEN EUROPEA DE INVESTIGACIÓN

Los que podemos denominar presupuestos o condicionantes del reconocimiento y ejecución de una OEI se contemplan en los arts. 9 y 10 DOEI, y en los arts. 205 y 206 PLRM, que vienen a transponer aquellos.

Pese a la deficiente técnica legislativa seguida por el legislador español en este punto, y que ha sido puesta de manifiesto en el Informe del CGPJ sobre el Anteproyecto de Ley[8], de la lectura de los referidos preceptos, se deduce que los presupuestos para que la autoridad de ejecución española dicte una resolución de reconocimiento y ejecución de una OEI emitida por las autoridades de otro Estado miembro, y se pueda llevar a efecto tal ejecución, son los siguientes:

a. Que no proceda la devolución de la OEI a la autoridad de emisión, por no haber sido emitida por la autoridad competente, o validada en su caso por el Juez, Tribunal o fiscal competente del Estado de emisión (arts. 9.3 DOEI y 205.2 PLRM); o por no haber cumplido la autoridad de emisión con las exigencias de traducción del formulario de la OEI, conforme a lo previsto en los arts. 5 DOEI y 17.1 LRM[9].

b. Que no proceda la denegación del reconocimiento de la OEI por concurrir alguno de los motivos de denegación o suspensión, previstos en los arts. 207 y 209 PLRM, respectivamente (arts. 9.1 DOEI y 205.1 PLRM), y que serán objeto de análisis en posteriores epígrafes de este trabajo. Es decir, si no concurre ninguno de tales motivos de denegación o suspensión del reconocimiento y ejecución de la OEI, la autoridad competente española que la reciba dictará, en los plazos estipulados en el art. 208 PLRM y sin más trámites que los establecidos en la Ley, un auto (si se trata de una autoridad judicial) o decreto (si es el Ministerio Fiscal) de reconocimiento y ejecución de la misma (arts. 9.1 DOEI y 205.1 PLRM).

c. Que sea posible la ejecución de la OEI porque la medida de investigación solicitada existe en el Derecho español y está prevista para un caso interno similar; o, en otro caso, exista otra medida de investigación con la

---

[8] Vid. CGPJ, *Informe sobre el Anteproyecto de Ley…*, *op. cit.*, apdos. núms. 142 a 147.

[9] Cabe recordar que el art. 17.1 LRM prevé la inmediata devolución a la autoridad de emisión del formulario o certificado de un instrumento de reconocimiento mutuo que no venga traducido al español, salvo que, en virtud de un convenio en vigor con el Estado de emisión o de una declaración depositada ante la Secretaría General del Consejo de la UE, se permita el envío en otra lengua. En este sentido, el Considerando 14 DOEI anima a los Estados miembros a que cuando hagan una declaración sobre el régimen lingüístico, además de su lengua o lenguas oficiales incluyan al menos otra lengua de uso común en la Unión Europea. Y el art. 5.2 DOEI dispone que *"cada Estado miembro indicará cuál o cuáles de las lenguas oficiales de las instituciones de la Unión Europea, además de la lengua o lenguas oficiales del Estado miembro de que se trate, podrán utilizarse para cumplimentar o traducir la OEI cuando el Estado miembro de que se trate sea el Estado de ejecución"*. Por el momento, no nos consta que España haya hecho ninguna declaración en este sentido.

que se pueda obtener el mismo resultado que con la medida solicitada en la OEI (arts. 10 DOEI y 206 PLRM). En este sentido, una vez decidido el reconocimiento de la OEI, la autoridad de ejecución deberá pronunciarse sobre si ejecutará la concreta medida requerida en la OEI o si procederá a su sustitución por otra medida distinta; y tal decisión se ha de guiar por los criterios previstos en el art. 206 PLRM:

1º. La regla general es que, si el resultado perseguido con la medida de investigación indicada en la OEI se puede conseguir mediante otra medida menos restrictiva de los derechos fundamentales que aquélla, se ordenará la ejecución de esta última, previa información a la autoridad de emisión, la cual podrá decidir retirar o completar la OEI (art. 206.2 y 4 PLRM).

2º. En otro caso, la autoridad competente española llevará a cabo la ejecución de la concreta medida de investigación solicitada en la OEI, siempre que dicha medida de investigación exista en el Derecho español y esté prevista para un caso interno similar (art. 206.1 PLRM).

Y, a estos efectos, el art 206.1.II PLRM establece un elenco de medidas de investigación consideradas "privilegiadas", cuya ejecución deberá ser ordenada en todo caso por la autoridad competente española, porque, conforme al art. 10.2 DOEI, siempre tienen que existir en el Derecho nacional del Estado de ejecución[10]; y son las siguientes:

i. La obtención de información o de pruebas que obren ya en poder de la autoridad competente española siempre que, de conformidad con el Derecho nacional, esa información o esas pruebas hubieran podido obtenerse en el contexto de un procedimiento penal o a los fines de la OEI. (Por ejemplo, las piezas de convicción que ya constan en un proceso penal).

ii. La obtención de información contenida en bases de datos que obren en poder de las autoridades policiales o judiciales y que sean directamente accesibles en el marco de un procedimiento penal. (Por ejemplo, los registros que constan en la base de datos

---

[10] Ello no obsta para que, conforme a la regla anterior, la autoridad de ejecución pueda ordenar la ejecución de una medida de investigación distinta de la solicitada en la OEI si entiende que es menos restrictiva de los derechos fundamentales y puede obtener con ella los mismos resultados que con la medida solicitada (vid., CGPJ, *Informe sobre el Anteproyecto de Ley…, op. cit.,* apdo. núm. 155; MARTÍNEZ GARCÍA, Elena, *La orden europea de investigación. Actos de investigación, Ilicitud de la prueba y Cooperación judicial transfronteriza,* Tirant lo Blanch, Valencia, 2015, p. 71).

policial de ADN, regulada por la Ley Orgánica 10/2007, de 8 de octubre).

iii. La declaración de un testigo, un perito, una víctima, un investigado o encausado o un tercero en territorio español.

iv. Cualquier medida de investigación no invasiva definida con arreglo al Derecho nacional. En este sentido, el Considerando 16 DOEI señala que *"las medidas no invasivas podrían ser, por ejemplo, medidas que no violan el derecho a la vida privada o el derecho a la propiedad, dependiendo del Derecho nacional de que se trate"*.

v. La identificación de personas que sean titulares de un número de teléfono o una dirección IP determinados. En relación con esta medida, en el Informe del CGPJ sobre el Anteproyecto de Ley, se matiza, con acierto, que no se trata de una medida de investigación en sí, sino del resultado de una intervención de las telecomunicaciones para lograr tales identificaciones; y se propone reconsiderar su carácter "insustituible" cuando haya sido adoptada para la investigación de delitos no graves, determinándose la gravedad del delito conforme al Derecho nacional. En este sentido, el CGPJ invoca la STJUE de 8 de abril de 2014, asuntos acumulados C-293/12 y C-594/12, Digital Rigths Ireland y Seitlinger, que declaró la invalidez de la Directiva 2006/24/CE, del Parlamento Europeo y del Consejo, de 15 de marzo de 2006, sobre conservación de datos generados o tratados en relación con la prestación de servicios de comunicaciones electrónicas de acceso público o de redes públicas de comunicaciones y por la que se modifica la Directiva 2002/58/CE. El TJUE consideró que tal Directiva no fijaba ningún criterio objetivo que garantizase que las autoridades nacionales competentes únicamente podrían tener acceso a los datos y utilizarlos para prevenir, detectar o reprimir penalmente delitos que pudieran considerarse suficientemente graves para justificar la injerencia, siendo los ordenamientos internos los que han de definir qué se entiende por delito grave; y declara la invalidez de la Directiva por no respetar el principio de proporcionalidad de la medida de injerencia[11].

3º. Sin perjuicio de lo anterior, cuando la medida de investigación solicitada en la OEI no existiera en Derecho español o no estuviera pre-

---

[11]   Vid., CGPJ, *Informe sobre el Anteproyecto de Ley…*, *op. cit.*, apdo. núm. 154.

vista para un caso interno similar, la autoridad competente española ordenará la ejecución de una medida de investigación distinta a la solicitada, si dicha medida fuera idónea para alcanzar los fines de la orden solicitada (art. 206.3 PLRM). También en este caso, antes de adoptar la resolución de sustitución de la medida, la autoridad competente española informará a la autoridad de emisión; y si ésta no comunicara su decisión de retirar o completar la OEI en el plazo de diez días, la autoridad de ejecución ordenará la ejecución de la medida de investigación alternativa (art. 206.4 PLRM).

4º. Finalmente, si la medida de investigación indicada en la OEI no existe en el Derecho nacional o, existiendo, no hubiera podido ser adoptada en un caso interno similar y, además, no existe ninguna otra medida de investigación con la que se pudiera obtener el mismo resultado que con la medida de investigación solicitada, la autoridad competente española notificara a la autoridad del Estado emisión la imposibilidad de proporcionar la asistencia requerida (arts. 22.2 LRM y 206.5 PLRM). Como apunta MARTÍNEZ GARCÍA, esta situación se podría plantear, por ejemplo, en el supuesto de que la medida de investigación requerida en la OEI sea el interrogatorio del investigado usando el "suero de la verdad", que, si bien se admite como prueba directa o indirecta en muchos de los Estados miembros, no está permitido en nuestro ordenamiento. Ante tal solicitud, la autoridad de ejecución española, al no contar con otras medidas de investigación alternativas susceptibles de obtener los mismos resultados que con la medida requerida, tendría que notificar a la autoridad de emisión que no es posible proporcionar la asistencia solicitada[12].

En otro orden de cosas, conviene señalar que a estos presupuestos, que han de concurrir cualquiera que sea la medida de investigación requerida en la OEI, hay que añadir otro en el caso de determinadas medidas de investigación (por ejemplo, el traslado temporal de personas privadas de libertad; la obtención de pruebas en tiempo real, de manera continua y durante un determinado periodo de tiempo; o las investigaciones encubiertas), y que consiste en la existencia de acuerdo entre la autoridad de ejecución española y la autoridad de emisión sobre las disposiciones prácticas relativas a la ejecución de la medida (arts. 214.2, 215, 219.2 y 220.2 PLRM). Si tal acuerdo no se logra, estaremos ante otro supuesto de imposibilidad

---

[12]   MARTÍNEZ GARCÍA, Elena., *La orden europea de investigación…, op. cit.*, p. 72.

de ejecución de la medida, o, tratándose de las investigaciones encubiertas, de un motivo de denegación de la ejecución de la OEI[13].

4. PROCEDIMIENTO PARA EL RECONOCIMIENTO Y EJECUCIÓN DE LA ORDEN EUROPEA DE INVESTIGACIÓN

Aunque el art. 208 PLRM lleva como rúbrica *"Procedimiento para el reconocimiento y la ejecución de la orden europea de investigación"*, únicamente contiene una regulación muy fraccionada de determinados aspectos del mismo, centrándose particularmente en el establecimiento de los plazos en los que se han de adoptar las resoluciones más relevantes tendentes al reconocimiento y ejecución de la OEI.

Por tanto, este precepto se debe complementar con las previsiones recogidas en otros artículos contenidos tanto en el Capítulo II del Título I de la LRM (*Reconocimiento y ejecución por las autoridades judiciales españolas de instrumentos de reconocimiento mutuo*) (especialmente, los arts. 16 a 25 LRM), como en el proyectado Capítulo III del Título X de la LRM (*Reconocimiento y ejecución de una orden europea de investigación*) (en particular, los arts. 209 a 213 LRM, así como algunos artículos de la Sección 2ª de este mismo Capítulo, relativa al reconocimiento y ejecución de OEI con medidas específicas de investigación). A partir del análisis sistemático de los referidos preceptos, podemos destacar los siguientes aspectos esenciales del procedimiento que se ha de seguir a efectos del reconocimiento y ejecución en España de una OEI.

4.1. *Recepción del formulario de la OEI e incoación del procedimiento*

De lo previsto en los arts. 187.2 y 205.2 PLRM, se colige que el procedimiento de reconocimiento y ejecución en España de una OEI se inicia con la recepción por el Ministerio Fiscal del formulario de la misma, en los términos previstos en el art. 5 y en el Anexo A de la DOEI (y Anexo XIII del PLRM).

Tras su recepción, el Ministerio Fiscal deberá registrar la OEI y, en el plazo máximo de una semana, acusar recibo de la misma a la autoridad de

---

[13] Vid., RODRÍGUEZ-MEDEL NIETO, Carmen, *Obtención y admisibilidad en España de la Prueba Penal...*, *op. cit.*, p. 408.

emisión, mediante la cumplimentación y el envío del formulario previsto en el Anexo B de la DOEI (y Anexo XIV del PLRM) (art. 212.1 PLRM)[14].

No obstante, si estima que la OEI no ha sido emitida por la autoridad de emisión competente o validada jurisdiccionalmente conforme a lo previsto en el art. 2.c) DOEI, o si el formulario de la OEI no viene traducido al español o a cualquier otra lengua indicada por España de conformidad con el art. 5.2 DOEI, lo que procede será su devolución a la autoridad de emisión (arts. 205.2 PLRM y 17.1 LRM).

A su vez, en caso de insuficiencias o incorrecciones relevantes del formulario de la OEI, o de deficiencias subsanables en la emisión o transmisión de la misma, el Ministerio Fiscal lo deberá comunicar a la autoridad de emisión, fijando un plazo para que el formulario se presente de nuevo, se complete o se modifique (art. 19.1 LRM), o, en su caso, se aporte la información complementaria que sea requerida (art. 30 LRM).

En este punto, cabe recordar que, a los efectos de la práctica de estas y de la sucesivas comunicaciones entre la autoridad de emisión y la autoridad española de ejecución, el art. 18.1 LRM dispone que se admitirán los envíos que se efectúen a través de correo certificado o medios informáticos o telemáticos si los documentos están firmados electrónicamente y permiten verificar su autenticidad; así como las comunicaciones efectuadas por fax, requiriendo a continuación a la autoridad judicial emisora el envío de la documentación original. A su vez, conforme al art. 18.2 LRM, las comunicaciones que la autoridad española de ejecución deba hacer a la autoridad de emisión *"serán directas y se podrán cursar en español mediante correo certificado, medios electrónicos fehacientes o fax, sin perjuicio de remitir a la autoridad extranjera el oportuno testimonio si ésta lo requiriese"*.

Pues bien, en el caso de que no proceda la devolución de la OEI a la autoridad de emisión, el Ministerio Fiscal, tras realizar las gestiones indicadas, deberá adoptar alguna de las siguientes decisiones:

---

[14]   Como señala RODRÍGUEZ-MEDEL NIETO (*Obtención y admisibilidad en España de la Prueba Penal…*, *op. cit.*, pp. 406 y 407), el que se haya estandarizado un formulario común de acuse de recibo de la OEI, que no está previsto para los demás instrumentos de reconocimiento mutuo, tiene una gran utilidad a efectos de mejorar la cooperación, puesto que permite que se familiaricen con él todas las autoridades del espacio europeo, evitando traducciones innecesarias y simplificando su comprensión. Y que se haya fijado el plazo de máximo de una semana para acusar recibo de la OEI también resulta muy positivo, porque facilita el seguimiento de las peticiones internacionales de asistencia.

a. Resolver él mismo sobre el reconocimiento y ejecución de la OEI, cuando ésta no contenga medidas de investigación limitativas de derechos fundamentales o cuando, aun conteniendo este tipo de medidas, el propio Fiscal entienda que pueden ser sustituidas por otras que permitan alcanzar el mismo resultado sin restringir dichos derechos, y acuerde su sustitución.

b. Remitir la OEI al Juez o Tribunal competente para su reconocimiento y ejecución, conforme a lo previsto en el art. 187.3 PLRM. Esto será lo procedente cuando la OEI contenga alguna medida de investigación limitativa de derechos fundamentales, que no pueda ser sustituida por otra que no restrinja tales derechos, o cuando en la misma OEI se indique expresamente por la autoridad de emisión que la medida de investigación debe ser ejecutada por un órgano judicial. A tal efecto, si fuese necesario, el Fiscal podrá practicar las diligencias oportunas para determinar el Juez o Tribunal competente a quien remitir la OEI; y tal remisión deberá ir acompañada de un informe preceptivo del Fiscal, en el que se pronuncie sobre la concurrencia o no de alguna causa de denegación de la ejecución de la OEI, y si entiende o no ajustada a Derecho la adopción de cada una de las medidas de investigación contenidas en ella.

Si el Juez o Tribunal al que el Fiscal remite la OEI se declarase incompetente para reconocerla y adoptar las medidas necesarias para su ejecución, deberá a su vez remitirla de oficio e inmediatamente a la autoridad judicial que estime competente, notificando esta decisión al Ministerio Fiscal y a la autoridad del Estado de emisión (art. 16.2 LRM).

4.2. *Resolución sobre el reconocimiento y ejecución de la OEI*

La autoridad competente española, sea el Fiscal o un órgano jurisdiccional, que reciba una OEI que haya sido emitida y transmitida correctamente por la autoridad competente del Estado de emisión, salvo que aprecie la concurrencia de alguno de los motivos de denegación o suspensión a los que se refieren los arts. 207 y 209 PLRM, deberá dictar sin dilación un decreto o auto, respectivamente, reconociendo la concurrencia de los requisitos exigidos legalmente y ordenando su ejecución (arts. 205.1 y 208.1 PLRM). Este decreto o auto debe contener las instrucciones necesarias para la práctica de las medidas de investigación solicitadas, o de aquéllas por la que se haya decidido sustituir a éstas, conforme a lo previsto en el art. 206 PLRM.

La decisión de reconocer y ejecutar la OEI o, en su caso, denegar su ejecución deberá ser tomada cuanto antes, y a más tardar, en el plazo de 30 días desde su recepción por la autoridad de ejecución competente (arts. 12.3 DOEI y 208.1.II PLRM). No obstante, si en un caso particular, la autoridad competente española aprecia que no podrá cumplir el referido plazo previsto para dictar el auto o decreto de reconocimiento y ejecución de la OEI, informará sin demora a la autoridad de emisión, explicando las razones de ello y comunicando el plazo estimado necesario para adoptar tal resolución, pudiendo prorrogarse aquel plazo inicial hasta un máximo de 30 días (arts. 12.5 DOEI y 208.2 PLRM).

Ahora bien, estos plazos generales previstos para adoptar la resolución sobre el reconocimiento y ejecución de la OEI se reducen cuando en ésta se soliciten algunas medidas de investigación específicas.

Así, cuando la medida en cuestión consiste en la notificación a España de una intervención de las telecomunicaciones con interceptación de la dirección de comunicaciones de una persona investigada o encausada que se encuentra en España, sin que sea necesaria la asistencia técnica española, si tal intervención no se hubiese autorizado en un caso interno similar, la autoridad española competente dispone de un plazo de 96 horas desde la recepción de la notificación para comunicar al Estado que está ejecutando la intervención que no autoriza la misma y que, por tanto, debe cesar; y que, en su caso, no podrá utilizarse el posible material ya intervenido mientras la persona se encontraba en España (arts. 31.3 DOEI y 222 PLRM).

A su vez, si la medida solicitada es la adopción de medidas cautelares de aseguramiento de prueba, la autoridad de ejecución competente debe comunicar su decisión a la autoridad de emisión dentro de las 24 horas siguientes a la recepción de la orden (arts. 32.2 DOEI y 223.I PLRM).

4.3. Modo de proceder para la ejecución de las medidas solicitas en la OEI

Una vez adoptada la resolución por la que se acuerda el reconocimiento y se ordena la ejecución de la OEI, se deberá proceder a la ejecución de las medidas de investigación en ella solicitadas, o de aquellas otras por las que se haya decidido sustituirlas, conforme a lo previsto en el art. 206 PLRM.

A tal efecto, y como regla general, el art. 9.1 DOEI dispone que tales medidas se deberán ejecutar *"de la misma manera y bajo las mismas circunstancias que si la medida de investigación de que se trate hubiera sido ordenada por una autoridad del Estado de ejecución"*; es decir, los actos de investigación o de obtención de pruebas que se practiquen en cumplimiento de la OEI se regirán por el Derecho español y se llevarán a cabo del mismo modo que si hubieran sido ordenadas por una autoridad judicial española (art. 21.1 LRM).

No obstante, dicha regla se matiza en el art. 9.2 DOEI, al señalar que "la autoridad de ejecución deberá observar *las formalidades y procedimientos expresamente indicados por la autoridad de emisión, salvo que la presente Directiva disponga lo contrario y siempre que tales formalidades y procedimientos no sean contrarios a los principios jurídicos fundamentales del Estado de ejecución*"; matización que también se recoge en el art. 21.1.II LRM. Esto significa que, en la medida en que sean compatibles, y en función de las indicaciones contenidas en la propia OEI, la autoridad de ejecución deberá aplicar de modo combinado las normas procesales del Estado de ejecución y las del Estado de emisión; y si no fuere posible cumplir tales indicaciones, deberá informar de ello, sin dilación, a la autoridad de emisión (arts. 16.2.c) DOEI y 212.2.c) PLRM).

A su vez, si en el curso de la ejecución de la OEI, la autoridad española de ejecución considera que puede ser oportuno o conveniente llevar a cabo otras medidas de investigación no previstas inicialmente en la OEI, deberá informar de ello a la autoridad de emisión, a fin de que ésta pueda complementar la OEI solicitando estas nuevas medidas (art. 212.2.b) PLRM). A este respecto, RODRÍGUEZ-MEDEL NIETO matiza que, a la vista de esta información proporcionada por la autoridad de ejecución, la autoridad de emisión podrá solicitar o no estas nuevas medidas; y la autoridad de ejecución sólo podrá proceder a su ejecución si han sido previamente adoptadas por aquélla, sin que pueda actuar de oficio a este respecto[15].

En otro orden de cosas, la autoridad de emisión también puede pedir que se le permita a una o varias autoridades de su Estado participar en la ejecución de la OEI, en cuyo caso la autoridad competente española debe acceder a ello siempre que dichas autoridades estén facultadas para participar en la ejecución de las medidas de investigación requeridas en la orden en un caso interno similar de su Estado, y que esa participación no sea contraria a los principios jurídicos fundamentales ni perjudique los intereses esenciales de la seguridad nacional (arts. 9.4 DOEI y 210.1 PLRM). En su actuación, estas autoridades se someterán al Derecho español y solo podrán ejercer potestad coercitiva en territorio español, si la misma es con-

---

[15]   RODRÍGUEZ-MEDEL NIETO, Carmen, *Obtención y admisibilidad en España de la Prueba Penal…, op. cit.*, pp. 411 y 412.

forme con el Derecho español y únicamente en la medida que las autoridades de ejecución y de emisión lo hubiesen acordado (arts. 9.5 DOEI y 210.2 PLRM).

Mientras se encuentren en España participando en la ejecución de la OEI, dichas autoridades del Estado de emisión tendrán la consideración de funcionario público español a efectos penales. Y, si se tratase de agentes encubiertos, se acordará con el Estado de emisión, atendiendo a los respectivos Derechos internos y procedimientos nacionales, la duración de la investigación encubierta, las condiciones concretas y el régimen jurídico de los agentes de que se trate (art. 210.1.II PLRM).

a. Plazos para la ejecución de la medida. La regla general en cuanto al plazo en el que la autoridad competente española debe ejecutar las medidas solicitadas en la OEI, se contiene en el art. 12.1 DOEI: *"la medida de investigación se llevará a cabo con la misma celeridad y prioridad que en casos internos similares".* Tal disposición se concreta en el art. 208.4 PLRM, conforme al cual la ejecución de la medida de investigación se llevará a cabo *"sin demora"* y, a más tardar, en el plazo de 90 días desde que se adopte la resolución de reconocimiento y ejecución, salvo que concurra alguno de los motivos de suspensión previstos en el art. 209 PLRM, que luego analizaremos, o que la prueba que se pretende obtener con la medida prevista en la OEI ya se encuentre en posesión del Estado español.

No obstante, si la autoridad de emisión ha indicado en la OEI que, debido a los plazos procesales, la gravedad del delito por el que se procede u otras circunstancias particularmente urgentes, se requiere que la medida se ejecute en un plazo más corto, o si la medida de investigación tiene que llevarse a cabo en una fecha concreta (por ejemplo, cuando se trata de entradas y registros simultáneos en varios Estados miembros), la autoridad competente española deberá atenerse a lo dispuesto en la OEI sobre este particular; y si ello no fuera posible, lo deberá comunicar a la autoridad de emisión sin demora (art. 208.5 PLRM).

Asimismo, cuando, en un caso concreto, no sea posible ejecutar la medida de investigación dentro del plazo previsto a tal efecto, la autoridad competente española informará de ello de modo inmediato a la autoridad de emisión, explicando las razones de la demora, y le consultará sobre el plazo o la fecha adecuados para llevar a cabo dicha medida de investigación (art. 208.6 PLRM).

b. Confidencialidad en la ejecución de la OEI. Conforme al art. 213 PLRM, cuando ejecute una OEI, la autoridad competente española *"tiene la obligación de guardar confidencialidad de los hechos y del fondo de la misma, excepto en el grado en que sea necesario para ejecutar la medida de investigación"*; y cualquier publicidad que deba darse a estas actuaciones será siempre objeto de previa consulta con la autoridad del Estado de emisión.

Este precepto debe ponerse en relación con la previsión del art. 22.1 LRM, según la cual, cuando el afectado por una OEI que deba ejecutarse en España tenga aquí su domicilio o residencia, se le deberá notificar dicha OEI, salvo que el procedimiento extranjero hubiera sido declarado secreto o tal notificación frustrara la finalidad perseguida con la misma. Con tal notificación, se le reconoce al afectado el derecho a intervenir en el proceso y a ejercer su derecho de audiencia, pudiendo personarse con abogado y procurador.

Tal obligación de confidencialidad resulta especialmente relevante, y por ello se plasma en una disposición más específica, cuando el objeto de la OEI sea la obtención de información sobre cuentas y operaciones bancarias o financieras (arts. 217 y 218 PLRM). En este sentido, el art. 217. III PLRM, siguiendo la previsión del art. 19.4 DOEI, impone a la autoridad española de ejecución la obligación de adoptar las medidas necesarias para garantizar que los bancos o entidades financieras no revelen al cliente bancario interesado ni a otros terceros el hecho de que se ha transmitido información al Estado de emisión sobre dichas cuentas y operaciones, o de que se está llevando a cabo una investigación sobre las mismas, pudiendo utilizar a esos efectos la información obrante en el Fichero de Titularidades Financieras, siempre que se trate de investigaciones de delitos de blanqueo de capitales o financiación del terrorismo.

4.4. Recursos

Al régimen de recursos aplicable en el marco de la ejecución de una OEI se refiere el art. 14 DOEI, que hace descansar plenamente en lo previsto en la legislación interna del Estado de ejecución para casos internos similares tanto el propio derecho a recurrir, como los plazos de impugnación y los efectos de la interposición del recurso en cuestión. Recordemos que, a tenor de este precepto, *"1. Los Estados miembros velarán por que las vías de recurso equivalentes a las existentes en un caso interno similar sean aplicables a las medidas de investigación indicada en la OEI (…).*

4. Los Estados miembros velarán por que todos los plazos para emprender las vías de recurso sean los mismos que los previstos en casos internos similares y se apliquen de forma que quede garantizada la posibilidad del ejercicio efectivo de estas vías de recurso para las partes interesadas (…).

6. La impugnación no suspenderá la ejecución de la medida de investigación, a menos que esté previsto en casos internos similares".

Como destaca RODRÍGUEZ-MEDEL NIETO, con esta remisión a la legislación interna en casos similares, la DOEI suscita la duda de si cabe recurrir contra la denegación del reconocimiento y ejecución de la OEI o sólo frente a las actuaciones concretas de ejecución de la medida solicitada. Es decir, parece que la DOEI solo está pensando en el recurso en caso de que se acuerde el reconocimiento y ejecución de la OEI, y precisamente para impugnar el modo de ejecutarse la medida en cuestión, que es lo que está regulado en la legislación interna en casos similares; pero no en la impugnación de otras decisiones que puede tomar la autoridad de ejecución, como la denegación del reconocimiento y ejecución de la OEI o su aplazamiento. Y esto es importante teniendo en cuenta que la OEI puede emitirse a solicitud de parte en el procedimiento seguido en el Estado de emisión, por lo que tales decisiones de la autoridad de ejecución sobre el reconocimiento y ejecución de la misma o sobre su aplazamiento pueden perjudicar sus intereses legítimos. Por ello, la autora se muestra partidaria de la posibilidad de recurrir también estas decisiones, y de que el legislador español lo contemple así expresamente al transponer la DOEI[16].

Pues bien, el PLRM no contiene una regulación expresa de los recursos en sede de OEI, por lo que le será de aplicación lo previsto en el art. 24 LRM, que rige para todos los instrumentos de reconocimiento mutuo en ella regulados; y cuyo apdo. 1 da a entender que también será susceptible de recurso la decisión de la autoridad española de ejecución sobre el reconocimiento y ejecución de la OEI, cuando se trate de una autoridad judicial. Literalmente este precepto dispone que, *"contra las resoluciones dictadas por la autoridad judicial española resolviendo acerca de los instrumentos europeos de reconocimiento mutuo se podrán interponer los recursos que procedan conforme a las reglas generales previstas en la Ley de Enjuiciamiento Criminal".*

En cambio, tratándose del Ministerio Fiscal, contra sus resoluciones en ejecución de una OEI *"no cabrá recurso, sin perjuicio de las posibles impugnaciones sobre el fondo ante la autoridad de emisión y de su valoración posterior en el procedimiento penal que se siga en el Estado de emisión"* (art. 24.4 LRM). Es decir, cuando, conforme a lo previsto en el art. 187.2 PLRM, la autoridad española competente para el reconocimiento y ejecución de la OEI sea el Ministerio Fiscal, sus decisiones no serán directamente recurribles, sin perjuicio

---

[16]   RODRÍGUEZ-MEDEL NIETO, Carmen, *Obtención y admisibilidad en España de la Prueba Penal…, op. cit.*, pp. 457 y 458.

de que se puedan impugnar ante la autoridad de emisión los motivos de fondo por los que fue emitida la OEI y de la valoración que se pueda hacer de las pruebas obtenidas a través de la OEI en el proceso penal seguido en el Estado de emisión (art. 14.2 y 7 DOEI).

Finalmente, en cuanto a los efectos de la interposición de recurso con ocasión de la ejecución de la OEI, serán los siguientes:

En primer lugar, y como regla general, el recurso no tiene efectos suspensivos. Es decir, la interposición del recurso no suspenderá la ejecución de la medida de investigación solicitada en la OEI, salvo cuando la misma *"pueda crear situaciones irreversibles o causar perjuicios de imposible o difícil reparación"*; pero en tal caso se deberán adoptar las medidas cautelares que permitan asegurar la eficacia de la OEI (arts 14.6 DOEI y 24.1.II LRM).

En segundo, la autoridad española competente deberá comunicar a la autoridad judicial de emisión tanto la interposición del recurso y sus motivos como la decisión que recaiga sobre el mismo (arts. 14.5 DOEI y 24.2 LRM). Esta comunicación es importante a los efectos de lo previsto en el art. 14.7 DOEI, conforme a la cual, toda impugnación que prospere contra el reconocimiento y ejecución de una OEI será tenida en cuenta por el Estado de emisión con arreglo a su propio Derecho interno, debiendo velar por que *"se respeten los derechos de la defensa y la equidad del proceso al evaluar las pruebas obtenidas a través de la OEI"*.

4.5. *Traslado de las pruebas al Estado de emisión*

Tras la ejecución de la OEI en España, se deberá proceder a trasladar a las autoridades del Estado de emisión las pruebas obtenidas a partir de aquélla. Tal actuación se regula en el art. 211 PLRM (que transpone el art. 13 DOEI), en el que se diseña el siguiente régimen jurídico.

Las pruebas obtenidas se deben trasladar *"de manera inmediata"* (o como indica el art. 13.1 DOEI, *"sin demora indebida"*) a la autoridad del Estado de emisión; y, al hacerlo, la autoridad española de ejecución indicará si dichas pruebas deben ser devueltas a las autoridades españolas tan pronto dejen de ser necesarias en el Estado de emisión (art. 211.1.I PLRM).

En el caso de que las autoridades del Estado de emisión hayan participado en la ejecución de la OEI, conforme a lo previsto en el art. 210 PLRM, si así lo hubiesen solicitado en la propia OEI y fuese posible con arreglo al Derecho español, las pruebas obtenidas se trasladarán inmediatamente a dichas autoridades, que serán las responsables de llevarlas al Estado de emisión, lo que permite ganar tiempo y evitar costes adicionales (art. 211.1.II PLRM)[17].

No obstante, el art. 211.2 PLRM prevé la posibilidad de acordar la suspensión del traslado de las pruebas obtenidas cuando se haya interpuesto un recurso contra el reconocimiento y ejecución de la OEI, y salvo que en ésta se indicasen razones suficientes que justifiquen que el traslado inmediato de las mismas es indispensable para el adecuado desarrollo de la investigación o para preservar derechos individuales. Es decir, la suspensión del traslado de las pruebas al Estado de emisión es un efecto probable, pero no necesario ni automático de la interposición del recurso contra el reconocimiento y ejecución de la OEI; pues, pese a ella, el traslado de las pruebas se puede llevar a cabo si resulta indispensable para el adecuado desarrollo de la investigación o para preservar derechos individuales. Ahora bien, la autoridad española competente deberá acordar la suspensión del traslado, con carácter imperativo, si con él se pudiera causar un daño grave o irreversible a la persona interesada (art. 211.2, in fine PLRM).

Por lo demás, el art. 211.3 PLRM también contempla la posibilidad de un traslado temporal de las pruebas al Estado de emisión. Así, cuando las pruebas obtenidas con la ejecución de la OEI sean relevantes para otros procesos penales que se sigan en España, la autoridad española de ejecución puede consensuar con la autoridad de emisión el traslado temporal de tales pruebas, con la condición de que sean devueltas a las autoridades competentes españolas en cuanto el Estado de emisión deje de necesitarlas o en otro momento en que se acordara entre las autoridades competentes.

4.6. *Costes y gastos de la ejecución de la OEI*

El modo en que se deben asumir y repartir entre los Estados implicados los costes y gastos derivados de la ejecución de una OEI se regula en los arts. 21 DOEI y 25 LRM.

La regla general a este respecto es que el Estado español deberá asumir la totalidad de los gastos ocasionados en territorio español por la ejecución en España de la OEI, mientras que los demás gastos correrán a cargo del Estado de emisión (arts. 21.1 DOEI y 25.1 LRM).

---

[17] RODRÍGUEZ-MEDEL NIETO, Carmen, *Obtención y admisibilidad en España de la Prueba Penal…*, *op. cit.*, p. 416.

En este sentido, y sin perjuicio de lo que se dirá a continuación, el art. 25.3.II PLRM detalla cuáles serían los gastos que deberá asumir el Estado de emisión en el caso de que en la OEI se soliciten determinadas medidas de investigación:

a. Si la ejecución de la OEI implica el traslado temporal de detenidos a España, o bien, al Estado de emisión, con el fin de llevar a cabo una medida de investigación, el Estado de emisión financiará los gastos derivados del traslado y su retorno.

b. Si la OEI tiene por objeto la intervención de telecomunicaciones, el Estado de emisión financiará los gastos derivados de la transcripción, la descodificación y el desencriptado de las comunicaciones intervenidas.

No obstante, si la autoridad española de ejecución estima que los costes derivados de la ejecución de la OEI serían excepcionalmente elevados, se podrán entablar consultas con la autoridad de emisión sobre la posibilidad y el modo de repartir dichos costes o de modificar la OEI (art. 21.2 DOEI); y, a tal efecto, la autoridad de ejecución deberá informar a la autoridad de emisión de modo detallado sobre la parte de los costes que considera excepcionalmente elevada.

Más concretamente, el art. 25.3.I PLRM dispone que la autoridad española competente deberá comunicar dicha circunstancia al Ministerio de Justicia español a fin de que éste, si lo considera conveniente, realice una propuesta al Estado de emisión sobre un posible reparto de los gastos ocasionados, o bien, sobre la modificación de la OEI, con el objeto de que no cubra dichos gastos el Estado español sino el Estado de emisión (art. 25.3.I PLRM).

Si no fuere posible llegar a un acuerdo sobre el reparto de esta parte de los costes de ejecución de la OEI considerada excepcionalmente elevada, la autoridad de emisión podrá optar por retirar total o parcialmente la OEI, o bien mantenerla y sufragar esta parte de los costes que se considera excepcionalmente elevada (art. 21.3 DOEI).

5. DENEGACIÓN DEL RECONOCIMIENTO Y EJECUCIÓN DE LA ORDEN EUROPEA DE INVESTIGACIÓN

En aras de la efectividad del principio de reconocimiento mutuo, tanto la DOEI, en su art. 11, como el PLRM, en su art. 207, establecen motivos tasados por los que se puede denegar el reconocimiento y/o ejecución de una OEI. En este sentido, se pronuncia de forma categórica el art. 29 LRM, al señalar, en relación con todos los instrumentos de reconocimiento mutuo en ella regulados, que *"únicamente podrá denegarse, de manera motivada, el reconocimiento o la ejecución de un instrumento de reconocimiento mutuo que haya sido transmitido correctamente por la autoridad competente de otro Estado miembro de la Unión Europea cuando concurra alguno de los motivos tasados previstos en esta Ley"*. Y, más concretamente, refiriéndose a la OEI, el art. 205.1 PLRM dispone que *"la autoridad competente española que reciba una orden europea de investigación dictará auto o decreto de reconocimiento y ejecución de la misma, salvo que concurra alguno de los motivos de denegación o suspensión a que se refieren los artículos 207 y 209"*.

Como señala AGUILERA MORALES, los motivos de denegación del reconocimiento o ejecución de una resolución proveniente de otro Estado miembro constituyen algo así como el "sismógrafo" del principio de reconocimiento mutuo, pues cuanto más limitados son aquéllos, mayor es el deber de los Estados de contribuir a la cooperación reclamada y, por lo mismo, mayor es el grado de desarrollo del principio de reconocimiento mutuo[18]. Y, en este sentido cabe destacar que, a efectos de propiciar el acuerdo de los Estados acerca de la configuración de la OEI, los motivos de denegación del reconocimiento y/o ejecución de la OEI finalmente recogidos en la Directiva (y en el PLRM), si bien continúan siendo tasados, se han visto incrementados considerablemente con respecto a los cuatro originariamente previstos en el art. 10 de la Propuesta de Directiva[19], de modo que en el Considerando 6 de la DOEI ya se destaca que este nuevo instrumento de cooperación penal se basa en el principio de reconoci-

---

[18]   AGUILERA MORALES, Marien, "El Exhorto Europeo de Investigación…", *op. cit.*, p. 19. En el mismo sentido, JIMÉNEZ-VILLAREJO FERNÁNDEZ ("Orden Europea de Investigación: ¿Adiós a las comisiones rogatorias?", en ARANGÜENA FANEGO, Coral (Coord.) *Cooperación judicial civil y penal en el nuevo escenario de Lisboa*, Comares, Granada, 2011, p. 196) afirma que *"la existencia de causas de denegación supone, en sí misma, una derogación parcial del principio de reconocimiento mutuo, por lo que deben ser reducidas a las estrictamente necesarias"*.

[19]   En este precepto únicamente se contemplaban cuatro motivos de denegación: *"Se podrá denegar el reconocimiento o la ejecución del EEI en el Estado de ejecución en cualquiera de los siguientes supuestos: a) si una inmunidad o un privilegio conforme a la legislación del Estado de ejecución hace imposible ejecutar el EEI; b) si, en un caso concreto, su ejecución pudiera lesionar intereses esenciales de seguridad nacional, comprometer a la fuente de la información, o implicar la utilización de información clasificada relacionada con determinadas actividades de inteligencia; c) si, en los casos contemplados en el artículo 9, apartado 1, letras a) y b), no existe otra medida de investigación con la que se pueda alcanzar un resultado similar; d) si el EEI ha sido emitido para los procedimientos a los que se refiere el artículo 4, letras b) y c) y la medida no sería autorizada en un caso nacional similar"*.

miento mutuo, pero también tiene en cuenta la flexibilidad del sistema tradicional de asistencia judicial. Ello contribuye a dotar de flexibilidad a este instrumento, pero le resta automatismo en su aplicación, lo cual presenta ventajas e inconvenientes[20].

En otro orden de cosas, hemos de poner de relieve que la denegación del reconocimiento y ejecución se refiere a la OEI, y no a las medidas de investigación en ella solicitadas, y por ello ni la DOEI ni el PLRM regulan expresamente la denegación parcial de su ejecución. No obstante, teniendo en cuenta que se permite que en una misma OEI se solicite la ejecución de varias medidas de investigación, es posible que concurran motivos de denegación de la ejecución respecto de algunas de ellas y no respecto de las otras, por lo que entendemos que si es factible que la autoridad española de ejecución deniegue parcialmente el reconocimiento y ejecución de una OEI[21]. Y, de hecho, el art. 207.3 PLRM contempla, aunque sea tangencialmente, dicha posibilidad, al disponer que, si concurren determinados motivos de denegación, *"antes de denegar parcial o totalmente el reconocimiento y la ejecución de la orden europea de investigación"*, la autoridad española competente debe solicitar a la autoridad de emisión la información complementaria que sea necesaria.

Entrando ya en el análisis de los motivos de denegación del reconocimiento y/o ejecución de la OEI recogidos por el legislador español en el PLRM, lo primero que cabe destacar es su carácter imperativo. La redacción del art. 207.1 PLRM no da lugar a dudas a este respecto, al disponer que *"la autoridad competente española denegará el reconocimiento y ejecución de la orden europea de investigación…"* cuando concurra alguno de ellos. Ello obedece a que el legislador ha querido apurar en lo posible la eficacia del principio de reconocimiento mutuo y dotar de la mayor virtualidad a la libre circulación de las resoluciones penales en materia de prueba transfronteriza, pero sin renunciar a los principios fundamentales del proceso penal español y a la tutela de los derechos fundamentales que pudieran verse afectados por la ejecución de una OEI. De ahí que convierta en imperativa la denegación del reconocimiento y ejecución cuando concurren los motivos para ello, superando los términos potestativos en que se manifiesta la Directiva en este punto[22].

---

[20] BACHMAIER WINTER, Lorena, "La propuesta de Directiva europea sobre la orden de investigación penal: valoración crítica de los motivos de denegación", *Deloitte*, núm. 72, febrero 2013, p. 47 (http://www.ciss.es/publico/deloitte/2013_72_A_046.pdf).

[21] Vid., CGPJ, *Informe sobre el Anteproyecto de Ley…*, *op. cit.*, apdo. núm. 158.

[22] Vid., CGPJ, *Informe sobre el Anteproyecto de Ley…*, *op. cit.*, apdo. núm. 51.

Pues bien, a efectos de su exposición más sistemática, los motivos de denegación del reconocimiento y ejecución de una OEI se pueden clasificar en tres grupos, a saber, motivos de denegación comunes para todos los instrumentos de reconocimiento mutuo, motivos de denegación propios de la OEI, y motivos de denegación aplicables a una OEI con medidas específicas de investigación.

5.1. *Motivos de denegación comunes a todos los instrumentos de reconocimiento mutuo*

Conforme al art. 207.1 PLRM, la autoridad competente española denegará el reconocimiento y ejecución de la OEI *"en los supuestos del apartado 1 del artículo 32"*, en el que se recogen los motivos generales para la denegación del reconocimiento o ejecución de las medidas solicitadas en cualquier instrumento de reconocimiento mutuo. Concretamente, en este apdo. 1 del art. 32 PLRM se contemplan cuatro motivos de denegación del reconocimiento y ejecución de la OEI.

5.1.1. Vulneración del principio *non bis in ídem*

A tenor del art. 32.1.a) PLRM, las autoridades españolas no reconocerán ni ejecutarán una OEI *"cuando se haya dictado en España o en otro Estado distinto al de emisión una resolución firme, condenatoria o absolutoria, contra la misma persona y respecto de los mismos hechos, y su ejecución vulnerase el principio non bis in ídem en los términos previstos en las leyes y en los convenios y tratados internacionales en que España sea parte y aun cuando el condenado hubiera sido posteriormente indultado"*.

En relación con este motivo de denegación, conviene hacer una serie de observaciones que suscita su simple lectura.

En primer lugar, como señala AGUILERA MORALES, debemos saludar como un acierto la incorporación de la vulneración del *non bis in ídem* a la lista de motivos de denegación del reconocimiento y ejecución de la OEI[23], pues su exclusión equivaldría a permitir que una persona pudiera verse sometida a investigación en un Estado miembro por hechos respecto

---

[23]   Recordemos que en el texto original de la Propuesta de Directiva de la OEI no se contemplaba ninguna causa de denegación relativa al principio *non bis in ídem*, siendo introducida durante las negociaciones de la misma a instancia de Alemania, Finlandia, Hungría, Lituania, Países Bajos y Reino Unido, y a pesar de la oposición de las

de los cuales pudo haber depurado ya su responsabilidad en otro Estado[24]. No obstante, a la hora de apreciar este motivo de denegación, la autoridad española de ejecución no debe atender a una concepción "doméstica" del *non bis in ídem*, esto es, a su concepción según el Derecho interno, sino a la concepción que del mismo rige en el contexto europeo[25], y más concretamente, debe ser interpretado conforme a la Carta de Derechos Fundamentales de la Unión Europea (art. 50) y la jurisprudencia del TJUE[26]. Por ello, este motivo de denegación sólo puede operar cuando la OEI se emita en relación con una determinada persona en el marco de la investigación penal por unos hechos por los cuales la misma ya ha sido condenada o absuelta, por sentencia firme, en España o en otro Estado miembro distinto del de emisión. Esto significa, a su vez, que queda fuera de tal motivo de denegación la litispendencia internacional, es decir, la circunstancia de que sobre esos mismos hechos que motivaron la OEI y contra la misma persona exista otro procedimiento penal en curso en España o en otro Estado miembro[27].

---

delegaciones de Austria, Republica Checa, España e Italia (vid., RODRÍGUEZ-MEDEL NIETO, Carmen, *Obtención y admisibilidad en España...*, *op. cit.*, p. 435.

[24]   Vid., AGUILERA MORALES, Marien, "El Exhorto Europeo de Investigación...", *op. cit.*, p. 20.

[25]   Sobre el alcance del principio *non bis in ídem* en el Derecho procesal penal europeo, vid., entre otros, DE LA OLIVA SANTOS, Andrés., "La regla *non bis in ídem* en el Derecho procesal penal de la Unión Europea: algunas cuestiones y respuestas", en DE LA OLIVA SANTOS, Andrés (Dir.) *La Justicia y la Carta de Derechos Fundamentales de la Unión Europea*, Colex, Madrid, 2008, pp. 167 a 185; CEDEÑO HERNÁN, Marina y AGUILERA MORALES, Marien, "El principio *non bis in ídem* a la luz de la jurisprudencia del Tribunal de Justicia", en DE LA OLIVA SANTOS, Andrés (Dir.) *La Justicia y la Carta de Derechos...*, *op. cit.*, pp. 187 a 241; JIMENO BULNES, Mar, "El principio non bis in ídem en la orden de detención europea: régimen legal y tratamiento jurisprudencial", en DE LA OLIVA SANTOS, Andrés (Dir.) *La Justicia y la Carta de Derechos...*, *op. cit.*, pp. 275 a 294.
Y, más concretamente, sobre la configuración que de tal principio hace la jurisprudencia del TJUE, vid., la interesante síntesis recogida en CGPJ, *Informe sobre el Anteproyecto de Ley...*, *op. cit.*, apdo. núm. 165.

[26]   Recordemos que a tenor del art. 50 CDFUE, *"Nadie podrá ser acusado o condenado penalmente por una infracción respecto de la cual ya haya sido absuelto o condenado en la Unión mediante sentencia penal firme conforme a la ley"*. Esto significa, por una parte, que el *non bis in ídem* no comprende la litispendencia, ya que exige que exista una sentencia penal firme de condena o absolución sobre los mismos hechos; y, por otra, que existiendo esa sentencia penal firme, el sujeto en cuestión no puede volver a ser, no solo condenado, sino ni siquiera juzgado penalmente por esos mismos hechos.

[27]   Vid., AGUILERA MORALES, Marien, "El Exhorto Europeo de Investigación...", *op. cit.*, p. 21; BACHMAIER WINTER, Lorena, "La propuesta de Directiva europea sobre la orden de investigación penal...", *op. cit.*, pp. 51 y 52; CGPJ, *Informe sobre el Anteproyecto*

En segundo lugar, de acuerdo con lo previsto en el Considerando 17 DOEI, el reconocimiento y ejecución de la OEI no debe ser denegada al amparo de este motivo cuando la misma vaya dirigida, precisamente, a establecer la existencia de un posible conflicto con el principio *ne bis in ídem*, o cuando la autoridad de emisión haya dado garantías de que la prueba transferida como resultado de la ejecución de la OEI no se utilizará para enjuiciar o imponer una sanción a una persona cuyo caso haya sido objeto de una resolución final en otro Estado miembro por los mismos hechos. A este respecto, entendemos con RODRÍGUEZ-MEDEL NIETO que esta excepción a la operatividad del principio *non bis in ídem* como motivo de denegación de la ejecución de la OEI debería recogerse en el articulado de la ley de transposición de la Directiva, y no quedarse en los Considerandos de ésta o en el Preámbulo de dicha ley. Además, pese al carácter disyuntivo con que se contemplan tales excepciones, la autoridad española de ejecución debe exigir a la autoridad de emisión la doble garantía prevista en el Considerando, es decir, que la ejecución de la OEI tenga como finalidad exclusiva determinar si existe conflicto con el principio *non bis in ídem*; y que la prueba obtenida como resultado de la misma no se utilizará para enjuiciar o sancionar por los mismos hechos ya enjuiciados en firme en otro Estado miembro[28].

Finalmente, cabe destacar que, a la hora de aplicar este motivo de denegación de la ejecución de la OEI, la autoridad española competente difícilmente podrá apreciar de oficio, ni siquiera a partir de la descripción de los hechos contenida en el formulario de la OEI, que la medida de investigación solicitada se refiere a unos hechos que ya han sido enjuiciados en firme en otro Estado miembro. Por ello, en la mayor parte de los casos deberá ser el investigado o acusado afectado por la medida quien tendrá que invocar este motivo de denegación de la ejecución de la OEI para que pueda ser apreciado; lo que, a su vez, requiere que esté personado en el proceso en el Estado de emisión y que tenga conocimiento de la transmi-

---

de Ley..., *op. cit.*, apdo. núm. 166; RODRÍGUEZ-MEDEL NIETO, Carmen, *Obtención y admisibilidad en España de la Prueba Penal...*, *op. cit.*, p. 436.

[28] RODRÍGUEZ-MEDEL NIETO, Carmen, *Obtención y admisibilidad en España de la Prueba Penal...*, *op. cit.*, p. 437. Además, para que opere esta excepción al principio *non bis in ídem* como motivo de denegación de la ejecución de la OEI, no basta con que la autoridad de emisión afirme en el formulario de la OEI que la prueba así obtenida no se utilizará para contravenir dicho principio, sino que "ha de dar garantías" de ello, y así debe exigirlas la autoridad española de ejecución.

sión de la OEI al Estado de ejecución[29]. En el caso español, la vía para que pueda aducir esta circunstancia ante la autoridad de ejecución puede ser la del art. 22 LRM, que prevé la notificación de la OEI recibida al afectado que tenga su domicilio o residencia en España (salvo cuando el procedimiento en el Estado de emisión haya sido declarado secreto o con ello se pueda frustra la finalidad perseguida con al OEI) a fin de que pueda ser oído. A su vez, conforme al art. 207.3 PLRM, antes de denegar total o parcialmente el reconocimiento y ejecución de la OEI por este motivo, la autoridad española de ejecución deberá solicitar a la autoridad de emisión la información complementaria que sea necesaria, pudiendo ésta aprovechar el trámite para prestar la garantías referidas que evitarían la denegación de la ejecución de la OEI por *non bis in ídem*[30].

5.1.2. Prescripción del delito o de la pena conforme al Derecho español

Conforme al art. 32.1.b) PLRM, tampoco procederá el reconocimiento y ejecución de la OEI cuando ésta *"se refiera a hechos para cuyo enjuiciamiento sean competentes las autoridades españolas y, de haberse dictado la condena por un órgano jurisdiccional español, el delito o la sanción impuesta hubiese prescrito de conformidad con el Derecho español"*[31].

Como apunta el CGPJ en su Informe sobre el Anteproyecto de Ley, aunque este motivo de denegación no está expresamente previsto en la DOEI, se trata de un motivo general de denegación del reconocimiento de los instrumentos de reconocimiento mutuo, que se yuxtapone sin dificultad a los previstos en la Directiva[32].

Con todo, tratándose de una OEI, si bien puede operar como motivo de denegación la prescripción conforme al Derecho español del delito objeto de investigación, difícilmente lo podrá hacer, por su propia configuración, el de prescripción de la pena, pues implicaría valorar la eventual prescrip-

---

[29] Vid., BACHMAIER WINTER, Lorena, "La propuesta de Directiva europea sobre la orden de investigación penal…", *op. cit.*, p. 52.

[30] Vid., RODRÍGUEZ-MEDEL NIETO, Carmen, *Obtención y admisibilidad en España de la Prueba Penal…*, *op. cit.*, p. 438.

[31] Obsérvese que, hasta el momento, el art. 32.1.b) LRM, únicamente recoge como motivo de denegación del reconocimiento o ejecución de un instrumento de reconocimiento mutuo, la prescripción de la pena. La inclusión de la prescripción del delito se contempla en el apdo. 8 del artículo único del PLRM.

[32] Vid., CGPJ, *Informe sobre el Anteproyecto de Ley…*, *op. cit.*, apdo. núm. 160.

ción de la pena impuesta por unos hechos que todavía están siendo objeto de investigación o de prueba.

5.1.3. Insuficiencias o incorrecciones relevantes del formulario de la OEI

A tenor del art. 32.1.c) PLRM, también será motivo para denegar el reconocimiento y ejecución de la OEI que el formulario de la misma esté incompleto o sea manifiestamente incorrecto o no responda a la medida de investigación solicitada, sin perjuicio de intentar previamente la subsanación conforme al art. 19 LRM.

Por tanto, en el supuesto de que la emisión o transmisión de la OEI adolezca de tales deficiencias, ya el Ministerio Fiscal al recibirla (o, en su caso, la autoridad judicial competente para decidir sobre el reconocimiento y ejecución de la misma) lo deberá comunicar a la autoridad de emisión, fijando un plazo para que el formulario se presente de nuevo, se complete o se modifique (art. 19.1 LRM), o, en su caso, se aporte la información complementaria que sea requerida (art. 30 LRM). Si la autoridad de emisión no procede a la subsanación requerida en los plazos fijados, procederá la denegación del reconocimiento y ejecución de la OEI.

5.1.4. Existencia de una inmunidad que impida la ejecución de la OEI

El legislador español, al transponer la DOEI, ha optado por desglosar en dos el motivo de denegación del reconocimiento y ejecución de la OEI previsto en el art. 11.1.a) DOEI. Y así contempla, por una parte, la existencia de una inmunidad que impida la ejecución de la OEI (art. 32.1.d) PLRM); y, por otra, la existencia de un privilegio que haga imposible ejecutar la OEI (art. 207.1.a) PLRM), al que luego nos referiremos.

A estos efectos, el Considerando 20 DOEI recuerda que no existe una definición común de lo que constituye una inmunidad en el Derecho de la Unión, por lo que corresponde al Derecho nacional establecer la definición exacta de este término.

A su vez, al art. 31 LRM (acorde con la previsión del art. 11.5 DOEI) regula el levantamiento de tales inmunidades de jurisdicción o de ejecución, a fin de posibilitar la ejecución en España de los instrumentos de reconocimiento mutuo. Cuando la retirada de la inmunidad competa a una autoridad española, la propia autoridad de ejecución le solicitará sin demora el levantamiento de tal inmunidad; en cambio, si la retirada de la inmunidad compete a una autoridad de otro Estado miembro o a una organización internacional, corresponderá a la autoridad de emisión solicitar a ésta el levantamiento de dicha inmunidad, y a tal efecto la autoridad española de ejecución le comunicará dicha circunstancia (art. 31.1 LRM). No obstante, tanto en uno como en otro caso, mientras se resuelve sobre la solicitud de retirada de la inmunidad, la autoridad española de ejecución deberá adoptar las medidas cautelares que considere necesarias para garantizar la efectiva ejecución de la OEI una vez levantada la inmunidad (art. 31.2 LRM).

En cualquier caso, antes de denegar total o parcialmente el reconocimiento y la ejecución de la OEI por este motivo, la autoridad española competente deberá consultar con la autoridad de emisión y solicitarle la información complementaria que sea necesaria (art. 207.3 PLRM).

5.2. *Motivos de denegación del reconocimiento y ejecución propios de la OEI*

Los motivos específicos de denegación del reconocimiento y ejecución de la OEI se contienen en el art. 207.1 PLRM, que recoge, con carácter imperativo, todos los motivos de denegación previstos en el art. 11.1 DOEI, a excepción de los relativos a la existencia de inmunidad (art. 11.1.a) DOEI) y al principio *non bis in ídem* (art. 11.1.d) DOEI), que, como acabamos de ver, se recogen por remisión al art. 32.1 LRM. Analizaremos brevemente cada uno de ellos.

5.2.1. Existencia de un privilegio en el Derecho del Estado de ejecución que imposibilite la ejecución de la OEI

Como ya apuntamos, junto a la existencia de una inmunidad que imposibilite la ejecución de la OEI (art. 32.1.d) LRM), también es motivo de denegación del reconocimiento y ejecución de la misma la existencia de *"un privilegio que haga imposible ejecutar la orden europea de investigación o normas sobre determinación y limitación de la responsabilidad penal en relación con la libertad de la prensa y la libertad de expresión en otros medios de comunicación que imposibiliten su ejecución"* (art. 207.1.a) PLRM).

Como se indica en el Considerando 20 DOEI, corresponde al Derecho nacional del Estado de ejecución definir los privilegios que se pueden considerar a estos efectos, los cuales podrán consistir, por ejemplo, en manifestaciones de "secreto profesional" aplicables a determinadas profesiones, como la de médico, abogado, traductor e intérprete judicial o a los eclesiásticos y ministros de culto, así como en exenciones del deber de declarar como testigo por razón de parentesco con el investigado (v.gr., arts. 416, 417 y 707 LECrim).

Más difícil de interpretar resulta la alusión a la existencia de normas sobre determinación o limitación de la responsabilidad penal en relación con la libertad de prensa o la libertad de expresión que imposibiliten la ejecución de la OEI, pues, como señala BACHAMAIER WINTER, no es fácil deducir si tal motivo de denegación se refiere a normas que tratan de proteger las fuentes de información (por ejemplo, estableciendo "privilegios" análogos a los anteriores para los profesionales de la información) o a normas que exijan una doble incriminación para poder perseguir delitos relacionados con el derecho a la libertad de expresión[33].

Por lo demás, es éste otro de los motivos por los que, antes de denegar total o parcialmente el reconocimiento y la ejecución de la OEI, la autoridad española competente deberá consultar con la autoridad de emisión y solicitarle la información complementaria que sea necesaria (art. 207.3 PLRM).

5.2.2. Posible lesión de intereses de la seguridad nacional, protección de la fuente de información o utilización de información clasificada relativa a actividades de inteligencia

A tenor del art. 207.1.b) PLRM, la autoridad de ejecución española denegará el reconocimiento y ejecución de la OEI cuando *"la ejecución pudiera lesionar intereses esenciales de seguridad nacional, comprometer a la fuente de información o implicar la utilización de información clasificada relacionada con determinadas actividades de inteligencia".*

En opinión de MARTÍNEZ GARCÍA, nos encontramos ante un *cajón de sastre*, donde a priori se hace difícil prever los casos en los que al Estado de ejecución le puede interesar no colaborar, y en el que se pueden cobijar motivos de calado eminentemente político[34].

Este motivo de denegación ya se contemplaba en el art. 13.1.g) DM 2008/978/JAI, relativa al Exhorto europeo de obtención de pruebas (EEP) (y art. 198.1.c) LRM). No obstante, el Considerando 18 DM 2008/978/JAI, contenía una limitación importante a la posibilidad de invocar este motivo

---

[33] BACHMAIER WINTER, Lorena, "La propuesta de Directiva europea sobre la orden de investigación penal…", *op. cit.*, p. 49.

[34] MARTÍNEZ GARCÍA, Elena, *La Orden Europea de Investigación…*, *op. cit.*, p. 74.

para denegar la cooperación requerida, al disponer que *"se acepta que tal motivo de no reconocimiento o no ejecución se aplicaría solo cuando, y en la medida en que, los objetos, documentos o datos no fueran utilizados por estos motivos como prueba en un caso nacional comparable"*. Es decir, a la hora de decidir sobre el reconocimiento y ejecución de un Exhorto europeo de obtención de pruebas, con respecto al cual se podría apreciar este motivo de denegación, la autoridad competente del Estado requerido habría de proceder de modo análogo a cómo actuaría si la información requerida por el Estado de emisión fuese necesaria para una investigación penal interna. Por tanto, si la legislación del Estado de ejecución permite al juez comprobar el carácter reservado de la información o incluso obtener la desclasificación de documentos reservados relevantes para la investigación en un proceso penal, en virtud del principio de reconocimiento mutuo, ese juez debería poder actuar del mismo modo en cumplimiento de un Exhorto europeo de obtención de pruebas[35].

Es cierto que la DOEI no contiene una disposición análoga a ésta ni siquiera en los Considerandos, por lo que, *a priori*, el margen de denegación de la OEI en este punto es más amplio que para el EEP. No obstante, como apunta BACHMAIER WINTER, aquélla sería la interpretación más coherente con el principio de reconocimiento mutuo y que, además, se puede sustentar en la disposición del art. 9.1 DOEI, conforme a la cual *"la autoridad de ejecución deberá reconocer una OEI (…) y se asegurará de que se ejecute de la misma manera y bajo las mismas circunstancias que si la medida de investigación de que se trate hubiera sido ordenada por un autoridad del Estado de ejecución"*[36]. Por su parte, RODRÍGUEZ-MEDEL NIETO se muestra pesimista a este respecto, señalando que, si bien sería deseable que la autoridades de ejecución acogiesen tal interpretación, lo más probable es que la salvedad recogida en este mismo art. 9.1 DOEI (*"salvo que la autoridad de ejecución decida invocar alguno de los motivos de denegación del reconocimiento o de la ejecución de la OEI"*) haga que entiendan que este mandato de equiparación a causas nacionales no se extiende cuando sea aplicable alguna causa de denegación, salvo que expresamente así se disponga; y, al no hacerlo, apliquen raseros distintos según se trate de casos nacionales o casos de otros Estados miembros[37].

---

[35]   BACHMAIER WINTER, Lorena, "La propuesta de Directiva europea sobre la orden de investigación penal…", *op. cit.*, p. 50.

[36]   BACHMAIER WINTER, Lorena, "La propuesta de Directiva europea sobre la orden de investigación penal…", *op. cit.*, p. 50.

[37]   RODRÍGUEZ-MEDEL NIETO, Carmen, *Obtención y admisibilidad en España de la Prueba Penal…, op. cit.*, p. 443.

5.2.3. La llamada "cláusula de territorialidad"

El art. 207.1.c) PLRM recoge el motivo de denegación de la OEI previsto en el art. 11.1.e) DOEI, conocido como "cláusula de territorialidad". Conforme a este precepto, se denegará el reconocimiento y ejecución en España de una OEI cuando ésta *"se refiera a hechos que se hayan cometido fuera del Estado emisor y total o parcialmente en territorio español, y la conducta en relación con la cual se emite la orden europea de investigación no sea constitutiva de delito en España"*[38].

Como se puede constatar, se exige la concurrencia de tres requisitos para que se pueda invocar este motivo de denegación, a saber:

a. En primer lugar, es necesario que los hechos delictivos que motivan la OEI se hayan cometido fuera del territorio del Estado de emisión.

b. Asimismo, se exige que tales hechos se hayan cometido total o parcialmente en territorio español; pero no que la parte del delito cometido en España sea importante o esencial[39].

c. Finalmente, se requiere que la conducta en relación con la cual se emite la OEI no sea constitutiva de delito en España. De acuerdo con RODRÍGUEZ-MEDEL NIETO, en relación con este último requisito procede hacer dos matizaciones: por una parte, con su exigencia se da a entender

---

[38] La inclusión de este motivo de denegación de la OEI ha merecido una valoración dispar por parte de la doctrina procesalista. Así, se han mostrado críticos con ella, entre otros, JIMÉNEZ-VILLAREJO FERNÁNDEZ ("Orden Europea de Investigación...", *op. cit.*, p. 188), señalando que la justificación de la misma como cláusula preventiva frente a veleidades extraterritoriales abusivas carece de justificación en el contexto de la libre circulación de las pruebas y supone una muestra del carácter eminentemente territorial de la jurisdicción penal de los Estados, así como un déficit de confianza mutua. En la misma línea, BACHMAIER WINTER ("La propuesta de Directiva europea sobre la orden de investigación penal...", *op. cit.*, p. 53) afirma que el modo de resolver los problemas derivados de la extensión extraterritorial de la jurisdicción penal y los posibles conflictos de jurisdicción que pudieran derivarse, no es a través de la denegación de cooperación en la transmisión de pruebas, pues ello repercute en la efectividad de la lucha contra la criminalidad transnacional. Por el contrario, RODRÍGUEZ-MEDEL NIETO (*Obtención y admisibilidad en España de la Prueba Penal...*, *op. cit.*, pp. 440 y 441) considera insoslayable la introducción de esta causa de denegación de la OEI a la vista de la disparidad normativa en la tipificación de conductas que existe actualmente en el espacio común europeo; y la única contradicción que denuncia es que no se aplique en este caso la exención del control de doble tipificación para las 32 categorías delictivas previstas en el art. 20 LRM.

[39] RODRÍGUEZ-MEDEL NIETO, Carmen, *Obtención y admisibilidad en España de la Prueba Penal...*, *op. cit.*, p. 439.

que, si la conducta fuese delictiva en España, aunque los hechos se hubiesen cometido fuera del territorio del Estado de emisión, no procedería denegar la cooperación solicitada; y, por otra, no se establece a este respecto ninguna excepción en relación con las 32 figuras delictivas previstas en el art. 20 LRM, por lo que la autoridad de ejecución debe efectuar este control de la doble tipificación aunque los hechos investigados constituyan alguno de estos delitos[40].

En cambio, la DOEI y, con ello, el PLRM, ha omitido un cuarto requisito que si se contemplaba expresamente en el art. 10.1.f) del Proyecto de Directiva a los efectos de la operatividad de este motivo de denegación de la OEI: que en la OEI se solicitase la ejecución de una medida coercitiva.

Por lo demás, cabe destacar que también en este caso, antes de denegar total o parcialmente el reconocimiento y la ejecución de la OEI, la autoridad de ejecución española debe consultar con la autoridad de emisión y solicitarle la información complementaria que sea necesaria (art. 207.3 PLRM).

5.2.4. Incompatibilidad de la ejecución de la OEI con las obligaciones derivadas del art. 6 TUE y la CDFUE

A tenor del art. 207.1.d) PLRM (que recoge el motivo de denegación previsto en el art. 11.1.f) DOEI), también se denegará el reconocimiento y ejecución de la OEI cuando *"existan motivos fundados para creer que la ejecución de la medida de investigación indicada en la orden europea de investigación es incompatible con las obligaciones del Estado español de conformidad con el artículo 6 del Tratado de la Unión Europea y de la Carta de los Derechos Fundamentales de la Unión Europea"*.

En la DOEI se evidencia la clara voluntad del legislador europeo de que la cooperación judicial en materia penal se lleve a cabo con un escrupuloso respeto de los derechos fundamentales. En este sentido, el Considerando 18 señala que *"la presente Directiva no podrá tener por efecto modificar la obligación de respetar los derechos fundamentales y los principios jurídicos fundamentales enunciados en el artículo 6 del Tratado de la Unión Europea (TUE) y en la Carta"*; disposición que se recoge específicamente en el art. 1.4 DOEI.

---

[40] RODRÍGUEZ-MEDEL NIETO, Carmen, *Obtención y admisibilidad en España de la Prueba Penal...*, *op. cit.*, pp. 439 y 440.

Y, más concretamente, el Considerando 19 pone de manifiesto que la construcción del espacio de libertad, seguridad y justicia en la Unión se basa en la confianza mutua y en una presunción de respeto por los Estados miembros del Derecho de la Unión y, en particular, de los derechos fundamentales. Pero matiza que se trata de una presunción *iuris tantum*; y, por ello, *"si hubiere motivos sustanciales para creer que la ejecución de una medida de investigación indicada en la OEI vulneraría un derecho fundamental del interesado y que el Estado de ejecución ignoraría sus obligaciones relativas a la protección de los derechos fundamentales reconocidos en la Carta, la ejecución de la OEI debe denegarse"*.

Pero la aplicación en el caso concreto de este motivo de denegación de la ejecución de la OEI puede plantear problemas prácticos relativos a los estándares de protección de los derechos fundamentales a los que se debe atender a la hora de apreciar o no su concurrencia. Y, a este respecto, debe recordarse que conforme a la jurisprudencia del TJUE[41], en las materias armonizadas, el nivel de protección de los derechos fundamentales es el que se deriva de la Carta y de la jurisprudencia del TJUE, es decir, el estándar comunitario; y no el del ordenamiento constitucional interno del Estado de ejecución. Por tanto, si la ejecución de la medida de investigación solicitada en el OEI cumple el "estándar europeo" de protección de los derechos fundamentales, no podrá ser denegada por este motivo, aunque no llegue a alcanzar el "estándar nacional" de protección vigente en el Estado de ejecución.

Además, es este otro supuesto en el que, antes de denegar el reconocimiento y la ejecución de la OEI, la autoridad de ejecución española debe consultar con la autoridad de emisión y solicitarle la información complementaria que estime necesaria (art. 207.3 PLRM).

5.2.5. La ausencia de doble tipificación de la conducta (o doble incriminación)

El art. 207.1.e) PLRM viene a transponer el motivo de denegación de la ejecución de la OEI previsto en el art. 11.1 g) DOEI, estableciendo que

---

[41]   Cabe destacar a este respecto la STJUE de 26 de febrero de 2013, en el llamado caso Melloni (asunto C-399/11). Para un análisis detallado de la misma, vid., GARCÍA SÁNCHEZ, Beatriz, "¿Homogeneidad o estándar mínimo de protección de los derechos fundamentales en la Unión Europea?" *Revista de Derecho Comunitario Europeo*, núm. 46, septiembre-diciembre, 2013, pp. 1137 a 1156.

ésta se denegará *"cuando la conducta que dio origen a la emisión de la orden europea de investigación no sea constitutiva de delito con arreglo al Derecho español y no esté recogida en las categorías de delitos a que se refiere el apartado 1 del artículo 20, siempre que la pena o medida de seguridad prevista en el Estado de emisión para el delito a que se refiere la orden europea de investigación fuera de un máximo de al menos tres años"*.

Tal disposición se complementa con lo previsto en el art. 207.2 PLRM, conforme al cual, este motivo de denegación no será de aplicación, en ningún caso, a las medidas de investigación "privilegiadas" a que se refiere el art. 206.1 PLRM.

Pues bien, de una interpretación sistemática de estos preceptos, hemos de concluir que la autoridad española competente denegará la ejecución de la OEI cuando los hechos que motivaron la emisión de la misma no sean constitutivos de delito con arreglo al Derecho español[42]. No obstante, esta regla presenta dos excepciones, una por razón del tipo de delito, y otra por razón de la medida solicitada:

a. En primer lugar, la autoridad española competente no podrá denegar la ejecución de la OEI por falta de la doble incriminación cuando la autoridad de emisión, en el formulario de la OEI remitido (art. 207.1.e).II PLRM) indique que los hechos que motivaron la emisión de la OEI constituyen alguna de las categorías delictivas previstas en el art. 20.1 LRM, y que tales hechos son punibles en el Estado de emisión con una pena o medida de seguridad privativas de libertad de un máximo de al menos tres años[43]. Por tanto, bastará con que la autoridad de emisión haga constar tales circunstancias en el formulario de la OEI remitido a la autoridad de ejecu-

---

[42]　No obstante, el art. 20.4.II LRM efectúa una aclaración al alcance del principio de la doble incriminación, matizando que si la OEI se ha emitido por una infracción penal en materia tributaria, aduanera o de control de cambios, no podrá denegarse la ejecución con el fundamento de que la legislación española no establece el mismo tributo o no contiene la misma regulación en materia tributaria, aduanera o de control de cambios que la legislación del Estado de emisión. Una disposición análoga se contiene en el art. 11.3 DOEI.

[43]　BACHMAIER WINTER ("La propuesta de Directiva europea sobre la orden de investigación penal...", *op. cit.*, pp. 54 y 55) se muestra crítica con la exigencia de que, además de figurar en el referido listado de categorías delictivas, el delito deba tener previsto un determinado umbral de pena en el Estado de emisión para eludir el control de la doble incriminación, pues esta segunda exigencia sólo añade confusión.

Además, en relación con este umbral de pena, conviene destacar la discordancia que existe entre la previsión del art. 11.1.g) DOEI, que se refiere a *"pena o medida de seguridad privativas de libertad"*, y el art. 207.1.e) PLRM, que omite cualquier referencia a la naturaleza de la pena o medida de seguridad.

ción española para que ésta eluda el control de la doble incriminación, y no pueda denegar la ejecución de la OEI por ausencia de la misma.

b. En segundo lugar, tampoco se podrá denegar la ejecución de la OEI por este motivo cuando la medida de investigación solicitada en la OEI sea alguna de las previstas en el art. 206.1 PLRM (art. 207.2 PLRM). Es decir, aunque el hecho al que obedece la emisión de la OEI no sea delictivo en España, la autoridad competente española no podrá denegar su ejecución cuando en ella se solicite alguna de las siguientes medidas: a) la obtención de información o de pruebas que obren ya en poder de la autoridad competente española y que hubieran podido obtenerse en el contexto de un procedimiento penal o a los fines de la OEI; b) la obtención de información contenida en bases de datos policiales o judiciales y que sean directamente accesibles en el marco de un procedimiento penal; c) la declaración de un testigo, un perito, una víctima, un investigado o encausado o un tercero en territorio español; d) cualquier medida de investigación no invasiva conforme al Derecho español; o, e) la identificación de personas que sean titulares de un número de teléfono o una dirección IP.

5.2.6. La ejecución de la medida no está autorizada conforme al Derecho español para un caso interno similar

El art. 207.1.f) y g) PLRM contempla dos motivos de denegación del reconocimiento y ejecución de la OEI que presentan como denominador común que la medida de investigación solicitada en la OEI no puede adoptarse, con arreglo al Derecho español, en un caso interno similar. Tales motivos de denegación se corresponden con los previstos en el art. 11.1.h) y c) DOEI, respectivamente.

De acuerdo con el primero, se denegará la ejecución de la OEI cuando el uso de la medida de investigación solicitada *"esté limitado, con arreglo al Derecho español, a una lista o categoría de delitos, o a delitos castigados con penas de a partir de un determinado umbral que no alcance el delito a que se refiere la orden europea de investigación"*. Tal sería el caso, por ejemplo, en el que se solicitase la detención de la correspondencia postal y telegráfica del investigado por un delito distinto o de menor gravedad que los previstos en el art. 579.1 LECrim; o en el que se solicitase la actuación de agentes encubiertos para investigar delitos no relacionados con la criminalidad organizada (art. 282 bis LECrim). No obstante, tal motivo de denegación de la ejecución no opera cuando la medida de investigación solicitada en la OEI sea alguna de las medidas "privilegiadas" del art. 206.1 PLRM (art. 207.2 PLRM).

Y conforme al segundo, también procede la denegación de la ejecución de la OEI cuando se haya emitido en el marco de un procedimiento por hechos tipificados como infracción administrativa en el ordenamiento del Estado de emisión cuya decisión pueda dar lugar a un proceso ante un órgano jurisdiccional penal, y tal medida no estuviese autorizada con arreglo al Derecho español para un caso interno similar.

Si bien se observa, ambos motivos de denegación se solaparán habitualmente con los supuestos en que, según el art. 206.3 PLRM, la autoridad española competente deberá proceder a la sustitución de la medida solicitada por otra que sea idónea para los fines de la OEI emitida (*"cuando la medida de investigación solicitada no existiera en Derecho español o no estuviera prevista para un caso interno similar"*)[44]; y, en su caso, a declarar y notificar a la autoridad de emisión la imposibilidad de proporcionar la asistencia requerida, conforme al art. 206.5 PLRM. Por ello, aunque el art. 207 PLRM no lo indica expresamente, hemos de entender que la denegación de la ejecución de la OEI por alguno de estos motivos solo procederá cuando no sea posible la sustitución de la medida interesada[45].

Finalmente, cabe destacar que, en relación con algunas medidas de investigación específicas, el PLRM, siguiendo la línea de la DOEI, vuelve a establecer expresamente, de modo un tanto redundante e innecesario, que procederá la denegación de la ejecución de la OEI *"en los casos en que no se autorizaría la medida de investigación en un caso interno similar"*. Así se recoge con respecto a las medidas para la obtención de información sobre cuentas u operaciones bancarias y financieras (arts. 217.II y 218.II PLRM), las medidas para obtener pruebas en tiempo real, de manera continua y durante un determinado periodo de tiempo (art. 219.1 PLRM), las investigaciones encubiertas (art. 220.1.a) PLRM), o la intervención de las telecomunicaciones (arts. 221.1 y 222.I PLRM).

5.3. *Motivos de denegación de la OEI que requiera medidas específicas de investigación*

Además del que acabamos de comentar, el PLRM, siguiendo las previsiones de la DOEI, recoge algunos otros motivos de denegación del reco-

---

[44] Vid., BACHMAIER WINTER, Lorena, "La propuesta de Directiva europea sobre la orden de investigación penal…", *op. cit.*, p. 55; RODRÍGUEZ-MEDEL NIETO, Carmen, *Obtención y admisibilidad en España de la Prueba Penal…*, *op. cit.*, pp. 423 y 424.

[45] Vid., CGPJ, *Informe sobre el Anteproyecto de Ley…*, *op. cit.*, apdo. núm. 170.

nocimiento y ejecución de la OEI, pero que sólo operan cuando en ésta se requiera la práctica de determinadas medidas de investigación. Son los siguientes.

5.3.1. La falta de consentimiento del afectado por la medida

Conforme a los arts. 214.1.a) y 215.I PLRM, la autoridad española competente denegará el reconocimiento y ejecución de una OEI en la que se requiera el traslado temporal de personas privadas de libertad en España o el traslado temporal a España de personas privadas de libertad en el Estado de emisión, respectivamente, cuando *"la persona privada de libertad no dé su consentimiento"*; y cuando debido a su edad o estado físico o psíquico, no pueda dar su opinión, la misma se recabará a través de su representante legal.

A juicio de RODRÍGUEZ-MEDEL NIETO, este motivo de denegación no está justificado, y supone de hecho cuestionar que estemos realmente ante un mismo espacio europeo de libertad, seguridad y justicia. Si el consentimiento de un detenido en España no es necesario para que pueda ser trasladado a otro lugar del territorio español a fin de practicar allí diligencias de investigación en el marco de un proceso penal, no se comprende por qué su consentimiento es decisivo para que pueda ser trasladado a otro Estado miembro de la UE. Desde el momento en que esa persona está a disposición de una autoridad judicial europea y privado de libertad por su participación en un hecho delictivo, debe poder ponerse a disposición de otra autoridad judicial europea para la práctica de diligencias de investigación relativas a otras causas. Cuestión distinta es que, tratándose de una diligencia de investigación en la que el detenido no está obligado a participar (por ejemplo, cuando el motivo del traslado sea su declaración como testigo estando amparado por una dispensa legal a declarar como la del art. 416.1 LECrim), si con carácter previo al traslado el detenido manifiesta su voluntad de no participar en la misma, la autoridad de ejecución, previa consulta con la autoridad de emisión, pueda denegar dicho traslado por razón de ahorro de costes, sustituyéndolo, en su caso, por otra medida; pero la falta de consentimiento del detenido al traslado en sí, no debe ser una circunstancia condicionante del mismo[46].

---

[46]   RODRÍGUEZ-MEDEL NIETO, Carmen, *Obtención y admisibilidad en España de la Prueba Penal...*, *op. cit.*, p. 450.

Este mismo motivo de denegación también se contempla en el art. 216.1.II PLRM, en relación con la OEI que requiera una comparecencia por videoconferencia u otros medios de transmisión audiovisual. Con respecto a esta previsión, conviene hacer dos matizaciones.

En primer lugar, esta causa de denegación opera únicamente cuando se trate de la comparecencia por videoconferencia u otro medio de transmisión audiovisual del investigado o acusado; y no en relación con los peritos o testigos, cuyo consentimiento es irrelevante a estos efectos.

Y, en segundo, a diferencia de los supuestos de traslados de personas privadas de libertad, en este caso, la falta de consentimiento del investigado o acusado se configura como un motivo de denegación facultativo (*"También podrá denegar el reconocimiento y ejecución…"*). Por tanto, aunque el investigado o acusado no dé su consentimiento para la práctica de esta medida, la autoridad española de ejecución podrá autorizarla igualmente, si la estima procedente, y siempre que se cumplan las condiciones que legitiman su uso conforme al ordenamiento jurídico español (art. 229.3 LOPJ y arts. 325 y 731 bis LECrim), y que la jurisprudencia del TS viene considerando como excepcionales[47].

5.3.2. La posible prolongación de la privación de libertad del investigado

Cuando la medida requerida en la OEI consista en el traslado temporal al Estado de emisión de una persona privada de libertad en España, la autoridad competente española también *"denegará"* su reconocimiento y ejecución si con dicho traslado se pudiese *"causar la prolongación de la privación de libertad de la persona"* (art. 214.1.b) PLRM). Como se deduce del tiempo verbal empleado por el legislador, se trata de un motivo de denegación imperativo.

---

[47] Vid., a este respecto, entre otras, SSTS de 16 de mayo de 2005 (RJ 2005/6586); de 17 de marzo de 2015 (RJ 2015/2795); o de 27 de marzo de 2017 (RJ 2017/1776) En el mismo sentido, el CGPJ, en su Informe sobre el Anteproyecto de Ley, señala que *"la jurisprudencia de la Sala Segunda del Tribunal Supremo, si bien ha reconocido que el empleo de estos sistemas técnicos garantiza los principios de oralidad, inmediación y contradicción, ha destacado la subsidiaria excepcionalidad con que se establece su uso, en línea con lo declarado por el Tribunal Constitucional, que ha incidido en que cualquier modo de practicarse las pruebas personales que no consista en la coincidencia material, en el tiempo y en el espacio, de quien declara y quien juzga, no es una forma alternativa de realización de las mismas sobre cuya elección pueda decidir libremente el órgano jurisdiccional, sino un modo subsidiario de practicar la prueba, cuya procedencia viene supeditada a la concurrencia de causa justificada"* (vid., CGPJ, *Informe sobre el Anteproyecto de Ley…*, op. cit., apdo. núm. 182).

No obstante, si atendemos a las previsiones de los apdos. 2 y 3 del mismo art. 214 PLRM, no alcanzamos a ver la razón de ser de este motivo de denegación de la ejecución de una OEI. Es decir, si la autoridad española competente debe acordar con las autoridades del Estado de emisión las condiciones y detalles del traslado del sujeto privado de libertad, incluyendo las fechas de salida y de regreso (art. 214.2 PLRM); y, en todo caso, debe deducir del periodo máximo de prisión al que se vaya a someter en España el periodo de privación de libertad cumplido en el territorio del Estado de emisión (Art. 214.3 PLRM), ya dispone, en principio, de mecanismos adecuados para evitar que se produzca cualquier prolongación indebida de la privación de libertad de esta persona, sin necesidad de configurarla como motivo de denegación de la OEI[48].

En otro orden de cosas, aunque el art. 215 PLRM no lo establece claramente, el art. 23.2 DOEI deja claro que este motivo de denegación no opera cuando se trata de un traslado a la inversa, es decir, del traslado a España de personas privadas de libertad en el Estado de emisión, a fin de practicar aquí alguna diligencia de investigación. Obsérvese que para esta medida dicho precepto se remite expresamente al apartado 2, letra a) del art. 22 DOEI, que se refiere únicamente a la falta de consentimiento del detenido, obviando este otro motivo de denegación, que se contempla en la letra b) del mismo precepto. Y ello no deja de ser lógico, porque la eventual prolongación de la privación de libertad del sujeto en cuestión competería a la autoridad de emisión por cuanto el privado de libertad lo está en el marco de un proceso penal seguido en dicho Estado.

5.3.3. La ejecución de la medida de investigación sea contraria a los principios jurídicos fundamentales del Derecho español

Cuando la medida solicitada en una OEI sea una comparecencia por videoconferencia u otros medios de transmisión audiovisual, el art. 216. 1 PLRM, de acuerdo con la previsión del art. 24.2.b) DOEI, también contempla como motivo de denegación de la misma el que *"la ejecución de dicha medida de investigación sea contraria a los principios jurídicos fundamentales del Derecho español"*.

A nuestro juicio, tal disposición debe interpretarse en el sentido de que la autoridad española de ejecución deberá denegar el reconocimiento y

---

[48]   En este sentido, vid., RODRÍGUEZ-MEDEL NIETO, Carmen, *Obtención y admisibilidad en España de la Prueba Penal…, op. cit.,* p. 455.

ejecución de tal OEI si en el caso concreto no se cumplen las condiciones especiales que legitiman el uso de la videoconferencia conforme al ordenamiento jurídico español, y que se recogen esencialmente en el art. 229.3 LOPJ y en los arts. 325 y 731 bis LECrim; y que han sido consideradas por la jurisprudencia acordes con los principios estructurales de contradicción y defensa que han de regir en el proceso penal[49].

Por ello, entendemos que la previsión expresa de este motivo "especial" de denegación de la ejecución de la OEI es en buena medida superfluo y reiterativo, por cuanto se solapa con los supuestos en que, según el art. 206.3 PLRM, la autoridad española competente deberá proceder a la sustitución de la medida solicitada por otra que sea idónea para los fines de la OEI emitida (*"cuando la medida de investigación solicitada (…) no estuviera prevista para un caso interno similar"*); y, en su caso, a declarar y notificar a la autoridad de emisión la imposibilidad de proporcionar la asistencia requerida, conforme al art. 206.5 PLRM. Por ello, la denegación por este motivo de la ejecución de la OEI para una comparecencia por videoconferencia solo procederá cuando no sea posible sustituir esta medida por otra que permitiera obtener el mismo resultado.

5.3.4. La falta de acuerdo entre las autoridades de emisión y ejecución sobre las condiciones de ejecución de la medida

Finalmente, como ya apuntamos, cuando en la OEI se soliciten determinadas medidas de investigación (el traslado temporal de personas privadas de libertad; la comparecencia por videoconferencia; la obtención de pruebas en tiempo real, de manera continua y durante un determinado periodo de tiempo; o las investigaciones encubiertas), es necesario que entre la autoridad de ejecución española y la autoridad de emisión se alcancen acuerdos sobre las disposiciones prácticas y condiciones relativas a la ejecución de la medida (arts. 214.2, 215, 219.2 y 220.2 PLRM).

No obstante, sólo en el caso de las investigaciones encubiertas, la falta de este acuerdo se configura expresamente como motivo de denegación de la ejecución de la OEI (art. 220.1.b) PLRM y art. 29.3.b) DOEI). En este sentido, los extremos que necesariamente deben ser consensuados se concretan en el propio art. 220.2 PLRM (y en el art. 29.4 DOEI), a saber, la duración de la medida, las condiciones concretas y el régimen jurídico

---

[49]   Vid., entre otras, SSTS de 16 de mayo de 2005 (RJ 2005/6586); de 17 de marzo de 2015 (RJ 2015/2795); o de 27 de marzo de 2017 (RJ 2017/1776).

de los agentes intervinientes. Por lo demás, la autoridad española de ejecución asumirá la dirección y el control de las operaciones llevadas a cabo
en el marco de estas investigaciones encubiertas, las cuales se ejecutarán de
acuerdo con el ordenamiento jurídico español.

En los demás supuestos, no se prevén expresamente las consecuencias
de esta falta de consenso entre las autoridades de ejecución y de emisión,
pero sin él parece que no se podrá llevar a la práctica la actuación requerida, por lo que estaríamos ante un caso de imposibilidad de ejecución
de la medida solicitada[50]. Así, por ejemplo, difícilmente se podrá llevar a
cabo con las debidas garantías el traslado temporal al Estado de emisión
de una persona privada de libertad en España si la autoridad española de
ejecución y la autoridad de emisión no consensuan, al menos, los extremos
a que se refiere el art. 214.2 PLRM: las disposiciones prácticas del traslado
del privado de libertad, las condiciones de la privación de libertad en el
Estado de emisión, incluyendo las fechas de salida y de regreso, o el nivel
de seguridad requerido en el Estado de emisión.

6. SUSPENSIÓN DEL RECONOCIMIENTO Y EJECUCIÓN DE LA ORDEN EUROPEA DE INVESTIGACIÓN

Distinta de la denegación del reconocimiento y/o ejecución de una
OEI por los motivos expuestos, es la posibilidad de su aplazamiento o suspensión temporal por motivos o circunstancias también tasados. Tal posibilidad se prevé en el art. 15 DOEI y ha sido transpuesta a nuestro ordenamiento jurídico a través del art. 209 PLRM.

Conforme al primer apartado de este precepto, son dos los motivos cuya
concurrencia determina la obligación de la autoridad española competente de suspender (*"suspenderá"*) el reconocimiento y la ejecución de una
OEI:

a. Que la ejecución inmediata de la OEI pueda perjudicar una investigación penal o actuaciones judiciales penales en curso.

b. Que los objetos, documentos o datos a los que se refiere la OEI estén
siendo utilizados en otros procedimientos.

---

[50]   Vid., RODRÍGUEZ-MEDEL NIETO, Carmen, *Obtención y admisibilidad en España de la
       Prueba Penal...*, *op. cit.*, pp. 408 y 456.

La lectura de este art. 209.1 PLRM suscita cuando menos tres observaciones:

En primer lugar, entendemos que los motivos de suspensión del reconocimiento y ejecución de la OEI están formulados de modo excesivamente genérico o abierto[51], lo que puede dar lugar a controversias entre la autoridad española de ejecución y la autoridad de emisión a la hora de apreciar su concurrencia en el caso concreto. Obsérvese que el contenido que puede atribuirse a la fórmula *"pueda perjudicar una investigación penal o actuaciones judiciales penales en curso"* es muy amplio e indeterminado, pues ni siquiera se exige que se trate de un perjuicio relevante, o que pueda frustrar el éxito de tal investigación. Y lo mismo cabe decir, con respecto al segundo motivo, pues, aunque pueda deducirse del contexto del precepto, ni siquiera se exige que el procedimiento en el que están siendo utilizados los objetos, documentos o datos en cuestión sea de naturaleza penal[52].

En segundo lugar, los referidos en el art. 209.1 PLRM son motivos por los que la autoridad de ejecución española debe suspender el reconocimiento y la ejecución de la OEI, y no deben confundirse con los motivos por los que, conforme al art. 211 PLRM, se puede suspender el traslado a la autoridad de emisión de las pruebas obtenidas con ocasión de la ejecución de la OEI. Recordemos que, a tenor de este precepto, tales pruebas deben trasladarse de manera inmediata a la autoridad del Estado de emisión, aunque puede acordarse la suspensión de dicho traslado cuando esté pendiente un recurso contra el reconocimiento y ejecución de la OEI, y no se hayan indicado razones suficientes que hagan indispensable el traslado inmediato para el adecuado desarrollo de la investigación o para preservar derechos individuales. Y, en todo caso, se suspenderá el traslado de las pruebas si éste pudiera causar un daño grave e irreversible a la persona interesada (art. 211.2 PLRM).

Finalmente, el art. 209.1 PLRM también es sumamente impreciso a la hora de fijar la duración de la suspensión que eventualmente se acuerde. Si la suspensión del reconocimiento y ejecución de la OEI se debe al primer motivo enunciado, puede mantenerse *"hasta el momento en que se considere necesario"*, (entendemos que necesario para evitar el perjuicio a la investigación penal o a las actuaciones judiciales en curso); y si la suspen-

---

[51]   Vid., MARTÍNEZ GARCÍA, Elena, *La Orden Europea de Investigación...*, op. cit., p. 78.

[52]   A este respecto, conviene señalar que en el Informe del CGPJ sobre el Anteproyecto de Ley parece equipararse este motivo de suspensión del reconocimiento y ejecución de la OEI con la existencia de litispendencia, si bien no se justifica tal equiparación. Vid., CGPJ, *Informe sobre el Anteproyecto de Ley...*, op. cit., apdo. núm. 166.

sión o aplazamiento vino motivada por el segundo motivo indicado, puede prolongarse *"hasta que ya no se requieran con este fin"*, es decir, hasta que los objetos, documentos o datos en cuestión ya no deban ser utilizados en otros procedimientos. En cualquier caso, creemos que la interpretación y aplicación de estas disposiciones en el caso concreto requerirá una importante labor de negociación y consenso entre las autoridades de ejecución y de emisión.

En otro orden de cosas, si la autoridad española de ejecución acuerda la suspensión del reconocimiento y ejecución de la OEI al amparo de alguno de los referidos motivos, deberá comunicársela inmediatamente a la autoridad de emisión, junto con los motivos de la misma y, si fuese posible, su duración prevista (art. 23.2 LRM).

Tan pronto como desaparezcan las causas que motivaron dicha suspensión, la autoridad española competente deberá adoptar las medidas necesarias para la ejecución de la OEI, informando inmediatamente de ello a la autoridad de emisión (arts. 23.3 LRM y 209.2 PLRM). En cambio, si por la concreta causa de suspensión fuera previsible que la misma no pudiera será alzada, se devolverá a la autoridad de emisión el formulario de la OEI con todo lo actuado (art. 23.4 LRM).

BIBLIOGRAFÍA

AGUILERA MORALES, Marien, "El Exhorto Europeo de Investigación: a la búsqueda de la eficacia y la protección de los derechos fundamentales en las investigaciones penales transfronterizas", *Boletín Oficial del Ministerio de Justicia*, núm. 2145, agosto 2012, pp. 1 a 27.

ARANGÜENA FANEGO, Coral; DE HOYOS SANCHO, Montserrat y RODRÍGUEZ-MEDEL NIETO, Carmen (Dir. y Coord.), *Reconocimiento mutuo de resoluciones penales en la Unión Europea. Análisis teórico-práctico de la Ley 23/2014, de 20 de noviembre*, Aranzadi, Cizur Menor, 2015.

BACHMAIER WINTER, Lorena, "La propuesta de Directiva europea sobre la orden de investigación penal: valoración crítica de los motivos de denegación", *Deloitte*, núm. 72, febrero 2013, pp. 46 a 57 (http://www.ciss.es/publico/deloitte/2013_72_A_046.pdf).

CEDEÑO HERNÁN, Marina y AGUILERA MORALES, Marien, "El principio *non bis in ídem* a la luz de la jurisprudencia del Tribunal de Justicia", en DE LA OLIVA SANTOS, Andrés (Dir.) *La Justicia y la Carta de Derechos Fundamentales de la Unión Europea*, Colex, Madrid, 2008, pp. 187 a 241.

CONSEJO GENERAL DEL PODER JUDICIAL, *Informe sobre el Anteproyecto de Ley por la que se modifica la Ley 23/2014, de 20 de noviembre, de reconocimiento mutuo de resoluciones penales en la Unión Europea, para regular la orden europea de Investigación* (de 28 de septiembre de 2017) (http://www.poderjudicial.es/cgpj/es/Poder-Judicial/Consejo-General-del-Poder-Judicial/Actividad-del-CGPJ/Informes/).

DE LA OLIVA SANTOS, Andrés, "La regla *non bis in ídem* en el Derecho procesal penal de la Unión Europea: algunas cuestiones y respuestas", en DE LA OLIVA SANTOS, Andrés (Dir.) *La Justicia y la Carta de Derechos Fundamentales de la Unión Europea*, Colex, Madrid, 2008, pp. 167 a 185.

FISCALÍA GENERAL DEL ESTADO, *Dictamen 1/17 de la Fiscal de Sala de Cooperación Penal Internacional sobre el régimen legal aplicable debido a la no transposición en plazo de la Directiva de la Orden Europea de Investigación y sobre el significado de la expresión "disposiciones correspondientes" que sustituye dicha directiva* (https://www.fiscal.es/fiscal/PA_WebApp_SGNTJ_NFIS/descarga/DIC%201-17%20OEI%20Regimen%20transitorio_2.pdf?idFile=6b507dd8-4ec7-427a-b17d-4d29de03539f).

JIMÉNEZ-VILLAREJO FERNÁNDEZ, Francisco, "Orden Europea de Investigación: ¿Adiós a las comisiones rogatorias?", en ARANGÜENA FANEGO, Coral (Coord.) *Cooperación judicial civil y penal en el nuevo escenario de Lisboa*, Comares, Granada, 2011, pp. 175 a 203.

JIMENO BULNES, Mar, "El principio *non bis in ídem* en la orden de detención europea: régimen legal y tratamiento jurisprudencial", en DE LA OLIVA SANTOS, Andrés (Dir.) *La Justicia y la Carta de Derechos Fundamentales de la Unión Europea*, Colex, Madrid, 2008, pp. 275 a 294.

JIMENO BULNES, Mar, "Orden europea de investigación en materia penal", en JIMENO BULNES, Mar (Dir.), *Aproximación legislativa versus reconocimiento mutuo en el desarrollo del espacio judicial europeo: una perspectiva multidisciplinar*, Bosch, Barcelona, 2016, pp. 151 a 208.

MARTÍN GARCÍA, Antonio Luis y BUJOSA VADELL, Lorenzo, *La obtención de prueba en materia penal en la Unión Europea*, Atelier, Barcelona, 2016.

MARTÍNEZ GARCÍA, Elena, *La orden europea de investigación. Actos de investigación, Ilicitud de la prueba y Cooperación judicial transfronteriza*, Tirant lo Blanch, Valencia, 2015.

RODRÍGUEZ-MEDEL NIETO, Carmen, *Obtención y admisibilidad en España de la Prueba Penal Transfronteriza. De las comisiones rogatorias a la orden europea de investigación*, Aranzadi, Cizur Menor, 2016.

Capítulo XIII

Cooperación judicial penal y decomiso ampliado. Algunas reflexiones sobre su incorporación al proceso penal español

Mª ISABEL GONZÁLEZ CANO

Catedrática de Derecho Procesal
Universidad de Sevilla

SUMARIO: 1. EL DECOMISO EN EL MARCO DE LA COOPERACIÓN JUDICIAL PENAL Y SU TRANSPOSICIÓN AL ORDENAMIENTO ESPAÑOL. 2. EL DECOMISO AMPLIADO. CONCEPTO, EVOLUCIÓN Y ÁMBITO DE APLICACIÓN. 3. PRESUPUESTOS DEL DECOMISO AMPLIADO. 3.1. La sentencia de condena previa 3.2. El indicio fundado de proveniencia ilícita y la inexistencia de acreditación de origen lícito. Consideración como presupuestos acumulativos. 3.3. La acreditación de la procedencia ilícita. La supuesta inversión de la carga de la prueba y la presunción de inocencia. BIBLIOGRAFÍA.

1. EL DECOMISO EN EL MARCO DE LA COOPERACIÓN JUDICIAL PENAL Y SU TRANSPOSICIÓN AL ORDENAMIENTO ESPAÑOL

I. La Ley Orgánica (en adelante, LO) 1/2015, de 30 de marzo, por la que se reforma el Código Penal (en adelante, CP), adapta la consecuencia accesoria del decomiso (arts. 127 y ss.) a las previsiones de la Directiva 2014/42/UE del Parlamento Europeo y del Consejo, de 3 de abril de 2014[1], sobre el embargo y el decomiso de los instrumentos y del producto del delito en la Unión Europea (en adelante, EU).

Como se afirma en el apartado VIII de la Exposición de Motivos de la LO 1/2015, *la regulación del decomiso es objeto de una ambiciosa revisión que introduce importantes modificaciones que tienen como objeto facilitar instrumentos legales que sean más eficaces en la recuperación de activos procedentes del delito y en la gestión económica de los mismos.*

---

[1]   DOUE 127, de 3 de abril de 2014.

Efectivamente, son tres las grandes reformas que se introducen en el CP con motivo de la LO 1/2015. En primer lugar, el llamado decomiso sin sentencia o autónomo, que va más allá del decomiso sin condena ya previsto en la regulación anterior; en segundo lugar, el decomiso ampliado; y, en tercer lugar, el decomiso de bienes de terceros. Sobre ellas, intentaremos reflexionar en las páginas que siguen.

Por su parte, la Ley 41/2015, de 5 de octubre, de reforma de la Ley de Enjuiciamiento Criminal (en adelante, LECRIM), introduce reformas de gran calado y complejidad en orden a la articulación de las vías para llevar a cabo el decomiso autónomo, el decomiso ampliado y el decomiso de bienes de terceros, sobre las que igualmente trataremos a continuación (nuevo Título III ter del Libro IV)[2].

Tras distintas previsiones legales sobre este instituto, surgidas en aras de la necesidad de fortalecer la lucha contra la delincuencia organizada, tanto el CP como la LECRIM han sido objeto de unas recientes reformas que traen causa de la citada Directiva 2014/42 UE, sobre el embargo y el decomiso de los instrumentos y del producto del delito en la UE[3]. A estas trascendentales reformas, debemos añadir la Ley 23/2014, de 20 de noviembre, de reconocimiento mutuo de resoluciones penales en la UE, cuyo fin primordial es el establecimiento de cauces uniformes en orden a la emisión y ejecución de resoluciones penales transfronterizas, tanto en materia de investigación, como de enjuiciamiento y ejecución, y, también, de procedimientos a seguir por las autoridades judiciales españolas como emisoras y receptoras de órdenes de decomiso transfronterizas. La Ley 23/2014, implicó una nueva transposición al ordenamiento español de la Decisión Marco (en adelante, DM) 2006/783/JAI del Consejo, de 6 de octubre de 2006, relativa a la aplicación del principio de reconocimiento

---

[2]   Para una visión más completa de estas instituciones, me remito a mi trabajo precedente, GONZÁLEZ CANO, *El decomiso como instrumento de la cooperación judicial en la Unión Europea y su incorporación al proceso penal español*, Tirant lo Blanch, Valencia, 2016.

[3]   Sobre los antecedentes y el *iter* legislativo de la Directiva de 2014, v. AGUADO CORREA, *"La Directiva 2014/42/UE sobre embargo y decomiso en la Unión Europea: una solución de compromiso a medio camino"*, en Iustel, Revista General de Derecho Europeo, 35, 2015, pp. 2 y ss. V. también la exposición general sobre la reforma, en CUCARELLA GALIANA, *"La reforma del Código Penal, decomiso de los bienes o efectos procedentes del delito y destrucción y realización anticipada de efectos judiciales"*, en Iustel, Revista General de Derecho Procesal 36, 2015, pp. 1 y ss.; GONZÁLEZ CUSSAC, *"Decomiso y embargo de bienes"*, en Boletín de información del Ministerio de Justicia, año 60, nº extra de 2015, pp. 13 y ss.

mutuo de resoluciones de decomiso, que estudiaremos más adelante en lo relativo al decomiso ampliado.

Efectivamente, con el decomiso nos encontramos ante uno de los principales instrumentos en orden a la desposesión o expropiación de los bienes y efectos utilizados en el delito, así como de las ganancias obtenidas con el mismo.

Como se afirma en el Considerando (1) de la Directiva de 2014, *la motivación principal de la delincuencia organizada transfronteriza, incluida la de carácter mafioso, es la obtención de beneficios financieros. Por consiguiente, es necesario dotar a las autoridades competentes de los medios para localizar, embargar, administrar y decomisar el producto del delito...* neutralizándolo directa o indirectamente, con posibilidad incluso de aplicar estas medidas a cualquier bien que proceda de actividades de carácter delictivo.

El Programa de Estocolmo de 2009 y las Conclusiones del Consejo de Justicia y Asuntos de Interior sobre el decomiso y la recuperación de activos, adoptadas en junio de 2010, destacan la importancia de una mayor eficacia en la identificación, decomiso y reutilización de los bienes de origen delictivo.

Aún tratándose de una institución conocida en la mayoría de los ordenamientos, es cierto que en los últimos tiempos ha adquirido una especial significación y trascendencia en materia de persecución de formas especialmente graves de delincuencia transfronteriza, y por tanto como instrumento de la cooperación judicial penal[4].

Efectivamente, es el ámbito transfronterizo en el que de manera más acusada se manifiestan las dificultades de lucha contra la ocultación de los beneficios y productos del delito[5]. Las ganancias del delito son en muchos casos ocultadas respecto a las autoridades del lugar del enjuiciamiento, a través de sistemas y mecanismos diversos, todos ellos con el mismo fin, que no es otro que frustrar su localización, incautación y decomiso.

---

[4] V. en tal sentido, GASCÓN INCHAUSTI, *El decomiso transfronterizo de bienes*, Colex, Madrid, 2007, p. 16.

[5] Nos referimos así a una circunstancia consustancial a la llamada delincuencia organizada transnacional propia de la globalización. V. GONZÁLEZ LÓPEZ, "*Ejecución de resoluciones de decomiso*", en VVAA (coord. por JIMENO BULNES), *La cooperación judicial civil y penal en el ámbito de la Unión Europea: instrumentos procesales*, Bosch Procesal, Barcelona, 2007, p. 373. En parecidos términos, MORÁN MARTÍNEZ, "*El decomiso: regulación en la Unión Europea y estado de su aplicación en España*", en VVAA, (dir. por ARANGÜENA FANEGO), *Espacio europeo de libertad, seguridad y justicia: últimos avances en cooperación judicial penal*, Valladolid, 2010, pp. 382 y ss.

Por ello, no es de extrañar que los esfuerzos en materia de cooperación judicial penal se incrementen, ya que, independientemente de la fortaleza de las legislaciones internas en orden a investigar e incautar los bienes, las ganancias o el producto del delito, ciertamente lo más relevante es contar con instrumentos adecuados para que las autoridades judiciales de los Estados puedan cooperar entre sí cuando de lo que se trata es de investigar, localizar, decretar la incautación cautelar y en su caso el decomiso definitivo de estas ganancias.

II. El decomiso se enmarca pues en el ámbito de la creación y el diseño de una política criminal de la UE, especialmente potenciada desde la DM 2005/2122/JAI, de 24 de febrero de 2005, sobre decomiso de productos, instrumentos y bienes relacionados con el delito, dirigida, como afirma BLANCO CORDERO, a asfixiar económicamente a las organizaciones criminales mediante la expropiación de las ganancias proporcionadas por sus actividades delictivas[6]. Una estrategia político-criminal con finalidad preventivo-general, dirigida a disuadir de cometer delitos que generan grandes beneficios económicos, y también con finalidad preventivo-especial, en orden a expropiar al delincuente o a las organizaciones criminales el producto o beneficio del delito[7].

Y, además, una estrategia que progresivamente ha ido ampliando los cauces penales y procesales para el decomiso, en la línea de la confiscación expansiva o total, tanto en cuanto a los bienes y ganancias decomisables, que no son sólo las directamente derivadas del delito enjuiciado sino todas aquellas de procedencia ilícita; como respecto a los sujetos afectados por la medida, y a las vías procesales para decretar y ejecutar el decomiso, vinculadas directa pero también indirectamente al proceso penal.

---

[6]   BLANCO CORDERO, *"Armonización. aproximación de las legislaciones de la UE en materia de lucha contra los productos del delito: comiso, organismos de recuperación de activos y enriquecimiento ilícito"*, en VVAA (dir. por ARANGÜENA FANEGO), *Espacio europeo de libertad, seguridad y justicia…*, *op. cit.*, p. 351 y 352. V. igualmente, MORÁN MARTÍNEZ, *"El decomiso…"*, *op. cit.*, pp. 380 y ss.; GASCÓN INCHAUSTI, *"Cooperación judicial y decomiso de bienes en la Unión Europea"*, EN VVAA (DIR. POR ARMENTA DEU), *El Derecho procesal penal en la Unión Europea: tendencias actuales y perspectivas de futuro*, 2006, pp. 209 y ss.

[7]   Una política criminal que, como afirma GASCÓN INCHAUSTI, *"Las nuevas herramientas procesales para articular la política criminal de decomiso total: la intervención en el proceso penal de terceros afectados por el decomiso y el proceso para el decomiso autónomo de los bienes y productos del delito"*, en Iustel, Revista General de Derecho Procesal 38, 2016, p. 2, ha dejado de estar en manos exclusivas de los Estados y se diseña desde instituciones europeas. En el mismo sentido, RODRÍGUEZ GARCÍA, *El decomiso de activos ilícitos*, Aranzadi, Pamplona 2017, pp. 72 y ss., habla de la positivización de una política criminal supranacional.

Sin embargo, esta orientación de política criminal de la UE se encuentra con diversas dificultades en su puesta en práctica. Por un lado, las diversas regulaciones del decomiso en los diferentes Estados, tanto desde el punto de vista de su tratamiento penal, pero, sobre todo, en orden a los cauces procesales para llevarlo a cabo, que necesitan de una mínima homogeneización para que sean efectivos y faciliten la cooperación directa entre autoridades judiciales, básicamente a través del reconocimiento mutuo de resoluciones judiciales de decomiso en el ámbito de la UE.

Y, por otro, tal y como ha venido ocurriendo con los diversos instrumentos de la cooperación judicial penal a través del reconocimiento mutuo, las divergencias en orden a las garantías procesales de sospechosos, investigados y acusados, campo en el que se ha ido avanzando en los últimos años, como veremos a continuación, pero que, en la materia que nos ocupa, el decomiso, y tras la Directiva de 2014 y la reforma del CP y de la LECRIM, plantea importantes problemas relacionados con el derecho de defensa y el derecho a la presunción de inocencia, que intentaremos desarrollar en las páginas que siguen.

III. El vigente marco jurídico de la UE en relación con el embargo, la incautación y el decomiso de activos estaba compuesto hasta ahora, por la Acción Común 98/699/JAI, la DM 2001/500/JAI del Consejo, la DM 2003/577/JAI del Consejo, la DM 2005/212/JAI del Consejo, relativa al decomiso de los productos, instrumentos y bienes relacionados con el delito, la DM 2006/783/JAI del Consejo, de 6 de octubre de 2006, sobre reconocimiento mutuo de resoluciones de decomiso, y la anteriormente citada Directiva 2014/42/UE, sobre embargo y decomiso de instrumentos y productos del delito.

Partiendo de este marco general, intentaremos exponer mínimamente la evolución de tales instrumentos y su incorporación al ordenamiento español. Para ello, entendemos que debemos referirnos a dos perspectivas, siempre presentes en el ámbito de la cooperación judicial penal en la UE, que son, por un lado, la armonización legislativa de los ordenamientos estatales en orden a la investigación y el enjuiciamiento y la ejecución de resoluciones judiciales, y, por otro, el principio de reconocimiento mutuo en materia penal.

Si bien es cierto que entre ambos enfoques hay una tensión permanente[8], también lo es que entre ellos hay una relación de dependencia casi

---

8   BERNARDI, *"I principi di sussiediarietà e di legalità del diritto penales europeo"*, en VVAA (dir. por MIR PUIG y CORCOY BIDASOLO), *Garantías constitucionales y Derecho Penal europeo*, Marcial Pons, Madrid, 2008, pp. 39 y ss.

absoluta[9]. Efectivamente, la armonización o aproximación de legislaciones a fin de favorecer la coordinación normativa, y también administrativa e institucional, entre los Estados miembros, se ha convertido en un elemento imprescindible del reconocimiento mutuo[10].

Así, por una parte, desde la perspectiva del principio de reconocimiento mutuo, la DM de 2006 se incorporó al ordenamiento jurídico español a través de la Ley 4/2010, de 10 de marzo, para la ejecución en la UE de resoluciones judiciales de decomiso[11]. Se trataba, en definitiva, de establecer las normas fundamentales del procedimiento a seguir en orden a propiciar por parte de las autoridades donde estén los bienes o ganancias, el reconocimiento mutuo y ejecución de resoluciones de decomiso de dichos bienes, dictadas en otro Estado. El paso decisivo, a nuestro entender, consiste en extender el reconocimiento mutuo no sólo a las resoluciones sobre embargo preventivo, sino también a la ejecuciones de resoluciones firmes de decomiso o privación definitiva de los bienes o de las ganancias[12].

Y, por otra parte, la citada Directiva de 2014, continuación en cierta manera de la DM 2005/212, establece la necesidad de transposición, y por tanto de incorporación a nuestro ordenamiento, respecto a varias cuestiones nucleares.

En primer lugar, el decomiso ampliado de bienes y ganancias provenientes de actividades delictivas previas, basándose en indicios de procedencia ilícita (art. 5), cuyos aspectos esenciales son objeto de este trabajo.

---

[9]   En este sentido, como afirma DE HOYOS SANCHO, *"El principio de reconocimiento mutuo de resoluciones penales en la Unión Europea: ¿asimilación automática o corresponsabilidad?"*, en Revista de Derecho Comunitario, 2005, nº 22, pp. 807 y ss., el entendimiento y la plasmación normativa del principio de reconocimiento mutuo es difícil porque precisa armonización sobre materias como la doble incriminación, las garantías procesales o la aplicación temporal y espacial de la ley procesal.

[10]   DONAIRE VILLA, *"¿De qué hablamos cuando hablamos de coordinación en el ámbito de la UE y por tanto del espacio europeo de libertad, seguridad y justicia?"*, en VVAA (coord. por DONAIRE VILLA y OLESTI RAYO), *Técnicas y ámbitos de coordinación en el espacio europeo de libertad, seguridad y justicia*, Marcial Pons, Madrid, 2015, pp. 15 y ss.

[11]   La Ley de 2010 incorporó igualmente a nuestro ordenamiento la DM 2009/299/JAI/ del Consejo, de 26 de febrero de 2009, por las que se modificaron diversas DM en lo relativo al fortalecimiento de las garantías procesales en los instrumentos de reconocimiento mutuo, a raíz de juicios celebrados en ausencia del acusado. La Ley 4/2010 fue derogada por la Ley 23/2014 sobre reconocimiento mutuo.

[12]   JIMÉNEZ-VILLAREJO FERNÁNDEZ, *"Novedades legislativas en materia de decomiso y recuperación de activos"*, en Revista de Derecho Penal, nº 34, 2011, pp. 91 y ss.

En segundo lugar, el decomiso de bienes y efectos en poder de terceros (art. 6), respecto del que mientras la DM de 2005 lo establecía como posibilidad u opción de los Estados en orden a su inclusión en el ordenamiento penal interno, la Directiva de 2014 lo convierte en una modalidad de decomiso de preceptiva incorporación por los Estados, con la casi única exclusión de los terceros de buena fe.

Y, en tercer lugar, la delimitación de los supuestos tasados en los que el decomiso de bienes, efectos y ganancias se puede llevar a cabo sin que exista enjuiciamiento ni sentencia penal, que constituye el decomiso autónomo (art. 4).

Estas tres figuras, algunas de ellas ya presentes en el Derecho español desde la transposición de la DM de 2005, son objeto de regulación en el CP y en la LECRIM, tras las reformas operadas en 2015.

Sin perjuicio de volver a este tema con posterioridad, sí que hay que afirmar que estamos ante modalidades especiales de decomiso, con vocación de armonización para los Estados de la UE. Como se afirma en los Considerandos (22) y (23) de la Directiva 2014/42, nos encontramos ante una serie de normas mínimas (decomiso ampliado, de bienes de terceros y sin sentencia) que cada Estado puede extender si lo estima oportuno. Así, en la persecución y enjuiciamiento respecto a un elenco de delitos, deben estar previstas estas modalidades especiales de decomiso, pero con la posibilidad de que los Estados amplíen dicho listado al resto de infracciones dentro del ámbito de aplicación de la Directiva (art. 3).

Por otra parte, no podemos perder de vista que la propia Directiva de 2014 configura expresamente estas modalidades de decomiso como excepcionales, en cuanto modulan con gran rigor e incluso prescinden de principios del proceso penal, e introducen en el mismo una serie de especificidades que podrían conculcar, como veremos, algunas garantías fundamentales. De ahí que el art. 8 consagre la garantía de la tutela judicial y de un *juicio justo* en la sustanciación de estas modalidades de decomiso.

Como decíamos antes, la transposición de la Directiva de 2014 se realiza mediante sendas modificaciones de los arts. 127 y ss. del CP, y a través de la Ley 41/2015, de 5 de octubre, de modificación de la LECRIM para la agilización de la justicia penal y el fortalecimiento de las garantías procesales, que a través del nuevo Título III ter del Libro IV ha introducido las vías procesales para dicha transposición, así como para articular las reformas penales previas en la materia. Como se afirma en la Exposición de Motivos de la LO 1/2015 (apartado III), *la Directiva de 2104 exige a los Estados miembros articular cauces para su implementación, en especial para permitir la efec-*

tividad de las nuevas figuras de decomiso (sin sentencia, ampliado y respecto a terceros)[13].

Para ello, como se afirma en la Exposición de Motivos de la Ley 41/2015, *se regula así un proceso de decomiso autónomo que permita la privación de la titularidad de los bienes procedentes del delito pese a que el autor no pueda ser juzgado. El procedimiento responde a un equilibrio entre la agilidad que le es propia y las garantías para las personas demandadas,* optándose *por la remisión al procedimiento verbal de la Ley de Enjuiciamiento Civil, lo que contribuye a la seguridad jurídica.*

Se han incluido, no obstante, las especialidades propias del procedimiento en el articulado y un sistema de recursos basado en el procedimiento abreviado. Se prevé además la fase de ejecución de los bienes decomisados, en la que la investigación asociada será dirigida por el Ministerio Fiscal, sin detrimento de las funciones investigadoras de éste en la fase prejudicial.

Esta regulación ha de ponerse en contexto con las modificaciones del decomiso que por su parte introduce la reforma del Código Penal, y en concreto, como complemento de aquella, se ha previsto ahora la intervención en el procedimiento de los terceros que puedan verse afectados por el decomiso. Sus derechos se garantizan no solo en este procedimiento, sino con la articulación de un recurso de anulación, por remisión nuevamente a la Ley de Enjuiciamiento Civil, en caso de que la resolución se haya dictado sin considerar su condición de interesado en la causa.

Por tanto, nos referimos, por un lado, al procedimiento de decomiso autónomo como nuevo procedimiento penal especial[14], en el que se reclama el decomiso de bienes, efectos o ganancias derivadas del delito, o un valor equivalente, en suma la desposesión de los mismos, como pretensión que, aún derivada de una causa penal, se ventila por el cauce formal "civil" ante el Juez o tribunal penal, que o bien ya haya dictado sentencia, o mantenga el proceso penal suspendido o le correspondiera su enjuiciamiento.

Y, por otro, igualmente nos referiremos a la comunicación y llamada, y en su caso intervención en el proceso penal, respecto a terceros que puedan resultar afectados por el decomiso, distintos claro está de las personas investigadas o encausadas.

---

[13]   VIDALES RODRÍGUEZ, *"Consecuencias accesorias: decomiso (arts. 127 a 127 opties)"*, en VVAA, *Comentarios a la reforma del Código Penal de 2015* (dir. por GONZÁLEZ CUSSAC), Tirant lo Blanch reformas, Valencia, 2015, p. 391

[14]   MUERZA ESPARZA, *Las reformas procesales penales de 2015. Nuevas medidas de agilización, de investigación y de fortalecimiento de garantías en la justicia penal,* Aranzadi, Pamplona, 2015, p. 128.

Así, como decíamos antes, el nuevo Título III ter del Libro V de la LE-CRIM, añadido por el art. Único, 10 de la Ley 41/2015, de 5 de octubre, regula la intervención en el proceso penal de los terceros que puedan resultar afectados por el decomiso, e igualmente el denominado procedimiento de decomiso autónomo[15].

La transposición de la Directiva de 2014, vá más allá de los mínimos previstos en la normativa europea, con un ámbito pues de aplicación que comprende todo delito, y no sólo el elenco de infracciones del art 3 de la citada Directiva. Ello, con dos excepciones, las referidas a los decomisos fundados en indicios y presunciones de procedencia delictiva de los bienes o ganancias, que son:

- el decomiso ampliado, de manera que el art. 127 bis.1 del CP dispone que el juez o tribunal ordenará también el decomiso de los bienes, efectos y ganancias pertenecientes a una persona condenada por alguno de los delitos del listado tasado que incluye el precepto, cuando resuelva, a partir de indicios objetivos fundados, que los bienes o efectos provienen de una actividad delictiva, y no se acredite su origen lícito; y,

- distinto del decomiso ampliado, el decomiso derivado de actividad delictiva continuada, decomiso que, a diferencia del ampliado referido a bienes no relacionados con el delito, sí está relacionado con el concreto delito respecto a condenas por las infracciones del art. 127 bis (el mismo listado), de carácter continuado y con indicios fundados y presunciones de que buena parte del patrimonio del penado procede de esa actividad delictiva previa (arts. 127 quinquies y sexties del CP).

2. EL DECOMISO AMPLIADO. CONCEPTO, EVOLUCIÓN Y ÁMBITO DE APLICACIÓN

Como ya hemos apuntado, las reformas del CP y de la LECRIM operadas en 2015, responden a la necesidad de transponer al ordenamiento español las modalidades de decomiso autónomo y ampliado diseñadas por la Directiva 2014/42/UE, de 3 de abril, estando ésta última orientada a perfeccionar el decomiso como instrumento de lucha contra la delincuencia

---

[15]   Sobre decomiso autónomo, v. RODRÍGUEZ GARCÍA, *El decomiso...*, *op. cit.*, pp. 245 y ss.; GONZÁLEZ CANO, *El decomiso como instrumento...*, *op. cit.*, pp. 59 y ss.

organizada, en orden a evitar la "rentabilidad" del delito y la "reinversión" del producto del delito en futuras infracciones.

Esta normativa aboca en algunos casos, como veremos a continuación, al debate ineludible sobre la naturaleza jurídica del decomiso como sanción penal, relacionándolo más con la figura del enriquecimiento injusto. Si ello es así, el decomiso autónomo, aunque vinculado a un proceso penal (al menos formalmente), y con la iniciativa del MF y la decisión de un juez penal, podría dar lugar a que el juego de indicios y presunciones de procedencia delictiva de bienes y ganancias provoque una indeseable relajación de las exigencias derivadas de la presunción de inocencia[16] [17].

El decomiso ampliado se basa en una presunción de procedencia delictiva de los efectos, bienes o ganancias, siempre que, además, el patrimonio del condenado por el delito sea desproporcionado respecto a sus ingresos.

No se trata, como en el decomiso directo, de decomisar bienes, efectos o ganancias respecto a un delito concreto, por lo que no es preciso acreditar concretas actividades delictivas previas que sean origen de esos bienes. El decomiso ampliado, como complemento del decomiso directo, se caracteriza porque los bienes decomisados provienen de otras actividades ilícitas diferentes a las enjuiciadas y por las que se ha condenado, por lo que no han sido objeto de prueba plena[18]. Se prescinde así del nexo entre el delito objeto de condena y los bienes a decomisar.

Esta potestad de decomiso ampliado se concibe como un instrumento de lucha contra la delincuencia organizada, en orden a la neutralización de rendimientos y beneficios de actividades delictivas difícilmente vinculables a dichas actividades delictivas objeto de condena. En primer lugar, porque en muchas ocasiones es difícil conectar la titularidad de esos bie-

---

[16]   Sobre este debate, MARCHENA GÓMEZ-GONZÁLEZ-CUÉLLAR, *La reforma de la Ley de Enjuiciamiento Criminal en 2015*, Castillo de Luna ediciones jurídicas, Madrid, 2015, pp. 442 y 443.

[17]   En este punto, cabe advertir como la evolución histórica del decomiso pasa precisamente por la restricción del mismo a los instrumentos y objetos del delito, a raíz de la desconfianza hacia el comiso como sanción penal. V. JORGE, *Recuperación de activos de la corrupción*, Editores Del Puerto, Buenos Aires, 2008. Precisamente, en épocas recientes, el ánimo confiscatorio general y expansivo respecto al producto del delito y a las ganancias derivadas del mismo, viene justificada por nuevas formas de criminalidad que derivan en figuras como el decomiso ampliado, herramienta eficaz para reducir el lucro derivado de la actividad delictiva, tanto en orden a evitar mercados ilícitos que desequilibran la economía, como a impedir la reinversión de dichas ganancias en la actividad delictiva.

[18]   MUERZA ESPARZA, *Las reformas procesales penales de 2015…, op. cit.*, pp. 126 y 127.

nes a las personas encausadas o acusadas; y, en segundo lugar, porque en otras ocasiones la dificultad estriba en conectar esos bienes con el concreto hecho delictivo que se enjuicia, es decir, acreditar que son bienes directamente relacionados con los hechos enjuiciados o que traigan origen de los mismos.

En este sentido, el objetivo expansivo en la lucha contra la delincuencia organizada incluye, por una parte, permitir el decomiso o expropiación de bienes que no son titularidad del enjuiciado, pero respecto de los que hay indicios de conexión con la actividad delictiva (a través de la responsabilidad penal de las personas jurídicas y de la posibilidad de decomisar bienes de terceros). Y, por otra, arbitrar cauces para que puedan ser decomisados bienes no directamente vinculados con los hechos enjuiciados y objeto de condena, pero de origen ilícito, posibilidad que se plasma en la figura del decomiso ampliado[19].

Antes de la DM de 2005 y de la reforma del CP de 2010, ya existía el criterio jurisprudencial consolidado sobre la posibilidad del decomiso de ganancias no provenientes del concreto delito, sino de otros hechos anteriores similares y no juzgados, pero encuadrados en una actividad habitual o continuada previa de la que pueda deducirse la posible procedencia ilícita de los bienes y de las ganancias[20].

Esta figura, como decíamos en páginas anteriores, fue implementada entre los instrumentos de cooperación judicial penal a través de la DM 2005/212/JAI del Consejo, de 24 de febrero de 2005[21], sobre decomiso de productos, instrumentos y bienes relacionados con el delito, y se incorporó al ordenamiento español por la Ley Orgánica 5/2010, de 22 de junio, para los delitos de terrorismo y los cometidos por grupos u organizaciones criminales[22].

---

[19] En este sentido, RODRÍGUEZ GARCÍA, *El decomiso...*, *op. cit.*, pp. 160, 161 y 169, se refiere a bienes que no están vinculados al delito enjuiciado, pero sí a una actividad ilícita previa no enjuiciada y por tanto sin prueba directa.

[20] Así, el Acuerdo del Pleno no jurisdiccional de la Sala II del TS de 5 de octubre de 1998, sobre ganancias derivadas del tráfico de drogas, en el que se decía que el comiso de las ganancias a que se refiere el art 374 del CP debía extenderse a las ganancias procedentes de operaciones anteriores a la concreta operación descubierta y enjuiciada, siempre que se tenga por probada dicha procedencia y se respete en todo caso el principio acusatorio. En el mismo sentido, la STS de 1 de abril de 1999 (RJ 1999, 2290).

[21] MORÁN MARTÍNEZ, *"El decomiso..."*, *op. cit.*, pp. 389 y ss.

[22] En el ámbito internacional, se contempla esta figura en el art. 5.7 de la Convención de Naciones Unidas contra el tráfico ilícito de estupefacientes y sustancias psicotrópicas, hecho en Viena el 20 de diciembre de 1988 (ratificado por España en 1990),

El art. 3.2 de la DM de 2005 establecía pues la posibilidad, en relación con determinados delitos —terrorismo y organizaciones criminales—, la procedencia del decomiso ampliado, siempre que, como mínimo:

- Se tratara de bienes procedentes de actividades delictivas similares y previas a la condena en la que se quiere declarar el decomiso;
- y, se acreditara la proveniencia lícita así como la desproporción con los ingresos lícitos del sujeto, en base a indicios de los que se pueda inferir razonablemente dicho origen, y por tanto siempre con el convencimiento del juez.

La transposición de la DM de 2005 a través de la citada reforma del CP de 2010, incluyó en el art. 127.1 de dicho cuerpo legal, no la prueba indiciaria apreciada por el juez, sino una presunción legal de procedencia ilícita de los bienes derivada de la desproporción respecto a los ingresos legales del sujeto.

Tras la reforma operada por la LO 5/2010, la Circular de la FGE 4/2010, sobre las funciones del Fiscal en la investigación patrimonial en el ámbito del proceso penal, hablaba de que en estos casos ya no resultaba necesario probar la relación causa-efecto entre el delito por el que se condena y los bienes cuyo comiso se decretaba. Solo sería necesario probar la existencia de actividades ilícitas en el seno de la organización delictiva, y que el valor de los bienes incautados sea desproporcionado en relación con los ingresos legales.

Por tanto, tras la reforma del CP de 2010, por un lado se prevé el comiso de ganancias derivadas de actividades previas a la operación delictiva enjuiciada, en el sentido ya apuntado por la jurisprudencia y hoy recogido en el art. 127.4 CP; y por otro lado, se introduce el comiso de ganancias de organizaciones o grupos criminales o terroristas sin necesidad de nexo

---

que incluso permite a los Estados la inversión de la carga de la prueba siempre que sea compatible con su Derecho interno, en orden al origen de los productos o bienes vinculados al tráfico de drogas a efectos del decomiso. Igualmente, el art. 12.7 del Convenio de Naciones Unidas sobre crimen organizado de 2001, se refiere a la posibilidad de exigir al delincuente que demuestre el origen lícito de los bienes producto del delito. En el ámbito del Consejo de Europa, el art. 3.4 del Convenio de Varsovia, sobre blanqueo, seguimiento, embargo y decomiso del producto del delito y la financiación del terrorismo, de 16 de mayo de 2005, se refiere igualmente a que los Estados adopten las medidas necesarias para que el autor del delito demuestre el origen de sus bienes sospechosos de ser producto del delito, siempre que ello sea compatible con el Derecho interno.

alguno con el delito por el que se condena, es decir, el decomiso ampliado solo aplicable a la delincuencia organizada y terrorista.

Posteriormente, la Directiva 2014/42/UE, además de ampliar el listado de delitos a los que aplicar el decomiso ampliado, como veremos a continuación, opta por el sistema de presunciones legales o bien judiciales. Con arreglo a sus Considerandos (19) y (21), el decomiso ampliado debe ser posible en caso de que un órgano jurisdiccional haya resuelto que el bien en cuestión procede de actividades delictivas. Esto no significa que deba probarse que el bien en cuestión procede de una concreta actuación delictiva que sea objeto de investigación o enjuiciamiento. Los Estados miembros pueden estipular que sea suficiente, por ejemplo, con que el órgano jurisdiccional considere, habida cuenta de las distintas probabilidades, o pueda presumir razonablemente, que es sustancialmente más probable que el bien en cuestión se haya obtenido merced a actividades delictivas que merced a otras actividades legales o lícitas.

En este contexto, el órgano jurisdiccional tiene que examinar las circunstancias específicas del caso, incluidos los hechos y pruebas disponibles en los que pueda basarse la decisión de decomiso ampliado. Según los Considerandos citados, el hecho de que los bienes de la persona no guarden proporción con sus ingresos lícitos puede ser uno de los elementos que induzcan al órgano jurisdiccional a resolver que el bien procede de una actividad delictiva. Los Estados miembros también pueden establecer un determinado plazo durante el cual pueda considerarse que el bien procede de una actividad delictiva.

Con arreglo al art. 5.1 de la Directiva 2014/42/UE, los Estados miembros adoptarán las medidas necesarias para poder proceder al decomiso, total o parcial, de bienes pertenecientes a una persona condenada por una infracción penal que directa o indirectamente pueda dar lugar a una ventaja económica, cuando un órgano jurisdiccional haya resuelto, considerando las circunstancias del caso, incluidos los hechos específicos y las pruebas disponibles, tales como que el valor del bien no guarda proporción con los ingresos lícitos de la persona condenada, que el bien de que se trata procede de actividades delictivas. A estos efectos del decomiso ampliado, el art. 5.2 dispone que el concepto de "infracción penal" incluirá, al menos, las siguientes:

a) la corrupción activa y pasiva en el sector privado, a las que se refiere el artículo 2 de la DM 2003/568/JAI[23], así como la corrupción activa

---

[23]   DM 2003/568/JAI, del Consejo, de 22 de julio de 2003, sobre la ejecución en la UE de resoluciones de embargo preventivo de bienes y de aseguramiento de pruebas.

y pasiva en que estén implicados funcionarios de las instituciones de la Unión o de los Estados miembros, a las que se refieren los artículos 2 y 3, respectivamente, del Convenio relativo a la lucha contra los actos de corrupción en los que estén implicados funcionarios;

b) los delitos relativos a la participación en una organización delictiva, de conformidad con el artículo 2 de la DM 2008/841/JAI, al menos en los casos en que hayan producido un beneficio económico;

c) hacer que un menor participe en espectáculos pornográficos, captarlo para que lo haga, lucrarse por medio de tales espectáculos, o explotar de algún otro modo a un menor para esos fines, si el menor ha alcanzado la edad de consentimiento sexual tal como se dispone en el artículo 4, apartado 2, de la Directiva 2011/93/UE; la distribución, difusión o transmisión de pornografía infantil, a que se refiere el artículo 5, apartado 4, de dicha Directiva; el ofrecimiento, suministro o puesta a disposición de pornografía infantil, a que se refiere el artículo 5, apartado 5, de dicha Directiva; la producción de pornografía infantil a que se refiere el artículo 5, apartado 6, de la citada Directiva;

d) la interferencia ilegal en los sistemas de información y la interferencia ilegal en los datos, a que se refieren los artículos 4 y 5,respectivamente, de la Directiva 2013/40/UE, cuando haya resultado afectado un número significativo de sistemas de información mediante la utilización de un instrumento, de los mencionados en el artículo 7 de dicha Directiva, concebido o adaptado principalmente con tal finalidad; la producción intencional, venta, adquisición para el uso, importación, distribución u otra forma de puesta a disposición de instrumentos utilizados con el fin de cometer infracciones, al menos en los casos que no sean de menor gravedad, previstos en el artículo 7 de dicha Directiva;

e) una infracción penal que sea punible, de conformidad con el instrumento correspondiente del artículo 3 o, en caso de que el instrumento de que se trate no contenga un umbral de pena, de conformidad con el Derecho nacional aplicable, con una pena privativa de libertad de al menos cuatro años.

De tenor del art. 5.2 de la Directiva de 2014, se deduce que el listado de delitos en los que cabría el decomiso ampliado es una previsión de mínimos, al igual que en la DM de 2005, por lo que es perfectamente posible que los ordenamientos de los Estados amplíen este catálogo.

Por otra parte, téngase presente que la DM de 2005, establecía dos modalidades de decomiso ampliado en orden a la transposición a los ordenamientos internos. Por un lado, el art. 3.2 se refería a supuestos de necesaria obligatoriedad, a una serie de supuestos delictivos, que eran la delincuencia organizada y el terrorismo, en los que los Estados deberán arbitrar el decomiso ampliado siempre que se diesen las circunstancias y requisitos previstos en la DM, es decir, el indicio de procedencia delictiva de los bienes, que no se tratase del delito enjuiciado pero sí similar, y la procedencia ilícita.

Y, además, el precepto se refería a supuestos facultativos u opcionales para los Estados (art. 3.3 y 4 de la DM), que son el decomiso de bienes de terceros y el decomiso autónomo[24].

La Directiva de 2014 hace un planteamiento diverso, ampliando las obligaciones de homogeneización normativa de los Estados. Así, por una parte, amplia el catálogo de delitos en los que puede hacerse uso de la potestad de decomiso ampliado, un catálogo de mínimos, ampliable por los Estados (art. 5). Y por otra, convierte en modalidades obligatorias las opciones del decomiso de bienes de terceros y del decomiso autónomo (arts. 6 y 4, respectivamente).

Como aclara el Considerando (19) de la Directiva de 2014, los grupos delictivos realizan una amplia gama de actividades delictivas. Con objeto de hacer frente de forma eficaz a las actividades de la delincuencia organizada, pueden darse situaciones en las que convenga que, tras la resolución penal condenatoria, se proceda al decomiso, no solo de los bienes asociados con un determinado delito, sino también de los bienes adicionales que el órgano jurisdiccional determine que son producto de otros delitos. Esta medida se denomina "decomiso ampliado". La DM 2005/212/JAI disponía tres conjuntos distintos de requisitos mínimos que los Estados miembros podían elegir a efectos de aplicar el decomiso ampliado. De resultas de ello, durante el proceso de transposición de la citada DM, los Estados miembros han elegido opciones diferentes que han dado lugar a conceptos divergentes del decomiso ampliado en los ordenamientos jurídicos nacionales. Esta divergencia constituye un obstáculo para la cooperación transfronteriza en casos de decomiso. Por consiguiente, era necesario armonizar en mayor medida las disposiciones sobre el decomiso ampliado, fijando un único estándar mínimo, a lo que contribuye decididamente la Directiva de 2014.

---

[24] V. GASCÓN INCHAUSTI, *El decomiso transfronterizo… op. cit.*,, pp. 73 ss.

La reforma del CP operada por la LO 1/2015 extiende pues el decomiso ampliado *a otros supuestos* o conductas *en los que es frecuente que se produzca una actividad delictiva sostenida en el tiempo de la que pueden derivar importantes beneficios económicos (blanqueo y receptación, trata de seres humanos, prostitución, explotación y abuso de menores, falsificación de moneda, insolvencias punibles, delitos contra la hacienda pública y la seguridad social, corrupción en el sector privado, delitos informáticos, cohecho, malversación o delitos patrimoniales en casos de continuidad delictiva o multirreincidencia)*, pero omitiendo algunas tales como los delitos urbanísticos o de contrabando.

Por tanto, esta figura del decomiso ampliado, que se introdujo en el CP tras su reforma de 2010, en relación a delitos de terrorismo y aquellos cometidos por organizaciones o grupos terroristas, coincidiendo pues con el ámbito objetivo mínimo de la DM de 2005, sólo se aplicaba en relación a delitos cometidos en el seno de grupo u organización criminal[25]. A partir del art. 5.2 de la Directiva 2014/42, la LO 1/2015 amplia esta posibilidad al elenco de delitos del art. 127.bis 1, letras a) a r) de CP.

Así el art. 127 bis.1 del CP dispone que el juez o tribunal ordenará también el decomiso de los bienes, efectos y ganancias pertenecientes a una persona condenada por alguno de los siguientes delitos *cuando resuelva, a partir de indicios objetivos fundados, que los bienes o efectos provienen de una actividad delictiva, y no se acredite su origen lícito:*

a) Delitos de trata de seres humanos.

b) Delitos relativos a la prostitución y a la explotación sexual y corrupción de menores y delitos de abusos y agresiones sexuales a menores de dieciséis años.

c) Delitos informáticos de los apartados 2 y 3 del artículo 197 y artículo 264.

d) Delitos contra el patrimonio y contra el orden socioeconómico en los supuestos de continuidad delictiva y reincidencia.

e) Delitos relativos a las insolvencias punibles.

f) Delitos contra la propiedad intelectual o industrial.

---

[25]   Algunos autores pusieron de manifiesto que en el catálogo de delitos no figurara la corrupción. Así, QUINTERO OLIVARES, *"La reforma del comiso"*, en VVAA (dir. por QUINTERO OLIVARES), *La reforma penal de 2010. Análisis y comentarios*, Aranzadi, Navarra, 2010, pp. 107 y ss.; BLANCO CORDERO, *"Comiso ampliado y presunción de inocencia"*, en VVAA (dir, por PUENTE ALBA), *Criminalidad organizada, terrorismo e inmigración. Retos contemporáneos de la política criminal*, Comares, Granada, 2008, pp. 69 y ss.

g) Delitos de corrupción en los negocios.

h) Delitos de receptación del apartado 2 del artículo 298.

i) Delitos de blanqueo de capitales.

j) Delitos contra la Hacienda pública y la Seguridad Social.

k) Delitos contra los derechos de los trabajadores de los artículos 311 a 313.

l) Delitos contra los derechos de los ciudadanos extranjeros.

m) Delitos contra la salud pública de los artículos 368 a 373.

n) Delitos de falsificación de moneda.

o) Delitos de cohecho.

p) Delitos de malversación.

q) Delitos de terrorismo.

r) Delitos cometidos en el seno de una organización o grupo criminal.

A tales efectos, el art. 127 bis 2 del CP establece que se valorarán, especialmente, *entre otros, los siguientes indicios objetivos fundados,* o máximas contrastadas de procedencia ilícita de los bienes:

1.º La desproporción entre el valor de los bienes y efectos de que se trate y los ingresos de origen lícito de la persona condenada.

2.º La ocultación de la titularidad o de cualquier poder de disposición sobre los bienes o efectos mediante la utilización de personas físicas o jurídicas o entes sin personalidad jurídica interpuestos, o paraísos fiscales o territorios de nula tributación que oculten o dificulten la determinación de la verdadera titularidad de los bienes.

3.º Y, la transferencia de los bienes o efectos mediante operaciones que dificulten o impidan su localización o destino y que carezcan de una justificación legal o económica válida.

Por tanto, para decretar el decomiso ampliado, basta constatar, por un lado, una sentencia condenatoria por uno de los delitos del art. 127 bis.1 CP, que constituyen el ámbito objetivo de aplicación del decomiso ampliado. Y, además, la tenencia de bienes cuyo origen lícito no se pueda demostrar, por lo que estaríamos ante un incremento patrimonial no justificado[26]. No es preciso pues acreditar la relación entre el bien y el delito

---

[26] CORCOY BIDASOLO, "*Título VI. Las consecuencias accesorias...*", en *Comentarios..., op. cit.*, p. 447.

enjuiciado, sino que el auténtico objeto del debate contradictorio y de la motivación de esta potestad de decomiso ampliado es la existencia o no de un incremento patrimonial injustificado.

3. PRESUPUESTOS DEL DECOMISO AMPLIADO

En esta modalidad de decomiso excepcional en la que se obvia la necesidad de acreditar la actividad delictiva previa origen de los bienes o ganancias, lo único a acreditar, acumulativamente en todo caso a nuestro entender, es:

1º. Una sentencia de condena previa por alguno de los delitos del listado del art. 127.1 bis a) a r) del CP.

2º. Que el sujeto pasivo no acredite el origen lícito de los bienes, lo que supondrá que estamos ante un incremento patrimonial no justificado.

3º. Y, la existencia de un indicio fundado de la procedencia ilícita de los bienes.

La apreciación de estos tres presupuestos necesita algunas consideraciones adicionales, que exponemos a continuación.

3.1. La sentencia de condena previa

I. La posibilidad de un decomiso ampliado, posterior pues a la sentencia de condena, parece por tanto configurarse como un incidente de ejecución de la misma siempre, a nuestro entender, que tal posibilidad se haya previsto en dicha sentencia y su petición haya formado parte de la acusación y el debate previo a la misma.

En orden a la existencia de una sentencia condenatoria previa por alguno de los delitos del listado contenido en el art. 127.1 bis, hay que decir que respecto a ese delito no tiene por qué derivarse la ganancia ilícita de forma inmediata, ya que en dicho caso estaríamos ante un decomiso directo que se habría decretado en la misma sentencia.

Por otra parte, es posible que ya exista un decomiso previo y directo respecto a ese delito, lo cual en principio no impide el decomiso ampliado posterior sobre otros bienes y ganancias.

II. En cuanto a la existencia de indicios fundados sobre la proveniencia ilícita de los bienes, sobre la que tratamos a continuación, ello no implica que haya imputación judicial por un concreto delito ni causa penal abierta, aunque es importante que esa actividad delictiva no enjuiciada de la que provienen los bienes no haya prescrito, o que habiendo sido juzgada no haya sentencia absolutoria, o en su caso sobreseimiento libre con cosa juzgada (art. 127 bis 5).

La extinción de la responsabilidad criminal respecto a los hechos no enjuiciados impide el decomiso ampliado, lo que es un dato ilustrativo acerca de la naturaleza penal y no civil de esta figura. No pueden decomisarse bienes respecto a hechos prescriptos penalmente[27].

Y, por otra parte, la absolución o el sobreseimiento firme impiden igualmente el decomiso ampliado respecto de los hechos enjuiciados u objeto de archivo, exigencia derivada del principio *ne bis in ídem*.

El caso de sobreseimiento libre (con el efecto de cosa juzgada material negativo y por tanto sin posibilidad de reapertura de la causa), en cualquier caso entra pues en el genérico "sobreseimiento con fuerza de cosa juzgada"[28].

Y en el sobreseimiento provisional, respecto del que cabe un enjuiciamiento posterior si aparecen nuevos elementos probatorios, consideramos que sería posible el decomiso ampliado respecto a hechos sobreseídos provisionalmente, de manera que si realizado ese decomiso la causa se reabre y hay absolución, habría hay que someter el decomiso a una revisión. Y si se reabre la causa tras el decomiso y hay condena, habrá que proceder con arreglo a la regla de proporcionalidad de los decomisos.

Distintos de estos casos, son los relativos a causas penales suspendidas o archivadas por fallecimiento, extinción de la responsabilidad criminal o rebeldía, en los que cabría el decomiso autónomo.

3.2. *El indicio fundado de proveniencia ilícita y la inexistencia de acreditación de origen lícito. Consideración como presupuestos acumulativos*

I. Este requisito sobre la proveniencia ilícita de los bienes, entendemos que no es prescindible por el hecho de que no se aporte por el condenado la acreditación de la proveniencia lícita de los mismos, ya que en tal caso

---

[27]   Como acertadamente afirman MARCHENA GÓMEZ-GONZÁLEZ-CUÉLLAR, *La reforma...*, *op. cit.*, p. 501, si estuviésemos ante una institución civil y no ante una sanción penal, no vincularían las causas de extinción de la responsabilidad criminal, sino el plazo de prescripción de las acciones personales (art. 1964 CC).

[28]   V. RODRÍGUEZ GARCÍA, *El decomiso...*, *op. cit.*, p. 185.

estaríamos ante una auténtica inversión de la caga de la prueba, cosa que entendemos que no es así, como veremos a continuación.

Por tanto, del tenor literal del art. 127 bis.1 del CP, consideramos que se deduce la exigencia de dos requisitos acumulativos del decomiso ampliado. Por una parte, la existencia de sentencia de condena previa por alguno de los delitos de las letras a) a r) del citado precepto; y, por otra, la constatación de indicios fundados de la proveniencia delictiva de los bienes "y" que el sujeto pasivo no acredite el origen lícito de los mismos.

Según esto, la imposibilidad de acreditar el origen lícito o el incremento patrimonial justificado, por sí solo no justifica el decomiso ampliado, sino que resulta precisa la aportación de un indicio fundado, entre otros alguno de los previstos en el art. 127.bis.2 CP. Esta interpretación abunda en la naturaleza penal del decomiso ampliado, ya que en el mismo rige el principio acusatorio y la carga de acreditar el indicio objetivo y fundado de procedencia ilícita corresponde a las partes acusadoras.

Ahora bien, sí es cierto que existiendo tal indicio fundado, la única manera de desvirtuarlo será justificando el incremento patrimonial o la licitud de la procedencia del bien, es decir, que hubo financiación lícita y acreditada; o existencia de patrimonio, rentas, negocios o actividades lícitas capaces de justificar el patrimonio; o financiación o disfrute del bien de acuerdo a procedimientos propios del normal tráfico económico, con ausencia de opacidad en la tenencia y transmisión de bienes o capitales; o regularidad en las transferencias financieras en el extranjero, o inexistencia de movimientos excesivos o desproporcionados en dinero metálico, etc. Esto último, es decir, desvirtuar el indicio de procedencia ilícita, a nuestro modo de ver no es inversión de la carga de la prueba, tema sobre el que volveremos más adelante.

Obviamente, es este punto el de mayor complejidad en el tema. Es decir, la acreditación en torno al origen ilícito de los bienes a decomisar. Por una parte, si esa ilicitud es suficiente para vincular dichos bienes al delito enjuiciado, sin necesidad de acreditar que derivan de ese concreto comportamiento delictivo. Y, por otra, la prueba de la procedencia ilícita.

En la DM de 2005, se introdujo el criterio de la similitud entre los delitos, es decir, entre el llamado "delito base", del que derivan los bienes en cuestión, y que no es objeto ni de juicio ni de prueba, ni de condena, y el delito previamente enjuiciado. Con este criterio se pretendía facilitar la convicción del juez a la hora de declarar la ilicitud de cara a decretar el decomiso, hasta tal punto que no es preciso la prueba de la ilicitud de la procedencia de los bienes, sino sólo la similitud entre los hechos del delito base y los del delito objeto de condena, por ejemplo por la desproporción entre el patrimonio del sujeto y sus ingresos.

Por otra parte, queda claro por tanto que si no habiendo prescrito, el hecho indiciario no ha sido juzgado, cabe la posibilidad de que con posterioridad al decomiso ampliado el sujeto sea condenado por hechos que han servido antes como indicios para el decomiso. Así, el hecho de la ocultación de titularidad de un bien utilizando persona interpuesta, puede ser indicio para el decomiso ampliado respecto de un delito de trata de seres humanos. Pero además, ese hecho puede ser constitutivo de un delito de blanqueo (en realidad los supuestos 2º y 3º del art. 127 bis 1, son casos de blanqueo en su modalidad de autoblanqueo). Queda claro que el mismo hecho sirve como indicio para *castigar* un delito de trata mediante el decomiso ampliado, y como hecho constitutivo de un posible delito de blanqueo.

El hecho indiciario del decomiso, o catálogo abierto de indicios de proveniencia ilícita de los bienes, puede convertirse en hecho constitutivo de un delito, o de un catálogo abierto de delitos, y de unas causas penales autónomas, situación ante la cual cabe plantear algunas cuestiones.

A) En los casos de los apartados 2º y 3º del art. 127 bis 1, estamos ante hechos que pueden ser constitutivos del delito de blanqueo de capitales. Así, la ocultación de la verdadera titularidad de los bienes o de los derechos sobre los mismos, es conducta típica del art. 301 del CP, al igual que la transferencia de los bienes o efectos para dificultar o impedir la localización[29].

Es resaltable a nuestro modo de ver que los delitos de blanqueo y autoblanqueo, en lugar de ser objeto de una investigación y acusación autónomas, se "castigan" con un decomiso ampliado derivado de otro delito ya enjuiciado, sin necesidad de condena por delito de blanqueo (al menos en el momento del decomiso o antes de llevarlo a cabo), y con un funda-

---

[29] Téngase presente que la adquisición, posesión o utilización de estos bienes ilícitamente adquiridos, o su conversión o transmisión, tendría carácter delictivo si tuvieran como finalidad la ocultación o el encubrimiento de dicho origen ilícito, o el que ha participado en el delito del que provienen los bienes elude las consecuencias de sus actos. Esta es la posición que mantienen autores como FARALDO CABANA, *"Antes y después de la tipificación expresa del autoblanqueo de capitales"*, en Estudios penales y criminológicos, vol. XXXIV (2014), pp. 62 y ss., y bibliografía allí citada. Aunque no faltan quienes, de forma minoritaria, como apunta la autora, entienden que esos actos dispositivos de los bienes procedentes del delito se castigarían independientemente del fin perseguido siempre que se conozca la procedencia de tales bienes

mento que no es otro que una prueba indiciaria de la procedencia ilícita de los bienes.

Lo mismo se conseguiría investigando y acusando, y en su caso condenando, por el delito de blanqueo[30]. Entonces, deducimos que ese decomiso ampliado se efectúa para desligar al decomiso de la presunción de inocencia y de la carga de la prueba del proceso penal. Si esa era la intención, un buen entendimiento del carácter de sanción penal de la medida nos lleva a afirmar la equivocación del legislador.

B) Por otra parte, siendo el mismo hecho un indicio para decomisar y a su vez constitutivo de otro delito que nada tiene que ver con aquel por el que el decomiso se amplía, ¿es ello acorde con el principio *ne bis in ídem*? Efectivamente, algunos de estos indicios fundados pueden ser hechos constitutivos de un delito de blanqueo de capitales, lo que plantea el grave problema de la compatibilidad de la causa penal por tal delito con el decomiso ampliado desde la perspectiva del principio *ne bis in ídem*[31]. Creemos que se trata de bienes jurídicos distintos, de manera que con el decomiso ampliado se sanciona el delito previamente objeto de condena (por ejemplo, la salud pública en el tráfico de drogas), y con el posterior proceso por blanqueo se sanciona tutelando la administración de justicia o el orden socioeconómico.

Aún así, nos debemos plantear algunos interrogantes, que abordaremos en las páginas que siguen. Si el hecho indiciario es tenido como cierto para decomisar, ¿puede tenerse por no cierto como hecho constitutivo en relación al delito posteriormente enjuiciado? ¿Vincula desde el punto de vista de la cosa juzgada positiva, o prejudicialidad, al juez del segundo proceso? ¿Y a la inversa, si el hecho indiciario se descarta para decretar el decomiso ampliado, puede ser prueba del delito en un posterior enjuiciamiento?

¿Podemos hablar del indicio de proveniencia ilícita como de un hecho probado o no en relación a un proceso posterior, o el indicio lo es a los

---

[30]   Obviamente, en estos tipos delictivos no se precisa una condena previa por el delito previo, de forma que el autoblanqueo implica una suerte de delito de enriquecimiento ilícito, sin necesidad de una prueba directa del delito previo y con la posibilidad pues de condenar con base en indicios, posibilidad que, como apuntábamos antes, contemplan instrumentos internacionales como la Convención de Naciones Unidas de 1988, y ha sido reconocida también por la jurisprudencia. Al respecto, BLANCO CORDERO, *"Armonización. aproximación…"*, *op. cit.*, p. 369; RODRÍGUEZ GARCÍA, *El decomiso…*, *op. cit.*, p. 98.

[31]   VIDALES RODRÍGUEZ, *"Consecuencias accesorias…"*, op., cit., p. 398.

meros efectos prejudiciales de decomiso autónomo, sin perjuicio de una causa penal posterior en la que se enjuicien tales hechos?

C) Y en tercer lugar, en el supuesto de condena posterior por los hechos que previamente han justificado un decomiso ampliado ¿podrá aplicarse la previsión compensatoria de decomisos del art. 127 bis 4, que dispone que el juez de dicha causa valorará el alcance del decomiso anterior respecto al decomiso en el nuevo proceso?

Se trata de una compensación entre decomisos para la salvaguarda del principio de proporcionalidad, como dato de que efectivamente si no fuera así el mismo hecho se estaría sancionando dos veces, uno mediante el decomiso ampliado y otro mediante el nuevo proceso penal. Por tanto, con arreglo al art. 127 bis.4 CP, si posteriormente el condenado lo fuera por hechos delictivos similares cometidos con anterioridad, el juez o tribunal valorará el alcance del decomiso anterior acordado al resolver sobre el decomiso en el nuevo procedimiento (principio de proporcionalidad o compensación).

3.3. La acreditación de la procedencia ilícita. La supuesta inversión de la carga de la prueba y la presunción de inocencia

Como se afirma en la Exposición de Motivos de la LO 1/2015, *frente al decomiso directo y el decomiso por sustitución, el decomiso ampliado se caracteriza, precisamente, porque los bienes o efectos decomisados provienen de otras actividades ilícitas del sujeto condenado, distintas a los hechos por los que se le condena y que no han sido objeto de una prueba plena. Por esa razón, el decomiso ampliado no se fundamenta en la acreditación plena de la conexión causal entre la actividad delictiva y el enriquecimiento, sino en la constatación por el juez, sobre la base de indicios fundados y objetivos, de que han existido otra u otras actividades delictivas, distintas a aquellas por las que se condena al sujeto, de las que deriva el patrimonio que se pretende decomisar. Véase que la exigencia de una prueba plena determinaría no el decomiso de los bienes o efectos, sino la condena por aquellas otras actividades delictivas de las que razonablemente provienen.*

El decomiso ampliado no es una sanción penal, sino que se trata de una institución por medio de la cual se pone fin a la situación patrimonial ilícita a que ha dado lugar la actividad delictiva. Su fundamento tiene, por ello, una naturaleza más bien civil y patrimonial, próxima a la de figuras como el enriquecimiento injusto. El hecho de que la normativa de la Unión Europea se refiera expresamente a la posibilidad de que los tribunales puedan decidir el decomiso ampliado sobre la base de indicios, especialmente la desproporción entre los ingresos lícitos del sujeto y el pa-

trimonio disponible, e, incluso, a través de procedimientos de naturaleza no penal, confirma la anterior interpretación[32].

Por tanto, se argumenta por el Legislador que el decomiso ampliado es una figura ajena al régimen o sistema de sanciones penales, y más cercana al enriquecimiento injusto desde el punto de vista civil y patrimonial, lo que supone o justifica que la inversión de la carga de la prueba no afecta a la presunción de inocencia[33].

Continúa la citada Exposición de Motivos afirmando que *el decomiso ampliado permitirá a los jueces y tribunales, en los supuestos de condenas por delitos que normalmente generan una fuente permanente de ingresos, como ocurre con el tráfico de drogas, terrorismo o blanqueo de capitales, ordenar el decomiso de bienes y efectos del condenado procedentes de otras actividades delictivas, siempre que existan indicios objetivos fundados de la procedencia ilícita de los efectos decomisados (el subrayado es nuestro). La regulación contempla así una figura que se encuentra ya recogida por el Derecho comparado y que será de aplicación generalizada en el ámbito de la Unión Europea como consecuencia de la mencionada Directiva.*

Con la finalidad de facilitar la aplicación de esta figura, se opta por incluir un catálogo abierto de indicios que —entre otros posibles— deberán ser valorados por los jueces y tribunales para resolver sobre el decomiso: la ya mencionada desproporción entre el patrimonio del sujeto responsable de alguno de los delitos contenidos en el catálogo, y sus medios de vida lícitos; la ocultación intencionada de su patrimonio mediante la utilización de personas físicas o jurídicas o entes sin personalidad jurídica interpuestos, o mediante el recurso a paraísos fiscales; o su transferencia mediante operaciones que dificulten su localización o seguimiento, y que carezcan de justificación económica.

Además, según la Exposición de Motivos de la Ley 41/2015, de reforma de la LECRIM, *la regulación, por lo demás, es, como se ha afirmado en la jurisprudencia constitucional comparada, ajustada a los principios de culpabilidad y presunción de inocencia, pues no persigue reprochar al condenado la realización de un hecho ilícito, lo que sería propio de una pena, sino conseguir fines ordenadores del patrimonio y de corrección de una situación patrimonial ilícita derivada de un enriquecimiento injusto de origen delictivo; y el decomiso ampliado no presupone ni*

---

[32]   En parecidos términos, GIMENO SENDRA, *Manual de Derecho Procesal Penal*, Castillo de Luna ed. Jurídicas, Madrid, 2015, p. 510.

[33]   En este sentido, GIMENO SENDRA, *Derecho Procesal Penal*, 2ª ed., Aranzadi, Navarra, 2015, p. 727, se refiere a una inversión de la carga de la prueba, de suerte que no es la acusación, sino la defensa, a quien le incumbe la carga de acreditar la procedencia lícita de los bienes, efectos o ganancias.

conlleva una declaración de culpabilidad por la actividad delictiva desarrollada por el sujeto, pues el decomiso ni presupone tal declaración de culpabilidad ni es una pena. La regulación prevé, por ello, que si posteriormente el condenado lo fuera por hechos delictivos similares cometidos con anterioridad, el juez o tribunal deba valorar el alcance del decomiso anterior acordado al resolver sobre el decomiso en el nuevo procedimiento.

Estas líneas de las Exposiciones de Motivos transcritas, hablan pues de indicios objetivos fundados de que tales bienes proceden de actividad ilícita, que permitirán el decomiso ampliado como una consecuencia civil, siempre que no se acredite el origen lícito de los bienes. De tal manera que condenado el sujeto por algunos de los delitos del amplio elenco del art. 127.bis 1 CP, y constatados de manera fundada algunos de los indicios de origen ilícito de los bienes del art. 127. bis 2, se invierte la carga de la prueba de forma que será el acusado el que deba demostrar la licitud en la obtención u origen.

En definitiva, los fragmentos transcritos de la Exposición de Motivos de la LO 1/2015, y de la de la Ley 41/2015, nos refieren que la regulación del decomiso autónomo se ajusta a los principios de culpabilidad y presunción de inocencia, en el sentido de que dichos principios resultan irrelevantes porque no se busca el reproche penal, ni la declaración de culpabilidad ni una pena por el hecho que actúa como indicio del incremento patrimonial ilícito, sino evitar un enriquecimiento injusto que tiene un presunto origen delictivo.

Sin embargo, los textos mencionados hablan de dos cuestiones diferentes a nuestro entender. Por un lado, que no es preciso que exista condena sobre los hechos delictivos previos de los que directamente deriva el decomiso ampliado. Y, por otro, de la prueba o constatación del origen ilícito de los bienes a decomisar.

Y, obviamente, la mayor dificultad estriba en la segunda de las cuestiones, la acreditación de procedencia criminal o ilícita de los bienes, elemento esencial que ya apuntamos en páginas anteriores, y sobre el que tratamos a continuación.

Los indicios o hechos indiciarios del art. 127 bis 2 del CP, son presunciones legales *iuris tantum* o prueba por indicios, es decir, se estima como cierto un hecho que no es objeto de prueba directa (hecho presunto —de un posible delito base—, que es la procedencia ilícita del bien), por la certeza de otro hecho (el indicio, en este caso los tres previstos, entre otros, en el art. 127 bis.2 CP). La prueba recae pues en el indicio, de manera que demostrado el mismo de forma fundada y objetiva, se tendrá como cierta la procedencia ilícita del bien a efectos de decretar su decomiso.

Ello sin perjuicio de que el sujeto pasivo tenga la carga de demostrar el origen lícito. Por tanto, la parte acusadora no tiene la carga de demostrar la relación entre el bien y el delito enjuiciado, sino de demostrar y aportar el indicio de procedencia ilícita del bien; y la parte acusada, o pasiva en general, tendrá la carga de demostrar la licitud de tal procedencia. En tal caso, nos encontramos ante la prueba en contrario, es decir, la prueba sobre el origen lícito, teniendo en cuenta además la vigencia en todo caso de las reglas de valoración probatoria, y fundamentalmente de la regla *in dubio pro reo*, de manera que si hay duda del hecho indiciario con o sin la prueba de lo contrario por el acusado, el juez deberá desestimar la procedencia del decomiso ampliado.

Por tanto, en puridad, no estamos ante una inversión de la carga de la prueba, que sería contraria a la presunción de inocencia. Como afirmábamos antes, la necesidad de probar el indicio base de la presunción legal por la acusación es el elemento fundamental en este decomiso ampliado, del cual no puede prescindirse aunque el sujeto pasivo no acredite la licitud. Así, como apunta acertadamente GASCÓN INCHAUSTI[34], no estamos ante un sistema de inversión de carga de la prueba, ya que en puridad el decomiso depende de una presunción legal y de la prueba de un indicio independientemente de que la parte pasiva ostente la carga de la contraprueba respecto a tal indicio, a efectos de evitar que el juez lo tenga por cierto y ello suponga un efecto perjudicial para el sujeto, que no es otro que el decomiso de los bienes, rompiendo pues el nexo entre el indicio (catálogo del art 127 bis 2 CP) y el hecho presunto (procedencia ilícita).

---

[34]   GASCÓN INCHAUSTI, *El decomiso transfronterizo…*, *op. cit.*, pp. 88 a 90; IDEM, "*Decomiso, origen ilícito de los bienes y carga de la prueba*", en VVAA (coord. por ROBLES GARZÓN y ORTELLS RAMOS), *Problemas actuales del proceso iberoamericano*, vol I, pp. 587 y ss.; PÉREZ CEBADERA, "*Presunción de inocencia y decomiso: ¿es necesario establecer una presunción legal para probar el origen lícito de los bienes?*", en VVAA (coord. por DE LA OLIVA, AGUILERA MORALES, y CUBILLO LÓPEZ), *La justicia y la Carta de derechos fundamentales de la Unión Europea*, 2008, pp. 71 y ss.; IDEM, "*La prueba del origen ilícito de los bienes y el decomiso ampliado*", en VVAA (dir, por GONZÁLEZ-CUÉLLAR), *Problemas actuales de la justicia penal*, Colex, Madrid, 2013, p. 379. En parecidos términos, RODRÍGUEZ PUERTA, "*La política europea en materia de comiso*", en VVAA (coord., por TAMARIT SUMALLA), *Las sanciones penales en Europa*, Aranzadi, Navarra, 2009, pp. 399 y ss.; MARCHENA GÓMEZ. GONZÁLEZ-CUÉLLAR SERRANO, *La reforma…*, *op. cit.*, p. 495 y 496.

Existen dos sistemas en orden a decretar el decomiso posterior a una sentencia de condena. En primer lugar, países como Reino Unido, Austria, Suiza, Alemania o Francia, optan por establecer un sistema de presunciones sobre el origen de los bienes, que admite prueba en contrario, y en los que podríamos hablar con más rigor de inversión de la carga de la prueba[35].

Sin embargo, en otros Estados, como Australia, Italia, Holanda o Estados Unidos, se exige que la acusación alcance un grado de probabilidad sobre el origen ilícito de los bienes, es decir, la demostración de que es más probable que los bienes sean de origen ilícito a que no lo sean, un estándar de probabilidad de origen ilícito cuya desvirtuación corresponde al condenado.

A nuestro entender, este último es el sistema por el que se opta en nuestro ordenamiento. Por todo ello, consideramos que realmente no estamos ante una institución de naturaleza civil ajena a las garantías del proceso penal, ya que la procedencia ilícita de los bienes debe responder a la íntima convicción judicial según la prueba de cargo sobre un indicio de ilicitud establecido en presunciones legales. Esta es la interpretación más acorde con el principio de presunción de inocencia desde el punto de vista de la carga de la prueba.

Ciertamente, existen pronunciamientos del Tribunal Europeo de Derechos Humanos (en adelante TEDH) que defienden que en el decomiso cabe establecer la regla de la inversión de la carga de la prueba, sin que ello implique vulneración del principio de presunción de inocencia. Pero el establecimiento de estas normas especiales sobre prueba, depende, como dice el propio TEDH, de si con el decomiso estamos, con arreglo al Derecho interno, ante una consecuencia jurídico-penal y ante un proceso penal. Evidentemente, si el decomiso no es una sanción penal ni se exige un proceso penal para su imposición, es perfectamente asumible esta regla de la inversión de la carga de la prueba. Así, la STEDH de 5 de julio de 2001 (caso Phillips c. Reino Unido, sobre la *Drug Trafficking Act de 1994*), referida al ordenamiento del Reino Unido[36]. El TEDH concluyó en este caso que

---

[35] Existen ordenamientos en los que incluso se establece el decomiso respecto de bienes a disposición de la organización terrorista o criminal, procedentes de su actividad y sin necesidad de probar su origen ilícito, como sucede en el CP austriaco o en el CP suizo: v. BLANCO CORDERO, *"Armonización. aproximación…"*, *op. cit.*, p. 37; IDEM, *"Comiso ampliado y presunción de inocencia…"*, *op. cit.*, pp. 69 y ss.

[36] El Sr. Phillips fue condenado por contrabando de marihuana. En el procedimiento de decomiso se concluyó que el condenado se había beneficiado por el tráfico de drogas,

el tema venía regido por un procedimiento de naturaleza civil[37], basado en presunciones que admiten prueba en contrario, por lo que la inversión de la carga de la prueba no contrariaba la presunción de inocencia recogida en el art. 6.2 del CEDH[38].

Sin embargo, en relación al Derecho español, el TC no duda en afirmar que para la imposición del decomiso es preciso el respeto de las garantías del proceso penal (así, entre otras, la STC 123/1995, de 18 de julio, la STC 169/1998, de 21 de julio y la STC 220/2006, de 3 de julio)[39].

Por tanto, partiendo de lo expuesto, cabe preguntarse si el decomiso ampliado basado en presunciones legales vulnera el derecho a la presunción de inocencia y el derecho a no declarar contra sí mismo ¿Se modifica la regla de la carga probatoria de la acusación? En este punto deben realizarse algunas consideraciones.

---

contando con un patrimonio que no se correspondía con ninguna fuente legal de ingresos ni de ganancias lícita, por lo que se entendió que era probable que se había beneficiado del narcotráfico. La defensa argumentó que el decomiso en cuestión era una pena, por lo que su imposición debía estar rodeada de las garantías del proceso penal, entre ellas la presunción de inocencia, tal y como establecía la STEDH de 9 de febrero de 1995 (caso *Welch c. Reino Unido*). De esta manera, el decomiso de bienes adquiridos antes de la condena equivalía, según la defensa, a aplicar una pena por conductas por las que ni siquiera se había acusado.

[37]   En Reino Unido, la *Proceeds of Crime Act* de 2002 regula la acción de naturaleza civil contra el condenado por determinados delitos, a fin de comprobar la desproporción de su patrimonio respecto a las ganancias ilícitas, a través de la comprobación de indicios (Parte IV, secciones 156, 177 y 178). Ya desde 1986, las leyes británicas contra el narcotráfico establecían esta posibilidad.

[38]   El TEDH entiende que el decomiso ampliado no implica una sanción por un delito distinto al previamente enjuiciado. En definitiva, si el decomiso ampliado puede recaer sobre bienes que no proceden del delito enjuiciado —decomiso directo—, sino de otros que eventualmente se han cometido y que no son objeto de prueba, ello no significa necesariamente que este decomiso suponga la imputación de un delito. Ello dependerá de un dato fundamental, la naturaleza del procedimiento en el que se decrete ese decomiso, que no es un procedimiento penal en cuanto no está dirigido al enjuiciamiento de un delito, sino a constituir una especie de incidente de ejecución de la condena previa. Entre otras, SSTEDH *Phillips c. Royaume-Uni*, de 12 de diciembre de 2001, *Harry Van Offeren c. The Netherlands*, de 5 de julio de 2005, *Geerings c. The Netherlands*, de 1 de marzo de 2007, o *Grayson & Barnham c. Reino Unido*, de 23 de septiembre de 2008. V. CHOCLÁN MONTALVO, *El patrimonio criminal...*, op. cit., pp. 25 y ss.; JORGE, *Recuperación de activos...*, op. cit., pp. 67 y ss.

[39]   Una detallada exposición de la jurisprudencia del TC al respecto en, RODRÍGUEZ GARCÍA, *El decomiso...*, op. cit., p. 174. Igualmente, PLANCHADELL GARGALLO, *"La regulación del decomiso en la Ley de Enjuiciamiento Criminal ¿complemento necesario al Código Penal?"*, en Revista de Derecho y proceso penal, nº 46, abril-junio 2017, pp. 30 y ss.

Por una parte, tal y como veíamos anteriormente, el hecho presunto (presunción legal o judicial) es un hecho constitutivo, no de un delito que esté ya enjuiciado o se esté enjuiciando, pero sí de una situación que conlleva una consecuencia jurídico-penal sancionadora prevista en el CP, y a decidir en un proceso penal, por lo que el proceso para su debate y decisión debe estar regido por las garantías del proceso penal. La carga de la prueba en la presunción legal recae claramente sobre la acusación, que deberá demostrar el indicio, con la consiguiente facultad de contraprueba de la defensa.

Pero recuérdese que los indicios no están tasados en la ley (presunciones legales). Los indicios y las presunciones legales de origen ilícito de los bienes del art. 127 bis 2 no constituyen un catálogo cerrado, a modo de numerus clausus (*se valorarán, especialmente, entre otros, los siguientes indicios…*); sino que caben también presunciones judiciales, técnica que ha sido avalada por la jurisprudencia española, en orden a lograr la convicción judicial a partir de indicios, es decir conectando el indicio con el hecho presunto[40]. En este caso no hay un indicio legalmente descrito y previsto, pero el mecanismo de la presunción y la posible contraprueba del indicio es el mismo.

Es cierto que para la acusación la tarea es más fácil contando con presunciones legales, con un catálogo tasado de indicios preestablecidos en la ley, ya que con ello conectarán más cómodamente el indicio con el hecho presunto. Pero también hay que tener presente que para la defensa el hecho de conocer los posibles indicios a utilizar por la acusación puede facilitar su estrategia, le aporta mayor seguridad y evita situaciones de posible indefensión.

De ahí que, según nuestro parecer, la admisibilidad de presunciones legales en este punto depende de dos requisitos esenciales. Por una parte, el carácter *iuris tantum* de la presunción de procedencia ilícita de los bienes, de manera que la carga probatoria del hecho indiciario recae en la acusación, con la posibilidad de la defensa de desvirtuar tanto el indicio como el hecho presunto a través de la prueba de lo contrario.

Y, por otra, la propia construcción legal de los hechos indiciarios en la Ley, que deben ser claros, y que no den pie a la ambigüedad, sino que permitan conexiones directas entre el indicio y el hecho presunto de la procedencia ilícita de los bienes.

---

[40] GASCÓN INCHAUSTI, *El decomiso transfronterizo…*, *op. cit.*, p. 87; RODRÍGUEZ GARCÍA, *El decomiso…*, *op. cit.*, p. 179 y ss.

BIBLIOGRAFÍA

AGUADO CORREA, María Teresa, "La Directiva 2014/42/UE sobre embargo y decomiso en la Unión Europea: una solución de compromiso a medio camino", Iustel, *Revista General de Derecho Europeo*, núm. 35, 2015, pp. 2 y ss.

BERNARDI, Alessandro, "I principi di sussiediarietà e di legalità del diritto penales europeo", en MIR PUIG, Santiago y CORCOY BIDASOLO, María Luisa (Dirs.), *Garantías constitucionales y Derecho Penal europeo*, Marcial Pons, Madrid, 2008, pp. 39 y ss.

BLANCO CORDERO, Isidoro, "Comiso ampliado y presunción de inocencia", en PUENTE ABA, Luz María, ZAPICO BARBEITO, Mónica y RODRÍGUEZ MORO, Luis (Coords.), *Criminalidad organizada, terrorismo e inmigración. Retos contemporáneos de la política criminal*, Comares, Granada, 2008, pp. 69 y ss.

BLANCO CORDERO, Isidoro, "Armonización-aproximación de las legislaciones de la UE en materia de lucha contra los productos del delito: comiso, organismos de recuperación de activos y enriquecimiento ilícito", en ARANGÜENA FANEGO, Coral (Dir.), *Espacio europeo de libertad, seguridad y justicia: últimos avances en cooperación judicial penal*, Valladolid, 2010, pp. 351 y 352.

CHOCLÁN MONTALVO, José Antonio, *El patrimonio criminal. Comiso y pérdida de la ganancia*, Dykinson, Madrid, 2001, pp. 25 y ss.

CUCARELLA GALIANA, Luis-Andrés, "La reforma del Código Penal, decomiso de los bienes o efectos procedentes del delito y destrucción y realización anticipada de efectos judiciales", Iustel, *Revista General de Derecho Procesal*, núm. 36, 2015, pp. 1 y ss.

DE HOYOS SANCHO, Montserrat, "El principio de reconocimiento mutuo de resoluciones penales en la Unión Europea: ¿asimilación automática o correspansabilidad?", *Revista de Derecho Comunitario*, núm. 22, 2005, pp. 807 y ss.

DONAIRE VILLA, Francisco Javier, "¿De qué hablamos cuando hablamos de coordinación en el ámbito de la UE y por tanto del espacio europeo de libertad, seguridad y justicia?", en DONAIRE VILLA, Francisco Javier y OLESTI RAYO, Andreu (Coords.), *Técnicas y ámbitos de coordinación en el espacio europeo de libertad, seguridad y justicia*, Marcial Pons, Madrid, 2015, pp. 15 y ss.

FARALDO CABANA, Patricia, "Antes y después de la tipificación expresa del autoblanqueo de capitales", *Estudios penales y criminológicos*, vol. 34, 2014, pp. 62 y ss.

GASCÓN INCHAUSTI, Fernando, "Cooperación judicial y decomiso de bienes en la Unión Europea", en ARMENTA DEU, María Teresa (Dir.), *El Derecho procesal penal en la Unión Europea: tendencias actuales y perspectivas de futuro*, 2006, pp. 209 y ss.

GASCÓN INCHAUSTI, Fernando, "Decomiso, origen ilícito de los bienes y carga de la prueba", en ROBLES GARZÓN, Juan Antonio y ORTELLS RAMOS, Manuel (Coords.), *Problemas actuales del proceso iberoamericano*, vol. I, 2006, pp. 587 y ss.

GASCÓN INCHAUSTI, Fernando, *El decomiso transfronterizo de bienes*, Colex, Madrid, 2007, pp. 16 y 73-90.

GASCÓN INCHAUSTI, Fernando, "Las nuevas herramientas procesales para articular la política criminal de decomiso total: la intervención en el proceso penal de terceros afectados por el decomiso y el proceso para el decomiso autónomo de los bienes y productos del delito", Iustel, *Revista General de Derecho Procesal*, núm. 38, 2016, p. 2.

GIMENO SENDRA, José Vicente, *Manual de Derecho Procesal Penal*, Castillo de Luna ed. Jurídicas, Madrid, 2015, p. 510.

GIMENO SENDRA, José Vicente, *Derecho Procesal Penal*, Aranzadi, Navarra, 2015, p. 727.

GONZÁLEZ CANO, María Isabel, *El decomiso como instrumento de la cooperación judicial en la Unión Europea y su incorporación al proceso penal español*, Tirant lo Blanch, Valencia, 2016.

GONZÁLEZ CUSSAC, José Luis, "Decomiso y embargo de bienes", *Boletín de información del Ministerio de Justicia*, año 60, núm. extra, 2015, pp. 13 y ss.

GONZÁLEZ LÓPEZ, Juan José, "Ejecución de resoluciones de decomiso", en JIMENO BULNES, Mar (Coord.), *La cooperación judicial civil y penal en el ámbito de la Unión Europea: instrumentos procesales*, Bosch Procesal, Barcelona, 2007, p. 373.

JIMÉNEZ-VILLAREJO FERNÁNDEZ, Francisco, "Novedades legislativas en materia de decomiso y recuperación de activos", *Revista de Derecho Penal*, núm. 34, 2011, pp. 91 y ss.

JORGE, Guillermo, *Recuperación de activos de la corrupción*, Editores Del Puerto, Buenos Aires, 2008, pp. 67 y ss.

MARCHENA GÓMEZ, Manuel y GONZÁLEZ-CUÉLLAR SERRANO, Nicolás, *La reforma de la Ley de Enjuiciamiento Criminal en 2015*, Castillo de Luna ed. jurídicas, Madrid, 2015, pp. 442 y 443.

MORÁN MARTÍNEZ, Rosa Ana, "*El decomiso: regulación en la Unión Europea y estado de su aplicación en España*", en ARANGÜENA FANEGO, Coral (Dir.), *Espacio europeo de libertad, seguridad y justicia: últimos avances en cooperación judicial penal*, Valladolid, 2010, pp. 382 y ss.

MUERZA ESPARZA, Julio, *Las reformas procesales penales de 2015. Nuevas medidas de agilización, de investigación y de fortalecimiento de garantías en la justicia penal*, Aranzadi, Pamplona, 2015, p. 128.

PÉREZ CEBADERA, María Ángeles, "Presunción de inocencia y decomiso: ¿es necesario establecer una presunción legal para probar el origen lícito de los bienes?", en DE LA OLIVA SANTOS, Andrés, AGUILERA MORALES, Marien y CUBILLO LÓPEZ, Ignacio (Coords.), *La justicia y la Carta de derechos fundamentales de la Unión Europea*, 2008, pp. 71 y ss.

PÉREZ CEBADERA, María Ángeles, "La prueba del origen ilícito de los bienes y el decomiso ampliado", en GONZÁLEZ-CUÉLLAR SERRANO, Nicolás (Dir.), *Problemas actuales de la justicia penal*, Colex, Madrid, 2013, p. 379.

PLANCHADELL GARGALLO, Andrea, "La regulación del decomiso en la Ley de Enjuiciamiento Criminal ¿complemento necesario al Código Penal?", *Revista de Derecho y proceso penal*, núm. 46, abril-junio, 2017, pp. 30 y ss.

QUINTERO OLIVARES, Gonzalo, "La reforma del comiso", en QUINTERO OLIVARES, Gonzalo (Dir.), *La reforma penal de 2010. Análisis y comentarios*, Aranzadi, Navarra, 2010, pp. 107 y ss.

RODRÍGUEZ GARCÍA, Nicolás, *El decomiso de activos ilícitos*, Aranzadi, Pamplona, 2017, pp. 72 y ss., 160 y ss., y 245 y ss.

RODRÍGUEZ PUERTA, María José, "La política europea en materia de comiso", en TAMARIT SUMALLA, Josep María (Coord.), *Las sanciones penales en Europa*, Aranzadi, Navarra, 2009, pp. 399 y ss.

VIDALES RODRÍGUEZ, Catalina, "Consecuencias accesorias: decomiso (arts. 127 a 127 octies)", en GONZÁLEZ CUSSAC, José Luis (Dir.), *Comentarios a la reforma del Código Penal de 2015*, Tirant lo Blanch, Valencia, 2015, pp. 391 y 398.

WOODS, Lorna, WATSON, Philippa e COSTA, Marios, *Steiner & Woods EU Law*, Oxford University Press, Glasglow, 2017.

Capítulo XIV

Difícil equilibrio entre seguridad y salvaguarda del derecho a la protección de datos personales en la prevención, investigación y represión de delitos en la Unión Europea

ESTHER PILLADO GONZÁLEZ

Catedrática de Derecho Procesal
Universidad de Vigo

1. CONSIDERACIONES PREVIAS SOBRE LA COOPERACIÓN PENAL Y POLICIAL EN EL ÁMBITO DE LA UE

Uno de los grandes logros de la UE ha sido, sin duda, la libre circulación de personas, bienes y servicios en el espacio europeo, haciendo desaparecer los controles de las fronteras interiores entre los EEMM; ahora bien, este nuevo escenario exigía reforzar la seguridad interior con el objeto de evitar que la misma fuera utilizada de forma ilícita y facilitase tanto la comisión de delitos como la sustracción de la acción de la justicia. De ahí la necesidad de reforzar la cooperación judicial y policial para la persecución y prevención de la delincuencia. Sin embargo, el avance en materia de cooperación judicial penal y policial en el ámbito comunitario no ha sido tarea fácil[1]; muestra de ello es que el Tratado de la Unión Europea firmado en Maastrich el 2 de febrero de 1992 permitió la incorporación de los asuntos de justicia e interior en la recién creada UE, pero su regulación en el título VI TUE fue muy deficiente, al quedar integrada en el tercer pilar de la UE lo que suponía su exclusión del ámbito comunitario y de la competencia del TJUE. Ya en el Tratado de Amsterdam, firmado el 2 de octubre de 1997, se incluye el Espacio de Libertad y Justicia como un objetivo de la UE definido en su artículo 2, de tal manera que la cooperación en materia penal y policial se comunitariza pero se preveía para esta materia un procedimiento legislativo específico en el que los EEMM debían decidir por unanimidad, previa consulta no vinculante al Parlamento Europeo. A esto se añadían las escasas competencias que asumía el TJUE en estas materias.

La situación descrita cambia a partir de los Tratados de Niza (firmado el 26 de febrero de 2001) y, sobre todo, de Lisboa (firmado el 13 de diciembre de 2007) puesto que aquí ya puede hablarse de la plena comunitarización de la cooperación judicial penal y policial; se prevé para esta materia el procedimiento legislativo ordinario en el ámbito europeo, esto es, el de codecisión que supone la aprobación por mayoría cualificada de los EEMM en el Consejo de la UE, acompañada de la aprobación de ese mismo texto por el Parlamento Europeo. A esto se añade, además, que tanto la Comisión Europea como el TJUE asumen plenas competencias en esta materia de tal forma que la primera podrá llevar ante el TJUE a los EEMM en el supuesto de falta o deficiente trasposición de las normas europeas en la materia. Sin duda, desde este momento, los avances en materia de cooperación judicial penal y policial serán evidentes.

---

[1]   Como antecedente de la cooperación en asuntos de justicia e interior se debe hacer referencia al Grupo TREVI (abreviatura de terrorismo, radicalismo, extremismo y violencia internacional) creado por el Consejo Europeo de Roma de 1975, que reunía a los Ministros de Justicia e Interior de los Estados miembros para tratar cuestiones de su competencia, especialmente la relativa a orden público.
Vid. GONZÁLEZ VIADA, Natacha, *Derecho Penal y globalización. Cooperación penal internacional*, Madrid, 2009, pp. 118 y ss.

2. CESIÓN DE DATOS EN EL ÁMBITO DE LA COOPERACIÓN JUDICIAL Y POLICIAL

Los distintos organismos comunitarios, ante la existencia de un espacio de libre circulación de personas, mercancías y servicios, pronto fueron conscientes de la necesidad de coordinar toda la información de las policías que intervenían en el control de la frontera única exterior; por ese motivo, ya en 1990, y en relación al espacio Schengen[2], se creó un sistema de intercambio de datos de identificación de personas y descripción de objetos buscados (Sistema de Información Schengen)[3] con el objetivo de facilitar la persecución y prevención de la delincuencia en el espacio europeo[4].

Pero sin duda, el punto de inflexión que llevó a reforzar la cooperación en materia de transmisión de información entre los EEMM, incluidos los

---

[2] Como es bien sabido, Schengen surge al margen de la UE a través del Acuerdo de 14 de junio de 1985 entre los Gobiernos de los Estados de la Unión Económica Benelux, de la República Federal de Alemania y de la República Francesa, relativo a la supresión gradual de los controles en las fronteras comunes.
La desaparición de fronteras exteriores exigía reforzar la cooperación judicial y policial para la persecución y la prevención de la delincuencia. Por ese motivo se firma el 19 de junio de 1990, el Convenio de Aplicación del Acuerdo de Schengen de 14 de junio de 1985 entre los Gobiernos de los Estados de la Unión Económica Benelux, de la República Federal de Alemania y de la República Francesa, relativo a la supresión gradual de los controles en las fronteras comunes. El objetivo del mismo era la regulación de medidas compensatorias destinadas a garantizar un espacio único de seguridad y justicia tras la desaparición de los controles en las fronteras interiores entre los Estados participantes.
Schengen se integra a la UE a través de un Protocolo que se agrega al Tratado de Amsterdam en 1997 en el que se incorporaron todas las disposiciones necesarias para lograr que la UE se constituya en un espacio de libertad, seguridad y justicia fijado como objetivo en el Tratado.

[3] La UE, consciente de la utilidad del Sistema de información Schengen lo actualizó y mejoró mediante el Sistema de Información Schengen II, que fue creado y regulado por el Reglamento (CE) nº 1987/2006, de 28 de diciembre de 2006; además, el Reglamento nº 1273/2012 del Consejo de 20 de diciembre de 2012 reguló la migración del Sistema de Información de Schengen (SIS I) al Sistema de Información de Schengen (SIS II).

[4] Más tarde se van creando otros órganos e instituciones así como instrumentos normativos que refuerzan la cooperación judicial penal y policial y que suponen cesión de datos en la lucha contra la delincuencia en el espacio europeo. Entre ellos, destaca, a los efectos que aquí interesan, Europol (Convenio de 26 de julio de 1995 por el que se crea una oficina europea de policía) cuyos miembros colaboran con las policías nacionales de los EEMM en la prevención de represión delictiva, recabando, analizando y compartiendo información.

datos personales, fueron los atentados acaecidos el 11 de septiembre 2001 en Nueva York, y sobre todos, los vividos en suelo europeo unos años más tarde; en concreto, los sufridos en Madrid el 11 de marzo de 2004 y en Londres, el 7 de julio de 2005. Se trataba, en todos los casos, de atentados perpetrados por organizaciones terroristas transnacionales que exigían una reacción cohesionada por parte de los EEMM en la que era crucial la transmisión de la información recabada por cada uno de ellos.

Es obvio que los EEMM tenían que aunar esfuerzos para luchar contra ese tipo de terrorismo, de ahí la necesidad de reforzar la cooperación policial y judicial, siendo fundamental para la efectividad de la prevención y persecución delictiva, el intercambio de la información entre todos ellos. Ahora bien, este intercambio de información no puede realizarse sin el debido respeto a los derechos fundamentales de los ciudadanos, en concreto el derecho a la intimidad y a la protección de datos de carácter personal.

Ambos derechos fundamentales, además de estar reconocidos en los textos constitucionales de los EEMM, también aparecen incluidos en los arts. 7 y 8 CDFUE que se refieren, respectivamente, al respeto a la vida privada y familiar y a la protección de datos de carácter personal[5]. Como la mayoría de los derechos fundamentales, tampoco los citados tienen carácter absoluto, sino que pueden verse limitados o restringidos en la medida en que así lo requiera la salvaguarda de otro derecho o interés protegido constitucionalmente; es lo que ocurre con la persecución y prevención de delitos que garantizan la seguridad de los ciudadanos, reconocida de forma expresa en el art. 6 CDFUE.

Por supuesto, la limitación de los derechos a la privacidad y protección de datos personales en los casos de persecución y prevención de las infracciones penales debe estar prevista de forma expresa por el legislador, con adecuación y proporcionalidad a la vista del fin perseguido, centrado en el mantenimiento de la seguridad en el espacio de libertad, seguridad y justicia tal como se ha configurado en el Tratado de Funcionamiento de la UE.

A lo largo de estas páginas se expondrá la gran dificultad con la que se ha encontrado el legislador europeo a la hora de establecer un equilibrio entre la seguridad y el respeto a los derechos a la intimidad y a la protección de datos personales de los ciudadanos; más aún en la sociedad actual

---

[5]   Por su parte, el art. 8 CEDH reconoce también el derecho a la vida privada; además, el TEDH desde el caso Leander (STEDH de 26 de marzo de 1987) entendió incluido en su ámbito, el derecho a la protección de datos personales.

donde las nuevas tecnologías permiten acumular, tratar y ceder datos personales de forma masiva y con gran facilidad y rapidez.

3. PRINCIPIO DE DISPONIBILIDAD COMO PIEZA CLAVE DE LA CESIÓN DE DATOS PERSONALES EN LA COOPERACIÓN PENAL Y POLICIAL

3.1. Introducción del principio de disponibilidad

Como se ha apuntado anteriormente, los atentados de Madrid y Londres generaron entre la población europea una enorme consternación alarma social; en este contexto de preocupación y temor, en los meses siguientes a los citados atentados, tanto el Consejo Europeo como la Comisión Europea abogaban por la necesaria mejora de la transmisión de datos entre los EEMM para facilitar la lucha contra el terrorismo. Muestra de ello es que, el 25 de marzo de 2004, el Consejo aprobó una *Declaración sobre lucha contra el terrorismo*[6], que destacaba la conveniencia de simplificar el intercambio de información entre las fuerzas de seguridad de los EEMM. Por su parte, la Comisión Europea presentó sendas Comunicaciones al Parlamento Europeo y al Consejo para *Reforzar la cooperación policial y aduanera de la UE*, de 18 de mayo de 2004[7], y *Sobre mejora del acceso a la información por parte de las autoridades encargadas de garantizar el cumplimiento de la Ley de 16 de junio de 2004*[8]. Especialmente relevante en la materia que nos ocupa es esta segunda Comunicación que resalta "la vulnerabilidad de la Unión frente a la amenaza de la actividad terrorista" y la necesidad de "perfeccionar el intercambio de información entre todas las autoridades encargadas de garantizar el cumplimiento de la ley, es decir, no sólo entre las autoridades policiales, sino también las autoridades aduaneras, las unidades de Inteligencia financiera, las autoridades judiciales y fiscales y demás organismos públicos que participan en el proceso que se extiende desde la detección precoz de amenazas a la seguridad y de los delitos hasta la condena y el castigo de los culpables".

El objetivo de esta Comunicación es "crear una política europea de información destinada a las autoridades encargadas de garantizar el cum-

---

[6]   Declaración de Bruselas de 25 de marzo de 2004.
[7]   COM (2004) 376 final.
[8]   COM (2004) 429 final.

plimiento de la ley"; dentro de la misma se incluye, como un elemento esencial, el "derecho de acceso equivalente a datos" que permitirá a las autoridades y funcionarios encargados de garantizar el cumplimiento de la ley "acceder a datos y bases de otros Estados miembros en condiciones comparables a las de las autoridades y funcionarios nacionales competentes". Este derecho se plasmará meses más tarde en el *Programa de la Haya* como principio de disponibilidad, aunque con un alcance más limitado[9].

En efecto, el Consejo Europeo refrendó los días 4 y 5 de noviembre de 2004 el *Programa plurianual de La Haya de Consolidación del espacio de libertad, seguridad y justicia,* en el que se recoge de forma expresa la necesidad de mejorar el intercambio de información entre autoridades policiales[10]. En concreto, de los cuatro apartados en que se divide el Programa, el segundo, rubricado "Consolidación de la seguridad" se refiere, entre otras cuestiones, no sólo a la mejora del intercambio de información, como se acaba de apuntar, sino también a la prevención y lucha contra el terrorismo y a la cooperación policial.

Precisamente con el objetivo de facilitar el intercambio de datos para una mejor y más eficaz cooperación policial, se introduce el principio de disponibilidad, que se convertirá en pieza clave en el intercambio de información entre los EEMM de la UE. En concreto, de acuerdo con el apartado 2.1 del Programa de la Haya, es necesario un planeamiento innovador del intercambio transfronterizo de información policial que "deberá regirse, con sujeción a las condiciones que se exponen a continuación, respecto del principio de disponibilidad, lo que significa que, en todo el territorio de la Unión, un funcionario de policía de un Estado miembro que necesite información para llevar a cabo sus obligaciones pueda obtenerla de otro Estado miembro y que el organismo policial del otro Estado miembro que posea dicha información la facilitará para el propósito indicado, teniendo en cuenta el requisito de las investigaciones en curso en dicho Estado".

---

[9]   Como señala con acierto FIODOROVA ("La transmisión de información personal y datos personales en la Unión Europea para fines de investigación de delitos", en *La transmisión de datos personales en el seno de la cooperación judicial penal y policial en la Unión Europea* (dir. Colomer), Pamplona, 2015, p. 131) "A diferencia del principio equivalente, que incluía el deber de recabar la información que no estuviera directamente disponible, el principio de disponibilidad se limita a la información accesible de forma inmediata para la autoridad requerida".

[10]   Programa de La Haya. Consolidación de la Libertad, la Seguridad y la Justicia en la UE (2005/C53/01).

Ahora bien, el propio Consejo Europeo, es consciente de la necesidad de someter la aplicación del principio de disponibilidad al cumplimiento de una serie de "condiciones imprescindibles"; a saber, "el intercambio solamente puede tener lugar para el cumplimiento de tareas legales; debe garantizarse la integridad de los datos que deban intercambiarse; la necesidad de proteger las fuentes de información y de garantizar la confidencialidad de los datos en todas las etapas del intercambio, y ulteriormente; deben aplicarse normas comunes para el acceso a los datos y normas técnicas comunes; debe supervisarse el respeto de la protección de los datos y garantizarse un adecuado control previo y posterior al intercambio de información; debe garantizarse la protección contra el uso indebido de los datos personales y el derecho a la corrección de los datos personales incorrectos".

Pues bien, en relación a la implementación del principio de disponibilidad, la Comisión Europea en su *Comunicación al Consejo y al Parlamento Europeo, de 10 de mayo de 2005, sobre el Programa de la Haya*, donde establece las diez prioridades para el período 2005-2009[11], incluye como segundo de sus objetivos estratégicos la lucha contra el terrorismo; se destaca que la misma "exige un planteamiento integrado y coherente, que abarque una amplia gama de aspectos identificados en el Programa de La Haya. Un ámbito crucial que exige la atención de la Unión es la cooperación entre las distintas autoridades competentes de los Estados miembros, especialmente a la hora de intercambiar información pertinente para la investigación de actividades terroristas". Ahora bien, la propia Comisión en su prioridad 7ª insiste en la necesidad de respetar los derechos a la intimidad y a la protección de datos de los ciudadanos; en concreto, señala que "La Unión debería apoyar y fomentar un diálogo constructivo entre todas las partes interesadas con objeto de identificar soluciones equilibradas, respetando plenamente los derechos fundamentales a la intimidad y a la protección de datos, así como el principio de disponibilidad de la información. Según el principio de disponibilidad, tal como se contempla en el Programa de La Haya, las autoridades de un Estado miembro pondrán a disposición de las autoridades de otro Estado miembro la información que necesiten a efectos represivos, bajo ciertas condiciones. La Comisión presentará propuestas con este fin, entre ellas la posibilidad de consultar recíprocamente las bases de datos de los Estados miembros. En este ámbito, cuando las au-

---

[11]   Programa de La Haya: Diez prioridades para los próximos cinco años. Una asociación para la renovación europea en el ámbito de la libertad, la seguridad y la justicia (COM (2005) 184 final.

toridades policiales o judiciales intercambien información, deberán llegar al equilibrio adecuado entre el derecho a la intimidad y la seguridad".

3.2. *Implementación del principio de disponibilidad*

De conformidad con la previsión contenida en el apartado 2.1 del *Programa de La Haya* que establecía que el principio de disponibilidad debía estar implementado a partir del 1 de enero de 2008, se procedió a la aprobación por parte de las instituciones europeas de una serie de instrumentos que trataban de facilitar el intercambio de datos entre los EEMM en la persecución y prevención criminal.

De entre todas ellas, es especialmente relevante la Decisión Marco 2006/960/JAI de 18 de diciembre de 2006, sobre simplificación del intercambio de información e inteligencia entre los servicios de seguridad de los Estados miembros de la Unión Europea[12]/[13]. El principio básico que inspira esta Decisión Marco es facilitar y simplificar la libre circulación de información e inteligencia entre las autoridades encargadas de garantizar el cumplimiento de la ley, aunque ya en varios de sus considerandos, se resalta la necesidad de alcanzar un equilibrio entre ese intercambio rápido y eficaz de información entre los servicios de seguridad de los EEMM, imprescindible para la lucha contra la delincuencia transfronteriza, y la protección de datos personales de los ciudadanos[14].

Sin ánimo de exhaustividad, puesto que son numerosos los instrumentos que tratan de facilitar el intercambio de información, pueden citarse, la Decisión 2005/671/JAI del Consejo de 20 de septiembre de 2005, relativa al intercambio de información y a la cooperación sobre delitos de terrorismo[15], cuyo objetivo se centra en facilitar el intercambio de información para una eficaz lucha contra el terrorismo[16], en cuanto los servicios nacio-

---

[12]   DO L 386/89.
[13]   Traspuesta a nuestro ordenamiento jurídico por la Ley 31/2010, de 27 de julio, sobre simplificación del intercambio de información e inteligencia.
[14]   Especialmente claro es el considerando 11 cuando señala que "Al perseguir el interés común de los Estados miembros de luchar contra la delincuencia transfronteriza debe hallarse un equilibrio adecuado entre la rapidez y eficacia de la cooperación policial y los principios y normas acordados en materia de protección de datos, libertades fundamentales, derechos humanos y libertades individuales".
[15]   DO L 253/22.
[16]   Así, en el considerando 3, se resalta que "Es esencial, en la lucha contra el terrorismo, que todos los servicios implicados puedan disponer de la información más completa y actualizada, según sus ámbitos de competencia. Los servicios nacionales especializados

nales especializados de los EEMM, las autoridades judiciales y los organismos competentes en la Unión Europea como Europol y Eurojust, tienen una necesidad imperiosa de información para llevar a cabo sus tareas. También debe hacerse referencia a la Decisión 2009/316/JAI del Consejo, de 6 de abril de 2009, por la que se establece el Sistema Europeo de Información de Antecedentes Penales (ECRIS) [17], que permitirá la interconexión electrónica de los registros de antecedentes penales, de manera que el intercambio de información entre EEMM tenga lugar de forma uniforme y sencilla por vía informática. Esta Decisión complementa la Decisión Marco 2009/315/JAI, de 26 de febrero de 2009, relativa a la organización y al contenido del intercambio de información de los registros de antecedentes penales entre los Estados miembros[18]. Además, la Decisión del Consejo 2008/633/JAI de 23 de junio de 2008 sobre el acceso para consultar el Sistema de Información de Visados (VIS) por las autoridades designadas de los Estados miembros y por la Oficina Europea de Policía (Europol) con fines de prevención, detección e investigación de los delitos de terrorismo y otros delitos graves[19].

Mención especial merece la Directiva (UE) 2016/681 del Parlamento Europeo y del Consejo, de 27 de abril de 2016, relativa a la utilización de datos del registro de nombres de los pasajeros (PNR) para la prevención, detección, investigación y enjuiciamiento de los delitos de terrorismo y de la delincuencia grave[20]; en la misma se regula la obligación de las compañías aéreas de recoger primero y suministrar después a las autoridades competentes designadas como Unidad de información sobre pasajeros en cada Estado miembro, los datos de registro de nombres de pasajeros de vuelos internacionales con destino o salida en un Estado miembro, con el objeto de prevenir, detectar, investigar y enjuiciar delitos de terrorismo y otros delitos graves[21].

---

de los Estados miembros, las autoridades judiciales y los organismos competentes en la Unión Europea como Europol y Eurojust, tienen una necesidad imperiosa de información para llevar a cabo sus tareas".

[17]   DO L 93/33.

[18]   DO L 93/23.

[19]   DO L 218/129.

[20]   Sobre el complicado proceso de elaboración y aprobación de la misma, vid. CATALINA BENAVENTE, Mª Ángeles, "La Directiva Europea (UE) 2016/681, de 27 de abril de 2016, relativa a la utilización de los datos por en la lucha contra el terrorismo y la delincuencia grave", *La Ley*, núm. 881, 2016, ref. D-279, www.diario.laley.es

[21]   De acuerdo con el art. 18 Directiva 2016/681, los EEMM tendrán hasta el 25 de mayo de 2018 para la aprobación de las disposiciones legales, reglamentarias y administrativas necesarias para dar cumplimiento a lo dispuesto en misma.

No puede perderse de vista, además que, paralelamente a los trabajos de las instituciones europeas para hacer efectivo el principio de disponibilidad previsto en el *Programa de La Haya*, por iniciativa de tres Estados miembros (Alemania, Bélgica y Luxemburgo) a los que después se unirían otros cuatro (España, Austria, Francia y Holanda), se firma, el 27 de mayo de 2005, el Tratado relativo a la profundización de la cooperación transfronteriza en particular en materia de lucha contra el terrorismo, la delincuencia trasfronteriza y la inmigración ilegal, más conocido como Tratado Prüm, por haberse firmado en esa ciudad alemana[22]/[23]. El Tratado Prüm, en sus arts. 2 a 15, se refiere a tres tipos de ficheros nacionales, permitiendo, a las autoridades de los demás Estados Parte, un acceso inmediato a la información que conste en los mismos, mediante índices de referencia, a través de puntos de contacto. Los tres ficheros contemplados se refieren a los datos de ADN, de identificación dactiloscópica y de registro de matriculación de vehículos nacionales.

Pese a que desde su origen los Estados firmantes del Tratado Prüm manifestaron su intención de que el mismo se integrase en el marco jurídico de la UE[24], su naturaleza jurídica era la de un tratado internacional[25] que finalmente se incorporó al acervo comunitario a través de las Decisiones

---

En fecha de cierre de la edición de esta obra, el Consejo de Ministros ha recibido un informe del Ministro del Interior sobre el Anteproyecto de Ley Orgánica sobre la utilización de los datos del Registro de Nombres de Pasajeros (PNR) para la prevención, detección, investigación y enjuiciamiento de delitos de terrorismo y delitos graves; este Anteproyecto pasa ahora al Consejo de Estado para su preceptivo dictamen.

[22] Posteriormente, se sumaron Bulgaria, Estonia, Finlandia, Hungría, Rumania, Eslovaquia y Eslovenia.

[23] El Acuerdo de ejecución de Prüm se firmó en Dresde el 5 de diciembre de 2006.

[24] Ya en su primer artículo queda clara esa vocación comunitaria: "Como máximo tres años después de la entrada en vigor del presente Tratado, se pondrá en marcha una iniciativa para trasladar las disposiciones del mismo al marco jurídico de la Unión Europea, sobre la base de una valoración de la experiencia realizada en la ejecución del mismo, previo acuerdo con la Comisión Europea o a propuesta de la Comisión Europea y de conformidad con el Tratado de la Unión Europea y el Tratado constitutivo de la Comunidad Europea"

[25] El instrumento de ratificación de España se publicó en el BOE del 25 de diciembre de 2006.
     Al ser parte del Tratado Prüm, España aprobó la LO 10/2007, de 8 de octubre, reguladora de la base de datos policial sobre identificadores obtenidos a partir de ADN.

2008/615/JAI[26] y 2008/616/JAI[27]. La primera de estas Decisiones contiene disposiciones sobre las condiciones y procedimientos de transferencia automatizada de perfiles de ADN, datos dactiloscópicos y ciertos datos de los registros nacionales de matriculación de vehículos, así como sobre las condiciones de suministro de datos relacionados con acontecimientos importantes que tengan una dimensión transfronteriza o con el fin de prevenir atentados terroristas. Esta Decisión se complementa con las disposiciones administrativas y técnicas necesarias que se contienen en la Decisión 2008/616/JAI.

No procede en este momento realizar un examen exhaustivo del contenido de cada una de las disposiciones que en mayor o menor medida suponen la aplicación del principio de disponibilidad, facilitando el intercambio de datos entre los EEMM; sí, en cambio, resulta procedente apuntar una de las deficiencias comunes a todos los instrumentos que han implementado el citado principio y que se concreta en que el mismo fue introducido en su momento inicial sin control democrático en cuanto se incorporó al Programa de la Haya, aprobado por el Consejo Europeo y sin participación del Parlamento Europeo. Otro tanto ocurrió años más tarde con el Programa de Estocolmo (2010-2014) y las Orientaciones estratégicas en materia de Justicia y Asuntos de Interior (2014-2019) en los que tampoco intervino el Parlamento Europeo[28].

4. DECISIÓN MARCO 2008/977, DE 27 DE NOVIEMBRE SOBRE PROTECCIÓN DE DATOS PERSONALES TRATADOS EN EL MARCO DE LA COOPERACIÓN POLICIAL Y JUDICIAL EN MATERIA PENAL EN EL ÁMBITO DE LA UE

De todo lo expuesto en el apartado anterior, se puede concluir que las políticas en materia de cooperación penal y policial de la UE, con poste-

---

[26] Decisión 2008/615/JAI del Consejo de 23 de junio de 2008, sobre profundización de la cooperación transfronteriza, en particular en materia de lucha contra el terrorismo y la delincuencia transfronteriza (DO L 210/1).

[27] Decisión 2008/616/JAI del Consejo, de 23 de junio de 2008, sobre ejecución de la Decisión 2008/615/JAI del Consejo de 23 de junio de 2008 de profundización de la cooperación transfronteriza, en particular en materia de lucha contra el terrorismo y la delincuencia transfronteriza (DO L 210/12).

[28] FIODOROVA, Anna, "La transmisión de información personal y datos personales en la Unión Europea para fines de investigación de delitos…, *op. cit.*, p. 136.

rioridad a los atentados de Madrid y Londres, tenían como objetivo fundamental la lucha eficaz contra el terrorismo de ahí que todas las normas que
se han comentado, en aplicación del principio de disponibilidad, trataban
de facilitar el intercambio de información entre las autoridades encargadas
de la investigación y represión de delitos; si se analizan sus textos con detalle, se verá como sólo en algunos casos se hace alguna advertencia sobre la
necesidad de respetar los derechos fundamentales en juego, en especial, la
intimidad y la protección de datos de carácter personal.

En efecto, hasta la aprobación de la DM 2008/977/JAI, de 27 de noviembre, de protección de datos personales tratados en el marco de la cooperación policial y judicial en materia penal, aunque existía algún instrumento
jurídico que a nivel general trataba de regular la protección de datos personales en el ámbito policial[29], la realidad jurídica estaba formada por toda
una serie de normas de diverso carácter que regulaban la protección de
datos en ámbitos concretos[30]. Por otra parte, no se debe olvidar que en el
contexto europeo, como ya se ha adelantado, a efectos de la salvaguarda de
los derechos a la intimidad y a la protección de datos de carácter personal,
se ha diferenciado entre la protección en el ámbito del derecho privado,
con una regulación general y garantista a través de la Directiva 95/46 del
Parlamento Europeo y del Consejo de 24 de octubre de 1995, relativa a
la protección de las personas físicas en lo que respecta al tratamiento de
datos personales y a la libre circulación de estos datos[31], y la protección en
el ámbito penal y policial.

---

[29] En concreto, el Convenio núm. 108 del Consejo de Europa Convenio de 28 de enero
de 1981 para la Protección de las Personas con respecto al tratamiento automatizado
de datos de carácter personal y la Recomendación R (87) 15 del Comité de Ministros
a los Estados miembros dirigida a regular la utilización de datos de carácter personal
en el sector de la policía.

[30] Así, entre otros, tenían una regulación específica sobre protección de datos Eurojust o
Europol, así como el Sistema de Información Schengen (SIS), el Sistema de Información de Visados (SIV), el Sistema de Información de Huellas Dactilares (EURODAC),
el Sistema de Información Aduanera (SIA) o el Sistema de Información de Antecedentes Penales (ECRIS).

Vid. sobre este tema OUBIÑA BARBOLLA, Sabela, "Cambio de enfoque en la cooperación judicial penal y policial en la UE en relación con la transmisión de datos
personales: las nuevas propuestas normativas y la STJUE de 8 de abril de 2014", en *La
transmisión de datos personales en el seno de la cooperación judicial penal y policial en la Unión
Europea* (dir. Colomer), Pamplona, 2015, pp. 77 y ss.

[31] Así el art. 3.2 Directiva 95/46 excluye expresamente de su ámbito de aplicación "2. Las
disposiciones de la presente Directiva no se aplicarán al tratamiento de datos personales: – efectuado en el ejercicio de actividades no comprendidas en el ámbito de aplicación del Derecho comunitario, como las previstas por las disposiciones de los títulos V

En el contexto descrito, se aprueba la DM 2008/977 que en su considerando 5° destaca que "El intercambio de datos personales en el marco de la cooperación policial y judicial en materia penal, especialmente con arreglo al principio de disponibilidad de la información establecido en el Programa de La Haya, debe basarse en normas claras que aumenten la confianza mutua entre las autoridades competentes y garanticen la protección de la correspondiente información excluyendo toda discriminación respecto de esta cooperación entre los Estados miembros y garantizando al mismo tiempo el pleno respeto de los derechos fundamentales de la persona"; en coherencia con lo anterior, el art. 1 señala que su objetivo se centra en "garantizar un alto nivel de protección de los derechos y libertades fundamentales de las personas físicas y en particular su derecho a la intimidad en lo que respecta al tratamiento de datos personales en el marco de la cooperación policial y judicial en materia penal, contemplada en el título VI del Tratado de la Unión Europea, garantizando al mismo tiempo un alto nivel de seguridad pública".

Pues bien, aunque de forma expresa la DM 2008/977 en el precepto transcrito nos anuncia esa finalidad general de salvaguarda de los derechos fundamentales de las personas, de su lectura se deriva que la misma adolece de una serie de defectos que ponen de manifiesto que su mayor preocupación se centró no tanto en proteger el derecho a la protección de datos sino en facilitar el flujo de información entre los distintos EEMM[32].

Al margen de la consideración anterior, una muestra del objetivo real perseguido por este instrumento normativo, es su propia naturaleza jurídica en cuanto, al tratarse de una Decisión marco, su efecto armonizador sobre la normativa de protección de datos de los EEMM era muy limitada, permitiendo grandes diferencias en el estándar garantista de los sospechosos o acusados en un proceso penal previsto en las normas de transposición de cada uno de los Estados.

---

y VI del Tratado de la Unión Europea y, en cualquier caso, al tratamiento de datos que tenga por objeto la seguridad pública, la defensa, la seguridad del Estado (incluido el bienestar económico del Estado cuando dicho tratamiento esté relacionado con la seguridad del Estado) y las actividades del Estado en materia penal".

[32] ETXEBERRIA GURIDI, José Francisco, "Principio de disponibilidad y protección de datos personales: a la búsqueda del necesario equilibrio en el espacio judicial penal europeo", *Eguzkilore*, núm. 23, diciembre, 2009, pp. 361 y ss.; OUBIÑA BARBOLLA, Sabela, "Cambio de enfoque en la cooperación judicial penal y policial en la UE en relación con la transmisión de datos personales: las nuevas propuestas normativas y la STJUE de 8 de abril de 2014",…, *op. cit.*, pp. 71 y ss.

En concreto, una de las mayores críticas al texto de la DM 2008/977 es que no establecía un régimen de protección completo y homogéneo de los datos personales tratados con fines de prevención, investigación y/o enjuiciamiento de delitos[33]; y esto por dos motivos fundamentales: primero porque la extensión de su ámbito de aplicación se refería sólo a los datos personales trasmitidos o puestos a disposición entre autoridades administrativas, policiales o judiciales de los EEMM en el ámbito de la cooperación penal y policial, pero no cuando esa transmisión se produzca a nivel nacional (art. 1.1 DM 2008/977). Esta situación, sin duda, dificultaba en gran medida la aplicación de sus disposiciones al crear un doble régimen en el tratamiento de los datos, uno interno y otro transnacional, además de provocar una disparidad de criterios en la garantía de los derechos de los ciudadanos en los distintos países de la UE[34].

En segundo lugar, aunque el art. 1.1 DM 2008/977, cuando delimita su ámbito, alude al "tratamiento de datos personales en el marco de la cooperación policial y judicial en materia penal, contemplada en el título VI del Tratado de la Unión Europea", sin embargo, el art. 28 DM 2008/977 restringe su aplicación a determinados actos; a saber, de conformidad con el citado precepto "Cuando algún acto, adoptado en virtud del título VI del Tratado de la Unión Europea antes de la fecha de entrada en vigor de la presente Decisión Marco y que regule el intercambio de datos personales entre los Estados miembros o el acceso de unas autoridades designadas de los Estados miembros a sistemas de información establecidos en virtud del Tratado constitutivo de la Comunidad Europea, establezca condiciones específicas respecto de la utilización de dichos datos por el Estado miembro receptor, estas primarán sobre las disposiciones de la presente Decisión Marco relativas al uso de los datos transmitidos o puestos a disposición por otro Estado miembro". Habrá de acudirse al considerando 39 DM 2008/977 para conocer los actos que quedan excluidos del ámbito de la DM; en concreto, "los que rigen el funcionamiento de Europol, Eurojust, el Sistema de Información de Schengen (SIS) y el Sistema de Información Aduanero (SIA), ni a los que permiten a las autoridades de los Estados

---

[33]   BLASI CASAGRAN, Cristina, "Límites del derecho europeo de protección de datos en el control de fronteras de la UE", *Revista CIDOB d'Afers Internacionals*, núm. 111, p. 134 y ss., www.cidob.org.; OUBIÑA BARBOLLA, Sabela, "Cambio de enfoque en la cooperación judicial penal y policial en la UE en relación con la transmisión de datos personales: las nuevas propuestas normativas y la STJUE de 8 de abril de 2014"..., *op. cit.*, p. 83.

[34]   Esta previsión contrasta con la Directiva 95/46 que sí extendía su ámbito de aplicación a la transmisión de datos a nivel nacional.

miembros acceder directamente a determinados sistemas de datos de otros Estados miembros. Lo mismo se aplica a las disposiciones de protección de datos que rigen la transferencia automatizada de perfiles de ADN, datos dactiloscópicos y datos de los registros nacionales de matriculación de vehículos en virtud de la Decisión 2008/615/JAI del Consejo, de 23 de junio de 2008, sobre la profundización de la cooperación transfronteriza, en particular en materia de lucha contra el terrorismo y la delincuencia transfronteriza"[35].

A lo anterior debe añadirse que la DM 2008/977 tampoco se aplica a los intereses del Estado ni a las actividades específicas de inteligencia en el sector de la seguridad del Estado (art. 1.4).

La conclusión que se extrae de todo lo expuesto es que, como se adelantó, la DM 2008/977 no establece un régimen jurídico unificado en materia de protección de datos en el marco de la cooperación penal del Título VI y, por tanto, no garantiza un umbral mínimo de protección de datos en el ámbito de cooperación policial y judicial europeo.

Otra crítica fundamental al régimen de protección introducido por la DM 2008/977 es la relativa a la inclusión de múltiples excepciones al régimen general de protección de datos personales que se contienen en su articulado.

Es bien cierto que en el contexto de la prevención y persecución criminal, algunas de las garantías y derechos que se contienen en las normas de protección de datos personales pueden verse limitadas en cuando así lo requiere la salvaguarda de otros derechos protegidos por nuestro texto constitucional, como son la justicia y la seguridad de los ciudadanos. Sin embargo, que el derecho a la protección de datos no tenga carácter

---

[35]   Además, debe tenerse en cuenta que el considerando 40 DM 2008/977, en relación a "otras disposiciones sobre protección de datos que figuran en los actos adoptados en virtud del título VI del Tratado de la Unión Europea", establece para ellas un ámbito de aplicación más limitado. Estas, a menudo fijan condiciones particulares para el Estado miembro que recibe información que contenga datos personales de otros Estados miembros en cuanto a los fines para los que puede usar dichos datos, pero para otros aspectos de la protección de los datos se remite al Convenio del Consejo de Europa para la protección de las personas con respecto al tratamiento automatizado de datos de carácter personal o al Derecho nacional. Pues bien, "en la medida en que las disposiciones de estos actos que imponen condiciones a los Estados miembros receptores en cuanto al uso o posterior transferencia de datos personales sean más estrictas que las incluidas en las disposiciones correspondientes de la presente Decisión Marco, esta no debe afectar a las primeras. No obstante, para los demás aspectos deben aplicarse las normas establecidas en la presente Decisión Marco".

absoluto, como ocurre con la mayoría de los derechos fundamentales, no legitima sin más cualquier tipo de restricción de su contenido, sino que, por el contrario, habrán de recogerse expresamente las condiciones y presupuestos de esas limitaciones que, en todo caso, deben ser proporcionales al fin perseguido.

Pues bien, en el ámbito de la cooperación penal y policial, como se verá, algunas limitaciones al régimen general de protección de datos no están explicitadas y concretadas a lo largo del articulado de DM 2008/977 con el rigor y detalle que exige la restricción de un derecho fundamental. No procede en este momento realizar un análisis exhaustivo del contenido de esta disposición, pero sí, destacar alguna de sus carencias que evidencian hasta qué punto el legislador europeo se centró en facilitar el intercambio de datos más que en proteger los derechos de los ciudadanos, como ya se ha apuntado.

Buena muestra de ello son las excepciones al principio de finalidad de la obtención de datos personales. A saber, el art. 3.1 DM 2008/977 establece que "Las autoridades competentes solo podrán recoger datos personales con fines determinados, explícitos y legítimos en el marco de sus funciones y solo podrán tratarlos para el mismo fin con el que se hayan recogido"; del tenor literal de este precepto y en coherencia con lo previsto en el art. 1.2 DM 2008/977, la recopilación de datos se podrá realizar, sin ninguna otra concreción, para los fines genéricos de prevención, investigación, detección o enjuiciamiento de infracciones penales o ejecución de sanciones penales[36].

Continúa señalando el art. 3.1 DM 2008/977 que "el tratamiento de los datos deberá ser lícito y adecuado, pertinente y no excesivo con respecto a los fines para los que se recojan"; se trata de una clara aplicación del principio de proporcionalidad pero sin que el precepto transcrito incluya criterio alguno de aplicación de esa proporcionalidad que legitime el tratamiento[37]; especialmente importante habría sido, como hace la actual Directiva 2016/680 del Parlamento Europeo y del Consejo, de 27 de abril de 2016, por la que se deroga la Decisión Marco 2008/977, la inclusión de una diferenciación entre distintas categorías de interesados tales como perso-

---

[36]   ETXEBERRIA GURIDI, José Francisco, "Principio de disponibilidad y protección de datos personales: a la búsqueda del necesario equilibrio en el espacio judicial penal europeo…, *op. cit.*, p. 365.

[37]   ETXEBERRIA GURIDI, José Francisco, "Principio de disponibilidad y protección de datos personales: a la búsqueda del necesario equilibrio en el espacio judicial penal europeo"…, *op. cit.*, p. 365.

nas respecto de las cuales existan motivos fundados para presumir que han cometido o van a cometer un delito, personas condenadas, víctimas o terceras personas involucradas en una infracción penal (art. 6); o diferenciar entre los datos de acuerdo con su fiabilidad (datos personales basados en hechos y datos personales basados en apreciaciones personales, art. 7.1).

Además, el art. 3.2 DM 2008/977 permite al Estado cesionario "el tratamiento posterior para otros fines" distintos a los que permitieron la transmisión o puesta a disposición pero siempre que: a) el tratamiento no sea incompatible con los fines para los que se recogieron los datos; b) las autoridades competentes estén autorizadas a tratar los datos para tales otros fines con arreglo a la normativa aplicable, y c) el tratamiento sea necesario para ese otro fin y proporcionado a él". Esta previsión debe ponerse en conexión con el art. 11 DM 2008/977 que condiciona ese tratamiento para fines distintos: a) la prevención, la investigación, la detección o el enjuiciamiento de infracciones penales o la ejecución de sanciones penales distintas de aquellas para las que se transmitieron o pusieron a disposición; b) otros procedimientos judiciales y administrativos directamente relacionados con la prevención, la investigación, la detección o el enjuiciamiento de infracciones penales o la ejecución de sanciones penales; c) la prevención de amenazas inmediatas y graves a la seguridad pública, o d) cualquier otro fin, solo con el previo consentimiento del Estado miembro transmisor o con el consentimiento del interesado, otorgados de acuerdo con el Derecho nacional.

De la lectura de los preceptos transcritos se deriva de forma clara que el legislador no ha sido nada exigente a la hora de establecer excepciones al principio de finalidad, permitiéndose de una forma casi general el tratamiento de datos por el Estado cesionario con fines diferentes a los que permitieron su transmisión o puesta a disposición. Baste poner un ejemplo; de acuerdo con el apdo. d) del art. 11 DM 2008/977, el dato transmitido o puesto a disposición puede ser tratado "para cualquier otro fin", esto es, no de prevención o persecución criminal, con el solo consentimiento del Estado transmisor sin otras limitaciones que las previstas en el art. 3.2 DM 2008/977.

Esa posibilidad de que el Estado cesionario pueda utilizar los datos obtenidos para otros fines y para la investigación y enjuiciamiento de otros delitos, desconoce el principio de especialidad, con el consiguiente déficit de garantías para el sospecho o acusado, además de generar grandes reticencias en el Estado cedente[38].

---

[38] GONZÁLEZ CANO, Mª Isabel, "Cesión y tratamiento de datos personales, principio de disponibilidad y cooperación penal en la Unión Europea", en *Cesión de datos perso-*

A todo lo anterior se añade que el art. 13 DM 2008/977 permite que un Estado Miembro que haya recibido datos de otro Estado Miembro los transfiera a un tercer Estado fuera de la UE, sin que se exija que la retransmisión se realice para los mismos fines que permitieron la trasmisión o puesta a disposición inicial entre EEMM; así se deriva de precepto citado que condiciona esa transmisión únicamente a "a) que sea necesario para la prevención, la investigación, la detección o el enjuiciamiento de infracciones penales o para la ejecución de sanciones penales; b) que la autoridad receptora del tercer Estado o el organismo internacional receptor sea competente para la prevención, la investigación, la detección o el enjuiciamiento de infracciones penales o la ejecución de sanciones penales; c) que el Estado miembro que proporcionó los datos haya consentido la transferencia de acuerdo con su Derecho nacional[39]; d) que el tercer Estado u organismo internacional de que se trate garantice un nivel adecuado de protección en el tratamiento de datos previsto"[40].

Pero además de las excepciones al principio de finalidad, otras disposiciones de la DM 2008/977 evidencian que el nivel de protección en la transmisión de datos personales entre los EEMM en el marco de la cooperación penal y policial no era objetivo prioritario del legislador europeo.

Especialmente destacable es el tratamiento de "datos personales que revelen el origen racial o étnico, las opiniones políticas, las convicciones religiosas o filosóficas o la afiliación sindical, de datos relativos a la salud o a la vida sexual", puesto que en el ámbito de la cooperación penal y policial no se parte de la prohibición del tratamiento de esos datos como hace la Directiva 95/46 (art. 8.1); por el contrario, el art. 6 DM 2008/977 condiciona el tratamiento, de un lado, a que sea "estrictamente necesario", sin que se incluya aquí ninguna otra precisión o concreción[41] y, de otro, a que

---

nales y evidencias entre procesos penales y procedimientos administrativos sancionadores o tributarios (dir. Colomer), Pamplona, 2017, p. 54.

[39]   Incluso es posible una retransmisión sin consentimiento previo si la misma "es esencial para la prevención de una amenaza inmediata y grave a la seguridad pública de un Estado miembro o de un tercer Estado o a intereses esenciales de un Estado miembro, y si el consentimiento previo no puede obtenerse a tiempo" (art. 13.2 DM 2008/977).

[40]   Vid. sobre las excepciones al principio de especialidad, OUBIÑA BARBOLLA, Sabela, "Cambio de enfoque en la cooperación judicial penal y policial en la UE en relación con la transmisión de datos personales: las nuevas propuestas normativas y la STJUE de 8 de abril de 2014"..., op. cit., pp. 86 y ss.

[41]   La prohibición del tratamiento de datos contenida en el art. 8.1 Directiva 95/46 no se aplicará de acuerdo con el apdo. 2 del mismo precepto, cuando: a) el interesado haya dado su consentimiento explícito a dicho tratamiento, salvo en los casos en los que la

el Estado receptor "ofrezca garantías adecuadas", lo que genera también grandes dudas teniendo en cuenta la falta de un marco homogéneo de protección en el ámbito policial y judicial penal en los distintos EEMM.

Tampoco el legislador europeo ha sido muy exigente a la hora de plasmar en la DM 2008/977 los derechos que corresponden al titular de los datos que están siendo tratados, dejando en muchos casos su concreta delimitación en manos de los EEMM que, como sabemos, no tienen un estándar común de protección en esta materia. Una muestra de ello es el derecho de información al interesado puesto que aunque el considerando 27 DM 2008/977 parte de la obligación de los EEMM de "garantizar que se informe al interesado de que los datos personales pueden ser, o están siendo, recopilados, tratados o transmitidos a otro Estado miembro con fines de prevención, investigación, detección y enjuiciamiento de infracciones penales o de ejecución de sanciones penales", sin embargo, ese mismo considerando hace una remisión al derecho nacional que "debe determinar las modalidades del derecho del interesado a ser informado, así como las correspondientes excepciones". En coherencia con esto, el art. 16 DM 2008/977 hace remisión al derecho nacional que determinará la extensión concreta del derecho a la información del interesado, pero además incluye la posibilidad de excepcionar ese derecho al permitirse que el Estado transmisor de los datos pueda "pedir que el otro Estado miembro se abstenga de informar", sin incluirse aquí ninguna precisión al respecto[42].

---

legislación del Estado miembro disponga que la prohibición establecida en el apartado 1 no pueda levantarse con el consentimiento del interesado, o b) el tratamiento sea necesario para respetar las obligaciones y derechos específicos del responsable del tratamiento en materia de Derecho laboral en la medida en que esté autorizado por la legislación y ésta prevea garantías adecuadas, o c) el tratamiento sea necesario para salvaguardar el interés vital del interesado o de otra persona, en el supuesto de que el interesado esté física o jurídicamente incapacitado para dar su consentimiento, o d) el tratamiento sea efectuado en el curso de sus actividades legítimas y con las debidas garantías por una fundación, una asociación o cualquier otro organismo sin fin de lucro, cuya finalidad sea política, filosófica, religiosa o sindical, siempre que se refiera exclusivamente a sus miembros o a las personas que mantengan contactos regulares con la fundación, la asociación o el organismo por razón de su finalidad y con tal de que los datos no se comuniquen a terceros sin el consentimiento de los interesados, o e) el tratamiento se refiera a datos que el interesado haya hecho manifiestamente públicos o sea necesario para el reconocimiento, ejercicio o defensa de un derecho en un procedimiento judicial".

[42] Como acertadamente señala ETXEBERRIA GURIDI ("Principio de disponibilidad y protección de datos personales: a la búsqueda del necesario equilibrio en el espacio judicial penal europeo"…, *op. cit.*, p. 366), se echan en falta mayores precisiones acerca de los casos en que se puede limitar el derecho a ser informado.

En cuando al derecho de acceso, de acuerdo con el art. 17 DM 2008/977 todo interesado "tendrá derecho a obtener, sin restricciones y sin retrasos ni gastos excesivos al menos la confirmación, por parte del responsable del tratamiento o de la autoridad nacional de control, de que se han transmitido o puesto a disposición datos que le conciernen, e información sobre los destinatarios o categorías de destinatarios a los que se han remitido los datos y la comunicación de los datos que se están tratando", además de "la confirmación de la autoridad nacional de control de que se han realizado todas las comprobaciones necesarias". Pero nuevamente, el apartado 2 de ese mismo precepto permite, a los EEMM limitar ese derecho de acceso cuando esa limitación "constituya una medida necesaria y proporcionada: a) para evitar que se obstaculicen investigaciones o procedimientos jurídicos o de carácter oficial; b) para evitar que se obstaculice la prevención, detección, investigación y enjuiciamiento de infracciones penales o la ejecución de sanciones penales; c) para proteger la seguridad pública; d) para proteger la seguridad del Estado; e) para proteger al interesado o los derechos y libertades de terceros".

La DM 2008/977 se ocupa de la rectificación, supresión y bloqueo de datos en los arts. 4 y 18, haciéndose nuevamente una remisión al derecho nacional de los EEMM, sin ninguna otra concreción, lo que se muestra como una evidencia más de la falta de protección de los derechos de los sospechosos o acusados en un proceso penal; otro tanto ocurre con los plazos a efectos de la supresión de datos personales o de la comprobación periódica de la necesidad de su conservación (art. 5 DM 977/2008), cuya concreta determinación se deja también a la libre discrecionalidad de los EEMM sin mayores precisiones que serían deseables para una adecuada tutela de los derechos en juego.

5. NUEVA POSICIÓN DE LA UE ANTE EL DERECHO A LA PROTECCIÓN DE DATOS PERSONALES

5.1. Programa de Estocolmo

Como ya se apuntó, el *Programa de La Haya* se elaboró bajo el impacto de los atentados de Madrid y Londres de 2004, que habían motivado la Declaración de Bruselas de 25 de marzo de 2004 sobre *La lucha contra el terrorismo*; al finalizar su vigencia (2005-2009), cuando el Consejo Europeo se reúne en el que sería el *Programa de Estocolmo* para el periodo 2010-2014[43], la situación que debía abordarse era distinta puesto que la amenaza del terrorismo se veía en ese momento más lejana por los ciudadanos europeos; además, desde el punto de vista jurídico, el panorama era también diferente puesto que el Tratado de Lisboa había entrado en vigor el 1 de diciembre de 2009 y, con ello, se abrieron nuevas oportunidades para seguir avanzando en temas de Justicia e Interior, ante la desaparición de los Pilares. A lo anterior, se añadía que la primera década del siglo XXI evidenció que, a la vista del desarrollo tecnológico, las posibilidades de intromisión en la intimidad y de tratamiento no autorizado de datos personales, habían aumentado exponencialmente.

Por todo lo anterior, el *Programa de Estocolmo* supone un cambio importante en la posición de la UE frente al tema de la cesión de datos personales en el ámbito de la cooperación penal y policial puesto que aunque se destaca la vigencia del principio de disponibilidad, se incide en su necesaria compatibilidad con los derechos fundamentales. Consecuentemente "El Consejo Europeo considera que la prioridad para los próximos años será centrarse en los intereses y las necesidades de los ciudadanos. El reto será asegurar el respeto de los derechos y de las libertades fundamentales y la integridad de la persona garantizando al mismo tiempo la seguridad en Europa. Es de vital importancia que las medidas policiales, por una parte, y las medidas destinadas a salvaguardar los derechos individuales, el Estado de Derecho y las normas de protección internacionales, por otra, vayan unidas en la misma dirección y se refuercen mutuamente"[44].

5.2. *Posición de la Comisión Europea*

En coherencia con lo expuesto, en el *Plan de acción por el que se aplica el Programa de Estocolmo*[45], la Comisión Europea, dentro de la protección de los derechos consagrados en la CDFUE, que debería convertirse en el eje de todas las normativas y políticas de la UE, resalta la importancia de proteger la intimidad y el derecho a la protección de datos "en una sociedad

---

[43]   *Programa de Estocolmo. Una Europa abierta y segura que proteja al ciudadano.* (2010/C 115/01).

[44]   Apdo. 1.1 *Programa de Estocolmo.*

[45]   Comunicación de 20 de abril del 2010 de la Comisión al Parlamento Europeo, al Consejo, al Comité Económico y Social Europeo y al Comité de las Regiones, *Garantizar el espacio de libertad, seguridad y justicia para los ciudadanos europeos. Plan de acción por el que se aplica el programa de Estocolmo* (COM (2010) 171 final).

global caracterizada por la rapidez del cambio tecnológico, donde el intercambio de información no conoce fronteras"; más concretamente, se debe "reforzar la posición de la UE en cuanto a la protección de los datos personales en el contexto de todas las políticas de la UE, incluida la represión policial y la prevención de la delincuencia, así como en nuestras relaciones internacionales". A este objetivo general, la Comisión asocia una acción que se concreta en la aprobación de un nuevo marco jurídico global de la protección de datos[46].

En este contexto, el 4 de noviembre de 2010 se presenta la Comunicación de la Comisión al Parlamento Europeo, al Consejo, al Comité Económico y Social Europeo y al Comité de las Regiones, cuyo título *Un enfoque global de la protección de los datos personales en la Unión Europea* nos da una pista de cuál es su contenido y orientación[47]. La Comisión Europea parte de las bondades de la Directiva 95/46/CE, consagrando "dos de las más antiguas ambiciones del proceso de integración europea: por una parte, la protección de los derechos y libertades fundamentales de las personas, en particular, del derecho fundamental a la protección de datos, y, por otra parte, la realización del mercado interior, es decir, en este caso, la libre circulación de datos personales", sin embargo, la evolución tecnológica y la globalización han modificado profundamente nuestro medio y han lanzado nuevos retos en materia de protección de los datos personales.

Precisamente para conocer si la actual legislación podía dar respuesta adecuada a la nueva situación, la Comisión Europea inició un examen del marco jurídico vigente[48]; los resultados obtenidos confirman que los principios fundamentales de la Directiva 96/45 siguen siendo válidos no obstante, se identificaron varios problemas cuya resolución supone retos específicos. Se trata, en especial, de abordar un estudio de las nuevas tecnologías, reforzar la dimensión de mercado interior de la protección de datos, hacer frente a la globalización y mejorar las transferencias internacionales de datos, consolidar las disposiciones institucionales para la aplicación efectiva de las normas sobre protección de datos y mejorar la coherencia del marco jurídico que regula la protección de datos[49].

---

[46]　*Anexo Plan de acción por el que se aplica el Programa de Estocolmo*, p. 11.
[47]　COM (2010) 609 final.
[48]　En concreto, se organizó una conferencia de alto nivel en mayo de 2009, seguida de una consulta pública hasta finales de 2009 y también se iniciaron varios estudios. Vid. notas 3 y 4 de la Comunicación de 20 de abril de 2010.
[49]　Apartado 1 Comunicación de 20 de abril de 2010.

Los retos expuestos requerían un enfoque global de la UE que garantice el respeto del derecho fundamental a la protección de datos; a partir de esta premisa, la Comisión Europea establece los objetivos generales de ese enfoque global entre los que incluye la necesidad de revisar las normas de protección de datos en el ámbito policial y judicial en materia penal[50]. Respecto a esta cuestión en concreto, se resalta la necesidad de trabajar en algunos aspectos de la DM 2008/977 que necesitan ser mejorados; muy especialmente, su reducido ámbito de aplicación al limitarse a la transmisión de datos transfronterizos y no abarcar otros instrumentos de cooperación que tienen sus propias normas de protección de datos; y la excepción demasiado amplia del principio de finalidad.

Pues bien, en desarrollo del *Programa de Estocolmo*, la Comisión Europea elaboró dos propuestas de normativa, que hizo públicas el 25 de enero de 2012, con el objetivo de crear un nuevo marco jurídico de la protección de datos personales; se trataba, de un lado, de la Propuesta de Reglamento del Parlamento Europeo y del Consejo relativo a la protección de las personas físicas en lo que respecta al tratamiento de datos personales y a la libre circulación de estos datos, que derogaba la Directiva 95/46[51]; y, de otro, la Propuesta de Directiva del Parlamento Europeo y del Consejo relativa a la protección de las personas físicas en lo que respecta al tratamiento de datos personales por parte de las autoridades competentes para fines de prevención, investigación, detección o enjuiciamiento de infracciones penales o de ejecución de sanciones penales, y la libre circulación de dichos datos, que dejaba sin efecto la DM 2008/977.

Con estas propuestas la UE mantiene la doble regulación en materia de protección de datos, con una normativa para el ámbito civil y mercantil y otra para la cooperación penal y policial. Es importante resaltar que los instrumentos legales utilizados para la regulación de la protección de datos, Reglamento en el ámbito privado, y Directiva en el contexto de la cooperación penal y policial, muestran el claro objetivo de las instituciones europeas de armonizar la protección de datos y, con ello, garantizar un estándar mínimo de garantías en todos los EEMM, lo que, a su vez redundará en el refuerzo de la confianza entre todos ellos a efectos de facilitar el intercambio de información[52].

---

[50]   Apartado 2.3 Comunicación de 20 de abril de 2010.

[51]   COM (2012) 11 final.

[52]   Sin embargo, en el *Dictamen del Supervisor Europeo de Protección de Datos de 7 de marzo de 2012 sobre el paquete legislativo de reforma de la protección de datos*, el *Supervisor Europeo de Protección de Datos* (en adelante, SEPD) se lamenta de la elección de una directiva para

Habrá que esperar hasta 2016 para que ambas propuestas den lugar, respectivamente, al Reglamento (UE) 2016/679 del Parlamento Europeo y del Consejo de 27 de abril de 2016, relativo a la protección de las personas físicas en lo que respecta al tratamiento de datos personales y a la libre circulación de estos datos y por el que se deroga la Directiva 95/46/CE (Reglamento General de Protección de Datos), y a la Directiva 2016/680 del Parlamento Europeo y del Consejo, de 27 de abril de 2016, relativa a la protección de las personas físicas en lo que respecta al tratamiento de datos personales por parte de las autoridades competentes para fines de prevención, investigación, detección o enjuiciamiento de infracciones penales o de ejecución de sanciones penales, y a la libre circulación de dichos datos y por la que se deroga la Decisión Marco 2008/977/JAI del Consejo.

5.3. Posición del Parlamento Europeo

La posición del Parlamento Europea ante la protección de los datos personales de los ciudadanos es, como suele ser habitual, más garantista que la Comisión Europea; así se pone de manifiesto de forma contundente en su *Resolución de 6 de julio de 2011, sobre un enfoque global de la protección de datos personales en la Unión Europea*[53]; es muy claro a este respecto el considerando F cuando señala que "el nuevo fundamento jurídico establecido en el artículo 16 del TFUE y el reconocimiento en el artículo 8 de la Carta de los Derechos Fundamentales del derecho a la protección de datos personales y, en el artículo 7 del mismo, del derecho de la vida privada y familiar como un derecho autónomo exigen y justifican plenamente un enfoque global de la protección de datos en todos los ámbitos en los que se procesan datos personales, incluido el ámbito de la cooperación policial y judicial en materia penal"[54]. A esto se añade, además, que para el Parlamento Europeo "es posible que exista privacidad y seguridad y que ambas

---

el ámbito de la cooperación penal y policial en lugar de hacerlo a través de un Reglamento como se ha hecho con la protección de datos en el ámbito privado. http://www.edps.europa.eu.
[53] 2011/2025 (INI).
[54] Como señala OUBIÑA BARBOLLA ("Cambio de enfoque en la cooperación judicial penal y policial en la UE en relación con la transmisión de datos personales: las nuevas propuestas normativas y la STJUE de 8 de abril de 2014…, *op. cit.*, p. 97), "un *análisis casi cuantitativo o al peso* revela el importante papel que en la Resolución del Parlamento tiene que la normativa europea proteja los derechos fundamentales, tema al que dedica los apartados D, E, F, K y L)".

son de importancia fundamental para los ciudadanos, lo que significa que no existe necesidad de optar entre ser libre o estar seguro"[55].

El Parlamento Europeo acoge y apoya la Comunicación de la Comisión Europea sobre *enfoque global de la protección* de datos y entiende, en coherencia con la misma, que la Directiva 95/46 representa un "punto de partida ideal" para una legislación europea en la materia. A partir de aquí insiste en varios aspectos relevantes: de un lado, considera imperativo "ampliar la aplicación de las normas generales de protección de datos a los ámbitos de la cooperación policial y judicial, incluso en el contexto del procesamiento de datos a nivel nacional", aunque entiende que podrían incluirse "si fuera estrictamente necesario y proporcionado" algunas limitaciones "perfectamente ajustadas y armonizadas" de determinados derechos de protección de datos de las personas.

Además insta a la Comisión Europea a que, en primer término, asegure que la revisión de la normativa de protección de datos prevé "la plena armonización" que proporcione certidumbre jurídica y un nivel elevado y uniforme de protección a todos los ciudadanos. A este respecto, en el considerando Q, entiende el Parlamento Europeo que un "sistema de protección de datos europeo e internacional sólido constituye el fundamento necesario para el flujo transfronterizo de datos personales, y que las actuales diferencias en la legislación en materia de protección de datos y su aplicación afectan a la protección de los derechos fundamentales y las libertades civiles". En segundo término, que refuerce los derechos de los ciudadanos en relación a sus datos (acceso, rectificación, supresión, bloqueo…) así como las obligaciones del responsable del tratamiento de datos.

5.4. *Posición del TJUE*

5.4.1. STJUE de 8 de abril de 2014

En el cambio de enfoque de la UE sobre la protección de datos personales ha sido esencial la labor del TJUE, en concreto, a través de su Sentencia de 8 de abril de 2014 que resolvió de forma acumulada sendas cuestiones prejudiciales planteadas por la Corte Suprema de Irlanda[56] y la Corte Cons-

---

[55]   Considerando L Resolución del Parlamento.
[56]   Asunto C-293/12.
        El 11 de agosto de 2006, Digital Rights interpuso un recurso ante la High Court en el que afirma ser titular de un teléfono móvil que fue registrado el 3 de junio de 2006 y que utiliza desde esa fecha. Cuestiona la legalidad de las medidas legislativas y adminis-

titucional de Austria[57]. En ambos casos, se solicitaba al TJUE el examen de la Directiva 2006/24, del Parlamento Europeo y del Consejo de 15 de marzo de 2006 sobre la conservación de datos generados o tratados en relación con la prestación de servicios de comunicaciones electrónicas de acceso público o de redes públicas de comunicaciones y por la que se modifica la Directiva 2002/58/CE, a la luz de los artículos 7, 8 y 11 (respeto a la vida privada, protección de datos personales y libertad de expresión) CDFUE[58].

La citada Directiva 2006/24 tiene como objeto armonizar las disposiciones de los EEMM relativas a las obligaciones de los proveedores de servicios de comunicaciones electrónicas de acceso público o de una red pública de comunicaciones en relación con la conservación de determinados datos generados o tratados por los mismos, para garantizar que los datos estén disponibles con fines de investigación, detención y enjuiciamiento de delitos graves, tal como se definen en la legislación nacional de cada Estado miembro.

Al respecto, el TJUE parte de la consideración de que la captación y almacenamiento de datos realizados al amparo de la Directiva 2006/24 limitan los derechos a la vida privada, a la protección de datos personales y

---

trativas nacionales sobre la conservación de datos relativos a comunicaciones electrónicas y solicita al órgano jurisdiccional que declare la nulidad de la Directiva 2006/24 y de la séptima parte de la Ley de Enjuiciamiento Criminal (Delitos de Terrorismo) de 2005 (Criminal Justice (Terrorist Offences) Act 2005), que establece que los proveedores de servicios de comunicaciones telefónicas deberán conservar los datos de tráfico y localización relativos a esas comunicaciones durante el período establecido en la ley para prevenir y detectar delitos, investigarlos y enjuiciarlos, así como para garantizar la seguridad del Estado. La High Court decidió suspender el procedimiento y plantear cuestión prejudicial ante el TJUE al considerar que no puede pronunciarse sobre las cuestiones que se le plantean sobre la legislación nacional sin que se haya examinado la validez de la Directiva 2006/24.

[57]   Asunto C-594/12.

La cuestión prejudicial planteada tiene su origen en varios recursos interpuestos ante el Verfassungsgerichtshof, respectivamente por el Kärntner Landesregierung y los Sres. Seitlinger y Tschohl y otros 11128 demandantes que solicitan la anulación del artículo 102a de la Ley de telecomunicaciones de 2003 (Tekommunikationsgesetz 2003), que fue introducido por la Ley federal por la que se modifica dicha Ley de telecomunicaciones (Bundesgesetz, mit dem das Telekommunikationsgesetz 2003-TKG 2003 geändert wird, BGBl. I, 27/2011) con el fin de transponer la Directiva 2006/24 en el ordenamiento jurídico austríaco. Las partes mencionadas consideran, en particular, que el artículo 102a vulnera el derecho fundamental de los particulares a la protección de sus datos.

[58]   Mediante auto del presidente del TJUE de 11 de junio de 2013, se acordó la acumulación de ambos asuntos.

a la libertad de expresión protegidos en la CDFUE; ahora bien, la cuestión se concreta en analizar si esa limitación podría entenderse justificada por lo establecido en el art. 52 de la propia CDFUE cuando señala que "Cualquier limitación del ejercicio de los derechos y libertades reconocidos por la presente Carta deberá ser establecida por la ley y respetar el contenido esencial de dichos derechos y libertades. Sólo se podrán introducir limitaciones, respetando el principio de proporcionalidad, cuando sean necesarias y respondan efectivamente a objetivos de interés general reconocidos por la Unión o a la necesidad de protección de los derechos y libertades de los demás".

Pues bien, el TJUE considera que la Directiva 2006/24 no lesiona el contenido esencial de los derechos fundamentales a la vida privada (al no ser una norma que permita conocer el contenido de la comunicación electrónica)[59] y a la protección de datos personales (al establecer los EEMM una serie de medidas técnicas y organizativas adecuadas contra la destrucción accidental o ilícita de los datos y su pérdida o alteración accidental, respetuosos con los principios de protección y seguridad de los datos)[60].

Además, la finalidad perseguida por la norma, centrada en asegurar que los datos estén disponibles a efectos de investigación, detección y persecución de delitos graves se considera por el TJUE como un fin legítimo y de interés general; no se puede olvidar que la propia CDFUE en art. 6 reconoce a todas las personas el derecho a la libertad y a la seguridad, de manera que contrapone el primer valor, la libertad, al de seguridad, que es lo que se trata de alcanzar con las medidas incluidas en la comentada Directiva 2006/24[61].

En consecuencia, el TJUE consideró que la cuestión a dilucidar se centraba en la proporcionalidad de las medidas previstas en la Directiva 2006/24. Por tanto, en primer término, era necesario comprobar si la captación y almacenamiento de los datos realizados era adecuada para facilitar

---

[59]   Apdo. 39 STJUE de 8 de abril de 2014.

[60]   Apdo. 40 STJUE de 8 de abril de 2014.

[61]   Como se refleja en los apdos. 41 y 42 STJUE de 8 de abril de 2014, el objetivo principal de la Directiva es contribuir a la lucha contra la delincuencia grave y, en definitiva, garantizar la seguridad pública. De la jurisprudencia del TJUE se desprende que la lucha contra el terrorismo internacional para el mantenimiento de la paz y la seguridad internacionales es un objetivo de interés general de la UE (véanse, en este sentido, las sentencias Kadi y Al Barakaat International Foundation/Consejo y Comisión, C-402/05 P y C-415/05 P, y Al Aqsa/Consejo, C-539/10 P y C-550/10 P). Lo mismo ocurre en lo que respecta a la lucha contra la delincuencia grave para garantizar la seguridad pública (véase, en este sentido, la sentencia Tsakouridis, C-145/09).

el fin de interés general perseguido, esto es, la investigación y persecución de delitos; pues bien el TJUE a la vista del papel fundamental de las comunicación electrónicas en el momento presente, considera que los datos que deben conservarse con arreglo a esta Directiva permiten a las autoridades nacionales competentes para la persecución de delitos disponer de más posibilidades para esclarecer delitos graves y, a este respecto, constituyen por tanto una herramienta útil para las investigaciones penales. En consecuencia, la conservación de tales datos puede considerarse adecuada para lograr el objetivo perseguido por dicha Directiva 2006/24[62].

El segundo punto del juicio de proporcionalidad se concreta en la comprobación de si las medidas que la Directiva 2006/24 prevé relativas a la captación y almacenamiento de información son proporcionales a la injerencia que producen en los derechos a la vida privada y a la protección de datos personales. Pues bien, es precisamente en este punto donde la Directiva 2006/24 no supera el control del TJUE. En efecto, la STJUE resalta que el art. 3 Directiva 2006/24 exige la conservación de todos los datos de telefonía fija o móvil, acceso a internet, correo electrónico y telefonía vía internet, de tal forma que está permitiendo el tratamiento y conservación de datos que afectan prácticamente a toda la población europea, con independencia de que sus conductas estuviesen relacionadas con la posible comisión de un delito, puesto que no establece ninguna excepción ni diferenciación. Además, tampoco exige ninguna relación entre los datos conservado y la amenaza para la seguridad pública y, en particular, la conservación no se limita a datos referentes a un período temporal o zona geográfica determinados o a un círculo de personas concretas que puedan estar implicadas de una manera u otra en un delito grave, ni a personas que por otros motivos podrían contribuir, mediante la conservación de sus datos, a la prevención, detección o enjuiciamiento de delitos graves[63].

Por otra parte, la Directiva 2006/24 no establece criterios para delimitar el acceso de autoridades nacionales a los datos almacenados y su utilización posterior, ni se precisan condiciones materiales ni procedimiento concreto para ello. Además, "el acceso a los datos conservados por las autoridades nacionales competentes no se supedita a un control previo efectuado, bien por un órgano jurisdiccional, bien por un organismo administrativo autó-

---

[62]   Apdo. 49 STJUE de 8 de abril de 2014.
[63]   Apdo. 59 STJUE de 8 de abril de 2014.

nomo, cuya decisión tenga por objeto limitar el acceso a los datos y su utilización a lo estrictamente necesario para alcanzar el objetivo perseguido"[64].

Especialmente relevante en este juicio de proporcionalidad que realiza el TJUE es el tiempo de conservación de los datos, en cuanto el plazo mínimo general de conservación de 6 meses no contiene ningún tipo distinción a la vista de las categorías de datos; además tampoco existe un criterio objetivo para determinar, entre el período mínimo y el máximo (entre 6 y 24 meses), cual es el tiempo en que deben conservarse los datos[65].

Finalmente, se destaca en la STJUE que las reglas relativas a seguridad y protección de los datos conservados por los proveedores de servicios de comunicaciones electrónicas no son suficientes para garantizar el nivel de protección que exige el art. 8 CDFUE y ello especialmente por dos motivos, de un lado, porque la Directiva 2006/24 no garantiza que dichos proveedores apliquen un nivel especialmente elevado de protección y seguridad a través de medidas técnicas y organizativas, autorizarles a tener en cuenta consideraciones económicas al determinar el nivel de seguridad que aplican en lo que respecta a los costes de aplicación de las citadas medidas; de otro, porque la Directiva 2006/24 no obliga a que los datos se conserven en territorio de la UE[66]

En definitiva, la STJUE de 8 de abril de 2014 consideró que la Directiva 2006/24 era incompatible con lo establecido en la CDFUE y, por tanto, debía considerarse inválida y carente de efecto.

5.4.2. STJUE de 21 de diciembre de 2016

Tras la STJUE de 8 de abril de 2014, se presentaron ante el TJUE dos asuntos en relación con la obligación general de conservación de datos de tráfico y localización por parte de los proveedores de servicios de comunicaciones electrónicas en Suecia y Reino Unido[67]; con sendas cuestiones prejudiciales se planteaba el alcance de la citada STJUE sobre las normas nacionales de conservación de datos, a la vista de que el art. 15.1 Directiva 2002/58/CE, relativa al tratamiento de los datos personales y a la protec-

---

[64]   Apdo. 62 STJUE de 8 de abril de 2014.
[65]   Apdos. 63 y 64 STJUE de 8 de abril de 2014.
[66]   Apdos. 67 y 68 STJUE de 8 de abril de 2014.
[67]   Asuntos C-203/15 (Tele2 Sverige AB/Post-och telestyrelsen) y C-698/15 (Secretary of State for the Home Departament/Tom Watson y otros.

ción de la intimidad en el sector de las comunicaciones electrónicas[68], permite a los EEMM adoptar, medidas legislativas en virtud de las cuales los datos se conserven durante un plazo limitado justificado por motivos de, entre otros, la prevención, investigación, descubrimiento y persecución de delitos. En concreto, se planteaba si estaban ajustadas al derecho de la UE las normativas sueca y británica que establecen la conservación generalizada de todos los datos de tráfico y localización de los distintos medios de comunicación electrónica y que prevén el acceso de las autoridades nacionales a esos datos conservados sin unas normas claras que lo regulen y sin supeditar ese acceso a un previo control por parte de un órgano judicial o administrativo.

Las citadas cuestiones prejudiciales se resuelven por la STJUE de 21 de diciembre de 2016; para el TJUE el punto de partida es el art. 15.1 Directiva 2002/58 que debe interpretarse a la luz de los derechos fundamentales garantizados por la CDFUE[69]; a la vista de esta premisa, considera el alto tribunal que la obligación impuesta a los proveedores de servicios de comunicaciones electrónicas, mediante una normativa nacional como la controvertida en el asunto principal, de conservar los datos de tráfico con el fin de hacerlos accesibles, en su caso, a las autoridades nacionales competentes, suscita dudas en cuanto al cumplimiento no sólo de los arts. 7 y 8 CDFUE, que se mencionan expresamente en las cuestiones prejudiciales, sino también al respeto de la libertad de expresión garantizada en el art. 11 CDFUE. Recuerda el TJUE que con arreglo al art. 52.1 CDFUE, cualquier limitación del ejercicio de los derechos y libertades reconocidos por ésta deberá ser establecida por la ley y respetar su contenido esencial; el respeto del principio de proporcionalidad requiere que las limitaciones al ejercicio de esos derechos y libertades sean necesarias y respondan efectivamente a objetivos de interés general reconocidos por la UE o a la necesidad de protección de los derechos y libertades de los demás.

Pues bien, el TJUE, utilizando argumentos similares a los ya expuestos en la STJUE de 8 de abril de 2014, concluye que el art. 15.1 Directiva 2002/58/CE, en relación con los arts. 7, 8, 11 y 52.1 CDFUE debe interpretarse en el sentido de que es contraria al derecho de la UE una normativa nacional: de una parte, "que establece, con la finalidad de luchar contra la delincuencia, la conservación generalizada e indiferenciada de todos

---

[68]   En su versión modificada por la Directiva 2009/136/CE del Parlamento Europeo y del Consejo, de 25 de noviembre de 2009 (DO 2009, L 337).

[69]   Apdo. 91 STJUE de 21 de diciembre de 2016.

los datos de tráfico y de localización de todos los abonados y usuarios registrados en relación con todos los medios de comunicación electrónica"; de otra parte, "que regula la protección y la seguridad de los datos de tráfico y de localización, en particular el acceso de las autoridades nacionales competentes a los datos conservados, sin limitar dicho acceso, en el marco de la lucha contra la delincuencia, a los casos de delincuencia grave, sin supeditar dicho acceso a un control previo por un órgano jurisdiccional o una autoridad administrativa independiente, y sin exigir que los datos de que se trata se conserven en el territorio de la Unión"[70].

6. DIRECTIVA 2016/680 DEL PARLAMENTO EUROPEO Y DEL CONSEJO, DE 27 DE ABRIL DE 2016, POR LA QUE SE DEROGA LA DECISIÓN MARCO 2008/977

6.1. *Orientaciones estratégicas en materia de Justicia y Asuntos de Interior, aprobadas en Bruselas los días 26 y 27 de junio de 2014*

Tras los programas de Tampere, La Haya y Estocolmo, los días 26 y 27 de junio de 2014 se aprueban en Bruselas las *Orientaciones estratégicas en materia de Justicia y Asuntos de Interior*[71]; en las mismas, se deja claro que "En el desarrollo ulterior del espacio de libertad, seguridad y justicia durante los próximos años, será crucial garantizar la protección y la promoción de los derechos fundamentales, incluida la protección de datos, atendiendo al mismo tiempo a los problemas de seguridad, también en las relaciones con terceros países, y adoptar un marco general de protección de datos de la UE a más tardar en 2015".

Se insiste además, de forma reiterada, en la necesidad de garantizar a los ciudadanos un verdadero espacio de seguridad mediante una cooperación policial operativa, destacándose especialmente el refuerzo de los intercambios de información entre las autoridades de los EEMM.

---

[70] Para un estudio detenido de los efectos que esta STJUE puede tener sobre la Ley 25/2007, de 18 de octubre, de conservación y cesión de datos de tráfico y localización en las comunicaciones electrónicas, vid. BALLESTEROS MOFFA, Luis Ángel, "La difícil situación de la Ley 25/2007 de conservación y cesión de datos de tráfico y localización en las comunicaciones electrónicas: la "tala" de su base comunitaria y los desfavorables vientos desde sus homólogas europeas", BIB 2017/12592, http://aranzadi.aranzadidigital.es.

[71] EUCO 79/14.

Seguidamente, en la *Agenda Estratégica para la Unión en tiempos de cambio*, el Consejo Europeo resalta las cinco prioridades para el próximo lustro, siendo una de ellas "una zona de confianza para las libertades fundamentales"[72]; pues bien, en el desarrollo de la misma, se alude a la "prevención y lucha contra la delincuencia y el terrorismo: reprimiendo la delincuencia organizada, como la trata de seres humanos, el contrabando y la ciberdelincuencia; atajando la corrupción; combatiendo el terrorismo y la radicalización, al tiempo que se garantizan los derechos y valores fundamentales, en particular la protección de datos personales".

6.2. Directiva 2016/680 del Parlamento Europeo y del Consejo, de 27 de abril de 2016, por la que se deroga la Decisión Marco 2008/977

La Directiva 2016/680 del Parlamento Europeo y del Consejo, de 27 de abril de 2016, por la que se deroga la Decisión Marco 2008/977, responde, de un lado, a la necesidad de adecuar el marco jurídico de la protección de datos personales a lo prescrito por el Tratado de Lisboa. Así, trata de dar cumplimiento a lo establecido en el art. 16 TFUE que, después de reconocer el derecho de toda persona a la "protección de los datos de carácter personal que le conciernan", impone al Parlamento Europeo y al Consejo la obligación de establecer, con arreglo al procedimiento legislativo ordinario, "las normas sobre protección de las personas físicas respecto del tratamiento de datos de carácter personal por las instituciones, órganos y organismos de la Unión, así como por los Estados miembros en el ejercicio de las actividades comprendidas en el ámbito de aplicación del Derecho de la Unión, y sobre la libre circulación de estos datos. El respeto de dichas normas estará sometido al control de autoridades independientes"[73].

De otro lado, trata de corregir las deficiencias de la DM 2008/977 que se habían evidenciado reiteradamente en los años anteriores, tal como se ha expuesto en los apartados precedentes.

---

[72]   Anexo 1 Conclusiones Consejo Europeo de 26 y 27 de junio de 2014.

[73]   Declaraciones anejas al Acta final de la Conferencia intergubernamental que ha adoptado el Tratado de Lisboa, en la declaración 21 relativa a la protección de datos de carácter personal en el ámbito de la cooperación judicial en materia penal y de la cooperación policial, se señala que "La Conferencia reconoce que podrían requerirse normas específicas para la protección de datos de carácter personal y la libre circulación de dichos datos en los ámbitos de la cooperación judicial en materia penal y de la cooperación policial que se basen en el artículo 16 del Tratado de Funcionamiento de la Unión Europea, en razón de la naturaleza específica de dichos ámbitos".

Finalmente, también responde a las nuevas exigencias del cambio tecnológico producido en los últimos años en relación con los datos personales. De esta necesidad se hace eco el considerando 3º Directiva 2016/680 que se refiere a la "rápida evolución tecnológica y la globalización" que han planteado nuevos retos en el ámbito de la protección de los datos personales. "Se ha incrementado de manera significativa la magnitud de la recogida y del intercambio de datos personales. La tecnología permite el tratamiento de los datos personales en una escala sin precedentes para la realización de actividades como la prevención, la investigación, la detección o el enjuiciamiento de infracciones penales o la ejecución de sanciones penales".

La Directiva 2016/680, ya en su considerando 4º, parte de la necesidad de facilitar la "libre circulación de datos personales entre las autoridades competentes para fines de prevención, investigación, detección o enjuiciamiento de infracciones penales o de ejecución de sanciones penales, incluidas la protección y la prevención frente a las amenazas para la seguridad pública en el seno de la Unión y la transferencia de estos datos personales a terceros países y organizaciones internacionales", pero al mismo tiempo destaca que debe garantizarse "un alto nivel de protección de los datos personales". Al respecto, el considerando 7º resalta que "la protección eficaz de los datos personales en toda la Unión requiere tanto el fortalecimiento de los derechos de los interesados y de las obligaciones de quienes tratan dichos datos personales, como el fortalecimiento de los poderes equivalentes para supervisar y garantizar el cumplimiento de las normas relativas a la protección de los datos personales en los Estados miembros".

Como respuesta a los requerimientos del Consejo, Comisión Europea y Parlamento Europea de garantizar el mismo nivel de protección a través de derechos exigibles en toda la UE, evitando divergencias que dificulten el intercambio de datos, la Directiva 2016/680 "debe establecer normas armonizadas para la protección y la libre circulación de los datos personales tratados con fines de prevención, investigación, detección o enjuiciamiento de infracciones penales o de ejecución de sanciones penales, incluidas la protección y la prevención frente a las amenazas para la seguridad pública. La aproximación de las legislaciones de los Estados miembros no debe debilitar la protección de datos personales que ya se ofrece, sino que, por el contrario, debe tratar de garantizar un alto nivel de protección dentro de la Unión" (considerando 15).

6.2.1. Régimen general de protección de datos en la prevención y persecución criminal

La Directiva 2016/680, como se ha adelantado, trata de dar respuesta a las críticas vertidas sobre la DM 2008/977 durante sus años de vigencia; además, está también influenciada por la jurisprudencia del TJUE sobre la materia. No obstante, como se expondrá a lo largo de estas páginas, pese a lo grandes avances que este texto normativo supone en muchos aspectos, todavía adolece de ciertos defectos que siguen evidenciando el difícil equilibrio entre una efectiva prevención y persecución criminal y la protección de datos del sospecho o acusado.

El primer aspecto a destacar de la Directiva 2016/680 se centra en la extensión de un ámbito de aplicación, cuestión muy criticada de su predecesora, la DM 2008/977. Pues bien, el mismo se concreta en "el tratamiento total o parcialmente automatizado de datos personales, así como el tratamiento no automatizado de datos personales contenidos o destinados a ser incluidos en un fichero" por parte de "las autoridades competentes con fines de prevención, investigación, detección o enjuiciamiento de infracciones penales o de ejecución de sanciones penales, incluidas la protección y la prevención frente a las amenazas contra la seguridad pública" (art. 2.1 y 2 Directiva 2016/680). Por tanto, aunque no se dice de forma expresa, sus disposiciones se aplican al tratamiento de datos personales realizados por las autoridades policiales y judiciales tanto a nivel transfronterizo como nacional, lo que supone un gran avance frente a la DM 2008/977. Además, en la misma línea de los textos anteriores[74], se sigue manteniendo una protección "tecnológicamente neutra"[75], esto es, al margen de las técnicas utilizadas "para evitar que se produzcan graves riesgos de elusión" (considerando 18 Directiva 2016/680).

---

[74] Básicamente, la DM 2008/977 y la Directiva 95/46.

[75] De acuerdo con el considerando 34 Directiva 2016/680 "El tratamiento de datos personales por parte de las autoridades competentes para fines de prevención, investigación, detección o enjuiciamiento de infracciones penales o de ejecución de sanciones penales, incluidas la protección y la prevención frente a amenazas para la seguridad pública, debe abarcar toda operación o conjunto de operaciones con datos personales o conjuntos de datos personales que se lleve a cabo con tales fines, ya sea de modo automatizado o no, y entre las que se incluye la recopilación, registro, organización, estructuración, almacenamiento, adaptación o modificación, recuperación, consulta, utilización, cotejo o combinación, limitación del tratamiento, supresión o destrucción de datos".

Sin embargo, la aplicación de la Directiva 2016/680 sigue siendo limitada puesto que no incluye "el tratamiento de datos personales en el ejercicio de una actividad no comprendida en el ámbito de aplicación del Derecho de la Unión" (art. 2.3); es decir, se excluyen las actividades relacionadas con la seguridad nacional, las actividades de los servicios o unidades que traten cuestiones de seguridad nacional y las actividades de tratamiento de datos personales que lleven a cabo los Estados miembros en el ejercicio de las actividades incluidas en el ámbito de aplicación del título V, capítulo 2, del Tratado de la Unión Europea (considerando 17).

Además, el art. 2.3 Directiva 2016/680 excluye de su ámbito de aplicación también el tratamiento de datos por parte de "las instituciones, órganos u organismos de la Unión" (art. 2.3) y tampoco se verán afectadas las disposiciones específicas relativas a protección de datos en actos jurídicos de la UE que hayan entrado en vigor antes del 6 de mayo de 2016 "en el ámbito de la cooperación judicial en materia penal y de la cooperación policial, que regulen el tratamiento entre los Estados miembros y el acceso de autoridades designadas de los Estados miembros a los sistemas de información establecidos con arreglo a lo dispuesto en los Tratados en el ámbito de la presente Directiva" en el ámbito de la cooperación judicial en materia penal y de la cooperación policial, que regulen el tratamiento entre los Estados miembros y el acceso de autoridades designadas de los Estados miembros a los sistemas de información establecidos con arreglo a lo dispuesto en los Tratados en el ámbito de la presente Directiva" (art. 60 Directiva 2016/680). Por tanto, se mantiene la inaplicación de sus normas de protección, en sentido similar a la DM 2008/977, a Europol o Eurojust o en el ámbito de las Decisiones Prüm, entre otros. Por el contrario, es especialmente importante la aplicación de la Directiva 2016/680 a la transmisión de datos entre la UE e Interpol o a países que hayan destinado miembros a esa organización (considerando 25); con ello se trata de reforzar la cooperación entre la Unión e Interpol facilitando un intercambio eficaz de datos personales, a la vez que se garantiza el respeto de los derechos y libertades fundamentales en relación con el tratamiento de los datos personales.

De esta manera, el afán armonizador de la Directiva 2016/680 tiene un alcance limitado aunque, en todo caso, mejora en gran medida la situación preexistente[76].

---

[76] Este alcance limitado ya se destacaba por el SEPD en su *Dictamen de 7 de marzo de 2012 sobre el paquete legislativo de reforma de la protección de datos* como el principal punto débil

Frente las previsiones contenidas en la DM 2008/977, el art. 4 Directiva 2016/680 recoge de una forma bastante completa los principios generales de protección de datos en la cesión de información en la persecución criminal.

A saber, el aparado a) del art. 4 Directiva 2016/680 exige a los EEMM un tratamiento de los datos personales lícito y legal; para que sea lícito, "debe ser necesario para el desempeño de una función de interés público llevada a cabo por una autoridad competente en virtud del Derecho de la Unión o de un Estado miembro con fines de prevención, investigación, detección o enjuiciamiento de infracciones penales o de ejecución de sanciones penales, incluidas la protección y la prevención frente a las amenazas para la seguridad pública" (considerando 35)[77].

Requiere, en segundo término el apartado b) del art. 4 Directiva 2016/680, de conformidad con el principio de finalidad, que los datos sean "recogidos con fines determinados, explícitos y legítimos, y no ser tratados de forma incompatible con esos fines" de prevención, investigación, detección o enjuiciamiento de infracciones penales o ejecución de sanciones penales, incluidas la protección y la prevención frente a las amenazas para la seguridad pública. Ahora bien, el propio art. 4 en su párrafo 2 Directiva 2016/680 permite el tratamiento de los datos personales, por el mismo responsable o por otro, para fines establecidos en el art. 1.1, distintos de aquel para el que se recojan siempre que el responsable del tratamiento esté autorizado a tratar dichos datos personales para dicho fin de conformidad con el Derecho de la Unión o del Estado miembro y el tratamiento sea necesario y proporcionado para ese otro fin de conformidad con el Derecho de la Unión o del Estado miembro.

Es decir, aunque se permite el tratamiento de datos para un fin distinto a aquel para el que se recogió el dato, se requiere que esa otra finalidad sea de prevención, investigación, detección o enjuiciamiento de infracciones

---

de la Propuesta de Directiva de 2012, cuando señala que "No afecta a muchos de los instrumentos de protección de datos de la UE como las normas de protección de datos para las instituciones y los organismos de la UE, pero tampoco a todos los instrumentos específicos adoptados en el ámbito de la cooperación policial y judicial en materia penal, como la Decisión Prüm y las normas sobre Europol y Eurojust".

[77]   De conformidad con el art. 8 Directiva 2016/680, se exigirá a los EEMM que dispongan que el tratamiento solo sea lícito en la medida "en que sea necesario para la ejecución de una tarea realizada por una autoridad competente, para los fines establecidos en el artículo 1, apartado 1, y esté basado en el Derecho de la Unión o del Estado miembro"; debiendo indicarse en el derecho del Estado "los objetivos del tratamiento, los datos personales que vayan a ser objeto del mismo y las finalidades del tratamiento".

penales o ejecución de sanciones penales; esto es, ya no se permite, como en la DM 2008/977 (arts. 3.2 y 11) el tratamiento de datos para otros fines diferentes desvinculados de la lucha penal contra la criminalidad.

Es más, el art. 9 Directiva 2016/680 autoriza el tratamiento de los datos para fines distintos a los de su recogida y no previstos en el art. 1.1 Directiva 2016/680, pero siempre que ese tratamiento esté autorizado por el derecho de la UE o del Estado miembro, en cuyo caso se aplicará el Reglamento 2016/679, salvo que el tratamiento se efectúe como parte de una actividad que quede fuera del ámbito de aplicación del Derecho de la UE.

El principio de finalidad quebraba especialmente en el texto de la DM 2008/997 en el tratamiento de la transmisión de datos a terceros países, incluso no pertenecientes a la UE, al no exigirse que esa retransmisión se realice para los mismos fines que permitieron la transmisión inicial y sin la realización de ningún control del nivel de protección en el tratamiento de los datos por el tercer Estado.

Pues bien, la trasmisión de datos a un tercer Estado u organización nacional se regula en la Directiva 2016/680 de forma detallada y bastante más garantista que el texto anterior en cuanto se condiciona la transmisión a que la misma sea necesaria para los fines del art. 1.1, que exista autorización previa del Estado que recogió los datos[78] y que la Comisión Europea haya adoptado una decisión de adecuación del nivel de protección de los datos del Estado (art. 36 Directiva 2016/680) o, si no es posible, que se adopten garantías adecuadas con respecto a la protección de datos (art. 37 Directiva 2016/680).

En tercer término, el apartado c) del art. , 4 Directiva 2016/680, en aplicación clara del principio de proporcionalidad, exige que los datos sean "adecuados, pertinentes y no excesivos en relación con los fines para los que son tratados". Especialmente relevante, en relación a esa necesaria proporcionalidad es la inclusión de los arts. 6 y 7.1 Directiva 2016/680 que se refieren respectivamente a distintas categorías de interesados y diferentes categorías de datos dependiendo de su fiabilidad. En concreto, el art. 6 Directiva 2016/680 obliga a los EEMM, "en la medida de lo posible" a dis-

---

[78] Sólo se permitirá la transmisión sin autorización del Estado que recogió los datos cuando sea necesaria a fin de prevenir una amenaza inmediata y grave para la seguridad pública de un Estado miembro, o de un tercer país, o para los intereses fundamentales de un Estado miembro, y la autorización previa no puede conseguirse a su debido tiempo.

poner que el responsable del tratamiento "establezca una distinción clara entre los datos personales de las distintas categorías de interesados, tales como: a) personas respecto de las cuales existan motivos fundados para presumir que han cometido o van a cometer una infracción penal; b) personas condenadas por una infracción penal; c) víctimas de una infracción penal o personas respecto de las cuales determinados hechos den lugar a pensar que puedan ser víctimas de una infracción penal, y d) terceras partes involucradas en una infracción penal como, por ejemplo, personas que puedan ser citadas a testificar en investigaciones relacionadas con infracciones penales o procesos penales ulteriores, o personas que puedan facilitar información sobre infracciones penales, o personas de contacto o asociados de una de las personas mencionadas en las letras a) y b)". Por su parte, el art. 7.1 Directiva 2016/680 establece la necesidad de distinguir entre los datos personales basados en hechos y aquellos otros que lo están en apreciaciones personales.

No contiene, en cambio, ninguna previsión específica en relación al tratamiento de datos de personas especialmente vulnerables como pueden ser los menores de edad o las personas con la capacidad judicialmente limitada.

En cuarto lugar, se requiere también que los datos personales sean exactos y, si fuera necesario, actualizados; al respecto, deben adoptarse todas las medidas razonables para que se supriman o rectifiquen sin dilación los datos personales que sean inexactos con respecto a los fines para los que son tratados (art. 4 d) Directiva 2016/680); en coherencia con esto, los EEMM dispondrán que las autoridades competentes adopten todas las medidas razonables para garantizar que los datos personales que sean inexactos, incompletos o que no estén actualizados, no se transmitan (art. 7.2 Directiva 2016/680).

En quinto lugar, los datos deben ser conservados de forma que permitan identificar al interesado durante un período no superior al necesario para los fines para los que son tratados (art. 4 e) Directiva 2016/680). Ahora bien, los plazos para la supresión de los datos personales estarán fijados por el derecho de los EEMM, con la única indicación de que los mismos sean "apropiados" (art. Directiva 2016/680. Las exigencias de proporcionalidad, sin duda, exigirían una mayor concreción de esos plazos de supresión de los datos.

Y finalmente, los datos deben ser tratados de tal manera que se garantice una seguridad adecuada de los mismos, incluida la protección contra el tratamiento no autorizado o ilícito y contra su pérdida, destrucción o daño accidentales, mediante la aplicación de medidas técnicas u organizativas adecuadas (art. 4 f) Directiva 2016/680).

Debe señalarse que, aunque en la Directiva 2016/680 no se prohíbe el tratamiento de los datos personales que revelen el origen étnico o racial, las opiniones políticas, las convicciones religiosas o filosóficas, o la afiliación sindical, así como el tratamiento de datos genéticos, datos biométricos dirigidos a identificar de manera unívoca a una persona física, datos relativos a la salud o a la vida sexual o las orientaciones sexuales de una persona física, solo se permitirá cuando sea estrictamente necesario, con sujeción a las salvaguardias adecuadas para los derechos y libertades del interesado y únicamente cuando: a) lo autorice el Derecho de la Unión o del Estado miembro; b) sea necesario para proteger los intereses vitales del interesado o de otra persona física, o c) dicho tratamiento se refiera a datos que el interesado haya hecho manifiestamente públicos.

6.2.2. Derechos del interesado

El Capítulo III Directiva 2016/680 desarrolla de forma detallada los derechos que corresponden al interesado cuyo datos están siendo tratados (arts. 12 a 18); no obstante, las excepciones a determinados derechos que se contienen en este articulado ponen en duda el respeto al principio de proporcionalidad.

Se parte en el art. 13.1 Directiva 2016/680 de la obligación general de los EEMM de disponer que el responsable del tratamiento ponga a disposición del interesado al menos la siguiente información: "a) la identidad y los datos de contacto del responsable del tratamiento; b) en su caso, los datos de contacto del delegado de protección de datos; c) los fines del tratamiento a que se destinen los datos personales; d) el derecho a presentar una reclamación ante la autoridad de control y los datos de contacto de la misma; e) la existencia del derecho a solicitar del responsable del tratamiento el acceso a los datos personales relativos al interesado, y su rectificación o su supresión, o la limitación de su tratamiento"[79].

---

[79] Además de la información anterior, el art. 13.2. Directiva 2016/680 señala que "en casos concretos" será necesario poner a disposición del interesado la siguiente "información adicional": "a) la base jurídica del tratamiento; b) el plazo durante el cual se conservarán los datos personales o, cuando esto no sea posible, los criterios utilizados para determinar ese plazo; c) cuando corresponda, las categorías de destinatarios de los datos personales, en particular en terceros países u organizaciones internacionales;

Sin embargo, el mismo art. 13.3. Directiva 2016/680 introduce una excepción al deber general de información de los EEMM al permitirles "adoptar medidas legislativas por las que se retrase, limite u omita la puesta a disposición del interesado de la información"; esta posibilidad está condicionada a que la medida sea "necesaria y proporcional en una sociedad democrática, teniendo debidamente en cuenta los derechos fundamentales y los intereses legítimos de la persona física afectada, para: a) evitar que se obstaculicen indagaciones, investigaciones o procedimientos oficiales o judiciales; b) evitar que se cause perjuicio a la prevención, detección, investigación o enjuiciamiento de infracciones penales o a la ejecución de sanciones penales; c) proteger la seguridad pública; d) proteger la seguridad nacional; e) proteger los derechos y libertades de otras personas".

Esto es, se está permitiendo a los EEMM restringir total o parcialmente el derecho a la información del interesado, al que se puede omitir, retrasar o limitar esa información sin que el precepto haga distinción alguna en atención a las diferentes categorías de interesados cuyos datos pueden ser tratados y que están incluidas en el art. 6 Directiva 2016/680; en otras palabras, la restricción o limitación del derecho a la información será tanto posible en relación al presunto autor de una infracción penal, como a un condenado, a la víctima o a terceras personas implicadas en una infracción criminal como puede ser un testigo[80].

Además, los supuestos que enumera el art. 13.3 Directiva 2016/680 están expuestos de una forma muy general y sin establecer límite temporal alguno dentro del que se pueda mantener la restricción o limitación del derecho a la información[81].

Las dudas sobre la proporcionalidad de esta limitación del derecho de información al interesado son más evidentes a la vista del art. 13.4 Directiva 2016/680 en cuanto permite a los EEMM "adoptar medidas legislativas para determinar las categorías de tratamiento que pueden incluirse, total o parcialmente, en cualquiera de las letras del apartado 3"; esta previsión

---

d) cuando sea necesario, más información, en particular cuando los datos personales se hayan recogido sin conocimiento del interesado".

[80]   Una crítica similar se contenía en OUBIÑA BARBOLLA ("Cambio de enfoque en la cooperación judicial penal y policial en la UE en relación con la transmisión de datos personales: las nuevas propuestas normativas y la STJUE de 8 de abril de 2014" ..., *op. cit.*, p. 105) en relación al texto de la Propuesta de Directiva de 2012.

[81]   GONZÁLEZ CANO, Mª Isabel, "Cesión y tratamiento de datos personales, principio de disponibilidad y cooperación penal en la Unión Europea"..., *op. cit.*, pp. 69 y 70.

abre la puerta a una restricción total o parcial del derecho a la información al interesado por parte de los EEMM en sus propias legislaciones.

Pues bien, esta limitación del derecho a la información del interesado, desproporcionada como se acaba de exponer, conlleva, a su vez, la restricción de los derechos de acceso, rectificación y supresión de los datos personales que, además, son también excepcionados en los arts. 15 y 16 Directiva 2016/680, respectivamente.

El derecho de acceso a los datos está previsto en el art. 14 Directiva 2016/680 que establece que los EEMM reconocerán el derecho del interesado a obtener del responsable del tratamiento "confirmación de si se están tratando o no datos personales que le conciernen" y, en caso de que se confirme el tratamiento, "acceso a dichos datos personales", así como la siguiente información: "a) los fines y la base jurídica del tratamiento; b) las categorías de datos personales de que se trate; c) los destinatarios o las categorías de destinatarios a quienes hayan sido comunicados los datos personales, en particular los destinatarios establecidos en terceros países o las organizaciones internacionales; d) cuando sea posible, el plazo contemplado durante el cual se conservarán los datos personales o, de no ser posible, los criterios utilizados para determinar dicho plazo; e) la existencia del derecho a solicitar del responsable del tratamiento la rectificación o supresión de los datos personales relativos al interesado, o la limitación de su tratamiento; f) el derecho a presentar una reclamación ante la autoridad de control y los datos de contacto de la misma; g) la comunicación de los datos personales objeto de tratamiento, así como cualquier información disponible sobre su origen".

El derecho de acceso a los datos puede verse limitado total o parcialmente en los mismos términos ya expuestos para el derecho de información al interesado (art. 15.1 y 2 Directiva 2016/680), lo que genera las mismas dudas sobre su proporcionalidad. En los supuestos de denegación o limitación del acceso, los EEMM dispondrán que "el responsable del tratamiento informe por escrito al interesado, sin dilación indebida" indicando las razones de la denegación o de la restricción. Ahora bien, esta información podrá omitirse cuando el suministro de dicha información pueda comprometer uno de los fines contemplados en el art. 15.1 Directiva 2016/680, que son los mismos que pueden provocar la restricción del derecho y que, como ya se ha expuesto, están establecidos de forma excesivamente genérica[82].

---

[82] El apartado 4 del mismo art. 15 Directiva 2016/680 añade que "Los Estados miembros velarán por que el responsable del tratamiento documente los fundamentos de hecho

Los derechos de rectificación y supresión de los datos personales están recogidos en el art. 16 Directiva 2016/680; en concreto, el apartado 1 señala que los EEMM "reconocerán el derecho del interesado a obtener del responsable del tratamiento sin dilación indebida la rectificación de los datos personales que le conciernan cuando tales datos resulten inexactos. Teniendo en cuenta la finalidad del tratamiento, los Estados miembros dispondrán que el interesado tenga derecho a que se completen los datos personales cuando estos resulten incompletos, en particular mediante una declaración suplementaria". Por su parte, el apartado 2 del citado precepto establece que "exigirán al responsable del tratamiento suprimir los datos personales sin dilación indebida y dispondrán el derecho del interesado a obtener del responsable del tratamiento la supresión de los datos personales que le conciernan sin dilación indebida cuando el tratamiento infrinja los artículos 4, 8 o 10, o cuando los datos personales deban ser suprimidos en virtud de una obligación legal a la que esté sujeto el responsable del tratamiento"[83]. En los supuestos de denegación de rectificación o supresión de los datos personales o de limitación de su tratamiento, los EEMM deberán informar al interesado indicando las razones de la denegación. Además, se permite a los EEMM la adopción de "medidas legislativas por las que se restrinja, total o parcialmente, la obligación de proporcionar tal información, siempre y cuando dicha limitación del tratamiento constituya una medida necesaria y proporcional en una sociedad democrática, teniendo debidamente en cuenta los derechos fundamentales y los intereses legítimos de la persona física afectada, para alcanzar los fines incluidos en el at. 16.4 Directiva 2016/680, que son idénticos a los que permiten la restricción del derecho y que ya han sido objeto de crítica anteriormente.

Termina este Capítulo III, dedicado a los derechos del interesado, con dos normas que tratan de reforzar esos derechos. En primer término, el art. 17 Directiva 2016/680 establece que los EEMM, en caso de restricción de los derechos de información, acceso, rectificación o supresión de datos realizada al amparo de los arts. 13.3, 15.3 y 16.4 Directiva 2016/680, res-

---

o de Derecho en los que se sustente la decisión. Dicha información se pondrá a disposición de las autoridades de control".

[83] "En lugar de proceder a la supresión, el responsable del tratamiento limitará el tratamiento de los datos personales cuando: a) el interesado ponga en duda la exactitud de los datos personales y no pueda determinarse la exactitud o inexactitud, o b) los datos personales hayan de conservarse a efectos probatorios. Cuando el tratamiento esté limitado en virtud del párrafo primero, letra a), el responsable del tratamiento informará al interesado antes de levantar la limitación del tratamiento" (art. 16.3 Directiva 2016/680).

pectivamente, deben disponer que los derechos del interesado también puedan ejercitarse a través de la autoridad de control competente; posibilidad de la que debe ser informado el interesado. En los supuestos en que el interesado decida ejercer su derecho a través de la autoridad de control, ésta, le informará de que se han efectuado todas las comprobaciones necesarias o la revisión correspondiente. Además, también le informará de su derecho a la tutela judicial.

Finalmente, el art. 18 Directiva 2016/680 establece la facultad de que los EEMM dispongan que "el ejercicio de los derechos a los que se hace referencia en los artículos 13, 14 y 16 se lleve a cabo de conformidad con el Derecho del Estado miembro cuando los datos personales figuren en una resolución judicial o en un registro o expediente tramitado en el curso de investigaciones y procesos penales".

Fuera ya del Capítulo III, los arts. 52 y ss. Directiva 2016/680, dentro del Capítulo VIII, rubricado "Recursos, responsabilidad y sanciones", prevé una serie de mecanismos de tutela del derecho de protección de datos del interesado tal y como está configurado en la propia Directiva.

En concreto, se establece la obligación de los EEMM de disponer que todo interesado "tenga derecho a presentar una reclamación ante una única autoridad de control, si considera que el tratamiento de sus datos personales infringe las disposiciones adoptadas en virtud de la presente Directiva"[84], sin perjuicio de otros recursos administrativos o judiciales (art. 52 Directiva 2016/680). A su vez, los EEMM también deberán reconocer el derecho a la tutela judicial efectiva "contra una resolución jurídicamente vinculante de una autoridad de control" (art. 53 Directiva 2016/680). Además, sin perjuicio del derecho a reclamar contra la autoridad de control, los EEMM "reconocerán el derecho que asiste a todo interesado a la tutela judicial efectiva si considera que sus derechos establecidos en disposiciones adoptadas con arreglo a la presente Directiva han sido vulnerados como consecuencia de un tratamiento de sus datos personales no conforme con esas disposiciones" (art. 54 Directiva 2016/680).

---

[84] Como señala el Considerando 75 Directiva 2016/680 "La creación en los Estados miembros de autoridades de control que ejerzan sus funciones con plena independencia constituye un elemento esencial de la protección de las personas físicas en lo que respecta al tratamiento de datos personales. Las autoridades de control deben supervisar la aplicación de las disposiciones adoptadas en aplicación de la presente Directiva y deben contribuir a su aplicación coherente en toda la Unión, con el fin de proteger a las personas físicas en relación con el tratamiento de sus datos personales".

De lo expuesto debe concluirse que la nueva Directiva de protección de datos en el ámbito de la prevención y persecución criminal, supone un avance significativo frente a su predecesora DM 2008/977, que adolecía de grandes defectos que la hacía ineficaz, sobre todo, a la vista de su limitado ámbito de aplicación pero también por las excepciones a los principios básicos que deben regir la protección de datos de los ciudadanos. Sin embargo, las instituciones europeas no han atendido a los requerimientos del TJUE que, en sus últimas sentencias, ha puesto de manifiesto la necesidad de respetar el principio de proporcionalidad en la adopción de las limitaciones del derecho a la protección de datos. No cabe duda de que la prevención de delitos y su persecución tienen como objetivo esencial la seguridad en el espacio europeo y que su consecución es un fin legítimo de la UE y, al mismo tiempo, una prioridad que puede llevar a una limitación de determinados derechos, como los de privacidad o protección de datos, que no son absolutos; pero no es menos cierto que esas limitaciones deben ser proporcionales al fin perseguido y es aquí donde el texto de la Directiva 2016/680 quiebra de una manera clara. En palabras del propio SEPD "todo desvío de las normas generales de protección de datos debería quedar debidamente justificado por una ponderación equilibrada entre el interés público de aplicación de las leyes y los derechos fundamentales de los ciudadanos"[85].

BIBLIOGRAFÍA

ALLÍ TURRILLAS, Ignacio, *Prevención de la delincuencia grave y organizada en la Unión Europea. De la cooperación a la integración*, Madrid, 2016.

BALLESTEROS MOFFA, Luis Ángel, "La difícil situación de la Ley 25/2007 de conservación y cesión de datos de tráfico y localización en las comunicaciones electrónicas: la "tala" de su base comunitaria y los desfavorables vientos desde sus homólogas europeas", BIB 2017/12592, http://aranzadi.aranzadidigital.es

BLASI CASAGRAN, Cristina, "Límites del derecho europeo de protección de datos en el control de fronteras de la UE", Revista CIDOB d'Afers Internacionals, núm. 111, p. 127 y ss., www.cidob.org

CABEZUDO BAJO, Mª. José, "La protección de datos personales tratados en el marco de la cooperación policial y judicial en materia penal", en *La justicia y la carta de derechos fundamentales de la Unión Europea* (coord. De la Oliva Santos, Aguilera Morales, Cubillo López) 2008, pp. 327 y ss.

---

[85] *Dictamen del SEPD de 7 de marzo de 2012 sobre el paquete legislativo de reforma de la protección de datos*

CATALINA BENAVENTE, Mª Ángeles, "La Directiva Europea (UE) 2016/681, de 27 de abril de 2016, relativa a la utilización de los datos por en la lucha contra el terrorismo y la delincuencia grave", *La Ley*, núm. 881, 2016, ref. D-279, www.diario.laley.es.

COLOMER HERNÁNDEZ, Ignacio (dir.), *La transmisión de datos personales en el seno de la cooperación judicial penal y policial en la Unión Europea*, Pamplona, 2015.

COLOMER HERNÁNDEZ, Ignacio (dir.), *Cesión de datos personales y evidencias entre procesos penales y procedimientos administrativos sancionadores o tributarios*, Pamplona, 2017.

DE HOYOS SANCHO, Montserrat, "Profundización de la cooperación transfronteriza en la Unión Europea: obtención, registro e intercambio de perfiles de ADN en sospechosos", en *Espacio Europeo de libertad, seguridad y justicia: últimos avances en cooperación judicial penal* (coord. Arangüena Fanego), Valladolid, 2010, pp. 151 y ss.

ETXEBERRIA GURIDI, José Francisco, *Principio de disponibilidad y protección de datos personales: a la búsqueda del necesario equilibrio en el espacio judicial penal europeo*, EGUZKILORE Número 23, diciembre, 2009, pp. 351 y ss.

FREIXES SANJUAN, T., "Derechos Fundamentales en la Unión Europea. Evolución y perspectiva: la construcción de un espacio jurídico europea de los derechos fundamentales", Revista de Derecho Constitucional Europeo", núm. 4, 2005, pp. 48 y ss.

GALÁN MUÑOZ, Alfonso, "La protección de datos de carácter personal en los tratamientos destinados a la prevención, investigación y represión de delitos: hacia una nueva orientación de la política criminal europea", Diario La Ley, núm. 8356, 2014.

GONZÁLEZ VIADA, Natacha, *Derecho Penal y globalización. Cooperación penal internacional*, Madrid, 2009.

GUTIÉRREZ ZARZA, Ángeles, "El régimen de protección de datos de las agencias del espacio LSJ", en *El control de las agencias del Espacio de Libertad, Seguridad y Justicia. Contrapeso necesario a su autonomía* (Blasi Casagran e Illamola Dausà), Madrid, 2016, pp. 135 y ss.

PÉREZ FRANCESCH, Joan Lluis, "Cooperación penal y policial en la Convención de Prüm", *Revista de Derecho Constitucional Europeo*, núm. 7, 2007, pp. 119 y ss.

PÉREZ GIL, José, "Cesión de datos personales en la investigación penal. Una propuesta para su inmediata inclusión en la Ley de Enjuiciamiento Criminal", Diario La Ley, núm. 7401, 2010.

PÉREZ-LUÑO ROBLEDO, Enrique César L.E., *El procedimiento de habeas data. El derecho procesal ante las nuevas tecnologías*, Madrid, 2017.

RALLO LOMBARTE, Artemi, GARCÍA MAHAMUT, Rosario. (coords.), *Hacia un nuevo Derecho Europeo de Protección de Datos*, Valencia, 2015.